Alibi
NA SZCZĘŚCIE

ANNA FICNER-OGONOWSKA

Wydawnictwo Znak
Kraków 2012

Projekt okładki
Magdalena Kuc

Fotografia na stronie 1 okładki
© Lisa Thompson / FoodPix / Corbis / FotoChannels

Fotografia na stronie 4 okładki
Anna Soroka

Opieka redakcyjna
Anna Rucińska

Redakcja
Agnieszka Rudziewicz

Adiustacja
Bogumiła Gnyp

Korekta
Barbara Gąsiorowska

Opracowanie typograficzne
Daniel Malak

Łamanie
Piotr Poniedziałek

ISBN 978-83-240-2247-2

znak

Książki z dobrej strony: www.znak.com.pl
Społeczny Instytut Wydawniczy Znak, 30-105 Kraków, ul. Kościuszki 37
Dział sprzedaży: tel. (12) 61 99 569, e-mail: czytelnicy@znak.com.pl

Ta książka to suma moich największych wzruszeń.

Anna Ficner-Ogonowska

Mądra, pięknie napisana, przesiąknięta głębokimi uczuciami historia przyjaźni i niespodziewanej, nieoczekiwanej miłości. Książka, o której długo nie można zapomnieć. Opowieść o przeznaczeniu zasłuchanym w szum morza...

Danuta Stenka

Jeżeli chcecie poznać opowieść o tym, z jaką determinacją mężczyzna może walczyć o miłość kobiety, która nie potrafi się tej miłości poddać, to z pewnością jest to lektura dla Was.

Chwilami pogodna, chwilami wzruszająca historia rodzącego się uczucia. *Love story*, którą czyta się jak kryminał.

Artur Żmijewski

Opowieść, przy której wszystko staje się nieważne. Kolejny referat, wykład za godzinę, a może nawet najważniejszy egzamin w sesji. Nieważne. Po prostu musisz wiedzieć, co będzie dalej... No i Dominika, oddałabym wszystko za taką przyjaciółkę!

(Monika, studentka, 22 lata)

Pyszne ciasto, herbata i to, co najważniejsze: szczera rozmowa przy stole – to prawdziwe lekarstwa na sercowe problemy. Pani Irenka udowadnia, że po porcję życiowej mądrości warto udać się do starszych i bardziej doświadczonych kobiet.

Podkradłam tę książkę córce i nie mogłam się oderwać.

(Grażyna, mama Moniki, 50 lat)

Niezwykła, wzruszająca powieść, którą czytałam z przyjemnością, a nie z poczucia redaktorskiego obowiązku. *Alibi na szczęście* porwało mnie przede wszystkim jako czytelniczkę. To nie jest kolejna przesłodzona opowieść z łatwym zakończeniem i nie da się jej tak po prostu odłożyć na półkę.

(redaktorka Znaku, 35 lat)

Bo moja miłość równie jest głęboka
Jak morze, równie jak ono bez końca;
Im więcej ci jej udzielam, tym więcej
Czuję jej w sercu.

William Szekspir
Romeo i Julia
(tłum. Józef Paszkowski)

... Pomarańcz...

Obudziła się. Przez zamknięte powieki docierał do niej ciepły pomarańczowy kolor słońca. Po chwili ostrożnie otworzyła oczy. Morze jak zwykle było wyjątkowe. W oddali spokojne, przy brzegu bardziej dynamiczne. Widziała już różne morza, jednak Bałtyk miał niezwykły urok i atmosferę, których nie spotkała w żadnym innym zakątku świata. Piękne, jasne plaże, dostępne dla wszystkich, szumiące lasy i wydmy, prawie biały piasek wyrzucany przez fale. Tylko muszle znajdowała tu biedniejsze niż gdzie indziej. Małe, delikatne, jasne, jasnoszare. Gdy były jeszcze mokre, wyglądały pięknie, jednak wysuszane przez nadmorski wiatr znacznie traciły na urodzie.

To już rok...
Dokładnie rok...
Tylko rok...

Bardzo lubiła taką pogodę jak dziś. Od czasu do czasu zza chmur wyglądało słońce. Wiał przyjemny wiaterek. Było ciepło, ale nie gorąco. Przyjemnie... Słyszała kojący szum fal. Niezrozumiałe głosy niesione przez wiatr. Szczekającego labradora w piaskowym kolorze pasującego do wydmy, na której stał. Siedziała na swoim ulubionym leżaku, tu gdzie zwykle. Z dala od przeludnionej i rozkrzyczanej plaży. Brzegiem morza spacerowali amatorzy dłuższych wędrówek. Gdy na nich patrzyła, udzielał się jej ich spokój. Starsi państwo, idący pod rękę, w ciszy. Młode małżeństwo z dwójką sympatycznych dzieciaczków, uciekających przed falami. Mężczyzna w średnim wieku z ogromnym kudłatym psem na poobiedniej przebieżce. Siedząc tu, mogła jednocześnie patrzeć na morze, ludzi, niebo, na rozciągający się w dali klif albo po prostu czytać. Kochała to miejsce.

O smutny, smutny dniu! O dniu żałosny!
Najopłakańszy, najniefortunniejszy,
Jaki widziałam w życiu kiedykolwiek!
O dniu! o smutny dniu! O dniu żałosny!
Nie było nigdy jeszcze dnia takiego.
*O! Stokroć smutny dniu, stokroć żałosny!**

Minął rok od dnia, gdy jej dotychczas pedantycznie poukładane życie nagle się rozsypało. Aż rok. Dopiero rok. Wciąż oddychała z trudem, ale wiedziała, że aby żyć, musi wyznaczać sobie kolejne cele, układać schematy dni, pamiętać o posiłkach, spotykać się z Dominiką, zacząć myśleć o pracy. Musiała skupiać swoje myśli na przyszłości, żeby nawet ukradkiem nie zerkać na to, co było, co jest. Każdego dnia upominała samą siebie, że nie może rozpamiętywać... Dominika tysiące razy namawiała ją na wizytę u jakiegoś psychologa. Ona jednak była pewna, że są uczucia i sprawy, z którymi musi poradzić sobie sama. Przede wszystkim nie potrafiłaby o nich mówić. Czas leczy rany, mówili wszyscy życzliwi. Jednak w jej wypadku smutek i żałoba mieszkały w sercu, a nie w kalendarzu. Tak myślała wtedy... Tak myślała również dziś.

Zrobiło się chłodniej. Żałowała, że już jutro musi wyjechać. Gdyby nie postawiła jedynki temu nadętemu przystojniakowi Starskiemu, mogłaby spędzić jeszcze kilka dni w tym boskim miejscu, a tak, chcąc nie chcąc, musiała wracać do Warszawy, żeby grzecznie stawić się na egzaminie poprawkowym. Nic nie mogła poradzić na to, że nie potrafiła patrzeć przez palce

* To motto i wszystkie następne są cytatami z *Romea i Julii* w przekładzie Józefa Paszkowskiego.

na nieróbstwo. Zwłaszcza wtedy gdy nierobem okazywał się młody i inteligentny człowiek, którego było stać na wiele. Obiecała sobie, że jeszcze jutro przyjdzie tu na krótki spacer. Popatrzy na słońce. Dotknie stopami piasku. Pozwoli smagać się wiatrowi, a potem wsiądzie do samochodu i wróci do ogromnego i pustego domu. Powinna zatelefonować do Dominiki. Wstała niechętnie i złożyła leżak. Całą sobą czuła, że nadchodzi koniec wakacji. Musiała wracać do swojego życia i udawać silną, pogodzoną z losem i radzącą sobie ze wszystkim. Nie miała innego wyjścia, życie nie czekało. Może i dobrze...

– No, jesteś, Hanuś! Już myślałam, że się na ciebie nie doczekam – wyrecytowała pani Irenka, jak zwykle radośnie, i wzięła się pod swoje mięciutkie boczki.

Pani Irenka kojarzyła się jej z wakacjami, ciepłem i dobrym jedzeniem. Odkąd Hania pamiętała, zawsze przyjeżdżała z rodzicami do jej pięknego domu nad morzem. Od lat mieszkała w tym samym pokoju. Był jej ulubionym, ponieważ gdy otwierała w nim okno, niezmiennie było słychać szum fal. Nawet w te dni, w które morze było spokojne i przypominało ogromne jezioro. To od pani Irenki dostała swoją pierwszą dużą muszlę, która w Warszawie przypominała jej morską melodię. Każdego wieczoru przykładała ją z nabożeństwem do ucha i słuchała, wyciszając się po trudach mijającego dnia. Ubiegłoroczne wakacje też spędziła tu z rodzicami. Była jednak krócej niż zwykle, ponieważ mieli z Mikołajem mnóstwo innych letnich planów. Pani Irenka nigdy nie poznała Mikołaja...

– Myj ręce i siadaj – rozkazywała. – Wszystko jest ciepłe. Szkoda tylko, że już musisz jechać. Zawsze o tobie myślę, dziecko. Jak ty tam sama, w tej Warszawie, żyjesz. Ja tu też sama jestem, ale w głowie mam, że dzieciom dobrze. Rodziny swoje mają, dzieciaczki zdrowe. A i z Karolem swoje przeżyłam. Choć, jak to z chłopem, bywało różnie... Zobaczysz, Hanuś, Pan Bóg jest dobry. Teraz się nie ułożyło, ale On już na pewno swój plan ma. – Mówiąc to, pani Irenka zapatrzyła się na swoje spracowane ręce.

– Pani Irenko, mam nadzieję, że przynajmniej On go ma, bo ja teraz w tym nie jestem najlepsza. Kiedyś wszystko miałam zaplanowane w najmniejszych szczegółach. Nawet tych nieważnych. Dziś wiem, że ludzkie plany są niczym w stosunku do planów boskich. Mam tylko cichą nadzieję, że ten drugi plan będzie lepszy od pierwszego – westchnęła ciężko.

– Hanusiu, ty słuchaj mnie, starej. Wiem, co mówię. A teraz jedz, bo zmarniałaś od tamtego roku. Musisz dbać o siebie. Jeść. Ładna z ciebie kobieta, tylko trochę za drobna. Wiesz, mężczyźni to lubią, jak kobieta ma wszystko na swoim miejscu. Mój Karol, Panie świeć nad jego duszą, to zawsze powtarzał, że się ze mną ożenił, bo usiąść na czym miałam, i wiedział, że dzieci głodne nie będą, bo oddychać też miałam czym. Ty też się chłopom podobasz, tego jestem pewna. Ale trochę ciała nie zaszkodziłoby na siebie włożyć, ładnie się zaokrąglić, kochana ty moja. – Pani Irenka uśmiechnęła się ciepło i pogłaskała ją po głowie, zupełnie jakby Hania znów miała sześć lat, a nie o dwadzieścia więcej.

– Szczerze mówiąc, pani Irenko, to ja nie myślę o mężczyznach i nie wydaje mi się, żebym w najbliższym czasie zaczęła się nimi interesować. Ten temat mnie już raczej nie dotyczy. Kiedy żyła babcia, mówiła mi często, że człowiek jest jak kamień, zniesie wszystko. Ja teraz czuję się właśnie jak taki kamień. Zniosłam wszystko. Jestem... staram się – poprawiła się szybko – być silna, ale chyba czuję mniej niż kiedyś.

– Oj, nie gadaj głupot! – nerwowo przerwała jej pani Irenka. – Nie czujesz, bo jeszcze po tym wszystkim nie pojawił się żaden na twojej drodze. Wspomnisz moje słowa, plan na pewno już jest. A Pan Bóg czeka tylko na dobry moment. Nie będziesz wiedziała, kiedy i skąd, a miłość przyjdzie i nie będziesz już miała nic wspólnego z jakimś tam kamieniem. Słuchaj mnie, niejedno w życiu widziałam. – Skończyła swój wywód z zagadkowym uśmiechem.

– Nie jest pani stara, pani Irenko, tylko wcześniej urodzona, to po pierwsze, a po drugie, jest pani kochana. Będzie mi pani brakowało w tej Warszawie... – Musiała przestać mówić, bo głos zaczął się jej niebezpiecznie trząść.

– Zapamiętaj sobie, moje dziecko, jak tylko będzie ci źle, to rzucaj wszystko i przyjeżdżaj do mnie. Jestem tu zawsze, przecież wiesz. A jakby mnie nie było, to szukaj mnie w kościele. Omawiam tam różne sprawy z Bogiem. Twoje też. – Głos pani Irenki wpadł w lekką wibrację.

Podobnie jak ona, Hania nie potrafiła ukrywać uczuć. Doskonale wiedziała, jak bardzo jej będzie brakowało ciepła tej kobiety w warszawskim życiu. Pani Irenka, jak nikt inny, potrafiła wlewać w nią spokój. Hektolitrami. Jej doświadczenie i prostota w postrzeganiu świata i ludzi wyzwalała w Hani przekonanie, że trzeba wierzyć w przyszłość. Musiała tylko o tym pamiętać, zakodować to w sobie. Przetransportować tę wiedzę do Warszawy, w której nic nie wydawało się tak proste jak tu, u pani Irenki.

– A jeszcze zabieraj z sobą tę wariatkę, Dominikę. Ona też przecież sama na świecie. A zobacz, uśmiechnięta, wiecznie zadowolona. Ta to umie chwytać byka za rogi! Dobrze, że ją tam masz. Czasami obca osoba jest bliższa niż najbliższa rodzina. Zobacz, Hanuś, tyle lat znałam twoich rodziców i nigdy nie usłyszałam od nich złego słowa. Czekałam tu zawsze na was jak na najbliższych. Teraz tak czekam na dzieci. A, wstyd się przyznać, z własną siostrą nie mogę się dogadać. Jej się wydaje, że jak w domu mieszkam i letników przyjmuję, to już wielka pani i bogaczka jestem. A ona, biedna, całe życie w bloku. Ale to ona jest ta ważniejsza, co nosem o chmury zahacza. Mówię ci, Hanuś... Zachowuje się tak, jakby mi ktoś to wszystko, co mam, dał w prezencie. Przecież my na ten dom to z Karolem całe życie pracowaliśmy. A kiedyś to czasy były inne. Nie to, co teraz, idziesz i masz. Co sobie tylko ludzie w głowach umyślą, to mogą kupić. Kiedyś to była wyższa filozofia. Cement na wagę złota. Ale co ja ci, dziecko, tutaj bredzę. Pewnie zmęczona jesteś.

– Nie, pani Irenko – zaprzeczyła szybko. – Proszę mówić, uwielbiam pani słuchać. Czas się zatrzymuje i wydaje mi się, że za chwilę będę z pani Iwonką biegać boso po ciepłych kałużach. – Bezwiednie uśmiechnęła się do tego wesoło-mokrego wspomnienia z dzieciństwa.

– Oj, dobre wy byłyście, dobre. Jedna lepsza od drugiej. Oka z was nie można było spuścić. Pamiętam, jak pomalowałyście się malowidłami twojej mamy. Trzy dni Iwony domyć nie mogłam. Dostało mi się wtedy od Karola, że was nie pilnuję. Darł się jak stare prześcieradło. Ja oczywiście udawałam skruszoną, chociaż w duchu z was się śmiałam. Pamiętam, pani inżynierowa też się wtedy ubawiła i złego słowa nie powiedziała, że coś jej tam zniszczyłyście. Dobra z niej była kobieta i miła. W kuchni zawsze pomogła. Chętna była do pracy. Ty, Hanuś, tego nie pamiętasz, bo mała byłaś... Jak jednego razu pan inżynier zajadał się moimi gołąbkami i nachwalić się nie mógł, to przyszła do mnie i poprosiła, żebyśmy następnym razem wspólnie je zrobiły. Nauczyć się chciała. Boże, jak ten czas pędzi. Jak pierwszy raz tutaj do nas przyjechali, to miała tyle lat, ile ty teraz. To był piękny sierpień. Była z tobą w ciąży, prawię trzeci miesiąc. Bladziutka, chudziutka, jeść nie chciała. Pan inżynier markotny chodził. Ale obiecałam mu, że rosołków nagotuję, to zaraz kolorów nabierze i sił. I było tak, jak powiedziałam. Rumiana była jak jabłuszko, gdy wyjeżdżali. Pokochałam ją jak siostrę. No, młodszą siostrę, bo jednak z dziesięć lat to młodsza ode mnie była. O Boże! No masz! Przepraszam cię, Hanuś, tak się rozgadałam, a ty co? Płaczesz? Płacz, dziecko, płacz – powtarzała pani Irenka, kiwając ze zrozumieniem głową. – Od płaczu jeszcze nikt nie umarł, a on w cierpieniu ulgę przynosi. Płacz, płacz. Wypłaczesz się, ciśnienie w sercu obniżysz. Stara to prawda.

Poczuła, że ramiona pani Irenki zamknęły ją w bezpiecznym uścisku. W jej obecnym życiu niewiele było bliskości drugiego człowieka. Brakowało jej tego. Miała, co prawda, Dominikę, ale ona zwykle stawiała ją do pionu, nie bawiąc się w ckliwe przytulanki.

– No, a teraz maszeruj spać! Musisz porządnie wypocząć, jutro wstanie nowy dzień. Pamiętaj, nowy dzień to nowe siły. A niech ci się przyśni, że jakiś przystojniak bierze cię za rękę i prowadzi przez piękny las. To dobrze, jak się przyśni piękny las. To dobrze wróży. Chociaż ja, wiesz, Hanuś, katoliczka jestem, a nie jakaś tam zabobonniara, lubię, jak się las ładny śni. Zresztą przecież wszystko, co ładne, to od Pana Boga pochodzi, a okropieństwa to ludzie sami wymyślają. Idź, serce, odpocznij sobie.

Otworzyła oczy. „Nowy dzień to nowe siły", przypomniała sobie wczorajsze słowa pani Irenki. Żałowała, że musi wyjechać. Jednak pogoda robiła wszystko, by ułatwić jej trudne pożegnanie. Wiało huraganowo. Czarno-sine chmury przetaczały się po niebie z zawrotną prędkością. Przeniosła wzrok z zaokiennego krajobrazu na stojący na parapecie zegarek i zerwała się z łóżka. Spała o wiele za długo. Stanęła przed lustrem w łazience i patrzyła na swoje trochę opalone odbicie, jednocześnie planując dzień. Szybka kąpiel, szybkie pakowanie – i już zbiegała stromymi i trzeszczącymi schodami do kuchni.

– Dzień dobry, pani Irenko! – powiedziała, starając się, żeby powitanie zabrzmiało wesoło.

– A, dzień dobry, Hanusiu! Jak się spało? Las ci się przyśnił?

– Las? – nie od razu zrozumiała. – A, las! Nie, pani Irenko, żadnego lasu w nocy mój mózg nie zarejestrował. Nie miał szans, bo spałam jak zabita. Morskie powietrze robi swoje. W domu nie sypiam tak cudownie.

– A co chciałabyś zjeść na śniadanie? Może masz jakieś życzenia?

– Kawa i tost z dżemem? – zaproponowała nieśmiało.

– Ja ci zaraz dam tost! – obruszyła się pani Irenka. – Dostaniesz świeżutką bułeczkę z pomidorem malinowym i usmażę ci jajeczniczkę na boczusiu. Musisz się najeść przed podróżą, żebyś głodna nie była. A o prowiant na drogę się nie martw, bo już ci go przygotowałam – wyrecytowała tonem nieznoszącym sprzeciwu główna kucharka turnusu.

Hania usiadła więc potulnie przy stole i bezwiednie się uśmiechała, patrząc na tę krzątającą się po kuchni kobietę. Nie mogła oprzeć się wrażeniu, że dane jest jej oglądać w tej chwili ucieleśnienie dobra.

Na desce do krojenia pojawiła się rumiana bułka, nie jakaś tam nadmuchana warszawska kajzerka, tylko pyzata, puchata i pachnąca prawdziwą piekarnią buła. Pani Irenka, wyjmując ją z siatki na zakupy, zgubiła kilka okruchów, które teraz z ogromną pieczołowitością zbierała z podłogi „przez uszanowanie dla darów nieba". Tu, w domu pani Irenki, wszystko było ważne. Tu nie było spraw małych, drugorzędnych, nieważnych. Okruchy chleba na podłodze, malinowe pomidory nabierające odpowiedniego koloru podczas przymusowego leżakowania na kuchennym parapecie, zeschłe liście mięty zwisające z obu boków olejowanego kredensu... Tu wszystko było ważne, najważniejsze i miało swój sens. Zimą wypełniony po brzegi karmnik, bo głód, latem miseczka z wodą na parapecie, bo susza, a ptakom przecież też się coś od życia należy...

Kuchenna cisza wypełniła się nucącym głosem pani Irenki. Hania chłonęła go zachłannie, nie mogąc się napatrzeć na dłonie kobiety, które pieściły pomidory w poszukiwaniu tego najdorodniejszego. Choć był to zwyczajny poranek w zwyczajnym domu, czuła się nadzwyczajnie. Wiedziała, że dane jest jej przeżywać coś niezwykłego i czarownego. Do zapachu świeżej bułki dołączała już woń dojrzałego pomidora. Na desce do krojenia pojawił się mały kawałeczek boczku. Spod sprawnych palców pani Irenki, poruszających się jakby od niechcenia, wydobywały się idealne różowe kwadraciki. Hania nie chciała nic mówić, ponieważ melodia pani Irenki stawała się z minuty na minutę coraz piękniejsza. Na krótką chwilkę przerwał ją tylko brzęk uderzenia patelni o kuchenkę. Po chwili do nut pani Irenki dołączył skwierczący z patelni podkład muzyczny. Radosna, rozśpiewana kuchareczka otworzyła lodówkę, której drzwi były całkowicie oblepione laurkami, rysunkami i wycinankami autorstwa jej wnuczek. Wyjęła jajka od szczęśliwej kury zielononóżki, grzebiącej w porośniętej trawą kolorowej zagródce. Hania dostrzegała uśmiech będący następstwem odgłosu pękania skorupek. Pani Irenka mieszała jajka na patelni, kolorowy fartuch tańczył w rytm ruchów jej ręki, a w Hani obudziło się ostatnio rzadko ją nawiedzające uczucie głodu. Nucenie przyspieszało, zapachy były coraz intensywniejsze i po chwili wszystko było gotowe. Artystycznie podane, pachnące, rozśpiewane królewskie śniadanie. Przyrządzone nie dla królowej, tylko przez królową. Pani Irenka była królową tego nieziemskiego domu, w którym kiedy człowiek potrzebował ciszy, panowała cisza, a kiedy tęsknił za gwarem, to mógł odnaleźć go nawet w na pozór cichej kuchni.

– A co ty mi się tak, Hanuś, jakoś dziwnie przyglądasz? Jeszcze się od patrzenia nikt nie najadł. A łap mi się tu zaraz za widelczyk i w imię Boże, wiosłujże, kto może, jak mawiał mój Karol.

– A pani nie będzie ze mną jadła? – zapytała z uśmiechem. Wielkość porcji jajecznicy ją przerażała.

– Oj, ja już sobie dzisiaj zdążyłam dogodzić! Już ty się o mnie, dziecko, nie musisz martwić. Poza tym nie mogę się opychać, bo robotę mam dziś w planie. Słoików muszę namyć i jabłek naobierać, a wszystko po to, żeby było co zimą do szarlotki włożyć. Do sklepu jeszcze podskoczę po cukier żelujący, bo mi się skończył. Ty, dziecko, pojedziesz, a ja czas muszę sobie jakąś pracą wypełnić, żeby mi się za tobą nie ckniło. A jutro inaczej będzie, bo gościa będę miała. Jakiś profesor z Wrocławia do mnie przyjeżdża i znów pitrasić będę, a słoiki z jabłkami gotowe już będą i do spiżarni je pozanoszę.

– Pani Irenko, tylko patrzeć, jak ten profesor przez to pani pitraszenie na zawsze tu będzie chciał zostać – westchnęła rozmarzona znad pysznej jajecznicy.

– No wiesz co, Hanuś? – obruszyła się pani Irenka. – Mój profesor to, mam nadzieję, teraz z nieba mnie pilnuje, dlatego żadne romanse mi w głowie, tylko samo pitraszenie. Zresztą co wieczór jak kładę się do łóżka, to sobie z moim Karolkiem rozmawiam, tak wiesz, Hanuś, na dobranoc. Patrzę na pustą poduszkę obok mnie i mówię cichutko, trochę do siebie, trochę do niego, trochę do Boga, opowiadam, jak mi dzień minął. I tak mi wtedy dobrze, tak lekko na duszy, mówię ci, Hanuś, tak mi dobrze... Ja tam nie wierzę w to, co ludzie mówią, że na stare lata to gęby nie ma do kogo otworzyć. Ja tam zawsze sobie towarzystwo do rozmowy znajdę. Może i niezbyt rozmowne, ale za to jakie słuchające. Jedz, Hanuś, jedz. Może jeszcze ci bułeczkę dorobię, chcesz?

– Nie, pani Irenko, dziękuję. Już czuję, że za chwilę nie będę mogła się ruszać – stwierdziła, klepiąc się po pełnym brzuchu.

– A ty wiesz, Hanuś, ja to uwielbiam, jak u mnie w kuchni malinówkami czuć. Ciepło mi się wtedy robi gdzieś tam w środku, bo mój Karol to mógł je jeść bez ustanku. A jak czasami zły był, jakiś taki nachmurzony, to zawsze mu robiłam takie jedzenie jak tobie teraz. Jajecznica i bułka z pomidorem malinowym były zawsze najlepszym lekiem na całe zło tego świata. Teraz to się nawet czasami zastanawiam, czy ten mój Karol to specjalnie od czasu do czasu zdenerwowanego udawał, żebym go takim dobrym jedzeniem uspokajała. – Pani Irenka skończyła myć patelnię i przycupnęła na swoim ulubionym, stojącym obok kuchenki krześle.

Przez okienną szybę, pomimo brzydkiej pogody, wpadł do kuchni zabłąkany promyk słońca i odbijał się teraz w kredensowych szybkach. Szkoda tylko, że trwało to tak krótko. Już go nie było, został porwany przez czarne i pomrukujące chmury. Hania skończyła jeść i złożyła sztućce, zatrzymując wzrok na kredensie.

– Piękny jest ten pani kredens.

– Piękny, a do tego stary – westchnęła ciężko pani Irenka. – Solidna niemiecka robota. To z domu rodzinnego mojego Karola. Jak żyła jeszcze moja teściowa, to gdy tylko mogła, psioczyła, że musi patrzeć na te poniemieckie graty. Ja byłam wtedy młoda, to nie mogłam nic powiedzieć, choć mnie czasami język świerzbił, żeby jej wygarnąć, co myślę. Ale cóż, język mi puchł, a ja ani pary z ust puścić nie chciałam, żeby Karolowi przykrości nie robić i nerwów mu nie psuć. Bo zobacz, Hanuś, wojna była, wszyscy wiedzą, nic dobrego... Ale przecież nie wszyscy Niemcy to hitlerowcy i mordercy byli. Myślę, że ten kredens to taki niemy świadek tamtych czasów. Służył niemieckiej rodzinie, a później przeszedł w polskie ręce, bo się znalazł na Ziemiach Odzyskanych. Taka jest historia i mebli, i ludzi. Moi teściowie właśnie dom po Niemcach dostali. Wszystko w nim było, wszystko tamci zostawili. Pościele, ubrania, naczynia i szkło takie piękne, że głowa boli. No, mówię ci, Hanuś, wszystko zostało, całe domostwo. A moja teściowa z dwójką małych dzieci, przecież Karol urodził się na początku wojny, a jego brat na końcu, i zamiast dziękować Bogu za taki dar, bo przecież bieda była aż piszczy, to do końca swoich dni na tych ludzi pomstowała, a mnie zawsze serce się krajało, kiedy tego słuchałam, i Boga w duchu prosiłam, żeby wybaczył jej to niezbyt mądre gadanie. Nawet kiedyś sam Karol nie wytrzymał i jej wygarnął, że chyba zapomniała, że Jędrka, to ten Karola młodszy brat, to w poniemieckim wózku wybawiła i niemiecką koronkową kapką przykrywała. Ja na moją teściową to złego słowa nie powiem, bo zawsze dobra dla mnie była, tylko tym Niemcom nie chciała odpuścić, przyczepiła się do nich jak głodna pijawka do skóry, zupełnie nie rozumiem czemu. A jak teściowie poumierali i trzeba było się wszystkim zająć, to od żony Jędrka usłyszałam, że ona niczego z tego domu nie chce, bo to wszystko stare i po Szwabach. A ja tam nie patrzyłam po kim. Ludzie to ludzie. Skoro ich wysiedlili, a wózek dziecięcy został, to chyba jasne, że im wesoło nie było. Maleńkie dziecko, a tu niedola i tułaczka. I co z tego, że Niemcy? Przed Panem Bogiem to my wszyscy równi jesteśmy, jednakowi. Ważne jest tylko to, czy człowiek serce ma dobre. Więc poszłam do tego domu z Karolem i widziałam, jak mu miło było, kiedy brałam te piękne szkła i naczynia. I kredens, i balię ocynkowaną, i taką samą konewkę. Ale najbardziej to się wtedy Karol z tego kredensu ucieszył. Odnowił go jak się patrzy. Bawił się z nim wtedy, o ile dobrze pamiętam, ze dwa miesiące. Ale zobacz, Hanuś, jaki on śliczny i co by mówić, i jakby patrzeć to ojcowizna... A że po Niemcach – mówiąc to, pani Irenka wzruszyła ramionami i rozłożyła ręce – cóż, takie czasy były. A ty co, Hanuś? Śmiejesz się ze mnie?

– Co też pani opowiada, pani Irenko – pokręciła głową. – Jak zwykle uśmiecham się do pani i do pani słów... – Chciała jeszcze coś dodać, ale nagle dał się słyszeć głuchy grzmot. – Chyba za chwilę się rozpada.

– A niech leje jak z cebra, to mi się w ogrodzie balia deszczówką napełni. Będę ją miała na gorące dni do podlewania pelargonii na schodach.

– Która balia?

– Najpierw ta poniemiecka, a później ta poteściowa. Tak sobie myślę, że ci nasi Niemcy to musieli być dobrymi ludźmi. Powiem ci w sekrecie, że jak robiliśmy z Karolem porządki, wiesz, takie ostatnie przed sprzedażą domu, to znaleźliśmy małe pomieszczenie pod podłogą. Łóżko w nim było i siennik, taki zbutwiały, że przy dotyku się rozpadał. Pomyślałam sobie wtedy, że może ci Niemcy to nawet jakiemuś Żydowi życie uratowali. Albo Polakowi. Kto to może, Hanuś, wiedzieć? Niechybnie tylko sam Pan Bóg. Nie znałam tych ludzi, moja teściowa całe życie podłogi nimi wycierała, ale ja wierzę, że im się jakoś poszczęściło i cało, i zdrowo przeżyli tę zawieruchę, i znaleźli gdzieś tam nowy dom. A teraz ich dzieci dobrze się mają, tak jak nasze, bo przecież Pan Bóg nierychliwy, ale sprawiedliwy. A kredens stoi sobie u mnie, Karol go całe życie dopieszczał, a Ula, moja wnusia, zapytała mnie kiedyś, czy go jej dam, jak będzie już duża. Oczywiście, że jej go dam, a teraz wyciągnę z niego ładny poniemiecki talerzyk i zjesz na nim ciasto z polskimi jabłkami, i polecisz sobie najpierw nad to swoje morze, a później do tej swojej Warszawy. A ja zostanę tu z moim kredensem, balią i konewką, jabłek nasmażę, a wieczorem opowiem Karolowi, jak mi dzień minął. – Pani Irenka wstała.

Hania odprowadziła ją wzrokiem aż do drzwi spiżarni, w której chłodzie pani Irenka zawsze trzymała szarlotkę.

Drzwi spiżarni przymykały się za nią, cichuteńko skrzypiąc. Znów zagrzmiało, na szczęście jeszcze nie padało. W kuchni zrobiło się tylko ciemniej niż dotychczas. Hania wstała od stołu, podeszła do zlewu, starannie umyła naczynia po śniadaniu, po czym podeszła do kredensu i delikatnie dotknęła pachnącego drewna. Jej wzrok spoczął na krzyżu wiszącym nad drzwiami spiżarni, w których pojawiła się znów pani Irenka. Na bardzo ciemnym drewnie rozpościerał ramiona umęczony Chrystus.

– Tak, Hanuś – pani Irenka musiała zauważyć jej podniesiony wzrok – ten krzyż to też poniemiecka ojcowizna. Widocznie Pan Bóg miał taki plan, żeby od Niemców trafił do Polaków. Zapamiętaj sobie, Hanuś, boskie plany są najmądrzejsze na świecie, a my, maluczcy, musimy być wobec nich pokorni. Zobaczysz, moje dziecko, wszystko będzie dobrze...

Stała na schodach głównego wejścia na plażę z brzuchem tak pełnym, iż była pewna, że następny posiłek zje dopiero w domu. Po wojskowej porcji jajecznicy pani Irenka wmusiła w nią jeszcze ogromny kawał szarlotki, który Hania zjadła z udawanym apetytem. Jedzenie czuła nawet w uszach, ale nie chciała odmawiać pani Irence, żeby nie sprawić jej przykrości. Czuła się teraz tak koszmarnie ciężka, że nie chciało się jej nigdzie ruszać. Przysiadła na schodach i patrzyła z błogim uśmiechem na bałtyckie bałwany. Wiało niemiłosiernie. Ludzie spacerujący brzegiem przytrzymywali swoje okrycia. Ich twarze męczył wiatr.

Przymknęła powieki i pomyślała, że mogłaby tak przesiedzieć życie. Słyszała szum fal i ich specyficzny odgłos, kiedy rozbryzgiwały się o zielony od morskich glonów falochron. Czuła, jak ładują się jej akumulatory na życie w Warszawie. Najchętniej zabrałaby z sobą to czarodziejskie miejsce. Było to niestety marzenie ściętej głowy. Odruchowo zaczęła myśleć o pracy. Wiedziała, że powinna już wstać i spojrzeć pożegnalnym wzrokiem na uspokajający ją krajobraz. Jednak jakaś niewidzialna siła trzymała ją w tym miejscu. Tylko rozsądek głośno trąbił, że przed nią daleka droga. Jeszcze tylko pożegnanie z panią Irenką i koniec wakacji stawał się faktem. Koniec dobrego. Początek roku szkolnego. Praca, praca, praca. Schematyczność przemijania. Coraz krótsze dni, depresyjna zmiana czasu. Przygnębiający listopad. Rewolucje i rozkazy Dominiki, która najprawdopodobniej znów przeżywała swoją kolejną pierwszą miłość. Rozmyślając o wszystkim i o niczym, dotarła do domu pani Irenki, która z charakterystyczną dla siebie dokładnością obrywała przekwitłe kwiaty czerwonych i różowych pelargonii, strzegących wejścia do domu.

Na widok Hani pani Irenka popatrzyła w niebo i powiedziała:

– Widzisz, Hanusiu? – wyprostowała się, rozmasowując lędźwie. – Chyba zabierasz z sobą piękną pogodę, bo jak człowiek popatrzy w niebo, to od razu widzi, że się anioły do gry w kręgle szykują. I zaraz cała ziemia będzie musiała znosić te ich harce i hałasy.

– Pani Irenko – uśmiechnęła się Hania – anioły też muszą się od czasu do czasu wyszaleć. Ja, dla odmiany, kończę zabawę i wyruszam. Dziękuję za wszystko i – nerwowo wypuściła powietrze – do zobaczenia! – To mówiąc, podeszła do pani Irenki, ale ta odskoczyła od niej i podniosła głos.

– Hola, hola, kochanieńka! Nie tak szybko! Zanim pojedziesz, musisz mi coś obiecać.

– Co takiego? – zapytała z nieudawanym zaciekawieniem.

– Rozmawiałam dzisiaj rano z Iwonką i wspólnie uradziłyśmy, że musicie, to znaczy ty i Dominika, przyjechać do nas na święta Bożego Narodzenia. Przecież nie możecie same siedzieć w tej Warszawie. A i z Iwonką nie widziałyście się przecież wieki. Będzie u mnie z Jurkiem i bliźniaczkami. Marka nie będzie w tym roku, bo do teściów jedzie, do Wadowic. Taka kolej. U mnie był ostatnio, a tam przecież też rodzice. Będzie dobrze, rodzinnie. A wy obie to przecież jak rodzina. Przyjedźcie...

– Pani Irenko – zaczęła niepewnie całkowicie zaskoczona propozycją. – Przecież do świąt jest jeszcze bardzo dużo czasu.

– Hanuś! – pani Irenka przerwała jej zdecydowanie. – Czas tak szybko goni. Ani się obejrzymy, jak będzie biało i choinkę trzeba będzie z lasu do domu przytargać. To co? Przyjedziecie?

Hania nie umiała odmówić i tylko przewróciła oczami na takie *dictum*.

– Ty mi tu oczkami nie przewracaj, tylko natychmiast obiecuj, bo jak nic, to cię nigdzie nie puszczę i poczekasz na te święta tu, u mnie! A Dominika wtedy sama przyleci!

– Pani Irenko, przecież pani wie, że ja nie umiem pani odmówić. Ale czy to na pewno nie będzie żaden kłopot? – zapytała przyparta do muru.

– No kłopot będzie! Ogromny! – ironizowała pani Irenka. – Ale radość jeszcze większa! – dodała po chwili. – A teraz przyznaj mi się tu, ale jak na spowiedzi świętej! Miałyście wy w zeszłym roku z Dominiką święta?

To bezpośrednie pytanie trafiło celnie w czuły punkt Hani, dlatego odpowiedziała na nie po przedłużającej się w nieskończoność chwili milczenia.

– Dominika dwoiła się i troiła, ale ja nie byłam w stanie ich normalnie przeżyć. Powiem pani, pani Irenko, właśnie jak na spowiedzi. Udawałam, że ich po prostu nie ma. – Zdała sobie sprawę, że w tej chwili przyznała się do tego nie tylko przed panią Irenką, ale i przed samą sobą. Ostatnio często udawała, że wszystko jest dobrze i normalnie, a może powinna właśnie przyznawać się przed sobą do tego, że wcale tak nie jest. Może...

– Czyli to już postanowione! Przyjeżdżacie na święta i nie ma zmiłuj! A teraz niech cię uściskam i śmigaj do tej Warszawy, a jak zajedziesz, to daj znać. I żebyś mi nie zapomniała, że codziennie masz czuwać, czy plan się jakiś nie zaczyna. Wiesz, Hanuś, ten boski... – mówiąc to, pani Irenka uścisnęła ją i przytuliła do swojej bujnej piersi.

– Do zobaczenia, pani Irenko... – Wsiadając do samochodu, kolejny raz dziękowała za wszystko i walczyła ze wzruszeniem. Nie znosiła pożegnań, zwłaszcza gdy oznaczały rozstanie z dobrocią i mądrością. „Ale było dobrze...", pomyślała. Spojrzała w górne lusterko i obserwowała, jak dom pani Irenki powoli robił się coraz mniejszy i mniejszy, aż w końcu zniknął za zakrętem.

Była wypoczęta, dlatego podróż minęła jej bardzo szybko. Spędziła prawie siedem godzin za kierownicą, słuchając swojej ulubionej stacji radiowej. Kiedyś, prowadząc samochód, zawsze śpiewała. Teraz nie potrafiła. Warszawa przywitała ją, jak zwykle, waleczną syrenką. Lubiła ten herb. Lubiła to miasto. Spędziła tu najpiękniejsze chwile swojego życia. Te najtrudniejsze również. Teraz jednak chciała skupić się tylko na tym, co miało się wydarzyć w ciągu najbliższych dni. Pojutrze poprawka. Następnie nudna rada pedagogiczna, a za tydzień początek roku szkolnego. Najbardziej stęskniła się za Aldonką, chociaż także niektórych uczniów brakowało jej przez całe wakacje. Od zawsze wiedziała, że praca w szkole jest jej żywiołem. Na lekcjach czuła się jak ryba w wodzie. Kiedy była jeszcze małą dziewczynką, często pomagała Dominice w nauce. Nigdy nie zapomniała radości i satysfakcji, jakie czuła, przekazując swoją wiedzę komuś innemu. Te nauczycielskie rozważania przerwał dźwięk telefonu. Odebrała przez zestaw głośnomówiący.

– Czyżbyś się za mną stęskniła? – zapytała dowcipnie.

– Mów, gdzie jesteś! – Dominika prawie krzyczała.

– Stało się coś? – Chciała wiedzieć, czy powinna zacząć się denerwować.

– Kiedy będziesz w domu?

– Za jakieś dwadzieścia minut. Powiedz, stało się coś? – zapytała znów, nie licząc jednak na odpowiedź.

– Przyjeżdżaj szybko, musimy pogadać! Stoję pod domem! – Dominika wyłączyła się bez ostrzeżenia. Jak zwykle.

Głos Dominiki sprawił, że poczuła się jak w domu. Dominika była jej kotwicą. Osobą popędliwą, impulsywną, ale dobrą, kochaną i wbrew pozorom często bardzo pomocną. Funkcjonowały jak organizmy symbiotyczne. Były prawie jak ukwiał i rak pustelnik. Za darmowe przejażdżki ukwiał bronił raka. W tej specyficznej konfiguracji ona była rakiem, choć pustelnictwo nie do końca leżało w jej naturze. Już wyobrażała sobie zdenerwowaną Dominikę. „Kiedyś przez nią osiwieję", pomyślała, mając nadzieję, że nic poważnego jednak się nie stało. Obecnie w swoim życiu miała dwa żywioły. Kiedyś miała ich więcej... Jednym z nich była praca, drugim Dominika. Oba kochała ponad wszystko, choć zdarzało się, że czuła się wobec nich całkowicie bezsilna. Praca dawała jej radość, poczucie spełniania ważnej misji i co najważniejsze, odrywała ją od wspomnień. Hania musiała rano wstawać, dbać o siebie, żeby nie wyglądać gorzej od własnych uczennic, uśmiechać się. Była pewna, że młodzi ludzie nie lubią smutasów. Samotność wśród ludzi nie była taka straszna jak samotność w czterech ścianach. Przedpołudnia spędzała w szkole, popołudnia w związku z pracą też miała zajęte.

Przygotowywała się do zajęć. Dwoiła się i troiła, żeby były ciekawe. Prowadzone przez nią lekcje wymykały się schematom. Niejednokrotnie eksperymentowała, miała jednak głębokie przekonanie, że to dobra strategia. Młodzież mogła jej nie lubić tylko za to, że bardzo dużo zadawała. Pisanie prac, pisanie prac, pisanie prac... Taka metoda nawet bardzo zatwardziałym nierobom narzucała obowiązek czytania lektur. W życiu i w pracy stawiała na pracowitość, sumienność i odpowiedzialność. Tak została wychowana przez rodziców i dzięki temu nie rozsypała się, gdy ich zabrakło. Z uporem maniaka dążyła do tego, by żyć jak kiedyś. Mimo wszystko...

Dominika była jej drugim żywiołem. Była jej niby-siostrą. Tak o niej zawsze myślała. Różniły się pod każdym względem. Dlatego stanowiły tak zgrany zespół. Ona uspokajała, a Dominika dolewała oliwy do ognia. Dominika była niecierpliwa, apodyktyczna, inteligentna na granicy bezczelności. Lubiła stawiać na swoim. Miała niezwykłe poczucie humoru, dystans do siebie, komunikatywność światowego poligloty i kreatywność ogromnej agencji reklamowej. Hania uwielbiała ją i kochała jak siostrę. Przypomniała sobie, jak kiedyś oglądały w telewizji wywiad z Whartonem. Obie za nim przepadały i zaczytywały się jego książkami. Tamtego wieczoru leżały na kanapie w salonie, zajadały ulubione lody czekoladowe i wpatrywały się w magnetyzującego swoją osobą pisarza. Dziennikarz przeprowadzający wywiad zadał mu nietypowe pytanie.

– Gdyby mógł pan mieć trzecie oko, żeby uważniej patrzeć na świat, to gdzie chciałby je pan mieć?

Wharton, nie namyślając się, odpowiedział, że chciałby je mieć na małym palcu u ręki, żeby móc wszędzie dokładnie zajrzeć. Hania była zachwycona jego odpowiedzią. Natomiast Dominika powiedziała, że głupi ten Wharton jak but, bo ona wolałaby je mieć na najsprawniejszym według niej palcu wskazującym. Zawsze była krytyczna i niepokorna. Jednak pod fasadą silnych cech skrzętnie skrywała tęsknotę za miłością. Dominika marzyła o wielkiej miłości. Zresztą jak każda normalna kobieta. Ona jednak czekała na to uczucie od bardzo dawna. Deficyt miłości, którego zaznała w dzieciństwie, przeniósł się w dorastanie, a potem w młodość. Zadurzała się często, to fakt, ale jeszcze częściej dochodziła do wniosku, że jak to zwykła była określać, „to nie było to...".

Hania była już na swojej ulicy i z daleka zobaczyła Dominikę przebierającą w miejscu nóżkami, opartą o swój samochód zaparkowany pod domem. Szybko otworzyła bramę, wjechała na podjazd i wysiadła.

– Jak znam życie, to zmieniasz pracę, bo cię znowu wkurzyli, albo się znowu zakochałaś – zagadnęła Hania w ramach przywitania.

– Nie wkurzaj mnie z tą psychologią! Wjeżdżaj do garażu i zrób mi miejsce na podjeździe. Szybko! Musimy porozmawiać! – Dominika wyrzucała z siebie słowa z prędkością światła.

Natychmiast zastosowała się do rozkazów przyjaciółki i w okamgnieniu znalazły się w kuchni, gdzie już gotowała wodę na herbatę. Z cytryną, jak zwykle, dokładnie tak jak u pani Irenki.

– Siadaj! – ponaglała ją Dominika.

– Już siedzę. Mów. Proszę, oto twoja herbatka.

– Mam go – wyszeptała konspiracyjnie Dominika.

– Kogo?

– No, jak to kogo? Przecież nie krzywy kręgosłup! F...a...c...e...t...a! – przeliterowała.

– To mów, wszystko, co wiesz.

– Był u mnie w gabinecie już dwa razy. Przyszedł z polecenia. Nie wiem czyjego, nie powiedział. Jest w moim typie. Wysoki, blondyn, oczy zielonkawe. Mówię ci, miodzio. Ma na imię Przemek. Jest architektem, ma swoje biuro. Robi jakieś tam projekty.

– Jakie?

– O Boże, przecież to nieistotne jakie!

– Masz rację. Ale rozmawialiście o czymś innym niż stan jego uzębienia? – zapytała z ciekawością.

– Oczywiście! Jest elokwentny do bólu. Po drugiej wizycie zaproponował mi kawę. Idziemy na nią jutro o osiemnastej. Umówiliśmy się pod Atrium.

– Chcesz powiedzieć, że masz jutro randkę?

– Domyślna dziewczynka! – Dominika spojrzała na nią z wyższością. – Mam randkę i stracha. Wiesz, żeby złapać temat, żeby było o czym gadać, żeby okazał się fajny, bo wzrokowo to jest na szóstkę z plusem, pani profesor. Szkoda byłoby takiego pięknego ciała na nudną duszę.

– A pokrewieństwo dusz poczułaś, borując mu zęby?
– Czy ja wiem? Byłam zajęta szczęką, która jest całkiem, całkiem...
– Tylko nie panikuj, zrób się na bóstwo i idź.
– O matko! – wrzasnęła Dominika. – A w co ja mam się ubrać? No co się głupio gapisz, mów!
– Wydaje mi się, że w coś kolorowego. W końcu do tej pory oglądał cię tylko w białym kitlu. Musisz go zaskoczyć zmianą wizerunku. Powinnaś przeistoczyć się z zimnej kobiety z wibrującym wiertłem w dłoni w delikatne dziewczę z sercem na dłoni.
Mina Dominiki wskazywała, że Hania chyba trochę przesłodziła.
– Wsadź sobie w nos ten polonistyczny bełkot. W co? – zapytała głośno i konkretnie.
– Myślę, że ta wzorzysta tunika z Indii będzie odpowiednia. Teraz są modne etniczne wzory i jesteś w niej taka... – zamyśliła się.
– Jaka? – znów usłyszała podniesiony głos Dominiki zdradzający brak pewności siebie.
– Po prostu dobrze w niej wyglądasz. Poza tym nie przejmuj się tak, bo jak miał się naprawdę zakochać, to na pewno już to zrobił. A teraz daj mi spokój. Jestem padnięta, marzę o kąpieli i łóżku. Muszę jeszcze zatelefonować do pani Irenki. Mam też dla ciebie dobrą wiadomość.
– Jaką? – Dominika bębniła nerwowo palcami o blat stołu.
– Dostałyśmy od pani Irenki zaproszenie na święta Bożego Narodzenia.
Słysząc to, Dominika zrobiła dziwną minę.
– Dziewczyno?! Co ty mi tu teraz o świętach! W sierpniu? Puknij się!
– Jak się zakochasz, to czas ci szybko zleci. – Chciała jeszcze coś dodać, ale mistrzyni w przerywaniu właśnie zrobiła to kolejny raz.
– A spróbuj zapeszyć! Muszę lecieć! Fajnie ci tam było? – Dominika uwielbiała posługiwać się pytaniami, jednocześnie nie dając jej szans na odpowiedź.
– Rewelacyjnie, jak zwykle. – Śledziła wzrokiem przyjaciółkę, która już stała przy drzwiach. – Tylko pochwal się jutro, jak ci poszło.
– Jak nie zadzwonię do północy, to... – Dominika zwiesiła głos.
– ... Mam cię szukać w prosektorium? – Udała zatroskaną.

– Zgłupiałaś do reszty! – prychnęła Dominika. – Masz mnie nie szukać, bo co się będziesz bujać po obcych łóżkach. – Siostrze wracał dobry humor, bo zaczęła się w końcu uśmiechać.

– Tylko pamiętaj – Hania zrobiła srogą minę. Nie byłaby sobą, gdyby nie podjęła próby chociaż lekkiego zdyscyplinowania Dominiki. – Panienka z dobrego domu na pierwszej randce tylko rozmawia i robi mądre minki.

– Sraty-pierdaty! Zadzwonię! – Dominika cmoknęła ją w policzek i ulotniła się niczym dobra wróżka z bajki o Kopciuszku.

Hania cieszyła się, że Dominika czekała na nią. Nie lubiła wracać do pustego domu, a Dominika sprawiała, że dom ożywał. Zawsze czuła, że jest jej potrzebna. Było tak od dnia, gdy zobaczyły się po raz pierwszy. Bardzo chciała, żeby jej się ułożyło z tym architektem. Jej tato też wykonywał ten zawód, dlatego już czuła sympatię do nowiusieńkiego Przemka. Uśmiechnęła się, ziewnęła przeciągle i spojrzała na walizkę. Nie miała teraz siły z nią walczyć. Weszła pięknymi ażurowymi schodami projektu taty na górę. Jeszcze tylko alarm i spać! Muszla. Szum. Spokój. Sen. Nie! Telefon! Szybko wystukała numer. Trzy sygnały.

– Halo? – usłyszała ciepły głos.

– Dobry wieczór, pani Irenko. Telefonuję, jak obiecałam. Dojechałam cała i zdrowa. Jeszcze raz dziękuję za wszystko, a najbardziej za zaproszenie na święta. Właśnie przed chwilą wyszła ode mnie Dominika. Bardzo się ucieszyła z zaproszenia – wyrecytowała na jednym oddechu.

– Oj, to dobrze, dziecko moje. A co u niej? Jest jakaś nowa burza?

– Oczywiście. Jest zauroczona pewnym młodym architektem. Jutro ma pierwszą randkę i właśnie uzgadniałyśmy szczegóły.

– Ty, Hanuś, to przykład z niej bierz i rozglądaj się. Tobie też Romeo się trafi. Zobaczysz.

Lubiła tę niczym niezachwianą pewność w głosie pani Irenki.

– Chyba pani żartuje, pani Irenko. Kiepska ze mnie Julia – odpowiedziała pesymistycznie.

– Kiepska to jest pomidorowa ze zwarzoną śmietaną – odrzekła szybko pani Irenka. – Idź już, dziecko, spać. Zmęczona pewnie jesteś po podróży i niech ci się przyśni las.

– Wolałabym plażę – powiedziała cicho, odczuwając wielkie zmęczenie.

– A niech ci będzie. Niech ci się przyśni plaża. Całuję cię, Hanuś, i przytulam. A na śmierć zapomniałabym! Iwonka też bardzo się cieszy, że będziecie. Pa, Hanuś, śpij dobrze.

– Dobranoc, pani Irenko. – Odłożyła telefon na szafkę nocną, czując, że nie ma siły już na nic. Nawet na kąpiel. Sięgnęła po muszlę. Czuła jej chłód, słyszała szum. Zamknęła oczy i zobaczyła swoją plażę.

Obudziła się wcześnie. Pijąc poranną herbatę, zatelefonowała do szkoły, żeby się upewnić, czy wszystko na jutrzejszą poprawkę zostało odpowiednio przygotowane. Okazało się, że wszystko zajmie jej więcej czasu, niż przypuszczała, bo została powołana do dwóch innych komisji poprawkowych. Przecież nigdy i nigdzie się nie spieszyła, więc bez najmniejszego wahania wyraziła zgodę na dodatkową pracę. Dyrektor przepraszał, że informuje ją w ostatniej chwili, ale ktoś zachorował i była ostatnią deską ratunku. Jak zwykle nie widziała w tym żadnego problemu. Miała tylko nadzieję, że Starski będzie dobrze przygotowany. Nie chciała, żeby powtarzał klasę. Nie to było jej intencją. Chciała, żeby zaczął w końcu poważnie pracować, bo inaczej wróżyła mu kłopoty na maturze.

Postanowiła, że skoro w szkole wszystko zostało przygotowane, to może poświęcić czas sobie i domowi. Zatelefonowała do pani Haliny i poinformowała ją, że już wróciła do domu. Pani Halina od piętnastu lat sprzątała w ich domu. Teraz już tylko jej domu. Dzięki jej pracy było tu zawsze schludnie i bardzo czysto. Kwestią ładu zajmowała się sama, jednak pani Halina była nieoceniona, jeśli chodziło o sprzątanie. Jak to ujmowała Dominika: „Halinka jest mistrzynią w jeździe na szmacie". Pani Halina ucieszyła się z jej powrotu i umówiły się jak zwykle na czwartek. Zatelefonowała też do pana Andrzeja, który opiekował się ogrodem. Też od lat. Był sympatycznym mężczyzną w średnim wieku. Niezbyt rozmownym, ale nawiązywał cudowny kontakt z roślinami. Była przekonana, że z nimi rozmawiał. Jego konikiem były azalie, rododendrony i karłowate świerki srebrzyste. W związku z tym ogród wokół domu był imponujący, i to o każdej porze roku. Uwielbiała w nim przebywać. Gdy wspominała rodziców, najczęściej widziała ich właśnie w ogrodzie. Przypominała sobie mamę obrywającą zwiędłe kwiaty rododendronów. Tatę widziała, gdy rozkładał na soczystozielonej trawie mały namiot dla niej i Dominiki. Stały nad nim obie niecierpliwie, z torbami wypełnionymi różnymi skarbami i z wypiekami na twarzy. Nie mogły się doczekać momentu wprowadzenia się do różowego, imitującego pałac księżniczek, namiotu. Pamiętała z detalami miliardy pięknych chwil. Gdy tylko miała czas, siadała na ogrodowej huśtawce, zamykała oczy i zamieniała się w małą beztroską dziewczynkę, która za chwilę zeskoczy z tej huśtawki i pobiegnie w nikomu nieznanym kierunku.

Dzień był ciepły. Optymistyczne sierpniowe południe. Słońce w zenicie grzało cudownie. Zamknęła oczy i usłyszała szum wielkiego miasta. Do jej uszu docierały odgłosy wyciszane nieznacznie przez las, który stanowił naturalną barierę między jej domem a ruchliwą ulicą. Znów zobaczyła roześmianego tatę, który pokazywał mamie upieczoną na grillu kiełbaskę i pytał, czy taka może być, czy jeszcze trochę podsmażyć. Wspomnienia przypływały i odpływały, zupełnie jak morskie fale. Zastanawiała się, dlaczego potrafi wspominać rodziców, a boi się myśleć o Mikołaju. Uciekała przed wspomnieniami. Nie potrafiła przywoływać obrazów, gestów, słów, uczuć. Może była na to jeszcze za słaba? Może to miało się zmienić? Albo tak miało pozostać. Może brak grobu utrudniał wszystko? Może... Nie wiedziała. Zrobiło jej się ciepło i błogo. Otuliła się szlafrokiem i znów zamknęła oczy. Do tej pory obserwowała znajome wróble, które oddawały się bez reszty swojemu ulubionemu tańcowi. Siedziały cichutko pochowane w konarach ogromnej wierzby, po czym ze śpiewem i radosnym świergotem w bardzo szybkim locie przenosiły się na płot. Znów cisza. Siedzą, przekrzywiają maleńkie główki i udają, że jej nie widzą. Nagle znów śpiew i świergot towarzyszące przelotowi. Cisza. Siedzą na wierzbie i tym razem to ona udaje, że ich nie widzi. Zabawa przednia, lecz nieco usypiająca...

Obudził ją dźwięk domofonu dochodzący z domu. Zerwała się nieprzytomnie z huśtawki. Nie wiedziała, która jest godzina. Wbiegła do domu. Mogła się domyślić. Przed bramą stała Dominika i krzyczała:

– No co się tak grzebiesz?! Otwieraj!

Szybko i posłusznie wykonała polecenie wykrzyczane przez przyjaciółkę, która już wlepiała w nią zdenerwowane spojrzenie.

– Dzwonię i dzwonię, i czuję się jak Zygmunt na kolumnie, bo tak stoję i stoję. Coś robiła tyle czasu?!

– Zasnęłam w ogrodzie. Nawet nie wiem kiedy – wytłumaczyła się szybko. – Która jest godzina?

– Po drugiej. Tyle razy ci mówię, nie śpij w ogrodzie! Co to za durny zwyczaj!

– Lepiej powiedz, co cię do mnie sprowadza o tak nietypowej porze?

– Buty! – Dominika zajęła swoje miejsce przy stole w jadalni.

– Jakie buty?

– A Rosenzweigowa ma psa? – przedrzeźniała ją Dominika. – Te z Indii! Te odjazdowe! Nie udawaj, że nie wiesz które! Pożyczysz?!

– Przecież masz większą stopę od mojej.

– Dawaj przymierzyć i nie gadaj tyle, nie mam czasu, spieszę się do roboty!

„Boże, znowu nerwowy słowotok", pomyślała i dodała głośno:

– Już przynoszę.

Buty oczywiście były na Dominikę, delikatnie rzecz ujmując, przymałe, ale nie dała sobie nic powiedzieć.

– Jeżeli chcesz cały wieczór myśleć o puchnących stopach, to bierz! Ale pamiętaj, tańce odpadają.

– A ty co zamierzasz dziś robić? – Dominika udawała zainteresowanie, pakując z zadowoleniem buty do dużej torebki.

– Nic – odpowiedziała, przeciągając się leniwie.

Dominika wybiegła z domu, oczywiście bez pożegnania, a ona zdała sobie sprawę, że nic w jej życiu nie jest groźniejsze od nicnierobienia. Mama zawsze powtarzała, że w domu praca nigdy się nie kończy. Miała rację. Żeby nie oddać się judymowskiej metafizyce, zaczęła przygotowywać swoje ulubione spaghetti. Uwielbiała gotować. Żałowała, że niespecjalnie miała dla kogo. Dominika nie była typem smakoszki. Lubiła „szybko wrzucić coś na ruszt" i biegła dalej. Ona natomiast kochała celebrować posiłki. Przystawka, zupa, danie główne, deser i obowiązkowo towarzysząca jedzeniu rozmowa. Nie lubiła restauracji, ponieważ przepadała za kuchnią domową. Uwielbiała zapachy gotujących się potraw. Miała w domu otwartą kuchnię, więc gdy gotowała, cały dom ożywał. Najbardziej lubiła zapach gotującego się rosołu. Uważała, że gdyby bezpieczeństwo mogło mieć swój aromat, z pewnością byłby to zapach gotującego się rosołu, który kojarzył jej się z niedzielnym rodzinnym obiadem. Gotować nauczyła ją mama, a raczej obserwacja mamy. Również pani Irence wiele zawdzięczała w tej materii. W jej nadmorskim domu zawsze pachniało gotującym się obiadem, niezależnie od pory dnia. Teraz myślała o tym, że prawdziwy dom to zapachy i dźwięki tworzące codzienność powszednią i codzienność odświętną. Cieszyła się, że musi iść jutro do pracy, ponieważ jej dzisiejsza powszedniość, choć dobrze pachnąca, była cicha i samotna.

Chowając garnek do spiżarni, zauważyła nowe, jeszcze nieotwarte opakowanie zniczy. Postanowiła, że pojedzie na cmentarz. Posiedzi z rodzicami, pomilczy sobie z nimi. Przecież wolne dni najmilej spędza się z bliskimi...

– Mateusz! Mateusz! – wołał i rozglądał się po domu.

– Cooo?

Usłyszał zaspany głos, a za chwilę ujrzał swojego młodszego brata w całej okazałości i, co gorsza, w totalnym rosole.

– Zwariowałeś! – krzyknął, bo widok Mateusza mocno go osłabił. – Jesteś jeszcze niegotowy? Przecież za czterdzieści pięć minut masz poprawkę! – Nie mógł opanować zdenerwowania.

– Spokojnie... Brat! – Mateusz ziewnął przeciągle, po czym ze stoickim spokojem, drapiąc się po rozczochranej głowie, powiedział, a raczej wyziewał: – Coś ty taki nerwowy? Dzwonili wczoraj z budy, że przełożyli moją poprawkę o godzinę, bo Pindalerska ma jeszcze jakieś inne poprawki. Widocznie nie tylko mnie uwaliło to wredne babsko.

– Kto? – zapytał, bo nie zrozumiał nazwiska.

– To wredne babsko, Pindalerska! – Mateusz zrobił taką minę, jakby mu ktoś kazał wypić cysternę benzyny.

– Pindalerska? – powtórzył i zmarszczył brwi. – Dziwne nazwisko.

– To są dwa nazwiska – pospieszył z wyjaśnieniami Mateusz. – Pierwsze nadane przeze mnie, Pinda, a drugie rodowe, Lerska, czyli jednym słowem, Pindalerska. Małpa o dwóch nazwiskach.

Uśmieszek, którym obdarzał go właśnie rodzony braciszek, był wyjątkowo wredny.

– Jesteś okropny, ale mam nadzieję, że zdasz, bo jak nie, to mama się załamie.

– Spokojna twoja rozczochrana... – Wyluzowanie Mateusza było widoczne gołym okiem. – Nie ma innej opcji, muszę zdać. Zakuwałem.

– Chciałbym to widzieć – powiedział wątpiąco. – Pamiętaj, że przez tę twoją poprawkę musiałem wcześniej wrócić z urlopu.

– Wielkie halo! – Mateusz nalał sobie do szklanki wody, napił się i dokończył rozpoczętą wypowiedź. – Jak się domyślam, zostawiłeś tam tłum rozhisteryzowanych wielbicielek – drwił.

– Bez komentarza! – Nie dał się sprowokować. – Ubieraj się, bo obiecałem mamie, że osobiście dostarczę cię do szkoły. To twoje nieuctwo nam wszystkim zepsuło wakacje.

– Ty się, brat, starzejesz, bo zrzędzisz. Poza tym Pindalerska postawiła mi gałę na złość, bo z ocen spokojowo wychodziła mi dwója. Ale przecież profesor Pindalerska to chodząca doskonałość i tego wymaga od wszystkich. Co za wredny babiszon!

– Uspokój się! – przerwał mu zdecydowanie. – Zrobię sobie kawę, a ty masz piętnaście minut. Pamiętaj, biała koszula i czarne spodnie, może chociaż na wejście zrobisz dobre wrażenie.

– Przed nią nie muszę. Ona jest...

Mateusz znów zaczął, a on już drugi raz nie pozwolił mu skończyć, wskazując wzrokiem na drzwi.

Robił kawę i przypominał sobie swoją polonistkę. *Nota bene* postrach całej szkoły. Na oko była po sześćdziesiątce, ale tak naprawdę nikt nie wiedział, ile miała lat. Nosiła ogromne okulary, o bardzo grubych szkłach, dlatego wszyscy mówili na nią Lupa. Przez cztery lata jego nauki w liceum zawsze była tak samo ubrana. Nosiła coś w rodzaju długiej swetrowej sukienki w granatowym kolorze, która nie była w stanie ukryć jej bardzo obfitego biustu będącego tematem wielu niewybrednych żartów. Nie lubił ani polskiego, ani jej. Podobnie jak Mateusz, nie był orłem z tego przedmiotu. Musiał ostro przykładać się do nauki, ale nigdy nie miał poprawki, bo w przeciwieństwie do swojego brata, zawsze czytał lektury. Lubił czytać wieczorem, tuż przed zaśnięciem. To przyzwyczajenie zostało mu do dziś. Natomiast młodszy od niego o równe dziesięć lat brat był integralnym elementem całkiem innego pokolenia. Poza tym Mateusz, zresztą podobnie jak wszyscy jego kumple, całował się z dziewczynami na powitanie. W usta! A dla niego pocałowanie dziewczyny w policzek, i to w dniu matury, było szczytem erotycznych osiągnięć. Czasy się zmieniły, i to bardzo. Mateusz, biorąc pod uwagę jego towarzyskie usposobienie, całował się kilkanaście razy dziennie. On nie całował się od ponad półtora roku. Na urlopie, widząc wszechobecnych zakochanych, poczuł, że bardzo mu tego brakuje. Nawet nie całowania i całej reszty... Brakowało mu uczuć. Marzył o kobiecie, która pozwoliłaby mu uwierzyć, że z Edytą miał po prostu pecha. Ona była...

– Jestem gotowy! – zakomunikował Mateusz, przerywając mu nie najlepsze wspomnienia. – Podobam ci się? – zapytał, strojąc dziwne miny.

Udawał chłopca o odmiennej orientacji seksualnej. Musiał przyznać, że Mateusz był z pewnością o wiele lepszym aktorem niż uczniem.

– Matołku! – powiedział z wyższością. – Akurat dzisiaj nie chodzi o twoją prezencję, tylko o wiedzę. Jedźmy już, bo się spóźnię do pracy.

– Wyluzuj, przecież jesteś kapitalistą i z tego, co wiem, nie masz nad sobą szefa – mówiąc to, Mateusz zawiązywał sznurówki eleganckich pantofli, które idealnie pasowały do jego poprawkowego stroju.

– I tu się mylisz, młody człowieku. Twój brat, jak to ująłeś: kapitalista, ma wielu szefów. Mój klient, mój szef. Zapamiętaj to sobie, niebieski ptaszku, i chodź już!

Zostawił Mateusza na szkolnym parkingu i zobowiązał do natychmiastowego informowania o wynikach egzaminu. Zdawał sobie sprawę, że najbezpieczniej byłoby, gdyby został i poczekał, aż to wszystko się skończy, ale musiał gonić do pracy. Za dwa dni mijał termin oddania projektu ogromnego centrum handlowego i Przemek jak zwykle nie wytrzymywał presji czasu. Od rana zdążył już zadzwonić do niego kilkanaście razy. Ten z rozmysłem nie odbierał jego telefonów. Musiał się znaleźć w pracowni, żeby pomóc wspólnikowi w jego architektonicznych rozterkach. Wiedział, że czeka go huk roboty. Nie miał nawet chwili, żeby pomyśleć o Mateuszu. Projektując, odcinał się od rzeczywistości. Potrafił pracować godzinami. Ostatnio jego życie koncentrowało się wyłącznie na pracy. Pocieszał się, myśląc, że to taki etap. Jednak czuł niedosyt, regularnie podsycany przez mamę, która między wierszami dawała mu do zrozumienia, że latka lecą i należałoby się ustatkować. Nie lubił tego określenia, ponieważ ostatnio czuł się właśnie ustatkowany, i to nawet za bardzo. Po powrocie z urlopu zastał w pracowni tyle rozgrzebanych, czekających na niego spraw, że już prawie zapomniał o wakacyjnej beztrosce. To „prawie" oznaczało powracający do niego melancholijny obraz, który zapadł mu głęboko w pamięć...

Dziewczyna, książka, leżak... Z wakacyjnego rozmarzenia wytrącił go odgłos dzwoniącego telefonu, który zabawnie podskakiwał na biurku. Zauważył, że to Mateusz, i szybko odebrał.

– Jak tam? – zapytał zdenerwowany.

– No, brat, możesz być ze mnie dumny, jestem w maturalnej klasie. – Ton Mateusza odzwierciedlał jego ogromną skłonność do nadmiernego luzowania wszystkiego i wszystkich.

– Dzwoniłeś do mamy? – zapytał od razu, bo powodu do gratulacji chyba raczej nie było.

– A jakże by inaczej. Tak się z ojcem ucieszyli, że niestety przyjadą już jutro. A ja, biedny, myślałem jeszcze o jakimś kilkudniowym melanżyku, no ale pojawił się problem z wolną chatą.

– A po co ci wolna chata, maluchu? – zakpił z brata, ten jednak odbił piłeczkę nadspodziewanie szybko.

– Posłuchaj, tybetański mnichu. To, że ty nie korzystasz z uroków życia, nie oznacza, że ja też tak mam.

– Nie rozumiem, co masz na myśli – udawał, ciesząc się w duchu, że akcja poprawka zakończyła się pomyślnie.

– Babki mam na myśli, bracie. Babki! – powtórzył głośniej Mateusz. – I to takie, co to z piaskownicą nie mają nic wspólnego.

– Myślę, Matek – z rozmysłem użył zdrobnienia, którego Mateusz nie znosił – że chyba powinienem poprosić rodziców, żeby wrócili już dziś, bo z jednych kłopotów jakimś cudem się wykaraskałeś, a już masz ochotę na następne.

– Musisz wiedzieć, brat, że wszystko można, co nie można, byle z wolna i ostrożna.

– Erudyta za dychę! – parsknął rozbawiony. – Muszę kończyć, bo wiesz, niektórzy muszą pracować.

– To siema, pracusiu! – przerwał mu Mateusz, jednocześnie cmokając.

– Też cię żegnam! – odparł i pomyślał, że charakterologicznie to ma ze swoim bratem bardzo mało wspólnego. Czasami zazdrościł mu jego luzu. Sam traktował wszystko w swoim życiu nad wyraz poważnie i rzadko pozwalał sobie na szaleństwo, które dla Mateusza było chlebem powszednim. Pomyślał, że do szaleństwa to chciałby się zakochać. Był ciekaw, co by wtedy robił. Szybko zganił się w myślach za dekoncentrację i powrócił do swojej zdecydowanie koncepcyjnej pracy, która z szaleństwem miała tyle wspólnego, że była szalenie pilna.

Siedziała na ławce przed szkołą. Była wykończona. Nie miała już na nic siły. Nieprzespana noc dawała o sobie znać. Kilka minut po pierwszej w nocy zatelefonowała Dominika, żeby zdać jej relację z randki. Jak się okazało, relację bardzo obszerną. Dominika była rozanielona. Z jej opowieści wyłaniał się Super-Przemek. Zabawny, ale chwilami poważny. Rozmarzony, ale twardo stąpający po ziemi. Erotyzujący, ale szalenie delikatny. Inteligentny, ale bardzo prostolinijny. Jednym słowem: Super-Przemo. Dominika wpadła jak śliwka w kompot. Dlatego na nic się zdały protesty Hani, że jest środek nocy i że rano musi się grzecznie zameldować w szkole. Musiała wysłuchać prawie półtoragodzinnej opowieści pochwalnej, jaki to On, oczywiście przez duże O, jest och i ach. Gdy skończyły rozmawiać, a raczej gdy skończyła słuchać Dominiki, jej sen znajdował się gdzieś na antypodach. Nie mogła zasnąć. Do rana męczyła się w łóżku. Nie pomagał nawet szum muszli, a bzyczący nad jej głową komar jeszcze bardziej oddalał ją od snu.

Poranek przywitała z ogromnym zmęczeniem, ale z wielką ulgą. Przez egzaminy poprawkowe przebrnęła nadspodziewanie dobrze. Teraz czuła się trochę jak emerytowany worek treningowy, ale nawet to nie przyćmiło jej dobrego humoru. Wszystkie poprawki przyniosły oczekiwane rezultaty, szczególnie zadowolona była z wyników Starskiego. Jego odpowiedzi jednoznacznie wskazywały na wakacyjne zaangażowanie w literaturę przedmiotu. O to jej właśnie chodziło, gdy oceniła na jedynkę jego całoroczną pracę na lekcjach. Chciała, żeby zaczął pracować naprawdę, a nie brylował dzięki inteligencji i błyskotliwości, których – musiała przyznać – chłopakowi nie brakowało. Gdy wyszedł z egzaminu, natychmiast otoczył go wianuszek roześmianych, roznegliżowanych i opalonych koleżanek. Mogła to zrozumieć. Mateusz Starski należał do bardzo urodziwej części płci brzydkiej. Na pożegnanie powiedział do niej z charakterystyczną dla niego nonszalancją w głosie, że może być pewna, iż w trzeciej klasie nie da jej się przyłapać na nieprzeczytanej lekturze i nienapisanej pracy domowej. Odrzekła, że bardzo ją cieszy taka odważna deklaracja i że jeżeli dotrzyma słowa, to ona będzie wniebowzięta, po czym podała mu rękę w gratulacyjnym geście. Dałaby głowę, że po tym, co zrobiła, popatrzył na nią z sympatią. Pierwszy raz od czasu gdy się poznali.

– Witam szanowną koleżankę! – usłyszała głos dyrektora.

– O! Pan dyrektor. – Nawet nie musiała udawać zaskoczenia. – Już po pracy?

– Tak, pani Haniu, na dziś koniec, ale za to jutro czeka nas długi dzień. Będziemy radzić nad nowym rokiem.

– Trudno o tym zapomnieć – powiedziała z przekąsem.

– Pani Haniu, a może dałaby się pani namówić na małą kawkę?

Dyrektor próbował chyba uśmiechnąć się zniewalająco, niestety, bez powodzenia. Od dawna czuła, że ma do niej słabość.

– Przykro mi, panie dyrektorze – odparła szybko – ale tym razem muszę odmówić, ponieważ za chwilę mam wizytę u lekarza. – Ostentacyjnie zerknęła na zegarek, uciekając przed jego spojrzeniem.

– Proszę mnie nie martwić, pani Haniu. Czyżby coś pani dolegało?

Troska w dyrektorskim głosie wywoływała nieprzyjemne mrowienie na jej plecach.

– Ależ skąd. Czeka mnie rutynowa kontrola u stomatologa.

Wymyślona na poczekaniu odpowiedź nie mijała się bardzo z prawdą. Obiecała Dominice, że zje z nią obiad. Zatem musiała za chwilę zdążać na spotkanie z dentystką w celu kolejnego wysłuchania spowiedzi.

– Czyli kawa musi poczekać – inteligentnie wywnioskował dyrektor.

– Niestety – powiedziała. „Na szczęście", pomyślała i udając pośpiech, dodała: – Ale się zasiedziałam. Sierpniowe słońce jest cudowne. Muszę już uciekać. Do zobaczenia jutro, panie dyrektorze, do widzenia. – Odwróciła się na pięcie i już jej nie było.

Jadąc na spotkanie z Dominiką, zastanawiała się, czy jeszcze kiedykolwiek będzie w stanie umówić się z mężczyzną na niezobowiązującą kawę. Pan dyrektor oczywiście nie wchodził w grę.

„Umówię się, na pewno. Jak będę stara i pomarszczona. Tylko kto się wtedy będzie chciał ze mną umówić?", pomyślała, słuchając w radiu piosenki, której wykonawcy w refrenie nakazywali, żeby dbać o miłość, aby jej nie stracić. Rzeczywistość była taka, że nie miała o co dbać. Zagapiła się na światłach i kierowca w samochodzie za nią nerwowo zatrąbił. Miała go w nosie, dlatego ruszyła spokojnie, dostojnie, dziesięć kilometrów na godzinę. Mama przecież zawsze powtarzała, że pośpiech jest nieelegancki. Miała rację. Mama zawsze miała rację. Bardzo za nią tęskniła. Bardzo...

Rozpacz nie leczy rozpaczy.

Spotkały się w małej restauracyjce nieopodal gabinetu, w którym Dominika przyjmowała pacjentów. Jak zwykle przyszła spóźniona, za to w doskonałym nastroju. Hania obserwowała ją, gdy podchodziła do stolika, przy którym ona grzecznie i cierpliwie czekała. Widziała szczęście bijące od przyjaciółki.

– Biorąc pod uwagę twój doskonały humor, nie będę ci go chyba psuć miauczeniem na temat dwudziestominutowego spóźnienia – zaczęła od uwagi, jednak Dominika, jakby jej nie słysząc, wyszeptała do niej konspiracyjnie:

– Hanka, a słyszałaś...?

– Co? – zapytała z zaciekawieniem, też szeptem.

– Że szczęśliwi czasu nie liczą! – mówiąc to, Dominika pociągnęła ją figlarnie za czubek nosa.

– Ach tak. To cieszę się, że w ogóle przyszłaś. A tak na marginesie, to wiedz, że ja liczę czas bardzo dokładnie, w związku z tym może lepiej będzie, jak to ty dziś będziesz mówiła.

– Jest boski! – natychmiast rozanieliła się Dominika. Przymknęła oczy i powtarzała jak mantrę: – Boski, boski, boski.

– Lepiej Boga do tego nie mieszaj i wyduś z siebie coś więcej. – Chcąc sprawić Dominice przyjemność, okazywała ogromne zainteresowanie.

– Rozmawiało nam się doskonale, jakbyśmy się znali od zawsze. Fajnie na mnie patrzył. Ma piękne oczy, jakieś takie szarozielone. Bardziej ciemne niż jasne, takie śmiejące. Nawet trochę podobne do twoich, ale dużo ładniejsze.

– A moje co? Brzydkie? – żachnęła się.

– Nie czepiaj się. Po pierwsze, twoje są dużo jaśniejsze. Po drugie, ostatnio bez wyrazu. Nie ma o czym gadać, a poza tym nie umiesz tak popatrzeć jak on.

– Może to i lepiej... Jak był ubrany?

– Cudnie! Bosko! Modnie! Żurnalowo! – Zachwyt Dominiki był bardzo autentyczny. – Miał lniany jasny garnitur, buty z jasnej skóry. Mówię ci, *Miami Vice*, tylko przystojniejszy od tych glin i znacznie seksowniejszy.

Od dawna nie widziała Dominiki w takim uniesieniu, choć skłonność do uniesień pasowała do niej prawie jak nać do marchewki.

– Rozmawiałaś z nim czy tylko do niego wzdychałaś?

Do stolika podszedł kelner, przerywając rozmowę. Dominika, nie czekając ani na jego ewentualne sugestie, ani na kartę dań, ekspresowo zamówiła dwie zapiekanki wegetariańskie i coś do picia.

– A może ja nie mam ochoty na zapiekankę, i to w dodatku wegetariańską? – pozwoliła sobie zauważyć.

– Ja płacę, ja wybieram! – Dominika jak zwykle była niepoprawna. – Poza tym chyba nie przyszłaś tu jeść! – Popatrzyła na nią z wyrzutem.

– W zasadzie to zjeść też... – zaczęła Hania.

– To zaraz będziesz jadła! – przerwała jej nerwowo Dominika. – Na czym to skończyłyśmy, bo nie pamiętam?

– Nie pojmuję, jak mogłaś zapomnieć o boskim Przemo? – mówiąc to, zrobiła zdegustowaną minę.

– Posłuchaj. Gadaliśmy o wszystkim... – Dominika wciąż wzdychała.

– Czyli o niczym? – Celowo ją irytowała.

– Wiesz co?

– Co?

– Jesteś wredna! – skwitowała Dominika

– Ja wredna? – zdziwiła się. – A kto wysłuchał prawie całonocnej spowiedzi na temat twojego Super-Przemka? I po co? Żeby usłyszeć coś takiego? Jeżeli ja jestem wredna, to ty jesteś niewdzięcznicą! – Udawała urażoną.

– Dobra, dobra, nie musisz się od razu tak gorączkować. A może ty mi po prostu zazdrościsz?

– Chyba trochę tak. – Starała się zachować powagę. – Tak szczerze, to uważam, że boski Przemek powinien być mój.

– Zapomnij!!! – zagrzmiała Dominika tak głośno, że para przy stoliku obok zwróciła na nie uwagę. – Swojego boskiego to musisz znaleźć sobie sama! – dodała znacznie ciszej.

– Widzisz, Dominisiu – mówiła Hania jak do dziecka – na tym chyba polega mój największy problem, że ja nie potrafię szukać. – Rozłożyła bezradnie dłonie.

– Potrafisz. Tylko nie chcesz. Tkwisz wciąż w starej historii. A to do niczego nie prowadzi.

– Dominika, proszę cię, przestań! – W jednej chwili zebrało się jej na płacz. – To nie jest stara historia – dodała szeptem, bo nie mogła wydobyć z siebie głosu.

– Dobra, dobra... – wycofała się z ostrego tonu Dominika i powiedziała przymilnie. – Masz szczęście, że miłość ma doskonały sposób na opornych i leniwych.

– Jaki? – zapytała po chwili, której potrzebowała, by odzyskać jaką taką formę.

– Sama ich znajduje. Dziękuję. – Dominika podniosła wzrok na kelnera, który w tym momencie przyniósł dwie smakowicie wyglądające zapiekanki i wodę z cytryną w ramach czegoś do picia. – Nie przyglądaj się, tylko jedz! – Dominika uwielbiała jej rozkazywać.

– Wiesz, Dominisiu – odezwała się cicho – nie chciałabym, żebyś odniosła wrażenie, że przyszłam na spotkanie z tobą tylko po to, żeby się najeść. – Chyba wszystko wróciło do normy, skoro przemycała żart.

– Uwielbiam cię, wiesz?

Nie oczekiwała takiego wyznania ze strony przyjaciółki.

– Wiem. Ja ciebie też uwielbiam, dlatego jestem przerażona tym, że będę musiała się tobą z kimś dzielić. Możesz nie mieć już dla mnie czasu? – mówiła zmartwiona.

– O to możesz być spokojna! Mimo że w sobotę wieczorem nie spotkamy się jak zwykle w naszym dyskusyjnym klubie filmowym.

– Widzisz? Mówiłam! Koniec przyjaźni.

– Nie koniec przyjaźni, tylko randka!

– To już druga! – zaczęła odliczanie. – A dokąd idziecie tym razem?

– Zaczynamy u niego w pracowni, a później niespodzianka! – krzyknęła Dominika.

– Tylko błagam cię, bądź rozsądna. Kuba Rozpruwacz z pewnością też był boski.

– Puknij się! Możesz być spokojna. Wiem, że muszę trzymać fason. Lepiej mu na coś pozwolić czy może powodzić go trochę za nos?

Dominika najwyraźniej oczekiwała od niej pomocy w opracowaniu strategii randkowej.

– A którą wersję wolałabyś wybrać? – zapytała z uśmiechem, wiedząc doskonale, co Dominice chodzi po głowie.

– Oczywiście, że pozwolić szybko i na wszystko.

Nie myliła się.

– To może dla własnego zdrowia psychicznego powinnaś go chociaż trochę powodzić za nos. Obiło mi się kiedyś o uszy, że mężczyźni lubią gonić króliczka.

– Będę go wodzić nie za nos, tylko na pokuszenie! – to mówiąc, Dominika zaglądnęła sobie w dość odważny dekolt. – Chciałabym bardzo, żeby się na mnie skusił.

– Pamiętaj tylko, że im bardziej teraz będzie się musiał wysilić, tym lepiej sprawdzi się w życiu ogólnie. Tak mi się przynajmniej wydaje. – Martwiła się o Dominikę i miała nadzieję, że przyjaciółka nie będzie musiała przeżywać kolejnego rozczarowania.

– Wiem, wiem. Moja ty pani wszystkowiedząca o wielkim doświadczeniu.

– Tak naprawdę nie powinnam się chyba wypowiadać, ponieważ ostatnio w materii, o której teraz myślisz, nic nie przeżywam. Nic nie myślę. Nic nie wspominam. Po prostu jedno wielkie nic.

– A chciałabyś coś zmienić? – Dominika nie zdawała sobie sprawy z tego, że zadała jej najtrudniejsze z możliwych pytań.

– Zaczynam oswajać się z myślą, że mogę tak jeszcze długo. Nawet do starości – odpowiedziała wyjątkowo spokojnie.

– Na to jesteś za ładna. Szkoda byłoby, gdybyś się zmarnowała.

– Ale ja nie uważam, że się marnuję. Mam swoją misję życiową...

Nie zdążyła niestety o niej opowiedzieć, bo Dominika zdecydowanie jej przerwała.

– Przestań głupoty gadać! Nie możesz tak myśleć. Minął już ponad rok... – Dominika zawsze była odważna, ale mimo to nie umiała dokończyć rozpoczętego zdania. Chrząknęła tylko i mówiła dalej: – Wiem, że to mało czasu, ale jeżeli nie spróbujesz jeszcze raz, to będziesz w tym tkwiła jeszcze długo. Przecież niczego tak w życiu nie potrzebujemy jak miłości, no, może jeszcze tlenu. Zaręczam ci, wiem, co mówię. Więc nie opowiadaj mi tu dyrdymałów, że wszystko jest w porządku, bo nie jest. Masz pecha, nie jestem ślepa i widzę, co się dzieje. Żyjesz z dnia na dzień, o przepraszam, udajesz, że żyjesz. Boisz się iść do przodu. Boisz się nawet pomyśleć, jak mogłoby być. To, że raz wszystko się spieprzyło, nie znaczy, że tak będzie już zawsze. Teraz może być już tylko lepiej. Musisz tylko zacząć myśleć, że będzie lepiej, że wszystko się jakoś ułoży. Przecież sama zawsze mi powtarzasz, że nie da się wejść dwa razy do tej samej rzeki. Więc chyba czujesz, że w tej trudnej, brudnej i ohydnej już byłaś. Teraz czeka cię, musi na ciebie czekać, relaksująca kąpiel w ciepłej i czystej wodzie z boskimi bąbelkami. No i co się tak na mnie gapisz? Widzisz, ja też czasami potrafię powiedzieć ładnie i mądrze – Dominika przerwała swój wywód.

– Jestem w szoku... – przyznała cicho.

– Dlaczego?

– Bo mówisz o rzeczach, o których ja boję się myśleć.

– Przecież wiem. Dlatego bądź przygotowana, będę ci o nich mówić zawsze. Możesz na mnie liczyć. W tej sprawie zawsze! Będę przy każdej nadarzającej się okazji tłukła do twojej pięknej główki sceny z twojego dalszego życia. Nie tylko szkółka, sprawdzianiki, kolacyjki, zupki i zakupki. Kobieto, ty musisz żyć! Musisz się całować, kochać. Musisz o kimś myśleć. Ktoś musi siedzieć w twojej głowie! Ktoś żywy!

Ostatnie dwa słowa Dominiki, wypowiedziane podniesionym głosem, sprawiły, że argumenty, które przygotowała naprędce w ramach obrony, straciły nagle wagę i nie mogła ich już użyć.

– Chciałabym tylko przypomnieć, że spotkałyśmy się, żeby mówić o tobie.

Utopiła swój wzrok w ciągle pełnym talerzu. Nie była w stanie niczego przełknąć. Talerz Dominiki był prawie pusty, ale zajęte pochłanianiem zapiekanki usta niestety nie przestawały mówić.

– Nie zmieniaj tematu! Poza tym chcę, żebyś wiedziała, że mi też często trudno uwierzyć, że nie każdy facet jest takim skończonym dupkiem jak mój ojciec. Muszę znaleźć kogoś porządnego. Rozumiesz? Muszę! Inaczej sfiksuję i będę już do końca życia dziewczynką chowającą się za tapczanem, bo wrócił naprany tatuś, i to nie w humorze. Czasami myślę, że z nas dwóch to mimo wszystko ty jesteś szczęściarą – mówiąc to, Dominika spoglądała na nią wilgotnymi oczami.

– Chyba nie powinnyśmy się teraz licytować, którą z nas bardziej poharatało życie – powiedziała mocno poruszona słowami Dominiki, którą uważała za osobę twardą i niezniszczalną. Może bezzasadnie...

– Prawda jest taka – głos Dominiki znów był normalny – że obie dostałyśmy porządnie po dupie, tylko każda w inny sposób. Ty dostałaś raz a dobrze. Siniaki masz do dziś. Ja dostawałam regularnie. Może trochę słabiej niż ty, ale regularnie. Z bliznami. Tylko czymś się różnimy. Wiesz czym? – Spojrzała na Dominikę pytająco. – Wspomnieniami. – Dominika rzadko okazywała wzruszenie, ale teraz trząsł się jej głos. – Ty, Hanka, możesz przypominać sobie dobre czasy do woli. Masz kupę pięknych wspomnień i kładę głowę pod topór, że tylko nimi teraz żyjesz. A ja, choćbym się nie wiem jak wysiliła, to matki nie pamiętam wcale, a o ojcu wolę nie myśleć. Przecież on... – Machnęła ręką. – Szkoda strzępić język. Rozumiesz? Taka jest między nami różnica. Maleńka. Gdybym cię nie poznała wtedy w szkole, to... Wolę nie myśleć. Ale się pojawiłaś i pomogłaś mi, chociaż byłaś młodsza. Okazałaś się bardziej przydatna w moim życiu niż matka i ojciec. Dlatego teraz krew mnie zalewa, bo widzę, jak udajesz, że żyjesz, a ja nie wiem, jak ci pomóc. Hanka, nie myśl sobie, że jestem większą twardzielką od ciebie. Nie jestem! Codziennie rano wyłażę zza mojego dziecięcego tapczanu, bo wiem, że chowanie się za nim nie ma sensu. Hanka, ty też tak musisz! Choćby się waliło i paliło, musisz wstać z tej pieprzonej podłogi w swojej sypialni, przestać wyć w marynarkę Mikołaja, bo inaczej dostaniesz świra. Wtedy go nie dostałaś, ale teraz jesteś na dobrej drodze. Rozumiesz? Musisz to zrozumieć! Im szybciej, tym lepiej. Jeszcze obie będziemy bardzo szczęśliwe. Zobaczysz i proszę cię, nie rycz. Tylko nie rycz! Ryczenie pomaga, ale tylko chwilowo, i niczego nie zmienia.

Słuchała Dominiki i kiwała głową. Nie była w stanie wydusić z siebie choćby jednego słowa. Czuła, jak łzy nieprzerwanie nawadniają jej policzki. Trzymająca się za ręce zakochana para siedząca przy stoliku obok dziwnie im się przyglądała.

– Wiem – szepnęła – muszę się uspokoić. Ludzie na nas patrzą.

– To akurat możemy mieć gdzieś! – Dominika, nic sobie nie robiąc z zainteresowanych spojrzeń, kontynuowała. – Musisz mi obiecać! Obiecaj, że zaczniesz czekać na coś dobrego. Tak jak ja czekam. Hanka, ja wciąż na coś czekam. Teraz na przykład na to, żeby Przemek nie okazał się kolejnym zapatrzonym w siebie popaprańcem. Żebym mogła na kogoś liczyć i żebym mogła nareszcie przestać udawać strongmena, bo nim nie chcę być i nie jestem. Chcę, żeby ktoś się mną zajął i mnie kochał. Czy to tak dużo? – zapytała głośno. Też była wytrącona z równowagi.

– Dużo, Dominika, to bardzo dużo – odpowiedziała Hania po chwili. Nie nadawała się na pocieszycielkę.

– O kurczę! – Dominika spojrzała na zegarek. – Zostało mi tylko pięć minut, więc obiecuj mi szybko!

– Co? – zapytała, robiąc wielkie oczy.

– I żeby nie było, że tylko ty obiecujesz, to ja też ci obiecuję, że postaram się niczego nie skwasić z Przemkiem, a jak to on da ciała, to będę upierdliwie szukać dalej. Ty mi musisz obiecać, że wstajesz z podłogi, otrzepujesz się i zaczynasz rozglądać się wokół siebie. Ja obiecuję! – powiedziała Dominika tonem składającego przysięgę.

– Ja też – usłyszała swoje słowa. – Tylko nie oczekuj, że jutro umówię się z kimś na kolację – dodała asekuracyjnie.

– Spoko. Masz czas do końca roku. Może być? – zapytała konkretnie Dominika.

– Żartujesz?

– Ani przez chwilę. Masz czas do końca roku! Muszę lecieć. Zapłacę przy barze. Jutro, jak będę po, to zadzwonię.

– Tylko nie w nocy – poprosiła. – Mam później kłopoty z zaśnięciem.

– To kup sobie wibrator. – Dominika już nad nią stała.

– A może ty mi kupisz? Na pewno masz kartę stałego klienta.

– Kupię ci pod choinkę. Pa! – Poczuła cmoknięcie na policzku. – A! I nie pozwalam ci wstać od stołu, dopóki nie zjesz! Pa!

Tym razem usłyszała cmoknięcie nad drugim policzkiem. Odprowadzała przyjaciółkę uśmiechniętym spojrzeniem. „Poleciała. Wyrąbała mi prawdę w oczy i poleciała", pomyślała, i w tej samej chwili do stolika podszedł kelner.

– Nie smakowało? – zapytał zdziwiony.

– Ależ smakowało – odparła zmieszana. – Tylko byłam tak zajęta rozmową, że nie zauważyłam nawet, kiedy wystygło.

– To może ja podgrzeję? – zapytał bardzo uprzejmie.

– Jeżeli to nie kłopot, to byłabym wdzięczna, zwłaszcza że obiecałam siostrze, że nie wstanę od stołu, dopóki nie zjem.

Siedziała na „swojej" ławeczce na cmentarzu, który ogarniała październikowa szarość. Zastanawiała się, kiedy minął wrzesień. Wiatr wiał niemiłosiernie, zrywając z drzew jeszcze nie całkiem pożółkłe liście. Powietrze pachniało jesienią. Odczuwała wilgoć, chłód i nostalgiczną tęsknotę za latem, które w tym roku było wyjątkowo pogodne, prawie bezdeszczowe. Lubiła tu przesiadywać. Często bezmyślnie. Siedziała i wpatrywała się w mosiężne litery układające się w najważniejszą dla niej treść. Nigdy nie patrzyła na cyfry tworzące jej szczęśliwe i najnieszczęśliwsze liczby. Zmarzła, a silny wiatr potęgował jeszcze uczucie chłodu. Wiedziała, że powinna już iść. Musiała sprawdzić na jutro czterdzieści kartkówek. Tkwiła tu od ponad godziny także po to, by odwlec najmniej interesujący moment swojej pracy. Jednak głównym powodem zastygnięcia w bezruchu na ławce była potworna samotność. Dni były coraz krótsze, a wieczory dłużyły się w nieskończoność. Spędzała je najczęściej tylko w swoim, niezbyt atrakcyjnym towarzystwie, ponieważ Dominika ostatnio sprawiedliwie dzieliła swój czas pomiędzy pracę i Przemka, który z dnia na dzień okazywał się coraz poważniejszym kandydatem do jej serca. Z jej opowiadań wyłaniał się bardzo sympatyczny mężczyzna, który w niczym nie przypominał pantofla udeptywanego przez Dominikę. Musiała przyznać, że była coraz bardziej ciekawa, jaki jest mężczyzna, który miał szansę na okiełznanie jej temperamentnej przyjaciółki. Do tej pory nie udało im się jednak spotkać. Zawsze pojawiała się jakaś przeszkoda.

Dwa dni temu Dominika bardzo sprawnie zaaranżowała wspólne wyjście do kina. Jednak gdy nieopatrznie przyznała się, że ma iść z nimi najlepszy kumpel Przemka, Hania przeraziła się i natychmiast wycofała, niczym dotknięty palcem ślimak szukający schronienia we własnej muszli. Usprawiedliwiła się nadmiarem pracy. Dominika była niepocieszona. Misternie zaplanowana randka w ciemno mająca poprawić Hance słotno-jesienny nastrój nie doszła do skutku. Co prawda, było jej przykro, że musiała odmówić, bo kochała dobre filmy, jednak wolała oglądać je w zaciszu domowego salonu. Poza tym nie cierpiała na brak towarzystwa i nie chciała poszerzać wąskiego kręgu znajomych. Uwielbiała leżeć na kanapie i wpatrywać się w swoje ulubione filmy, które znała na pamięć. W jej salonie nikt nie jadł popcornu, nie mówił półgłosem. Nie było słychać dzwoniących telefonów. Kominek wysyłał ciepłe pomarańczowe światło, które w połączeniu z dobrym kinem było doskonałym sposobem na spędzanie piątkowych wieczorów. Te lubiła najbardziej. Zasiadała zwykle przed migającym kominkiem w poczuciu dobrze i efektywnie przepracowanego tygodnia. Nadchodzący sobotni poranek rozpoczynający się ciszą, a nie dźwiękiem budzika, napawał ją optymizmem. Czuła się wolna, bezpieczna i pogodzona z życiem, które na ten właśnie moment ograniczało swoją zawrotną prędkość. Uwielbiała to uczucie, kiedy mogła nie myśleć o niczym osobistym, ponieważ całą swą uwagę skupiała na historii innych ludzi opowiadanej filmowymi kadrami.

Było coraz chłodniej. Czuła, że niska temperatura na czubku jej nosa i palcach nóg daje jej wyraźne znaki do odwrotu. Przeżegnała się. Kiedyś na pożegnanie zawsze machała ręką. Teraz ten dziecinny gest zamieniła na inny. Gest, który stanowił dla niej znak łączności, nie tylko z Bogiem, ale także z rodzicami. Niezwykły był jej stosunek do Boga po tym wszystkim, co się wydarzyło. Sama się dziwiła, że właśnie tak reagowała. Wiedziała, choćby z literatury, że gdy w życiu człowieka następuje przeżycie, którego nie jest on w stanie ogarnąć własnym rozumem, zwykle zaczyna dyskutować z Bogiem jak równy z równym. Trudno mu się wtedy ustrzec postaw roszczeniowych i bluźnierczych. W ciężkich do przeżycia chwilach, gdy nie da się już niczego cofnąć, to Bóg zostaje obarczony winą i odpowiedzialnością za wszystko. Ona zareagowała inaczej. Kurczowo chwyciła się myśli, że skoro w Niego wierzy, to znaczy, że wszystko, co się stało, nie jest ostatecznością, że to chwilowa rozłąka, że to stan przejściowy, że to właśnie boski, choć nie boski plan, o którym z taką głęboką wiarą opowiadała jej pani Irenka. Paradoksalnie, właśnie tu, przy grobie rodziców, chyba najwyraźniej czuła ich niczym nieprzerwaną obecność w swoim życiu. Niezachwianie wierzyła w to, że patrzą na nią z okien błękitno-niebieskiego apartamentu i wciąż tak po ludzku cieszą się, że ich odwiedza. Czuła nawet, że mama chciałaby zobaczyć ją z kimś siedzącym obok niej na ławce. Z pewnością byłaby spokojniejsza, gdyby wiedziała, że nie jest samotna i zaczyna na nowo układać sobie życie. Może kiedyś rzeczywiście miała tu z kimś przyjść? Może kiedyś nawet miały tu przydreptać jej dzieci na swoich małych nóżkach? Tylko po to żeby rodzice gdzieś tam, wysoko, skakali z radości, że są dziadkami. Może...

Świadomość istnienia Boga i wiara w Niego pozwalały jej myśleć o nich jak o kimś, kto zawsze był i będzie, tylko przez bliżej nieokreślony czas nie ma mowy o żadnym spotkaniu, nawet krótkim. Ale jest ono optymistycznie nieuniknione.

Całą sobą czuła, że musi już iść, inaczej choróbsko było pewne, jak amen w pacierzu. Kierując się szybkim krokiem w stronę parkingu, zauważała wielu ludzi, którzy z pewnością podobnie jak ona przychodzili tu nie tylko po to, żeby grabić liście, zapalać znicze ocieplające cmentarny chłód i zabijać czas naznaczony samotnością. Oni wszyscy przychodzili tu w ramach jedynego możliwego spotkania. Przychodzili pokazać tym z góry, co słychać. U nich na pewno było wszystko dobrze. Nie mogło być inaczej. A tu? Jak to na ziemi. Walka. Z codziennością, samotnością, wiatrem, nastrojami, bezsilnością... Życie... Czekanie... Bo przecież jest takie czekanie, które jest już spotkaniem...

Był przerażony tym, co się ostatnio działo w pracowni. Nigdy nie narzekali na brak zleceń. Jednak od miesiąca byli zawaleni robotą, którą sprawiedliwie rozdzielał między chłopaków z zespołu i oczywiście siebie. Na Przemka nie miał co liczyć, bo wpadł, niestety bądź „stety", w szpony Amora. Pracy było tyle, że wszyscy musieli zabierać robotę do domu. Bardzo tego nie lubił. Zwłaszcza że odkąd mieszkał sam, zorientował się, że dom to *perpetuum mobile.* Gdy mieszkał z rodzicami, wszystko jakoś się kręciło, a on tylko pracował, spał i jadł. Odkąd mieszkał sam, nie mógł zapanować nad bałaganem. Musiał się prawie policyjnie pilnować, żeby na czas wyprać ubrania. W domu rodzinnym szuflada z czystą bielizną zawsze była pełna, a teraz niestety bardzo szybko traciła swoją zawartość. Podobnie było z lodówką, która zwykle świeciła marznącą pustką. Masakra! Na pewno tak skwitowałby ów stan jego braciszek. To prawda, za długo mieszkał z rodzicami, ale było mu z tym bardzo wygodnie. Od czasu gdy się wyprowadził, wszystko się zmieniło. Mama zaczęła traktować go jak gościa. Zawsze czekało na niego coś dobrego do jedzenia, gdy zapowiadał wizytę. W ogóle mama była niesamowita. Całe życie poświęciła swoim facetom. Zawsze tak o nich mówiła. O ojcu, o Mateuszu i o nim. Odkąd się urodził, nie pracowała zawodowo. Ojciec był notariuszem i bardzo dobrze zarabiał, ale też bardzo dużo pracował. Całymi dniami go nie było. Żeby dom normalnie funkcjonował, mama zrezygnowała z pracy i już nigdy do niej nie wróciła. Przed jego urodzeniem pracowała w przedszkolu. Bardzo lubiła dzieci, i to z wzajemnością. Pociechy wszystkich znajomych kochały ciocię Basię. Chciała, żeby się ożenił, miał dzieci, bo temu i tamtemu się rodziły, i to jedno po drugim, a on nie miał nawet żony. W skrytości ducha też chciał tego, co miała już większość jego rówieśników. Łatwo powiedzieć, trudniej zrobić. Po ostatnim uczuciowym niewypale długo nie mógł się pozbierać.

Nie przestał wierzyć w miłość, jednak po tym, co zafundowała mu Edyta, zraził się do bab. W dodatku od czasu wakacji żył w jakiejś trudnej do zrozumienia iluzji, którą sam sobie fundował. Nie wiedział, dlaczego ją tworzy i o co chodziło w tym wszystkim, co czuł. Wciąż przypominały mu się dawno zasłyszane słowa babci Malwiny. Był wtedy w liceum, w maturalnej klasie. Babcia była umierająca. Rak jelita grubego. Na dzień przed śmiercią powiedziała mu zdanie, które od sierpnia wciąż zajmowało jego myśli. Pamiętał je bardzo dokładnie. Babcia była tak osłabiona, że ledwie mówiła, ale usłyszał wtedy od niej, że życie człowieka składa się z tysięcy epizodów. Jednak tylko jeden z nich jest naprawdę ważny i zmienia całe życie. Mądrość życiowa polega na tym, żeby go nie przeoczyć wśród całej reszty. W piątek wieczorem mu to powiedziała, a w sobotę rano umarła. Od powrotu z urlopu wciąż odtwarzał w pamięci jej słowa. Zadręczał się nimi, zastanawiając się, czy to, co się wydarzyło, a raczej nie wydarzyło na wakacjach, mogło stać się tym jedynym epizodem, o którym mówiła babcia. Może jednak gdyby to miało być właśnie to jedno jedyne wydarzenie, to potrafiłby je jakoś wykorzystać. Niestety, nic takiego się nie stało. Nie udało mu się. Pamiętał, że ma w swoim aparacie szczególne zdjęcie, które zrobił, stojąc na wydmie. Nie obejrzał go ani razu. Bał się, że gdy to zrobi, poczuje, że coś z nim jest nie tak albo, co gorsza, popatrzy na nie i będzie miał poczucie straty.

– Ty nie rozmyślaj, tylko bierz się za aranżację strychu dla Sobierajskiej, bo jak nie skończysz w terminie, to ta stara gotowa pourywać nam nasze klejnoty rodzinne.

Jego niezbyt niezborne rozmyślania zostały drastycznie przerwane przez tryskającego dobrym humorem Przemka.

– Miło cię widzieć. – Widok przyjaciela rzeczywiście go ucieszył. – Chciałbym tylko nadmienić, że wszyscy robimy bokami. Nic więc dziwnego, że humor ci dopisuje. Interes się kręci, aż huczy, a ty od jakiegoś czasu też bawisz się w najlepsze.

– Zazdrościsz? – zapytał zadziornie Przemek.

– Przyznam, że wolałbym spędzać czas inaczej. Ale nie mogę się teraz zakochać, bo jeszcze puścimy firmę z torbami. Jeden zakochany wspólnik w zupełności wystarczy. A tak szczerze i z całym szacunkiem dla twoich uczuć to weź część roboty, co?

– A ile tego jest? – Przemek niestety nie okazał ani krzty entuzjazmu.

– Dużo! Weź chociaż jedno małe mieszkanie. Mamy takie trzy, i to na wczoraj.

– OK. Wezmę. Może znajdę chwilę i nie myśl, że nic nie robię. Projekt tego pokopanego bliźniaka mam już prawie skończony. A ty na jakim jesteś etapie?

– Każdy z chłopaków ma po dwie roboty. Ja właśnie kończę domek dla gości w ogrodzie „państwa nadzianych". Nie chwaląc się, wyszedł ekstra, więc jest szansa, że łykną go bez uwag. Do jutra muszę też skończyć aranżację sklepu z krzesłami, a trzy projekty na następny tydzień nawet nie ruszone. Myślę, że czeka mnie pracowity weekend. Dziś mamy środę, nie ma szans, żebym to wszystko skończył do piątku. A ty co jesteś taki uśmiechnięty? Cieszysz się, że praca wre, czy masz może jeszcze jakiś powód do radości, ubrany w spódniczkę?

– A jak myślisz? – Przemek uwielbiał być zagadkowy.

– Lepiej nie uruchamiaj mojej wyobraźni, bo jeszcze się zagalopuję i co wtedy?

– Powiem ci tylko tyle, że jest dobrze. Jest trochę zakręcona, ale na tym polega jej urok. Fajnie nam się rozmawia, bo jest bezpośrednia i niczego nie udaje. Jest dentystką i w białym kitlu wygląda tak, że staje nie tylko mózg. A jeżeli chodzi o ciebie, to chwaliła mi się, że ma fajną siostrę.

– Daj spokój! Przecież wiesz, że nie lubię takich numerów, to po pierwsze a po drugie – zamyślił się – raczej nie ma o czym gadać.

– Czyżbyś miał kogoś na oku? – zainteresował się od razu Przemek.

– Ty mnie nie przesłuchuj, tylko lepiej weź się do roboty.

– Nic z tego – zaśmiał się Przemek. – Dziś wieczorem spotykamy się u niej, więc sam rozumiesz. Żadna praca koncepcyjna nie wchodzi w grę, jeżeli już, to antykoncepcyjna. – Szelmowski uśmiech Przemka wiele tłumaczył.

– Spadaj lepiej. Któryś z nas musi pracować i dawać reszcie dobry przykład – spojrzał znacząco na przyjaciela, który nic sobie nie robiąc z jego spojrzeń, odwrócił się na pięcie i pognał ku przygodzie z damą w białym kitlu.

Jemu została jedynie żmudna praca polegająca między innymi na wgapianiu się w monitor, na którym widoczna była skomplikowana plątanina linii prostych, krzywych, cyferek i numerków. Bardzo lubił takie widoki, ale ostatnio czuł się przepracowany. Taki los. Do świąt musieli jakoś wytrzymać. Był pewien, że w połowie grudnia się uspokoi. Ludzie zajmą się czymś zgoła innym niż budowanie, urządzanie, a przede wszystkim marudzenie. Zaczną szukać bombek, choinek, prezentów i może dadzą mu w końcu chwilę spokoju!

Od ponad dwóch godzin siedział przy biurku prawie nieruchomo. Ślęczał nad wyjątkowo trudnym projektem. W pewnym momencie poczuł się tak zmęczony, że tylko kawa mogła go uchronić przed przedwczesnym zejściem z tego świata. Wstał, przeciągnął się, po czym prostując zdrętwiałe od siedzenia w jednej pozycji plecy, skierował się do kuchni. Nastawił wodę na kawę i odruchowo sięgnął po komórkę, którą zwykł zostawiać gdzie popadnie. Spojrzał na wyświetlacz informujący go o czterech nieodebranych połączeniach od ojca. Zaniepokoił się, bo ojciec rzadko do niego dzwonił. Wybrał jego numer. Ojciec odebrał natychmiast.

– Co się z tobą dzieje? Dlaczego nie odbierasz? – słyszał podenerwowanie w jego głosie.

– Dzień dobry, tato. Co się stało? Wszystko dobrze? – Teraz to on pytał zaniepokojony.

– Nic nie jest dobrze! – gorączkował się ojciec. – Musisz mi pomóc! Właśnie zaczyna się zebranie rodziców w szkole Mateusza. Obiecałem mamie, że na nie pójdę, a po nim porozmawiam z nauczycielką od polskiego. Wiesz, że to nie na matki nerwy! Ale to ty musisz tam pojechać, i to natychmiast! – Ojciec nie prosił, tylko rozkazywał.

– A dlaczego ty nie pojedziesz? – zapytał wprost.

– Nie mogę! Jestem uziemiony w kancelarii. Czekam na klientkę, która od godziny krąży nad Okęciem, bo jakiś idiota wylądował szybowcem na pasie startowym i musieli wstrzymać ruch. Jakimś cudem udało mi się tam dodzwonić i jeszcze chwilę to potrwa. Muszę tu na nią poczekać, bo przyjechała specjalnie do mnie i za kilka godzin musi wracać do Amsterdamu.

– Tato, ale ja mam pilną robotę... – chciał się wymigać.

– Synu, zrozum – ojciec w końcu użył proszącego tonu. – Tak rzadko cię o coś proszę – mówił coraz szybciej. – Jeżeli nie chcesz tego zrobić dla mnie, zrób to dla mamy.

„Tu mnie masz", pomyślał i od razu powiedział:

– W porządku, już jadę. Jak będzie po wszystkim, to dam ci znać co i jak.

– Dzięki – usłyszał ulgę w głosie ojca i się rozłączył.

Zerknął na kubek z kawą, którą przygotował w międzyczasie. Upił spory łyk i wstawił prawie pełen kubek do zlewu. Ubierając się, poinformował Sylwię, że wychodzi i nie wie, kiedy wróci. Był wściekły i zmęczony, choć prawda była taka, że rodzice ostatnio bardzo rzadko prosili go o cokolwiek. Przyszedł czas, żeby się wykazać.

Każda trasa w mieście o tej porze wyglądała tak samo. Samochód na samochodzie. W normalnych warunkach jazda do ogólniaka Mateusza zajęłaby mu jakieś dwadzieścia minut, może nawet mniej. Ale w tym mieście normalne warunki na drodze się nie zdarzały. Właśnie parkował w pobliżu szkoły po dokładnie pięćdziesięciu minutach walki z ulicznym korkiem. Był wściekły. Bał się spojrzeć na zegarek, bo wiedział, że dochodzi dziewiętnasta. Zebranie na pewno już się skończyło, ale babkę od polskiego, przy odrobinie szczęścia, mógł jeszcze namierzyć. Wpadł do szkoły. Na portierni niczego, poza tym gdzie jest pokój nauczycielski, się nie dowiedział. Wielkimi krokami przemierzył schody, usiłując przypomnieć sobie nazwisko nauczycielki Mateusza. Nic, czarna dziura, nie pamiętał. Drzwi pokoju nauczycielskiego były otwarte. Wszedł do niego, nie zwracając niczyjej uwagi. Atmosfera wskazywała na koniec zebraniowego zamieszania. Pojedynczy rodzice rozmawiali z nauczycielami. Zauważył przystojnego krawaciarza przy tablicy, na której był wywieszony ogromny plan lekcji. Podszedł do niego.

– Przepraszam bardzo, czy wie pan może, jak nazywa się polonistka ucząca klasę trzecią b?

– Chwileczkę – powiedział tamten, szukając czegoś na planie. – Pani profesor Lerska – mówiąc to, rozglądał się po olbrzymim pokoju nauczycielskim. – Nie widzę jej tutaj, więc albo już wyszła, albo przyjmuje rodziców w sali czterysta dwa. Piętro wyżej, drugie drzwi na lewo.

Podziękował szybko i goniąc po schodach, myślał, że chyba źle ocenił krawaciarza, bo okazał się pomocny, konkretny i chyba nawet trochę sympatyczny. Zganił się w duchu za sklerozę. Gdy usłyszał nazwisko podane przez krawaciarza, od razu przypomniała mu się Mateuszowa Pindalerska. Pod wskazaną salą niestety nie było nikogo. „Pięknie!", pomyślał, czując, że się spóźnił i w związku z tym ojcu groziły ciche dni, z którymi radził sobie dużo gorzej niż dostojnie milcząca mama. Postanowił się nie poddawać i delikatnie zapukał. Odczekał krótką chwilę. Nic, cisza. Ponowił próbę, tylko że teraz jego pukanie było słyszalne wyraźnie, i to chyba w całym pustym korytarzu. Niestety, znów odpowiedziała mu głucha cisza. Nacisnął klamkę i ku jego radości drzwi się otworzyły. Wszedł do przestronnej i ładnej klasy. Panował tu ład i porządek, wszystko było na swoim miejscu. Opasłe tomiska poniszczonych, co prawda, słowników stały na baczność w przeszklonych witrynach. Ze ścian zerkali na niego poeci i pisarze uwięzieni w czarno-białych ni to portretach, ni fotografiach. Niektórych poznawał. Mickiewicz, Słowacki, Dąbrowska. Na parapetach stały różnych rozmiarów kaktusy. Niektóre nawet kwitły. Na biurku nauczycielki piętrzyły się zeszyty uczniów. Chyba do sprawdzenia. „Pięknie!", pomyślał drugi raz i poczuł się uwięziony w szkolnym potrzasku.

– Dzień dobry?! – zagadnął do otwartych drzwi prowadzących najprawdopodobniej na zaplecze tej imponującej sali.

– Dzień dobry – odpowiedział mu bardzo miły i młody głos.

Zdziwił się. Nie takiego się spodziewał.

– Proszę sobie usiąść i chwileczkę zaczekać. Już do pana przychodzę...

Zastanawiał się, jakim cudem starsza kobieta może mieć tak młody głos.

Nie skorzystał z zaproszenia i wciąż stał, wgapiając się w tablicę. Cieszył się, że mimo wszystko zdążył i tym samym uratował ojcu skórę. Usłyszał kroki, przeniósł wzrok na otwarte drzwi i... przeżył szok. Ze stosem zeszytów pojawiła się w nich... jego dziewczyna z plaży. Nie mógł w to uwierzyć. Momentalnie zaschło mu w ustach, chyba dlatego zaniemówił. Stała przed nim dziewczyna, którą zapamiętał zaczytaną i spędzającą samotne dni na plaży. Nie była starzejącą się i pachnącą formaliną, zramolałą Pindalerską, tylko dziewczyną, której zdjęcie wciąż tkwiło w jego aparacie. Patrzył na nią i nie mógł uwierzyć w to, że ją widzi.

– Dzień dobry, a raczej dobry wieczór. Dobrze się pan czuje? – zapytała z miłym uśmiechem.

Było jej z nim bardzo do twarzy. Na plaży zawsze była smutna.

– Dobry wieczór. Tak, tak, wszystko dobrze. Tylko bardzo się spieszyłem. Bałem się, że nie zdążę. – Nie potrafił przy niej sklecić jednego dłuższego zdania.

– Biorąc pod uwagę pana wiek, zastanawiam się, czy to możliwe, żebym uczyła pana dziecko? – zapytała, patrząc na niego oczami w kolorze gryczanego miodu, które miały prawie identyczny kolor jak włosy upięte z tyłu jej głowy w coś na kształt koka.

– Ma pani rację. Przychodzę w zastępstwie taty.

„Nie rób z siebie idioty! To polonistka, mów ładnie!", ganił się w myślach.

– A jak się pan nazywa? – musiała zauważyć jego paraliż i widocznie postanowiła ułatwić mu zadanie.

– A tak, przepraszam – znów się miotał. – Nazywam się Starski. Jestem starszym bratem Mateusza Starskiego.

– Bardzo mi miło. Hanna Lerska – przedstawiła się. – Proszę usiąść – wskazała ręką krzesło dostawione do biurka, dokładnie naprzeciw jej fotela.

– Pani profesor... – zaczął niepewnie, od razu gdy usiadł.

– Wystarczy „pani" – weszła mu w słowo, ale bardzo taktownie, z uśmiechem. – Rozumiem, że chciałby się pan zapoznać z ostatnimi osiągnięciami edukacyjnymi brata – znów mu pomogła.

Była cudowna, a on patrzył na nią jak zaczarowany. Mówiła cicho i spokojnie. Z pewnością wyczuwała, że był zdenerwowany, a raczej poruszony.

– Tak, tak. Oczywiście. Obiecałem to ojcu, który bardzo przeprasza, ale nie mógł dziś przyjść, stąd moja obecność tutaj.

Patrzyła na niego z ledwo widocznym uśmiechem.

– Sytuacja Mateusza jest trochę skomplikowana – zaczęła mówić, patrząc mu w oczy. – Nie zamierzam przed panem ukrywać, że z premedytacją doprowadziłam do jego poprawki w ubiegłym roku szkolnym. Chciałam, aby odczuł, że na wszystko w życiu trzeba zapracować. Że należy czytać lektury, a nie ograniczać się do internetowych opracowań, które, *nota bene*, są często bardzo dobrze napisane, ale nie uruchamiają wyobraźni czytelnika na poziomie literackim. Wydaje mi się, że to założenie w wypadku Mateusza udało mi się zrealizować. Zaczął więcej pracować i zmienił stosunek do obowiązków szkolnych. Obecnie mój problem z Mateuszem tkwi bardziej w sferze wychowawczej niż edukacyjnej.

Słuchał jej bardzo uważnie i nie mógł sobie darować, że nie zaprowadził Mateusza na poprawkę osobiście, tak jak chciała tego mama. Już wtedy, pod koniec sierpnia, przekonałby się, że widok dziewczyny na plaży nie był tylko nic nieznaczącym epizodem, który zapamiętał, ot tak sobie, całkiem przypadkowo. Patrzył na nią jak zahipnotyzowany, a ona mówiła powoli i spokojnie, wciąż delikatnie się uśmiechając.

– Obecnie mam wrażenie, że największą ambicją Mateusza jest pokazanie mi, i to za wszelką cenę, że wszystkie treści, które staram się przekazać na lekcji uczniom w formie najbardziej atrakcyjnej z możliwych, są dla niego mało ważne, nieistotne i co najgorsze, nieprzydatne. W tym wszystkim, czego doświadczam z jego strony, najbardziej mi żal, że nie wykorzystuje swojego intelektu i niezwykłej błyskotliwości w odpowiedni sposób. Przy odrobinie wysiłku już dziś byłby z niego doskonały krytyk literacki. Niestety, tak się nie dzieje, a ja na co dzień, na własnych lekcjach muszę zmagać się z cynicznym i wiecznie drwiącym młodym człowiekiem. Nie będę przed panem ukrywać, że zaczynam być tą sytuacją zmęczona. Dlatego chciałabym ten problem rozwiązać w miarę szybko. Jednak myślę, że bez wsparcia środowiska rodzinnego Mateusza może mi się to nie udać.

– Czego pani ode mnie oczekuje? – zapytał, z trudem ukrywając wściekłość na Mateusza, którego znał doskonale i wiedział, że bez najmniejszych trudności i oporów potrafi zrobić z siebie skrzyżowanie inteligentnego wafla z chamskim batonem.

– Szczerze mówiąc... – zaczęła, ale zamyśliła się i na chwilę zamilkła. – Myślę, że ta sprawa wymaga pewnej dyplomacji. Mogłabym sobie oczywiście poradzić z lekcyjną frywolnością Mateusza sama, wzywając go na rozmowę dyscyplinującą, podczas której w kilku słowach wytłumaczyłabym mu na przykład, że choć w tekście dramatu *Romeo i Julia* Szekspira nie pada słowo seks, to jest to utwór o miłości. Przytoczyłam panu właśnie przykład na radosną twórczość polonistyczną Mateusza. Proszę mi wierzyć, podobne mogłabym cytować panu w nieskończoność. Jednak nie w tym celu odbywa się nasze spotkanie. Chciałabym, żeby Mateusz sam zrozumiał, że takie postępowanie do niczego nie prowadzi. Moje uwagi mogą, niestety, przynieść tylko odwrotny skutek. Chciałabym więc, aby pan lub pana rodzice odbyli szczerą rozmowę z Mateuszem i odwołując się do jego ogromnej inteligencji, popracowali nad wątpliwą kulturą słowa. Nie wiem tylko, czy wyraziłam się wystarczająco jasno i zrozumiale?

Znów patrzyła na niego ze zbijającym go z pantałyku delikatnym uśmiechem. Niesamowite było, że pomimo trudnego tematu, który poruszała, była spokojna i zdystansowana.

– Oczywiście – powiedział szybko, może nawet za szybko. – Myślę, że najlepiej będzie, jeżeli sam z nim porozmawiam, i mam nadzieję, że bardzo prędko odczuje pani efekty tej rozmowy – niezamierzenie zagrał przed nią twardziela. Nie musiał długo czekać na reakcję z jej strony.

– Myślę... – zaczęła i znów na moment ucichła. – Myślę – powtórzyła – że jednak nie całkowicie mnie pan zrozumiał. Osobiście nie zależy mi na tym, żeby Mateusz zmienił się jedynie na moich lekcjach. Chyba zdaje pan sobie sprawę z tego, że za parę miesięcy wyfrunie stąd w szeroki świat. Mam nadzieję, że z dobrze zdaną maturą. Zależy mi na tym, żeby sam – zrobiła krótką pauzę i wciąż patrząc na niego miodowymi oczami, dokończyła – lub przy pomocy rodziny zrozumiał, że w życiu trzeba czasami dla własnego dobra przemilczeć słowa, które cisną nam się na usta. Mateusz powinien się tego nauczyć, bo inaczej po prostu będzie mu w życiu ciężko. Na pewno zdaje pan sobie sprawę, że nie zawsze przeciwnik, choć żeby było jasne, ja się za kogoś takiego nie uważam, będzie patrzył na niego i jego radosne występy przez palce. Może pan być spokojny, ja będę to tak robiła jak do tej pory. Mam nadzieję, że podczas naszej rozmowy odczuł pan, że tak naprawdę chodzi mi o dobro Mateusza, a nie o moje samopoczucie na lekcjach.

Skończyła mówić, wciąż się uśmiechając, a on poczuł się jak makaron po godzinie gotowania. Był ugotowany, tak że nie można już bardziej. Był pod tak silnym wrażeniem jej osoby i tego, że jakimś cudem ją spotkał, iż znów nie wiedział, co powiedzieć.

– Oczywiście, że panią rozumiem – wydusił w końcu. – Znam mojego brata nie od dziś. Obiecuję też, że zacznę nad nim pracować, i przepraszam panią jeszcze raz, że się spóźniłem.

– Ależ naprawdę nic się nie stało. Proszę się tym nie przejmować. Najważniejsze, że pan dotarł i udało nam się porozmawiać. Było mi miło pana poznać.

– Mnie również – odpowiedział, marząc, że poda mu rękę na pożegnanie. Niestety, nic takiego się nie stało. Podziękował jej i chciał jeszcze coś dodać. Nie zdążył, bo otworzyły się drzwi i zobaczył w nich poznanego w pokoju nauczycielskim krawaciarza.

– O przepraszam, pani profesor, ale myślałem, że już po wszystkim.

„Co za pacan!", pomyślał, zapominając, że jeszcze nie tak dawno oceniał go dużo lepiej.

– Proszę wejść, panie dyrektorze, właśnie skończyliśmy rozmowę. Pan Starski już wychodzi.

Nie mógł uwierzyć, że krawaciarz awansował nagle na dyrektora.

– O widzę, że Pan Spóźniony jednak miał dużo szczęścia i udało się panu zamienić słowo z panią profesor – stwierdził z przekąsem goguś zarządca.

– Tak, zdążyłem. W ostatniej chwili – popatrzył na niego i jedyne, czego teraz chciał, to przenieść swój wzrok na nią.

Zrobił to. Znów zobaczył miodowe oczy, które były teraz inne niż podczas ich rozmowy. Całkowicie poważne.

– Jeszcze raz dziękuję i do widzenia – powtarzał się, załamany faktem, że musiał już wyjść.

– Do widzenia.

A jednak jeszcze raz zobaczył jej uśmiech. Wtedy, na plaży, nie mogła go widzieć. Obserwował ją z daleka, ale już wtedy go urzekła. Dziś zobaczył ją dokładnie, z bliska. Wyglądała dokładnie tak, jak ją zapamiętał. W sierpniu nie znalazł w sobie odwagi, żeby do niej podejść. Teraz musiał wyjść. Zostawił ją samą z bezpośrednim przełożonym. Ale co innego mógł zrobić? Zbiegał po schodach, nie wiedząc, co go bardziej irytowało – czy to, że on musiał wyjść, czy to, że tamten mógł zostać. Wyszedł ze szkoły, wsiadł do samochodu. Wciąż nie mógł uwierzyć w to, co się stało. Jego dziewczyna z plaży była nauczycielką Mateusza. Z jednej strony chciał mu nawtykać. Z drugiej, gdyby jego brat był nierzucającym się w oczy poczciwcem i kujonem, on mógłby nigdy się nie dowiedzieć, że była tak blisko niego.

Siedział w samochodzie. Nie wiedział, co robić i co o tym wszystkim myśleć. Był szczęśliwy, że ją spotkał. Tam, na plaży, była dla niego nieosiągalna. Patrzył na nią, jakby była istotą z innej planety i żadne porozumienie między nimi nie mogło wchodzić w grę. To, że ją znalazł, było nieprawdopodobne!

Jednak okoliczności, w których się spotkali, nie sprzyjały zawarciu bliższej znajomości. Miał tylko nadzieję, że nie pomyśli o nim, że jest podobnym cynikiem i ignorantem jak jego brat. Podczas spotkania, niestety, w przeciwieństwie do niej, nie wykazał się inteligencją. Miał wrażenie, że wszystko, co powiedział, było całkowicie nielogiczne i nieskładne. Natomiast ona mówiła pięknie i bardzo spokojnie. W jej wymowie było coś bardzo dokładnego. Mówiła płynnie i używała ładnych słów. Był nią zauroczony. Miała niesamowite oczy. Patrzyła na niego przenikliwie, przeszywając go na wylot mądrym spojrzeniem. Pięknie się uśmiechała. Gdy mówiła, wciąż miała uśmiechnięty wyraz twarzy, tylko oczy pozostawały jakby nieruchome. Były czujne jak oczy sarny chcącej w nocy przebiec przez drogę, po której jedzie samochód. Była filigranowa, ale nie chuda. Pomimo wysiłku nie potrafił sobie przypomnieć, jak była ubrana. Na plaży miała na sobie zawsze szary dres, niezależnie od pogody. Zwrócił uwagę na jej bardzo drobne ręce. Wyglądały jak ręce małej dziewczynki. Cieszył go fakt, że nie nosiła obrączki, i zaczął się zastanawiać, ile mogła mieć lat. Mateusza uczyła już w drugiej klasie, ale chyba dopiero od półrocza. Przypominał sobie dokładnie, jak braciszek pomstował, gdy się pojawiła i przedstawiła swoje wymagania. Mogła mieć jakieś dwadzieścia sześć, może dwadzieścia siedem lat. Wyglądała bardzo młodo. Wciąż myśląc o niej, szukał telefonu. Gdy go znalazł, okazało się, że miał trzy nieodebrane połączenia. Od recepcjonistki w pracy, od ojca i od mamy. Ucieszył się, że nie wziął go z sobą. W pierwszej kolejności oddzwonił do Sylwii i pozwolił jej odmeldować się z posterunku. Nie zamierzał już dziś wracać do pracy. Pomimo goniących go terminów nie był w stanie pracować. Gdy zatelefonował do mamy, okazało się, że już wszystko wie, bo ojciec właśnie wrócił do domu i przyznał się do zebraniowych wagarów. Jadąc do rodziców, wciąż widział przed sobą miodowe oczy i zastanawiał się, co robić. Nie miał pojęcia. Czuł się dokładnie tak jak wtedy na plaży.

Gdy wszedł do domu rodziców, już od drzwi poczuł zapach czegoś pysznego. Ostatnio dużo pracował i regularnie poddawał swój żołądek ciężkiej próbie. Zapełniał go byle czym i to byle co popijał hektolitrami kawy. Ojciec przywitał go z wielką radością już od progu.

– Dziękuję ci, synu, uratowałeś dziś moje małżeństwo! – mówiąc to, poklepał go przyjacielsko po plecach.

– Chodź, synku! Szybko! – z kuchni dobiegał głos mamy. – Umieram z nerwów i z ciekawości! Modlę się od siedemnastej o dobre wieści. – Mama musiała nakrywać do stołu, bo słyszał dobrze mu znany odgłos rozstawianych na stole talerzy.

– Cześć, mamo – wszedł do kuchni i pocałował ją w policzek.

Spojrzała na niego.

– Matko święta! Dobrze się czujesz? – zapytała i dotknęła jego czoła tak, jak robiła to, gdy był mały.

– Spokojnie, mamo, wszystko w porządku. Jestem tylko trochę zmęczony i głodny jak wilk – mówiąc to, zjadał oczami wszystko, co widział na parujących smakowitością półmiskach.

Mama zrobiła spaghetti. Wiedziała, że je uwielbiał.

– Nie dbasz o siebie! – stwierdziła z wyrzutem, uważnie mu się przyglądając. – Denerwujesz się czymś? Jesteś jakiś nieswój – prześwietlała go spojrzeniem.

– Gdzie Mateusz? – zgrabnie zmienił temat.

– Oficjalna wersja jest taka – ojciec znacząco uniósł brwi i westchnął – że jest na koszu. Ale myślę, że równie dobrze może się bawić całkiem gdzie indziej i obracać w rączkach nie piłkę, tylko coś zupełnie innego.

– On mnie do grobu wpędzi – mówiąc to, mama usiadła naprzeciwko niego. – Ty byłeś całkiem inny, ale mów szybko, jakie ma oceny z polskiego.

– Oceny? – zapytał niezbyt błyskotliwie.

– Tak, synku, oceny. Wiesz, w szkole zwykle uczniowie dostają oceny.

– Jestem kretynem – powiedział bardziej do siebie niż do niej. – Nie zapytałem o oceny.

– Jak to nie zapytałeś? – Oczy mamy robiły się większe i większe. – A ta polonistka nic ci nie powiedziała o ocenach? To o czym, na miłość boską, rozmawialiście?

– Rozmawialiśmy o zachowaniu Mateusza na polskim – nie mógł się skupić. Wciąż widział przed sobą jej oczy.

– No, Matko święta! Mów! Co tak cedzisz słowa? Nie bój się, nie padnę trupem z wrażenia, ale zaraz padnę trupem z niepewności! – nerwowo ponaglała go mama.

– Pani profesor Lerska... – zaczął z trudem. – Powiedziała, że ma z nim problemy wychowawcze. Mówiła, że uczy się dobrze. W porównaniu z ubiegłym rokiem widzi poprawę, natomiast, niestety, na lekcjach Mateusz zachowuje się nieszczególnie. Prosiła, żeby z nim porozmawiać na ten temat.

– Myślę, że na lekcjach jest taki sam jak w domu. Nieopierzony kowboj. Trzeba mu jakimś sprytnym szantażem wybić z głowy tę wolną amerykankę! – skwitował ojciec. – A ta jego polonistka to jakaś normalna? Ile ma lat? – zapytał, zręcznie nawijając makaron na widelec.

– Tato, nie pytałem jej, ile ma lat, ale jest młoda i robi dobre wrażenie.

– Młoda? – zdziwiła się mama. – Mateusz zawsze mówi o niej tak, jakby został jej tylko rok do emerytury.

– Tak, jest młoda i musi być chyba dobrym pedagogiem, bo powiedziała, że chciałaby, żeby Mateusz zmienił swoje zachowanie nie ze względu na nią, ale ze względu na własną przyszłość.

– Pokora w życiu ważna rzecz – ojciec mówił z pełnymi ustami, natomiast mama obiema rękoma trzymała się za skronie.

– Ale co jej powiedziałeś?

– Obiecałem, że z nim porozmawiam i że wszyscy będziemy nad nim pracować.

– Dobrze, synku, ale zadzwoń do niej jutro i poproś, żeby podała ci jego oceny, bo nie będę mogła spać w nocy – westchnęła.

Usłyszał głośne trzaśnięcie drzwiami. Przystojny powód dzisiejszego zamieszania szybko przemierzył korytarz i już opierał się o futrynę drzwi kuchennych. Chyba jednak grał w kosza, bo był bardzo spocony.

– O, widzę, rodzinna kolacyjka – stwierdził, zdradzając doskonały humor.

– Chodź, siadaj z nami. Pogadamy, przy rodzinnej kolacyjce, o twoim zachowaniu na polskim, bo twój brat rozmawiał dzisiaj z nauczycielką. – Głos ojca był spokojny, niezdradzający żadnych emocji. Czasami jego prawnicze skrzywienie zawodowe bardzo się przydawało na gruncie rodzinnym.

– Brat? – zdziwił się Mateusz i wbił w niego pytające spojrzenie.

– Wyobraź sobie, że to ja rozmawiałem dzisiaj z profesor Lerską o twoich postępach.

– I jak ci się spodobała? – Mateusz bawił się w najlepsze.

– Rozmowa? – zapytał zaczepnie. Był coraz bardziej wkurzony na tego bezczelnego młodziaka.

– No chyba że nie Lerska! – parsknął Mateusz.

– Posłuchaj mnie teraz, ale uważnie, bo nie zamierzam niczego powtarzać. Powiem ci jedno: jeżeli będziesz dalej gadał na lekcji bez sensu, i to tylko po to żeby ją wkurzać albo rozbawić resztę klasy, to dziś tu, przy rodzicach, obiecuję ci, że za miesiąc osobiście przeniosę cię do innej szkoły. Nie chce mi się z tobą dłużej gadać. Chcę tylko, żebyś przyjął do wiadomości, że za miesiąc zamierzam się z nią skontaktować i jeżeli będzie miała chociaż jedną skromną uwagę na temat twojego zachowania, to wylatujesz do innej szkoły! Zrozumiałeś?! – zapytał stanowczo.

Mateusz podrapał się niedbale po głowie dziwnie znajomym gestem, po czym się skrzywił.

– Nie wiem, co ta wymagająca sztywniara ci naopowiadała, ale...

– Wyobraź sobie – wszedł mu w słowo – że zupełnie mnie nie obchodzi, co masz do powiedzenia, bo nie mam zamiaru z tobą dyskutować. Zapamiętaj tylko, że teraz od ciebie zależy, czy maturę będziesz zdawał ze swoimi kolesiami, czy nie. Im możesz opowiadać, co ci tylko ślina na język przyniesie i co ci się tylko podoba, o ile chcą cię w ogóle słuchać. A na polskim, i to już od jutra, masz włączyć opcję wysoka kultura, bo inaczej... – nie dokończył, bo nie chciał się bez sensu powtarzać. – Wiesz co!

Musiał przyznać, że nie podejrzewał się o umiejętność mówienia tak zdecydowanym, mocnym i nieznoszącym sprzeciwu głosem. Taki nie zdarzał mu się nawet w pracy, gdzie też od czasu do czasu musiał wyrażać swoje niezadowolenie.

Rodzice spojrzeli po sobie i wyjątkowo nie chcieli nic od siebie dodać. Mama zerkała na Mateusza, który wydawać by się mogło, przyrósł do futryny kuchennych drzwi.

– Zjesz coś? – zapytała.

– Nie jestem głodny – odparł i z niewesołą miną powędrował do swojego pokoju. Tylko biednym schodom dostało się chyba nieźle, bo temperamentny Mateusz deptał je właśnie z wciąż narastającą agresją.

W kuchni zapadła niezręczna cisza przerywana jedynie odgłosem sztućców grających przy pomocy obiadowych talerzy.

– Uważam, że to było konieczne – przerwał ją po przedłużającej się w nieskończoność chwili. – Wóz albo przewóz. Nie można go wciąż traktować jak małego chłopca i zawsze głaskać po główce. Przecież to jest stary koń. Musi zrozumieć, że tylko od niego teraz zależy to, gdzie będzie zdawał maturę. I jeszcze, żeby było jasne. Wszystko, co do niego powiedziałem, to nie jest jakiś żart. Osobiście go przeniosę, jeżeli się nie uspokoi – skończył mówić i wbił wzrok w stojący przed nim talerz.

W dalszej części wieczoru nie wracali już do tematu Mateusza. Chyba każde z nich uznało, że wszystko zostało powiedziane. Pomógł posprzątać mamie po kolacji. Ojciec poszedł się położyć. Ostatnio za dużo czasu spędzał w kancelarii. On też pracował o wiele za dużo, ale był młody, a ojciec miał już swoje lata, choć udawał, że czas dla niego zatrzymał się na czterdziestym roku życia. Gdy wychodził z domu, mama znów zagadnęła go, czy wszystko jest w porządku. Twierdziła, że jest jakiś dziwny. Zapewniał ją, że wszystko jest w porządku, ale chyba niespecjalnie mu wierzyła. Znała go zbyt dobrze. A od kilku godzin jego mózg pracował na przyspieszonych obrotach. Nawet dyscyplinując Mateusza, widział ją przed sobą. Oczy, usta, uśmiech, splecione dłonie. Za wszelką cenę chciał zapamiętać jej głos, niestety, nie udawało mu się. Chciał znaleźć się jak najszybciej w domu i wydrukować zdjęcie. Wcześniej nie chciał tego robić, dziś musiał.

Bo twoje oczy jakby morze...

Leżała w wannie wypełnionej po brzegi gorącą wodą. Cieszyła się, że ten długi i męczący dzień już się kończył. Była wykończona, ale temperatura wody wpływała na nią relaksująco. Dominika, znając jej narkotyczną skłonność do długich i gorących kąpieli, twierdziła z przekonaniem, że kiedyś się w ten sposób utopi. Dziś jednak śmierć przez utopienie jej nie groziła, ponieważ pomimo przymkniętych powiek intensywnie myślała. Miała za sobą trudny dzień. Najpierw siedem lekcji, później nudna i jak zwykle za długa rada pedagogiczna, podczas której, żeby nie marnować czasu, sprawdzała kartkówki. Było to zajęcie, którego nie znosiła. Jednak mając podzielną uwagę, mogła sobie na nie bez obaw i oporów pozwolić. Koniec rady niestety nie oznaczał upragnionej wolności. Spędziła po niej trzy długie godziny ze zwykle zmęczonymi i zmartwionymi rodzicami. Starała się zrozumieć załamane matki i zdenerwowanych ojców. Pani Irenka powiedziała jej kiedyś, że rodzice są bardzo szczęśliwi, gdy rodzą się zdrowe dzieci, a szczęśliwi, gdy małe dzieci dobrze jedzą, a duże dobrze się uczą. Jak zwykle, miała rację. Rodzice, z którymi dziś rozmawiała, byli, w większości, bardziej zestresowani złymi ocenami niż ich własne dzieci. Niestety, jedynie dziesięć procent złych ocen, które była zmuszona wystawiać, wynikało z niewydolności edukacyjnej uczniów. Resztę stanowił plon lenistwa, klasycznego nieuctwa, szczeniackiej niefrasobliwości i niestety, głęboko zakorzenionej wiary w to, że, mówiąc niezbyt cenzuralnym językiem młodzieży, olewanie jest trendy. Westchnęła i przyjrzała się swoim paznokciom, które na całe szczęście nie wymagały żadnej ingerencji, bo miała siłę jedynie na to, żeby pokonać odległość między wanną a łóżkiem. Nie chciało jej się wychodzić. Woda była wciąż bosko ciepła. Czuła się w niej jak niedźwiedzica w przytulnej gawrze, gdy wokół króluje biała i mroźna zima, a jej jest ciepło, cicho i bezpiecznie. Cudowne uczucie. Nagle jej spokojne myśli zakłócił obraz dyrektora, któremu kolejny już raz zachciało się zaprosić ją na kawę. Oczywiście odmówiła, ale zaczynała jej działać na nerwy ta jego ogromna chęć spotkania się z nią na neutralnym gruncie. Zaczęła się zastanawiać, czy można sprawnie zarządzać ludźmi, nie mając w sobie za grosz empatii. Ktoś inny już po pierwszej, góra drugiej odmowie domyśliłby się, że na nic nie ma szans. Ale widocznie dyrektor nie był typem szybko kojarzącym, tak jak na przykład dzisiejszy Pan Spóźniony. Przynajmniej fajnie go ochrzcił. Może właśnie z tego powodu poczuła sympatię do starszego brata Starskiego. Był do niego trochę podobny, ale tylko fizycznie.

Woda w wannie zaczęła stygnąć, podjęła więc trudną decyzję, że koniec z udawaniem kijanki. Wstała i opłukała się gorącym strumieniem. Rozgrzane ciało natychmiast przyodziała w ulubioną polarową piżamę w kolorze nowojorskiego nieba. Leżąc w łóżku, wciąż była zmęczona, ale bardzo zrelaksowana. Czuła błogie ciepło rozpływające się po ciele. Sięgnęła po muszlę leżącą na szafce nocnej i przyłożyła ją do ucha. Od razu usłyszała uwięziony w niej śpiew fal. Zasypiała, widząc przed sobą oczy Pana Spóźnionego. Przypominały jej morze. Były piękne. W środku ciemnogranatowe, z błękitnymi obwódkami na zewnątrz. Patrzyły na nią głębokim spojrzeniem. Granatowo-błękitnym spojrzeniem, które w bliżej nieokreślony sposób współgrało z dźwięcznym głosem. Dobranoc, Panie Spóźniony... Dobranoc...

Siedział przed monitorem komputera i był wściekły na siebie jak mało kiedy. Nie był w stanie wymyślić niczego mądrego. Zespół wokół niego pilnie pracował. Przez szklane szyby swojej pracowni widział uśmiechnięte twarze. Wszyscy pracowali, jednocześnie rozmawiając. Zazdrościł im dobrego samopoczucia. On od wczoraj czuł się koszmarnie. Z jednej strony był bardzo podekscytowany myślą, że ją odnalazł. Nie mógł się skupić na niczym innym. Jakimś nieodgadnionym zrządzeniem losu znalazła się na jego drodze. Spotkał ją, patrzył jej w oczy, rozmawiał z nią. Z drugiej zaś strony nie wiedział, co ma dalej począć. Co zrobić? Nad morzem przez sześć kolejnych dni nie odważył się do niej podejść. Siódmego, gdy postanowił to zrobić, ona po prostu nie przyszła. Nie było jej w miejscu, w którym dotychczas przesiadywała. Myślał, że odstraszyła ją zła pogoda, ale w dniu wyjazdu też poszedł na plażę i znów jej nie było. Był prawie pewien, że wyjechała. Poza świadomością niewykorzystanej szansy zostało mu tylko jedno zdjęcie. Do wczoraj nie chciał go nawet obejrzeć. Natomiast po wczorajszym spotkaniu w szkole i wizycie u rodziców pierwszą rzeczą, jaką zrobił po powrocie do domu, było odszukanie i wydrukowanie tego zdjęcia. Miał je teraz przy sobie i prawie nie spuszczał z niego oczu. Siedziała zamyślona, w ręku trzymała zamkniętą książkę. Była ubrana w szary dres. Włosy miała spięte w koński ogon. Zaczął się zastanawiać, czy nie grozi mu paranoja. Nie mógł przestać o niej myśleć. Na domiar złego obiecał wczoraj mamie, że z nią dziś porozmawia i dowie się, jakie oceny ma Mateusz. Wiedział, że musi wykonać ten telefon. Zastanawiał się, czy po prostu nie powiedzieć jej, że mu się spodobała, i nie spróbować umówić się na kawę. Ale gdyby tak zrobił, pewnie wyszedłby na większego idiotę niż Mateusz. I jej by to chyba specjalnie nie zdziwiło. Mateusza poznała z nie najlepszej strony, więc najwyżej pomyślałaby, że mężczyźni w jego rodzinie mają widocznie jakąś skazę genetyczną. Był wściekły, jak zwykle gdy czuł się bezradny. Tym bardziej że zdarzało mu się to rzadko. Gdy był z Edytą, był przebojowy i pewny siebie. Myślał, że to on rozdaje karty i trzyma rękę na pulsie. Okazało się jednak, że się mylił. Na zakończenie ich związku okazało się, że został wykorzystany bez pardonu. Nie mógł się pozbierać. Żył w przekonaniu, że angażowanie się jest bez sensu. Dziś, patrząc na zdjęcie zrobione na plaży, pluł sobie w brodę, że do niej nie podszedł. Może wtedy byłoby łatwiej niż teraz, kiedy nie miał pomysłu na następny krok. Musiał coś zrobić, ale nie mógł się na niczym skupić. Nagle rozdzwonił się jego telefon.

– Dzień dobry, mamo – odbierając połączenie, dostrzegł, że to ona.

– Synku, martwię się o ciebie – zaczęła niepewnie mama. – Wczoraj zachowywałeś się tak, jakby coś się stało. Ale muszę ci powiedzieć, że bardzo mi się spodobało, jak przedstawiłeś sprawę Mateuszowi. Dobrze to wszystko wyszło, bo nam od razu by się postawił, a z tobą nawet nie dyskutował. – Głos mamy stał się radosny.

– Mam tylko nadzieję, że mnie nie znienawidzi. Ale skąd u ciebie taki dobry humor? – Mama nie mówiła, tylko szczebiotała jak skowronek lecący w przestworza.

– Chyba się starzeję. Rozgadałam się na inny temat, a dzwonię do ciebie tylko po to, żeby ci powiedzieć, że nie musisz już telefonować do szkoły, bo sama zadzwoniłam i wszystkiego się dowiedziałam. Mateusz, oczywiście jak na niego, ma dobre oceny. Trzy trójki, czwórkę i nawet jedną piątkę, co prawda z minusem. Ale kamień spadł mi z serca. Byłam przygotowana na płotek utworzony z rzędu jedynek. A tu proszę!

– Jak to: dzwoniłaś? – zapytał, podnosząc chyba zbyt mocno głos.

– Nie chciałam ci zawracać głowy przypominaniem, a bałam się, że w natłoku własnych spraw możesz zapomnieć. Oj, muszę już kończyć. Ktoś dzwoni na stacjonarny.

– Powiedz mi tylko, czy ta polonistka coś ci jeszcze powiedziała?

– Nie rozmawiałam z nią. Oceny przeczytał mi z dziennika jakiś bardzo miły mężczyzna. Przedstawił się, ale zapomniałam nazwiska. Muszę naprawdę kończyć, może wpadniesz w sobotę? Ugotuję coś dobrego.

– Dzięki, mamo, ale mam straszny kanał w robocie.

– To pa, synku!

– Pa! – odpowiedział, myśląc intensywnie.

Już po chwili miał nowe rozwiązanie. Skoro mama rozmawiała z kimś innym, to on mimo wszystko mógł zatelefonować do szkoły i porozmawiać z... Nie wiedział, jak o niej myśleć. Może po prostu z... Hanią? Przecież tak miała na imię. Na pewno była od niego młodsza. Mógł o niej myśleć po imieniu. Czuł, jak wstępują w niego nowe siły, które najwyraźniej nie umknęły uwagi wchodzącego do jego pracowni Przemka.

– Witam szanownego wspólnika. A skąd taki dobry humorek? – zapytał uśmiechnięty od ucha do ucha. – Masz czas? Chciałbym pogadać.

– Daj mi chwilę, muszę wykonać jeden telefon, a później jestem do twojej dyspozycji – odpowiedział szybko, czując, że natychmiast musi zadzwonić do szkoły Mateusza, póki nie dopadną go wątpliwości.

W sieci znalazł stronę szkoły i numer telefonu, który szybko wybrał. Nikt nie odbierał. Jedenaście długich sygnałów i nic. Cisza. Może trwała lekcja? Postanowił spróbować jeszcze raz. Pierwszy, drugi, trzeci. Liczył sygnały. Pomyślał, że nic z tego, i przestał się denerwować. Po szóstym usłyszał w słuchawce słodki głos.

– Pokój nauczycielski. Słucham?

– Dzień dobry, czy mogę rozmawiać z profesor Lerską? – zapytał od razu.

– Przykro mi, ale to niemożliwe – mówił miły kobiecy głos. – Profesor Lerskiej nie ma dziś w szkole. Jest chora. Jutro też jej nie będzie. Ale może ja mogę panu jakoś pomóc?

W innych okolicznościach tak miły głos z pewnością wpłynąłby pozytywnie na jego wyobraźnię. W tej chwili poczuł się jak balon, z którego uchodzi powietrze.

– Nie. Dziękuję bardzo. A będzie w przyszłym tygodniu? – Musiał się czegoś o niej dowiedzieć. Czegokolwiek.

– Nie mam pojęcia. Zastępstwa za panią Lerską są na razie wypisane tylko na dziś i na jutro. Może jednak coś przekazać? – Milusińska nie poddawała się łatwo.

– Nie. Bardzo pani dziękuję. Do widzenia! – skończył rozmowę.

Położył czoło na blacie biurka i powtarzał w myślach: „Jest chora... Jest chora...". Kątem oka zauważył uchylające się drzwi, w których znów pojawiła się głowa Przemka.

– To co? Mogę? – zapytał, ale widząc jego zdołowaną minę, najwyraźniej zwątpił w sensowność rozmowy. – Stało się coś? Może ci nie przeszkadzać? – Wcześniejszą wesołość w głosie Przemka zastąpiło coś na kształt zatroskania.

– Wchodź! – zaprosił go do środka. – Nic się nie stało. Tylko jestem nieporadnym kretynem – powiedział, wpatrując się tępo w monitor.

– Ale za to jakim spostrzegawczym. – Przemek ewidentnie chciał rozluźnić atmosferę. – Biorąc pod uwagę twoją rzeczową samokrytykę i moją niespotykaną wprost inteligencję, domyślam się, że chodzi o kobietę. Czy to możliwe? – zapytał z szelmowskim uśmiechem będącym dowodem na to, że dobry humor go nie opuszczał. Przynajmniej jego.

– Dziwisz się tak, jakbyś nie wiedział, że wolę dziewczynki! – warknął.

– No wiesz... Ostatnio twoje paluszki latają tylko po guziczkach klawiatury. Więc chyba się ze mną zgodzisz, że najwyższy czas to zmienić. Zaręczam ci, że po innych guziczkach też jest fajnie polatać...

Przemek wciąż żartował, a jemu nie było wcale do śmiechu.

– Posłuchaj mnie teraz uważnie – spojrzał na Przemka i wziął do ręki ołówek. Na leżącej na biurku kartce narysował ludzika. – To jestem ja – powiedział.

– Ty jesteś dużo przystojniejszy – podsumował z uśmiechem Przemek.

– Bądź przez chwilę cicho. Słuchaj i patrz. Powtarzam. To jestem ja. – W dalszej kolejności narysował coś na kształt wykresu funkcji sinus. – To jest Rubikon – kontynuował rysowanie i na kartce pojawił się drugi ludzik, tyle że w spódnicy. – To jest ona. – Znów narysował wykres funkcji sinus i dodatkowo pogrubił go mocno kilkoma dodatkowymi pociągnięciami ołówka i szybko wyjaśnił. – To jest drugi Rubikon. Jak myślisz, co za nim jest?

Przemek zrobił skupioną minę i zmarszczył czoło.

– Nie mam pojęcia.

– Jej guziczki. Więc sam rozumiesz, że nie mam szans na ich dotknięcie.

– Stary! Ty się zakochałeś?!

Nie mógł odgadnąć, czy Przemek pyta, czy stwierdza fakt sprawiający mu radość, ponieważ uśmiech z jego twarzy nie zniknął nawet na ułamek sekundy. Postanowił jak najszybciej sprowadzić go na ziemię.

– Nie wiem, czy nie powinienem się leczyć! Odkąd ją zobaczyłem, nie wiem, co mam robić. Jestem ugotowany. – Był przerażony bezradnością, jaką usłyszał w swoim głosie.

– Co robić?! Co robić?! – przedrzeźniał go Przemek. – Przede wszystkim nie zachowuj się jak czterdziestoletni prawiczek. Musisz ją jakoś zaczarować, a później już samo się potoczy – mówiąc to, wprawił w ruch leżący na biurku ołówek, który rzeczywiście potoczył się lekko i łatwo.

– Łatwo ci mówić – zniechęcony patrzył na ołówek.

– Znam? – konkretnie zapytał Przemek.

– Nie.

– Kto to?

– Wiem tylko, jak się nazywa i gdzie pracuje.

– No, stary, to jesteś w ogródku i witasz się z gąską Wiesz wystarczająco dużo, żeby wyśledzić, gdzie mieszka, gdzie chodzi, a jak już będziesz ją miał na widelcu, to zaaranżuje się przypadkowe spotkanie i jesteś już za pierwszym Rubikonem. Chyba nie muszę tłuc do twojej pięknej główki, że nie możesz pesymistycznie podchodzić do miłości, bo będzie nieszczęśliwa. A po co ci taka, chłopie? Ty musisz być szczęśliwy, bo czeka nas w przyszłym miesiącu kupa roboty...

– Tylko nie mów, że większa niż teraz!

– Większa... – Przemek był zagadkowy.

– Jak zacząłeś, to mów! – rozkazał, otaczając ludka w spódnicy rysunkiem doskonale symetrycznego serduszka.

– Powinniśmy stanąć do konkursu na projekt szpitala dziecięcego. Zgadnij gdzie? – Oczy Przemka się uśmiechały, bo uwielbiał wyzwania. Identycznie jak on.

– W Burkina Faso! – zakpił, choć nie miał takiego zamiaru.

– Bliżej. W Pradze!

– A co w tym takiego nadzwyczajnego?

– Po pierwsze, wyzwanie, po drugie, Praga to piękne miasto – wyliczał Przemek. – A po trzecie, kaska! Euro-kaska!

– Czyli chcesz mi powiedzieć, że mam przestać rozmyślać o guziczkach, tylko przysiąść fałdów i kończyć bieżące projekty przez najbliższe dwa tygodnie. Dobrze rozumiem? – zapytał dobitnie.

– Dlatego z tobą pracuję, ty mój człowieku rozumny. Mamy dokładnie dwa tygodnie. Dzielmy się szybko robotą. Za dwa tygodnie będą już wszystkie wytyczne do konkursu. Konkurencja na pewno będzie duża, ale to przecież my jesteśmy najlepsi. Pamiętaj i powtarzaj to sobie zawsze i wszędzie. A jeśli chodzi o kobietę zza rzek, to wykorzystaj swoją wiedzę i przystąp do ofensywy. Jeżeli jest tak daleko od ciebie, jak mówisz, to na pewno się ucieszy, że się mocno postarałeś.

Przemek jak zwykle miał żagle pełne wiatru. Zachowywał się tak, jakby w życiu wszystko było proste, łatwe, przyjemne i osiągalne. Postanowił wyprowadzić go z błędu.

– Facet, wracaj na ziemię. Kobieta, jak mówisz, zza rzek nawet mnie nie kojarzy. A ja, o ile cię dobrze rozumiem, mam ją wyśledzić i rzucić się na guziczki. Ty się, Przemek, lepiej udaj do jakiegoś dobrego specjalisty – to mówiąc, popukał się ostentacyjnie w czoło.

– To ty się popukaj! Mówię ci, zrób, jak mówię, bo jak będziesz bezczynnie czekał, to jakiś inny pasmanteryjny specjalista zajmie się guziczkami, które powinny być twoje. A teraz do roboty! – krzyknął mu wprost do ucha. – Idę po śniadanie i siedzimy dziś tak długo, aż się odrobimy! – Wychodząc, głośno trzasnął drzwiami.

Obserwował, jak się oddalał, zastanawiając się, czy ona ma już swojego specjalistę od guzików. Załamał się taką perspektywą, ale natychmiast przypomniał sobie Przemka odę do optymizmu. A gdyby tak, wierząc w powodzenie akcji, przystąpić do sugerowanej przez Przemka ofensywy i dowiedzieć się, gdzie mieszka, gdzie bywa? Nie! To głupie! Ciekawe, na co jest chora? Czy to coś poważnego? Dźwięk telefonu przerwał jego rozważania na jej temat. Musiał wziąć się do roboty. Odebrał i słysząc głos podenerwowanego klienta, był zmuszony wracać na ziemię i zmagać się z architektonicznymi zagwozdkami. Grzecznie wysłuchawszy narzekań pana X, licząc na większą niż do tej pory wenę, przystąpił do pracy. Na szczęście jego dziewczyna z plaży pojawiła się, dając szansę na dalszy ciąg tej historii. Spotkał ją przecież drugi raz. W innym miejscu i innych okolicznościach. Ale spotkał...

Zamknęła drzwi za doktorem Jackiem. Bardzo się ostatnio postarzał – dobiegał siedemdziesiątki. Był lekarzem rodzinnym. Przychodził do nich, odkąd pamiętała, czyli od zawsze. Był częstym gościem w ich domu, ponieważ od dziecka była chorowita i nieodporna. W przeciwieństwie do Dominiki, która była nie do zdarcia. Ogromną zaletą doktora Jacka, oczywiście poza wiedzą i kompetencjami, była nieograniczona dyspozycyjność. Można było zatelefonować do niego w środku nocy, a on zawsze pojawiał się u swoich pacjentów z takim samym spokojnym uśmiechem i swoją niezniszczalną kanciastą torbą lekarską, która służyła mu dzielnie po dziś dzień. Doktor Jacek stanowił jedno z wielu ogniw łączących ją ze światem rodziców. Ilekroć się pojawiał w ich domu, wnosił do niego spokój i wiarę w to, że teraz może być tylko lepiej. Uśmiechnęła się, myśląc o nim, choć nie spodobała się jej jego diagnoza. Zachorowała na anginę. Czekał ją ponad tydzień kurowania się w domu. Nie lubiła być chora. Gdy była dzieckiem, chorowanie miało wiele uroków. Wszyscy nagle robili się bardziej czuli niż zwykle, chociaż czułości nie brakowało jej nigdy. Mama gotowała jej tylko ulubione potrawy, a tato, mimo że bardzo tego nie lubił, grał z nią całymi godzinami w państwa, miasta i doskonale udawał, że sprawia mu to ogromną przyjemność. Teraz, za każdym razem, choroba wytrącała ją z ogólnie przyjętego rytmu. Dziś, odkąd się przebudziła, czuła się słabo. Bolały ją głowa, gardło, mięśnie. Bolało ją wszystko. Ale najbardziej bolała ją świadomość samotności. Nawet pani Halinka się dziś nie pojawiła. Też była chora. Rwa kulszowa od kilku lat nie dawała jej spokoju. Na Dominikę nie miała co liczyć. Po pierwsze, była mocno zapracowana, po drugie, boski Przemo wypełniał jej cały wolny czas. Nie miała mu tego za złe. Cieszyła się, że przynajmniej Dominika korzysta z uroków życia i miłości. Postanowiła się do niej odezwać. Sięgnęła po telefon leżący na szafce nocnej, obok zdjęcia rodziców.

<Co u ciebie?>

Napisała, nie spodziewając się szybkiej reakcji ze strony Dominiki. Jednak nie doceniła swojej siostry. Nie zdążyła odłożyć telefonu na miejsce, a Dominika już dzwoniła. To było do niej niepodobne. Telefon Dominiki pękał w szwach od nieodebranych połączeń, a poczta głosowa była naszpikowana wiadomościami jak schab suszonymi śliwkami.

– Halo? – odebrała szybko.

– Jesteś chora?! – wrzasnęła Dominika, pomijając powitanie.

– Skąd wiesz? – zdziwiła się.

– Bo jest czwartek i zwykle o tej porze trzepiesz kasę w swojej robocie. Masz wtedy wyłączoną komórkę. A poza tym przypominam ci, że jestem inteligentna i będę ci zawsze o tym trąbić, na wypadek gdyby dopadło cię jakieś umysłowe zaćmienie. Co ci jest?!

– Mam anginę – nie miała szansy nic dodać, bo Dominika zasypywała ją lawiną pytań.

– Od kiedy? Ile masz zwolnienia? Prochy wykupiłaś? – Jak zwykle chciała wiedzieć wszystko i natychmiast.

– Od dziś. Lekarstw jeszcze nie wykupiłam, ale za chwilę pojadę do apteki. A jeżeli chodzi o zwolnienie, to mam leżeć ten tydzień do końca i cały następny. Ale mam wrażenie, że doktor Jacek chyba trochę przesadził. Nie uważasz?

– Nie uważam! Lepiej leż, bo okres grypowy się zbliża. U mnie w robocie też wszyscy zaflukani. Łażą i ciągają nosami. Wkurza mnie to! – Dominika była wyraźnie podenerwowana.

– Coś nie tak? Jesteś zdenerwowana? – zapytała, najdelikatniej jak potrafiła, wiedząc, że czasami lepiej nie drażnić lwa ukrywającego się w Dominice.

– Nie jestem zdenerwowana! Jestem wkuta na maksa! Wyobraź sobie, ja tu się dwoję i troję. Stoję po godzinach nad rozdziawionymi paszczami tylko po to, żeby nie przychodzić w sobotę, a on raczył mnie wczoraj poinformować, że nie możemy się spotkać w weekend, bo jest zawalony robotą. No chyba mnie zaraz coś strzeli! Rozumiesz coś z tego?

Nastrój Dominiki rzeczywiście pozostawiał dużo do życzenia.

– Dominika... – zaczęła spokojnie. – Myślę, że nie masz powodów do zdenerwowania. W dzisiejszych czasach wszyscy są zapracowani. Przemek ma swoją firmę, a jak ma się coś swojego, to cały czas jest się w pracy, nigdy się z niej nie wychodzi. Uspokój się trochę i zastanów się, czy chciałabyś być z nieodpowiedzialnym facetem, który ma w nosie swoje sprawy, bo akurat się zakochał? Jeżeli myślisz o nim poważnie, to powinnaś się cieszyć, że jest pracowity i wie, co to poczucie obowiązku.

– Bronisz go?! – przerwała jej Dominika.

– Nie, nie bronię. Przecież nawet go nie znam. Chcę tylko, żebyś nie była zaborcza, bo mężczyźni nie lubią takich kobiet. Ostatnio tyle czasu spędzacie razem, że może miłym doświadczeniem okaże się krótka tęsknota? – wypowiadając ostatnie zdanie, uśmiechnęła się przebiegle i kontynuowała: – Poza tym może wreszcie znajdziesz choć krótką chwilę dla mnie? – przestała mówić, a mimo to w słuchawce wciąż panowała cisza. – Dominika? Jesteś tam? Halo?

– Jestem, jestem, a gdzie miałabym być! – sapnęła.

– Mówię ci, nie denerwuj się sytuacjami, które nie są warte twoich nerwów.

– Może masz rację? – Głos Dominiki powoli odzyskiwał charakterystyczną dla niego pewność. – To kiedy mogę przyjechać? Chyba musimy pogadać.

– Kiedy chcesz, tylko żebyś się ode mnie nie zaraziła.

– Najwyżej będzie bez dotykania i całowania. Będę wieczorem! Pa!

Usłyszała w słuchawce sygnał przerwanego połączenia. Tradycyjnie nie zdążyła odpowiedzieć na pożegnanie Dominiki.

Rozmawiając z Dominiką, przeszła do salonu. Siedziała teraz na sofie z nogami podkulonymi pod siebie. Patrzyła na kominek idealnie wyczyszczony przez panią Halinkę. Pomyślała, że zapali w nim wieczorem dla Dominiki, która uwielbiała się przed nim wylegiwać. Cieszyła się, że ją odwiedzi. Tęskniła za nią i za życiem, które wnosiła z sobą do domu. Spojrzała na ogród widoczny przez duże tarasowe drzwi. Nie wiadomo kiedy przybrał jesienną szatę. Hortensje przekwitły. Ich kwiaty, piękne i okazałe podczas lata, wyglądały teraz jak duże brązowe niewystarczająco napompowane balony. Niskopienne irgi zrobiły się czerwone, a maleńkie zieloniutkie listki barwinka rozciągały się na ziemi, nic sobie nie robiąc z coraz niższych temperatur. Ogród wydał się jej teraz piękniejszy i bardziej interesujący niż latem. Jednak jego wyjątkową urodę najbardziej podkreślało tło, na którym można go było podziwiać. W oddali widziała las mieszany, w przeważającej części składający się z dorodnych dębów i prezentujących się przy nich niezwykle delikatnie brzóz. Liście dębów wciąż były zielone. Natomiast brzozy z daleka wyglądały jak damy przyodziane w koronkowe, żółte i pomarańczowe suknie. Wyrastające gdzieniegdzie srebrzyste świerki sprawiały, że las wyglądał jak kobieta, która ubrana w piękne fatałaszki, nie zapomniała o mieniącej się srebrem biżuterii. Przez chwilę żałowała, że nie potrafi malować, i natychmiast przypomniała sobie tatę, który kiedyś zachęcał ją do tego, żeby w ogródku jordanowskim weszła na uplecioną ze sznurka drabinkę. Mogła mieć wtedy jakieś pięć, sześć lat. Chyba nie chodziła jeszcze do szkoły. Nie chciała wejść, broniła się przed tym karkołomnym wyczynem, twierdząc, że nie umie. Drabinka przy pierwszym dotknięciu ruszała się i groźnie trzęsła, nie dając poczucia stabilności.

– Nie mów, że nie umiesz, skoro nawet nie spróbowałaś. Przecież żeby powiedzieć, że się czegoś nie umie, trzeba przynajmniej kilka razy spróbować. Nie wyjdzie za pierwszym razem, to trzeba próbować następny i następny. Jeżeli nie będziesz próbować w życiu nowych rzeczy, mówiąc od razu, że nie umiesz, to będzie ci nudno. Chcesz, żeby tak było?

Pamiętała słowa taty w miarę dokładnie. Wypowiadał je spokojnie i z uśmiechem. Nie wywierał na niej presji, ale nawet podczas zabawy uczył ją życia. Chciał, żeby wierzyła w siebie i w to, że w życiu najwięcej zależy od niej samej. Od dziecka zawsze bezkrytycznie przyjmowała wszystko, co mówił. Pewnie dlatego, pokonując strach i bunt własnych mięśni, przy kolejnej próbie udało się jej zaprzyjaźnić z drabinką, gdy okazało się, że widok z jej szczytu pokazywał dużo więcej, niż mogła zobaczyć, stojąc na dole.

W kominku jeszcze się nie paliło, lecz już poczuła w sobie ciepło mające swój początek w tym wspomnieniu. Postanowiła, że po zakupach w aptece pojedzie do znajdującego się nieopodal małego centrum handlowego, w którym z pewnością kupi podobrazie malarskie i farby. Musiała spróbować namalować widok znajdujący się za drzwiami na taras. Jeżeli jej się nie uda, będzie przynajmniej zadowolona, że próbowała. Natomiast jeżeli spodoba się jej własna twórczość, będzie miała doskonały prezent dla Dominiki. Co roku w sylwestrową noc dawała jej własnoręcznie zrobiony prezent urodzinowy. Wiedziała doskonale, że Dominika nie znosiła swoich urodzin. Po pierwsze, dlatego że atmosfera końca roku i przygotowań do sylwestrowych zabaw – nie wiedzieć czemu – przygnębiała ją. Po drugie dlatego, że rocznica urodzin skłaniała do myślenia o matce. Dominika jej nie pamiętała. Matka odeszła od nich, gdy Dominika nie miała nawet roku. Nigdy więcej się z nimi nie skontaktowała i nikt jej nigdy nie szukał. Był człowiek, nie ma człowieka. Dominika, mimo zewnętrznego pancerza i mocnego charakteru, przez lata walczyła z towarzyszącym jej poczuciem odrzucenia. Nigdy nie chciała o tym rozmawiać. Hania kiedyś nie potrafiła jej zrozumieć. Teraz było inaczej. Musiała jednego dnia stracić wszystkich, których kochała, żeby przekonać się, że poczucie niezależnej od nas samych straty to sprawa niepoddająca się dyskusji ani żadnym analizom. Dominika była odrzucona. Ona opuszczona. Obie musiały żyć, mimo wszystko. Rozumiała Dominikę, też nie lubiła mówić o tym, co czuje. Poczuła ogromną chęć namalowania obrazu właśnie dla niej. Cieszyła się, że być może uda się jej sprawić siostrze radość, a poza tym zdała sobie sprawę z tego, że właśnie znalazła sposób na to, jak wykorzystać czas, który musiała poświęcić na chorowanie. Zajęcie czymś rąk oznaczało także zajęcie czymś myśli, które puszczone samopas, podczas bezczynnego leżenia w łóżku, mogły kierować się w stronę zakazanych rewirów. Zdefiniowanie potrzeby, określenie celu, motywacja do podjęcia działania. Tak wyglądał w jej wypadku algorytm na walkę z czającą się zawsze w jej pobliżu depresją. Ubierając się przed wyjściem z domu, miała świadomość stworzenia doskonałego planu na najbliższe dni. Wiedziała już, że poradzi sobie z przyczajoną samotnością, zwłaszcza że wieczór miała spędzić w towarzystwie Dominiki.

Obudził ją dźwięk domofonu. Wstała i szczelnie otuliwszy się kocem, podeszła do drzwi. Przy furtce czekała Dominika. Nietrudno się było domyślić. Dzwonki były szybkie, krótkie i przerywane. Wpuściła ją do środka. Dominika ominęła ją w drzwiach i skierowała się od razu do kuchni. Jej wielka torba wylądowała z hukiem na stole.

– Jak się czujesz? – zapytała, wysypując jej zawartość na blat stołu.

– A to co?

– Prowiant na cały weekend! Zamierzam odpoczywać, zażerać się dobrymi rzeczami, oglądać filmy i poza tym nic nie robić. Akceptujesz taki plan? – zapytała konkretnie.

– Podoba mi się. Zwłaszcza że jestem mocno skołowana. Chyba po lekach. Antybiotyk robi swoje. W południe wróciłam z apteki i padłam. Dopiero ty mnie zbudziłaś. Jestem głodna jak wilk. Co robimy? – zapytała Dominikę, która w tym czasie wypakowała zawartość torby.

Na stole pojawiły się słodycze, owoce, świeże pieczywo, różnego rodzaju pasztety. Dominika była wielką miłośniczką pasztetów oraz wszystkiego, co kaloryczne i niezdrowe. Między zakupionymi przez nią rarytasami leżały jej rzeczy osobiste, a na samym wierzchu pysznił się czerwony koronkowy biustonosz.

– A to co? Czyżbyś planowała rozbieraną randkę? – zapytała, biorąc biustonosz do rąk.

Był piękny i musiał kosztować majątek.

– Czyżbyś się chciała czegoś dowiedzieć? – to mówiąc, Dominika zrobiła z ust śmieszną trąbkę.

– Chciałabym wiedzieć tyle, ile zechcesz mi powiedzieć – wybrnęła gładko, uciekając przed podejrzeniami o wścibstwo.

– Cwaniara jesteś! Tyle ci powiem. Ale żebyś w chorobie nie zeszła z tego świata, zazdroszcząc mi łóżkowych ekscesów, powiem ci tylko, że całuje bosko. Nie wiem, jak wytrzymam bez niego trzy dni.

– Wytrzymasz. Wyobraź sobie, jak będzie cię całował po trzech dniach miłosnej abstynencji. Jemy? Muszę coś zjeść i wziąć leki.

– A co masz dobrego? – zapytała Dominika, robiąc oczy proszącego kota.

– Mam krem z dyni. Wiem, że lubisz – uśmiechnęła się, choć Dominika niestety nie wyraziła oczekiwanego przez nią entuzjazmu.

– Lubię. Ale ta zupa przypomina mi, że już niedługo Wszystkich Świętych. Nie znoszę tego święta. Blokuje mnie. Zobacz! Na przykład Przemek ma dwoje rodziców. Rozumiesz, mama, tata, wszystko normalnie...

Rzadko przerywała Dominice. Zwykle było na odwrót. Ale teraz poczuła, że musi to zrobić także dla swojego dobra.

– Dominika, błagam cię! Nie zaczynaj! Będzie Wszystkich Świętych, owszem. Dlaczego miałoby nie być? Pojedziemy na cmentarz. Do twojego taty i do moich rodziców. Kupimy chryzantemy i znicze. Pomodlimy się przy grobach. I też będzie normalnie. Przecież właśnie to się robi tego dnia. Inni tak robią i my też tak zrobimy, bo jesteśmy normalne. – Krem z dyni był już w miseczkach, które kręciły się na mikrofalowej karuzeli. – Jesteśmy normalne i tego dnia pójdziemy na cmentarz. Jak wszyscy. Jak ludzie. Rozumiesz? – zapytała, przełykając ślinę wcale nie dlatego, że była głodna.

Dominika kiwnęła głową, spinając rozpuszczone włosy spinką wyciągniętą ze stosu rzeczy złożonych na stole. Ten różnorodny stosik bardzo dobrze oddawał charakter Dominiki. Żyła w chaosie, który nieustannie wokół siebie tworzyła. Hania nigdy nie mogła zrozumieć, jak to się działo, że ona, uporządkowana do bólu, dążąca do wewnętrznej harmonii i zadeklarowana pedantka, akceptowała Dominikę bez najmniejszych zastrzeżeń.

– Gorące! – spróbowała Dominika. – Ale dobre. Bardzo dobre!

– To jedz.

Patrzyła na pałaszującą siostrę i uśmiechając się, oparła policzek na otwartej dłoni. Zupełnie jak mama. Zdała sobie sprawę, że siedzi teraz przed Dominiką identycznie jak mama. Siadała tak przed nią, zawsze gdy wracała ze szkoły i jedząc, zdawała codzienną relację mocno zakorzenioną w klasowo-szkolnej rzeczywistości. „Geny to potęga!", myślała, zamiast jeść. Fizycznie była podobna do taty, ale psychicznie, mentalnie i uczuciowo była doskonałą kopią mamy. Pani Irenka zawsze powtarzała, że córki podobne do ojców są szczęśliwe...

– Co się tak gapisz?! Jedz, bo albo ci wystygnie, albo ja ci zeżrę! – przerwała jej rozmyślania Dominika.

– Cieszę się, że przyszłaś... – powiedziała cicho i zaczęła przełykać gorący krem, myśląc, że z tym łączeniem podobieństw między dziećmi a rodzicami i czekającym je w związku z tym ewentualnym szczęściem, o którym mówiła pani Irenka, jest jak z legendą. Nigdy do końca nie wiadomo, co jest w niej prawdziwe, a co stanowi ludzki wymysł.

Spędziły cudowny wieczór. To Dominika zapaliła w kominku, a później donosiła drewna, mimo że na dworze wiało tak, iż o mało nie zerwało jej skalpu. Były to słowa Dominiki. Wysłuchała oczywiście cudownej bajki o Przemku. Dominika była najprawdziwiej zakochana. Gdy o nim mówiła, uspokajała się, a to nie zdarzało się jej często. Opowiadała o nim w taki sposób, że Hanka chciała go poznać. Skoro potrafił spowolnić zawsze pędzącą Dominikę, musiał być wyjątkowym facetem. Bardzo chciała, żeby na długo zatrzymał się w życiu Dominiki. Może nawet na zawsze. Chciała, żeby umocnił w niej zachwianą wiarę w stałość uczuć między kobietą i mężczyzną. Obserwując zachowanie Dominiki i słuchając z wnikliwością terapeuty jej słów, wnioskowała, że jej siostra jest bardzo szczęśliwa, że go spotkała. Dostrzegała w niej ogromną niecierpliwość, z jaką czekała na kolejne spotkania. Nie dało się jednak nie zauważyć, że Dominikę paraliżowało to, że za bardzo jej na Przemku zależy. Takie bezwarunkowe przywiązanie ją przerażało. Bała się, że pewnego dnia może za nie słono zapłacić. Dominika zawsze zgrywała niezłomną bohaterkę, ale serce miała gołębie.

Obserwując ją, była przekonana, że dopóki będzie umawiała się z Przemkiem, to będzie oznaczało, że wszystko jest w najlepszym porządku. Jeżeli natomiast w ich relacjach pojawi się choćby najmniejszy fałsz, zwinie się w jeżową kulkę, żeby odgrodzić się od świata ostrymi kolcami. Dominika już nieraz zamieniała się w jeża. Na szczęście nigdy nie zostawała nim długo. Hanka zawsze wiedziała, że Dominikę bardzo łatwo zranić, dlatego nad nią czuwała. Chuchała i dmuchała. Była od niej o rok młodsza, ale wciąż zachowywała się tak, jakby była starsza. Zastanawiała się, czy w relacjach z Dominiką wchodziła bardziej w rolę siostry czy matki. Nie potrafiła udzielić jednoznacznej odpowiedzi. Wydawało się jej, że naprzemiennie odgrywała obie te role. Słuchając Dominiki, zawsze była siostrą, której można powiedzieć wszystko i z którą można się kłócić do woli, ponieważ nie potrafiła długo żywić urazy. Szybko zapominała o gorzkich słowach, którymi częstowała ją przyjaciółka. Matkę Dominiki odgrywała zawsze wtedy, gdy mówiła, a Dominika była zmuszona jej wysłuchać. Zwykle musiała przypominać jej o ważnych sprawach, do których ta nigdy nie miała głowy. Dyscyplinowała ją, ilekroć zauważała, że brnie w jakiś grząski teren, nie czując, iż taka wycieczka może ją drogo kosztować. Wiedziała doskonale, że Dominika była teraz najważniejszą osobą w jej życiu. Dopóki się w nim nie pojawiła, Hanka była nieszczęśliwa z powodu swojego jedynactwa. Wszystko się zmieniło z pojawieniem się w ich rodzinie Dominiki. Jednak tęsknota za rodzeństwem i domem pełnym roześmianych i rozbawionych dzieci odzywała się w niej bardzo często. Kiedyś, już jako dorosła kobieta, w swobodnej rozmowie z mamą podczas zakupów w bazarowym warzywniaku poruszyła ni z tego, ni z owego ten temat. Pamiętała tę rozmowę tak dokładnie, jakby wydarzyła się wczoraj. Mama, trzymając w ręce kobiałkę z pachnącymi truskawkami, popatrzyła na nią ciepło.

– Hanusiu – powiedziała wtedy – jak ma się pierwsze dziecko takie wspaniałe, to bardzo chce się mieć następne. Bardzo długo z tatą staraliśmy się o towarzystwo dla ciebie. Gdy już straciliśmy nadzieję, udało się. Miałaś wtedy sześć lat. Był piękny wrzesień, zaczęłaś naukę w zerówce. Szalałam z radości, udając, że nie słyszę sceptycyzmu lekarzy, których niepokoiło za niskie tętno zarodka. Niestety, mieli rację i w jedenastym tygodniu poroniłam. O niczym nie wiedziałaś. Chcieliśmy cię wtajemniczyć wtedy, gdy ciąża będzie widoczna. To był straszny dzień. Chyba najtrudniejszy w moim życiu. Na domiar złego wieczorem tato powiedział mi, że odnaleziono zwłoki księdza Jerzego Popiełuszki. Gdyby nie ty i tato, byłoby ze mną kiepsko. Ale miałam was, ciebie, i robiłam wszystko, żebyś nie odczuła, że dzieje się coś strasznego. A tacie chciałam po prostu pokazać, że się trzymam. Jego miłość i cierpliwość w tamtym czasie wyleczyły mnie z bardzo złych przeżyć. Bolesne wspomnienia zostały na zawsze, ale poczucie tego, jak bardzo jestem wam potrzebna, nie pozwoliło mi wpaść w depresję. A wiesz, co jest najbardziej niesamowite w tej historii? – Pamiętała uśmiech mamy, gdy zadawała jej to pytanie. – Dokładnie w rok po tamtym dniu, dokładnie w pierwszą rocznicę śmierci księdza, przyprowadziłaś do nas pierwszy raz Dominikę. Odebrałam to wtedy jak wyraźny znak z nieba. Im dłużej z nami była, tym dokładniej czułam, że chcę ją pokochać jak własne dziecko. Drugie dziecko, którego nie udało mi się nigdy urodzić, bo przecież nie można powiedzieć, że go nie miałam. Ja je miałam, tylko bardzo krótko. Później stała się nim Dominika. Moja druga, starsza, młodsza córka.

Piła poranną herbatę, patrzyła w okno i płakała, wspominając każde słowo mamy wypowiedziane w obecności truskawek, których zapach również pamiętała doskonale. Czuła się już całkiem dobrze. Antybiotyk aplikowany od tygodnia doskonale spełnił swoje zadanie. Bez potrzeby bała się samotności. Tydzień upłynął jej na wspomnieniach, na odsypianiu pracowitych dni i realizowaniu nowo odkrytej pasji, która pochłonęła ją bez reszty. Obraz dla Dominiki był prawie skończony. Największą przyjemność sprawiało jej mieszanie farb i tworzenie nowych odcieni. Malowała jesień. Robiąc to, dokonała swojego pierwszego malarskiego odkrycia. Zima była dla niej bielą. Lato żółcią, czerwienią i ulubionym pomarańczem. Wiosna – każdym odcieniem zieleni, a barwy jesienne uzyskała, mieszając biel zimy z kolorami pozostałych pór roku. Paleta barw jesieni zawierała w sobie kolory całego kalendarza. Zwykle była bardzo krytyczna w stosunku do wszystkich swoich poczynań. Jednak ku wielkiemu własnemu zdziwieniu, obraz jej się podobał. Może dlatego że malowała go z ogromną przyjemnością i pasją. Dominika uwielbiała ciepłe kolory. Tylko w takich odcieniach urządziła swoje mieszkanie. Przedstawiona na obrazie jesień była właśnie ciepła, cieplusieńka i tym samym doskonale pasowała do wystroju wnętrz Dominiki.

Patrzyła na to, co udało się jej do tej pory namalować, i uśmiech nie opuszczał jej twarzy. Nagle, nie była na to przygotowana, przed jej oczami pojawił się Mikołaj. Przeraziła się. Uśmiech zniknął z jej twarzy. „Nie teraz!", pomyślała. Nie mogła o nim myśleć. Bała się wspominać, zresztą nie umiała tego robić. Myślenie o nim groziło jej zawałem serca. Musiała coś zrobić, żeby wspomnienia nie zastąpiły jej realnego życia. Walczyła z nimi w każdej jego sekundzie. „Pralnia", pomyślała i wstała od stołu, kierując się w jej stronę. Musiała się czymś zająć. Trudny i niemożliwy do zamknięcia temat paradoksalnie musiał pozostawać wciąż w całkowitym zamknięciu, aby mogła funkcjonować i w miarę normalnie żyć. Żeby tak było, nie mogła o nim myśleć. Nie teraz. Jeszcze nie teraz. Codziennie musiała sobie udowadniać, że tak potrafi. Bez miłosnych wspomnień, których nastrój mógłby ją zniszczyć. Musiała znowu uwierzyć w życie. Niekoniecznie w szczęście. Ale w życie. Przecież pani Irenka powtarzała jej, gdy Hanka była przekonana, że to już koniec i nic więcej się nie wydarzy.

– Hanuś – mówiła – jesteś jeszcze taka młoda, jeszcze ci się życie poukłada. Wspomnisz moje słowa...

Pralka zaczęła swoją pracę. Jej odgłos wpływał na nią uspokajająco. Usiadła na mozaice z zimnej terakoty. Oparła się plecami o poruszającą już bębnem pralkę. Słyszała szum pobieranej wody. Wszystkie odgłosy docierające do jej uszu były charakterystyczne dla normalnie funkcjonującego domu. Oddychała głęboko. Oparła czoło na zgiętych kolanach i powtarzała w myślach: „Normalne odgłosy, normalny dom, normalne życie...".

Nie miał już sił. Oparł ciężką głowę na rękach. Czuł wstręt do własnej pracy. Wszystko było nie tak. Ostatni miesiąc minął nie wiadomo kiedy. Kiedyś dokładnie tak jak on w tej chwili musieli czuć się kołchoźnicy. Wszyscy z zespołu pracowali bardzo intensywnie, jak chyba nigdy dotąd. Od dwóch tygodni praktycznie bez przerwy ślęczeli z Przemkiem nad projektem szpitala. Przemek spędził kilka dni w Pradze, skąd przywiózł miliardy wytycznych. Projekt, którego się podjęli, był najtrudniejszy z dotychczas tworzonych. Nigdy jeszcze nie projektowali na tak dużą skalę. Mimo to chcieli wziąć udział w konkursie. Byli młodym zespołem lubiącym wyzwania. Jednym z ich najpoważniejszych wrogów był czas, który kurczył się w zastraszającym tempie. Wszystko miało być skończone do piętnastego stycznia, a dokumentacja złożona w Pradze właśnie tego dnia. Był ostatni dzień listopada. Przemek chodził wściekły. Nie miał czasu dla swojej dziewczyny. On nie był wściekły, ale zmęczony poczuciem bezradności. Nie mógł przestać myśleć o Hance. Nawet dwa razy w akcie desperacji, idąc za radą Przemka, katował się pod szkołą Mateusza z nadzieją, że ją chociaż zobaczy. Siedział w samochodzie i czuł się jak skończony idiota. Zmarnował tylko czas, dlatego skutecznie zniechęcił się do takiej strategii. Musiał zrobić coś innego, bo konspiracyjna metoda zaproponowana przez Przemka nie sprawdzała się i wpływała na niego dołująco.

– Odbierz! – warknął Przemek.

– Co? – zapytał, podnosząc głowę.

– Telefon! Dzwoni już trzeci raz, a ty siedzisz jak mumia. Rusz się!

Było z nim coraz gorzej. Rzeczywiście, dopiero teraz usłyszał dźwięk telefonu. Przez dłuższą chwilę nie mógł go zlokalizować. Gdy nareszcie znalazł go w kieszeni kurtki, jak na złość umilkł, informując go o pięciu nieodebranych połączeniach. Tato, mama, Mateusz trzy razy. Chyba coś się działo. Wybrał numer Mateusza.

– Super, że zadzwoniłeś. – Brat odebrał od razu.

– Stało się coś?

– Większe kłopoty – zagadkowo westchnął braciszek.

– Mów! – Nie miał siły na zgadywanki.

– Grałem z chłopakami na przerwie w kosza, przewróciłem się i coś mi się chyba stało w rękę. Ktoś musi przyjechać i zabrać mnie do jakiegoś szpitala. Ojciec oczywiście nie może, a mama jest u dentysty. Wypadło więc na ciebie. Jak kochasz, to przyjedziesz, zwłaszcza że ja cierpię. Rączka mi trochę napuchła i coraz bardziej boli.

Mateusz nawet w takiej sytuacji nie potrafił zachować należytej powagi i udzielając mu tych wszystkich informacji, używał kabaretowego tonu.

– Będę tak szybko, jak to możliwe. Gdzie cię szukać?

– Na parterze, w gabinecie seksownej pielęgniarki.

– Już jadę. Cześć!

Był zmęczony i zły. Najchętniej pojechałby do domu i położył się spać. Niestety, dzisiaj sen, jak zawsze ostatnio, musiał poczekać.

– Co tam? – zapytał Przemek, który z zainteresowaniem przysłuchiwał się rozmowie.

– Mateusz grał w szkole w kosza i coś mu się stało w rękę – zaczął zamykać pootwierane dokumenty, żeby wyjść z programu, i relacjonował Przemkowi, co zaszło. – Muszę go zabrać ze szkoły i zawieźć gdzieś, żeby mu zrobili zdjęcie. Nie wiem, ile to może potrwać. – Zerknął na zegarek. – Odezwę się, jak będę coś wiedział. – Spojrzał na Przemka, szukając zrozumienia w jego wzroku, bo obaj doskonale zdawali sobie sprawę, że żeby zdążyć z projektem, muszą pracować praktycznie bez przerwy.

Jadąc do szkoły, nie wiedział, czy ma się denerwować. Mateusz przez telefon wydawał się wyluzowany, jak zwykle zresztą. Do szału natomiast doprowadzały go korki. Dochodziła piętnasta, a miasto wyglądało tak, jakby był dzień wolny od pracy, podczas którego wszyscy postanowili pojechać do szkoły Mateusza, i w dodatku wszystkim się spieszyło. Nerwowo skakał z pasa na pas, żeby mieć choć złudne wrażenie, że jedzie szybciej niż cała reszta poruszająca się z prędkością wysportowanego żółwia. Pokonanie trasy do szkoły zajęło mu prawie godzinę, po czym okazało się, że nie ma gdzie zaparkować. Wolne miejsca były na wagę złota i za złotówki chętnie pożerane przez nienajedzone miejskie parkomaty. Krążył wokół szkoły dłuższą chwilę, jak sęp nad padliną. Jest! W końcu! Udało się! Dostrzegł, że ktoś wyjeżdża, i szybko ustawił się na pozycji wjeżdżającego, włączając kierunkowskaz, żeby odstraszyć innych ewentualnych chętnych. Długo oczekiwane miejsce było dość atrakcyjne, bo znajdowało się bardzo blisko budynku szkoły. Wysiadł szczęśliwy, chyba pierwszy raz od dawna, kupił bilet w parkometrze i podbiegł do samochodu, żeby go w nim zostawić. Właśnie kładł go na desce rozdzielczej, gdy zerknął przez przednią szybę i oniemiał.

Wychodziła ze szkoły. Ostatnio, gdy ją widział, nie zauważył nawet, jak była ubrana. Dziś mimo nagłego zdenerwowania przyglądał się jej dokładnie. Miała na sobie czarne spodnie, krótkie białe futerko i szalik w czarno-białe wzory. Wyglądała cudownie. Pod pachą trzymała dużą, niedopinającą się, wypchaną czymś torbę. Stał w miejscu, nie mogąc wykonać żadnego ruchu. Nie poczuł nawet, że całkowicie zgniótł trzymany w ręce bilet. Odruchowo wsiadł do otwartego samochodu. Patrzył na nią i czuł się trochę jak uczeń, któremu w każdej chwili grozi przyłapanie na ściąganiu. Ręce mu się trzęsły, w ustach zaschło. Nie spuszczał z niej oczu, tak jakby chciał się napatrzeć na zapas. Patrzył i już żałował, że to niemożliwe. Szła spokojnie. W pewnym momencie przyspieszyła. Podeszła do czarnego terenowego samochodu zaparkowanego bardzo blisko. Dzieliło ich tylko kilka metrów. Widział dokładnie jej twarz. Położyła torbę na masce czarnego olbrzyma i zaczęła w niej czegoś szukać. Wyjęła z niej chyba dzwoniący telefon i odebrała. Pomyślał w tej chwili, że wiele dałby za to, żeby znać jej numer. Rozmawiała spokojnie, bez uśmiechu, który doskonale pamiętał z ich ostatniego spotkania. Rozmawiając, nie przestawała szukać czegoś w przepastnej torbie. Widocznie bez rezultatu, bo w pewnym momencie zaczęła spokojnie wyjmować z niej zeszyty. Skończyła rozmawiać, nie uśmiechnąwszy się, niestety, ani razu. Chyba znalazła w końcu to, czego szukała. Z identycznym jak przy rozpakowywaniu spokojem wkładała zeszyty do torby. Domyślał się, że szukała kluczyków, bo gdy tylko uporała się z pakowaniem zeszytów, otworzyła samochód. Torbę, która zważywszy na zawartość, musiała być bardzo ciężka, położyła na siedzeniu pasażera. Z jej ruchów bił ogromny spokój. Wsiadła do samochodu, w którym wydała mu się jeszcze mniejsza i delikatniejsza niż w rzeczywistości. Była krucha i nieosiągalna. Patrzył na nią zachłannie, jak piłkarz na piłkę znajdującą się, niestety, po stronie przeciwnika.

Nie miał pojęcia, ile czasu upłynęło, odkąd ją zobaczył. Tkwił w samochodzie bez ruchu. W innych okolicznościach na pewno pojechałby za nią, ale dziś musiał pozwolić jej odjechać. Siedziała w samochodzie, ale nie odjeżdżała. Wbiła wzrok w przednią szybę. Poruszyła się. Odwinęła szalik i położyła na siedzeniu obok, powoli odpięła guziki futerka. Położyła skrzyżowane ręce na kierownicy i oparła na nich głowę. Zrobiła to tak, jakby była bardzo zmęczona. Odpoczywała w takiej pozycji dłuższą chwilę. Na tyle długą, że w końcu pojął, iż nie położyła tak głowy, żeby odpocząć. Płakała. Jej ramiona minimalnie unosiły się i opadały. Serce waliło mu jak młotem. Czuł ogromną chęć podejścia do niej. Chciał wyciągnąć ją z samochodu i mocno przytulić. Jednak tkwił nieruchomo w swoim aucie przytrzymywany przez jakąś niewidoczną siłę. Musiała być nieszczęśliwa. Kolejny raz ją spotykał w okolicznościach niesprzyjających zawarciu znajomości. Przecież gdyby przyszła do jego pracowni, wszystko byłoby prostsze. Mógłby coś dla niej zaprojektować. Musieliby się spotkać przynajmniej kilka razy. Nie musiałby siedzieć w samochodzie i podglądać jej, czując się przy tym jak niedoszły paparazzo. Nieporadny idiota. Wciąż wgapiał się w jej plecy. Chyba się uspokoiła, bo znów były nieruchome. Nagle podniosła się, zerknęła do lusterka nad sobą. Zdecydowanym ruchem wytarła dłońmi mokre od łez policzki. Uruchomiła silnik. Włączyła kierunkowskaz, spojrzała w boczne lusterko i odjechała. Szybko i zdecydowanie. Gdy zniknęła mu z oczu, zerknął na zegarek i się przeraził. Chciał być teraz gdzie indziej. Ale musiał zająć się Mateuszem i zadzwonić do mamy. Na domiar złego odkrył, że zostawił telefon w pracowni. Wysiadł z samochodu i z ciężką od myśli głową wbiegł do szkoły. Mateusz czekał na niego od ponad dwóch godzin.

Do pracowni wrócił po dwudziestej. Przemek wciąż pracował.

– Jak tam kończyna? – zapytał, nie podnosząc wzroku znad projektu.

– Na szczęście skończyło się tylko na strachu. Ma wybity nadgarstek. Dostał leki, jakieś okłady. Za tydzień wszystko powinno wrócić do normy. Jest tylko zły, że to lewa ręka, bo prawa dałaby mu taryfę ulgową w szkole, a tak to nic z tych rzeczy. Dużo masz jeszcze? – zagadnął, zerkając Przemkowi przez ramię.

– Żeby osiągnąć założony na dzisiaj plan, jeszcze co najmniej godzinę, ale jestem tak cholernie głodny, że jak zaraz czegoś nie zjem, to wrąbię własne ucho. Zamawiamy żarcie?

– OK. Już dzwonię, też muszę coś zjeść, zwłaszcza że czeka mnie nocka.

Ekspresowo zamówił pizzę. Pracownicy pobliskiej pizzerii znali go doskonale. Wystarczyło, że powiedział „to co zwykle", i za niecałe dwadzieścia minut mieli z Przemkiem przed sobą ciepłe i pachnące pyszną zawartością kartony. Usiedli i jedząc w milczeniu, patrzyli na to, co do tej pory zrobił Przemek.

– Jak myślisz, damy radę? – zapytał, sięgając do pudełka po kolejny trójkąt pepperoni.

– Musimy dać! – odpowiedział z pełnymi ustami Przemek.

– Źle zapytałem. Zdążymy?

– Może i źle, ale odpowiedź jest taka sama. Jeżeli wygramy, to przez najbliższy rok, może nawet trochę dłużej, mamy co robić i odcinamy tylko kupony. Taka wizja może mi zrekompensować zły humor Dominiki.

– Tej dentystki? – Wolał się upewnić.

– Tak. Mam nadzieję, że jakoś to przetrzymamy. Ona też jest strasznie zarobiona. Nie mamy dla siebie ostatnio czasu. Myślę, że to dla nas dobra próba. Myślę o Domi i dochodzę do wniosku, że się chyba starzeję. Nie kręcą mnie już przygody, tak jak kiedyś. Chyba chciałbym... No, wiesz, żona, syn, dom, drzewo. Taki rodzinny klimacik. Normalnie, gadam jak nie ja. Chyba naprawdę staruch ze mnie...

– Takie myślenie to najprawdopodobniej oznaka mądrości, a nie starości.

– Ty nie gadaj, tylko jedz – mówiąc to, Przemek sięgał po następny kawałek.

– Widziałem ją dzisiaj – powiedział i od razu pożałował tych słów.

– Kogo? – zapytał zdziwiony nagłą zmianą tematu Przemek.

– Ją.

– Jaką ją?

Przemek wciąż nie rozumiał, o kogo mu chodzi. Przez ten nawał pracy nie rozmawiali z sobą ostatnio o niczym innym, tylko o projekcie.

– Dziewczynę zza rzek.

– Trzeba było tak od razu! I co? – zapytał Przemek, przeciągając się. Pełny brzuch z pewnością zapraszał go teraz do krótkiej drzemki, którą zawsze usprawiedliwiał, mówiąc „pół godzinki dla słoninki".

– I nic – głośno wypuścił powietrze.

– Jak to nic?

– No nic!

– Co? Znowu nie zagadałeś?

– Nie było warunków.

– A jakich ty, facet, potrzebujesz warunków, żeby zagadać do laski?

– Widocznie innych niż dziś – westchnął.

– Kto to jest? – Z ust Przemka padało konkretne pytanie.

– Nauczycielka Mateusza.

– Co? – Przemek mało się nie udusił, chyba kęs pizzy na krótką chwilę zatrzymał mu się w przełyku. Kaszląc, spoglądał na niego ze zdziwieniem.

– Nauczycielka Mateusza – powtórzył spokojnie.

– Zabujałeś się w belferce? – parsknął, z trudem łapiąc oddech po ataku kaszlu.

– A ty w dentystce i co w tym takiego dziwnego?

– Tak w sumie to nic. – Przemek wzruszył ramionami i przeżuwając pizzę, przyglądał mu się uważnie. – Ile ma lat?

– Nie mam pojęcia, ale chyba jest młodsza ode mnie.

– Czyli młode ciałko pedagogiczne...

– Nie kpij! – przerwał mu.

– A czego uczy?

– Polskiego.

– To jak ty będziesz z nią rozmawiał?

– Jak to jak? – zapytał zdziwiony.

– No wiesz, z taką polonistką to trzeba składnie, ładnie, na temat, językiem poetów, bo inaczej to może nie zrozumieć. – Przemek żartował, przybierając bardzo poważną minę.

– Przestań, bo już żałuję, że ci powiedziałem.

– A tak całkiem serio, to co do niej masz?

W końcu usłyszał poważny głos przyjaciela, dlatego odpowiedział zgodnie z prawdą.

– Odkąd ją zobaczyłem, nie mogę przestać o niej myśleć. Mam ją cały czas w głowie. Przecież już ci mówiłem.

– Wiem, pamiętam, ale myślałem, że ci przejdzie. Czasami tak jest, że ktoś wpada ci do głowy, a raczej w oko, a za jakiś czas masz tam kogoś zupełnie innego.

– Przemek, ja na nią zachorowałem. I to przewlekle. Dzisiaj widziałem ją przed szkołą Mateusza. Siedziała w samochodzie i płakała, a ja czułem się jak ostatni palant. Nie mogłem nic zrobić.

– To czemu do niej nie podszedłeś?

Miał wrażenie, że Przemek w ogóle nie rozumie, co do niego mówił.

– Rozumiem, że miałem podejść, otworzyć drzwi, wyciągnąć ją z samochodu i powiedzieć, że co? Że chciałbym ją przytulić i pocieszyć, bo się w niej zakochałem?

– Widzisz, jaki jesteś mądry! Trzeba było tak zrobić! – przytaknął mu z półuśmiechem Przemek.

– Puknij się! Chyba ta robota padła ci już całkowicie na mózg. Powiedz mi tylko, czy ty byś tak zrobił.

– Powiem ci jedno! Od ponad roku jesteś sam. Facet, ty fiksujesz. A wiesz, co jest najlepsze na fiksację u faceta? Seks! – ostatnie słowo powiedział bardzo głośno. – Brakuje ci seksu i jeżeli czegoś nie zrobisz, to... Czarno to widzę – dokończył zdanie po chwili ciszy.

– Niepotrzebnie spłycasz. – Przemek wyprowadził go swoim gadaniem z równowagi, ale udało mu się powiedzieć to spokojnie. – Seks jest przyjemny, potrzebny i nie zamierzam tego negować, ale jak ją widzę, to nie myślę o seksie. Chciałbym, żeby na mnie chociaż popatrzyła, chciałbym jej dotknąć.

– Czyli myślisz o seksie – upierał się Przemek.

– Wiesz co? To, że tobie w głowie tylko jedno, nie oznacza, że mnie też. – Ta rozmowa zaczynała go irytować.

– Żebyś wiedział, że myślę. Przyznaję się bez bicia. Myślę i myślę, i myślę, że jestem już całkiem blisko.

Spodobała mu się szczerość Przemka, dlatego postanowił zrobić z niej użytek.

„Mam cię!", pomyślał i zaczął mówić:

– Czyli umawiasz się z dentystką od końca sierpnia, o ile dobrze pamiętam, a teraz mamy koniec listopada. Wrzesień, październik, listopad... – odliczał, używając do tego palców prawej dłoni. – Minęły już trzy pełne miesiące i nic. A ja mam bez słowa wyciągnąć obcą, płaczącą kobietę z samochodu i co? I według ciebie mam jej powiedzieć, że marzę o niej i o tym, że mam ją w łóżku? – Nie zauważył nawet, kiedy jego głos z w miarę normalnego zmienił się w podniesiony. Mało brakowało, a krzyczałby na Przemka, który drapiąc się właśnie po głowie, zamykał puste pudełko po pizzy.

– Rzeczywiście, może przesadziłem, ale myślę, że powinieneś sobie coś uzmysłowić. Ona mieszka w twojej głowie, jak to określiłeś, czyli inaczej rzecz ujmując, zabujałeś się na amen. A facet zabujany to facet myślący o seksie, więc się głupio nie unoś i nie zachowuj jak eunuch, tylko coś zrób!

Przemek chciał jeszcze coś dodać, ale mu nie pozwolił.

– Jak mam, do cholery, coś zrobić, skoro jestem non stop w robocie? Dzisiaj zobaczyłem ją przez przypadek. Wcześniej kwitłem jak kretyn pod szkołą dwa razy, i to za każdym razem po kilka godzin, i nic. A dziś jak zobaczyłem, że płacze, to trafiło mnie jeszcze bardziej!

Teraz to Przemek nie dał mu dokończyć.

– Przecież wiem, że mamy przerąbane z tą robotą. Domi też nie jest zadowolona. Ale ta sytuacja pokazała mi, że jej na mnie zależy. Ona jest bardzo szczera i prostolinijna, tylko ma za sobą trudne dzieciństwo i ono ją chyba trochę przyblokowuje. Coś mi wspominała. Nie chciałem wypytywać, ale czuję, że to się za nią ciągnie. Obiecałem jej, że jak skończymy projekt, to wszystko będzie inaczej. Chcę poświęcić jej dużo czasu, bo wyraźnie tego potrzebuje.

Nie za bardzo rozumiał, dlaczego Przemek mu to wszystko mówi, ale słuchał cierpliwie.

– Nie wystarczają jej jakieś urywane randki. Ona potrzebuje całkowitego zaangażowania i wiesz co? To mi pochlebia. Pochlebia jak cholera, bo gdyby mnie nie kochała, to przecież nie byłaby taka... No, wiesz??? – Przemek nie mógł znaleźć odpowiedniego słowa. – Nie przedłużając, bo robota czeka. Obiecałem coś Domi. Tobie też obiecam. Jak to wszystko się skończy i wygramy ten cholerny konkurs, to będzie chwila na oddech. Pomyślimy i coś zaaranżujemy. Może małą stłuczkę? – zaproponował niezbyt kreatywnie.

– To chyba nie najlepszy pomysł – powiedział zrezygnowany, przypominając sobie, jakim pięknym samochodem jeździła.

– A swoją drogą, to taka polonistka musi bardzo dużo wiedzieć o miłości... – Przemek zrobił rozanieloną minę. – No wiesz... Romantycy, Parys i Helena, Tristan i Izolda, Romeo i Julia. Przecież ona o nich wszystkich czytała. Rozumiesz? Ona wie tyle o miłości, ile ty o projektowaniu. – Przemek całkowicie zaskoczył go swoim rozumowaniem.

– Nie rozumiem, czy tym swoim gadaniem chcesz mnie podnieść na duchu, czy ostatecznie pogrążyć? – zapytał zdezorientowany.

– Popatrz na siebie i pomyśl chwilę. Tak naprawdę wszystko, czego chcesz w życiu, osiągasz. Chciałeś podróżować. Podróżujesz. Chciałeś projektować. Projektujesz. Chciałeś mieć najlepszego kumpla na świecie. Masz. Więc skup się na tym, że wszystko, czego chcesz, to masz. Tak będzie też z nią. Spotkałeś ją, wiesz, kim jest. Teraz tylko daj sobie trochę czasu, a będziesz ją miał. Zobaczysz!

Pewność w głosie Przemka była balsamem na jego poszarpane uczucia.

– Mówisz?

– Jestem tego pewien, i to tak jak tego, że ja będę miał Domi – rozmarzył się. – Poza tym przecież widziałeś ją dziś. Przypadki chodzą po ludziach, ale zobacz, ile ostatnio tych przypadków. A może ona już też o tobie myśli. Przecież nie możesz wiedzieć na pewno, że o tobie nie myśli. Jesteś przystojnym gościem o zgrabnym tyle. Gdybym ja był laską, to kto wie, co mogłoby się wydarzyć...

– Może i dobrze, że nie jesteś. A teraz chodź, lepiej bierzmy się do roboty bo, jak tak dalej pójdzie, to nie zdążymy nawet do marca.

Ostatnie słowa powiedział optymistycznym tonem. Chyba potrzebował tej rozmowy. Przemek na pierwszy rzut oka sprawiał wrażenie lekkoducha, jednak w rzeczywistości był rzeczowym i racjonalnie myślącym facetem. Najbardziej cenił go za inteligencję. Znali się od czasów licealnych – doszedł do ich klasy pół roku przed maturą. Od razu się polubili. Wiedział, że Przemek jest wobec niego zawsze szczery, dlatego teraz, w tej sprawie, nie mogło być inaczej. Przemek nigdy niczego nie przemilczał, nie oszukiwał, nie naciągał prawdy, choćby miał nią przywalić z prostego między oczy. Nigdy też niczego przed nim nie udawał. Wszystkie sprawy zawsze nazywał po imieniu, bez owijania w bawełnę. Więc i tym razem też na pewno było tak, jak mówił. Chyba nie na próżno chciał jej jak żadnej innej do tej pory. Całej! Tylko dla siebie! Najlepiej od zaraz!

– Co tak siedzisz!? – ryknął Przemek i poklepał go po ramieniu. – Ruszaj zgrabny tył. Im szybciej skończymy, tym szybciej oddamy się przyjemnościom. A jak będziesz wychodził, to nie zapomnij telefonu. Zostawiłeś go u mnie na biurku.

Patrzył, jak Przemek zabierał się do pracy, i myślał o wszystkim, co od niego przed chwilą usłyszał. Jeżeli będzie jej tak bardzo chciał, tak że nie można już bardziej, to wszystko się uda. Musi się udać!

„Dzyń, dzyń, dzyń, dzwonią dzwonki sań..." Melodia przedszkolnego, zimowego hitu przyczepiła się do niej na dobre. Miała wrażenie, że nawet krew w jej żyłach płynie w jego rytmie. Siedziały z Dominiką w olbrzymim centrum handlowym i zajadały się lodami czekoladowymi z dużą ilością bitej śmietany.

– Boże! To jakiś kosmos! Jest drugi tydzień grudnia, a ludzie zachowują się tak, jakby Wigilia miała być jutro. Ale najgorsze jest to, że tak jest już od miesiąca. Jednego dnia na półkach znicze, a drugiego bombki. To jest chore. – Dominika marudziła, chociaż jednocześnie jej lody znikały w zastraszającym tempie.

– A ja się cieszę, że już niedługo święta. Przeżyłam paskudny i długi listopad, podczas którego miałam koszmarnego doła. Poza tym nie mogę doczekać się wolnego. Mam dosyć szkoły. Nie mogę już uczyć, pytać, sprawdzać, mówić. Nic już nie mogę. Chcę tylko patrzeć na morze i nic nie mówić. Jak myślisz, będą łabędzie? – zapytała rozmarzona.

– Pewnie, że będą! Widziałaś kiedyś zimą morze bez łabędzi? Zobaczą cię i powiedzą: „O, cześć, stara! Miło, że jesteś. Masz coś do żarcia?!".

– Przypomnij sobie, jak się dziwiłaś po wakacjach, że pani Irenka już nas zaprosiła. Miała rację, czas minął jak z bicza strzelił. Wczoraj do niej telefonowałam. Powiedziałam jej, że przyjedziemy w dniu wigilii, po południu, i przywieziemy karpia w galarecie. Bardzo się ucieszyła. Jest niesamowita... – uśmiechnęła się, wspominając wszystkie mądre, usłyszane wczoraj, słowa pani Irenki.

– Ale z tym karpiem to chyba się trochę wyrwałaś przed szereg – żachnęła się Dominika.

– Co ty mówisz? Jak cię ktoś zaprasza, to nie wypada przyjechać z gołą ręką...

– Znaczy na krzywy ryj?!

Słysząc słowa Dominiki, tylko się uśmiechnęła.

– Akurat dobrze się składa, bo umiem zrobić pysznego karpia w galarecie. Mama mnie nauczyła.

– Czyli, jak mam rozumieć, bierzesz to na siebie. A tam z karpiami. Popatrz lepiej, jakie ciacho idzie w naszym kierunku. – Dominika wpatrywała się w mężczyznę, który usiadł dwa stoliki dalej.

Zerknęła dyskretnie w tamtym kierunku. Rzeczywiście, mężczyzna wyróżniał się z tłumu. Był bardzo przystojny, miał głęboko osadzone ciemne oczy i utalentowanego stylistę. Musiał też dobrze pachnieć, bo nawet z daleka czuć było od niego klasę.

– Nawet fajny – oceniła bez szczególnego entuzjazmu.

– Fajny? – zdziwiła się Dominika. – Tylko tyle? Przecież on jest jak ciastko z kremem po dwóch latach głodówki. Ja bym go z łóżka nie wyrzuciła, nawet gdyby chrupał w nim krakersy.

– Z tym łóżkiem to się chyba zagalopowałaś... – delikatnie zwróciła uwagę Dominice.

– Jak by to powiedzieć? Wiesz, ostatnio tylko jedno mi w głowie...

– Co ty powiesz? Chcesz się czymś pochwalić? – zapytała bezpośrednio.

Dominika wpatrywała się w nią z uśmiechem rozpromieniającym twarz i nic nie mówiąc, skinęła tylko głową.

– To dlaczego nic mi wcześniej nie powiedziałaś? – szepnęła cicho, jakby bojąc się, że ktoś mógłby ją usłyszeć.

– Bo to się stało wczoraj – Dominika też szeptała. – I to całkiem niespodziewanie. Ja po ośmiu godzinach cerowania w robocie, on też ostatnio projektuje praktycznie bez przerwy, a jednak udało nam się połączyć siły...

Dopiero teraz zauważyła, że Dominika kipiała od nadmiaru szczęścia i wrażeń.

– Widocznie miłość doskonale radzi sobie ze zmęczeniem – nagle przerwała i szepnęła w stronę Dominiki: – Popatrz tylko na naszego adonisa.

Dominika, nie siląc się na dyskrecję, obejrzała się, żeby spojrzeć na namierzone wcześniej przez siebie ciacho, i uśmiech prędko znikał z jej twarzy, ponieważ do adonisa podszedł niski, niepozorny, drobny mężczyzna i po krótkim, acz wylewnym przywitaniu odeszli, trzymając się za ręce.

– Nie wierzę! – Dominika zrobiła wyjątkowo zniesmaczoną minę.

– Powinnaś wiedzieć, że miłość nie wybiera... – zaczęła cicho, ale Dominika znowu mówiła.

– Zrozumiałabym, gdyby był z brzydką babą, ale facet? I do tego brzydki?!... Dominika wzdrygnęła się, nie kryjąc obrzydzenia i braku tolerancji, o który jej dotąd nie podejrzewała.

– To może dla utrzymania równowagi psychicznej porozmawiamy o jakiejś parze heteroseksualnej? – zgrabnie zmieniła temat.

Dominika zerknęła na nią podejrzliwie.

– A co masz mi do powiedzenia? – zapytała od razu.

– Tak się składa, że to chyba ty masz mi coś do powiedzenia. Zatem zamieniam się w słuch. – Wyprostowała się i złożyła przed sobą ręce, jakby była prezenterką telewizyjną.

– Umówiliśmy się u niego w pracowni – zaczęła Dominika. – Było już późno i nikogo oprócz nas w niej nie było. Jak przyszłam, miał jeszcze coś do zrobienia, ale kultura pełna, przerwał pracę, żeby się ze mną przywitać. No i to powitanie przeciągało się i przeciągało aż...

– Rozumiem, że mamy tu do czynienia z prześladującym cię od dzieciństwa klasycznym „samosię".

Dominika, jakby jej nie słysząc, mówiła dalej:

– Straciłam wątek, oddech i kontrolę. Myślałam, że to odbędzie się inaczej, ale... Niczego nie żałuję. Mam tylko nadzieję, że teraz Przemek nie zachowa się jak tusz do rzęs – westchnęła z dziwną miną.

– Jak co? – nie zrozumiała.

– Przecież mówię wyraźnie. Jak tusz do rzęs.

– Mówisz wyraźnie, ale ja chyba jestem niezbyt inteligentna, bo nie rozumiem, o co ci chodzi – zmarszczyła czoło.

– Zastanów się. Co robi tusz do rzęs po okazaniu uczuć?

– A skąd mam wiedzieć?

– Spływa! – syknęła odkrywczo Dominika.

– Gdyby Przemek tak zrobił, miałby ze mną do czynienia! – powiedziała odważnie.

– Ale to jeszcze nie koniec. Najlepsze jest to, że chwilę po płonących ciałach i bijących dzwonach do pracowni wszedł jego wspólnik. Dokładnie w chwili gdy kończyłam kompletować garderobę. Mówię ci, Hanka, obciach jak sto pięćdziesiąt, masakra jakaś.

– I co? – zapytała, robiąc wielkie oczy.

– Okazało się, że jest nie tylko zabójczo przystojny. Adonis mu do pięt nie dorasta! I na całe szczęście inteligentny. Na dwieście procent pokapował się, o co chodzi, ale nie dał po sobie nic poznać. Szybko wziął z biurka pierwszą lepszą kartkę i ulotnił się, przepraszając.

– Przejmujesz się tym? – zapytała *pro forma*. Doskonale znała Dominikę i przeczuwała, że dziś miała to już w nosie.

– Wczoraj było mi trochę głupio, ale miałam tyle innych wrażeń... – westchnęła znacząco.

– Najlepiej o nim nie myśl. Jest młody?

– Młody – potwierdziła Dominika. – I seksowny – dodała z uśmiechem.

– To na pewno zrozumie. A tak ogólnie, to skończmy już ten wątek miłosny. Skupmy się na świątecznym.

– To znaczy jakim? – zapytała Dominika.

– Dwa tygodnie miną szybko. A prezenty? Bo rozumiem, że do tematu podchodzimy zespołowo.

– Jasna sprawa! Ale ustalmy już na początku, że to ty jesteś szefem zespołu i ty decydujesz, a ja partycypuję w kosztach. Zgadzasz się? – Dominika, pytając, zrobiła słodkie oczka i niewinną minkę. – Zresztą jak cię znam, to już wiesz, co i komu.

– Chcesz posłuchać? – zapytała, śmiejąc się w duchu. Było dokładnie tak, jak przewidziała Dominika.

– Jedziemy! Mów!

– Ty prezentu nie dostaniesz, bo jesteś lubieżna i nie umiesz opanować swoich żądz nawet w miejscach publicznych. Ba, pozwalasz się oglądać w niekompletnej garderobie obcym mężczyznom. Sama rozumiesz, nie zasłużyłaś na prezent. Nie wiem, czy mikołaj... – słysząc swój głos wymawiający to imię, zamilkła. Od dawna go nie wymawiała.

Dominika, czując, co się święci, zareagowała bardzo szybko.

– A co ten nieogolony, podstarzały i siwy grubas, ubrany w nasze barwy narodowe, może o mnie wiedzieć? Ja chcę prezent! Bardzo chcę prezent! Ja żądam prezentu! A jak go nie dostanę, tooo... – Dominika uwielbiała budować napięcie poprzez zawieszanie głosu.

– Iooo? – powtórzyła Hanka ciekawa, co Dominika wymyśli.

– To powyrywam rogi reniferom, a jemu przedziurawię worek i pogubi niezdara wszystkie prezenty! – mówiąc to, podniosła do góry zwiniętą w pięść dłoń, chcąc podkreślić wagę swych pogróżek.

– W takim razie myślę, że dla dobra wszystkich grzecznych dzieci coś dostaniesz. Tylko nie spodziewaj się cudów.

– Choćby jajko niespodziankę, proszę... – Dominika złożyła ręce jak do modlitwy i znów mrugała oczami, udając niewiniątko, którym nigdy nie była.

– Słuchaj teraz dalej, krnąbrna dziewucho, którą można przekupić byle jakim jajkiem – ostatnie słowo zabrzmiało w jej ustach bardzo dwuznacznie. – Pani Irence kupiłam piękny kapelusz, szal i rękawiczki. Wszystko w cudownym malinowym kolorze, to jej ulubiony. Kupiłam jej też pięknie wydany modlitewnik *Najpiękniejsze modlitwy do Nowo Narodzonego*. Zapomniałabym, jeszcze kupiłam zestaw do robienia cappuccino. Taki z ubijaczką do śmietanki. Bardzo poręczny. Przecież ona tak lubi po obiadku oddać się słodkiej chwilce.

– Dużo tego – zdziwiła się Dominika.

– Nie wiedziałam, na co się zdecydować, więc kupiłam wszystko, co mi się spodobało. Poza tym pani Irenka jest warta najwspanialszych prezentów świata – powiedziała to z takim przekonaniem, że Dominice nie pozostawało nic innego, tylko się zgodzić. Co oczywiście uczyniła, kiwając ze zrozumieniem głową. – Iwonie kupiłam książkę o sztuce wizażu i profesjonalne cienie do powiek. Przecież wiesz, że od małego ma słabość do makijażu – uśmiechnęła się dwuznacznie.

– Wiem, wiem... – Dominika znała na pamięć historię z *body painting*.

– Miałam tylko kłopot z bliźniaczkami i Jurkiem, więc zatelefonowałam do pani Irenki, żeby się z nią skonsultować, i Jurkowi kupiłam książkę o drugiej wojnie światowej, bo się interesuje historią. A dziewczynkom kupiłam lalki. Takie super, wiesz – oczy jej się zaświeciły, jakby znów była małą dziewczynką. – Mają na sobie nosidełka, a w nich każda po bobasie. Mają nawet ubrania na zmianę. Mam nadzieję, że będzie wielka radość. Muszę ci powiedzieć, że jestem stara, a oczy mi się śmieją do tego zestawu.

– Kiedy ty to wszystko kupiłaś? – zdziwiła się Dominika.

– Mówiłam ci już. Miałam listopadowego doła, więc dla zabicia czasu i głupich myśli postanowiłam się tym zająć. Powiem ci, jak patrzę na te hordy zakupowiczów, to myślę, że depresja może mieć czasami dobre strony.

– To mamy już wszystko! – stwierdziła Dominika.

– Niezupełnie. Brakuje nam samochodu i karpia.

– Karp to rozumiem, ale z samochodem to chyba lekka przesada.

– Nie panikuj. Samochód ma być dla lalek, i to koniecznie różowy – natychmiast wytłumaczyła zdziwionej Dominice. – Pani Irenka powiedziała, że dziewczynki na niego chorują. Sama chciała im kupić, ale nigdzie nie mogła takiego znaleźć, więc wzięłam to na siebie. Nie myślałam, że różowy samochód to taki chodliwy towar. Widziałam już wszystko: karoce, powozy, motory, a różowe samochody za każdym razem właśnie się skończyły.

– Dobra, niech stracę, biorę to na siebie! Poszukam i kupię! – odważnie zadeklarowała Dominika.

– To, czyli co? – wolała się upewnić, żeby się nie okazało za pięć dwunasta, że się nie zrozumiały.

– Kupię karpia i ten *pink* wóz. Coś jeszcze?

– Nie, to już wszystko. Obiecujesz, że nie zapomnisz? – Niepotrzebnie to powiedziała, bo Dominika obrzuciła ją obrażonym spojrzeniem, więc tylko uniosła ręce do góry i szybko dodała: – W porządku, nie powiem już ani jednego słowa poza tym, że ci dziękuję, bo mam już zakupów po kokardę.

– To co? Gonimy? – zapytała Dominika.

– Gonimy! – odpowiedziała, wkładając łyżeczkę do pustego pucharka i zdając sobie sprawę, że odlicza dni do wyjazdu.

Nie mogła się doczekać świąt, morza, choinki, spojrzenia mądrych oczu pani Irenki i radości małych dziewczynek odpakowujących ogromne pudło z lalkami. Wychodząc z centrum handlowego, słyszała pierwsze dźwięki *Lulajże, Jezuniu*. To była jej ulubiona kolęda. Musiała przeżyć jeszcze dwa tygodnie w pracy i miała szansę na to, żeby poczuć się jak kiedyś. Jak w rodzinie...

Wszedł do biura niepewnym krokiem. Nie wiedział, jak ma się zachować. Od wczoraj było mu głupio. Wszystko przez tę durną komórkę! Spojrzał w kierunku pracowni Przemka. Już był. Siedział przy biurku i z zamyśloną miną wpatrywał się w ekran monitora. Musiał jak najszybciej zrzucić z siebie to, co od wczoraj nie dawało mu żyć, dlatego zapukał lekko w szklaną ścianę. Widział, jak Przemek podnosi wzrok, uśmiecha się i daje mu znak zapraszający do wejścia. „Może nie było tak tragicznie?", przemknęło mu przez myśl.

– Cześć, wspólniku! – wydusił z siebie, mierzwiąc jednocześnie włosy z tyłu głowy.

– Co się tak czaisz? – Przemek zerknął na niego nieodgadnionym wzrokiem. – Chciałem tylko nadmienić, że jesteś lepszy od produkcyjnej metody *just in time*. Gdybyś nie wiedział, o co mi chodzi, to mówię o naszym wczorajszym wieczornym spotkaniu.

Przemek popatrzył na niego poważnie, po czym uśmiechnął się od ucha do ucha, dając mu sygnał, że w rzeczywistości nie było tak źle, jak przypuszczał. Wziął głęboki wdech.

– Przemek, ja cię bardzo przepraszam – wydusił – ale zapomniałem tego cholernego telefonu. Gdybym wiedział, że... – miotał się, nie wiedząc, co powiedzieć.

– Uspokój się, to nie twoja wina – przerwał mu Przemek. – Przyszła do mnie. Chcieliśmy po ciężkim dniu zjeść razem kolację i sytuacja trochę wymknęła się spod kontroli. Mam dzisiaj strasznego moralniaka. Chciałem to załatwić całkiem inaczej. Zwłaszcza że kobiety chyba... No, wiesz... Pierwszy raz...

Przemek miotał się bardziej niż on. Było widoczne jak na dłoni, że był bardzo zaniepokojony tym, co się stało.

– Chcesz powiedzieć, że wparowałem tu... – nie skończył. Widocznie mieli dzisiaj dzień niedomówień.

– Jest dokładnie tak, jak myślisz. Prapremiera! Chyba wszystko zepsułem. Jestem palantem!

Przemek był bardzo bezpośredni, więc postanowił odwdzięczyć mu się tym samym.

– A co się stało po moim wyjściu? – zapytał wprost.

– Poszliśmy na umówioną kolację i było super. Boję się tylko, żeby nie pomyślała, że jestem... A tam... – Przemek machnął niedbale ręką.

– Fajna jest, ale widać, że charakterek to ma niczego sobie – zaczął z innej beczki, bo nie wiedział, co powiedzieć.

– Oj, ma! Doskonale wie, czego chce od życia.

– Skoro jest tak, jak mówisz, to chyba nie masz się czym przejmować. Gdyby wczoraj nie chciała... To wysłałaby cię z powrotem na Marsa. Wyślij jej dzisiaj kwiaty z jakimś romantycznym bilecikiem i będzie dobrze.

– Stary! Ty to masz łeb! Szkoda tylko, że tak się marnujesz.

– Przestań, bo się rozpłaczę i też będziesz musiał przysłać mi kwiaty.

Był zadowolony. Żałował tylko nieprzespanej nocy, której większą część spędził na układaniu przeprosin. Przemek był równym gościem. Za każdym razem, po różnych perturbacjach, dochodził do tego właśnie wniosku. Rozmyślając, szedł do kuchni, żeby zrobić sobie kawy. Czekał go bardzo pracowity dzień.

Chwilę później Przemek wszedł do jego pokoju z bardzo poważną miną.

– Jesteś... – powiedział patetycznie. Przerwał na moment, żeby dokończyć już normalnym tonem: – ... boski!

– Tak, młodzieńcze! – uśmiechnął się do niego i teraz to on mówił podniosłym tonem. – Mieszkam na Olimpie wśród pięknych boginek. Dzisiaj jak tam wrócę po robocie, będą czekać na mnie z kąpielą, a po niej natrą moje ciało wonnymi olejkami.

– To przegrałem! – jęknął Przemek.

– Co przegrałeś? – zapytał, przybierając zupełnie ziemski ton.

– W związku z tym, że twój pomysł z kwiatami na pewno będzie strzałem w dziesiątkę, chciałem nagrodzić twoją inteligencję i zaprosić cię na wieczornego drinka, ale chyba nie mam szans, skoro wieczorem będziesz miał masowanie członków – uśmiechnął się zawadiacko.

– Nie bądź naiwny.

– To rozumiem, że pijemy! – ucieszył się Przemek.

– Nic z tego, mam już plany na wieczór – powiedział zagadkowo.

– Idziesz się zabawić do agencji towarzyskiej?

– Oczywiście i wrócę za tydzień! – zadrwił. – Rodzice przychodzą do mnie w niedzielę. Chcą zobaczyć, jak się w końcu urządziłem. A ja w tym moim akwarium oprócz materaca i kilku garów w kuchni nie mam nic, chociaż mieszkam w nim już ponad pół roku. Moja mama nie może tego zobaczyć, bo się rozpłacze nad losem starego i samotnego kawalera. Siedzę tu dziś tylko do piątej, a później lecę na zakupy, żeby chociaż trochę zagracić mój pustostan. Wiesz, wszystkiego musi być dużo, żeby pomyśleli, że sobie doskonale radzę i szykuję lokum dla przyszłej żony. Chce mi się to robić, jak psu orać, ale mama tak się wszystkim przejmuje, czy trzeba, czy nie trzeba. Muszę coś zrobić, żeby się przekonała, że sobie doskonale radzę. Rozumiesz, kwiatki, półeczki, poduszeczki, te sprawy – skończył mówić i odetchnął.

– No to bryndza. Chyba że...

– Że co?

– Że pójdziemy najpierw razem coś zjeść, ja stawiam. A później ci pomogę. Co dwie głowy, to nie jedna. Poza tym nie wiem, czy pamiętasz, ale jestem też architektem wnętrz. Dominika pracuje dziś do późna, więc nie ma szans na powtórkę wczorajszego, no to podkręcamy tempo i o piątej nas nie ma.

To mówiąc, Przemek wyszedł, trzaskając drzwiami. Została po nim tylko atmosfera dobrego humoru. Obaj byli zakochani. Niestety, w przeciwieństwie do Przemka, on nie miał żadnych powodów do radości. Dobrze, że chociaż dzisiejsze zakupy miał za niego odwalić przyjaciel.

„Hanuś, życia nie cofniesz", powtarzała często pani Irenka. A jej się właśnie to udało. Czuła się tak, jakby znów znalazła się w przedszkolu. Z pewnością dlatego że siedziała po turecku na podłodze w salonie. Do Wigilii został już tylko jeden dzień. Dziś miała za sobą wigilię w szkole. Było bardzo miło. Nastrój świąteczny udzielił się chyba wszystkim bez wyjątku. Uczniowie z różnych klas krążyli z opłatkiem. Dostała nawet kilka drobnych prezentów świątecznych. Było jej bardzo przyjemnie, gdy roześmiani i wyluzowani młodzi ludzie podchodzili do niej nie dlatego, że muszą albo że ktoś im kazał. Przychodzili z sympatii. Najbardziej jednak zaskoczył ją Mateusz Starski. Zresztą od pewnego czasu była mile zaskoczona jego zachowaniem. Zmienił się nie do poznania, jakby za dotknięciem czarodziejskiej różdżki. Uspokoił się na lekcjach. Jeżeli zabierał głos, to tylko w słusznej sprawie. Skończyły się uszczypliwości, cyniczne, a nawet niewybredne komentarze i bezzasadne krytykanctwo. Widocznie Pan Spóźniony potrafił przemówić mu do rozsądku. Dziś Mateusz podszedł do niej nie jako dyżurny wysłannik klasowy, tylko całkiem prywatnie, wręczył jej ogromną czerwoną bombkę, na której własnoręcznie napisał: „Wesołych Świąt życzy już grzeczny Mateusz". Nie miała całkowitej pewności, czy jego ostatnie zachowania mogła wpisać na wirtualną listę swoich pedagogicznych sukcesów. Jednak niezmiernie cieszył ją fakt, że Mateusz przeszedł przemianę na miarę Mickiewiczowskiego Jacka Soplicy. Przecież jeszcze nie tak dawno taką bombkę najchętniej roztrzaskałby na jej głowie, po czym by udawał, że nie wydarzyło się nic szczególnego. Myśląc o tym, uśmiechnęła się i od razu ciężko westchnęła, patrząc na piętrzącą się obok hałdę prezentów i na rozrzucone w jej pobliżu różnokolorowe rulony świątecznych papierów, w które zamierzała misternie przyodziać choinkowe niespodzianki. Jeszcze nie tak dawno nie mogłaby sobie pozwolić na taką swobodę podczas pakowania prezentów. Musiałaby to robić po kryjomu, mając w dodatku pewność, że rodzice już śpią albo jak zwykle czytają przed zaśnięciem. Często wspominała chwile, kiedy jako dziecko wieczorem chodziła do ich łóżka z książką pod pachą. Ładowała się, jak to określał tato, między nich i na początku udawała, że czyta, bo w istocie jeszcze nie potrafiła. Później czytała już naprawdę, a jeszcze później przestała do nich chodzić, bo poczuła się na to zbyt dorosła. Szkoda...

Było już późno, miała przed sobą jeszcze sporo pracy. Spojrzała na drewno palące się w kominku. Rok temu o tej porze udawała daltonistkę. Nie dostrzegała, że w kalendarzu pojawiło się nienaturalne nagromadzenie dat oznaczonych czerwonym kolorem. Wszystkie wtedy były dla niej czarne i nieistotne. Dziś też doskwierało jej poczucie odizolowania od najbliższych, jednak albo bolało trochę mniej, albo zdążyła je już najzwyczajniej oswoić. W domu, pomijając chwile, gdy odwiedzała ją Dominika, zawsze panowała cisza. Dziś niesymetrycznie przerywana odgłosem palącego się drewna. Znad kuchenki niepostrzeżenie wykradał się zapach gotującego się rosołu, z którego miała zamiar przyrządzić jutro galaretę do karpia. Myśląc o karpiu, odruchowo sięgnęła po telefon, żeby na wszelki wypadek przypomnieć Dominice o jej przedświątecznym podwójnym zobowiązaniu. Wybrała jej numer. Oczywiście siostra nie odebrała. Nagrała więc lakoniczną wiadomość, mając nadzieję, że Dominika odsłucha ją w wolnej chwili. Rosół pachniał cudownie. Jego bezpieczny aromat mieszał się ze zdecydowanym zapachem gałązek świerka. Miała zamiar zrobić z nich dekorację świąteczną na stół w jadalni i stroik na grób rodziców. Spojrzała na stojące na podłodze, niedaleko ogromnej palmy, trzy kosze wiklinowe, które zamierzała wypakować po brzegi świątecznymi przysmakami i niespodziankami oraz przystroić gałązkami świerka. Zawsze robiła to mama... Kosze były przeznaczone dla pani Halinki, doktora Jacka i ogrodnika Andrzeja, dobrych duchów domu. Tak mówiła o nich mama. W ubiegłym roku nie miała ani głowy, ani sił na podtrzymanie tej świątecznej tradycji, ale w tym poczuła się gotowa do niej powrócić. Mama by się cieszyła...

Zaczęła pracę od pakowania prezentów. Było ich bardzo dużo. Pakowała właśnie nadzwyczaj seksowny komplet bordowej bielizny dla Dominiki, gdy usłyszała śpiew telefonu. Nie mogła w tym momencie odebrać. Była pewna, że prezent spodoba się Dominice, ponieważ od dawna miała bieliźnianą obsesję, która odkąd poznała Przemka, z pewnością się pogłębiła. Znów usłyszała odgłos telefonu. Tym razem sięgnęła po niego z przekonaniem, że to Dominika. Przeżyła miłe zaskoczenie, gdy zamiast pospiesznego trajkotania Dominiki usłyszała ciepły i spokojny głos pani Irenki.

– Dobry wieczór, Hanusiu!

– Dobry wieczór, pani Irenko. Nawet się pani nie domyśla, jak ogromnie się cieszę, że do pani jedziemy. Miała pani rację, mówiąc, że czas szybko minie. Właśnie będę pakowała prezenty dla bliźniaczek.

– Oj, to dobrze, dziecko, że udało ci się znaleźć ten różowy samochód. Ale ja dzwonię, Hanuś, żeby cię poprosić, żebyście pojutrze jechały powoli i ostrożnie, bo właśnie trąbili w wiadomościach, że od jutra będą duże opady śniegu, i to w całym kraju.

– Dobrze, pani Irenko, niech pani będzie spokojna. Planuję, że wyjedziemy około siódmej rano. Myślę, że na spokojną jazdę będę potrzebowała około siedmiu godzin, więc między piętnastą a szesnastą powinnyśmy zameldować się z Dominiką przed pani bramą.

– A jak tam, Hanusiu, boski plan? – nieoczekiwanie zagadnęła pani Irenka, nawiązując do ich wakacyjnych rozmów.

– Pani Irenko... – zaczęła z głośnym westchnieniem. – Tak w sumie to chyba dobrze. Częściej się cieszę. Szukam w życiu małych przyjemności, mając nadzieję, że te większe znajdą mnie same, i mijają dni – odpowiedziała zgodnie z prawdą.

– Tak pytam... Bo rozmawiałam w tamtym tygodniu z Dominiką i ona twierdzi, że jej obiecałaś, że się do końca roku zakochasz.

Pani Irenka mówiła, a ona wyczuwała w jej głosie nutkę delikatnej uszczypliwości, oczywiście pod adresem Dominiki.

– Pani Irenko, przecież zna pani Dominikę nie od dziś. A ja nikomu nie obiecuję gruszek na wierzbie. Zresztą zostało mi już chyba zbyt mało czasu na tegoroczne porywy serca. Nie mam na nie szans.

– Oj, dziecko, szansa jest zawsze... Ale doczekać się was już nie mogę – pani Irenka gładko zmieniła temat. – Iwonka z Jurkiem i dziewczynkami będą jutro, przed południem. Z choinką czekam na Ulę i Zuzę. Niech mają u babci jakieś atrakcje, moje aniołeczki. A jak będziesz, Hanuś, w Słupsku, to zadzwoń, a ja wodę na herbatę wstawię.

– Cytryny przywieźć? – zażartowała.

– Nie cytryn potrzebuję, tylko was. Ale pamiętaj, Hanuś, jedź ostrożnie, uważaj tam po drodze, aniołeczku.

– Będę uważała, pani Irenko, proszę się nie martwić. Do zobaczenia pojutrze. – Żegnając panią Irenkę, myślała, że ta pięknie, dostojnie i mądrze starzejąca się kobieta musiała w rzeczywistości być aniołem. Jej aniołem.

Pracowała bez przerwy. Kilka razy dokładała drew do kominka. Pakowała, przystrajała, dekorowała. Rosół zdążył się ugotować. Wyjęła z niego warzywa. Rosół to chyba za dużo powiedziane. Był to wywar z warzyw, do którego doda żelatyny. Przecież wigilia była ucztą postną. Zerknęła na zegarek i przeżyła szok. Dochodziła druga w nocy. Dopiero teraz, zdając sobie sprawę z tego, jak długo pracowała, poczuła się wykończona. Spojrzała na kolorowe pudełka, które jak na prezenty przystało, prezentowały się imponująco. Obok nich stały wypełnione po brzegi, dumne ze swej bogatej zawartości kosze. Jednak wygląd największej atrakcji nocy miał stroik. Okazały, asymetryczny, mieniący się kolorami świąt, najbardziej cieszył jej zmęczone oczy. Zwłaszcza że traktowała go jak prezent świąteczny dla rodziców. Objęła wzrokiem nieporządek w salonie. Mógł się tu panoszyć do jutra, bo odnalazła w sobie teraz jedynie siłę na to, aby poczłapać do sypialni. Nawet schody wydawały się jej wyższe niż zwykle. W sypialni zerknęła na muszlę. Nie potrzebowała jej. Miała zmęczone oczy, obolałe plecy, a ręce poranione świerkowymi igłami. Zasypiała zadowolona. Otuliła się ulubioną kołdrą rodziców. Poczuła ciepło i bezpieczeństwo, prawie jak kiedyś. Nigdy już nie mogło być jak kiedyś, ale teraz, w tej chwili, było jej dobrze. Dużo inaczej niż kiedyś, ale zaczynało być jej dobrze. Przecież nie musiała żyć nie wiadomo jak szczęśliwie. Przypomniały się jej przeczytane gdzieś słowa Bolesława Prusa, który nakazywał: „Nie myśl o szczęściu. Nie przyjdzie – nie zrobi zawodu, przyjdzie – zrobi niespodziankę". Poza tym chciała, żeby w życiu było jej dobrze. To w zupełności wystarczało. Nic więcej i nic mniej. Zamknęła oczy i otulona kokonem utkanym z dobrych myśli, czekała na sen.

Któryś już raz z kolei otwierała oczy i zamykała je z przeświadczeniem, że na zewnątrz wciąż jeszcze panuje noc. Jednak bardzo dziwił ją stan wyspania, który ostatnimi czasy osiągała dość rzadko. Uwielbiała poranki, których nie musiała rozpoczynać z pianiem pierwszych kogutów. Dziś szykował się właśnie taki. Miała, co prawda, ściśle określony plan działania. Jednak świadomość, że może wskoczyć w dżinsy i byle jaką bluzę, napawała ją optymizmem. Przeciągnęła się, ziewnęła, wydając z siebie odgłos głodnego kojota, i sięgnęła po leżący na szafce nocnej telefon. Zegarek na nim wskazywał dziewiątą pięćdziesiąt. Popatrzyła z niedowierzaniem jeszcze raz i wyskoczyła z łóżka, jakby nagle z miękkiego i ciepłego zamieniło się w madejowe. Odsłoniła roletę i oniemiała. Za oknem zobaczyła ni mniej, ni więcej, tylko burzę śnieżną. Świata nie było widać, a silny wiatr wyginał we wszystkie strony rosnące w ogrodzie wierzby japońskie. Było prawie ciemno. Ciężkie śniegowe ołowiane chmury kładły się na dachach domów. Nie mogła uwierzyć, że gdzieś tam nad nimi świeciło słońce. Szybko zeszła na dół. W kuchni zrobiła sobie porannej herbaty i ze strachem patrzyła na salon. Przed jej oczami rozpościerał się krajobraz po bitwie. Widziała różnokolorowe i różnej wielkości ścinki papierów, taśmę klejącą poprzyklejaną do podłogi, resztki gałązek świerkowych, przy kominku podłogę pobrudzoną żywicą. I pomyśleć, że wczoraj zaplanowała, iż wyjedzie z domu o dziesiątej. Nie później! Plan planem, a życie życiem. Bądź elastyczna! Uspokajała się słowami Dominiki. Wzięła się energicznie do pracy, zerkając przez drzwi tarasu na ogród. Wszystko wokół było białe. Rododendrony wyglądały tak, jakby troskliwa babcia ubrała je w śnieżne berety. „Dobrze, że nie moherowe", pomyślała i przeniosła wzrok na obraz, który wczoraj oparła o kanapę. Jej dzieło ukazywało krajobraz w niczym nieprzypominający tego za oknem. Wczoraj w ferworze walki zapomniała je zapakować. Pomimo opóźnień w harmonogramie musiała zająć się tym teraz. Zrobiła to szybko i sprawnie, po czym ukryła obraz w spiżarni, bo Dominika miała dziś nocować u niej w domu. Jutro skoro świt wyruszały w podróż. Obraz miał być przecież urodzinową niespodzianką. Gdy wróciła, w okamgnieniu skończyła sprzątanie. Zjadła tosta z ulubionymi powidłami śliwkowymi i dopiła chłodną herbatę. Kosze z prezentami zaniosła do bagażnika samochodu. Stroik rozpostarł świerkowe ramiona na tylnym siedzeniu. Wróciła do domu, wskoczyła w ulubione dżinsy i miodowy sweter, który kiedyś dostała od rodziców. Zerknęła na zegarek, wskazywał prawie południe. Ciemnoszare południe. Nie chciało się jej wychodzić z domu, ale natychmiast musiała przystąpić do realizacji wszystkich dzisiejszych planów. Zwłaszcza że robiła to ze sporym opóźnieniem.

Za oknami samochodu było zupełnie ciemno. Mogła z mikroskopową wprost dokładnością obserwować trajektorię lotu gwiazdek śniegowych, ponieważ ulice w mieście przeżywały właśnie syndrom pierwszego dnia ze śniegiem. Stała w gigantycznym korku w centrum miasta. Sygnalizacja świetlna, którą miała w zasięgu wzroku, działała bez zarzutu. Światła zmieniały się w normalnym rytmie. Czerwone, prawie pomarańczowe, zielone. Czerwone, prawie pomarańczowe, zielone. Ona natomiast nie ruszała się z miejsca, w którym tkwiła od ponad dwudziestu minut. Była zmarznięta do szpiku kości, ponieważ zbyt długo siedziała na cmentarzu. Jak zwykle. Chociaż pogoda robiła wszystko, żeby ją zniechęcić. Ona jednak, nie zważając na śnieg, wiatr i wciąż obniżającą się temperaturę, tkwiła nieruchomo na swojej ławeczce. Wpatrywała się w migające światełka zniczy w kształcie choinek i w myślach opowiadała rodzicom, co już dziś zrobiła, a co jeszcze przed nią. Do odejścia zmusił ją szybki taniec wskazówek zegarka, na który spoglądała również teraz. Było kilka minut po osiemnastej. Cały dzień, nie licząc poranka, spędziła poza domem. Odwiedziła panią Halinkę, ogrodnika Andrzeja i doktora Jacka. U wszystkich musiała spędzić kurtuazyjną chwilkę. Chwilka do chwilki, wszędzie korki i nie spostrzegła, kiedy minął dzień. Korek, w którym aktualnie tkwiła, kojarzył się jej z Murem Chińskim. Jedyną widoczną z kosmosu budowlą. Był monstrualny, nieruchomy i miał w sobie coś kosmicznego. Na domiar złego kontrolka wskazująca na brak paliwa złowieszczo mrugała do niej pomarańczowym oczkiem już od jakiegoś czasu. Wiedziała, że jeżeli postoi tu jeszcze trochę, to Dominika pocałuje w domu klamkę i co za tym idzie, dostanie piany na ustach. Miała co prawda swój klucz, ale nigdy go z sobą nie nosiła. Postanowiła do niej zatelefonować i w momencie gdy sięgała do torebki w poszukiwaniu telefonu, silnik samochodu zaczął najpierw dziwnie syczeć, potem zakrztusił się ze dwa razy, żeby w rezultacie zgasnąć. Nie mogła w to uwierzyć. Od lat była kierowcą, ale taka sytuacja przydarzyła się jej po raz pierwszy.

– Nie teraz! Tylko nie teraz, proszę! – powiedziała bardziej do samochodu niż do siebie i położyła głowę na kierownicy w geście rozpaczy i całkowitej niemocy.

Jakby tego było mało, do głosu dochodził jeszcze Murphy ze swoimi prawami, skądinąd bardzo mądrymi i niestety sprawdzającymi się w praktyce. Gdy tylko okazało się, że nie może ruszyć z miejsca, korek lekko się rozluźnił i natychmiast została otrąbiona za zwlekanie ze startem. „Spokojnie...", pomyślała i z refleksem szachisty, nieśpiesznie, włączyła światła awaryjne. Nie patrząc na boki, wyjęła telefon z torebki, tak jak zaplanowała to wcześniej. Po czym wykonując ruchy podobne w swej dynamice do ruchów samotnego welona w akwarium, wybrała numer telefonu Dominiki.

– Co tam? – usłyszała w słuchawce jej roześmiany i zrelaksowany głos.

– Katastrofa! – odpowiedziała, walcząc z wielką chęcią rozpłakania się.

– Co się stało?! – głos Dominiki szybko spoważniał.

– Stoję w zabójczym korku i żeby było śmieszniej, zabrakło mi benzyny. Nie wiem, co mam zrobić. Boję się, że jak wysiądę, to mnie zlinczują. Nie dość, że nie można się ruszyć, to jeszcze wszyscy muszą mnie objeżdżać. Nie będę ci nawet cytować słów, które niestety udaje mi się odczytywać z ruchu warg mijających mnie kierowców.

– Miej ich gdzieś! Gdzie stoisz? – zapytała rzeczowo Dominika.

– Po lewej Pałac, po prawej Centralny – szybko i sprawnie określiła topografię swojej drogowej porażki.

– To luzik. Zostawiaj tam samochód i przychodź tu do mnie. Jestem od ciebie jakieś sto pięćdziesiąt metrów.

– Jak to? – zapytała zdezorientowana. – Miałaś być przecież u mnie.

– Trochę się zasiedziałam u Przemka w pracowni. Przychodź tu szybko, to razem coś wymyślimy.

– Gdzie to jest? – zapytała i zapamiętała adres, który podała jej Dominika.

Wyszła z samochodu. Bojąc się spojrzeć w bok, zaczęła lawirować wśród ośnieżonych i znów nieruchomych aut. Szła bardzo szybko. Była zmarznięta i ośnieżona. Śnieg padał tak intensywnie, że chwilami musiała zamykać oczy. Nic nie widziała. W jej policzki wbijały się igły mrozu lub śniegu. Szczerze współczuła yeti. „Jeszcze tylko kilka kroków", przekonywała się w duchu. W końcu, ku swej wielkiej radości, zobaczyła podany przez Dominikę numer i tablicę informacyjną zapraszającą do skorzystania z kompleksowych usług architektonicznych. Była na miejscu. Otworzyła ciężkie drzwi, pokonała szybko kilkanaście schodów prowadzących na górę. Pospiesznie weszła do przestronnego, na wskroś przeszklonego wnętrza. Musiała przyznać, robiło wrażenie. Rozglądała się z zachwytem po nieznanej przestrzeni, jednocześnie chuchając w zmarznięte ręce. Rękawiczki zostawiła w samochodzie. Przeszła przez olbrzymi hol wypełniony imponującymi roślinami. Nagle jej oczom ukazała się przestrzeń jeszcze większa od tej, w której się znajdowała. Widziała przed sobą przeszklone pomieszczenia, w których przed monitorami siedzieli skupieni ludzie niezdający sobie chyba wcale sprawy z załamania pogodowego mającego miejsce na zewnątrz.

Rozmawiał w swoim gabinecie z Przemkiem. Przez ścianę widział Dominikę, która siedziała na biurku jego wspólnika i zabawnie majtała nogami. Miała w sobie w tej chwili coś z małej dziewczynki.

– Coś tu nie gra, w tych dwóch rzutach – mówił Przemek, wlepiając wzrok w monitor i bezwiednie krzywiąc się przy przygryzaniu dolnej wargi.

– Też mi się tak wydaje. Ale sprawdziłem wszystkie obliczenia i wszystko jest w porządku, a na rysunku, według mnie też, coś jest nie halo... – podniósł wzrok i zaniemówił.

Czuł na sobie spojrzenie Przemka, ale nie był w stanie uwierzyć w to, co zobaczył. Nie mógł oderwać wzroku od pracowni Przemka, w której do niedawna znajdowała się tylko Dominika.

– A ty co? – zdziwił się Przemek. – Stało się coś? Wyglądasz, jakbyś zobaczył ducha.

– Odwróć się! – użył rozkazującego tonu.

Przemek posłuchał go, odwrócił się i spojrzał w kierunku Dominiki.

– A, tak. Do Dominiki przyszła przyjaciółka. Chyba jakaś blondynka, bo przy Centralnym zabrakło jej paliwa. Hej! – Przemek puknął go delikatnie w ramię. – A ty co się tak gapisz? – powtórzył swój gest, z tym że teraz użył większej siły. – Żyjesz? Co jest?

– To ona. – Patrzył wciąż w tę samą stronę, nie wykonując żadnych ruchów, nawet gałkami ocznymi.

– Ona to znaczy kto?

– Ona – powtórzył trochę bez sensu.

– Niemożliwe! Naprawdę? – zrozumiał w końcu Przemek. – To idziemy!

– Ja nie idę! – W końcu przeniósł wystraszony wzrok na Przemka.

– Idziesz! – To mówiąc, Przemek pchnął go z całej siły w kierunku drzwi łączących ich pracownie. Otworzył je z impetem i wesołym głosem powiedział: – A witamy, witamy szanowną koleżankę w ten szczególny dzień wigilii Wigilii – mówiąc to, z niezwykłym luzem wyciągnął rękę w kierunku Hanki, która stała obok Dominiki w oblepionym śniegiem białym futerku i czapce. Minę miała nietęgą.

– Poznajcie się! – Dominika jednym zręcznym skokiem opuściła zajmowany do tej pory blat biurka i stanęła między nimi. – To jest Przemek, a to moja siostra Hanka – dokonała prezentacji, po której przedstawieni podali sobie ręce, patrząc na siebie badawczo.

Obserwował wszystko, stał jak słup soli i nie mógł wykonać żadnego ruchu. Patrzył i nie wierzył, że to wszystko dzieje się naprawdę. W uszach słyszał głos babci Malwiny, która zwykła mówić, że święta to czas cudów, a jeżeli ich nie zauważamy, to znaczy, że nie umiemy dobrze patrzeć. W tej chwili czuł, że potrafił patrzeć, bo właśnie wydarzał się cud.

– A to – wskazała na niego Dominika – to jest Przemka wspólnik.

– My mieliśmy już okazję się poznać – usłyszał przemiły głos Hanki. – Dobry wieczór, panie Starski.

Teraz mógł przypomnieć sobie również jej uśmiech.

– Dobry wieczór, pani profesor – odpowiedział sztywno i bardzo oficjalnie.

Dzięki Bogu z pomocą natychmiast przyszła mu Dominika, która słysząc to nadęte powitanie, parsknęła śmiechem i spojrzała na Hankę z dezaprobatą.

– Hanka? Odbiło ci? Możesz zachować się jak należy?

Zauważył wyczekujące spojrzenie Dominiki.

– Rzeczywiście... – Znów patrzyła na niego miodowymi oczami. – Przepraszam bardzo, ale nie spodziewałam się tu pana spotkać.

– Hanka! – Tym razem Dominika tupnęła nogą.

– Oczywiście... Tak! Bardzo mi przyjemnie. Mam na imię Hanka i miło mi... cię znowu spotkać – wyrecytowała niepewnie.

Mówiąc „cię", uśmiechnęła się i wyciągnęła do niego dłoń, którą ujął bardzo delikatnie poruszony zaistniałą sytuacją.

– Również mi bardzo miło – odrzekł, siląc się na uśmiech. – Mikołaj.

Gdy wymówił swoje imię, Hanka niebezpiecznie przechyliła się do tyłu.

– Źle się czujesz? – zapytał od razu, ale Dominika już była przy niej. Chwyciła ją za ramiona i posadziła na stojącym najbliżej krześle. Hanka była blada jak ściana. Dominika rozpinała szybko jej białe futerko, jednocześnie prosząc Przemka o szklankę wody. Obserwował wszystko, co się działo, i kolejny raz czuł się jak oblany betonem idiota. Nie wiedział, co robić. Zastanawiał się, czy tak będzie już zawsze. Patrzył na nią i marzył, żeby ją przytulić. Słabym ruchem zdjęła z głowy czapkę. Jej włosy w sekundzie rozsypały się, otulając drobną twarz. Takiej jej nigdy nie widział. Była piękna.

– Hanka? – Dominika klęczała przed nią wystraszona. – Co się dzieje? Jadłaś coś dzisiaj?

– Tak – odpowiedziała i wzięła głęboki wdech. – Śniadanie.

– Zgłupiałaś! – Dominika podniosła głos. Był na nią o to zły. – A co robiłaś cały dzień?

Przemek podał Hance przyniesioną szklankę z wodą. Wzięła ją w swoje małe dłonie.

– Bardzo was przepraszam – objęła wszystkich wzrokiem. Jego też. – Ale naprawdę nic złego się nie dzieje. Po prostu miałam bardzo intensywny dzień, a teraz jeszcze ten problem z samochodem.

– Niczym się nie przejmuj. Zaraz coś wymyślimy. – Przemek spojrzał na niego i musiał dostrzec jego paskudną niemoc, bo wziął sprawy w swoje ręce. – Zostańcie tu, a my z Mikołajem poradzimy sobie z samochodem.

– Nie – zaprotestowała od razu Hanka. – Pracujcie sobie spokojnie – zerknęła na Dominikę i zapytała: – Gdzie masz swój samochód?

– Niestety, zostawiłam na firmowym parkingu. Ale nie martw się, jestem spakowana i przygotowana do świąt.

Dostrzegł zawadiacki uśmiech Dominiki.

– Czyli rozumiem, masz też samochód dla lalek i karpia.

Nie spuszczał z Hanki oka, gdy rozmawiała z Dominiką, i zastanawiał się, jak to możliwe, że były siostrami. Tak bardzo się różniły. W momencie gdy przeniósł wzrok na Dominikę, ta klepnęła się otwartą dłonią w czoło tak mocno, że aż zadudniło.

– Zabij mnie! Pozwalam ci mnie zabić! Zapomniałam na śmierć! – Głos Dominiki był coraz bardziej dramatyczny, a Hanka chwyciła się za głowę i wbiła wzrok w siostrę.

– Mam naprawdę koszmarny dzień – powiedziała, nie tracąc nerwów. – Dlaczego do mnie wczoraj nie zatelefonowałaś? Przecież gdybym wiedziała, wszystko załatwiłabym dziś. Czułam, że tak się może zdarzyć, i nagrałam ci wczoraj wiadomość. Dlaczego jej nie odsłuchałaś?

Hanka mówiła spokojnie, ale widział, że jest wytrącona z równowagi. Nie wiedział, jak mógłby pomóc.

– Dziewczyny! – odezwał się na szczęście Przemek. – O co chodzi?

Hanka siedziała, nie reagując, a Dominika od razu zaczęła trajkotać.

– Jutro rano wyjeżdżamy na święta nad morze i na gwałt potrzebujemy... – Zerknęła na Hankę i poprawiła się szybko: – To znaczy ja potrzebuję karpia i różowego samochodu dla lalek.

Chciała jeszcze coś dodać, ale Hanka odezwała się załamanym głosem:

– Ale jest już po osiemnastej, za oknem szaleje burza śnieżna, samochód Dominiki jest jakieś pięć kilometrów stąd, a mój tarasuje ulicę obok dworca. – Spojrzała na Przemka i westchnęła bezradnie.

– Tylko bez paniki! – Przemek zachował zimną krew i popatrzył na niego wymownie. – Mikołaj, wiesz gdzie można dostać o tej porze karpia?

– Wiem – odpowiedział szybko i sięgnął do kieszeni spodni, z której wyjął telefon. Wybierając numer, wychodził z pracowni Przemka, jednocześnie mówiąc: – Za chwilę wszystko wam powiem.

Wszedł do swojej pracowni, ciesząc się niezmiernie, że mama odebrała od razu.

– Co słychać, synku? – zapytała troskliwie.

– Mamo, sprawa życia i śmierci. Potrzebuję karpia, i to natychmiast.

– Karpia? – powtórzyła mama tak zdziwiona, jakby poprosił ją co najmniej o grillowanego konika polnego

– Tak, mamo, karpia, i to najlepiej już takiego... No, wiesz... – Nie skończył.

– Zamordowanego? – zapytała.

– Właśnie.

– Właśnie tato robi z karpiami porządek w garażu...

– A mogłabyś się zrzec jednego ładnego? – wszedł jej w słowo.

– Jeżeli to sprawa życia i śmierci, to chyba nie mam innego wyjścia – westchnęła.

– Jesteś kochana! – wykrzyknął entuzjastycznie.

– Bo oddam ci zamordowanego karpia? – zapytała uszczypliwie.

– Nie – zaprotestował – bo jesteś najlepszą mamą pod słońcem. Przyjadę po niego za jakąś godzinkę, dobrze?

– Dobrze, dobrze...

Jeżeli można było przez telefoniczną słuchawkę zobaczyć uśmiech, to zobaczył go w tej chwili. Był zadowolony. W końcu miał dobry dzień. Nie dobry, wyjątkowy! Mógł do niej mówić po imieniu. Patrzyła na niego, onieśmielając go okrutnie, ale przestał być dla niej panem Starskim. Była dla niego Hanką. Nareszcie! Zerknął przez szybę do pracowni Przemka. Wciąż siedziała na krześle. To dziwne, ale dostrzegał w niej jednocześnie mądrą i dojrzałą kobietę i małą dziewczynkę, którą trzeba się zaopiekować. Wchodząc do pracowni Przemka, usłyszał wciąż ożywioną dyskusję między siostrami.

– Już jestem i mam karpia, a raczej będę go miał za jakąś godzinę – mówiąc to, nie spuszczał wzroku z Hanki.

– Naprawdę? – Jej usta rozciągnęły się w najsympatyczniejszym uśmiechu, jaki kiedykolwiek widział.

– I po co panikowałaś? – zapytała z przekąsem Dominika.

– Wiem, wiem – powiedział Przemek, przytulając Dominikę i zerkając na Hankę. – Straszna z niej zapominalska, ale wybacz jej. My za chwilę załatwimy samochód dla lalek, Mikołaj karpia i mamy rozwiązane problemy.

– Nie do końca. – Uśmiech Hanki nieco przygasł.

– Jak to? – zapytał zdziwiony Przemek. – Może potrzebujecie jeszcze striptizera? Ja to się raczej nie nadaję, ale Mikołaj na pewno sobie poradzi. Ma chłopak warunki!

Miał ochotę zastrzelić Przemka za ten durny tekst rzucony pod jego adresem.

– Jak mus, to mus – odpowiedział jednak spokojnie, czując, że napięcie powoli znika.

– Nie musisz się rozbierać – uspokoiła go Hanka, której też powoli chyba przechodziło zdenerwowanie. – Potrzebuję teraz, żeby jakiś dobry duch pomógł mi uruchomić samochód.

– Plan jest taki: my z Domi jedziemy gdzieś szybko po różowe auto – narzucał swój plan Przemek. – A ty – spojrzał na niego – zabierasz Hankę, skombinujesz benzynę do jej samochodu, a później zajmiecie się sprawą rybną i jesteśmy po robocie. Zadowolona? – zerknął na Hankę.

– Bardzo – uśmiechnęła się nieco wstydliwie.

Zauważył, że nie była już taka blada jak na początku rozmowy.

– A ja będę miała głowę na miejscu – skwitowała Dominika. – Gdyby nie wy, chłopcy, to ona – wskazała palcem na Hankę – zaszlachtowałaby mnie jak wigilijnego karpia.

– Z tobą to ja sobie poważnie porozmawiam po powrocie do domu. Tyle razy już ci mówiłam, że jak poruszasz się po drodze „później", to zajedziesz do wioski „nigdy" – Hanka patrzyła na Dominikę ze srogą miną. – Przez twoją sklerozę zabieramy komuś czas, i to przed Wigilią.

– Tak, to bardzo przykre – podsumował bardzo poważnie Przemek. – Ale nie martwcie się, jest proste rozwiązanie tego problemu. My poświęcimy wam czas dziś, a wy oddacie nam go w wieczór sylwestrowy. Organizujemy u nas w firmie bal i jeżeli wciąż jesteście zainteresowane karpiem i samochodem, a nawet dwoma samochodami, to musicie obiecać, że podczas sylwestra dotrzymacie nam towarzystwa, i będziemy kwita.

– Oczywiście – przytaknęła szybko i bez zastanowienia Dominika.

Popatrzył na Hankę. Niestety, znów miała wystraszoną minę.

– Może być całkiem fajnie – powiedział, przeszywając ją wzrokiem, tak jakby się bał, że za chwilę zniknie mu z pola widzenia i już nigdy jej nie znajdzie. Wciąż doskonale pamiętał to popołudnie, gdy nie pojawiła się na plaży. Nie chciał przeżyć czegoś takiego po raz drugi.

– A mogę nie obiecywać? – popatrzyła na niego prosząco.

– Oczywiście, ale będzie mi bardzo miło, jeżeli przyjmiesz zaproszenie.

Dzięki Bogu, uśmiechnęła się, słysząc, co powiedział, i wypiła łyk wody ze szklanki, którą wciąż trzymała w małych dłoniach. Patrzył na nią, nie wiedząc, co powiedzieć. Niezręczną ciszę przerwała Dominika.

– To nie ma na co czekać. Ruszamy w miasto. Każdy zespół ze swoją misją. Pa, do zobaczenia w domu! – mrugnęła do Hanki.

Zdecydowanym ruchem zgarnęła rozbawionego całą sytuacją Przemka i wyszli objęci, wyraźnie ciesząc się własnym towarzystwem. Hanka podążyła wzrokiem za nimi i widział, jak srogą minę zamieniła w ciepły uśmiech. Nie spuszczał z niej oczu, wciąż pozostając w szoku, że wakacyjny epizod kolejny już raz dostawał szansę na ciąg dalszy. Hanka siedziała teraz obok niego nie jak poważna i niedostępna pani profesor, tylko jak młoda dziewczyna, która podała mu rękę na powitanie, pozwoliła mówić do siebie po imieniu i potrzebowała teraz jego pomocy.

– Myślę, że najpierw powinniśmy zająć się samochodem, a potem pojedziemy po karpia – zaproponował.

W odpowiedzi skinęła tylko głową i kolejny raz przeprosiła, że zajmuje mu wieczór. Uśmiechnął się i położył sobie palec wskazujący na ustach, ponieważ nie chciał, żeby go za cokolwiek przepraszała. Był szczęśliwy jak nigdy dotąd. Najbliższe co najmniej dwie godziny miał spędzić tylko z nią. Nic więcej się nie liczyło.

Siedziała w samochodzie Pana Spóźnionego i czuła, że wszystko, co się działo od prawie dwóch godzin, wymknęło się jej całkowicie spod kontroli. Patrzyła przez lekko ośnieżoną szybę i odnosiła wrażenie, że przez pomyłkę wpadła do wehikułu czasu. Nie rozumiała niczego, co się wokół niej działo. Widziała, jak Pan Spóźniony, nie zważając na wiatr targający jego krótkimi włosami i śnieg wpadający mu do oczu, nalewał paliwo do kanistra. Niesamowite. Po wywiadówce, na której się poznali, pomyślała o nim tylko raz. Może dwa? Dzisiejsze spotkanie całkowicie ją zaskoczyło. Była bardzo poruszona całą sytuacją, a gdy się przedstawił, zrobiło się jej słabo. Nie przypuszczała, że może mieć na imię Mikołaj. Zresztą nawet się nad tym nie zastanawiała. Nie myślała o tym. Nie miała przecież powodu. Do dziś był dla niej tylko przypadkowo spotkanym mężczyzną. Jednak w pracowni zauważyła, że jego oczy są jeszcze bardziej morskie, niż zapamiętała. Tembr jego głosu powodował, że chciała go słuchać. Zwłaszcza że nie sprawiał wrażenia szczególnie rozmownego, w przeciwieństwie do Przemka, który w pełni odpowiadał jej wyobrażeniom. Od dawna nikt obcy nie był wobec niej tak bezinteresowny. Siedziała w ciepłym samochodzie, podczas gdy on na pewno marzł niemiłosiernie. Był ubrany w dość cienką kurtkę. Chyba nie planował aż tak ekstremalnego wieczoru. Zwłaszcza że ów dopiero się zaczynał. Otrzepując się ze śniegu, który oblepił jego, bądź co bądź, przystojną sylwetkę, wsiadł do samochodu i chuchnął w zmarznięte dłonie. Popatrzył na nią wesołym wzrokiem.

– Możemy teraz jechać pod dworzec i uruchomić twój samochód – stwierdził i zapytał od razu. – Masz w nim lejek?

Pokręciła przecząco głową. Było jej tak głupio, że wolała się nie odzywać.

– Ja chyba też nie mam, ale sprawdzę. Najwyżej zaraz kupię.

Znów wysiadł z samochodu. Podążała za nim wzrokiem. Otworzył bagażnik i szybko do niej wrócił.

– Jesteśmy uratowani. Mamy lejek.

Włożył kluczyk do stacyjki i zapiął pas. Wraz z uruchomionym silnikiem zaczęło cichutko szemrać radio w jej ulubionym kolędowym nastroju.

– Dobrze, że się trochę przerzedziło. Może pod dworcem nie ma już takiej katastrofy jak wcześniej. Jak wysiadałam z samochodu, myślałam, że grozi mi co najmniej lincz – powiedziała niepewnym głosem.

– Nie martw się, teraz już nic ci nie grozi.

Mówiąc to, Pan Spóźniony uśmiechnął się, prezentując rząd bardzo prostych i białych zębów.

– Nawet nie wiesz, jak mi głupio, że narobiłam ci kłopotu... – Przestała się tłumaczyć, bo popatrzył na nią uspokajająco.

– Zupełnie niepotrzebnie. Każdemu może się coś takiego przytrafić, zwłaszcza w korku, w którym zużycie paliwa jest przecież większe niż zwykle. A poza tym nie myśl już o tym. Jutro Wigilia i odpoczynek przez najbliższe trzy dni. Zobacz, jaką mamy fajną perspektywę.

Jego głos wpływał na nią tak kojąco, jakby nie mówił w tej chwili o zbliżającej się Wigilii, tylko opowiadał jej bajkę. Poczuła się bardzo zmęczona. Oparła ciążącą głowę o pas bezpieczeństwa. Słyszała muzykę, było jej ciepło, a samochód miarowo kołysał jej zabiegane dziś ciało. Zamknęła oczy. Dosłownie na chwileczkę. Przecież był skupiony na drodze, na pewno tego nie zauważył...

Poczuła, że ktoś delikatnie dotyka jej ramienia. Do jej uszu docierał ledwo słyszalny szept.

– Hania... Hania...

Otworzyła oczy. Nie zobaczyła niczego, więc zamknęła je znowu, ale znów słyszała identyczny szept.

– Hania...

Otworzyła oczy. Zobaczyła nad sobą jego oczy i chciała zerwać się na równe nogi, ale zapięty pas bezpieczeństwa skutecznie jej to uniemożliwił.

– O matko! – powiedziała całkiem nieprzytomnie. – Zasnęłam – stwierdziła niezbyt odkrywczo. – Przepraszam cię, już ci pomagam. – Zaczęła mocować się z pasem, który jak na złość postanowił nie współpracować.

– Spokojnie... – usłyszała. – Powiedz, w czym chciałabyś mi pomóc?

Widziała przed sobą zniewalający uśmiech Pana Spóźnionego.

– A w czym mogłabym? – odpowiedziała pytaniem na pytanie.

– Popatrz przez szybę i powiedz mi, czy ten migający, samotny lexus jest twój?

– Mojego taty... Ale jeżdżę nim ja... – zreflektowała się w porę, poprawiając jednocześnie bezwiednie fryzurę, a raczej jej brak. Żałowała, że nie ma gumki do włosów. Przeciągnęła się, ale onieśmielona jego spojrzeniem, szybko opuściła wyciągnięte do góry ręce. – Przepraszam. Mam wrażenie, że przespałam noc.

– Jakieś półtorej godziny – powiedział, wciąż przyglądając się jej z uśmiechem. Jego włosy, jeszcze niedawno mokre od śniegu, były już całkiem suche.

– Jak to? – zapytała, marszcząc brwi, nie wierząc w to, co usłyszała.

– Gdy wyjeżdżaliśmy ze stacji benzynowej, już spałaś. Nie chciałem cię budzić, więc zmieniłem plany i najpierw pojechałem po karpia, a dopiero teraz przyjechałem tu, żeby zatankować twój samochód. Przepraszam, że cię zbudziłem, ale potrzebuję kluczyków. Muszę otworzyć wlew paliwa.

Zaczęła szukać ich w torebce, wciąż przepraszając.

– Przepraszam – powtarzała któryś raz z rzędu. – Nawet nie wiesz, jak mi głupio. Zasnąć w samochodzie obcego mężczyzny. Czegoś takiego jeszcze nie przeżyłam.

Spojrzała na niego zakłopotana, jednak jego ciepły uśmiech całkowicie ją rozbroił. Chciała coś powiedzieć, na szczęście był szybszy, bo nie potrafiła wymyślić nic mądrego.

– Proszę, przestań mnie już przepraszać. Poza tym uważam, że od jakichś dwóch godzin to już nie jestem chyba taki całkiem obcy.

Uśmiechnęła się i kiwnęła głową, jednocześnie podając mu kluczyki. Nie zdążył ich wziąć, bo w ostatniej sekundzie cofnęła rękę.

– Bez sensu ci je daję. Przecież sama mogę się obsłużyć.

Popatrzył na nią i wzdychając, wyciągnął w jej kierunku rękę, otworzył dłoń.

– Kluczyki – powiedział grzecznie, ale stanowczo.

Jego głos sprawiał, że nie potrafiła mu się przeciwstawić, i po kilku sekundach ciszy wysiadał z samochodu z kluczykami, a ona zza szyby obserwowała jego szybko poruszającą się sylwetkę.

Śnieg wciąż padał, ale nie tak obficie jak wcześniej, dlatego dokładnie widziała, jak otworzył drzwi jej samochodu i nacisnął przycisk otwierający wlew paliwa. Jego ruchy były pewne i zdecydowane. Włożył lejek do otworu wlewu paliwa i mrużąc oczy przed wpadającym w nie śniegiem, zaczął przelewać paliwo z kanistra do baku samochodu. Nie spuszczała z niego oczu. Wciąż wydawało się jej, że to, co się działo, było snem. O dziwo, mimo wielu zawirowań dzisiejszego dnia ten sen był całkiem przyjemny. Podszedł do drzwi samochodu, przy których siedziała, otworzył je i podał jej kluczyk dyndający pomiędzy jego palcami.

– Możesz już spokojnie jechać. A tutaj, bardzo proszę, obiecany karp.

Podał jej plastikowy pojemnik ze sprawionym już karpiem, na którego patrzyła jak nie swoimi oczami.

– Tylko mi nie mów, że sam doprowadziłeś go do takiego stanu – spoglądała na niego zdziwiona.

– Musiałabyś spać wtedy co najmniej tyle ile śpiąca królewna.

– To skąd wyczarowałeś tego karpia, i to w tak wygodnej dla mnie formie? – To mówiąc, chciała dać mu do zrozumienia, że pomógł jej rozwiązać kolejny problem, którym martwiła się tego wieczoru.

– Od mamy – odpowiedział szczerze.

– W takim razie chyba nie mogę go przyjąć.

– Dlaczego? – zapytał z niknącym uśmiechem.

– Bo nie mogę pozbawiać ciebie i twojej rodziny tak ważnego elementu kolacji wigilijnej – wytłumaczyła.

– Możesz być spokojna. Karpia ci u nas dostatek.

– To chociaż powiedz, ile mam ci za niego zapłacić. – Była nieugięta. – Nie mogę przecież w nowy rok wchodzić z długami – sprytnie posłużyła się logiką taty.

– A skąd ja mam wiedzieć? Mam lepszy pomysł. Może umówimy się, że w zamian za karpia i dzisiejszą pomoc, tak jak zasugerował Przemek, spędzisz sylwestra w moim towarzystwie.

– Zgadzam się. Jednak jest jedno ale...

Popatrzył na nią pytająco, dlatego dokończyła szybko, nie chcąc go trzymać w niepewności:

– Musisz wziąć na siebie ryzyko, że mogę, z różnych względów, nie skorzystać z twojego zaproszenia.

– Do odważnych świat należy. Biorę na siebie ryzyko – odpowiedział z zagadkowym uśmiechem, którego niestety nie potrafiła rozszyfrować. Uśmiechał się całkiem inaczej niż jego młodszy brat.

– A teraz, tak bez żartów, powiedz, ile jestem ci dłużna. – Poczuła, że zaczyna robić się nudna, i w tym samym momencie usłyszała śpiew swojego telefonu. – Przepraszam. – Zerknęła na niego i wyjęła telefon z torebki. Odebrała. – Tak?

– Gdzie ty, do cholery, jesteś?! – Dominika wydarła się tak głośno, że Hanka była prawie pewna, iż Pan Spóźniony musiał ją usłyszeć. Często tak zaczynała rozmowę: „Gdzie jesteś, co robisz, gdzie się podziewasz?".

– Pod dworcem – odpowiedziała spokojnie i dużo ciszej niż jej przyjaciółka.

– Ale ci załatwiłam randkę z supertowarem! Co?!

Słysząc herezje wygłaszane przez Dominikę, zerknęła wystraszona w jego stronę i uspokoiła się natychmiast, ponieważ zapamiętale odśnieżał jej samochód. Nie mógł niczego słyszeć.

– Nie pogarszaj swojej sytuacji. Porozmawiamy w domu!

– Tak się składa, że już tu jestem i całuję klamkę, aż mi do niej jęzor przymarza.

– Dobrze ci tak! – syknęła. – Różowy samochód masz? – zapytała interesownie.

– A kochas mnie? – Dominika pieściła się jak dziecko.

– Nie! – podniosła głos, przecież też to potrafiła.

– To nie mam! – Dominika nie pozostała jej dłużna, ale szybko spuściła z tonu. – Spokojna twoja rozczochrana. Nie stresuj się. Mam, i to superodjazdowe, sama chciałabym takie dostać. Przyjeżdżaj już, bo mi zimno – zmieniła ton na błagalny.

– Będę za dwadzieścia minut – wyłączyła się pierwsza, jak nigdy.

Wciąż była na nią zła. Dominika była mistrzynią w robieniu zamieszania. Chowając telefon do torebki, zauważyła spojrzenie Pana Spóźnionego.

– Dziękuję za wszystko – wydusiła. – Za czas, za karpia, za sen, za zrozumienie... – wyliczała. – Muszę już jechać, bo Dominika czeka na mnie pod domem. Nigdy nie nosi swoich kluczy – uśmiechnęła się do niego, zauważając, że pojemnik z karpiem położył na siedzeniu pasażera w jej samochodzie. Nawet nie zauważyła, kiedy to zrobił. – Jeszcze raz dziękuję – przeszła z etapu przepraszania do etapu dziękowania.

– Polecam się na przyszłość. Gdyby się coś działo, to wiesz, gdzie mnie szukać – mówił wolno, jakby chciał przedłużyć moment pożegnania.

– Dziękuję. Za wszystko. Do zobaczenia.

Wsiadła do samochodu, zamknęła za sobą drzwi. Była zdziwiona, że nie wykonał żadnego ruchu. Stał wciąż w tym samym miejscu, jakby nie zamierzał wrócić do swojego samochodu. Widząc to, otworzyła szybę.

– Zapomniałabym. Życzę ci wspaniałych, rodzinnych i spokojnych świąt.

Patrzył na nią i nic nie mówił.

– Tylko mi nie mów, że zamarzłeś. Nie darowałabym sobie – uśmiechnęła się, a on się w końcu poruszył.

– Nie – powiedział zmieszany. – Myślę tylko, co zrobić, żebyś przyszła na sylwestra?

– Powiedzmy, że się postaram. – Znów usłyszała dźwięk swojego telefonu. – Muszę już jechać. To znowu Dominika.

– Skąd wiesz? – zapytał zdziwiony.

– Po prostu bardzo dobrze ją znam.

– W takim razie wesołych świąt i... – zawiesił na chwilę głos – I... Smacznego karpia – dokończył po krótkiej chwili, uśmiechając się znacząco w chwili, gdy uruchomiła silnik.

Zobaczyła, że uniósł kciuk do góry, ciesząc się, że udało jej się to od razu. Odjeżdżała, a on wciąż stał bez ruchu. Mignęła mu światłami awaryjnymi. Chyba w odpowiedzi pomachał do niej ręką, ale nie była tego pewna. Przestał być widoczny. Uśmiechała się, bo Pan Spóźniony okazał się sympatycznym i ciepłym mężczyzną. Niestety, wiedziała też, że wspólny sylwester ją przerastał. Zabawą nie była zainteresowana, a on był taki miły, niczym nie zasłużył sobie na takie traktowanie. Używanie jego imienia przerastało ją chyba bardziej niż tańce, hulanki i swawole. Myśląc o nim, przyspieszyła, chciała jak najszybciej znaleźć się w domu. Musiała się jeszcze spakować, przyrządzić karpia, wyspać przed jutrzejszą podróżą i zastanowić się nad wszystkim, co się dziś wydarzyło. Nie mogła uwierzyć w to, że zasnęła w jego samochodzie. Podjechała pod dom, gdzie wjazd, oczywista sprawa, zatarasował samochód Dominiki. Już widziała jej asekuracyjny uśmiech. Najwyraźniej siostrunia była świadoma bury, którą miała za chwilę otrzymać.

Wrócił do pracowni. Nie było już prawie nikogo. Przemek siedział u siebie. Wszedł do pokoju przyjaciela. Oparł się o jego biurko i milczał, nie wiedząc, co powiedzieć. Przemek zerknął na niego i znów utopił wzrok w jakiejś technicznej dokumentacji.

– I co, dobrego masz kumpla, co? – zapytał Przemek, nie patrząc na niego.

– Dobrego – potwierdził cicho. Celowo zachowywał taką rezerwę, ponieważ najchętniej to wycałowałby go co najmniej tak, jak kiedyś czynił to towarzysz Breżniew.

– Co jest? – zdziwił się Przemek.

– Nic – odpowiedział, nie zważając na lekkie zmieszanie przyjaciela.

– Ty to chyba masz nierówno pod sufitem. Najpierw dwa miesiące, a gdzie tam dwa? Cztery miesiące – skorygował wypowiedź Przemek – chodzisz jak struty, a kiedy dziewczyna sama wpada w twoje łapy, udajesz, że cię to nie rusza.

– Po prostu nie mogę w to uwierzyć – zaczął się w końcu uśmiechać, zdradzając swój rzeczywisty nastrój.

– Wierzysz czy nie wierzysz, powiedz lepiej, jak było.

– Niesamowicie!

– No to się dużo dowiedziałem. – Przemek z rzadko spotykanym cynizmem wyraził swój podziw dla jego kwiecistej i kapiącej od faktów relacji. – No, wyduś coś z siebie...

– A co mam ci powiedzieć? – zapytał wciąż skołowany.

– Na przykład, czy jest taka, jak ją sobie wyobrażałeś, albo taka, jak byś chciał?

– To lepiej ty mi powiedz, co wiesz. Nie uważasz, że to, co się dziś stało, jest niesamowite? Jakiś kosmos! Co mówiła twoja Domi?

– Może powiem... Może nie powiem... Nie wiem jeszcze... – droczył się Przemek.

– Mam nadzieję, że twój dobry humor wróży dobre informacje.

– Popatrz, jaki z ciebie psycholog?! Kto by się spodziewał? Dużo nie wiem, bo Domi nabrała wody w usta, kiedy zacząłem wypytywać. Przez moment, jak ją ciągnąłem za język, to się chyba nawet zrobiła zazdrosna...

– Przemek! – przerwał mu z niecierpliwością, bo zauważył, że przyjaciel gra na zwłokę. – Albo mówisz, albo nie zaprojektuję już nic dla szpitala. Nic! – postawił sprawę na ostrzu noża.

– Dobra! – Przemek nabrał tyle powietrza w płuca, jakby chciał bić rekord w nurkowaniu bez sprzętu. – Nie ma nikogo! – oświadczył z zadowoleniem.

– Tylko tyle?

– Chyba aż tyle?! To chyba dobrze, że jest sama, nie? – zapytał.

– To ekstra! Tylko myślałem, że dowiedziałeś się czegoś jeszcze. Przecież są siostrami.

– Nie są żadnymi siostrami.

– Jak to nie są? Przecież Dominika...

– Jak mówię, że nie są, to nie są! – przerwał mu Przemek. – Są sobie bardzo bliskie i traktują się jak siostry, ale nimi nie są, i nie próbuj tego zrozumieć, bo ci się nie uda. Nie zapominaj, że to są baby. Nic więcej nie wiem. Może wychowywały się razem w domu dziecka? Cholera go wie!

– W domu dziecka? – zapytał poważnie.

– Przestań po mnie powtarzać. Nie wiem! Po prostu głośno myślę. A! – Przemek najwidoczniej jednak coś sobie jeszcze przypomniał. – Dominika powiedziała jeszcze, że Hanka bardzo dużo w życiu przeszła.

– Co to znaczy „dużo przeszła"? – znów, zupełnie bezwiednie, powtórzył słowa Przemka.

– No chyba nie to, że robi konkurencję Korzeniowskiemu! Wiesz, tak się czasami mówi, że jak ktoś dużo przeszedł, to znaczy, że spotkało go w życiu niekoniecznie coś dobrego.

– Przecież wiem! Co mi tłumaczysz jak jakiemuś idiocie.

– Bo się zachowujesz jak...

– Zastanów się, zanim powiesz – poradził, przerywając Przemkowi, który jednak nie dawał za wygraną.

– Ty mi tu teraz bohatera nie zgrywaj! Bo jak ją zobaczyłeś, to zachowywałeś się, jakby cię prąd popieścił. Gdyby nie ja, to w życiu nie miałbyś szans na siedzenie z nią w jednym samochodzie.

– Tylko nie przesadzaj! – przerwał tyradę Przemka.

– Wcale nie przesadzam! Fakt, później się trochę rozkręciłeś, ale na początku to stałeś jak sztywny pal Azji.

Nie mógł tego słuchać. Włożył ręce do kieszeni spodni, automatycznie unosząc ramiona, i skierował się do drzwi.

– Tylko mi nie mów, że się obraziłeś! – Przemek był zaskoczony jego zachowaniem.

– Do jutra! – rzucił przez ramię.

– Zwariowałeś?! A robota? – Nastrój do dokuczania opuścił Przemka natychmiast.

– Nie jestem w stanie. Cześć! – Wyszedł.

Potrzebował spokoju, żeby o niej pomyśleć. Zwłaszcza że była dokładnie taka, jak ją sobie wyobrażał. Krucha i delikatna. Przypominał sobie, że dłoń, którą mu podała podczas przywitania, była mała i bardzo zmarznięta. Z zaczerwienionym od mrozu nosem wyglądała uroczo, zwłaszcza że nie miała makijażu. Żadnego. Wtedy, w szkole, była chyba trochę pomalowana, choć oczy miała identyczne jak dziś. Duże, inteligentne, bystre, ale smutne. Zastanawiał się, co przeszła, gdzie mieszka? Był tak zamyślony, że nie zauważył, kiedy znalazł się w samochodzie. Z kieszeni kurtki wyjął telefon, wybrał numer Przemka, a gdy ten odebrał, zapytał od razu:

– Wiesz, gdzie mieszka?

Przemek, wyczuwając jego zdenerwowanie, bez żadnych pytań i komentarzy podał mu szybko nazwę ulicy i numer domu.

– Skąd wiesz? – zapytał podejrzliwie.

– Kilka razy odbierałem stamtąd Domi – odpowiedział Przemek i rozłączył się.

Chyba był na niego zły. Jednak w tej chwili najmniej obchodził go nastrój kumpla. Jeżeli podał mu rzeczywiście jej prawdziwy adres, to mieszkała dwie ulice od domu jego rodziców. Do niedawna też jego domu. Czy to możliwe, że mieszkali tak blisko siebie i nigdy się nie spotkali? Włożył kluczyk do stacyjki i nie zastanawiając się ani chwili, postanowił pojechać pod podany przez Przemka adres. Musiał ją sobie jakoś umiejscowić. Nie chciał, żeby wciąż była kimś znikąd. Był tak podekscytowany wszystkim, co się dziś wydarzyło, że nie mógł logicznie myśleć. Zerkał na fotel obok siebie, nie mogąc uwierzyć, że na nim siedziała. Przypominał sobie, jak nadzwyczajnie wyglądała, gdy zasnęła. Oparła głowę o pas bezpieczeństwa. Przywoływał obraz jej profilu i włosów rozsypanych na białym futerku, chyba z norek. Nie znał się. Jedną ręką trzymała pas, a drugą położyła bezwiednie na udzie. Nosiła bardzo ładny, mały złoty zegarek. Miała bardzo szczupłą rękę w przegubie. Była niewysoka i bardzo drobna. Gdy stali obok siebie, przy jej samochodzie, zauważył, że sięgała mu do połowy ramienia. „Mała do pieszczoty, duża do roboty", przypomniały mu się słowa babci Malwiny, które zawsze powtarzała jego mamie, gdy ta marudziła, że chciałaby być wyższa. Znów był myślami przy Hance. Był nią oczarowany. Za każdy razem gdy ją spotykał, była inna. Nie była wystylizowaną lalką, która zawsze wyglądała tak samo. Taka była Edyta. Zawsze nienaganny makijaż, strój z wystudiowanymi dodatkami, torebka i buty w tym samym kolorze, obowiązkowo, osobowościowy chłód podkreślany dodatkowo zapachem markowych perfum. Żałował, że tak późno to dostrzegł. W Hance najbardziej pociągała go jej, nawet nie wiedział jak to określić, ale chyba nieśmiałość. Chociaż gdy rozmawiali z sobą po raz pierwszy, w szkole, zrobiła na nim wrażenie osoby o dość silnej osobowości. Może taka była w pracy. Poza tym na pewno musiała taka być, żeby zapanować nad uczniami. Pomyślał o Mateuszu i o tym, że jej o niego nie zapytał. To chyba dobrze. Było już bardzo późno, a śnieg padał i padał, jakby chciał przypomnieć wszystkim zapominalskim, że jutro Wigilia. Od dziecka lubił białe święta, zwłaszcza że przez ostatnich kilka lat z rzędu zima nie dopisała, przenosząc swoje apogeum na przełom lutego i marca. Mijał właśnie dom swoich rodziców. Pomyślał ciepło o mamie, która, jak to zwykła określać, na pewno już dziś mieszała w garach, żeby jutrzejsza kolacja była wystawna i smaczna. Hanka z Dominiką wyjeżdżały nad morze. Był ciekaw, czy w to miejsce, o którym teraz myślał. Może miały tam rodzinę? Ale skoro nie były siostrami, a jechały razem... Zgromił się w myślach za to, że wszystko chciałby wiedzieć od razu. Musiał pamiętać, że jeszcze wczoraj była dla niego kimś z innej rzeczywistości, do której nie miał żadnego dostępu. Rozglądał się po ulicy, na którą wjechał przed momentem. Rzeczywiście było stąd blisko do domu rodziców, ale nigdy wcześniej tu nie był. Widział okazałe domy. Bez problemu znalazł adres podany przez Przemka i to, co zobaczył, uspokoiło go trochę. To chyba niemożliwe, żeby spędziła dzieciństwo w domu dziecka. Jeździła pięknym samochodem. Zresztą przypomniał sobie, że wspominała chyba, iż należy do jej taty. Dom otoczony imponującym ogrodem był architektoniczną perłą na tej niebiednej ulicy. Był elegancki, a jednocześnie sprawiał wrażenie ciepłego. Wiedział, jak trudno uzyskać taki efekt. Musiała mieszkać z rodzicami, bo dom był ogromny. Patrzył na artystycznie oświetlony ogród i doznał olśnienia. Wcale nie z powodu mocno rozjaśnionego mroku. Już wiedział, co go w Hance najbardziej pociągało. Skromność. Była niezwykle skromna, chociaż jak widział na załączonym obrazku, musiała pochodzić z bardzo majętnej rodziny. Jej skromność była widoczna przede wszystkim w zachowaniu, stylu bycia. Patrzył na ten ogromny dom ze świadomością, że teraz w nim przebywała. Poczuł, że dopuszcza się pewnej nieuczciwości, wgapiając się w oświetlone okna. Nie zastanawiając się szczególnie nad tym, co robi, ruszył przed siebie. Postanowił odwiedzić rodziców, skoro znalazł się tak blisko. Miał dziś pracować do późna. Jednak musiał zmienić swój ambitny plan, ponieważ nie był w stanie myśleć o pracy. Hanka była przy nim cały czas. Wciąż ją widział. Była sympatyczna i ciepła, ale miał wrażenie, że wytwarzała między nimi pewien dystans. Przypomniał sobie, jak uroczo się przeciągnęła tuż po przebudzeniu i jeszcze cudowniej zawstydziła, gdy napotkała jego spojrzenie. Z Edytą po tygodniu znajomości wylądował w łóżku i szybko zrobiło mu się z tym wygodnie, ale bez szczególnej ekscytacji. Patrząc dziś na Hankę, myślał o miłości, ale w kontekście jej oczu, których koloru nie był w stanie jednoznacznie określić. Chciałby ją pocałować...

– To ty? – Otworzyła mu mama, nie kryjąc zdziwienia. – Nie wziąłeś klucza?

– Zapomniałem – powiedział.

Myślenie o Hance było niebezpieczne. Sprawiało, że całkowicie się zatracał, nie kontrolował niczego co działo się wokół.

Mama lustrowała go podejrzliwym wzrokiem.

– Coś się stało? – zapytała, przekrzywiając głowę.

– Tak – odpowiedział zgodnie z prawdą.

– Matko Boska! – mama użyła swojej ulubionej, przyspieszonej modlitwy.

Patrzył na nią i myślał, że od lat się nie zmieniała. On wyrósł, skończył studia, wyprowadził się z domu, a ona wciąż wyglądała tak samo jak kiedyś, gdy chodził do szkoły z tornistrem w kształcie telewizora.

– No wyduś coś z siebie, na litość boską!

– Zakochałem się – przyznał się, a mama wzniosła oczy do góry, tak jakby w miejscu sufitu było niebo.

– Matko Boska, czy ty widzisz, co ja z nim mam? – Znów popatrzyła na niego i dokończyła. – Ale ma się rozumieć, nikt poza Matką Boską ma się o tym nie dowiedzieć?

– Jak ty mnie znasz... – mówiąc to, podrapał się niedbale po głowie.

– Jaka jest? – chciała natychmiast wiedzieć.

– Taka, że nie mogę przestać o niej myśleć.

Ta bardzo krótka charakterystyka nie powaliła mamy na kolana. Odwróciła się na pięcie i zdążając w kierunku kuchni, pląsała przez hol, śpiewając na nieznaną mu melodię: „Będę miała wnuki, będę miała wnuki...".

– Mamo! – krzyknął, zanim opadły mu ręce, ale podążył za nią krok w krok.

Odwróciła się do niego i znowu wzniosła oczy ku górze.

– Widzisz, widzisz... – szeptała. – Krzyczy na starą matkę. A czy ja coś złego powiedziałam?

Popatrzył tylko i nie pozostało mu nic innego, jak się uśmiechnąć. W tej samej sekundzie wyobraził sobie Hankę na szpitalnym łóżku z białym zawiniątkiem przy piersi, z którego wyglądała mała uśpiona twarzyczka otoczona miodowymi włoskami.

– O! Cześć, synu! – powiedział ojciec, schodząc z góry. – Wszystko OK?

– OK – odpowiedział, podając mu rękę i myśląc jednocześnie: „Jak nigdy dotąd OK".

Wyjechały oczywiście później, niż postanowiła, ponieważ za żadne skarby świata nie mogła zdrapać Dominiki z łóżka. Sama też była niewyspana. Wieczorem pakowała samochód, przygotowywała karpia w galarecie i jednocześnie przekomarzała się z Dominiką, która oczywiście wcale nie czuła się winna wieczornego zamieszania. Nikt tak jak Dominika nie potrafił odwrócić kota ogonem. Robiła to najlepiej pod słońcem.

Od trzech godzin były w podróży. Jechało się dość dobrze, choć pogoda nie sprzyjała kierowcom. Było dwa stopnie na plusie i wciąż padał gęsty i mokry śnieg. Hanka jechała bardzo uważnie. Nie musiała się spieszyć. Jeszcze nie usłyszała głosu pani Irenki i nie zobaczyła mądrego spojrzenia, ale poczucie, że jedzie właśnie do niej, sprawiało, iż była spokojna i zrelaksowana. Obok niej słodko pochrapywała Dominika zaopatrzona w czerwoną poduszkę w kształcie serca i polarowy koc w tym samym kolorze. Wyglądała rozkosznie. Prawie jak bobas wyjęty z kartki okolicznościowej Anne Geddes. Hanka zerkała na Dominikę, myśląc o Przemku. Wczoraj bardzo im pomógł, organizując, a raczej zarządzając akcją ratunkową. Zresztą decydując się na ewentualne życie z Dominiką, z pewnością jeszcze nie raz i nie dwa będzie musiał podejmować decyzje w atmosferze stresu, pośpiechu i niepewności. Pasowali do siebie. Oboje byli radośni, zakochani w sobie i w życiu, energiczni. Z tą jednak różnicą, że Dominika była fantastką, a Przemek chyba realistą. Mogli więc stworzyć całkiem dobrany zespół na życie, które wymagało i jednego, i drugiego, i to najczęściej jednocześnie.

Jechała, mijając mniejsze i większe miejscowości przystrojone w świąteczne lampki. Niektóre świeciły się nawet teraz, w dzień. Widziała ludzi niosących siatki z zakupami i tych, którzy odśnieżali chodniki przed swoimi domami. Obserwując to wszystko, czuła niezwykłość dnia podkreślaną dodatkowo przez kolędy, których wciąż słuchała w radiu. Wczoraj te same kolędy sprawiły, że zasnęła w samochodzie Pana Spóźnionego. Uśmiechnęła się na to wspomnienie. Niestety, uśmiech bardzo szybko zastąpiły łzy niebezpiecznie zmniejszające ostrość widzenia. Usłyszała słowa piosenki, przy której zawsze się wzruszała. Zresztą ostatnio bardzo często się wzruszała. Ciepły i dobrze znany głos śpiewał: „Jest taki dzień, bardzo ciepły, choć grudniowy. Dzień, zwykły dzień...".

Dominika zaczęła się kręcić. Chyba zmęczyła ciało wciąż jedną pozycją. Odwróciła twarz w jej stronę, ziewnęła przeciągle i nie otwierając oczu, zapytała jak małe dziecko, któremu dłuży się podróż:

– Daleko jeszcze?

– Oczekujesz odpowiedzi w kilometrach czy w godzinach? – zapytała Hanka rzeczowo.

– Oczekuję odpowiedzi, że już jesteśmy na miejscu – mruknęła zaspanym głosem Dominika i otworzyła oczy.

– W takim razie zadaj mi to pytanie za jakieś trzy godziny – odpowiedziała spokojnie.

– Żartujesz, prawda? – Dominika gnieździła się sennie na swoim fotelu, ale jej oczy zapałały już bojowym błyskiem.

– Nie, ale jeżeli się nudzisz, mogę dać ci poprowadzić.

– Nie nudzi mi się wcale. Tylko najchętniej zatrzymałabym się gdzieś na siku i hamburgera.

– Porządna katoliczka nie jada hamburgerów w Wigilię. Gdybyś nie wiedziała, to przypominam ci, że tradycja nakazuje dziś wstrzemięźliwość od pokarmów mięsnych.

– Chcesz przez to powiedzieć, że zjadając dziś hamburgera, dopuściłabym się jawnogrzesznictwa?

– Nie. Chcę tylko powiedzieć, że naruszyłabyś przyjęte przez Kościół zasady – wytłumaczyła poważnie.

– To kamień spadł mi z serca. Już myślałam, że jakaś wychudzona i anorektyczna vegeta ma załatwione niebo, bo nigdy nie wsuwa hamburgerów w Wigilię. – Dominika powoli odzyskiwała dobry humor. – A może zatrzymałybyśmy się chociaż na siku? – zapytała prosząco.

– Za jakieś dwadzieścia minut. Wytrzymasz?

– Chyba nie mam innego wyjścia. Nie założyłam dziś pampersa... – stwierdziła kąśliwie.

– Chyba że chcesz tu. – Była bezlitosna, przejeżdżały akurat przez centrum małego miasteczka, którego mieszkańcy w pośpiechu załatwiali ostatnie świąteczne sprawunki.

– Wytrzymam! – odparła Dominika, robiąc minę nadąsanego dziecka, i demonstracyjnie się odwróciła.

Jednak gdy tylko znów znalazły się wśród ośnieżonych pól i lasów, zaczęła rozmowę.

– Nie uważasz, że wczorajszy wieczór był niesamowity?

Słysząc to pytanie, Hanka postanowiła nie udzielać odpowiedzi. Czuła, że Dominika przygląda się jej badawczo, ale trwała w milczeniu.

– Halo, halo! Ziemia do Hanki!

Hanka nie reagowała.

– Obraziłaś się czy co?

– A mam powód? – zapytała sprytnie.

– Właśnie wydaje mi się, że nie masz najmniejszego. Zwłaszcza że dziś Wigilia, a prawdziwa katoliczka, taka wiesz, z krwi i kości, to kocha swoich bliźnich. Ba! Ona kocha nawet swoich wrogów.

Dominika mówiła do niej tak poważnie, że Hanka nie wytrzymała i parsknęła śmiechem.

– Ja – zaczęła takim tonem, jakby składała przysięgę – jako wojująca katoliczka, która w Wigilię nawet myślenie o mięsie uważa za grzech, oświadczam, że nie potrafię się na ciebie gniewać, choć przyznaję bez bicia, że wczoraj byłam na ciebie wściekła. Jednak najważniejsze, że wszystko dobrze się skończyło. – Specjalnie używała patetycznego i podniosłego tonu, gdyż Dominika uwielbiała, gdy tak do niej mówiła.

– Posłuchaj... – Dominika znów zaczęła gnieździć się na swoim siedzeniu. – Ale ten Mi... – wystraszona przerwała. – Ten Miii...ster Karp – inteligentnie dokończyła, nie używając zakazanego imienia. – To całkiem fajny, nie? – zerkała w jej kierunku z zagadkowym uśmiechem.

– Całkiem – potwierdziła Hanka enigmatycznie. – Ale ustalmy: ma na imię Mikołaj. – Udało się. Wymówiła to imię, a Ziemia się nie zatrzymała. Wszystko było jak dotychczas. – Karpia załatwił cudownego.

– A jak było? – Dominika za wszelką cenę chciała się czegoś dowiedzieć.

– Sympatycznie – odpowiedziała, bacznie obserwując ruch na drodze.

– Nie bądź wredna! – żachnęła się Dominika.

– I kto to mówi? Ja jestem wredna? Ja? Posłuchaj mnie teraz, tylko uważnie. Wczoraj przez ciebie musiałam wsiąść do samochodu całkiem obcego faceta. Byłam tak skołowana i zmęczona, że zasnęłam, a on poradził sobie ze wszystkimi moimi problemami. Gdy się zbudziłam, miałam już karpia, o którym, przypominam ci, zapomniałaś, oraz zatankowany samochód. Ot, i cała historyja.

– Nie mów! – ekscytowała się Dominika.

– Czego mam nie mówić? – zdziwiła się.

– No coś ty?! Naprawdę? Zasnęłaś? – Dominika nie mogła uwierzyć.

– Niestety, to prawda. Nawet nie zdajesz sobie sprawy, jak mi było głupio.

– No coś ty?! – powtórzyła Dominika. – To super! Na pewno ci się przyglądał. Może nawet cię dotknął? Podoba ci się?

Bezpośredniość i ciekawość Dominiki były bezgraniczne. Zasypana gradem trudnych pytań Hanka milczała.

– Słyszysz mnie? – Głos Dominiki świdrował jej delikatne błony bębenkowe.

– Słyszę. Trudno cię nie słyszeć... Nie wiem.

– Co nie wiem?

– Po prostu nie wiem, czy mi się podoba. Nie zastanawiałam się nad tym. Może...? – dodała całkiem bezwiednie, lecz słysząc swoje ostatnie słowo, szybko umilkła.

– Co? Może? No wyduś coś z siebie!

– Ma piękne oczy – poddała się. – Ale już mnie nie molestuj, bo nie powiem ani jednego słowa więcej.

– Zachowujesz się teraz nie jak katoliczka, tylko jak zakonnica nieczuła na męski urok. To ja ci teraz powiem! – I zaczęła. – Mikołaj... – zrobiła krótką pauzę, położyła rękę na sercu, przybrała natchnioną minę i kontynuowała: – Mikołaj jest bardzo inteligentnym i obiecującym architektem. Ma piękne oczy, to fakt. Jest bosko przystojny, dobrze ubrany. Całkiem inaczej niż Przemek, ale też dobrze. Ładnie chodzi. Ma piękne i delikatne dłonie, o palcach pianisty. A jak go znów zobaczysz, to lekturą obowiązkową, pani profesor, mają stać się dla pani jego pośladki. Ma niesamowicie seksowny tyłek!

Słysząc słowa Dominiki, Hanka poczuła się nieswojo, lecz przyjaciółka, nie zwracając na nią najmniejszej uwagi, wciąż mówiła:

– Miał takie fajne opięte dżinsy, widziałaś?

Hanka znów czuła na sobie świdrujące ciemnobrązowe spojrzenie, ale nie potrafiła wydusić z siebie żadnego dźwięku.

– O ludzie! Lerska! Ty się zarumieniłaś! Mam cię, ty grzeszna katoliczko! Udajesz świętą, a na pewno obejrzałaś go dokładnie, i to ze wszystkich stron.

Tego już było za wiele. Hanka więcej nie mogła znieść.

– Widzisz tę tabliczkę? – wskazała na przednią szybę.

– Jaką tabliczkę? – zdziwiła się Dominika, bo żadnej tabliczki tam nie było.

– Do przedniej szyby przyklejona jest tabliczka. – Hanka udawała, że czyta: – Rozmowa z kierowcą w czasie jazdy zabroniona.

– Panie kierowco? – Dominika uśmiechnęła się zalotnie. – Panu podoba się Mister Karp. Już inteligentny pasażer nie da się nabrać.

Hanka zatrzymała nagle samochód, specjalnie hamując mocniej, niż wymagała tego sytuacja.

– Co?! – Dominika zrobiła wielkie oczy.

– Z tego, co sobie przypominam, to inteligentny pasażer jeszcze niedawno chciał, cytuję, siku.

– Ale tyłek ma boski! – postawiła na swoim Dominika i ubierając się, szybko wysiadła.

Dom pani Irenki wyglądał jak żywcem wyjęty z amerykańskiego świątecznego filmu. Jego dach okalały lampki świecące różnokolorowym światłem. W ogrodzie na krótką chwilę przystanęły dwa renifery zmęczone ciągnięciem ciężkich sań. Takich najprawdziwszych, w których można usiąść. Hanka widziała choinki mieniące się podświetlonymi białymi płatkami śniegu. Centralne miejsce w ogrodzie zajmował ogromny bałwan. Prawdziwy, śniegowy, z dziurawym garnkiem na piłkowatej głowie, z marchewkowym nosem, z oczami zrobionymi chyba z czarnych małych węgielków. Bałwan doskonale udawał kierownika podwórkowego zamieszania, trzymając w niby-ręce drapaka zrobionego z brązowych cieniutkich gałązek. Dominika pierwsza wysiadła z samochodu i wyspana za wszystkie czasy, rozglądała się wokół z otwartą buzią.

– Ale bosko! Hanka, patrz, jaki ekstrabałwan! – krzyknęła zachwycona.

Wysiadając z samochodu, Hanka wyraźnie poczuła przejechane w skupieniu kilometry. Zachwycało ją wszystko, co widziała, jednak nie wyrażała swojego podziwu tak ekspresyjnie jak Dominika, ponieważ czuła się makabrycznie zmęczona. Siedem godzin za kierownicą. Krótki i niespokojny sen w noc poprzedzającą wyjazd. To wszystko sprawiało, że teraz nie chciało się jej nawet odzywać. Nagle otworzyły się drzwi i stanęła w nich pani Irenka, we własnej osobie, ubrana w świąteczny kuchenny fartuszek.

– No, nareszcie! – krzyknęła z zadowoleniem. – Chodźcie, dziewczynki, bo już zaczynałam się martwić. Hanusiu, dlaczego nie zadzwoniłaś ze Słupska? – zapytała bez cienia wyrzutu w głosie.

– Przepraszam, pani Irenko. Na śmierć zapomniałam. Dzień dobry – wydusiła z siebie z ledwością, bo już utopiła się w ciepłym i serdecznym uścisku pracowitych ramion pani Irenki.

– Jak to dobrze, że przyjechałyście! Dominisiu, chodź tu. Pokaż się. Jak ja cię dawno nie widziałam!

Dominika podeszła do nich i stanowiły już ściskającą się trójkę, w której niezawodną pamięcią mogła poszczycić się właśnie ona. Doskonale pamiętała, że w takim gronie spotkały się ostatnio w dniu pogrzebów.

Okrutna, sroga, świętokradzka śmierci
Tyś mię podeszła, obdarła, zgnębiła...

Pani Irenka wpatrywała się w Hanię z uwagą i troską, lecz pytanie skierowała do Dominiki.

– Czyżbyś spoważniała?

– Ani trochę! – odpowiedziała Hanka szybko, otrząsając się ze straszących ją wspomnień, mimo że pytanie nie było skierowane do niej.

– Pani Irenko, już jedna nudna i poważna wystarczy! – Powiedziawszy to, Dominika pokazała Hance język.

– No, chodźcie, chodźcie! – zaczęła je poganiać pani Irenka. – Chwyta mróz, zaczyna się szarówka i nie obejrzymy się, a trzeba będzie zasiadać do wigilii. Mam nadzieję, że jesteście głodne, bo my z Iwonką kucharzymy już od bladego świtu.

Hanka wróciła do samochodu i otworzyła bagażnik wypełniony po brzegi przede wszystkim prezentami. Widząc to, pani Irenka chwyciła się za głowę i lamentowała, że niepotrzebnie tak się wykosztowały i kto to widział, żeby tyle nazwozić. Dominika wyjmowała właśnie z bagażnika największe pudło zapakowane w różnokolorowy papier i ratowała sytuację.

– Spotkałyśmy po drodze tego starego zgreda mikołaja i dał nam to wszystko. Głupio było nie wziąć! Pani Irenko! Choinka jest?!

– Dominisiu, a pewnie, że jest! – Pani Irenka, śmiejąc się, krzyknęła: – Iwona! Iwona! Chodź! Pomóż!

W drzwiach wejściowych oświetlonych zielonymi lampkami pojawiła się Iwonka. Prawie w ogóle się nie zmieniła. Była dokładnie taka, jaką Hanka ją zapamiętała. Widziała dość wysoką, ładną szatynkę, z którą spotkała się ostatnio na przyspieszonym, z powodu ciąży, ślubie. Było to chyba sześć lat temu. Może więcej...

– Hania! Dominika! Smażę ryby i nie usłyszałam, że przyjechałyście! – Iwonka zbiegała po wzorcowo odśnieżonych schodach.

Już była przy niej. Objęła ją mocno i zmusiła do dziecięcego, radosnego skakania dookoła wspólnej osi. Zrobiła to identycznie jak kiedyś, gdy jej przyjazd nad morze oznaczał mnóstwo wspólnych, nie zawsze rozsądnych przygód. Hanka pamiętała, że Iwona była w miarę grzecznym i spokojnym dzieckiem. Jednak jej nieznająca ograniczeń wyobraźnia oznaczała czasami źródło kłopotów. Hanka wdychała mroźne powietrze i obserwowała Dominikę kursującą między samochodem i domem, do którego znosiła góry prezentów. Iwonka przerwała jej to zajęcie, ściskając ją, tarmosząc i oferując swą pomoc.

– Musimy się pospieszyć z tymi prezentami – powiedziała – bo lada chwila wróci Jurek z dziewczynkami. Od rana czatują przy choince i czekają na mikołaja. Musiał zabrać je na spacer po plaży, bo nie miałyśmy od rana możliwości, żeby położyć cokolwiek pod choinką.

Przyspieszyły tempo. Trzy uwijające się w tajnej misji kobiety wystarczyły, by w ciągu kilku minut można było zamknąć pusty samochód.

Hanka weszła do domu. Rozebrała się szybko w przedpokoju, który latem wyglądał całkiem inaczej niż teraz. Poczuła się nawet trochę nieswojo, nie zobaczywszy opartych o ścianę plażowych leżaków. Gdy weszła do kuchni, poczucie zagubienia od razu zniknęło. Poczuła się jak w domu. Kuchnia pani Irenki pachniała kolacją wigilijną. Otoczyły ją niepowtarzalna atmosfera i smakowite aromaty. Czuła rodzinne ciepło bijące od tego miejsca, jej nos został skradziony przez zapachy smażonych ryb, duszonej kapusty i parkoczącego właśnie na kuchence czerwonego barszczyku. Poczuła się głodna. Ale nie musiała jeść, wystarczało jej to, co wdychała. Delektowała się każdym oddechem, który wprowadzał do jej płuc niezbędny do życia tlen, a do układu nerwowego sygnał, że już najwyższa pora na odczuwanie radości, spokoju i relaksu, czyli jak mawiała Dominika, mogła włączyć leżenie bykiem. Pani Irenka rozpakowała położony na stole przez Dominikę srebrny półmisek z karpiem w galarecie i zaniemówiła. Przypatrywała się z zachwytem misternie ułożonej i przystrojonej rybie.

– Hanuś, to najpiękniejszy karp w galarecie, jakiego w życiu widziałam – wyznała wzruszona.

– Pani Irenko, mam nadzieję, że będzie chociaż w połowie tak pyszny jak urodziwy – powiedziała mile zaskoczona zachwytem pani Irenki.

– Pani Irenko, nie ma się co dziwić. Żeby pani widziała, jaki seksowny rybak złowił go dla naszej Hani.

Dominika przesyłała jej właśnie powłóczyste spojrzenie, a ona otwierała usta, żeby pohamować wybujałą wyobraźnię przyjaciółki i zapobiec wszystkim głupotom, które miała na pewno zamiar zacząć opowiadać. Nie zdążyła jednak wyartykułować ani jednego dźwięku, ponieważ drzwi do kuchni otworzyły się z impetem, po czym wpadły do niej dwie identycznie ubrane i prawie identyczne dziewczynki. Jedna z nich, widząc obce osoby, zamarła w bezruchu, druga natomiast, jakby nic nie robiąc sobie z ich obecności, darła się wyjątkowo piskliwym głosem.

– Mamo! Mamo! Mikołaj był! Widziałaś?! Przyniósł ogromniaste pudła! Widziałaś?! Mamo, mamo, możemy już rozpakować?!

– Spokój! – krzyknęła władczo Iwonka. – Czy aby panny, a zwłaszcza panna – wskazała palcem na rozgadaną dziewczynkę – o czymś nie zapomniały?

– Dzień dobry! – krzyknęła mała gadulińska i niezrażona piorunującym spojrzeniem matki, dalej molestowała: – Możemy?! Możemyyy?! Proszęęę! Pozwóóól! Mamooo!

– Zuza! Uspokój się. Przestań się wydzierać i przywitaj się ładnie! – Iwona była nieugięta, a pani Irenka uśmiechała się tylko pod nosem, mieszając coś w buchającym parą garnku.

Zuza, poprawiając odstające nad uszami krótkie warkoczyki, dygnęła z dziecięcą gracją.

– Dzień dobry! Mam na imię Zuzanna. Mam sześć lat. Miło mi panie poznać – wyrecytowała na jednym oddechu. – A to... – wskazała wzrokiem na swoje podobieństwo przyklejone do spodni mamy – moja młodsza aż o dziesięć minut siostra Ula.

Hanka nie mogła oderwać wzroku od dziewczynek. Na ślubie Iwonki współczuła jej w duchu, że tak szybko zostanie matką i wpadnie w rutynę dorosłego życia. Dla niej rozpoczynało się ono zgoła czymś innym. Była wtedy zachwycona pierwszym miesiącem studenckiego życia. Teraz wszystko było inaczej. Zazdrościła Iwonce. Wiedziała już, że współczucie przed blisko siedmioma laty było błędem wynikającym z braku życiowego doświadczenia. Bliźniaczki były cudowne. Wpatrywała się w nie urzeczona. Były identyczne. Różniły się jedynie kolorem oczu. Odważna Zuza miała oczy piwne, nieśmiała Ula niebieskie. Stała nieruchomo przy mamie, nie odezwawszy się jeszcze ani słowem.

– Uleńko, chodź tu do nas. Nie wstydź się – zachęcała ją pani Irenka.

Mała podeszła do stołu, przy którym siedziały. Prawie bezszmerowo. Spoglądała na nie z rezerwą, podczas gdy Zuza nieustannie urabiała Iwonę, żeby ta pozwoliła jej przejąć rządy nad choinką, a raczej nad tym, co się nagle, lecz zgodnie z jej oczekiwaniami, pod nią znalazło.

– Mam na imię Hania. – Pierwsza wyciągnęła rękę do Uli. – Mogę cię wziąć na kolana, chcesz? – zapytała bezpośrednio i ku swemu ogromnemu zaskoczeniu zobaczyła, jak ta mała i zwiewna istotka kiwnęła główką na znak przyzwolenia.

Podeszła do niej z wyciągniętą małą rączką. W tym samym momencie w otwartych drzwiach kuchni pojawił się postawny mężczyzna. Mąż Iwonki, Jurek. To dziwne, ale prawie go nie pamiętała.

– Witam szanowne warszawianki! – zagrzmiał silnym, prawie tubalnym głosem.

Podszedł do niej i komplementując jej niezmienną od lat urodę, serdecznie ją wyściskał. Po czym przedstawił się Dominice, gdyż do tej pory nie mieli okazji się poznać. Nie była na ślubie z powodu pewnej prawie przedślubnej podróży, która zmieniła niestety spojrzenie Dominiki na ówczesnego absztyfikanta i okazało się, że była to ich wspólna podróż, z tym że pożegnalna. Jurek miał wyraźną ochotę usiąść z nimi przy stole, jednak Iwonka od razu zatrudniła go do noszenia przygotowanych na półmiskach potraw na stół wigilijny, który znajdował się w pokoju nazywanym przez panią Irenkę właśnie stołowym.

Po chwili wszyscy przyłączyli do tej półmiskowej wędrówki. Jej trasa wiodła przez długi i wąski korytarz do największego i najokazalszego pokoju w całym domu. Obok dużego, owalnego stołu Hanka zobaczyła prostą jak struna, ogromną i rozłożystą choinkę. Zuza, która, co było widać na pierwszy rzut oka, była wulkanem energii, leżała przy choince i prawie nie oddychając, patrzyła na zgromadzone pod nią, błyskające złotem i srebrem ozdobnych kokard skarby. Ula, którą Hania trzymała za rękę, nie mówiła dużo i nie odstępowała jej na krok. Podawała jej sztućce i serwetki podczas wspólnego nakrywania do stołu. Kiedy wszystko było już gotowe, czyli gdy stół uginał się pod ciężarem wigilijnych potraw i wyglądał jak okładka świątecznego numeru ekskluzywnego czasopisma o sztuce kulinarnej, pani Irenka dała wszystkim swoim kuchcikom jedynie pięć minut na przebranie. Gdy znów znaleźli się – tym razem odświętnie ubrani – przy stole, pani Irenka zapytała poważnym głosem, patrząc z miłością na wnuczki:

– Dziewczynki, która mi powie, kiedy można zasiadać do wieczerzy wigilijnej?

– Kiedy się umyje ręce! – powiedziała głośno Zuza, sadowiąc się na wybranym przez siebie krześle, stojącym najbliżej choinki.

Po chwili odezwała się Ula i delikatnym głosikiem powiedziała, wciąż jeszcze trochę się wstydząc:

– Żeby usiąść do wigilii, trzeba najpierw wypatrzeć na niebie pierwszą gwiazdkę, bo ona pokazuje, że Jezusek już się urodził w biednej szopce.

Zuza prychnęła, nie ruszając się z miejsca.

– To idź! Szukaj gwiazdki! A ja zostanę tu, przypilnuję prezentów i jedzenia.

Bardzo się jej podobało, że dzisiejszego wieczoru wszyscy dorośli schodzili na drugi plan. Bohaterkami wieczoru były te dwie uzupełniające się dziewczynki. Zuza zapewniała uśmiech i rozrywkę, a Ula wiarę w to, że dzieci mogą być również spokojne i ułożone. Jurek wziął Ulę na ręce i podszedł z nią do okna, a jej twarz natychmiast rozpromieniła się w szczerym i najpiękniejszym na świecie uśmiechu.

– Mamo, babciu... – szeptała podekscytowana. – Jest już. Już jest... – wyciągała maleńki paluszek w kierunku granatowego nieba.

Wszyscy, oprócz Zuzy, podeszli do okna. Rzeczywiście, na bezchmurnym niebie widoczna była jedna duża, świecąca gwiazda.

– Jak już jest, to chodźcie! – rozkazała pewnym głosem Zuza, przerywając magiczną chwilę tego wieczoru.

Kolacja minęła w przecudnej, rodzinnej atmosferze. Co prawda, Hanka musiała walczyć z wciąż pojawiającym się wzruszeniem, ale cieszyła się, że są z nią Dominika, pani Irenka, Iwona z Jurkiem i dziewczynkami.

Dobranymi w korcu maku i przecudownymi. Chyba obecność dzieci sprawiła, że poczuła się jak w prawdziwej rodzinie. Niezachwianie wierzyła w to, że macierzyństwo musi być cudem. Wigilia była przecież nie tylko radością z narodzin. Ona była radością z macierzyństwa. Dzieci ożywiają każdą rodzinę. Pani Irenka powiedziała jej kiedyś, że dwoje bardzo bliskich sobie ludzi to jeszcze nie rodzina, muszą mieć dzieci. Cały wieczór obserwowała Dominikę. Znała ją doskonale i zauważyła, że też na swój sposób przeżywała wszystko, w czym przyszło im uczestniczyć. Była, jak na siebie, bardzo milcząca. Chociaż trudno byłoby jej konkurować z trajkoczącą bez ustanku Zuzą. Jedzenie było przepyszne. Karpiem w galarecie zachwycili się wszyscy. Rzeczywiście, udał się jej wyjątkowo. Jedząc go, myślała o Panu Spóźnionym, który zachował się jak prawdziwy mikołaj. Podarował jej karpia. Nie pamiętała, kiedy ostatnio tak się najadła. Był barszczyk czerwony z uszkami wypełnionymi pyszną kapustą. Były pierogi z grzybami. Gołąbki z kaszą gryczaną, ryba po grecku, karp smażony, bogato obsypany pieczarkami, sałatka śledziowa i jarzynowa, która była popisową potrawą pani Irenki. Kutia, którą Hania jadła po raz pierwszy w życiu. Bardzo słodka. Krokiety z pieczarkami i natką pietruszki, wyśmienite. Ale najważniejszy był opłatek. Hanka była z siebie bardzo niezadowolona, bo chociaż podczas wspólnej, prowadzonej przez panią Irenkę modlitwy rozpoczynającej wigilię słyszała swój trzęsący się głos, słabo wspomagający inne, bardziej radosne, to podczas wzajemnych życzeń czuła, jakby gruszka gigant zamieszkała w jej gardle. Jej szczera chęć zwerbalizowania życzeń od razu spotykała się z oporem ze strony głosu i jakby tego było mało – ze szklanym wzrokiem. W związku z tym, dzieląc się ze wszystkimi opłatkiem, była w stanie tylko ich objąć i uściskać. Nic ponadto. Czuła, że nie podołała życzeniowemu zadaniu. Wysłuchała pięknych, ciepłych i szczerych słów, nie mówiąc nic w zamian. Miała tylko nadzieję, że za rok będzie lepiej, łatwiej. Przecież po tym wszystkim mogło być już tylko lepiej, zwłaszcza że pani Irenka zaprosiła je znów na święta do siebie. Znalazły z Dominiką nową rodzinę.

Najpiękniejsze życzenia złożyła jej Ula. Od początku znajomości czuła do tej dziewczynki ogromną sympatię. Może dlatego że przypominała ją samą sprzed wielu lat. Ula, dzieląc się z nią opłatkiem, objęła ją za szyję małymi rączkami i wyszeptała życzenia do ucha, nazywając ją przy tym ciocią.

Życzyła jej takiego samego królewicza, jakiego miał Kopciuszek. Hanka nie była pewna, czy jeszcze kiedyś w swoim życiu usłyszy coś równie prawdziwego i szczerego. Te dziecięce życzenia, wypowiedziane skrycie wprost do ucha, obudziły w niej tęsknotę niezawierającą się w żadnych słowach. Poczuła tęsknotę za miłością, której naturalnym i najpiękniejszym następstwem były dzieci. Wciąż czuła, że jest słaba. Psychicznie słaba. Ale po słowach, które usłyszała z ust Uli, nabrała czegoś bardzo zbliżonego do pewności, że dziecko dodałoby jej sił niezbędnych do normalnego życia.

Siedziały w kuchni, tworząc wyjątkowy babski tygiel. Było już bardzo późno. Jurek poszedł położyć dziewczynki spać i jak to ujęła Iwona, padł pierwszy. Piły herbatę z cytryną. U pani Irenki smakowała inaczej. Lepiej niż w Warszawie. Pani Irenka oczywiście namawiała je na ciasto, ale żadna nie miała już siły na jedzenie.

– Pani Irenko, jeżeli jeszcze coś przegryzę, moja szczęka rozpadnie się na tysiąc małych kawałków – sapnęła Dominika. – A przecież dentystka głupio wyglądałaby jak bezzębny noworodek.

Słysząc to, Iwona parsknęła śmiechem, zwłaszcza że Dominika dyszała jak parowóz, żeby unaocznić wszystkim rozmiar swego przejedzenia.

– Powiem wam, dziewczyny, jak na was patrzę, to jakbym widziała moje córki za dwadzieścia lat – podsumowała Iwonka.

– Rozumiem, że ja ze swoją wrodzoną skromnością przypominam ci Ulę – to mówiąc, Dominika zamrugała powiekami, co najmniej tak zalotnie jak zakochana łabędzica z kreskówek Disneya.

– Hanusiu, a co ty jesteś dzisiaj taka milcząca?

Niestety, pani Irenka skupiła na niej swoją uwagę. Uśmiechnęła się i szukając odpowiedzi na to trudne pytanie, usłyszała, że Dominika wyręcza ją, oczywiście nieproszona.

– Bo, pani Irenko, nasza Hanusia się po prostu, najzwyczajniej w świecie, zakochała.

– Naprawdę? – Oczy pani Irenki uśmiechały się, obdarzając ją uważnym spojrzeniem.

– Pani Irenko – musiała się natychmiast ratować – niech jej pani nie wierzy. Klepie, co jej ślina na język przyniesie.

– Hej, hej! Tylko nie klepie! Gdybyśmy nie zeżarli tego karpia w galarecie, to on by nam tu niezłą historię opowiedział, i to ludzkim głosem. Wigilię przecież mamy!

Opowieścią Dominiki żywo zainteresowała się Iwonka.

– Hanka, no przecież nam możesz powiedzieć... – prosiła.

– Ależ z ogromną przyjemnością opowiedziałabym wam jakąś romantyczną historię z mojego życia, ale niestety musiałabym ją wymyślić. – Popatrzyła na Dominikę piorunującym wzrokiem, który niestety nie wpłynął na pohamowanie jej wybujałej wyobraźni, bo przyglądała się jej z uśmiechem i nie zamierzała zakończyć tematu.

– A to ci dopiero katoliczka! Wigilia, a ona łże jak pies!

– Dominika, zaraz cię uduszę! – nie wytrzymała Hanka.

– O! Proszę! Jeszcze mi grozi, a za chwilę powędruje ze złożonymi w amen rączkami na pasterkę.

– A oczywiście, że powędruję! – przerwała siostrze. – Pomodlić się przede wszystkim o mądrość dla ciebie i pokorę. Ale zanim pójdę, to może opowiem o twojej wielkiej miłości? Bo jest o czym mówić, nieprawdaż? – Ucieszyło ją, że uwaga słuchających kobiet skupiła się na osobie Dominiki.

– Co tu wiele gadać? Mój Przemek jest boski, i to pod każdym kątem – Dominika przewróciła oczami w uniesieniu. – Nawet na każdej płaszczyźnie! – dodała tak sugestywnie, że nawet pani Irenka, pomimo dzielącej ich różnicy wieku, pojęła treść, którą Dominika chciała przemycić.

– Widzę, że wy w tej Warszawie całkiem dobrze się bawicie. – Iwona parsknęła śmiechem.

– Kto się bawi, ten się bawi! Nieprawdaż, święta Hanno? – Dominika patrzyła na nią i znów triumfowała.

– Dominika! – podniosła głos pani Irenka – A dajże już dziewczynie spokój.

– To przecież dla jej dobra, pani Irenko! – broniła się Dominika. – Pojawił się fajny gość na horyzoncie, to zachwalam, jak mogę...

Hanka patrzyła na Dominikę i czuła gdzieś w środku, że jeżeli się nie podda, to ta nigdy nie skończy.

– Dobrze. Nie przeczę. Jest miły. Ale zastanów się. Przecież poznałam go wczoraj wieczorem, więc nie wymagaj, żebym już dziś była zakochana, i to bez pamięci. – Patrzyła poważnie na Dominikę i była pewna, że już nigdy w życiu nie zrobi niczego bez pamięci, która nie odstępowała jej na krok. Była z nią zawsze. Nawet wtedy gdy Hania udawała przed sobą, że ma amnezję i z dotychczasowego życia pamięta jedynie swoje imię i nazwisko.

– Ale ja wymagam! Kategorycznie wymagam! Zwłaszcza że aby się zakochać, nie trzeba lat. Wystarczy jedno spojrzenie, wiem, co mówię – dodała lekko i z wdziękiem Dominika, jakby nie dostrzegając jej rzednącej miny.

Dzięki Bogu pani Irenka była uważniejszą obserwatorką, bo wstała i pogłaskała je jednocześnie po głowach.

– Dziewczynki, ubierajmy się – szepnęła zmęczonym głosem. – Jak jeszcze chwilę tu posiedzimy, to w kościele nie usiądziemy. A na stanie przez godzinę to ja za stara już jestem, córeczki wy moje kochane...

Obudziło ją delikatne pukanie do drzwi. Otworzyła oczy i nie mogła uwierzyć w to, co widziała. Do jej pokoju zaglądało jasne słońce, rozlewając się na kołdrze, którą była nakryta. Pukanie się powtórzyło.

– Proszę – powiedziała, siadając na łóżku i podciągając kołdrę pod szyję.

Zamknięte do tej pory drzwi uchyliły się leciutko i zobaczyła w nich kubek w muszle obejmowany dłonią pani Irenki. Jej ulubiony, letni kubek. Uśmiech pani Irenki, który widziała w tej chwili, zwiastował bardzo udany dzień.

– Dzień dobry, pani Irenko. Jest pani kochana – uśmiechnęła się od ucha do ucha, a pani Irenka maszerowała w jej kierunku żwawym krokiem.

– Widziałaś? – spojrzała w okno. – To chyba z okazji Bożego Narodzenia. Dawno tu u nas nie było słońca, oj dawno. Mogę? – zapytała pani Irenka, zdradzając chęć przycupnięcia na jej łóżku.

– Bardzo proszę – zachęciła, biorąc podawany przez nią kubek. – Mój ulubiony... – powiedziała, czując na rękach cudowne herbaciane ciepło.

– Wiem – uśmiech nie schodził z ust pani Irenki.

– Która jest godzina?

– Po dziewiątej, gołąbeczko.

– Przepraszam, że tak długo spałam, ale...

– Hanusiu, spokojnie. Wszyscy jeszcze śpią. Przyszłam do ciebie, bo wczoraj to nawet nie było jak porozmawiać. Hanusiu, ja podziękować przyszłam – zaczęła i jej oczy nie wiadomo kiedy napełniły się łzami.

– Podziękować? Pani Irenko! To ja powinnam pani podziękować za piękną wigilię. W Warszawie taki radosny wieczór byłby niemożliwy. A tu, u pani, poczułam się jak w rodzinie.

– Nie, Hanusiu. To ja dziękuję. Za te wszystkie prezenty. Przecież musiałaś na nie wydać majątek.

– Najważniejsze, że się podobały, a o pieniądzach proszę nawet nie myśleć. To jedyna rzecz, której mi w życiu nie brakuje. Poza nimi nie mam nic. Tato zabezpieczył mnie do końca życia. Czasami zastanawiam się, dlaczego to zrobił. Czy to możliwe, żeby coś przeczuwał? – zamyśliła się na chwilę. – A poza tym Dominika miała również swój udział w podchoinkowych niespodziankach.

– Hanusiu, ale naprawdę nie trzeba było się tak wykosztowywać... – powtarzała pani Irenka.

– A chociaż się pani spodobały? – przerwała jej.

– Ależ Hanusiu, wczoraj na pasterce w tym kapeluszu i szaliku to czułam się jak co najmniej sama królowa angielska. A dziś rano modliłam się już z tej nowej książeczki. O miłość się modliłam, dla ciebie. Żeby przyszła jak najszybciej.

– Pani Irenko... – zaczęła, ale nie dane jej było dokończyć.

– Pomyśl, Hanuś. A może Dominika to rację ma, że od ciebie wymaga zainteresowania się tym mężczyzną. Mówiła mi wczoraj, że on patrzy na ciebie jak w obraz i tego jej Przemka wypytywał, czy masz kogoś czy jakoś tak. Nie zapamiętałam dobrze.

Hania, słysząc to, co mówiła pani Irenka, zrobiła srogą minę, jednak gdzieś bardzo głęboko poczuła miłe ciepło, którego obecność szybko wytłumaczyła padającymi na jej twarz promieniami słońca.

– Pani Irenko, ja nie zaprzeczam. Jest bardzo sympatyczny i w dodatku przystojny. Ale ja nie wiem... Ja nie mogłabym chyba... – nie potrafiła nazwać słowami uczuć, które ją dręczyły.

– Ale, dziecko, ty musisz próbować – zaczęła pani Irenka, jakby czytając w jej myślach. – Choćby ci się co chwila wydawało, że sobie nie poradzisz.

– Jak tak dalej pójdzie, to mam szansę tylko na to, żeby go znielubić, bo dopiero go poznałam, a wszyscy dookoła wymagają, żebym się natychmiast zakochała.

– Bo chcemy dla ciebie dobrze.

– Ale ja o tym wiem, pani Irenko. Tylko... – kolejny raz nie potrafiła dokończyć rozpoczętego zdania.

– Haniu, ja nie przyszłam, żeby ci mówić, w kim i kiedy masz się zakochać. Ja przyszłam, żeby nawkładać ci do twojej mądrej głowy, że musisz wierzyć, że jeszcze wszystko przed tobą.

– To już chyba wolę się zakochać – uśmiechnęła się, popijając swój żarcik pyszną herbatą.

– A może uda się jedno z drugim połączyć? – zapytała chytrze pani Irenka.

Nagle otworzyły się drzwi i do pokoju weszła Dominika.

– A wy tu co?! – zapytała, jakby odkryła jakiś spisek przeciwko niej. – Widziałyście, jaka dziś pogoda? Po prostu idealna na spacer – odpowiedziała szybko na własne pytanie. – Pani Irenko, jaki plan na dziś?

– To zależy, co chciałybyście robić.

– Ja chciałabym iść na spacer... Po plaży... – powiedziała Hanka rozmarzonym głosem i zamknęła oczy.

– To idę z tobą! – podchwyciła pomysł Dominika.

– Nie! – zaprzeczyła Hanka zdecydowanie.

– A to czemu?

– To wy się tu przekomarzajcie, a ja przygotuję śniadanie – powiedziała pani Irenka.

– Pani Irenko, ale nie ma mowy. Już wstaję i jestem gotowa do pomocy. – Hanka zerwała się z łóżka.

– Oj, dzieci. Poleżcie jeszcze, pogadajcie sobie. Zresztą ja nieprzyzwyczajona jestem do tego, że mi się ktoś plącze po kuchni. Przecież zawsze wszystko robię sama.

– W takim razie, pani Irenko, my z Dominiką będziemy dowodzić kuchnią po posiłkach. Nawet sobie pani nie zdaje sprawy, jaka ona jest perfekcyjna na zmywaku. – Hania zerkała na Dominikę wesołym wzrokiem, w chwili gdy ta wchodziła do jej łóżka i bezlitośnie ściągała z niej kołdrę, ciągnąc w swoją stronę.

– Nie na zmywaku, tylko w porcelanie, skarbusiu! – Dominika udawała słodką i przytulała się do niej.

Pani Irenka, widząc tę idyllę, roześmiała się szczerze.

– Za pół godziny zapraszam na bożonarodzeniowe śniadanko – powiedziała i energicznie wstała.

– A dlaczego ona dostała herbatę, a ja nie? – Dominika umiejętnie udawała obrażoną.

– Bo ja jestem fajniejsza! – odpowiedziała Hanka, teatralnie poprawiając fryzurę, nie zwracając uwagi, że pytanie nie zostało skierowane do niej.

– Nie martw się, Dominisiu, ty też jesteś fajna. A herbatkę do łóżka dostaniesz jutro, bo jutro twoja kolej – pocieszyła ją pani Irenka i delikatnie zamknęła za sobą drzwi.

Pozostali domownicy musieli jeszcze spać. W domu panowały cisza i spokój. Dominika leżała obok i przyglądała się badawczo Hani.

– Co mi się tak przyglądasz?

– Zastanawiam się... – Dominika przykryła się szczelniej kołdrą. – Ale tu dobrze, nie?

– Bosko! – zgodziła się z nią.

– Popatrz, jakie to życie jest popaprane i niesprawiedliwe. Niektórzy mają normalne rodziny. Dzieci, wnuki. Fajne te dwie małe – urwała. – Ja tu się czuję ekstra, ale wiem, że jestem taka...

– Jaka? – zapytała szybko Hanka, nie chcąc, żeby któraś z nich bez sensu się rozkleiła.

– Taka... No przecież wiesz...

– A skąd mam wiedzieć?

– Taka doklejona – powiedziała w końcu Dominika.

– To teraz posłuchaj – za wszelką cenę chciała skierować myśli Dominiki na inny tor. – Jeżeli dzisiaj choć jeden raz zaczniesz znowu temat Pana... Karpia – dokończyła po chwili, nie chcąc wtajemniczać Dominiki w inne nazewnictwo – to cię skutecznie odkleję od tego towarzystwa. Zrozumiano!?

– Mister Karp? Mister Karp? – powtarzała jak w gorączce Dominika. – A kto to jest ten Mister Karp?

– Cieszę się, że się rozumiemy – odetchnęła z ulgą.

– Nie powiem ani pół słowa, słowo harcerza! – Dwa palce Dominiki powędrowały ku górze. – Ale nie możesz mi zabronić wyobrażać sobie, jak trzyma swoje piękne ręce na twoich kształtnych...

Hanka chwyciła poduszkę, na której opierała głowę, i przydusiła nią z całej siły głowę Dominiki.

– Błagam cię! – krzyknęła przyjaciółka. – Zlituj się nade mną!

Na sekundę uniosła poduszkę, żeby spojrzeć na Dominikę.

– Ale fajny klimacik, nie? – zapytała Dominika, mając gdzieś jej błagania, i uśmiechnęła się tak jak ubrany w kraciasty kaszkiet cwaniak z Kapeli Czerniakowskiej.

Dlatego Hanka znów zakryła jej twarz poduszką, która niestety niezbyt skutecznie tłumiła wydobywający się spod niej krzyk Dominiki.

– Jak to pięknie umierać za prawdę! – słyszała i dociskała ją mocno poduszką, ale niestety siostra była niezniszczalna. Mięśnie zaczęły Hance odmawiać posłuszeństwa. Musiała się poddać. Uniosła poduszkę.

– Idę się kąpać – powiedziała, dysząc.

– Jak chcesz, to umyję ci plecy – zaproponowała przymilnie Dominika, celowo ją denerwując.

– Nie zasłużyłaś! Nie odzywam się do ciebie! – wstała, odrzucając na nią swój fragment kołdry.

– Nie wiem, jak to przeżyję! – mówiąc to, Dominika naciągnęła kołdrę na rozczochraną głowę.

Zaczęła chrapać tak głośno, że wchodząc pod prysznic, Hanka nie mogła zebrać myśli. Spinając włosy, miała wrażenie, że w jej łóżku śpi nie Dominika, tylko zmęczony pracą w kamieniołomach Fred Flinston.

Dzień był piękny, choć mroźny. Stała na zasypanej śniegiem i skąpanej w słońcu plaży. W oddali widziała dużą rodzinę łabędzi, pewnie wielopokoleniową. Przy wierności charakteryzującej te ptaki nietrudno było spotkać taką właśnie rodzinę. Nareszcie mogła zebrać myśli. Spacer po śniadaniu okazał się tylko pobożnym życzeniem, ponieważ Iwonka pomagała pani Irence przygotowywać obiad. Natomiast Jurek musiał stawić się u sąsiadów własnej teściowej jako brygada ratunkowa. Mieli kłopot z kanalizacją. W ich domu zatkała się rura odprowadzająca wodę z kuchennego zlewu. Jurek zabrał z sobą bardzo długą spiralę. Widziała taką pierwszy raz w życiu. Pani Irenka biadoliła, że musiało się to wydarzyć akurat w takim dniu. Zawsze była gotowa do udzielania pomocy innym, dlatego wysłała z pomocą własnego zięcia.

Słońce było coraz niżej, jednak Hania wciąż czuła jego ciepło na policzkach. Zamykała oczy, chcąc chłonąć optymistyczny pomarańcz. Niestety, przymknięte powieki otwierały przed nią dziś otaczającą ją ze wszystkich stron bladożółtą płaszczyznę. Inna barwa ulubionej światłoterapii nie przeszkadzała jej w odpoczynku. Wpływała na nią kojąco. Zwłaszcza że ostatnie godziny spędziła na intensywnej zabawie z dziewczynkami. Lalki z małymi bobaskami zrobiły furorę. Jednak różowy samochód był niepodzielnym zwycięzcą prezentowych zmagań. Obie z Dominiką na czas zabawy dostały lalkowy przydział i musiały wciąż dopasowywać się do pomysłów Zuzy, która rządziła zabawą, ustalając co chwila inny, nowy, lepszy scenariusz. Pokornie i grzecznie ubierały lalki, tylko po to żeby za chwilę je rozbierać. Udawały, że są u lekarza, a za chwilę na ogromnych zakupach. Później reperowały samochód, który niestety spadł ze skarpy, ale na całe szczęście podczas upadku złapał tylko gumę. W pewnym momencie miała serdecznie dość, więc wybrała się ze swoją lalką do sanatorium mieszczącego się na kanapie. Jednak gdy tylko na niej usiadła, okazało się, że musi natychmiast podnieść nogi, bo kanapa stała się nagle wyspą, wokół której pływały głodne i „ogromniaste" rekiny. Wyobraźnia Zuzy była nieograniczona. Ula była podczas zabawy bardzo ugodowa, jednak też usiłowała, z różnym skutkiem, wprowadzać i realizować własne pomysły. Na przykład naznosiła różnych pudełek, głównie po lekach babci, i postanowiła, że urządzi dzięki nim pokoje lalkom. Najlepiej z całej czwórki bawiła się Dominika. Na czas zabawy zamieniła się w niespotykanie kreatywną rówieśnicę bliźniaczek. Doskonale rozumiała reguły gry obowiązujące w lalkowym świecie. Śmiała się do rozpuku, udawała różne głosy, potrafiła zamienić się w każdego w zależności od nagłych potrzeb generowanych głównie przez Zuzę. Była znów mała dziewczynką z tą różnicą, że tym razem nie paraliżował jej strach przed pijanym ojcem i jego alkoholowym zamroczeniem. Bawiła się w najlepsze, realizując swoje dziecięce marzenie o lalce, którą pierwszy raz dostała dopiero od Hani. W prezencie na ósme urodziny.

Słońce zginęło za chmurami, które łączyły się w oddali z morzem niewyraźną kreską horyzontu. Na plaży oprócz niej nie było żywego ducha. Nawet rodzina łabędzi gdzieś się czarodziejsko zdematerializowała. To niewyobrażalne, ile ciepła potrafiło dawać słońce. Gdy tylko zniknęło, od razu zrobiło się przeraźliwie zimno. Zaczął wiać wiar tak silny, jak wtedy gdy była tu ostatni raz. W sierpniu. Szum morza był dla niej zawsze jednakowo kojący, niezależnie od pory roku. Zerknęła na zegarek. Obiecała, że wychodzi tylko na godzinę, a właśnie mijała druga. Nigdy nie mogła pogodzić się z tym, że czas płynął dwa razy szybciej, gdy było jej dobrze. Natomiast gdy błagała go o przyspieszenie, ciągnął się jak ser na pizzy. Popatrzyła do góry. Niebo zasnuło się ciężkimi, ciemnymi, śniegowymi chmurami. Miała wrażenie, że za chwilę zgniotą jej czapkę. Nie chciała odchodzić, ale przeczuwała, że pani Irenka już się o nią martwi. Poza tym chciała być przy przygotowywaniu świątecznej kolacji, bo do tej pory nie udało się jej w niczym pomóc. Obiecała też dziewczynkom bajkę na dobranoc. Jednym słowem, miała plany, które musiała zrealizować dzisiejszego wieczoru. Plany. Porządkowały i dyscyplinowały jej myśli, które na szczęście coraz rzadziej zbliżały się do przeszłości. Coraz częściej myślała o tym, że nadużywane przez ludzi powiedzenie, iż czas leczy rany, zawierało w sobie jednak pewną mądrość, w którą długo nie była w stanie uwierzyć. Potarła dłonią prawie odmrożony nos i ruszyła w drogę powrotną, ciesząc się, że wszystko, co na nią jeszcze dzisiaj czekało, było warte zaangażowania.

– Tak! Tak! Tak! Bajkę, bajkę! Chcemy bajkę! – krzyczała, skacząc po łóżku, Zuza.

– Ależ Zuzanko, uspokój się, połamiesz łóżko – bezradnie załamywała ręce pani Irenka.

– Dwie bajki! – podwyższała stawkę Zuza, nie zwracając najmniejszej uwagi na prośby babci. – Jedna bajka od cioci Dominiki, a druga od cioci Hani! Jedna dla mnie, a druga dla Ulki! Żeby było sprawiedliwie! Tra la! La! La! Bajka, bajka! – Zuza miała niespożyte siły, podczas gdy Ula spoglądała na nią spokojnie i jakby nigdy nic zapinała guziczki swojej różowej piżamki, w której wyglądała tak słodko, że Hanka miała ochotę ją schrupać.

– O, nie! – zaprotestowała żywiołowo Dominika. – Ja się nie zgadzam! Byłam już dzisiaj weterynarzem, mechanikiem, lekarzem, rekinem, a nawet szpiegiem. Padam! Chcę spać! Koniec tego dobrego! A w dodatku nie znam żadnych bajek. Dla grzecznych dziewczynek – dodała, spoglądając na Hankę i jednoznacznie dając do zrozumienia, co, a raczej kto, jej się właśnie błąka po głowie. – Nie to co ciocia Hania. Ona jest mistrzynią w bajkowaniu.

– Ale my chcemy bajkę dla niegrzecznych dziewczynek! – podchwyciła szybko Zuza. – O wiedźmach! Albo lepiej o potworach, które plują zielonymi glutami!

Słysząc to, pani Irenka najpierw uniosła oczy do nieba, później w poddańczym geście ręce do góry, nad głowę, po czym wyszła z sypialni bez słowa. Dominika, nie zważając na wyjące protesty Zuzy, poszła w ślady pani Irenki. Zamykając za sobą drzwi, zdążyła Hani tylko życzyć powodzenia.

– To co? – zapytała Hania, usiłując ukryć swoją bezradność.

Zuza była niczym nieposkromiona złośnica.

– Bajka! Bajka! Bajka! – darło się to dziewczę prawie bez przerwy.

Hance wydawało się, że ta mała wcale nie traciła sił. Wprost przeciwnie, krzyczała coraz głośniej, niczym rozentuzjazmowany kibic na meczu piłki nożnej. Wuwuzela mogłaby się wiele od niej nauczyć albo w przeciwnym razie popaść w trudne do wyleczenia kompleksy. Ula leżała już w swoim łóżku i przytulała do siebie brązowego misia. Chyba ulubionego.

– Będzie bajka! – Hanka musiała podnieść głos, żeby się usłyszeć. – Ale pod jednym warunkiem! – użyła stanowczego tonu, wyćwiczonego do perfekcji na lekcjach.

– Bez warunków! – odkrzyknęła, patrząc jej prosto w oczy Zuza.

Tego było za wiele.

– Zuza! – krzyknęła. – Jeżeli za chwilę nie ubierzesz się w piżamę i nie położysz do łóżka, to opowiem bajkę tylko Uli, bo ona jest już gotowa, a ty co? – Tym razem musiała być bardziej przekonująca, bo krzykaczka, co prawda z ociąganiem, ale zaczęła wkładać spodnie od piżamy.

– Do ilu liczysz? – zapytała rzeczowo Zuza.

Hania potrzebowała krótkiej chwili, żeby zrozumieć, o co chodzi tej małej terrorystce.

– Do trzech – zaczęła powolne odliczanie. – Jeden... Dwa... – Nie miała szansy dokończyć, bo Zuza znów zabrała głos.

– Dwa i połowa i liczysz od nowa!

– Nie liczę od nowa! Trzy! – Była nieugięta.

Na całe szczęście Zuza wślizgiwała się już pod kołdrę i wszystko byłoby dobrze, gdyby nie to, że jej palec wskazujący znalazł się nagle w prawej dziurce małego noska. Widząc to, poczuła się bardzo zmęczona. Marzyła o ciepłym łóżku, bo dopiero po powrocie ze spaceru poczuła, jak bardzo przemarzła na plaży. Wciąż wierząc w swoje umiejętności pedagogiczne, które zostały dziś wystawione na ciężką próbę, postanowiła zmienić taktykę.

– Zuza, proszę cię. Nie wiesz, że dłubanie w nosie jest niehigieniczne?

– Coś ty, ciocia! Nie wiesz, że palec to świder, a nos to kopalnia?

Nagle z drugiego łóżka dał się słyszeć głos Uli, która od dłuższego czasu leżała spokojnie i cierpliwie czekała na obiecaną bajkę:

– Babcia Irenka mówi właśnie odwrotnie. Palec to nie świder, a nos to nie kopalnia.

– Babcia to! Babcia tamto! – przedrzeźniała ją wyjątkowo niegrzecznie Zuza.

– Zuza! – Hania podniosła głos, zbliżając się do kresu własnej wytrzymałości. – Jesteś gotowa na bajkę?!

– Od dawna!

Hanka nie mogła pojąć, skąd w takiej małej istotce brał się tupet salonowej lwicy.

– To nakrywamy się po same nosy! Zamykamy oczy i staramy się wyobrazić sobie wszystko, co będziemy słyszeć – spojrzała na Zuzę, bo miała pewność, że Ula wykonała jej polecenie. Zdziwiła się, Zuza bez komentarza również zrobiła to, o co poprosiła. Może nareszcie poczuła się chociaż trochę zmęczona.

Hanka wzięła głęboki wdech i miarowym, jednostajnym, uspokajającym emocje całego dnia głosem zaczęła opowiadać znaną tylko sobie historię.

– Pewnego razu był sobie mały aniołek. Niestety, był bardzo nieszczęśliwy. Jego największym nieszczęściem było to, że go wcale nie było. A jego największym marzeniem było to, żeby mógł być. Długo zastanawiał się, co zrobić, żeby być, żeby małymi oczkami patrzeć na świat i żeby znaleźć jakieś miłe miejsce do zamieszkania... – Zerknęła na dziewczynki.

Ula leżała z zamkniętymi oczkami, tak jak im poleciła wcześniej. Natomiast Zuza, złożywszy obie dłonie pod policzek, na którym leżała, wpatrywała się w nią dużymi, nieruchomymi oczami. Wyjątkowo milczała. Hanka mogła powrócić do swojej opowieści.

– Aniołek myślał i myślał, i myślał, i nic nie wymyślił. Gdy już pogodził się z tym, że nigdy nie będzie miał maleńkich nóżek ani rączek, zobaczył przez duże okno, obok którego właśnie przelatywał, małą, ładną dziewczynkę robiącą coś w towarzystwie swej mamy. Aniołek zauważył, że obie były pochylone nad ogromną stolnicą i robiły coś z mąki. Dziewczynka miała nawet nią śmiesznie pobrudzony nosek.

– Ciociu, a co to jest stolnica? – zapytała spokojnym głosem, nie otwierając oczu, Ula.

– Stolnica jest to przyrząd kuchenny. Jest wykonany z drewna. Jest duży. Ma zwykle kwadratowy kształt i służy gospodyniom najpierw do wyrabiania, a później do rozwałkowywania ciasta. Na przykład na pierogi – wyjaśniła szybko i kontynuowała anielską opowieść. – Aniołek, gdy tylko zobaczył dziewczynkę i jej mamę, od razu zapragnął je poznać. Widział, jak zgodnie pracowały, i pomyślał, że na pewno są miłe, bo pracując, wciąż się do siebie uśmiechały. Nie myśląc wiele, przefrunął przez lekko uchylone okno i przysiadł na brzegu stolnicy, obserwując wszystko, co się na niej działo. Widział piękne ciasteczka o różnych kształtach. Były tam serduszka, laleczki, kwiatuszki i różne zwierzątka. „Mamusiu – odezwała się dziewczynka – zobacz, jakie mamy szczęście! Ciasteczka są już gotowe, a nam zostało jeszcze trochę mąki. Może dodamy do niej trochę soli i wody i zrobimy masę solną. Będziemy mogły wtedy ulepić z niej coś pięknego". Mama spojrzała na dziewczynkę z uśmiechem i zapytała: „Bardzo tego chcesz?". „Bardzo! Bardzo!", odrzekła podekscytowana dziewczynka. „W takim razie bierzmy się do pracy. Przynieś, Agatko, ze spiżarni sól, bo mąkę przecież już mamy". Aniołek przyglądał się, jak dziewczynka szybko przyniosła sól, i cieszył się bardzo, że zna już jej imię. Jego nowe znajome zabrały się do pracy. Mieszały, polewały wodą, znowu mieszały, ugniatały, wyrabiały ciasto na jednolitą masę, aż w końcu na stolnicy leżał przed nimi spory kawałek masy solnej. Aniołek nie mógł wyjść z podziwu, jak zgodnie z sobą współpracowały. „Agatko? – zapytała mama, spoglądając na masę solną. – I co teraz? Co z niej ulepimy?" „Aniołka!", zaproponowała z pięknym uśmiechem mała artystka. Aniołek, słysząc to, nie mógł uwierzyć, że oto spełniało się jego największe marzenie. Od razu zrozumiał dlaczego, gdy tylko zobaczył tę małą dziewczynkę, zapragnął znaleźć się w jej pobliżu. Przecież to właśnie ona miała mu pomóc w spełnieniu jego największego marzenia.

– Śpicie? – zapytała Hania cichutko.

Ula pokręciła przecząco głową.

– I co było dalej? – zapytała nieprzytomnym ze zmęczenia głosem Zuza.

– Mama z córeczką ulepiły na początku główkę i rączki – Hanka wróciła do opowiadania, z trudem opanowując zmęczenie i ziewanie utrudniające mówienie. – Z brzuszkiem i nóżkami miały pewien kłopot, postanowiły więc, że ulepią aniołkowi piękną, długą suknię, która zakryje mu i brzuszek, i nóżki. Okazało się, że pomysł z sukienką był doskonały, gdyż już za chwilę leżał przed nimi piękny aniołeczek w szerokiej sukni i z okrągłą jak piłeczka główką. Agatka przyglądała mu się chwilkę i rzekła: „Mamo, przecież aniołek nie może być łysy jak kolano. Każdy prawdziwy aniołek ma anielskie włosy". „Tak! Tak! – chciał podpowiedzieć im aniołek. – Muszę mieć anielskie włosy! Nie pokażę się przecież nikomu łysy!" Nie mógł, niestety, powiedzieć ani słowa, bo nie miał jeszcze ust. „Ale jak my mu zrobimy takie anielskie włosy?", głośno zastanawiała się mama dziewczynki. „Może przepuścimy masę solną przez wyciskarkę do czosnku?", zaproponowała niepewnie Agatka. Jej pomysł mama uznała za doskonały i za kilka chwil aniołek z zadowoleniem pysznił się niewyobrażalnie pięknymi anielskimi włosami. „A teraz...", zaczęła mama. „A teraz... – powtórzyła Agatka. – Musimy go utwardzić w ciepłym piekarniku". Aniołek, słysząc to, przestraszył się nie na żarty, ale musiał zaufać swoim twórczyniom. Wiedział, że czasami tak bywa, nawet w anielskim życiu, że marzeniom trzeba pomagać. Bez naszej pomocy często nie mają szans, żeby się zrealizować. Aniołek czekał więc cierpliwie, aż się utwardzi podczas niezbyt długiej i wcale nie takiej strasznej wizyty w piekarniku. Odetchnął z ulgą, gdy go opuścił. Znów musiał czekać, żeby wystygnąć, bo piekarnik opuścił w bardzo rozgrzanym stanie. Gdy był już całkiem chłodny, usłyszał słowa Agatki. „A teraz..." „A teraz... – powtórzyła mama. – Przynieś, Agatko, szybciutko farbki, bo aniołek nic nie widzi, a na pewno chciałby popatrzeć na świat namalowanymi przez ciebie oczkami". „Tak! Tak! Chciałbym! Bardzo!", pomyślał aniołek z trudem panujący nad rozpierającą go radością. Za kilka sekund farbki, pędzelek i kubeczek z wodą znalazły się obok niego. „Mamusiu, a może najpierw pomalujemy aniołkowi sukienkę? – zaproponowała Agatka. – A dopiero później namalujemy mu oczka. Jak je otworzy, to będzie szczęśliwy, że tak pięknie wygląda".

– Śpicie? – zapytała Hania.

Zuza tylko coś mruknęła pod nosem, a Ula pokręciła głową. Hanka opowiadała więc dalej.

„Jesteś genialna, córeczko! – uśmiechnęła się promiennie mama, której pomysł Agatki bardzo się spodobał. – Najpierw sukienka!" I za niecałe pięć minut sukienka aniołka mieniła się wszystkimi kolorami tęczy. Mieniła się, ponieważ Agatka, gdy tylko ją pomalowała na czerwono, posypała ją złotym i kolorowym brokatem. „A teraz szybciutko namaluj mu oczka", poprosiła mama, a Agatka w wielkim skupieniu namalowała na twarzyczce aniołka dwa maleńkie, czarne jak węgielki oczka. „Ja widzę!", chciał krzyknąć aniołek. Niestety, mu się to nie udało. Nie miał przecież jeszcze usteczek. „A teraz...", kolejny raz powiedziała mama. „Usteczka!", radośnie krzyknęła Agatka i namalowała aniołkowi czerwone, kształtne i rozciągnięte w uśmiechu usta. „Jestem! – krzyknął bardzo głośno aniołek. – Jestem! Spełniło się moje największe marzenie! Jestem! Jestem szczęśliwy!" Aniołek wykonywał podsufitowe akrobacje, widząc swoją piękną, błyskającą w promieniach słońca sukienkę schnącą na stolnicy. „Mamo, słyszałaś coś?", zapytała cicho Agatka. „Tak, kochanie. To na pewno aniołek cieszy się, że znalazł u nas dom". „To niesamowite! – westchnęła Agatka. – Nie było go, a już jest". „Ależ Agatko, on był cały czas, tylko nie z nami", powiedziała poważnie mama. Agatka przyglądała się mamie, nie rozumiejąc. „Jak to był?", zapytała. „Widzisz, córeczko, w życiu jest tak, że czasami wydaje się nam, że czegoś nie ma. A to jest, często nawet bardzo blisko nas. Tylko my albo nie umiemy, albo, co gorsza, nie chcemy tego zobaczyć. Pamiętaj, że przez całe życie musisz być uważna, spostrzegawcza i wrażliwa, żeby dostrzegać wszystko. A zwłaszcza to, czego na pierwszy rzut oka nie widać". „Mamo?" „Tak, córeczko?" „A ten aniołek, to on nas widzi?", zapytała Agatka. „Widzę was! Widzę!", krzyczał aniołek, siedząc Agatce na ramieniu. „Oczywiście, że nas widzi!", zaśmiała się mama. „Na pewno?", wciąż nie dowierzała Agatka. „Jestem tego pewna", powiedziała z wielkim przekonaniem w głosie mama i mocno przytuliła Agatkę. Od tamtej pory aniołek mieszka w ich domu. Poznał tatę Agatki i jej maleńkiego braciszka. Przysiada tam, gdzie mu się podoba, i widzi wszystko, nawet to, czego inni nie zauważają, bo jest mądrym, szczęśliwym i kochanym aniołkiem.

– Teraz to już na pewno śpicie – szepnęła z dumą.

Cieszyła się, że dotarła do końca swojej ulubionej bajki, nie skracając jej ani na jotę. Ziewnęła i stąpając na palcach, podeszła do drzwi. Jednak gdy tylko dotknęła chłodnej klamki, usłyszała szept Uli.

– Ciociu, a co na przykład jest, a tego nie widać?

Nie była przygotowana na takie pytanie. Ula kolejny raz dzisiejszego dnia ją zaskoczyła. Nie dosyć, że nie zasnęła, to ewidentnie była mocno poruszona jej opowieścią.

– Kochanie, na przykład nadzieja – odpowiedziała, zanim tak naprawdę zdążyła się zastanowić. – Nie widać jej, a jest zawsze. A teraz śpij, żeby mieć siłę na jutrzejszą zabawę. Dobranoc, kochanie. Do zobaczenia. Do jutra.

– Dobranoc, ciociu – usłyszała, otwierając drzwi.

Zamknęła je cicho. Dom był pogrążony w prawie absolutnej ciszy zakłócanej tylko odgłosami z kuchni, obok której właśnie przechodziła. Kuchenny zegar odmierzał czas niesłyszalnym w ciągu dnia tykaniem, a szum pracującej bez wytchnienia lodówki przypominał mu, że nie tylko on ma coś do powiedzenia tej nocy. Wchodząc do swojej sypialni, wciąż była zdziwiona pytaniem zadanym przez Ulę i własną odpowiedzią. Lecz zdziwiła się jeszcze bardziej, gdy dotarło do niej, że położywszy się do łóżka, nie mając nawet siły na umycie zębów, pomyślała o Panu Spóźnionym. Przypomniała sobie wyraz jego oczu, gdy nachylał się nad nią i delikatnie dotykał jej ramienia, żeby ją obudzić. Był w tym momencie taki... Sama nie wiedziała... „Chyba zwariowałam?", pomyślała, obarczając Dominikę odpowiedzialnością za własne myśli. Naciągnęła kołdrę na głowę. Chciała zasnąć jak najszybciej. Jednak jej myśli niebezpiecznie krążyły wciąż w okolicach morskich oczu Pana Spóźnionego. A może było całkiem inaczej? Może to oczy Pana Spóźnionego zarządzały jej myślami? Może...

– Ja nie wiem, jak ja bez was wytrzymam? – lamentowała pani Irenka.

Od rana była w nie najlepszym nastroju. Bardzo dla niej nietypowym. Głos jej się trząsł i pochlipywała po kątach. Święta dobiegły końca i perspektywa wyjazdu Iwonki całkowicie ją rozstroiła. Jurek musiał już wracać do pracy i zabierał z sobą wszystkie najważniejsze dla pani Irenki kobiety.

– Jest rodzina, są święta. Nie ma rodziny, zostaje tylko dzień za dniem – biadoliła pani Irenka, stojąc na schodach, przyglądając się zięciowi, który pakował bagaże do samochodu.

– Pani Irenko – zaczęła cicho Dominika – tylko spokojnie i bez nerwów. My z Hanką jeszcze kilka dni zostajemy... – nie skończyła, bo na schodach zawrzało.

– Ulka! Nie pchaj się! Mamo, a Ulka się na mnie wpycha! – Zuza robiła minę ciężko doświadczanej przez los.

Iwona spojrzała srogim okiem na obie dziewczynki i powiedziała zmienionym ze zdenerwowania głosem:

– Proszę się ładnie ze wszystkimi pożegnać, wsiąść do samochodu i chociaż przez dwadzieścia minut się nie odzywać, nawet słowem, bo nie ręczę za siebie – głos jej się trząsł, a oczy błyszczały wzruszeniem.

Pożegnanie Zuzy było dynamiczne i obfitujące w gorące całusy. Pani Irenka go nie zniosła i zalała się łzami. W Hanki gardle natomiast znowu zamieszkała jej stara dobra znajoma, wigilijna gruszka. Rozgrzeszała się jednak, patrząc na Dominikę, której ręce, nie wiedzieć czemu, dziwnie krążyły wokół oczu. Trzymała się dzielnie tylko do momentu, w którym podeszła do niej Ula. Jedno spojrzenie tej małej i rozbeczała się na dobre. Ula jednak, nic sobie z tego nie robiąc, podała jej małą rączkę i zapytała szeptem:

– Ciociu, a czy ja mogę mieć na coś nadzieję?

– Ależ oczywiście – odpowiedziała Hanka, wygrywając starcie z gruszką.

– Bo ja bym bardzo chciała, ciociu, żebyśmy jak się spotkamy następnym razem, zrobiły takiego aniołka jak ta Agatka z bajki o aniołku.

– Zrobimy, obiecuję ci...

Dobrze, że podeszła do niej Iwona i zaczęła ściskać ją bez znieczulenia, bo w przeciwnym razie nie poradziłaby sobie ani z gruszką, ani ze łzami, ani z sobą.

– Iwona, Iwona... – dyszała. – Chcesz mnie zadusić? – Potok łez płynący po jej twarzy zadziwiał ją, ponieważ myślała, że wypłakała już ich przydział na całe życie. Okazało się, że była w błędzie. Łzy wróciły do niej z dalekiej podróży. Potrafiła znów płakać. – Przyjedźcie do mnie do Warszawy. Pokażemy dziewczynkom miasto, pójdziemy do teatru, pobędziemy trochę z sobą...

Słysząc słowa Hanki, Ula pociągnęła Iwonę delikatnie za rękaw, a gdy ta na nią zerknęła, mała zdumiała się i wypowiedziała tylko jedno słowo. Najmagiczniejsze słowo na świecie.

– Proszę... – Przytuliła się do wciąż trzymanego rękawa Iwony i przymknęła oczka.

Iwona głośno wydmuchała nos.

– Nie potrafię odmówić ani jej – zerknęła na wciąż wtuloną w rękaw kurtki Ulę – ani tobie. Przyjedziemy. Na pewno przyjedziemy. Może na ferie zimowe, na kilka dni.

– Kiedy tylko chcecie... – wydusiła z siebie z ledwością Hanka, bo uparta gruszka znów się rozkokosiła w jej przełyku.

– Przestańcie już ryczeć! – wrzasnął im nad uchem Jurek. – Jedziemy!

Zgarnął Ulę i Iwonę do samochodu, w którym Zuza zajęła już swoje miejsce i z nosem przyklejonym do szyby robiła miny cyrkowego klauna. Gdy wszyscy zajęli pozycje podróżne, Jurek, chyba wbrew przepisom unijnym, zatrąbił i już ich nie było.

Hanka stała przy furtce, patrząc na ośnieżoną ulicę. Na ślady opon odciśnięte w śniegu zaczął padać drobny puszek śniegowy zaproszony do tańca przez lekki, prawie wiosenny wiaterek. Chwilową ciężką ciszę przerwała oczywiście Dominika.

– Herbatka? – zapytała.

– Z cytrynką? – Hanka rozbudowała, pytanie nadając mu optymistyczny ton.

– Z ciasteczkiem! – dodała pani Irenka takim tonem, jakby przed sekundą otrzymała zastrzyk pozytywnej energii.

Potuptały do domu, gubiąc na schodach śnieg otulający ich buty. Weszły do wciąż pachnącego pysznościami wnętrza domu, które jeszcze przed chwilą wypełniały śmiech, wrzask i tupot wciąż spieszących się nóżek. Jeszcze przed chwilą modliła się o ciszę, a teraz okazywało się, ile uroku miał w sobie wrzask Zuzy, nie wspominając o powłóczystych spojrzeniach Uli. Kuchnia pachniała szarlotką. Za oknem szarzało. Maleńkie śnieżynki przeszły szybką, spotykaną często w przyrodzie przemianę pokoleń i były teraz gigantycznymi gwiazdami gubionymi przez nieboskłon. Dominika zaświeciła stojący na parapecie lampion podtrzymywany przez brokatowe renifery. Patrzyła na sączące się z niego światło jak zahipnotyzowana. Rogi reniferów świeciły blaskiem, którego nie powstydziłyby się kryształy Swarovskiego. Było ciepło, cicho i bezpiecznie. Pani Irenka krzątała się przy herbacie, a Dominika szukała czegoś w torebce.

– O Jezusie nagusieńki! – krzyknęła nagle, patrząc na wyciągnięty z niej telefon. – Jedenaście nieodebranych połączeń! – Pocałowała Bogu ducha winne urządzonko i uśmiechnęła się rozanielona. – Musi kochać!

– Oj, musi, musi... – powtórzyła pani Irenka, kiwając głową i nie przerywając nakładania dużych kwadratów szarlotki na kryształowe talerzyki.

– Spróbowałby nie! – Hanka chciała dopiec Dominice, która niestety była już tylko tupotem stóp na długim korytarzu. Uśmiechnęła się do siadającej przy stole pani Irenki. – Bardzo sympatyczny ten jej Przemek. Pasują do siebie. Dziękuję, pani Irenko. Nikt na świecie nie robi takiej herbaty jak pani. – Pogładziła jej miękką, chociaż spracowaną dłoń.

– Hanuś, moja Hanuś! Bo w życiu to wszystko lepiej smakuje, jak jest przyprawione miłością. Trzeba jej dodawać wszędzie. Gdzie się tylko da. Nie darmo kiedyś Pan Bóg powiedział, że jak się już u Niego spotkamy, to w pierwszej kolejności rozliczy nas z miłości. No popatrz, Hanuś, nawet mi się zrymowało. Na starość poetka się ze mnie zrobiła.

Hania poczuła dotyk dłoni pani Irenki na swoim policzku.

– A ty jak? – zapytała, przyprawiając pytanie troską. A może miłością?

– Staram się... Jak zwykle do przodu – odpowiedziała Hania zgodnie z prawdą.

– Ale tak dwa do przodu, a trzy do tyłu? – Pani Irenka nie dawała się łatwo zbyć.

– Pani Irenko, ten etap mam już za sobą. Teraz już tylko do przodu. Czasem szybciej, czasem wolniej, ale zawsze przed siebie. A po takich pięknych świętach to już zupełnie pełen optymizm.

– Hanusiu... Święta to święte momenty. Jak będziesz miała tyle lat co ja, to się przekonasz. Może wspomnisz kiedyś moje słowa, jak ja będę już całkiem gdzie indziej. Przecież niedawno Iwonka była taka mała jak jej dziewczynki. Mnie się wydaje, że to było wczoraj. A tu przychodziły jedne święta i następne, i kolejne. Dla mnie to tak naprawdę one odmierzają czas. Towarzystwo przy wigilijnym stole się zmienia. Kogoś ubywa, płaczemy. Ktoś przybywa, kochamy. I tak kręci się to nasze życie wokół świąt. Ale żeby to rozumem objąć, człowiek musi żyć w rodzinie. A teraz co? Ja się pytam, co się z tym naszym światem porobiło. Teraz jakaś durna moda przyszła. Słyszałam, jak mówili w telewizji o jakichś singlach. A ja się pytam, co taki singiel czy taka singielka, tak się mówi? – zapytała.

Hanka szybko skinęła głową, wiedząc, że za chwilę na pewno usłyszy coś mądrego.

– Co taka singielka zrobi, jak jej rodziców zabraknie, z którymi się dzieli opłatkiem? Co to się teraz wyrabia? Tu u nas, na prowincji, to wszystko jeszcze, dzięki Bogu, trochę innym torem idzie. Ale tam u was, Hanuś, to pewnie dziwactw co niemiara?

– Pani Irenko... – zaczęła, czując się trochę jak zdrajczyni tajemnic swojego miasta. – Nie da się ukryć, że jak to pani zwykle mówi, w tej Warszawie żyje się całkiem inaczej. Tempo życia jest zawrotne. Każdy gdzieś biegnie pochłonięty swoimi sprawami. Wszyscy się spieszą, a przecież na głębszą refleksję potrzebne jest zatrzymanie i wyciszenie. Ludzie tego nie mają. Ale to nie jest do końca ich wina, bo często są trybami wielkich korporacyjnych machin rządzących zyskiem całego świata. Ci ludzie mają dzieci, które wychowują dobrze opłacane nianki. Pani Irenko, to są dzieci, które mają wszystko, co pokażą w sklepie palcem. I tym malutkim, i tym już całkiem wyrośniętym, ale przecież i pani, i ja wiemy, że miłości nie da się kupić ani pokazać palcem. Ona albo jest, albo jej nie ma. A jak nauczyć się kochać mamę, która w tygodniu jest wielką nieobecną, a sobotę spędza na odsypianiu ciężkiego tygodnia. Przychodzi niedziela, a ona biega z wypiekami na twarzy po centrach handlowych, żeby się dobrze prezentować na czekających ją lunchach, brunchach i biznesowych kolacjach ciągnących się często do północy.

– Oj, dziecko. To jest taki inny świat, że ja nawet do końca nie rozumiem, co ty do mnie mówisz. Ale ty to się chyba po tych centrach nie tułasz, bo zawsze u mnie masz jeden i ten sam sweter.

– Powiem pani coś w tajemnicy – uśmiechnęła się do pani Irenki i swetra, który dostała na Gwiazdkę od rodziców. – Ilekroć wchodzę do takiego centrum handlowego, oznacza to, że mam nóż na gardle i muszę koniecznie coś kupić. W innym wypadku nie dałabym się tam zaciągnąć nawet końmi.

– A zdradzisz mi jeszcze jedną tajemnicę? – Uśmiech nie schodził z ust pani Irenki.

– Jaką?

– Pójdziesz na sylwestra z tym Mikołajem? Tylko się nie denerwuj, że pytam – dodała szybko – ale Dominika twierdzi, że coś nosem kręcisz i że trzeba nad tobą trochę popracować.

– Pani Irenko... – Miała ochotę porachować Dominice wszystkie kości. – Myślę po prostu, że to nie dla mnie... Po prostu...

– Ale jak tam nie pójdziesz, to się nigdy nie dowiesz, czy to dla ciebie, czy nie dla ciebie. Dziewczyno, ty tam musisz iść, i to obowiązkowo!

– Jak to obowiązkowo? – nie zrozumiała i posłała pani Irence podejrzliwe spojrzenie. – Czy jest jeszcze coś, o czym nie wiem?

– Bo widzisz, Hanuś. Jaka jest Dominika, to wszyscy wiemy. Jedno jest pewne. Zawsze ma na języku to, co jej się w głowie urodzi. Mówi to, co myśli, i zwykle dobrze komentuje to, co widzi.

Nie wytrzymała i choć nie miała takiego zwyczaju, przerwała pani Irence.

– Boję się nawet pomyśleć, jakich głupot pani naopowiadała.

– Naprawdę nie denerwuj się. Nie powiedziała mi nic, co mogłoby cię zdenerwować. Choć muszę przyznać, języczek to nasza Dominisia ma ciut przydługi.

– To znaczy...? – Hanka miała dość ogólników. Chciała poznać szczegóły, którymi pani Irenka została nakarmiona przez Dominikę bez jej wiedzy i przyzwolenia.

– Posłuchaj mnie teraz, Hanuś. Ja to uważam, że chłop to wcale nie musi być piękny. Byle był tylko ciut ładniejszy od diabła i co najważniejsze, dobry, a wtedy kobieta będzie przy nim szczęśliwa – przerwała i się zamyśliła.

– Ale pani Irenko, przecież mi nie o to chodzi. Ten przyjaciel Przemka – imię Mikołaj nie przeszło jej przez gardło – jest ładny, przystojny, inteligentny, ma piękne oczy – była gotowa kontynuować, jednak pani Irenka jej przerwała.

– No widzisz, nawet nie dałaś mi dokończyć...

Pani Irenka uśmiechała się do niej, a Hanka w lot pojęła, że powiedziała dokładnie to, co z pewnością zaplanowała Dominika. A może pani Irenka? Pogroziła jej więc palcem. Wolała się już nie odzywać.

– Jeszcze ci tylko powiem, że Dominika mówiła, że on na ciebie patrzy jak zaczarowany. Tak ładnie...

– Nawet bardzo ładnie! – najpierw dał się słyszeć głos Dominiki, później ona sama stanęła zadowolona w drzwiach kuchni.

Hanka spojrzała na nią i obrażona, odwróciła wzrok.

– Ty tu się na mnie spode łba nie wgapiaj. Tylko tu przy świadku, znaczy przy pani Irence, obiecuj, że po pierwsze, na sylwka pójdziesz bez marudzenia, po drugie, będziesz się dobrze bawić, a po trzecie, ubierzesz się w czerwoną sukienkę, tę z gołymi plecami, bo chcę zobaczyć jego minę, jak cię w niej zobaczy.

Hanka nie mogła uwierzyć w to, co słyszała. Postanowiła nie reagować. Oparła tylko czoło o blat stołu, czując na swoim karku świdrujące spojrzenie Dominiki.

– Sama pani widzi, pani Irenko. Z nią nie ma żadnej rozmowy. Dzikuska, i tyle. Halo! Pani Buszmenko?! My tu jesteśmy i czekamy!

– Na co? – Hanka uniosła głowę.

– Na co? Na co?! – papugowała Dominika. – Na obietnicę!

Pani Irenka patrzyła na nią równie wyczekująco jak Dominika.

– Przecież to niehonorowo. Dwie na jedną?! – broniła się, jak umiała.

– Ale w słusznej sprawie – pani Irenka zawsze wiedziała, co powiedzieć, żeby ją przekonać.

Hanka milczała, patrząc na te dwie kobiety, które dobrze jej życzyły i zawsze pomagały. Czasami nawet wtedy gdy o tę pomoc nie prosiła.

„*Nec Hercules contra plures*", pomyślała i chcąc sprawić im przyjemność, powiedziała:

– Zgadzam się na wszystko oprócz sukienki.

– Wieeedziaaałaaam!!! – Dominika wydarła się tak, że z pewnością zaimponowałaby nawet Zuzie.

– Nawet nie wiesz, jak ona cię dobrze zna – zobaczyła uśmiech pani Irenki, która właśnie cmokała Dominikę w policzek.

– Po prostu zawsze wierzę w to, że świat jest piękny... – zamruczała pod nosem Dominika.

– Co chcesz przez to powiedzieć?

– Niiic!

– Chyba jednak zaraz ci przyłożę! – Hanka udawała zdenerwowaną, ale nie zapanowała nad uśmiechem. Patrzyła, jak Dominika chwyta rękę pani Irenki i wyciąga ją do tańca.

– Przemek mnie kocha! Przemek mnie kocha! – śpiewała, układając własną kompozycję. – Ja kocham jego! Ja kocham jego! Nie muszę chodzić do roboty! Zaglądać w rozdziawione paszcze! Tra la la la! La la, la, la! Hanusia się zgodziła! Nasza miła! Może będzie z Mikołajem się bawiłaaa! Zapraszamy do kółeczka!

Dominika szarpnęła ją tak, że wbrew własnej woli znalazła się w tym pokoleniowym kółku graniastym. Pani Irenka tańczyła z wypiekami na twarzy, Dominika darła się wciąż wniebogłosy, a ona tak naprawdę, w głębi serca, nie miała im za złe tego cyrku. „Psy szczekają, karawana jedzie dalej...", przypomniała sobie słowa taty. Może powinna się cieszyć, że w jej karawanie przybywało pasażerów. Tańczyła, czując, że mogłaby nawet zaśpiewać. Nie zrobiła tego, ale mogła. Gruszka się wyprowadziła, wyniosła się gdzieś. Nie chciała wiedzieć dokąd. Daj Boże, daleko...

Ze snu wyrwał ją dochodzący z dołu krzyk pani Irenki. Wyskoczyła z łóżka i wybiegła z pokoju. O mało nie pogubiła nóg na schodach. Serce waliło jej jak oszalałe. Musiało się coś stać. W tym spokojnym domu krzyk pani Irenki należał do rzadkości. Nie myliła się. To, co zobaczyła w kuchni, przeraziło ją. Jedynie słabiutki uśmiech błąkający się po wystraszonej twarzy pani Irenki sprawił, że udało się jej zachować przytomność umysłu, choć przed oczami miała bardzo dziwny obraz. Pani Irenka siedziała na podłodze między kuchnią a spiżarnią, za nią leżała mała, przewrócona drabinka. Wokół były rozrzucone kiszone ogórki kąpiące się w malinowym morzu i w oceanie z potłuczonego szkła.

– Pani Irenko... – wydusiła z siebie Hanka po dłuższej chwili, bo momentalnie zaschło jej w ustach. – Nic się pani nie stało?

– Mnie to chyba nic, ale co ja tutaj narobiłam. O Maryjo... Nie miała baba kłopotu, na drabinę wlazła. Niezdara ze mnie i tyle. Przetwory od rana dla ciebie wybieram, żebyś sobie zabrała...

– Pani Irenko... – westchnęła ciężko. – Przecież...

– Takich jak moje w żadnym sklepie nie kupisz!

– Ależ oczywiście, że nie kupię... – zgodziła się bez szemrania i znów westchnęła. – Pani Irenko, proszę mi teraz podać rękę. Pomogę pani wstać. Gdyby coś się pani stało, to nie darowałabym sobie. Przecież tak nietrudno o nieszczęście.

Delikatnie podniosła panią Irenkę z podłogi i pomogła jej usiąść na ulubionym krześle. Przemieszczając się, czuła, jak stopy nieprzyjemnie przyklejają się jej do podłogi. Ślady rozbryzganego soku malinowego były wszędzie, nawet na ścianach. Nocną koszulę pani Irenki także ozdabiał malinowy wzorek.

– Oj, oj, oj, pani Irenko... – doskonale naśladowała ton i słowa, które zwykle wydobywały się z ust pechowej akrobatki.

– Bo widzisz, Hanuś... Wstałam rano i pohasać sobie chciałam jeszcze przed pierwszymi kurami, po cichu, żeby nikt nie widział, jakie ze mnie ziółko, a tu proszę! Tylko wskoczyłam na drabinkę, a od razu jakiś czart rogaty ją pode mną zachybotał i wylądowałam jak długa. Zapomniałam, że szósty krzyżyk już dawno zaczęłam i że korzenie mam dużo silniejsze od skrzydeł. Co tu dużo, Hanuś, mędrkować, ciągną mnie te korzenie w dół i w dół... Ciągną... Ciągną...

– Pani Irenko, proszę tak nie mówić. Jakie korzenie? – zapytała, zastanawiając się, od czego zacząć robienie porządków.

– Moja świętej pamięci mama zawsze powtarzała, że jak się człowiek rodzi, to dostaje od Najwyższego skrzydła i korzenie. Jak jest młody, to ma silne skrzydła, dlatego wszędzie chce polecieć, wszystko zobaczyć. Chce wciąż czuć na sobie powiew wiatru, który go popycha wciąż do przodu, wciąż dalej i dalej. I jak tak się człowiek w młodości nalata, pobuja zdrowo na wietrze, to mu, koniec końców, skrzydła słabną, lat przybywa i wtedy siada sobie taki umęczony ludek na miejscu i obejrzeć się nie zdąży, a korzenie ma już zapuszczone i trzymają go one w tym jednym miejscu tak mocno, aż staje się takim starym, lekko spróchniałym drzewem, co to ani rusz go nie przesadzisz. A jak nie daj Boże ruszysz, to korzenie zniszczysz i drzewo wtedy umiera. Na pewno słyszałaś, Hanuś, że starych drzew się nie przesadza.

– Słyszałam, ale jestem, pani Irenko, przekonana, że pani skrzydła są wciąż silne i mogą panią zanieść tam, gdzie tylko będzie pani chciała – podsumowała optymistycznie.

– Pewnie, pewnie – z ironią potakiwała pani Irenka. – Przyjrzyj się, dziecko, uważnie, co się dzieje, jak się starej babce polatać zachciewa. Mamy wtedy latające ogórki i fruwające butelki.

– To może zaprowadzę panią teraz do łazienki, zmyje pani z siebie tę malinową słodycz, a ja tu szybciutko posprzątam.

– No, co też ty, Hanuś, wygadujesz?! Jeszcze ze mną tak źle nie jest, że mnie pod mankiet prowadzać trzeba. Sama pójdę, a później posprzątam. Nie ruszaj tego, dziecko, bo się jeszcze skaleczysz.

– Nie ma mowy! Posprzątam i koniec! – sprzeciwiła się zdecydowanie.

– Dobrze, już dobrze – poddała się pani Irenka. – Tylko uważaj, Hanuś, bo ta podłoga wygląda teraz jak łóżko dla... – Pani Irenka zamyśliła na moment. – Przypomnij mi, Hanuś, jak nazywa się taki cyrkowiec, co to się na szkłach wykłada przed ludźmi i ani go coś draśnie.

– Fakir – podpowiedziała szybko, wciąż zastanawiając się nad najsprytniejszym sposobem sprzątnięcia połyskującego gdzieniegdzie miszmaszu.

– O, widzisz, Hanuś, co młoda głowa, to młoda! – Pani Irenka wstała z krzesła i omijając ogórkowe przeszkody, wyszła z kuchni, bardzo ciężko wzdychając. Na chwilkę jednak zatrzymała się w progu. – A spojrzyj tylko, Hanuś, na kredens. Przygotowałam ci tam różności do zabrania, tylko ogórków i soku nie udało mi się donieść.

Nie zdążyła podziękować, pani Irenka zniknęła już w mroku długiego korytarza. Podniosła wzrok znad brudnej podłogi i zerknęła w kierunku kredensu. Na jego blacie w idealnie prostym rządku stały różnych rozmiarów słoiki wypełnione specjałami, jakich świat nie widział. Patrzyła na duży słój wypełniony kolorową, marynowaną papryką. Za nim skrywało się szklane, pękate cudeńko wypełnione maleńkimi podgrzybeczkami. Grzybki były, jeden w drugi, tak kształtne, jakby zbierał je grzybiarz zaopatrzony w minilinijeczkę albo po prostu w cyrkiel. Dostrzegała ciemny brąz powideł śliwkowych, które uwielbiała wyjadać łyżeczką wprost ze słoika. Za nimi chował się identyczny słoik, tyle że z dżemem truskawkowym, kojarzącym się jej z ciepłym, chrupiącym, porannym tostem. Widziała kilka czerwonych maleństw zawierających przecier pomidorowy tak doskonały, że jeszcze nigdy nie znalazła w nim ni jednej zbłąkanej pomidorowej pesteczki. Z doświadczenia wiedziała, że zawartość takiego słoiczka potrafiła zamienić ugotowany przez nią rosół w pomidorowo-czosnkową ucztę pachnącą nadmorskim domem. Pani Irenka od lat niezmiennie do przecieranych na sitku pomidorów dodawała czosnku z własnego ogrodu. Jednak najbardziej w ten poświąteczny zimowy poranek jej oczy ucieszył widok pomarańczowych kwadracików zamkniętych w wysokim, podłużnym słoiku. Uśmiechała się, patrząc na wyśmienitą dynię w zalewie octowej. Prawie poczuła w buzi to niebo, które zerkało w jej stronę z drewnianego blatu kredensu. Wzruszyła się, patrząc na kwadraty w kolorze tak wyraźnie nasyconego oranżu, że przez chwilę podejrzewała, iż musiały dokonać zbiorowej ucieczki z obrazu Klimta. Jeszcze nie spróbowała ani krzty z tych dobroci i rarytasów, jeszcze nie poczuła ich aromatu i smaku, a już ucztowała. Przeżywała duchową ucztę w oparach kiszonych ogórków i soku malinowego. Jej uwielbiające pedanterię oczy nie mogły się wprost napatrzeć na te zamknięte za szkłem arcydzieła. Zwłaszcza że każde z nich było artystycznie opisane i od góry przykryte zwiewnym płócienkiem przepasanym gumką recepturką. „Kuchenna Francja elegancja", tak z pewnością widok ten skomplementowałaby Aldonka. Nagle poczuła, że ktoś się na nią patrzy. Nie myliła się. O futrynę kuchennych drzwi opierała się rozziewana Dominika.

– A coś ty tu narobiła? – zapytała, nie przerywając ziewania.

– Nie ziewaj tak szeroko, bo mi się jeszcze na lewą stronę odwrócisz.

– A ty nie bądź taka do przodu, bo ci tyłu zabraknie – burknęła całkiem przytomnie Dominika. – Boże... Co to za dziwny zapach?

– Ogórków nurkujących w soku malinowym – odpowiedziała, wciąż walcząc z panującym wokół nieporządkiem.

– No przecież widzę, ale co ty robisz z tymi ogórkami?

– Ja? Z ogórkami?

– Nie! Ogórki z tobą! – Dominika przysiadła na stole i traktowała ją jak kwoka. Z wysoka.

– Pani Irenka miała poranną, słoikową przygodę, a ja tu tylko sprzątam.

– I tak powinno być! – podsumowała z dziwnym uśmieszkiem Dominika.

– Tak... To znaczy jak?

– Po prostu człowiek w życiu musi robić to, w czym jest najlepszy.

– Ale z ciebie bystrzacha! – zerknęła na Dominikę z politowaniem.

– No! Ruchy! Ruchy! Sprzątaj szybciej, bo na kawę czekam!

– To se zrób! – Powiedziała bardziej do ogórków niż do Dominiki.

– Ale ekstra! Przy tej szmacie zapomniałaś o poprawnej polszczyźnie. Super! Nie będziesz taką sztywniarą na sylwka.

– Możesz przestać?

– Przecież jeszcze nawet nie zaczęłam!

– Dziewczynki, dziewczynki, oj, moje dziewczynki... – usłyszały spokojny i pobłażliwy głos pani Irenki, która stanęła w drzwiach czyściutka i pachnąca różami. – Dajcie już spokój i wpuśćcie mnie tutaj. Zamierzam wam za chwilę pozamykać usteczka omlecikami. Co wy na to?

– Omlecik? Omlecik? – pytała niby samą siebie Dominika. – To takie roztrzepane jajka, prawda?

Hanka usłyszała szczery, perlisty śmiech pani Irenki i następujące zaraz po nim pomrukiwanie Dominiki towarzyszące uporczywemu ziewaniu. W opuszkę serdecznego palca właśnie wbijała się jej ostra drobina szkła, ale poczuła się dobrze. Za kuchenną firaneczką zazdroską zaczął prószyć kaszkowaty śnieżek, manna z nieba. Miała za sobą cudowne, rodzinne święta. Prostując zdrętwiałe nogi, wstała z kolan. Po jej stopach maszerowały w tej chwili miliony mrówek, ale podłoga była prawie czysta.

– Święta, święta i po świętach! – krzyknął mu do ucha Przemek, narażając go na stres, a jego trąbkę Eustachiusza na grożące głuchotą uszkodzenie.

– Po co się tak wydzierasz! Nie jestem głuchy! – powiedział, sprawdzając ręką, czy mu przypadkiem ucho nie odpadło.

– Ty jesteś nie tylko głuchy, ale i ślepy. Odkąd poznałeś podniecającą panią profesor, nie zauważasz, co się wokół ciebie dzieje.

– Przesadzasz – spiorunował Przemka wzrokiem.

– Powiedz lepiej, Rumcajsie, jak tam robota.

– Jeżeli ja jestem Rumcajsem, to...

– To? – powtórzył zaczepnie Przemek.

– To ty jesteś Rumburakiem!

– Bardzo zabawne! – Przemek nieudolnie udawał obrażonego. – Jak robota, pytam! – podniósł głos.

– Widzę, że jesteś lekko podenerwowany. Czyżby brak kobiety wpływał na ciebie rozstrajająco?

– A ty, cieniasie, pamiętasz jeszcze, jak to jest być z kobietą? – Przemek był dziś dla niego bezlitosny.

– Przegiąłeś! – zdenerwował się. – Dlatego dzisiaj pracujesz sam! – wstał od biurka, włożył telefon do kieszeni spodni i odwrócił się na pięcie, szokując Przemka swoją reakcją.

– Nie przesadzaj, stary! – Przemek uniósł ręce do góry i spuścił z tonu. – Przecież to tylko głupie żarty! *Sorry!* Zobacz, jak się biję w mój mężny tors kafara – mówiąc to, rzeczywiście walnął się pięścią w okolicę mostka tak mocno, że aż zakaszlał.

– Nie udawaj! Ostrzegam, jeżeli jeszcze raz zakpisz z mojego celibatu, to nie ręczę za siebie! Szurnę cię razem z tą robotą i do piętnastego stycznia nie będziesz spał, jadł, pił, nie wspominając już o...

– Ale z ciebie przyjaciel za dychę! – przerwał mu Przemek. – To ja ci zorganizowałem spotkanie z panią profesor. Urobiłem Domi, żeby urobiła Hankę, żeby się jednak stawiła tu u nas na sylwestra, a ty się stawiasz?

– Co to znaczy „urobiłem"? Bo czegoś tu nie rozumiem?

– Dzwoniłem wczoraj do Domi i powiedziała mi, że Hanka to się na pewno z tej imprezy wymiksuje, bo jest wyjątkowo nieimprezowa. Więc myśląc o tobie – rzucił mu spojrzenie porzuconego przez właściciela psa – po prostu ją urobiłem.

– Czy ja się wyrażam jasno? Co to znaczy „urobiłem"? – powtórzył pytanie zdenerwowanym głosem.

– Mikołaj! Co się z tobą dzieje? Ty się lecz! O co ci chodzi?! – W momencie przestało być zabawnie.

– O co mi chodzi?! – wrzasnął. – O to, żebyś się nie w... – przerwał potok słów. Mimo wszystko nie chciał zabrnąć za daleko. – Idę na kawę! – Musiał wyjść i ochłonąć.

Otwierając drzwi, natknął się na Sylwię. Była jedyną kobietą w ich zespole. Zajmowała się wszystkim, tylko nie projektowaniem. Uśmiechnęła się do niego i zatrajkotała:

– Dzień dobry panom! Dobrze, że was razem widzę. Przyszłam po zaliczkę *a conto* imprezy. Muszę zrobić zakupy. Listę gości już mam. Będziecie sami czy z osobami towarzyszącymi?

To dziwne, ale zadając pytanie, wlepiła w Mikołaja maślane spojrzenie.

– On ci wszystko powie – mruknął wyjątkowo nieuprzejmie, zerkając na Przemka. Był wściekły. – Przecież on zawsze wszystko wie najlepiej!

Sylwia wpatrywała się w niego jak przytruta czadem.

– Chyba przyszłam nie w porę – wykazała się spostrzegawczością.

– W porę! W porę! – przerwał jej Przemek, ratując sytuację. – Mała różnica zdań to przecież nic nadzwyczajnego. Powiedz lepiej, ilu będzie ludzi.

– Wypytałam już wszystkich. Mam dwadzieścia pięć osób z wami. Tylko nie wiedziałam, czy doliczać wam partnerki... – uśmiechnęła się.

– Doliczać! – odpowiedział zdecydowanie i z uśmiechem Przemek.

– Ale tobie czy Mikołajowi? – Sylwia robiła słodką minkę.

– Jedna moja, jedna Mikołaja.

W sekundzie okazało się, że uśmiech Sylwii nie był przyklejony. Ślad po nim zaginął bez wieści.

– Myślałam, że Mikołaj nie ma dziewczyny – wypaliła, zdając sobie sprawę, że przywaliła właśnie jak łysy grzywką o kant kuli. Niestety, wypowiedzianych słów nie mogła cofnąć. Zmieszała się okrutnie.

– Ale jest na dobrej drodze, żeby ją mieć! – zagrzmiał Przemek. – Dlatego jest taki nerwowy. Bo wiesz, Sylwia, już był w ogródku, już witał się z gąską i na razie oprócz tego to nic, więc się nie dziw, że się wścieka.

– Jutro przyniosę ci menu i spis drinków – wydusiła z siebie Sylwia, przybierając kamienny wyraz twarzy.

– OK.

Przemek zachowywał się tak, jakby go nie zauważał. Mikołaj słuchał jego bełkotu, oparł się o szklaną ścianę i obserwował poranny ruch na Marszałkowskiej. Sylwia ulotniła się nie wiadomo kiedy. Miał dość. Był wściekły na wszystko i wszystkich. Chciał ją zobaczyć! Kawa mu nie smakowała. Gapił się w jeden punkt.

– Przesadziłem, przepraszam. – Przemek zerknął na niego porozumiewawczo.

– To ja przepraszam. – Zauważył zdziwienie Przemka i poczuł, że musi się usprawiedliwić. – Jeżeli jej nie zobaczę, to sfiksuję. Nie miałem jeszcze nigdy czegoś takiego. Nie mogę się nawet normalnie wyspać. Jak już zasnę, to... Najchętniej rzuciłbym to wszystko w cholerę i pojechał nad to morze.

– Mikołaj... – zaczął niemrawo Przemek, jakby się bał, że znowu nadepnie mu na odcisk. – To jeszcze tylko trzy dni. Przyjadą. Będzie impreza. Pogadacie, potańczycie, jakoś się wszystko ułoży...

– A jeżeli nie przyjdzie?

– Przyjdzie, zobaczysz. Poza tym okoliczności są sprzyjające. Domi to niespokojna i imprezowa dusza. Zawsze Hankę gdzieś wyciągnie. Jedno, drugie, trzecie wspólne spotkanie i później będziesz umawiał się z nią sam. Chyba sobie poradzisz?

Mikołaj zobaczył pytający wzrok przyjaciela.

– Nie wiem – podrapał się niedbale w tył głowy.

– To pomyśl logicznie. Na początku miesiąca była kobietą zza Rubikonu. Facet, musisz rejestrować postęp. Jak tak dalej pójdzie, to za miesiąc będziecie się prowadzać za rączki. Mam rozwijać temat dalej?

– Nie musisz. *Sorry* za ten wybuch. A jeżeli chodzi o robotę, to moja część jest skończona.

– Żartujesz? – nie dowierzał Przemek. – Pracowałeś w święta?

– Musiałem się czymś zająć, żeby nie zwariować. Poza tym puściłem trochę farbę przed mamą i gdy tylko nic nie robiłem, od razu zaczynała mnie przesłuchiwać. Więc sam rozumiesz...

– Majaczyła o żonie i o wnukach?

– Skąd wiesz? – zdziwił się.

– Bo moja matka też ma teraz tylko jeden temat. Lata lecą, bla, bla, bla i takie tam babskie histerie. Do znudzenia.

Do holu weszła Sylwia, ale szybko się wycofała.

– A tej co? – zapytał zdziwiony Mikołaj.

– Chyba miała nadzieję, że będzie miała okazję się zakręcić koło ciebie na balu i nic z tego. Dowiedziała się, że będziesz miał obstawę.

– Ale to życie jest pokręcone. Jak ty jakiejś chcesz, to ona ciebie niespecjalnie. A jak na ciebie jakaś leci, to ty masz to w głębokim poważaniu.

– A po jaką cholerę tak dywagujesz? Poza tym skąd wiesz, że Hanka na ciebie nie leci?

– Tego akurat jestem pewien. Wydaje mi się, że ona należy do wymierającego gatunku kobiet, które nie potrafią lecieć na faceta.

– Słuchaj! – Przemek wciąż mu przerywał. – Już raz miałeś babkę, która na ciebie poleciała. Chciałbyś to może powtórzyć?

– Nigdy! – wzdrygnął się na wspomnienie o Edycie.

– Więc nie licz na to, że Hanka się z tobą prześpi po zabawie sylwestrowej. Tylko pogódź się z tym, że będziesz musiał przejść żmudny proces, zanim zajmiesz się jej guziczkami, ale myślę, że opłaca się czekać, bo...

– Daj już spokój! – przerwał mu zdecydowanie. – Ja skończyłem swoją działkę, więc może przestań rozbudzać moją zmęczoną do granic wyobraźnię, tylko weź się za swoją robotę!

– Mówiłem! – zatriumfował Przemek.

– Co mówiłeś?

– Przyznaj się!

– Do czego?

– Że miałeś ją już w łóżku!

– Nie raz i nie dwa! Cześć! – odwrócił się na pięcie, chcąc odejść, ale Przemek udawał, że nie dostrzega, iż dał mu wyraźny znak zakończenia rozmowy.

– Jednak chyba te wszystkie baby mają rację, mówiąc, że faceci myślą tylko o jednym – dywagował Przemek.

Mikołaj jednak nie miał zamiaru zareagować na jego grubymi nićmi szytą zaczepkę. Postanowił pójść do bufetu po wodę. Był tak pobudzony, że kawa mogłaby mu zaszkodzić. Potrzebował teraz czegoś zimnego. Najlepszy byłby zimny prysznic, niestety teraz nieosiągalny. Z pomocą musiała mu przyjść woda.

W pracowni od rana panował wielki rejwach. Sylwia dwoiła się i troiła, żeby dopiąć wszystko na ostatni guzik. Pracownicy z firmy cateringowej ustawiali w holu stoły. Pomyśleć, że jeszcze wczoraj mieli plan, iż będą normalnie pracować. Było to niemożliwe. Zarządził więc dzień sprawdzania. Podzielił dokumentację szpitala na małe fragmenty i rozdał ludziom z zespołu na zasadzie przypadku. Każdy miał się wczytać w to, co dostał, i w pierwszej kolejności szukać ewentualnych błędów, a w drugiej zastanowić się, co ewentualnie można byłoby jeszcze ulepszyć. Jednak nawet niezbyt wnikliwy obserwator, patrząc na dzisiejszą atmosferę, zauważyłby, że nie ma się co łudzić, by w takim zamieszaniu mogło powstać coś wartościowego i odkrywczego. Przemek lawirował między pomieszczeniami niczym emisariusz, roznosząc wyłącznie pozytywne fluidy. Wczoraj wieczorem widział się z Domi. Z pewnością to spotkanie było bezpośrednim powodem jego szampańskiego nastroju, chociaż szampan dopiero nabierał odpowiedniej temperatury, leżakując w lodówce. Przemek nie chodził, tylko przemieszczał się, fruwając kilka centymetrów nad ziemią. On natomiast był jego całkowitym przeciwieństwem. Był najwydajniejszym pracownikiem w zespole. Pracował jak maszyna. Był długodystansowcem. Łapał wszystkie tematy, które sprawiały innym jakąkolwiek trudność. Musiał się czymś zająć, żeby godziny dzielące go od spotkania z Hanką nie dłużyły się jak miesiące.

Przechodząc przez hol, zobaczył się w lustrze i prawie siebie nie poznał. Wyglądał dość nietypowo. W uszach wciąż brzmiały mu słowa mamy: „Bal to bal! Nie możesz wyglądać, jakbyś znalazł się na nim przez przypadek. Poza tym nie zapominaj, że jesteś właścicielem tej firmy, nie możesz więc wyglądać jak własny szofer". Doskonale zdawał sobie sprawę, że zwykle dobrze wychodził na słuchaniu rad własnej matki. Skoro tak go dzisiaj ubrała, to z pewnością wiedziała, co robi. Nie czuł się najlepiej w garniturze. Podziwiał w tym momencie wszystkich facetów, którzy musieli wskakiwać w taki strój każdego ranka. Zniósłby go na pewno lepiej, gdyby był w wersji bez krawata. Na razie musiał się jednak nim lekko podduszać, ale wiedział, że przyjdzie taki moment dzisiejszego wieczoru, kiedy pozbędzie się go z ogromną przyjemnością.

– No! No! – usłyszał najpierw głos, a później przeciągłe gwizdnięcie Przemka. – Wyglądasz, jakbyś był nominowany do Oscara. O nie! Wyglądasz, jakbyś go właśnie dostał, i to z rąk jakiejś seksownej i roznegliżowanej gwiazdy.

– Co ty powiesz? Czuję się jak skończony sztywniak. Nie wiem, co mnie bardziej uwiera. Krawat czy strach, że zrobię z siebie kretyna przed tą gwiazdą, która, mam nadzieję, zaraz tu będzie.

– Zdurniałeś już do reszty? Czego tu się bać? – zapytał zdziwiony Przemek.

– Sam nie wiem. Tyle czasu czekałem na ten wieczór, a teraz czuję się jak przed maturą. – Podrapał się w tył głowy, czując, że ostatnio nadużywał tego gestu.

– To pomyśl sobie, że ją zdasz śpiewająco. Zresztą z takim wyglądem to chyba nie można niczego oblać. A ja jak ci się podobam?

Przemek zaprezentował się, obracając się przed nim powolutku wokół swojej osi. Podobnie jak on, wyglądał dość oficjalnie, ale chyba dużo lepiej się odnajdował w takiej niesportowej wersji.

– Boję się, że możesz mi tego Oscara sprzątnąć sprzed nosa – udał bardziej zestresowanego, niż był w rzeczywistości.

– Obaj wiemy, że dziś chodzi nie o złotą figurę, tylko o ciepłą figurkę. Ale możesz być spokojny, przyjdzie na pewno. Mam wiarygodnego informatora – mówiąc to, Przemek był tak zadowolony, jakby rząd Oscarów wypełniał półkę w jego domu.

– A jak się czuje wiarygodny informator? Jeśli można wiedzieć? – zapytał, mając świadomość, że rozmowa z Przemkiem pomaga mu opanować zdenerwowanie.

– Moje źródełko informacji wróciło znad morza nad wyraz wyluzowane, w związku z tym mogłem się wczoraj zająć męczeniem. A tak już na serio, to powiedziała, że było im bosko. Miały ładną pogodę, chodziły na spacery, karmiły łabędzie. Ta kobieta, do której pojechały, to ich dobra znajoma, żadna rodzina, ale Domi powiedziała, że było superrodzinnie. Która godzina? – Przemek niespodziewanie zmienił temat, nie zauważając, że słuchał go prawie bez oddechu, czekając na jakieś wiadomości dotyczące Hanki.

– Za piętnaście ósma – powiedział, zerkając na zegarek.

Dopiero teraz zauważył, że ich firmowy hol zapełniał się elegancko ubranymi parami. Wszyscy panowie, których widywał na co dzień ubranych w byle jakie dżinsy, wbili się dziś w garnitury. Pierwszy raz poczuł, że jego strój zrobił się wygodniejszy niż dotychczas. Panie prezentowały na sobie kreacje, które szczelnie zakrywały dół, a doskonale eksponowały górę sylwetki.

– Mam nadzieję, że się nie spóźni. – Przemek bawił się guzikiem od garnituru i przebiegał wzrokiem po już przybyłych.

– Jak to? Nie przyjadą razem? – zdziwił się Mikołaj.

– Nie. Hanka nie chciała, bo Domi molestowała ją o jakąś czerwoną sukienkę z gołymi plecami i się wczoraj wieczorem trochę spięły.

Na myśl o takiej sukience znów stracił całą pewność siebie, a Przemek od razu zarejestrował zmianę w jego zachowaniu.

– Tylko sobie zapamiętaj! Jeżeli ona tu wejdzie, to znaczy Hanka, a ty padniesz trupem z wrażenia, to ja nie ruszę nawet palcem w moim eleganckim bucie. Hej! Mikołaj! Wyluzuj trochę, bo na razie wyglądasz i zachowujesz się jak pierwszy sztywniak kraju.

– To co mam zrobić? – poczuł się bezradny jak ruch na skomplikowanym skrzyżowaniu przy zepsutej sygnalizacji świetlnej.

– Po prostu zachowuj się tak, jakby to wszystko, o czym myślisz, było już za tobą – Przemek mrugnął do niego porozumiewawczo. – Wtedy, jak tu wejdzie, poczujesz, że jest tylko... – Nagle przerwał swoje cenne sugestie. – Jest! – szepnął, a Mikołaj poczuł, że kolana się pod nim uginają.

W ich stronę szła Dominika w pięknej sukni w kolorze starego złota, sprawnie wymijając zebranych. Przemek stał jak wryty, a on czuł wciąż narastające zdenerwowanie.

– Witam szanownych elegantów! – powiedziała Dominika, zdradzając tymi słowami dobry nastrój. – Gdyby nie wasze inteligentne spojrzenia, to nie poznałabym was w tych przebraniach. Ale rozumiem, rozumiem... – chrząknęła. – Musicie dawać dobry przykład. W końcu to wasza firma i wasze przyjęcie.

Podała Mikołajowi rękę, a on wyjątkowo swobodnie skomplementował jej wygląd, na co Przemek od razu zareagował.

– Może zostawisz to uwodzenie dla swojej damy wieczoru?

– Ale z niego nerwus, co? – Dominika parsknęła śmiechem, po czym bardzo spontanicznie pocałowała w usta Przemka, nie zdając sobie zupełnie sprawy z tego, że oczy wielu tu obecnych były zwrócone właśnie na nią. W tym momencie była oceniana w kategorii: nowa dziewczyna szefa.

Przemek patrzył na nią z nieukrywanym zachwytem. Był w tej chwili typowym, lekko próżnym facetem, który lubi pokazywać się z atrakcyjną partnerką zawsze, wszędzie i o każdej porze, a najbardziej w towarzystwie znajomych mężczyzn. Mikołaj niestety miał wciąż bardzo sprzeczne uczucia. Chciał, żeby Hanka już przyszła, nie mógł się jej doczekać, ale bał się, że gdy pojawi się obok niego, nie będzie umiał zachowywać się racjonalnie. Przerażały go nawet jej gołe plecy, o które posprzeczały się z Dominiką. Ostatnią deską ratunku była dla niego właśnie Dominika. Odkąd się pojawiła, mówiła bez przerwy i potrafiłaby zagadać nawet najbardziej niezręczną i stresującą go ciszę.

– A gdzie to Hanusia? – zapytał Przemek, przerywając Dominice słowną i krytyczną wędrówkę odbywającą się szlakiem sukien obecnych w holu pań.

– Spokojnie, przyjdzie na pewno. Ona nigdy się nie spóźnia. To nudna dokładnisia w każdym calu. Co prawda, wczoraj, jak wracałyśmy znad morza, trochę przesadziłam: chciałam zostać jej osobistą stylistką na dzisiejszy wieczór. Ale rano rozmawiałyśmy przez telefon i wszystko było OK. Poza tym piekła ciasteczka na dzisiejszy bal i wkładała w nie własnoręcznie napisane wróżby noworoczne.

– Naprawdę?! – Przemek otworzył szeroko oczy ze zdumienia, lecz nie zdążył nic dodać, bo nagle wyrosła przed nimi skąpo odziana Sylwia, która patrząc wymownie na zegarek, podała mu mikrofon.

– Szefie, dochodzi dwudziesta. Chyba czas zaczynać? – wyszeptała.

Mikołaj zauważył, że Dominika przyglądała się Sylwii z dezaprobatą. Niczego więcej nie widział i nie rejestrował żadnych dźwięków. Na Sylwię nawet nie spojrzał. Nie odrywał wzroku od drzwi wejściowych, w których wciąż pojawiały się znajome twarze. Napięcie, które odczuwał, nie pozwalało mu słuchać okolicznościowej przemowy przyjaciela. Przemek bowiem stał już w centralnym punkcie holu i z właściwą sobie swobodą podsumowywał rok wspólnej pracy oraz mówił o wyzwaniach czekających ich w nadchodzącym roku. Z pewnością wcześniej się do tego przygotował, ponieważ jego wesoła tyrada co chwila przerywana była brawami bądź szczerym śmiechem słuchaczy. On czuł się jednak tak, jakby oglądał niemy film. Widział szare, poruszające się obrazy. Nie słyszał niczego. Stojąca obok niego Dominika wpatrywała się błyszczącymi z emocji oczami w brylującego towarzysko Przemka, który musiał czuć na sobie jej zakochany wzrok. Na pewno dodawał mu otuchy i wiary w siebie, bo czuł się tam, na środku, jak ryba w wodzie. Gdy skończył mówić, brawa długo nie ustawały. Sam je uciszył, wznosząc toast za udany wieczór. Wśród zebranych gości krążyli elegancko ubrani, bordowi kelnerzy roznoszący kieliszki z różowym płynem. Dominika poczęstowała się kieliszeczkiem.

– A ty co? Nie pijesz? – zapytała, zerkając w jego stronę.

– Nie mam na razie ochoty – odpowiedział skwaszony, a Dominika bezceremonialnie chwyciła go za lewą rękę i odciągając mankiet koszuli, popatrzyła na ukrywający się pod nim zegarek.

– O kurczę, za dwadzieścia dziewiąta, a tej gwiazdy jeszcze nie ma? Mam nadzieję, że nic się nie stało – powiedziała to takim tonem, że zamarł.

– Może do niej zadzwonisz? – zaproponował wystraszony.

– Masz telefon? – zapytała konkretnie.

Kiwnął głową i natychmiast jej go podał. Dominika szybko, prawie automatycznie wystukała na klawiaturze numer Hanki i milczała, czekając. Patrzyła mu prosto w oczy. Znał ją krótko, ale wiedział, że była luzarą, która nie przejmuje się byle czym. W tej chwili niestety była zdenerwowana.

– Odbierz, do cholery! – powiedziała głośno do słuchawki, po czym się rozłączyła. – Nie odbiera! – zakomunikowała podenerwowanym głosem. – Mogłam wziąć swój telefon. Z nią tak zawsze! Pewnie nie odbiera, bo nie zna numeru. – Znowu szybko wystukała numer Hanki.

Tym razem się udało. Odetchnął, gdy Dominika zaczęła mówić.

– Czemu nie odbierasz?! – zapytała z pretensją w głosie i słuchała. – Zapomniałam swojego. To numer Mikołaja. Dlaczego cię jeszcze nie ma? – Znów cisza. – Jak to chora?!

Jemu rzedła mina, a Dominika słuchała Hanki, nerwowo poprawiając coś przy dekolcie. W pewnym momencie krzyknęła:

– Coś ściemniasz, koleżanko! Jedziemy po ciebie! – warknęła, przerywając rozmowę i oddała mu telefon.

– Co się dzieje? – Nie mógł uwierzyć, że wieczór, który przeżywał w wyobraźni setki razy, miał się nie wydarzyć wcale.

– Albo kłamie, albo bredzi w gorączce. Muszę do niej jechać. Jeżeli okaże się, że jest zdrowa, to ją tu w zębach przytargam! A jeżeli jest chora, to na pewno trzeba wezwać lekarza, bo coś z nią nie halo!

– Jakiego lekarza? – zagadnął z uśmiechem Przemek, którego Mikołaj zauważył dopiero w tej chwili. – Czyżby komuś zaszkodziła moja kwiecista mowa?

– Muszę jechać do Hanki! – przerwała mu Dominika.

– Jak to do Hanki? – Po uśmiechu Przemka nie pozostał nawet ślad.

– Tak to! – burknęła Dominika. – Zawieziesz mnie? – zapytała konkretnie.

– Chętnie, ale czekam jeszcze na dwóch ważnych...

Dominika nie dała Przemkowi dokończyć.

– To ty mnie zawieziesz! – spojrzała na Mikołaja wzrokiem nieznoszącym sprzeciwu.

– Oczywiście, że cię zawiozę – ucieszył się. Musiał przynajmniej zobaczyć Hanię.

Przemek przyglądał się im tak, jakby porozumiewali się niezrozumiałym dla niego językiem nowo odkrytego afrykańskiego plemienia.

– Ale wracajcie szybko – zdążył poprosić.

– Najszybciej jak się da! – Dominika pocałowała Przemka w usta, a Mikołaja pociągnęła w stronę wyjścia.

Efekt niemego filmu powrócił.

Byli już blisko domu Hanki. Dominika była doskonałym pilotem. Bardzo sprawnie pokazywała mu trasę, nie wiedząc, że znał ją doskonale. Byli kilka metrów od domu Hanki, gdy mocno podniesionym głosem kazała mu zatrzymać samochód. Posłuchał od razu, a ona wystrzeliła z auta jak z procy. Podążył za nią, nie rozumiejąc, co się dzieje. Przed bramą wjazdową do domu Hanki natknęli się na sympatycznego starszego pana w czarnym kapeluszu.

– Dobry wieczór, panie doktorze! – przywitała go Dominika.

– O! Dominika! – Poważną dotychczas twarz rozjaśnił szczery uśmiech. – Dobrze, że cię widzę. – Starszy mężczyzna pozbył się szybko skórzanej rękawiczki i podał jej rękę. Był bardzo elegancki i dystyngowany.

– Co z nią? – zapytała bezpośrednio Dominika, wskazując wzrokiem na dom Hanki.

– Dobrze, że przyjechałaś – doktor zerknął na niego i poprawił się szybko – że państwo przyjechali. Jest niedobrze. Ostre zapalenie oskrzeli. Szybko rosnąca gorączka. Nie ma duszności, ale musi zaraz przyjąć leki. Chciałem jej wykupić antybiotyk, oczywiście się nie zgodziła. Telefonowałem do ciebie, ale nie odbierałaś, więc się poddałem. Idźcie do niej szybko, nie powinna wychodzić w takim stanie. Odmeldowuję się, bo wiem, że zostawiam ją w dobrych rękach – to mówiąc, starszy pan uchylił ronda kapelusza.

Mikołaj miał wrażenie, że wszystko działo się za szybko. Nie nadążał. Po raz drugi tego wieczoru poczuł, że jest jedynie obserwatorem. Był filmowym statystą tworzącym tło dla dziejących się zdarzeń. Dobrze, że przynajmniej Dominika nie straciła głowy. Podała doktorowi rękę, życząc mu pięknego i zdrowego nowego roku.

– Jakieś szczególne zalecenia, panie doktorze? – zdążyła zapytać, gdy doktor siedział już w samochodzie.

– Jak najszybciej leki, zwłaszcza przeciwgorączkowe. Ciepłe łóżko, dużo snu, dużo płynów i za trzy dni powinno być już lepiej.

– Do zobaczenia, panie doktorze, i dziękuję bardzo. – Dominika, nie czekając, aż lekarz odjedzie, szybkim krokiem zmierzała w kierunku domu.

Szedł krok za nią, nie mogąc uwierzyć, że za chwilę zobaczy Hankę, w domu, w który jeszcze niedawno wpatrywał się wygłodniałym wzrokiem. Dominika zatrzymała się przed drzwiami i nerwowo przyciskała dzwonek. Po chwili usłyszał odgłos otwieranego zamka. Uchyliły się drzwi i ją zobaczył. Znów była inna, niż zapamiętał. Ta sama, lecz inna. Otoczona białym szlafrokiem, pięknie uczesana i przeraźliwie blada. Gdy zobaczyła go za Dominiką, szczelniej owinęła się szlafrokiem. Chciał coś powiedzieć, ale zdołał się tylko uśmiechnąć. W jej oczach dostrzegł zdziwienie zmieszane z zawstydzeniem.

– Wchodźcie. Nie stójcie na mrozie – zaprosiła ich słabym głosem.

Dominika ominęła ją bez słowa i zniknęła mu z oczu w tym ogromnym domu. Wciąż wlepiał wzrok w Hankę, wprawiając ją w widoczne zakłopotanie. Patrzyła na niego zażenowana, jakby wystraszona. Ściskała szlafrok na wysokości szyi, a on nie mógł ani wydusić słowa, ani złapać tchu.

– Rozumiem, że nic nie mówisz, ponieważ powab mojej kreacji sylwestrowej zapiera ci dech – uśmiechnęła się nieśmiało, zakryła dłonią usta i zaczęła przeraźliwie kaszleć.

– Przepraszam – wydukał – ale...

– Chodźcie! – usłyszał głos Dominiki dochodzący z głębi domu.

– Chodź – powiedziała szybko Hanka. – Chodź i broń mnie, bo za chwilę zostanę wyzwana od rachityczek, anemiczek i tym podobnych.

Poszedł za nią i oniemiał drugi raz tego wieczoru. Wszedł do ogromnego, jasnego salonu. Wydawała się w nim jeszcze drobniejsza, niż była w rzeczywistości. Salon naturalnie łączył się z jadalnią i kuchnią. Wszystko, co widział, było bardzo skromne i proste, a jednak przyciągało jego wzrok. Wnętrze było urządzone ascetycznie, choć zawierało wszystko, co niezbędne. W ogromnej, robiącej na nim duże wrażenie przestrzeni każdy przedmiot miał ściśle określone miejsce. Panował tu ład i porządek. Zwrócił uwagę na wiszącą na poręczy ażurowych schodów suknię w kolorze czerwonym. Nie widział jej dokładnie, ale musiała być piękna. Stanowiła kolorystyczną dominantę jasnego, urządzonego w kolorze *écru* salonu. Czerwień sukni odcinała się wyraźnie od jasnych drewnianych schodów odgrywających w salonie rolę najpiękniejszego mebla.

– Dawaj recepty, rachityczko jedna! – usłyszał głos Dominiki. – Że też akurat dzisiaj musiałaś się pochorować.

Hanka stała oparta o meble kuchenne i wciąż męczył ją kaszel. Tonęła w białym długim, szczelnie owijającym ją szlafroku.

– Mikołaj, proszę, usiądź – zaproponowała grzecznie, wskazując miejsce obok przyglądającej się jej Dominiki. – Napijesz się czegoś?

– Niczego się nie napije! Pojedzie teraz do apteki. Dawaj recepty! – rozkazywała Dominika, która czuła się tu jak u siebie.

– Dominika... – zaczęła nieśmiało Hanka. – Naprawdę nie trzeba. Jest sylwester. Jedźcie się bawić, a ja sobie poradzę. Naprawdę.

Patrzył na nią i otrząsnąwszy się z pierwszego szoku, zaczął logicznie myśleć.

Hania, proszę, daj mi recepty. Pojadę do apteki. Jesteś chora, nie powinnaś w takim stanie nigdzie wychodzić. Wykupię leki i za chwilę je weźmiesz. – Popatrzył na nią prosząco.

Posłuchała. Bez słowa wzięła do rąk torebkę leżącą na krześle, wyciągnęła z niej plik recept i podała mu je. Były wypisane pięknym, niespotykanym u lekarzy, prawie kaligraficznym pismem. Dominika w tym czasie zdążyła podejść do schodów i wziąć do rąk wiszące na nich cudeńko. Rozpostarła je.

– A teraz popatrz, Mikołaj, co cię dziś omija...

– Dominika! – Hanka zgromiła ją błyszczącymi, chyba od gorączki oczami, podczas gdy on patrzył na sukienkę cielęcym wzrokiem.

– Piękna – wydusił, nie mając odwagi spojrzeć na Hankę. W spoconej ręce trzymał plik recept. – Za chwilę będę z powrotem – powiedział, kierując się do wyjścia.

– Poczekaj... – usłyszał słaby głos. – Wytłumaczę ci, gdzie jest najbliższa apteka.

Odwrócił się i popatrzył na Hankę w momencie, w którym dostała okropnego ataku kaszlu.

– Wiem, gdzie jest. Znam okolicę. Dwie ulice dalej mieszkają moi rodzice. Obok nich jest apteka czynna całą dobę. – Schował recepty do kieszeni i stawiając kołnierz kurtki, wyszedł.

Wsiadając do samochodu, nie wiedział, czy zaistniała sytuacja powinna go cieszyć, czy martwić. Co prawda, nie było mu dane zobaczyć dziś Hanki w czerwonej sukni. Rzeczywiście miała oszałamiająco głębokie wycięcie na plecach. Nie mógł objąć Hanki w tańcu, ale za to znalazł się w jej domu. Widział, jak patrzyła na niego ciepłym wzrokiem. Była blada i chora, a jednak się uśmiechała. Poza tym już drugi raz mógł jej pomóc, co prawda, pod zdecydowane dyktando Dominiki. Niektóre kobiety uważały, że droga do serca mężczyzny wiedzie przez żołądek. To twierdzenie zawsze wydawało mu się głupie i przesadzone. Teraz chciał wierzyć w inne. Miał nadzieję, że drogę do serca Hanki stanowią pomoc i wsparcie. Wchodząc do apteki, był szczęśliwy, że znowu może jej pomóc.

Wieczór sylwestrowy okazał się pechowy nie tylko dla Hanki. Stanął na końcu dość długiej, jak na tę porę, kolejki. Przed sobą widział plecy niskiego mężczyzny, który pachniał dobrymi perfumami wymieszanymi z zapachem tytoniu i chyba alkoholu. Mikołaj wyjął z kieszeni recepty i wpatrywał się w piękne, okrągłe pismo nowo poznanego doktora. Przebiegł wzrokiem po imieniu i nazwisku Hanki. Uśmiechnął się na wspomnienie profesor Pindalerskiej. Jego uśmiech nagle przygasł i przerodził się w zainteresowanie. Pod linijką, w której doktor wpisał znany Mikołajowi już od pewnego czasu adres Hanki, widniał jej numer PESEL. Była od niego o trzy lata młodsza. Miała dwadzieścia sześć lat. Urodziła się ósmego marca, obchodziła urodziny dokładnie tego samego dnia co jego mama. Uśmiechnął się. Nie mógł uważać dzisiejszego wieczoru za stracony. Nie można przecież mieć wszystkiego. Jego rozmyślania przerwał tłuściutki, sympatyczny aptekarz o okrągłej, pączuszkowatej twarzy. Zagadnięty przez niego grzecznie, oddał mu recepty, z których niczego więcej nie mógł się dowiedzieć.

Wszedł do jej domu. Znów patrzył na salon, który kolejny raz zrobił na nim duże wrażenie. Dopiero teraz zauważył kominek i stojące w jego pobliżu dwa puste wiklinowe kosze. Dominika wyjmowała termometr z ucha Hanki.

– No pięknie! – stęknęła. – Trzydzieści dziewięć i osiem! Po prostu super! – popatrzyła na niego wystraszona. – Masz?

Kiwnął tylko głową.

– To dawaj! Strasznie jej się pogorszyło.

Podał jej posłusznie torebkę wypełnioną po brzegi lekami. Dominika wypakowywała je i jednocześnie dotknęła ręki Hanki.

– Matko Boska! – krzyknęła prawie identycznie, jak zwykła to robić jego matka. – Dotknij jej ręki!

Mechanicznie wykonał jej polecenie. Hanka siedziała nieruchomo przy stole. Była bledsza niż biała ściana za nią, a jej ręka była zimna jak lód. Nawet nie drgnęła, gdy jej dotykał. Przeraził się. Dominika postawiła przed nią talerz, na którym leżała mała kanapka z żółtym serem.

– Jedz! – rozkazała, stawiając przed nią filiżankę herbaty. Zaczęła wyciskać tabletki z hałasujących opakowań.

Hanka oparła głowę na trzęsącej się ręce. Widział, jak drży.

– Jedz! – powtórzyła Dominika.

Na pierwszy rzut oka było widać, że czuła się teraz dużo gorzej niż wtedy, gdy wychodził do apteki. Na jej bladych do tej pory policzkach pojawiły się nagle gorączkowe wypieki. Szklisty wzrok wbiła w kanapkę, która wciąż spoczywała na talerzu nieruszona. Drżącą ręką podniosła ją do ust. Nie ugryzła niestety ani kęsa i odłożyła ją z powrotem na talerz.

– Nie mogę – powiedziała cicho. Była bezradna jak małe dziecko.

– Musisz coś zjeść – poprosił, najłagodniej jak potrafił.

– Jedz! – Dominika używała metody zaciętej płyty. – Nie wyjdę stąd, dopóki nie zjesz, nie weźmiesz leków i osobiście nie wpakuję cię do łóżka!

Usłyszał dźwięk swojego telefonu. Odebrał. Stanął przy kuchennym blacie, szepcząc do zdenerwowanego ich przedłużającą się nieobecnością Przemka.

– Ona jest naprawdę bardzo chora...

Jak spod ziemi wyrosła przy nim Dominika i wyrwała mu telefon z ręki. Bez słowa.

– Idź i wepchnij w nią tę kanapkę. Ma ją zjeść, choćby nosem. – Dominika była bardzo zdenerwowana.

Podszedł do Hanki, która oparła gorące czoło o blat stołu. Usiadł blisko niej. Widział, że ma dreszcze.

– To co? Jemy? – zapytał, jakby miał do czynienia z klasycznym przykładem małoletniego niejadka.

– Nie mogę – zerknęła na niego błagalnym, błyszczącym od gorączki wzrokiem.

– Ale musisz zjeść, chociaż trochę. Proszę cię, podnieś głowę.

Z trudem zrobiła to, o co poprosił. Wziął do ręki kanapkę i przysunął jej do ust.

– Zjem, ale sama – wzięła od niego jedzenie.

Chłód jej ręki był przerażający. Odwrócona tyłem do nich Dominika tłumaczyła coś półgłosem Przemkowi. Widział, jak Hanka ugryzła mały kęs i długo przeżuwała w ustach, co najmniej jak stara Kubanka liść tytoniu. Podał jej kubek z herbatą i poprosił, żeby się napiła. Chyba nie odnalazła w sobie siły na to, żeby go wziąć, bo nie wykonała najmniejszego ruchu. Przytknął jej więc kubek do ust i troszkę się napiła.

Gdy po kilku minutach podeszła do nich Dominika, zerkając na stojący przed Hanką pusty talerz, poczuł się jak prawdziwy bohater.

– No, Mikołaj! Nadajesz się do pracy w żłobku. A gdzie prochy?

– Wzięte! – uśmiechnął się, choć wiedział, że Hance nie było do śmiechu.

– Muszę się położyć – powiedziała Hanka, wstając powoli od stołu. Musiała się jednak szybko chwycić krzesła, ponieważ jej ciałem rządziły dreszcze.

– Weź ją na ręce i zanieś do sypialni, bo sama nie dojdzie! – Dominika znów rozkazywała.

Nie bacząc na słabe protesty Hanki, wziął ją na ręce. Niestety, nie objęła rękami jego szyi. Była leciutka jak piórko. Miał wrażenie, że za chwilę przepłynie mu przez ręce. Była przerażająco bezwładna.

– Dokąd? – zapytał konkretnie i spojrzał na Dominikę, czując, jak głowa Hanki ląduje mu w okolicach butonierki.

– Po schodach i takie duże, rozsuwane drzwi po lewej stronie.

Gdy pokonał schody, Hanka już spała. Ułożył ją delikatnie w ogromnym łóżku. Nakrywał ją białą kołdrą, kiedy otworzyła na moment oczy.

– Dziękuję. Jesteś kochany – szepnęła i zasnęła albo tylko zamknęła oczy.

Patrzył na nią, nie wiedząc, czy to, co usłyszał, wypowiedziała naprawdę, czy tylko bardzo chciał to usłyszeć. Nagle coś głośno trzasnęło. To Dominika położyła na szafce nocnej metalowy termos i mały biały kubeczek z uchwytem stylizowanym na wygiętego w łuk delfina.

– Tu masz, kochana, ciepłe piciu, herbatkę z cytrynką. Jutro rano przyjadę do ciebie.

Hanka pokiwała głową, ale oczu nie otworzyła. Odwróciła się twarzą do nich i przytuliła do poduszki.

– Która jest godzina? – zapytała nieprzytomnie, z zamkniętymi oczami.

Zerknął na zegarek.

– Po jedenastej.

– Jedźcie na bal. Przepraszam, że zepsułam wam zabawę. Zapomniałabym... W salonie za kanapą jest coś dla ciebie – otworzyła oczy, patrząc na Dominikę. – A na blacie w kuchni coś dla ciebie – zerknęła w jego stronę.

– Dzięki wielkie – szepnęła Dominika.

Dałby głowę, że była wzruszona, gdy głaskała Hankę po wciąż gorącej głowie.

Nie mógł się oprzeć i dotknął delikatnie jej ręki leżącej bezwładnie na kołdrze. Trochę się uspokoił, bo zrobiła się nieco cieplejsza. Nie była już trupio lodowata.

– Do zobaczenia – powiedział, zdając sobie sprawę, że go nie słyszy. Spała zmęczona gorączką.

W samochodzie było przeraźliwie zimno. Siedzieli w nim od kilku minut, nie odzywając się do siebie. Dominika trzymała na kolanach plastikowy pojemnik na żywność należący do jego mamy. Ten sam, w którym dał Hance karpia. Dziś, dla odmiany, pojemnik był wypełniony upieczonymi przez Hankę ciasteczkami. Były śliczne, przypominały małe sakiewki, w których w dawnych czasach przechowywano drogocenne monety. Na tylnym siedzeniu samochodu leżał imponujących rozmiarów prezent, który dostała Dominika. Zastanawiał się, z jakiej okazji, ale nie chciał o nic pytać, bo miała niewyraźną minę. Nie wiedział, czy była wzruszona czy wściekła. Uruchomił zimny silnik. Milczenie nie leżało w naturze Dominiki, dlatego odetchnął z ulgą, gdy się w końcu odezwała.

– Jest chorowita, ale na takim zjeździe jeszcze jej nie widziałam.

– Może... – zaczął nieśmiało.

– Może co?

– Może odwiozę cię na imprezę, a sam do niej wrócę – zaproponował odważnie. – Wydaje mi się, że nie powinna zostawać dzisiaj sama. Zwłaszcza w takim stanie.

– Chyba zwariowałeś! – Dominika szybko sprowadziła go na ziemię. – Jedyną osobą, która powinna z nią zostać, jestem ja. Ale nie mogę tego zrobić Przemkowi. Gdybyś z nią został, to po odzyskaniu sił, pomimo bardzo dobrego serca, na pewno oskalpowałaby mnie bez namysłu i znieczulenia. Nie zdajesz sobie sprawy, jaki dostałam od niej opier...papier za ten cyrk przed Wigilią. Zresztą należało mi się wtedy jak nic, bo kretynka ze mnie pierwszej wody. Myślę, że będzie dobrze. Dostała dobre prochy i śpi. Będzie dobrze!

Słuchając Dominiki, nie wiedział, czy tym, co mówiła, chciała uspokoić jego czy samą siebie.

– Dlaczego od razu kretynka?

– Bo jest dzisiaj chora przeze mnie i przez moje porąbane pomysły.

Spojrzał na nią pytająco.

– Wczoraj, jak wracałyśmy od pani Irenki, wiesz, znad morza, nie mogłam doczekać się żadnej ubikacji na trasie i zmusiłam ją, żeby zatrzymała się w szczerym polu. Nie chciała, ale ją zmusiłam, i sikałyśmy w szczerym polu, jak kiedyś, gdy byłyśmy małe.

Był mocno zdziwiony, że Dominika, opowiadając mu to, nie była zażenowana, zero zahamowań. Ale chyba zawsze taka była, niezależnie od tego, z kim akurat rozmawiała.

– Powinnam była się domyślić, że to sikanie nie wyjdzie jej na zdrowie, bo jest cholernie nieodporna. Pierwszy raz od nie pamiętam kiedy, miała się zabawić. Chciała iść. Widziałeś, jak się ładnie uczesała?

Skinął głową, redukując bieg przed zakrętem.

– Nawet przewalczyłam z nią tę odlotową czerwoną sukienkę. Mam teraz moralniaka jak stąd do Meksyku. – Popatrzyła na niego skruszona, a on był prawie pewien, że nieczęsto miewała taką minę. – Jutro raniutko do niej pojadę. A teraz jedź szybko, bo Przemek się zaraz nabzdyczy i będzie w ogóle po balu.

W firmie zabawa rozkręciła się na całego. Bez krzty entuzjazmu patrzył na rozkołysane w tańcu ciała. Wciąż nie wiedział, co sądzić o dzisiejszym wieczorze. Myślał, że spędzi go, rozmawiając i tańcząc z Hanką. Wszystko potoczyło się inaczej, niż się tego spodziewał. Oddałby wiele za możliwość zostania w domu Hanki i patrzenia na nią, gdy spała. Chciał przy niej zostać. Czuwać i patrzeć. Ale skoro nawet wyluzowana Dominika na to nie pozwalała, to z pewnością w tym zakazie kryła się głębsza logika. Wciąż i od nowa odtwarzał w pamięci moment, w którym wziął ją na ręce i niósł do ogromnej sypialni. W przepastnym łóżku, w którym ją położył, wydawała się jeszcze mniejsza i delikatniejsza. Miała piękną fryzurę i pięknie pachniała. Wyjął z kieszeni telefon. Wszedł do historii połączeń. Dzięki roztargnieniu Dominiki patrzył teraz na numer telefonu Hanki. Jeszcze niedawno wydawał mu się nieosiągalny, a teraz zapisywał go w pamięci telefonu pod nazwą Hanuś i nie mógł zapanować nad uśmiechem. Wyłączał telefon, gdy podszedł do niego Przemek z kieliszkiem w dłoni.

– Jak się masz? – zapytał.

– A gdzie podziałeś Dominikę? – odbił pytanie, gdyż nie wiedział, jak się ma. Miał tej nocy kilka powodów do radości, jednak przede wszystkim się martwił.

– Poszła po ciasteczka Hanki. Za kilka minut północ, ale zleciał ten rok, co? Wiem, że jesteś wkuty, że nie przyszła, ale wiesz... Nie ma tego złego...

Goście na sali zaczęli odliczanie. Przemek nerwowo rozglądał się w poszukiwaniu Dominiki, która lawirowała wśród zebranych z ciasteczkami Hanki. Pięć, cztery, trzy... Słyszał wesołe odliczanie. Dwa, jeden... Rozległy się głośne brawa i podeszła do nich Dominika. Trzymając przed sobą pojemnik z ciasteczkami, obdarowała Przemka pocałunkiem wcale niekoleżeńskim i niekrótkim. Po czym to jemu pierwszemu podsunęła pod nos pojemnik.

– Ty pierwszy.

Popatrzył na ciasteczka i wziął pierwsze z brzegu.

Po nim Dominika obdarowała też Przemka i wzięła jedną sakieweczkę dla siebie. Resztę ciastek podała przechodzącemu obok kelnerowi z wyraźnym poleceniem rozdania wśród gości. Najchętniej zabrałby te wszystkie ciastka dla siebie, nie oddając nikomu ani jednego. Niestety, nie miał na to najmniejszych szans. Wciąż trzymał w ręce swoje ciasteczko, podczas gdy Dominika rozwijała wyjętą z ciasteczka wróżbę. Ciastko zdążyła już schrupać.

– „Miłość nie jest skarbem, który się posiadło, lecz obustronnym zobowiązaniem". Antoine de Saint-Exupéry – przeczytała głośno. – Ale mi wróżba! – prychnęła niezadowolona i zerknęła na Przemka. – Przeczytaj swoje!

– „Chcąc doznać pełni szczęścia, trzeba je dzielić z kimś drugim". Mark Twain – spojrzał z uśmiechem na Dominikę, a ona wyrwała mu zupełnie nieoczekiwanie mały rulonik z ręki i odczytała jeszcze raz.

– Nawet fajne – skwitowała. – A ty co masz? – spojrzała na Mikołaja. – Nie stój tak, tylko ugryź!

Chciał to zrobić w samotności. Nie miał na to szans. Presja popędzającego go wzroku Dominiki była nie do przeskoczenia. Delikatnie ugryzł ciasteczko. Było pyszne. Słodkie, z imbirowym posmakiem. Wyciągnął z niego maleńką, zwiniętą w rulonik karteczkę. Przebiegł po niej szybko wzrokiem, jakby się bał, że została wypisana znikającym atramentem.

– No nie wytrzymam! Czytaj! Bo ci zabiorę! – Dominika nie miała litości.

– „Kto umie czekać, wszystkiego się doczeka". William Szekspir – przeczytał powoli, wpatrując się w niespotykanie piękne pismo, którym była napisana wróżba.

Przemek poklepał go po ramieniu, przyglądając mu się z porozumiewawczym uśmiechem.

Jeszcze raz zerknął na optymistyczne słowa wróżby. Delikatnie złożył karteczkę, jakby bojąc się, że ją uszkodzi, i włożył do kieszeni koszuli. Poluzował krawat, by po chwili zdjąć go całkowicie. Nie był mu już potrzebny. Przemek i Dominika, nie przejmując się zupełnie jego towarzystwem, prawie nieprzerwanie obdarzali się noworocznymi pocałunkami.

– Może popełniłbyś teraz trochę honory gospodarza imprezy, bo my z Domi najchętniej już byśmy się ulotnili. Po angielsku – szepnął Przemek.

– W porządku – odpowiedział Mikołaj, mając przed oczami Hankę zmuszającą się do zjedzenia kanapki.

Zadowolony Przemek mocno uścisnął mu rękę, a Dominika odcisnęła na jego policzku siarczystego buziaka. Patrzył, jak oddalali się objęci. Zazdrościł im.

– Dominika! – zawołał.

Odwróciła się natychmiast.

– A prezent?

Dominika klepnęła się w czoło i wróciła, ciągnąc za sobą niezadowolonego Przemka.

– Zejdźmy razem do garażu, to przełożymy tę stolnicę do samochodu Przemka – zaproponował Mikołaj.

Zniecierpliwiony Przemek patrzył na Dominikę, nic nie rozumiejąc, ona jednak nie przejęła się tym wcale i znów ciągnęła go w kierunku wyjścia.

Mikołaj podążył śladem zakochanych, a ściskany do tej pory w ręku krawat powiesił na pierwszym napotkanym krześle.

– To jest naprawdę stolnica! – Przemek spoglądał zdziwiony na wielki, darowany przez Hankę prezent. W jasnym garażowym świetle dokładnie widać było świąteczny deseń papieru.

– Nie wiem, co to jest – skrzywiła się Dominika. – Hanka ma taki durny zwyczaj, że zawsze na moje uro... – przerwała nagle.

– Masz dzisiaj urodziny? – podchwycił szybko Przemek.

Dominika w odpowiedzi jedynie się skrzywiła.

– Dlaczego nie powiedziałaś, musimy to uczcić! Kobieto!!! – Podniesiony głos Przemka wypełniał całą garażową przestrzeń.

Mikołaj spoglądał na zmieszaną Dominikę. Lubił ją, i to nie tylko dlatego, że stanowiła realne i namacalne ogniwo mogące połączyć jego świat ze światem Hanki. Lubił ją, bo był pewien, że nigdy niczego nie udawała. Była szczera i autentyczna jak dziecko, które zawsze mówi to, co myśli, bo inaczej jeszcze nie potrafi.

– Szczęścia. Życzę ci szczęścia – powtórzył.

Ujął jej dłoń i ucałował z namaszczeniem godnym największego amanta kina niemego.

– Odpakuj – poprosił Przemek.

Dominika jednym sprawnym ruchem szarpnęła kolorowy papier i szybko zdjęła go z urodzinowego prezentu. Ich oczom ukazał się piękny obraz przedstawiający jesienny ogród.

– O ludzie! – Dominikę zatkało.

– To nie stolnica – skonstatował Przemek. – Kupiła ci obraz. Ładny – oceniał to, na co właśnie spoglądał.

– Nie kupiła, tylko namalowała – sprostowała Dominika.

Mikołaj nie wierzył ani własnym uszom, ani oczom. Patrzył na obraz, który był autorstwa Hanki. Znów się czegoś o niej dowiedział. Wciąż go czymś zaskakiwała. Zaskakiwała go wszystkim.

Przemek zaniemówił i wlepił wzrok w ciepły jesienny pejzaż.

– Nie wiedziałem, że Hanka maluje – powiedział powoli.

– Tak się składa, że ja też nie – sapnęła wzruszona Dominika. – Ale ona taka już jest, że czego się tknie, to wszystko umie. Znamy się już prawie dwadzieścia lat i zawsze gdy mi się wydaje, że wiem o niej wszystko, to wycina mi taki numer i już wiem, że znowu nic o niej nie wiem. Jest genialna, a ten jej bohomaz przecudny. – Dominika wpatrywała się w obraz. Była wzruszona.

– To może już w końcu pojedziemy? – Przemek objął Dominikę w pasie i przyciągnął ją do siebie tak sugestywnie, że nietrudno było się domyślić, do czego mu się tak spieszy.

– To pa! – rzuciła Mikołajowi przez ramię Dominika.

– Jutro zadzwonię. A raczej dzisiaj zadzwonię, ale wieczorem. OK? – zapytał Przemek.

Chyba miał wyrzuty sumienia, że zostawia go samego.

– Idźcie już – odpowiedział z uśmiechem, zazdroszcząc oddalającej się parze. Musiał być cierpliwy. Musiał nauczyć się czekać. Musiał to zrobić dla siebie, ale największą nadzieję miał na to, że robi to również dla niej. Przez skórę czuł, że smutna czujność w oczach Hanki nie wynikała jedynie z ich urody. Coś było nie tak. Czuł to. Musiał się o niej dowiedzieć wszystkiego.

Otworzyła oczy. Bolały ją powieki. Bolała ją głowa. Wszystko ją bolało. Tylko nigdzie nie mogła dostrzec walca, który odważył się przejechać po niej podczas snu.

– Jak tam się dziś czujemy? Żyjesz?

Hanka usłyszała głos Dominiki, która weszła do jej sypialni. Najprawdopodobniej to ona ją zbudziła.

– Co ty tu robisz? – zdziwiła się. Chciała otworzyć szerzej oczy, ale natychmiast poczuła opór powiek, które zachowywały się tak, jakby zostały wykonane z bardzo ciężkiego metalu.

– A może jakieś szczęśliwego nowego roku? – zasugerowała ze śmiechem Dominika, trzymając nad nią tacę, która z hukiem wylądowała na szafce nocnej. Na tacy stała szklanka z czymś czerwonym do picia i mały talerzyk uśmiechający się do niej keczupową buźką zdobiącą kanapkę z żółtym serem.

– O nie! – Sam widok jedzenia przyprawiał ją o mdłości. – Nie przełknę niczego. – Nie chciała zerknąć drugi raz na jedzenie, żeby jej żołądek nie wykonał znów okołoprzełykowych akrobacji.

– Musisz! – usłyszała stanowczy ton Dominiki. – Musisz zjeść przed prochami i nawet mnie nie denerwuj miauczeniem. Proszę! Tu jest antybiotyk, a tu soczek malinowy do popicia. A to jest termometr – mówiąc to, wyjęła go z opakowania i bez ostrzeżenia umieściła go w jej uchu.

Hanka siedziała na łóżku, czując się ubezwłasnowolniona przez ból głowy i spożywczą tyranię Dominiki. Termometr piknął, ogłaszając koniec swojej pracy.

– Trzydzieści osiem i cztery krechy – odczytała wynik pomiaru Dominika. – Znaczy stan chorej powoli, ale poprawia się. A teraz jedz! – rozkazała.

– Muszę? – zapytała błagalnie.

– Jak nie zjesz, to zadzwonię po Mikołaja.

Hania zauważyła zagadkowy uśmieszek siostry. To, co powiedziała Dominika, zabrzmiało tak, jakby straszyła ją Mikołajem. Identycznie straszyła ją kiedyś czarną wołgą. Gdy były małe, zawsze mówiła: albo to zrobisz, albo przyjedzie po ciebie czarna wołga i cię zabierze.

– Dlaczego akurat po Mikołaja? – Przymknęła zmęczone oczy.

– Bo wczoraj cię nakarmił, napoił, prochy podał, zdolny chłopak.

– Jak to? – zapytała, tym razem wygrywając starcie z powiekami. Otworzyła szeroko oczy ze zdumienia. – To straszne, ja nic nie pamiętam. Kojarzę tylko, że przyjechaliście, i nic poza tym. Mam lukę w pamięci – patrzyła pytająco na Dominikę.

– Nawet chciał zostać u ciebie na noc. Rozochocił się bardzo, po tym jak cię zaniósł na rękach do łóżka. – Dominika triumfowała. Uwielbiała mieć monopol na informacje.

– Jak to na rękach? – nie dowierzała Hanka.

– Tak to! – Dominika przybrała pozę, jakby niosła kogoś na rękach.

– Jak to możliwe, żebym tego nie pamiętała? – Potarła nerwowo skórę na czole, pod którym mózg zachowywał się tak, jakby miał za mało miejsca w czaszce.

– To już teraz wiesz, jak czują się panienki po zażyciu pigułki gwałtu – westchnęła Dominika.

– Nie przesadzaj. To chyba nie jest najtrafniejsze porównanie – zrobiła zdegustowaną minę. – Czy możesz mi opowiedzieć, ze szczegółami, co się tu wczoraj działo po waszym przyjeździe – poprosiła grzecznie.

– Zacznę opowiadać, jak ty zaczniesz jeść!

– To jest szantaż!

– Jeżeli chcesz się czegoś dowiedzieć, to łap się za chlebuś! I to już!

Hanka nie miała wyjścia. Wzięła do ręki kanapkę i ugryzła maleńki kęs.

– To odkąd mam zacząć? – pogrywała z nią Dominika.

– Najlepiej od początku – nie dała się sprowokować i spoglądała na przyjaciółkę w niemym wyczekiwaniu.

– Spóźniałaś się na imprezę... – Dominika specjalnie cedziła słowa. – Mikołaj był w strasznym niesosie, więc zadzwoniłam do ciebie i myślałam, że ściemniasz z tą chorobą, więc przyjechaliśmy i pod domem spotkaliśmy doktora Jacka. Wpuściłaś nas do domu na jeszcze jako takim chodzie. Masz szczęście, że byłaś uczesana, bo było widać, że chciałaś jednak dotrzeć na imprezę, tylko cię siekło. Ciastka też świadczą na twoją korzyść. Mikołaj wziął recepty i pojechał do apteki. Kiedy wrócił, byłaś już na gorączkowym odlocie. Wmusił w ciebie żarcie, picie i co najważniejsze, prochy i zaniósł cię do sypialni...

– Jak to zaniósł? – przerwała Dominice sylwestrową opowieść.

– Uspokój się! Mówię ci przecież kolejny raz! Wziął cię na ręce i zaniósł. Po prostu. Nawet kołdrą cię przykrył. Jest taki słodki – Dominika, mówiąc to, podniosła oczy do góry.

Było jasne, że za wszelką cenę chciała ją zdenerwować. Tylko dlaczego?

– Chociaż oddałaś mu pieniądze? – zapytała Hanka dość trzeźwo, choć nie mogła uwierzyć w to, co usłyszała.

– Jakie pieniądze? – Dominika zrobiła wielkie oczy.

– Za leki – wyjaśniła.

– Przecież to twoje leki! – słusznie zauważyła Dominika, która była sprytną tupeciarą.

– Nie lubię cię – syknęła Hania dość poważnie.

– Lubisz! – przekomarzała się Dominika.

– Nie lubię cię i już! – chciała postawić na swoim.

– Lubisz i już!

Siostra była trudnym przeciwnikiem w słownych potyczkach. Z Dominiką strategicznie było się przyjaźnić. Nie wadzić.

– Gdybyś mnie nie lubiła, to... – zaczęła i nagle umilkła.

– To... – Hanka bała się, że usłyszy za chwilę kolejną rewelację.

– To nie namalowałabyś dla mnie takiego zaje... – Dominika urwała, bo usłyszała znaczące chrząknięcie. – Zajefajnego obrazu. Jest piękny! A ty jesteś miłością mojego życia – Dominika ściskała ją, szepcząc do ucha. – Mogę tak mówić, bo w pobliżu nie ma Przemka.

– Czyżby Przemek też był miłością twojego życia? – zapytała wprost.

– Mam taką nadzieję. Wiesz... – Dominika zamyśliła się na chwilę. – On jest taki... – znów szukała odpowiedniego słowa. – On jest taki... Fajny! – wydusiła w końcu.

– Ty to potrafisz faceta komplementować...

Hania chciała jeszcze coś dodać, jednak uniemożliwił jej to okropnie brzmiący, przeraźliwie męczący i duszący kaszel. Czuła się tak, jakby na jej piersiach położył się hipopotam. Gdy się uspokoiła, oczy same jej się zamykały. Poczuła kolosalne zmęczenie.

– Ale się czuję... – teraz jej zabrakło słowa.

– Wypluta? – zapytała Dominika.

– Dokładnie. Tak się czuję. A jak udała się impreza?

– Chyba dobrze.

– Jak to chyba? – Nie mogła rozmawiać, bo znowu się rozkaszlała.

– Byłam tam krótko. Jak wróciliśmy z Mikołajem od ciebie, było przed północą. Potem szampany, toasty, a o pierwszej byliśmy już u Przemka.

– I jak było?

– Hm? – chrząknęła Dominika. – Jak by to powiedzieć? Wiesz, co podoba mi się w nim najbardziej? Jak jesteśmy w większym gronie, to zawsze zgrywa luzaka, a jak jesteśmy sami, zmienia się w nieśmiałego faceta. To mnie strasznie w nim kręci. A poza tym, pomimo całej swojej nieśmiałości, jest dobry w te klocki.

– Może już więcej nie opowiadaj – zaczęła zażenowana. Bała się, że Dominika przesadzi ze szczegółami opisującymi minioną noc. Zawsze była bezpruderyjna.

– A co, jesteś zazdrosna?

– O co? – zdziwiła się.

– O łóżko!

– Nie, o Przemka! – Chciała zakpić, niestety, nie udało jej się to zbyt dobrze, ponieważ znowu zaniosła się duszącym kaszlem. – Czyżby szaleństwa bezsennej nocy dawały o sobie znać? – zapytała po chwili, bo Dominika rozziewała się na dobre.

– Ty nie bądź taka dociekliwa! Lepiej się posuń! – Siostrunia jak zwykle ładowała się do jej łóżka.

– Ale nie właź na mnie! – zaprotestowała. – To łóżko ma ponad dwa metry, więc połóż się, z łaski swojej, z drugiej strony.

– Jeszcze może mam sobie przynieść koc? – Dominika rozmarudziła się, tak jakby to ona była jedyną chorą w tym towarzystwie.

– Tak. Nie będę z tobą spała pod jedną kołdrą, bo masz zawsze zimne nogi. – Znów męczył ją kaszel, ale z trudem odzyskując oddech, dodała: – A poza tym nie chcę cię zarazić. – Atak duszącego kaszlu utrudniał jej nie tylko konwersację lecz również chęć do skorzystania z nagromadzonego w powietrzu tlenu.

– Przestań już gadać, bo ci zaraz oskrzela nosem wylecą.

– Bardzo śmieszne – szepnęła zmęczona i przymknęła oczy. Miała dosyć. Czuła, że ogarnia ją fala gorąca generująca zimny pot na czole. Chciała zasnąć.

– Śpisz? – zapytała cicho Dominika, wyjmując z szuflady znajdującej się pod łóżkiem ogromny koc z wielbłądziej wełny.

– Nie – szepnęła, nie otwierając oczu.

– To teraz posłuchaj, jaki jest plan. Wpisałam ci do telefonu numer Mikołaja, masz go pod Mister Karp. Wieczorem masz do niego zadzwonić.

Hania zdziwiona tym, co właśnie słyszała, łypnęła tylko okiem.

– No nie patrz tak na mnie! Przecież musisz się z nim rozliczyć za leki – mówiąc to, Dominika była bardzo dumna ze swojej przebiegłości. – A tak poza tym to nie wiem, czy pamiętasz, ale jesteś mu też coś winna za karpia i jak przypuszczam, za benzynę, co to ci ją wtedy zatankował.

Hanka przeraziła się, słysząc tę litanię długów. Rzeczywiście, było tego dużo. Zganiła się w myślach, że zapomniała o pieniądzach za paliwo. Dominika wciąż mówiła.

– Pomyśleliśmy z Przemkiem, że powinnaś zaprosić Mikołaja na kolację, a żebyście nie czuli się samotni, to nas też powinnaś zaprosić.

Hanka spojrzała nieprzytomnie na Dominikę.

– Nie ma co się tak gapić! Przecież nie przyszłaś na sylwka, choć obiecałaś, i nie zapominaj, że uratowaliśmy ci z Mikołajem wczoraj życie. A jak już jesteśmy przy Mikołaju, to musisz mu naprawdę oddać sporo kasy, przecież do tej twojej fury to można wlać cysternę benzyny. Poza tym wczoraj z Przemkiem zerwaliśmy się z tej imprezy dość wcześnie i Mister Karp musiał tam zostać do końca. Wiesz, z ramienia organizatorów. Biba na pewno trwała do białego rana, czyli teraz niebieskooki musi być skórą niedźwiedzia. Więc pomyślałam, że taka wspólna kolacyjka to będzie fajna sprawa. Co? – zapytała prosząco.

– A mogę wyzdrowieć? – Nie miała siły, żeby wyperswadować Dominice jej niedorzeczny plan.

– Raczej musisz! – Dominika zawijała się w koc metodą naleśnikową.
– A zrobisz coś dla mnie? – zapytała.
– A zatelefonujesz dzisiaj do Mikołaja?
– Zatelefonuję, przecież muszę mu oddać pieniądze.
– To teraz gadaj, co mam zrobić.
– Pojedziesz dziś na cmentarz? Jak już się wyśpisz... – dodała szybko, widząc minę Dominiki.
– I tu się zdziwisz! Kupiłam nawet znicze. W końcu cmentarz w Nowy Rok to taka nasza tradycja rodzinna. – Dominika była dumna ze swojej zaradności. Była w niezwykle dobrym nastroju. Zawsze, gdy czuła się szczęśliwa, cytowała swojego ulubionego bohatera filmowego, który nie miałby dziś żadnych powodów, żeby powiedzieć o niej „ot, durna bździągwa".
– Jesteś kochana... – szepnęła Hania, czując nieprzyjemne pulsowanie w okolicy skroni.
– Wiem!
– I jeszcze zarozumiała, zapatrzona w siebie i do tego despotyczna – z uśmiechem wymieniała cechy Dominiki.
– Wiem, powiedziałaś mi to już wczoraj. Zresztą Mikołajowi też, i to w niesamowitych okolicznościach.
– Ja? – ożywiła się, chociaż ból głowy się nasilał. – Powiedziałam mu, że jest despotyczny? Nie strasz mnie. W jakich okolicznościach?
– Intymnych!
– Co? Dominika, nie denerwuj mnie. Powiedziałam mu, że jest despotyczny? – powtórzyła pytanie.
– No coś ty! Powiedziałaś mu, że jest kochany – wyjawiła w końcu Dominika, ziewając jak krokodyl oczekujący na stomatologiczną pomoc kolibra.
– Co chcesz przez to powiedzieć? – Nie zważając na zawroty głowy, powodujące mdłości, usiadła na łóżku.
– No wiesz... – ziewnięcie. – Jeżeli mężczyzna zanosi kobietę... – ziewnięcie. – Po schodach, na rękach, do łóżka... – ziewnięcie. – Nakrywa ją, nie! Nie tak było. Otula ją kołdrą, a ona mu mówi, że jest kochany, to chyba można powiedzieć, że... – ziewnięcie. – Że sytuacja jest intymna.
– Wiesz co? – przełknęła ślinę i poczuła się bardzo śpiąca. Nie chciała myśleć o niczym.

– Co?

– Lepiej już śpij.

– A zadzwonisz? – Dominika nie odpuszczała.

– Jeżeli obiecałam, to zadzwonię. Przecież wiesz – skończyła dyskusję, kładąc się i demonstracyjnie odwracając plecami do Dominiki.

Nakryła głowę kołdrą. Czuła się koszmarnie. Lodowate ręce wskazywały na to, że znów gorączka zaczynała rządzić jej ciałem. Może dlatego przez jej głowę z prędkością światła przefruwały różne dziwne myśli. Wiedziała, że Dominika miała dużą skłonność do konfabulacji. Jednak przez rozgorączkowaną skórę czuła, że wszystko, o czym jej dziś opowiedziała, było prawdą. Przez chwilę żałowała nawet, że nic nie pamięta. Może jednak coś z poprzedniego wieczoru zostawiło ślad w jej świadomości. Wysilając pamięć, odtworzyła magnetyzujące morskie spojrzenie i błękit oczu, który podkreślała niebieska koszula i granatowy garnitur. Więcej nie potrafiła sobie przypomnieć. Zastanawiała się, czy żałuje, że ma lukę w pamięci. Jej rozmyślania na granicy jawy i snu przerwała Dominika.

– Śpisz? – usłyszała jej szept.

– Nie – odpowiedziała też szeptem.

– O czym myślisz?

– O nim.

– Bingo. Wiedziałam! – krzyknęła szeptem Dominika.

– Nie tak, jak myślisz.

– A ty co? W głowie u mnie leżysz?

– Nie leżę, ale znam cię dobrze i wiem, że na pewno myślisz nie o tym, o czym ja w tej chwili.

– To powiedz, o czym myślisz. Tylko szczerze, bez ściemniania.

– Myślę, że on na pewno ma mnie za dziwaczkę. W jego samochodzie zasnęłam, wczoraj też wygadywałam jakieś bzdury.

– Dobrze wiedzieć, że interesuje cię, co on o tobie myśli – podsumowała Dominika.

– Nie chodzi o to, tylko... – nie wiedziała, co powiedzieć.

– A co ty się przejmujesz? Najwyżej powie się mu, że masz cukrzycę i dużo śpisz – Dominika parsknęła śmiechem. – Śpimy już?

– A musimy? – zapytała, bo sen oddalił się od niej w chwili, gdy zaczęła myśleć o Mikołaju. Dawno nie myślała o kimś w taki sposób. Nie wiedziała do końca, czy chce o nim myśleć. Jednak myśli same krążyły wokół jego osoby.

– Ty musisz! A ja chcę! – Słowa Dominiki dotarły do niej z pewnym opóźnieniem.

Wsłuchiwała się w jej miarowy oddech. Dominika zasypiała. Hanka pomyślała o pani Irence. Postanowiła do niej zatelefonować z noworocznymi życzeniami, ale nie miała siły się poruszyć. Poza tym nie chciała zakłócać odpoczynku Dominice, której oddech wpływał na nią uspokajająco. Pod zamkniętymi powiekami przewijały się różne obrazy z przeszłości. Widziała tatę, wychodzącego rano do pracy, zawsze w błękitnej koszuli. Mamę, która stała przy desce do prasowania. Wydawało się jej, że słyszy syk gorącego żelazka i czuje specyficzny zapach uwalniany przez prasowane tkaniny. Ciepło goszczące teraz na jej czole odbierała jako ciepłą dłoń pani Irenki, która potrafiła całymi godzinami głaskać ją bez niepotrzebnych słów. Nie mówiła nic nawet wtedy, gdy wiedziała, że jej Hanusia nie może pogodzić się z przytłaczającą ją rzeczywistością. Myślała nawet o Mikołaju. Tamtym Mikołaju. Nie chciała o nim tak myśleć. Kategoria „tamten" do niego nie pasowała. Nie pozwalała sobie na myślenie o nim. Bała się wspomnień. Tego, że rozerwą ją na drobne kawałeczki i nie zdoła się kolejny raz poskładać w jedną całość. Nie była gotowa na wspomnienia, bała się myśleć. Jednak, wbrew sobie, odtwarzała w pamięci widok ośnieżonego i oświetlonego stoku w Szklarskiej Porębie. Mikołaj uwielbiał jeździć na nartach. Nie znał umiaru. Od rana do wieczora, z krótką przerwą na obiad. Przypominał się jej pewien wieczór. Była przemarznięta i wykończona. Chciała wracać do hotelu, ale Mikołaj miał w nosie to, o co go prosiła. Handryczył się z nią o kolejne zjazdy i kolejne minuty na stoku. Miała dość. Nogi odmawiały jej posłuszeństwa, mięśnie drżały z przemęczenia. Położyła się więc na zmarzniętym i skrzypiącym od mrozu śniegu i odciskała w nim orzełki. Uwielbiała to robić. Patrzyła na rozgwieżdżone zimowe niebo. Było jej zimno, ale była bardzo szczęśliwa. Czuła się wolna. Następnego dnia, po upojnej nocy, nie poszła już na narty. Musiała odchorować to zimowe szczęście. Zachorowała na zapalenie oskrzeli o identycznym przebiegu jak teraz. Dużo dałaby, żeby w tej chwili odbić ciałem na śniegu kształtnego orzełka i beztrosko poobserwować gwiazdy.

Otworzyła oczy. Gwiazdy zniknęły. Dzięki roletom zasłaniającym okna w sypialni panował przyjemny półmrok. Była z siebie dumna. Dominika pochrapywała cicho, a ona rozmyślała o swoim Mikołaju. Widziała przed sobą jego szare oczy. Nie płakała. Może to jakiś znak? Nie mogła się nad tym długo zastanawiać. Nie kusić losu! Nie myśleć! Myślenie ma przyszłość, powiedział kiedyś ktoś mądry. Ale przecież myślenie to nie to samo co wspominanie. Spojrzała na muszlę od pani Irenki. Wzięła ją do ręki i przyłożyła do ucha. Słyszała szum morza, przez który dały się słyszeć słowa pani Irenki. Mówiła o boskim planie. Czy jej Mikołaj był elementem tego skomplikowanego planu? To przecież niemożliwe. Nie chciała tak myśleć. Chciała tamto życie oddzielić od obecnego wyraźną kreską. Niestety, nie potrafiła. Była przerażona, bo widziała teraz nad sobą inne oczy, błękitne. Jeszcze to imię. Mówiła „Pan Spóźniony", myślała „Mikołaj". Powiedziała mu, że jest kochany. Czy myśląc o nim, była niewierna wobec tamtego? Żałowała, że nie jest Dominiką i nie potrafi ułożyć wszystkich w odpowiednim szeregu. Chciałaby powiedzieć tak jak ona: ten to ten, a tamten to tamten. Nie umiała. I nie opuszczę cię aż do śmierci. Usłyszała paraliżujące ją słowa. Kolejny raz wracały, żeby ją straszyć i zabierać niezbędny do życia oddech. Była przerażona. To nie ona je wypowiadała, ale też nie Mikołaj. Tamten Mikołaj. Słyszała szum morza, który niestety nie zdołał zagłuszać słów. Strasznych słów, wypowiadanych przez kogoś, kogo najprawdopodobniej nie znała. Słyszała miły głos. „Zjedz jeszcze trochę. A teraz jeden łyk. Jeszcze jeden. Zrób to dla mnie". Przypomniała sobie. To był głos Mikołaja. Tego Mikołaja. „Jesteś kochany". Czuła, że muszla bardzo jej ciąży. Musiała ją odłożyć. Nakryła się kołdrą. Szczelnie. Nie mogły się do niej przekradać już żadne myśli. Nie mogła już myśleć. Dominika, jak zwykle, gdy spały razem, podsuwała się do niej przez sen tak blisko, jak tylko to było możliwe. Wsłuchiwała się w jej spokojny oddech. Odganiała od siebie wspomnienia. Wszystko utrudniały. Musiała żyć tym, co tu i teraz. Nic przedtem i nic potem. Wszędzie było niebezpiecznie. Przedtem szarość, teraz błękit. Dwa dręczące ją dziś kolory morza. Nagle wydało się jej, że słyszy telefon. Jego piosenka dobiegała z salonu. A może było całkiem cicho? Może... Była zmęczona niechcianym myśleniem. Dominika sapnęła. Czuła na twarzy ciepło jej oddechów. Pierwszy... Drugi... Trzeci... Nie myśleć... Czwarty... Jesteś kochany... Piąty... Szósty...

Już któryś z kolei raz słyszał swój telefon. Był nieprzytomny ze zmęczenia. Nie wiedział, jak długo spał. Przesypiał właśnie Nowy Rok. Nie interesowało go, która jest godzina. Wczesna, późna, co to za różnica? Nagle włączyło mu się w mózgu czerwone pulsujące światełko. Obiad! Miał być dzisiaj u rodziców na obiedzie. Obiecał mamie. Wyskoczył z łóżka jak oparzony. Szybkie spojrzenie na zegarek uzmysłowiło mu, że nie dotrzymał obietnicy. W pośpiechu zaplątał się w ubrania, które rano zostawił w nieładzie na podłodze przy łóżku. Rozejrzał się po sypialni. Nigdzie nie widział telefonu. Przerzucił skotłowane na podłodze rzeczy. Garnitur, jeszcze wczoraj elegancki, dziś wyglądał jak legowisko dla psa. Rozpiętą koszulę miał wciąż na sobie. Krawat zostawił w firmie. Miał nadzieję, że telefon nie podzielił jego losu. Przecież go słyszał! Spojrzenie na szklany salon. Nic. Był zmęczony. Pracownię po balu zamknął grubo po siódmej rano. Do domu dotarł po ósmej i długo przewracał się w łóżku, nie mogąc zasnąć. Odtwarzał w pamięci wydarzenia ostatniej nocy. Oczywiście wydarzenia sprzed północy, bo po niej nie wydarzyło się już nic godnego wspomnień. Przemek z Dominiką się ulotnili – nie miał im tego za złe. Towarzystwo bawiło się doskonale, podczas gdy on nie miał ochoty ani na zabawę, ani na jedzenie. Na nic. Był zniechęcony. Zwłaszcza że musiał odpierać ataki Sylwii, która postanowiła za wszelką cenę uatrakcyjnić mu wieczór własnym towarzystwem. Gdyby potrafił być wobec niej niegrzeczny, to na pewno posłałby ją do stu diabłów. Jednak całkowicie wbrew sobie, nie chcąc jej urazić, tańczył z nią, czując, że mógłby ją mieć na skinienie palcem. Ambaras polegał na tym, że nie była tą, której chciał. W związku z tym tańczył z nią, okazując jej jedynie uprzejmą kurtuazję.

Wspominał to, stojąc w kuchni przy oknie. Trzymał w ręku kubek z gorącą kawą, która miała go obudzić. Patrzył przez okno na zasypany śniegiem, ospały i szary świat. Odwrócił wzrok i spojrzał na noworoczną wróżbę wypisaną ręką Hanki. Przytwierdził ją magnesem do lodówki. „Kto umie czekać, wszystkiego się doczeka", przeczytał ją chyba po raz milionowy. Uśmiechnął się, wierząc, że kiedyś Hanka będzie z nim. Chciał być Kolumbem. Zwłaszcza że od dawna uważał, iż każdy musi odkryć w życiu swoją Amerykę. Hanka nie była jego Ameryką. Była jego ziemią obiecaną. Im dłużej ją znał, tym był tego bardziej pewien. „Jesteś kochany...", od wczoraj co chwilę brzmiały mu w uszach jej słowa. To przez nie nie mógł nad ranem zasnąć pomimo zmęczenia. „W życiu piękne są tylko chwile", zanucił nieudolnie i do jego niezbyt melodyjnego głosu dołączył dźwięk telefonu. W końcu udało mu się go zlokalizować. Leżał na stosie utworzonym z przeczytanych gazet, obciążających kuchenny parapet. Zerknął na wyświetlacz. Było dokładnie tak, jak się spodziewał. Czekała go awantura.

– Cześć, mamo! Wszystkiego najlepszego w nowym roku! – Za wszelką cenę chciał wyprzedzić wybuch.

– Mikołaj! Gdzie ty się podziewasz?! Jesteśmy już przy deserze. Dlaczego nie odbierasz? – Mama była poirytowana.

Nic dziwnego. Wiedział, jak ogromną wagę przywiązywała do wspólnych posiłków, zwłaszcza od momentu kiedy opuścił rodzinne gniazdo.

– Spałem – tłumaczył się, z trudem opanowując ziewanie.

– Jeżeli chcesz, żebym rozpoczęła nowy rok w dobrym humorze, to ubieraj się i migusiem przyjeżdżaj. Migusiem! – powtórzyła.

– Mamo? – zaczął prosząco, ponieważ miał ogromną ochotę wrócić do łóżka.

– Daję ci pół godziny! – Słysząc kategoryczny ton mamy, poczuł, że dalsze negocjacje nie mają najmniejszego sensu. – Jutro jest sobota, zdążysz się wyspać!

– Wygrałaś! Idę się ubrać. – Rozłączył się, żeby już nie marnować czasu.

Telefon poinformował go o sześciu nieodebranych połączeniach. Pięć prób rozmowy z nim podjęła mama. Pierwszą, litości, kilka minut po dziewiątej. Przemek też chciał porozmawiać, ale tylko raz. Mikołaj musiał iść po prysznic, i to najchętniej chłodny. Mimo że poprzedniego wieczoru był trzeźwy jak świnia, dziś czuł się tak, jakby podtopił się wczoraj w jakimś wysokoprocentowym alkoholu.

Stał w kabinie prysznicowej, czując, że niezbyt ciepła woda pomaga mu wrócić do życia. Zamknięte oczy pozwalały znów słuchać jej głosu, który dawał mu poczucie zatrzymania i wytchnienia. Musiał się jednak spieszyć, w związku z tym trzymał na wodzy rozbudzoną od wczoraj wyobraźnię. Nie było to łatwe. Zamknięte oczy w zaparowanej od ciepła kabinie prysznicowej sprawiały, że jego mózg pracował na przyspieszonych obrotach i krążył wokół jednej tematyki. Mikołaj był tak podniecony myślą o niej, że jego ciało zachowywało się tak, jakby po wyjściu z łazienki miał ją zastać w swoim łóżku. Dużo mniejszym od tego, w którym sypiała. Na razie jednak było to marzenie ściętej głowy. Ale przecież kto umie czekać, wszystkiego doczeka. Zafundował sobie wychłodzenie ciała i emocji, polewając się całkiem zimną wodą. Wyskoczył z tej prawie kriokomory, trzaskając głośno drzwiami kabiny. Ubierał się szybko. Spodnie stawiały pewien opór, bo nie powycierał się zbyt dokładnie. Na górę wybrał koszulę, którą dostał od mamy. Chciał się przynajmniej trochę wkraść w jej łaski i ułatwić proces i tak zwykle szybkiego wybaczania. Wychodząc, zerknął na swoje odbicie w lustrze. Dzięki Bogu, swój wygląd ocenił dość pozytywnie. Nie znosił, gdy mama załamywała ręce, twierdząc, że o siebie nie dba i gdyby kogoś miał, to bla, bla, bla. Zamiast windy wybrał schody. Chciał się dobudzić. Musiał też po drodze kupić kwiaty dla mamy. Zasługiwała na nie, i to nie dlatego, że się spóźnił. Zasługiwała na nie z bardzo wielu innych, prostych i skomplikowanych powodów.

Na dworze poczuł, że sama koszula pod kurtką to trochę mało. Było przeraźliwie zimno.

Sypał drobniutki śnieżek, który bił go bezlitośnie po twarzy, słuchając złych podszeptów porywistego wiatru. Mikołaj z trudem otwierał oczy i patrzył na przybielany wciąż świeżym śniegiem świat. Wsiadł do samochodu zaparkowanego pod domem. Zaczęło się ściemniać. Rano nie miał nawet siły, żeby wjechać do garażu, poza tym po nieprzespanej nocy chciał odetchnąć świeżym powietrzem. W radiu taneczne utwory otwierały imprezowy czas karnawału. Miał nadzieję, że uda mu się jakoś spotkać z Hanką. Teraz była chora, ale jej choroba nie mogła trwać wiecznie. W najgorszym razie dwa tygodnie. Dopuszczał się tej chłodnej kalkulacji, wybierając numer Przemka. Wsłuchiwał się w monotonne sygnały dłuższą chwilę.

– Halo? – zaspany głos Przemka jednoznacznie wskazywał, że wciąż trwał on w objęciach... Przyjaciel wciąż trwał w objęciach Morfeusza i pewnie nie tylko jego.

– Tylko mi nie mów, że jesteś jeszcze w łóżku! – Celowo udał zdegustowanego.

– Gdyby ci nie wyszło w architekturze, zawsze możesz spróbować w jasnowidztwie – zażartował Przemek przytomniejszym głosem.

– Jest u ciebie jeszcze Dominika? – zapytał bezpośrednio. Chciał wiedzieć, czy pojechała rano do Hanki, tak jak obiecywała.

– Chciałbym, żeby była, ale rano pojechała do Hanki. I jak było?

– Gdzie?

– No, u Hanki to wiem, jak było, i to ze szczegółami. Pytam, jak było na naszej imprezie.

– Długo było – sapnął. – Czuję się dziś tak, jakbym potrzebował wulkanizatora. Jestem oponą przypominającą durszlak.

– To przyjeżdżaj do mnie na noworoczne chlańsko!

– Daj spokój! Właśnie jadę do rodziców na noworoczny obiad. Nie muszę ci chyba mówić, że jestem spóźniony.

– No toś się, bracie, wpakował. Nie ma w życiu faceta nic gorszego od konieczności wyboru pomiędzy kumplem, matką i kobietą.

– Chyba się zagalopowałeś!

– Wiem, co mówię... – Przemek był zagadkowy.

– Coś kręcisz! – Zrobił się podejrzliwy.

– Nie zapominaj, że ty masz umieć czekać, a ja obdzielać ludzi szczęściem.

– Czyli co? Bo dalej nie rozumiem, o co ci chodzi – parsknął śmiechem.

– Powiem ci tylko tyle. Obgadaliśmy w nocy z Domi pewien plan...

– Niemożliwe! – przerwał Przemkowi. – A kiedy znaleźliście na to czas? – zapytał cynicznie.

– W przerwie na oddech! – Przemek nie dał się zbić z tropu. – Odbieraj dziś wieczorem telefon, a wszystkiego się dowiesz. Tylko go gdzieś nie zostaw i pilnuj jak oka w głowie.

– Powiedz coś więcej... – poprosił.

– Obiecałem Domi, że morda w kubeł! – uciął Przemek.

– Czyżby Dominika wiedziała coś, czego nie możesz powiedzieć mi ty? – drążył temat.

– A dlaczego myślisz, że będzie dzwoniła Dominika?

– Bo przecież chyba nie Hanka.

– Przecież ma telefon... – głos Przemka nie wskazywał na epokowe odkrycie.

– Jak to? – zbaraniał, nie dowierzając kumplowi.

– Posłuchaj! Powiem ci tylko tyle. Odbieraj telefon, bo zadzwoni do ciebie Hanka. Więcej nic ci nie powiem. Całej reszty dowiesz się od niej.

– A kiedy będzie dzwoniła? – Chciał usłyszeć ją już. Teraz! Natychmiast!

– Przecież mówię ci, że wieczorem. Jak będziesz po rozmowie z nią i będziesz zadowolony, to pomyśl o mnie, bo w dziewięćdziesięciu procentach wszystko, co się ma wydarzyć, to mój pomysł.

– Dobra, muszę kończyć, jestem pod drzwiami rodziców.

– A widziałeś wczoraj Sylwię? Całkiem niezła z niej lufa, nie uważasz?

– Widziałem, tańczyłem, gadałem. Mogłem mieć wszystko, ale mój problem polega na tym, że ostatnio lufy mnie nie kręcą.

– A od kiedy to?

– Od sierpnia! Cześć!

Schował telefon do kieszeni spodni. Chciał go mieć wciąż przy sobie, choć nie dowierzał, że to, o czym przed chwilą mówił Przemek, miało okazać się prawdą. W ręku trzymał kwiaty, które udało mu się kupić na stacji benzynowej. Użył dzwonka, kluczy jak zwykle zapomniał. Otworzył mu ojciec.

– A, witamy marnotrawnego syna! – zagrzmiał.

– Zaraz tam marnotrawnego! – uścisnął go serdecznie. – Zdrowia ci życzę, staruszku, w nowym roku.

– Strategicznie! – szepnął mu do ucha ojciec, wskazując palcem na bukiet kolorowych kwiatów. – A ja ci, synu, życzę kobiety, takiej jaką mam ja – dodał, uśmiechając się znacząco.

W drzwiach pojawiła się mama.

– A co tam tak szepczecie? – Oparła się o futrynę i od razu zauważyła kwiaty. – Boże, jakie piękne! To dla mnie?

– Tak, mamo, z przeprosinami za spóźnienie. Mam nadzieję, że coś dla mnie zostało, bo jestem strasznie głodny.

– Chodź, rozbieraj się. – Mama przyjęła bukiet. Była rozanielona. – Popatrz, jak dobrze wychowany młodzieniec – zerknęła porozumiewawczo na ojca.

– A co mi z niego za młodzieniec? – chrząknął tato.

– No, w porównaniu z tobą to młodzieniaszek – powiedziała z przekąsem mama.

– Barbaro! – Ojciec przybrał bardzo oficjalny ton. – Jutro też przyniosę ci kwiaty i oczekuję, że będziesz dla mnie równie łaskawa.

– Przynieś, to pogadamy! – zgasiła go ze śmiechem.

Zdążył usiąść przy stole w kuchni i przysłuchiwał się, jak się przekomarzali. Uwielbiał te ich dialogi na cztery nogi. Zawsze tak z sobą rozmawiali. To dziwne, ale wszystkie ich rozmowy wyglądały podobnie. Niezależnie od tego, czy byli na siebie wściekli, czy dopisywały im doskonałe humory. Ton ich wzajemnej relacji nadawała najprawdopodobniej wielka dojrzałość związku, który tworzyli od lat. Poza tym pierwsze skrzypce w tej małej orkiestrze grała mądrość.

Mama wstawiła kwiaty do wazonu i postawiła go na kuchennym stole.

– A gdzie podziewa się wasz najmłodszy syn? – zapytał, jakby miał przynajmniej jeszcze kilku młodszych braci.

– Nie zgadniesz? – Mama uśmiechnęła się zagadkowo.

Nagle na wysokości jego wzroku pojawił się talerz wypełniony obiadowymi pysznościami, po czym wylądował dokładnie przed nim. Z apetytem popatrzył na jego zawartość.

– Teraz nie mam już żadnych szans na skupienie i zgadywanie, co robi Mateuszek.

– Czyta lekturę, bo zostało mu jeszcze ponad sto stron, a w poniedziałek zaczynają przerabiać. Jak zwykle źle się zorganizował – tato parsknął śmiechem.

„Nie zaczną przerabiać", pomyślał, pałaszując z apetytem i powiedział:

– Proszę, jaki się pracowity zrobił. Nie ma to, jak gdy starszy brat dyscyplinę włączy.

– I tu się mylisz, Mikołajku, mój drogi.

Mama mówiła do niego, ale nie spuszczała wzroku z bukietu kolorowych kwiatów.

– To znaczy? – zerknął na nią zaintrygowany.

– Widzisz, ja zawsze myślałam, że ta jego polonistka to jakaś niewyględna stara panna, ale przed świętami poszłam do szkoły na zebranie i oczy mi się otworzyły na kilka spraw.

Słysząc słowa mamy, przestał jeść i zaczął wpatrywać się w nią tak, jakby miała mu jeszcze wiele do powiedzenia.

– Nie smakuje ci? – zapytała od razu.

Przełknął nerwowo ślinę.

– Jest przepyszne, ale co z tym zebraniem. Jest grzeczny?

– Uczy się dobrze, nie powiem, zaskoczył mnie bardzo pozytywnie i mam wrażenie, że to wszystko właśnie dzięki tej nauczycielce. Ona jest taka...

Wlepił w mamę oczy, czując, że się czerwieni. Zupełnie nieoczekiwanie z pomocą przyszedł mu ojciec.

– Jaka? – zainteresował się.

– To bardzo młoda i piękna kobieta. Ma w sobie coś ujmującego, trudno to określić. A poza tym, jak z nią rozmawiałam, wciąż miałam wrażenie, że skądś ją znam. Może dlatego że jest taka miła. Jak znam życie, to pewnie niejeden maturzysta się w niej podkochuje.

Ojciec roześmiał się, Mikołajowi jednak wcale nie było do śmiechu.

– Baśka! Ty chyba zwariowałaś? Myślisz, że taki figo fago jak nasz Mateusz zakochał się w nauczycielce? – Wciąż się śmiał.

– A dlaczego by nie? – zapytała poważnie mama, nie rozumiejąc wesołości ojca.

– Kobieto! Jego interesują tylko małolaty, które ma na wyciągnięcie ręki.

– Mikołaj, jedz! Zaraz ci wystygnie! – Mama patrzyła na niego wyczekująco.

Żeby ją zadowolić, włożył kęs do ust. Jednak głód, który jeszcze niedawno ściskał mu żołądek, ustąpił miejsca zdenerwowaniu. Nie mógł jeść.

– I tu się mylisz. – Mama nie dawała za wygraną. – Nie zauważyłeś, jak się ostatnio zmienił? Bardzo! Chodzi jakiś taki rozanielony. Jak nie Mateusz. Ostatnio zrobił mi awanturę, że nie wyprasowałam mu granatowej koszuli.

Ojciec podrapał się niedbale po głowie. Ten gest wydał się Mikołajowi dziwnie znajomy.

– A ty co o niej myślisz? – zapytał ojciec, wpatrując się w niego.

– Ja? – przełknął nerwowo ślinę, bo pytanie ojca zaskoczyło go bardziej niż teoria mamy, w którą nie mógł uwierzyć.

– Przecież widziałeś ją na początku roku.

– Wydała mi się miła – wydusił z ledwością.

– Miła to miła, powiedz lepiej, jak wygląda.

Mikołaj poczuł się jak na przesłuchaniu. Nie wiedział, co ma powiedzieć. Nie chciał kłamać, to na pewno. Ale nie chciał też odkrywać przed rodzicami swoich kart.

– Jest ładna – odpowiedział po chwili.

– Coś czuję, że na następne zebranie pójdę sam, żeby oko zawiesić – mówiąc to, ojciec spojrzał zaczepnie na mamę.

– Oczywiście, że pójdź i popatrz. Przecież ci nie bronię. – Mama wzruszyła ramionami. – Mikołaj, a czemu ty się modlisz do tego talerza, zamiast jeść? Jedz!

Siedział nad prawie pełnym talerzem i wiedział, że jeżeli zaraz nie zacznie jeść, to mama zacznie z pewnością podejrzewać go o chorobę. Nie chciał jej martwić. Zaczął jeść. Wbrew sobie. Pomyślał o Hance, która dzielnie walczyła wczoraj z niechcianą kanapką. Rozumiał ją w tej chwili doskonale. Rozumiał ją i tęsknił za nią. Chciał być przy niej.

– A, jeszcze jedno! – przypomniała sobie coś mama, a on czuł, że ma na dziś dość jedzenia i rewelacji. – Kazał mi w zeszłym tygodniu kupić sobie *Romea i Julię*. Prawdopodobnie to jej ulubiona książka. Powiedział mi, że zawsze leży na jej biurku.

– I co? Kupiłaś? – zapytał z pełnymi ustami ojciec, pałaszujący już któryś z kolei kawałek szarlotki.

– A czemu miałam nie kupić? Oczywiście, że kupiłam. Dzisiaj ślęczy nad *Chłopami* Reymonta, bo cały świąteczny tydzień młócił Szekspira. Ja wam mówię, on się w niej podkochuje. Nawet przestał nazywać ją Pindalerską. Tylko pani profesor to, pani profesor tamto...

Mama spojrzała na Mikołaja detektywistycznym wzrokiem, zaczął więc jeść, udając wilczy apetyt, chociaż jedzenie rosło mu w ustach.

– Ale my tak w kółko o nowej miłości Mateusza, a co tam, Mikołaj, u ciebie? Sylwester udany?

– Udany – odpowiedział, myśląc o tym, jak bardzo mało wie o Hance.

Chciał wiedzieć wszystko, dlatego wciąż czuł się bezradny. Dodatkowo był wściekły, że Mateusz wiedział o niej więcej niż on i mógł ją częściej widywać. Nie chciał nawet o tym słyszeć, że podobała się też Mateuszowi.

– Mikołaj, co się z tobą dzieje? – zapytała z wyrzutem mama. – Jeść nie chcesz. Nic nie można z ciebie wyciągnąć – patrzyła na niego podejrzliwie, a ojciec uśmiechał się pod nosem, jakby wiedział o wszystkim, co teraz wypełniało jego myśli.

– Baśka, przestań chłopakowi dziurę w brzuchu wiercić. Przecież gołym okiem widać, że zakochany.

Tego nie wytrzymał.

– Dajcie mi spokój! – wystrzelił niezbyt grzecznie, a mama zrobiła wielkie oczy. Takie zachowanie, w odróżnieniu od Mateusza, nie zdarzało mu się często.

– Czyli zakochany – rzekł z ogromną pewnością ojciec.

– Jeden zakochany, drugi zakochany, tylko czekać, aż ty się zakochasz – wydedukowała z przekąsem mama i zerknęła na ojca. Była zdenerwowana. Zawsze lubiła wiedzieć o wszystkim, a teraz z pewnością czuła, że towarzystwo, niestety, zaczyna wymykać się jej spod szerokich, do tej pory, skrzydeł.

– Ależ Barbaro, ja jestem zakochany! Permanentnie. W tobie! – Ojciec wstał i złożył na policzku mamy siarczysty pocałunek.

– Nie przy dziecku! – odsunęła się od niego, udając, że się broni.

Mikołaj widział, jak kokietowała ojca. Podobało mu się to.

– Nie żartuj sobie! – ojciec zerknął na niego z uśmiechem. – To dziecko mogłoby nas z pewnością wielu rzeczy nauczyć, i to nie tylko takich związanych z całowaniem.

Mikołaj miał dość ciekawskich spojrzeń i świadomości, że rodzice wciąż czekają na jakąś miłosną opowieść, której jeszcze nie mógł im niestety zaserwować.

– Idę do Mateusza – zakomunikował.

– Co go ugryzło? – usłyszał głos mamy, gdy tylko opuścił kuchnię. – Z tymi dziećmi to zawsze coś. Jak nie urok, to przemarsz wojsk – lamentowała mama.

– Nie coś, tylko miłość – tym razem usłyszał słowa taty i zamarł z jedną nogą już na schodach. – Znam go, jest taki jak ja. Mówię ci, na odległość czuję babę. Coś jest na rzeczy.

– No zobacz... – usłyszał głos mamy. – Proszę, podzióbał, podzióbał i zostawił.

– Podzióbał, podzióbał i zostawił – ojciec komicznie powtarzał jej słowa. – A to huncwot, paskudnik jeden. Ja to inna sprawa, jak się już zająłem dzióbaniem, to tkwię przy tobie murem. W bok nawet nie spojrzę.

– Przypominam ci, że masz już swoje lata – mama była kokieteryjna. Do tego stopnia, że zaczął się zastanawiać, czy nie powinien przestać podsłuchiwać.

– Twoi synowie też mają swoje lata, a wciąż traktujesz ich jak żółtodziobów, więc pomyślałem, że może mnie też mogłabyś choć przez chwilę potraktować jak młodego i jurnego kochanka.

Teraz miał pewność, że nie powinien usłyszeć już ani jednego słowa więcej. Na szczęście w kuchni zapanowała cisza przerywana tylko odgłosem krzątaniny mamy. Tato chyba czytał gazetę. Wydawało mu się, że słyszy szelest wertowanych kartek.

Stał oparty o poręcz schodów prowadzących do wszystkich sypialni umiejscowionych na poddaszu domu. Słuchając rozmowy rodziców, zdał sobie sprawę, że niczego więcej w życiu nie pragnie bardziej jak tego, żeby mieć możliwość starzenia się razem z Hanką. Był w niej tak zakochany, że nie potrafił logicznie myśleć. Czasami wydawało mu się, że nic już nie będzie takie jak wcześniej. Wydawało mu się, że bez niej nie potrafił dalej żyć. Usiadł na schodach i pierwszy raz w życiu bał się spotkania ze swoim bratem. Bał się, że w jego spojrzeniu dostrzeże to, o czym przy obiedzie mówiła mama. Jego rozmyślania przerwał dźwięk telefonu.

– Mikołaj! Telefon! – krzyknęła mama, myśląc, że jest na górze.

Miał go już w ręce. Jedno spojrzenie. Hanuś. Słyszał powtarzający się dźwięk dzwonka. Siedział na schodach i nie mógł wykonać żadnego ruchu. Wystraszył się, że może się rozłączy, i z sercem w gardle nacisnął zieloną słuchawkę.

– Halo?

– Cześć, Mikołaj. Tu Hania.

– Cześć – powiedział, udając zaskoczonego luzaka, do którego było mu niewyobrażalnie daleko.

– Dostałam twój numer telefonu od Przemka. Nie jesteś zły, że mi go dał? – mówiła słabym głosem. Chyba nie czuła się jeszcze najlepiej.

– Oczywiście, że nie. Wprost przeciwnie, bardzo się cieszę, że cię słyszę. Chciałbym przy okazji złożyć ci najlepsze życzenia na cały nowy rok. Na początek to chyba potrzebujesz zdrowia. – Po wstępnej tremie powoli odzyskiwał pewność siebie. – Życzę ci jeszcze spełnienia marzeń i szczęścia. – Nie był pewien, czy nie strzelił jakiejś gafy, bo przez chwilę milczała.

– Dziękuję – powiedziała cicho. – Ja również życzę ci, żeby w nowym roku spełniły się wszystkie twoje marzenia. I te proste, i te bardziej skomplikowane. Ale przede wszystkim życzę ci wielu marzeń, bo myślę, że one są domeną ludzi zadowolonych z życia. Poza tym telefonuję, żeby podziękować ci za wszystko, co zrobiłeś dla mnie wczoraj. Co prawda, nie pamiętam zbyt wiele z przebiegu wieczoru, ale Dominika dziś rano zdała mi z niego obszerną relację. A tak już na marginesie, to jestem twoją dłużniczką.

– Dłużniczką? – zapytał, nie rozumiejąc.

– Tak. Jestem ci winna pieniądze za leki, które dla mnie wczoraj kupiłeś, i przypomniałam sobie, że nie oddałam ci pieniędzy za paliwo, które kupiłeś dla mnie w przeddzień Wigilii.

– Ach tak – przytaknął. – W ogóle się tym nie przejmuj – chciał ją uspokoić, choć to jemu spokój przydałby się bardziej w tej chwili.

– Wiesz, jest taki przesąd, że jeżeli wchodzisz z długami w nowy rok, to przez cały możesz mieć z nimi problemy.

– Ale naprawdę nie przejmuj się takimi głupotami.

– Ale ja się przejmuję – powiedziała przekornie.

– To się nie przejmuj – nie pozostał jej dłużny. Bardzo fajnie mu się z nią rozmawiało. Przez telefon było dużo łatwiej. Był swobodniejszy.

– Chciałabym ci je oddać. Czuję się zobowiązana, zwłaszcza że już dwa razy mi pomogłeś, choć się prawie wcale nie znamy. Dlatego chciałabym zaprosić cię na kolację.

Jego twarz rozjaśnił uśmiech. Wiedział, co prawda, jak bardzo Przemek był zaangażowany w kolacyjny plan, ale to przecież ona zapraszała go w tej chwili.

– Będzie mi bardzo miło – nie ukrywał radości, nie potrafił. – Tylko chyba najpierw musisz poczuć się lepiej. A tak, zmieniając temat, jak się czujesz? – zapytał troskliwie.

– Dużo lepiej – zakaszlała cicho, ale od razu przeprosiła. – Naprawdę dużo lepiej. Poza tym wiem, co się wokół mnie dzieje. Mam jeszcze stan podgorączkowy, ale jutro już na pewno będzie lepiej. A wracając do kolacji, chciałabym zapytać, czy masz jakieś plany na najbliższą sobotę.

– Nie mam – odpowiedział chyba zbyt szybko. Jego serce zachowywało się teraz jak kosmonauta w stanie nieważkości.

– W takim razie jesteśmy umówieni, nie będę ci już przeszkadzać...

– Nie przeszkadzasz – przerwał jej.

– Sobota? Dziewiętnasta? – zapytała konkretnie.

– Sobota, dziewiętnasta – potwierdził.

– W takim razie do zobaczenia i jeszcze raz za wszystko bardzo ci dziękuję.

– Naprawdę nie ma za co. Do zobaczenia, zdrowiej i trzymaj się ciepło.

– Pa.

– Pa.

Wyłączyła się pierwsza. Wciąż siedział na schodach. Rodzice oglądali coś w telewizji. Mateusz chyba czytał na górze. Było cicho. Nie mógł uwierzyć w to, co się przed chwilą wydarzyło. Fakt, że zadzwoniła i zaprosiła go do siebie, sprawiał, że chciał wrócić do rodziców i się pochwalić. Będzie u niej na kolacji. Z pewnością zaprosiła też Przemka i Dominikę, choć o tym nie wspomniała. A jeżeli tego jeszcze nie zrobiła do tej pory, na pewno było to tylko kwestią czasu. Pomyślał, że kupi jej kwiaty, dobre wino do kolacji, pierścionek zaręczynowy, obrączkę...

– A co ty się tak cieszysz? – usłyszał głos przechodzącego taty. Zupełnie go nie zauważył.

– Coś sobie przypomniałem – speszył się, co najmniej jak młodzieniec przyłapany na podglądaniu nagiej kobiety.

– Pamięć to czasami piękna sprawa – pokiwał głową ojciec. – Może kiedyś przypomnisz sobie słowa starego ojca.

– A co ty, tato, ciągle wyjeżdżasz z tą swoją starością? – zapytał zdziwiony.

– Nie udawaj, że nie słyszałeś, co powiedziała matka.

Nuta ironii w głosie ojca sprawiła, że Mikołaj się uśmiechnął.

– Może specjalnie tak mówi, żebyś jej wciąż udowadniał, że jesteś jeszcze młody. – Podniósł się i stanął obok ojca, który poklepał go po plecach.

– Inteligentna bestia, po tatusiu. A wracając do pamięci, to zapamiętaj, że dzięki niej można przeżywać młodość w każdym wieku. Najważniejsze to mieć co wspominać.

Mikołaj uśmiechnął się do ojca, ze świadomością, że może nie wie zbyt dużo o Hance, ale ma już wspomnienia z nią związane. Ba! Mieli z Hanką już wspólne wspomnienia.

Żebracy tylko rachują swe mienie.

Obudził ją dochodzący z kuchni odgłos tłukącego się szkła. Gestem małego dziecka przetarła oczy. Przespała prawie cały dzień. Sen ją najwyraźniej uleczył, bo teraz czuła się dużo lepiej niż przed zaśnięciem. Najpiękniejsze jednak było to, że oddech nie sprawiał jej już większych kłopotów. Postanowiła zejść do kuchni w celu oszacowania strat. Wstała. Nie musiała wkładać szlafroka, bo miała go na sobie nawet podczas snu. To specyficzne przyzwyczajenie zostało jej z czasów dzieciństwa. Gdy była dzieckiem, często wieczorem zdarzało się jej zasypiać w stroju, w którym chodziła cały dzień. Zmęczona trudami mijającego dnia, układała się na kanapie w salonie, przed kominkiem i wbrew zakazom higienicznej do przesady mamy zasypiała niewykąpana ani nawet nieprzebrana w piżamę. Tato przenosił ją śpiącą do jej sypialni, a rano budziła się już ubrana i gotowa do zabawy.

– Zobacz, kochanie, wstała nasza księżniczka w stroju nocno-dziennym – zawsze słyszała te same słowa taty, gdy schodziła do kuchni, marząc o kubku ulubionej gorącej czekolady.

Przeciągnęła się. Gorąca czekolada była teraz tym, na co miała największą ochotę. Włożyła kapcie i zeszła po cichutku do kuchni, w której Dominika właśnie zacierała ślady po porcelanowej żonglerce.

– A ty co tu robisz? – szepnęła, zmieniając głos w psychodeliczny, lekko skrzeczący szept, którego Dominika tak się wystraszyła, że znów upuściła część pozbieranych już elementów kubka.

– Chcesz, żebym dostała zawału?! – popatrzyła na nią z wyrzutem.

– To chyba niemożliwe.

– Jak to niemożliwe? – uniosła się Dominika. – Ja tu gotuję dla ciebie... – zaczęła.

– Chyba wodę na herbatę – przerwała jej i zaczęła kaszlać.

– Nie wodę na herbatę, tylko rosół.

– Rosół? – nie mogła uwierzyć. – A skąd wzięłaś włoszczyznę, przecież nie miałam.

– Z torebki.

– Z jakiej torebki?

– Z takiej, co jest w niej wszystko. Włoszczyzna, kurczak, makaron, przyprawy – Dominika odliczała składniki palcami prawej ręki.

– Czyli nie pomyliłam się. Gotujesz wodę na herbatę.

– Pomyliłaś się! – nie dawała za wygraną Dominika. – Gotuję wodę na rosół.

– A co zbiłaś? – zmieniła temat.

– Kubek – Dominika wzruszyła ramionami. – I dobrze, że go zbiłam, bo raczyłaś w końcu wstać na kolację. Gorącą kolację – podkreśliła. – Dzwoniłaś?

– Nie dzwoniłam, tylko telefonowałam – odpowiedziała na pytanie, mając pełną świadomość, że Dominika nie znosiła, gdy poprawiała jej błędy językowe.

– Nie kłam lepiej!

– A dlaczego miałabym kłamać? Przecież ci obiecałam, że zatelefonuję. A ty byłaś na cmentarzu?

– Byłam! Mówiłam, że pojadę, więc pojechałam – Dominika doskonale parodiowała jej ton. – Siadaj! Dostaniesz pysznego, gorącego rosołu. A później weźmiesz leki. Od jutra będziesz się już sama pilnować, bo niestety idę do roboty. Koniec leżenia bykiem. Siadaj, mówię! – powtórzyła kilka tonów głośniej niż za pierwszym razem.

– Jak każesz – grzecznie usiadła przy stole.

Dominika zalewała wrzątkiem coś na kształt włoszczyzny, kurczaka, makaronu i przypraw. Pomieszała to coś i podała jej gorący kubek.

Hanka powąchała tę dziwną żółtą ciecz i spojrzała na Dominikę.

– Uwielbiam domowy rosół – powiedziała bez cienia złośliwości.

– Pewnie, że domowy! – trwała przy swoim Dominika. – Przyrządzony i spożywany w domu, więc domowy. A jak się czuje twój romantyczny kochanek? – zapytała, zalewając sobie również porcję domowego rosołku.

– Kogo masz na myśli? – zapytała, a Dominika od razu przytknęła do swojego ucha niewidzialny telefon i udawała, że przez niego rozmawia. – Mikołaja? – nie dowierzała, studząc sobie w międzyczasie rosół. Dmuchając na niego, zrobiła jednocześnie bardzo zdziwioną minę.

– Nie! Mam na myśli jego dziadka – zakpiła Dominika.

– Mikołaj ma się dobrze, a o zdrowie dziadka nie zapytałam – odpowiedziała.

– Zaprosiłaś go na kolację?

– Zrobiłam wszystko, dokładnie jak rozkazałaś.

– Na kiedy i na którą?

– Od jutra za tydzień. Sobota, godzina dziewiętnasta.

– No i super! Jak chcesz, to mogę ci pomóc przy kolacji.

– Rozumiem, że możesz ugotować rosół?

– Wiesz, w sumie to nie musi być rosół. Może być też ogórkowa, pomidorowa, krem z kury, grzybowa – wymieniała Dominika. – Umówmy się, że ugotuję, co będziesz chciała.

– A może bez zupy? W końcu to będzie kolacja.

– Musi być mięso! – Dominika była stanowcza.

– Mięso?

– No pewnie! Przecież faceci są mięsożerni. Dasz takiemu kawał mięcha, naje się i masz, kobieto, spokój.

– A skąd ty tyle wiesz o upodobaniach kulinarnych mężczyzn? – zapytała, pijąc z niechęcią żółty płyn o smaku niesmaku.

– Bo gotuję i lubię dogadzać facetowi – Dominika przeciągnęła się dwuznacznie.

– Ale ty jesteś... – zabrakło jej słowa.

– Wiesz, Hanusiu, nie wiem, czy słyszałaś, ale dobrej gospodyni wszystko w ręce rośnie.

– Na przykład... Rosół? – szepnęła minimalnie, ale tylko minimalnie zawstydzona.

– Nie myślałam akurat o rosole, ale jak się upierasz, to nie będę oponować. – Dominika głośno wysiorbywała z kubka szczyt swoich umiejętności kulinarnych. – Nie uważasz, że jest pyszny?

– Wprost wyśmienity... – przyznała z rezerwą w głosie. – Ten Przemek to chyba nie zdaje sobie sprawy, jaki skarb posiadł. – Wymawiając słowo „posiadł", celowo uśmiechnęła się dwuznacznie.

– I tu się mylisz, moja droga. Skoro sama mówisz, że posiadł, to już przecież wszystko wie.

Dominika uwielbiała, gdy rozmawiały o Przemku, dlatego Hania celowo sprowadzała ostatnio wszystkie rozmowy na ten jeden temat. Chciała jej zrobić przyjemność. Z wciąż gorącym kubkiem podeszła do drzwi tarasowych i patrzyła przez dłuższą chwilę na tonący w śniegu ogród.

– Ale piękny jest biały świat... – zachwyciła się.

– Ja wolę inny. Ten z twojego obrazu. Uważam, że kolorowszy jest ładniejszy.

– Nie mówi się „kolorowszy", tylko „bardziej kolorowy" – poprawiła Dominikę.

– Ale ty jesteś językowo zboczona.

– Nie zaczynaj! – zdecydowanie przerwała Dominice. Nie miała ochoty wysłuchiwać doskonale znanych wywodów.

– Co nie zaczynaj? – zapytała czupurnie Dominika. – Przecież to żadna nowość! Jesteś językowo zboczona i tyle!

– Chyba językowo poprawna. Z tego, co wiem, zboczenie w języku polskim oznacza coś całkiem innego.

– A moglibyśmy, jak już tak tu sobie rozmawiamy, chwilę zatrzymać się przy języku?

– A co chciałabyś wiedzieć? – Była zaskoczona tym pytaniem, ponieważ odkąd pamiętała, Dominika nie znosiła języka polskiego.

– Chciałabym się z tobą o coś założyć.

– Założyć? – powtórzyła. Zupełnie nie rozumiała przyjaciółki. Zresztą zdarzało się jej to często podczas rozmów z Dominiką, ponieważ posiadała ona wprost nadludzkie umiejętności w dyscyplinie: skok z tematu na temat.

– A jakże! Chciałabym się z tobą założyć. Normalnie założyć i nie rozumiem, dlaczego robisz takie wielkie oczy, jakbym ci powiedziała, że chcę mieć z tobą dziecko.

– O co? – zaczęła kaszlać.

– O pocałunek.

– O pocałunek? – Zauważyła, że jej skłonność do powtarzania słów Dominiki stawała się nudna. – A co to ma wspólnego z językiem polskim?

– Z polskim to mało, ale z językiem to już trochę więcej.

– Wiesz co, Dominika? Ubieraj się lepiej i jedź do tego swojego Przemka. Nie wiem, do czego zmierzasz i o co ci chodzi, ale... – nie skończyła, bo Dominika jej na to nie pozwoliła.

– To skup się teraz! Wytłumaczę ci wszystko, najprościej jak potrafię. Chciaaałaaabyyym – jak zwykle wydłużała wymowę samogłosek, żeby ją zdenerwować – założyć się z tobą o tooo, żeee pocałujesz się... No nie wiem...? Może do końca lutego?

– Że pocałuję się? – Słuchając Dominiki, nie wiedziała, czy ma się śmiać, czy płakać. – Z kim?

– Z prezydentem! – kpiła Dominika. – Jak to z kim? Z Miiikooołaaajeeem! I nie chodzi mi o jakieś pitu, pitu w policzek, tylko o prawdziwy *French Kiss*.

Słysząc majaczenie Dominiki, Hanka rozkaszlała się potwornie.

– Dominika! – powiedziała poważnie, gdy udało się jej odzyskać oddech. – Popukaj się w swoje gładkie czółko i przyjmij do wiadomości, że ja nie planuję żadnych pocałunków z Mikołajem. Nawet takich, jak je nazwałaś, pitu, pitu.

– No właśnie! – krzyknęła odkrywczo Dominika. – Dlatego nasz zakład będzie jak najbardziej na miejscu! Ty mówisz nie, a ja mówię tak! Więc co? Stoi?!

– A o co chcesz się założyć? – zapytała z zaciekawieniem, przypominając sobie różne, najróżniejsze i najdziwniejsze zakłady z dzieciństwa.

Dominika była mistrzynią w ich wymyślaniu. Hania pamiętała doskonale, że jak skończyła dziesięć lat, to z własnej, nieprzymuszonej woli pocałowała oślizgłą żabę, bo chciała wygrać... Coś... Niestety, nie pamiętała już co. Natomiast tamten płazi pocałunek zagościł w jej pamięci, jak widać, na długo.

– O weekend w spa – zaproponowała Dominika. – Każda skorzysta, ale tylko jedna wybuli kasę!

– Zgadzam się! – zaczynała się dobrze bawić. – Rozumiem tym samym, że na początku marca zabierasz mnie na przykład do Nałęczowa?

– Dobra! Początek marca! Nałęczów! Oficjalny sponsor wycieczki... Nadęta profesor Lerska!

– Udam, że tego nie słyszałam. Zacznij już oszczędzać pieniądze, bo zamierzam się porządnie odnowić i zabawić!

– Spokojnie! Nie ma na razie o czym gadać. Tylko wiesz? Bez ściemy! Jak pocałuje cię filologicznie, to musisz się od razu przyznać.

– Co to znaczy filologicznie?

– Z językiem! Ty ciemna maso!

– Udam, że tego nie słyszałam – wypowiedziała kolejny raz tę samą kwestię. – A czy ty, dziecko, wiesz, co oznacza słowo filologia?

– Nie chcę wiedzieć! Ważne, żebyś ty wiedziała, co to jest *French Kiss*, i żebyś się do niego przyznała, jak dojdzie do skutku. – Dominika wyciągnęła rękę w jej kierunku. – To co? Zakład stoi? – zapytała z miną zwycięzcy.

– Stoi! – odpowiedziała Hania pewna swego.

Miała znów dziesięć lat. Świat był prosty i nieskomplikowany. W domu byli rodzice, na wyciągnięcie jej małej dłoni. Lalki siedziały równo na półkach w pokoju zabaw. A jej marzeniem było zobaczyć rycerza na białym galopującym koniu, zmierzającego w jej kierunku słoneczną plażą. Dzisiaj tylko brzeg morza pozostał taki sam i odgłos fal wciąż niezmiennie kojący i uspokajający. Wszystko inne zmieniło się nie do poznania. Świat był skomplikowany i nieodgadniony, dlatego się go bała. Rodzice ożywali jedynie w jej pamięci. Była wniebowzięta, że miała mnóstwo pięknych wspomnień przenoszących ją do bezpowrotnie minionych chwil. Na jej półkach nie było nawet śladu po lalkach. Choć te – jakby je określiła Dominika – najulubieńsze, zapakowane przez mamę w kolorowy karton, czekały na strychu na jej córkę. Zamyśliła się, obserwując Dominikę, która zbierała porozrzucane przez siebie rzeczy w salonie.

– Widziałaś gdzieś mój zegarek? – zapytała Dominika. – Rano jeszcze tu był – wskazywała na mały stolik przy kanapie.

W odpowiedzi Hanka potrząsnęła przecząco głową.

Dominika przeczesywała salon skupionym wzrokiem, powtarzając:

– Był, ale się zmył.

Identycznie było z jej rycerzem na białym koniu. Był, ale się zmył. Brzeg jej ukochanego morza pozostawał pusty i najtragiczniejsze w jej obecnym życiu było to, że na nikogo nie czekała i nikogo nie chciała na nim zobaczyć. Pustka była bezpieczna. Przecież mając wokół siebie pustkę, nie można doznać poczucia paraliżującej wszystkie zmysły straty.

– Mam cię! – krzyknęła Dominika, zauważając w końcu zegarek na marmurowej obudowie kominka.

„A ja cię już nie mam", pomyślała o... Nie mogła o nim myśleć. O wszystkich, tylko nie o nim...

– Szukajcie, a znajdziecie! – grzmiała Dominika. – To co? Ja będę już lecieć! Gdybym coś zostawiła, to błagam, nie sprzedawaj.

Całowała Hanię po twarzy, żegnając się. Hanka nawet nie zauważyła, kiedy Dominika zdążyła przygotować się do wyjścia.

– To lecę!

– Leć! Tylko na kominy uważaj.

– O, widzę, że wracasz do zdrowia, bo ci się dowcip wyostrzył. Paaa!

Dominika trzasnęła drzwiami i już jej nie było. Hanka podeszła do nich, żeby je zamknąć. Dominika umiała tylko trzaskać drzwiami. Nie umiała ich nigdy zamknąć dokładnie. Była jak nadmorski, sztormowy wiatr. Szybki i porywisty. Nic dziwnego, że teraz do uszu Hanki dobiegał odgłos mieszania kołami, którego nie powstydziłby się nawet kierowca rajdowy. Dominika zawsze gnała. Nie potrafiła chodzić. Powtarzała często, że po co iść, skoro można biec. Ostatnio obierała w swoim życiu azymut na Przemka i pędziła, żeby przytrzymać w swoich garściach miłość na tak długo, jak tylko to było możliwe. Może na zawsze... Hanka od tamtego dnia unikała używania słowa „zawsze". Jednak najbardziej przerażało ją słowo „szczęście". Udawała, że nie istnieje. Zostało wykreślone z jej prywatnego słownika poprawnej polszczyzny. Wiele rzeczy w jej życiu mogło się zmienić, ale obawa przed szczęściem musiała w niej pozostać do śmierci. Jej śmierci.

W domu zapanowała cisza. Usiadła przy stole w jadalni. Jedno spojrzenie na salon wystarczyło, żeby dostrzec wszystkie rzeczy, których zapomniała Dominika. Na jednym z krzeseł wisiał biały szalik. Piękny, puszysty. Na kanapie leżały skórzane rękawiczki. Też białe. Przy kominku buty, w których Dominika spędziła sylwestrową noc. Hanka uśmiechała się, wciąż się dziwiąc, że Dominika na wiele rzeczy nie zwracała uwagi. Często powtarzała, że szkoda życia na pierdoły. Pod tym, chyba jedynym, względem się nie rozumiały. Ona uwielbiała, gdy wszystko miało swoje miejsce. Swoją kolej i swój czas. Patrzyła na Dominikę i wnikliwie obserwując jej zachowania, wnioskowała, że była teraz w najpiękniejszym momencie swego życia. Znalazła Przemka, a raczej to on ją odnalazł. Lubili z sobą przebywać. Kochali się. Oboje osiągnęli wiek, w którym statystyczny Polak zakłada rodzinę i używając terminologii ornitologicznej, gniazduje. Dominika była w jej oczach ptakiem. Kochała wolność. Życie traktowała najczęściej jak lot bez żadnych ograniczeń. Bez barier i zbędnych obciążeń. Jedynie praca zawodowa stawiała przed nią ziemskie wymagania. Dominika była świadoma, że pieniądze nierozerwalnie z nią związane pozwalały jej na niezależność. Poddawała się więc bez większego buntu codziennym, ramowym zajęciom. Była bardzo dobra w tym, co robiła. Lubiła swoją pracę, choć zawsze wyrażała się o niej niezbyt pochlebnie, zakładając maskę zgorzkniałego i ciut sadystycznego wyrwizęba. Była jednak miłą panią stomatolog, mającą spore grono stałych pacjentów. Nigdy jednak nie chciała otworzyć prywatnego gabinetu. Mówiła, że zabiłaby ją administracja i logistyka tego przedsięwzięcia.

Pamiętała sytuację, w której tato namawiał Dominikę na otwarcie własnej działalności. Chciał pomóc. Argumentował dużymi dochodami. Dominika ucięła błyskawicznie temat, cytując słowa piosenki: „Pieniądze to nie wszystko".

– Ale dadzą ci wolność. – Pamiętała, że tato nie chciał poddać się bez walki. Chciał dla niej dobrze, jak dla własnej córki. Zawsze tak traktował Dominikę. Nie dała się wtedy przekonać. Powiedziała, że wolność daje sobie sama. Uważała, że pieniądze wkładają człowieka w ramy.

– Masz tyle, możesz tyle. Masz mniej, możesz mniej – mówiła.

Dominika nie dała się nigdy włożyć w żadną ramę. Chciała szaleć poza nią. Wykrzyczała wtedy tacie, że jej rama jest czasami jak boisko do piłki nożnej, a czasami jak niemowlęcy kocyk i jej rozmiary nie mają nic wspólnego z pieniędzmi.

– Kasy potrzebuję do przeżycia, a nie do wolności! – mocno zdenerwowana, wyrzucała z siebie słowa. – Poza tym pieniądz to choroba cywilizacyjna. Kiedyś był po to, żeby przeżyć, dzisiaj wielu żyje tylko dla pieniędzy. Przecież to jest chore. Zwłaszcza że pieniądze nie są do nas przyspawane raz na zawsze. Dziś są, a jutro może ich nie być. Więc po jaką cholerę się o nie zabijać, a tym bardziej na nich skupiać.

Pamiętała, że tato był wtedy pod wielkim wrażeniem wybuchu Dominiki i każdego słowa, które mu wykrzyczała, ale rację przyznał jej dopiero po jakimś czasie. Taki był. Na wszystko potrzebował czasu. Ona sama nigdy nie wiedziała, jaki jest jej stosunek do pieniędzy. W pracy nie zarabiała dużo, jednak zawsze pensja wystarczała jej na zaspokojenie potrzeb, których nie generowała zbyt wiele. Dom utrzymywała z pieniędzy taty. Miała ich tyle, że mogła nie pracować. One same na nią pracowały. A że z nich prawie nie korzystała, to pracowały bardzo intensywnie. Nie chciała dziś jednak myśleć o funduszach, polisach, lokatach i depozytach.

Dominika, widząc ją kiedyś ślęczącą kilka godzin nad zeszytami, nie mogła się nadziwić, dlaczego mając tyle kasy, odwala taką nużącą i nudną robotę.

– Bo w życiu trzeba robić coś pożytecznego – odpowiedziała jej wtedy.

Teraz też tak uważała. Jednak od pewnego czasu, pomimo jej wielkiego zaangażowania w pracę, w jej życiu wiało przerażającą pustką. Robiła wszystko, co tylko mogła, żeby ją jakoś zagospodarować i wypełnić, ale musiała przestać się oszukiwać. Przecież nie można przeżyć życia, oszukując się. Udając, że wszystko jest tak, jak powinno. Skoro tak nie jest. To tak, jakby stać na dworcu i długo czekać na autobus, który ma nas zawieźć do jakiegoś niewyobrażalnie pięknego miejsca. A gdy już podjedzie całkiem blisko i zatrzyma się obok nas, nie wsiąść do niego z obawy, że miejsce, które chcemy zobaczyć, może zawieść nasze oczekiwania. Może być mniej ekscytujące niż jego obraz w naszej wyobraźni. Więc stoimy dalej i czekamy, do końca nie wiadomo na co. Należałoby się więc poważnie zastanowić, czy czekanie na coś pięknego jest nam bardziej potrzebne niż doświadczanie czegoś dobrego i ładnego. Może w życiu jest tak, jak mówi pani Irenka: „Lepszy wróbel w garści niż gołąb na dachu". Nie potrafiła odpowiedzieć na wiele nurtujących ją pytań. Nie wiedziała, jak jest w życiu. Jak jest w jej życiu? Jak jest teraz w jej życiu? Kiedyś wszystko wyglądało inaczej. Siedziała na dachu, majtała swawolnie nogami, nie robiąc sobie nic z wysokości, na której się znajdowała. Miała swojego pięknego gołębia. Żyć! Nie umierać! I co? Nie skończyło się to dobrze. Ani dla niej, ani dla gołębia. Więc może nie warto zastanawiać się nad tym, co nas czeka? Może należy skupiać się tylko nad tu i teraz, bo i tak będzie, co ma być. Nie rozglądać się po dachach. Nie przypatrywać się, co jest w naszym zasięgu, co możemy złapać, i nie wypuścić ze zdrętwiałych od uścisku rąk. Tępym wzrokiem wpatrywała się w rozrzucone buty Dominiki. A może najprościej jest nie myśleć i nie rozkładać życia na czynniki pierwsze. Może brać od niego wszystko, co nam oferuje, i nie kręcić nosem. Nie pozycjonować niczego i nikogo, a zwłaszcza siebie. Nie wartościować. Tylko jak to zrobić? Jak? Znów widziała przed sobą ciepłe, mądre i uśmiechnięte oczy pani Irenki. Słyszała jej głos.

– Dziecko, idź już spać. Jutro będzie całkiem nowy dzień. Nowy dzień, nowe siły.

Była na siebie zła. Bez sensu oddawała się męczącym ją rozważaniom. Mało optymistycznym rozważaniom. Z pewnością dlatego nowy dzień kojarzył się jej teraz nie z nowymi siłami, ale z nowymi dylematami. Czekał ją tydzień, który musiała spędzić w domu. Musiała wymyślić sobie jakieś zajęcie, żeby wypełnić nim czekający ją czas. W innym wypadku pozwoliłaby rozmnożyć się dylematom, i to w zastraszającym, króliczym wprost tempie. Położyła się na kanapie w salonie. Zamknęła oczy. Nie chciała myśleć. Jednak znów słyszała głos taty.

– Ma mierzyć wysoko! – mówił.

Na co mama odpowiadała mu zdecydowanym głosem:

– Nie opowiadaj głupot! Ma być szczęśliwa.

Teraz czuła się samotna. Nie chciała już być szczęśliwa. Nie wiedziała, co ma robić i jak żyć. Chciała, żeby w jej życiu pojawił się ktoś i powiedział jej dokładnie: żyj tak i tak. Może powinna zacząć szukać kogoś takiego? Może...

Siedział w swojej pracowni i obserwował przez szklaną ścianę awanturującego się Przemka. Rafał stał przed nim i z pokorą chłopca z podstawówki przyjmował na klatę wszystkie bluzgi, którymi w afekcie rzucał w niego Przemek. Mikołaj doskonale wiedział, że Przemek w nerwach potrafił urazić do żywego. Jednak dzisiejsza awantura miała logiczne wytłumaczenie. Był piątkowy wieczór, ósmy stycznia. Został im już tylko tydzień do złożenia projektu szpitala w Pradze. Wszystko było prawie dopięte na ostatni guzik. To „prawie" było właśnie zasługą Rafała, który jako jedyny nie wykonał swojej pracy w terminie. Nie dostał dużej roboty, mimo to zawalił sprawę. Na poniedziałek umówili się z Przemkiem na ostatnią już kontrolę dokumentacji architektonicznej. Cała reszta była sprawdzona tydzień temu.

A tu taki kwiatek! Przemek był profesjonalistą w każdym calu. Wyznaczył termin na dziś, więc umarł w butach. Koniec i kropka. Żadnego ale! Jego determinacja i architektoniczna pedanteria, na granicy zdrowego rozsądku, już kilka razy uratowały im skórę. Im, jako pracowni. Dlatego Mikołaj doskonale rozumiał wszystko, czemu aktualnie się przyglądał. Wszyscy mieli dość. To fakt. Ale w ciągu ostatniego miesiąca wykonali kolosalną, prawie nadludzką pracę. Cały zespół się dostosował i wytrzymał napięcie, tylko ten wyrodek... Jeszcze niedawno też wieszałby na Rafale psy. Dziś rozumiał doskonale histeryczną postawę Przemka, nie był jednak w stanie myśleć o niczym innym, jak o jutrzejszej kolacji u Hanki. Wiedział już, że nie będą sami. Dominika i Przemek też zostali zaproszeni, ale wcale mu to nie przeszkadzało. Cały tydzień, prawie nieprzerwanie, myślał o Hance. Milion razy dziennie wnosił ją po schodach, aby położyć chorą w łóżku. Walczył z sobą, żeby do niej zadzwonić i zapytać, jak się czuje. Niestety, za każdym razem gdy sięgał po telefon, dopadały go wątpliwości. „Może śpi? Może się kąpie?", zastanawiał się nieustannie. „Może" powtarzało się w jego myślach tak często jak teraz przekleństwa na ustach Przemka. Wstał od biurka i postanowił pójść do niego, żeby chociaż trochę ostudzić rozgrzaną do czerwoności atmosferę. Najciszej jak potrafił wszedł do pracowni Przemka. Wiało grozą. Przemek siedział za biurkiem z rękami założonymi za głowę. Jego zaczerwienione policzki wskazywały na podwyższone ciśnienie. Obrzucił Mikołaja krótkim, nienawistnym spojrzeniem. Mikołaj postanowił, że nie odezwie się pierwszy. Dzięki Bogu, Rafał się sprytnie ulotnił.

– Gdyby nie to, że za miesiąc urodzi mu się dziecko i ma żonę w szpitalu na podtrzymaniu, to za taki numer wypieprzyłbym go z roboty na zbity pysk! – Przemek energicznie wstał od biurka, o mało nie przewracając krzesła. Chodził nerwowo po pracowni.

– Czyli miał powód... – zauważył cicho Mikołaj.

– Co to za wytłumaczenie?! – wrzasnął Przemek.

– Uważam, że wcale niegłupie. Wyobraź sobie, że Dominika leży w szpitalu. Ciekawy jestem, co byś wtedy robił? Jak cię znam, odchodziłbyś od zmysłów i miał gdzieś wszystkie najintratniejsze kontrakty świata.

– Co to za gadanie?! Tamtemu obibokowi nie przyłożyłem, ale tobie mogę! – Spojrzenie Przemka było złowrogie.

– To ja tu przychodzę z misją pokojową. Tłumaczę ci życiową hierarchię, a ty do mnie z pięściami? – powiedział tak zaczepnie, że Przemek odwrócił się nagle w jego stronę gotowy do ataku, i to nie tylko słownego.

Nagle ku ogromnemu zdziwieniu Mikołaja wystarczyła sekunda, by twarz Przemka przybrała łagodny wyraz i po kolejnej sekundzie rozświetliła się szczerym uśmiechem. Podążył za wzrokiem przyjaciela i ujrzał idącą w ich stronę Dominikę. Miała twarz zaczerwienioną od panującego na zewnątrz mrozu. Zupełnie jak Hanka, wtedy gdy pojawiła się pierwszy raz w jego pracowni, a trzeci raz w jego życiu.

– Witam panów! – powiedziała wesoło Dominika, zamykając za sobą drzwi. – Co macie takie dziwne miny, jakbym miała na szyi anakondę zamiast szalika?

– Dobrze, że przyszłaś. – Był szybszy od Przemka. – Może się trochę uspokoi, bo jak tak dalej pójdzie, to odejdzie od nas bezpotomnie – zażartował.

– Daj mi już spokój! – Niestety, żart nie spodobał się Przemkowi.

– Do takiej ewentualności nie mogę dopuścić. – Dominika pogłaskała go po głowie i zaczęła mówić jak do dziecka. – Mądry, przystojny, bez nałogów, z dobrym gustem – to mówiąc, poprawiła fryzurę, a Mikołaj puścił do niej oko, bo Przemek przestał wyglądać jak gradowa chmura.

Mikołaj patrzył i czuł pozytywną energię przepływającą między tą zakochaną dwójką. Przestał się obawiać i poklepał Przemka po plecach. Zerknął na uśmiechniętą Dominikę.

– Zabieraj go stąd i przypilnuj, żeby się zrelaksował. Musi choć na moment zapomnieć o Pradze. A ty – spojrzał na Przemka – dostajesz polecenie służbowe dotyczące wypoczynku. Może być aktywny – chrząknął dwuznacznie, na co Dominika pogroziła mu sugestywnie palcem, wciąż się uśmiechając.

Gdyby ktoś obcy przyglądał się im z ukrycia, na pewno pomyślałby, że widzi troje dobrych przyjaciół. Mimo że Mikołaj znał Dominikę dość krótko, czuł, że przyjaźń w ich wypadku była już faktem dokonanym. Przez kilka spojrzeń i słów, podobne poczucie humoru i przez świadomość, że są sprawy, w których mogą okazać sobie niezbędną i całkowicie bezinteresowną pomoc. Może nawet podobnie patrzyli na świat? Od wielu lat miał taką wspólną optykę z Przemkiem. Istniała duża szansa, że Dominika mogła do niej dołączyć. Z pośpiechem, z hałasem, z niewybrednymi żartami już była jego przyjaciółką. Potrafił na nią spojrzeć i wiedział, co siedzi pod jej czołem, w które miała dziwny zwyczaj się uderzać. Z Hanką sytuacja przedstawiała się całkiem inaczej. Była zamknięta w sobie. Odnosił wrażenie, że jest spięta albo że jej ciało jest obok, a duch sięga co najmniej odległego kosmosu. Była dla niego istotą z innej planety. Z pewnością dlatego tak bardzo go intrygowała. Dużo by dał, żeby dowiedzieć się o niej wszystkiego. Zastanawiał się, czy ona sama wiedziała o sobie wszystko. Dominika i Przemek szykowali się do wyjścia. Przemek nie potrafił odpuścić i wciąż podenerwowany zerkał w stronę biurka Rafała.

– Przestań już! Idźcie stąd. Jak wyjdziecie, to pójdę do niego i mu pomogę. Nie wyjdziemy stąd, dopóki nie skończymy wszystkiego. Obiecuję.

– Tylko skończcie jutro przed osiemnastą – Dominika wlepiła w niego swoje ciemne oczy.

– Dlaczego akurat przed osiemnastą? – zapytał.

– Przecież spotykamy się u Hanki na kolacyjce. Zapomniałeś? – pytając, klepnęła go leciutko w czoło.

– Dałbym głowę, że Hanka mówiła o dziewiętnastej – powiedział z powątpiewaniem.

– No coś ty! Na pewno o osiemnastej. Rozmawiałam z nią przed przyjściem tutaj. Ale jeżeli mi nie wierzysz, to do niej zadzwoń i się upewnij – Dominika wzruszyła niedbale ramionami.

Przemek był gotowy do wyjścia. Stał przy drzwiach i rzucał w jej stronę ponaglające spojrzenia.

– Jeżeli chcesz mieć normalnego faceta, to chodź już, zanim całkiem przyświruję.

– To chodź już, ty mój świrku i muchomorku.

– Dominika? – ocknął się Mikołaj w ostatniej chwili. – A co ja mam przynieść na tę kolację? Może jakieś kwiaty? – zaproponował.

– Lubi kolorowe tulipany i przystojniaków w błękitnych koszulach. Pa! – Odpowiedź Dominiki była bezpośrednia i wyczerpująca.

Wyszli. Przemek nie zaszczycił go spojrzeniem. Mikołaj patrzył, jak powolnym krokiem przemierzali firmowy hol. Gdy zniknęli za drzwiami, przeniósł wzrok na zapracowanego Rafała.

Był zmęczony pracą. Nie miał ochoty na nic, ale nie chciał spędzić samotnego wieczoru w domu, kolejny raz opracowując i przerabiając scenariusz jutrzejszego wieczoru. Przekonał się już, że takie myślenie nie ma najmniejszego sensu. Zawsze wszystko wyglądało inaczej, niż zaplanował. Obiecał sobie teraz, że tym razem tak nie będzie. Pójdzie tam w błękitnej koszuli, z tulipanami w garści i będzie się cieszył każdą minutą wieczoru. Miał tylko nadzieję, że Hanka jest już całkiem zdrowa, kolacja dojdzie do skutku i nie wydarzy się nic, co sprawi, że nie będzie mógł jej zobaczyć. Znów popatrzył na Rafała, który wgapiał się niechętnie w monitor. Podszedł do jego pracowni. Była bardzo mała, ale dawała poczucie odizolowania i spokoju, bardzo istotne w ich zawodzie. Zapukał lekko w szybę. Rafał podniósł wzrok.

– Mogę? – zapytał bezgłośnie, mając nadzieję, że kolega odczyta jego pytanie z ruchu warg.

Rafał wykonał ręką zapraszający go gest.

Nie zwlekając, wszedł.

– Mam nadzieję, że nie dołożysz mi bardziej niż Przemek. On to zrobił perfekcyjnie, dlatego mam na dzisiaj dość wrzasków – Rafał popatrzył błagalnie.

– Dołożyłem ci kiedyś? – zapytał Mikołaj z uśmiechem.

– No wiesz, zawsze jest ten pierwszy raz. – Rafał też się uśmiechnął. Pierwszy raz od dłuższego czasu. Chyba wyczuł, że wizyta miała charakter raczej pokojowy.

Słysząc słowa Rafała dotyczące pierwszego razu, Mikołaj natychmiast uruchomił wyobraźnię, i to wbrew sobie. Nie precyzował, nie chciał precyzować, o którym pierwszym razie teraz myślał. To powiedzenie kojarzyło mu się automatycznie z Hanką. Ale cóż w tym dziwnego? Ostatnio wszystko mu się z nią kojarzyło. Życie kojarzyło mu się tylko z Hanką.

– Tak się zamyśliłeś, że chyba jednak mi dołożysz? – Rafał nie mógł uwierzyć w szlachetność jego misji.

– Możesz być spokojny. Przyszedłem, żeby ci pomóc.

– Daj spokój, Mikołaj, przecież nie musisz...

– Wiem, że nie muszę. – Chciał rozluźnić atmosferę, więc dodał: – Moja babcia zawsze mówiła, że ludziom trzeba pomagać, bo jak sami będziemy potrzebowali pomocy, to ona do nas zawsze przypłynie. Z innego portu, ale przypłynie.

Rafał patrzył na niego bez słowa. Zapadła niezręczna cisza. Mikołaj przerwał ją osobistym, niezwiązanym z pracą, pytaniem.

– Powiedz lepiej, jak się czuje twoja żona. Nie wiedziałem, że spodziewacie się dziecka.

– Nie wiem, czy mi uwierzysz, ale to dla mnie bardzo trudny temat. Przez pięć lat staraliśmy się o dziecko i nic. Ala nie mogła zajść w ciążę. Przeszliśmy różne bardziej i mniej upokarzające badania i okazało się, że i ona, i ja jesteśmy zdrowi. Niby wszystko w porządku, a dziecka jak nie było, tak nie ma. Ala miała z tego powodu depresję. Lekarz kazał na jakiś czas odpuścić temat, zrelaksować się, wyjechać do jakiegoś, najlepiej ciepłego kraju i odciąć się od rzeczywistości. Wyjechaliśmy na Korfu. Było super i wyobraź sobie, wróciliśmy stamtąd już we trójkę. Wszystko wyszło na jaw już tu, na miejscu. Ala od początku bardzo źle znosi tę ciążę. Od kiedy się o niej dowiedzieliśmy, leży w szpitalu. To już ósmy miesiąc. Jest bardzo cierpliwa i pokorna, ale ma już naprawdę dość i wcale jej się nie dziwię. Żyje teraz jak w więzieniu. Ostatni tydzień był najtrudniejszy. Pojawiły się silne skurcze. Wiesz, to jest ósmy miesiąc, nie ma żartów. Kajtek ma jeszcze niewykształcone płuca i waży około półtora kilograma. Siedziałem u niej przez ostatnie dni i noce cały czas, bo bała się zostać sama. Jest przerażona, udaje przede mną, że się trzyma, ale ja ją znam i wiem, że jest u kresu wytrzymałości. – Rafał przerwał na chwilę i spojrzał na niego. – Tylko nie chciałbym, żebyś sobie, Mikołaj, pomyślał, że się przed tobą tłumaczę. W takich okolicznościach to, nie obraź się, ale miałem gdzieś ten konkurs. – Spuścił wzrok i przyglądał się klawiaturze.

– Rozumiem cię, choć do końca to pewnie nie wiem, o czym mówisz. Ale Kajtek to ładne imię dla chłopca. – Uśmiechnął się trochę do Rafała, a trochę do siebie. – Zazdroszczę ci – przyznał szczerze, a Rafał spojrzał na niego zdziwiony. Nigdy nie rozmawiali z sobą prywatnie. To był ich pierwszy raz. Bardzo udany pierwszy raz.

– To co? Zaczynamy? – Głos Rafała w końcu zabrzmiał optymistycznie.

– Żeby to skończyć jeszcze dziś, musimy wziąć się ostro do pracy. Daj mi część, którą najmniej czujesz. Zabiorę ją do siebie. Zrobię i później złożymy wszystko do kupy, i będziesz miał czas dla swojej rodziny.

– Wiesz, Mikołaj, zawsze wiedziałem, że jesteś w porządku...

– Daj spokój – przerwał mu. – Przemek też jest w porządku – powiedział z przekonaniem.

– Wiem, tylko czasami...

– Do roboty! – Mikołaj przerwał mu kolejny raz. – Dawaj moje zabawki i już mnie nie ma.

Otwierał drzwi do swojej pracowni, zastanawiając się, gdzie teraz, w środku zimy, kupi tulipany, i to w dodatku kolorowe.

Spoglądała z sympatią na Aldonkę, która przyniosła jej matury próbne. Od momentu gdy zaczęła pracować, Aldonka została jej szkolnym aniołem stróżem. Nigdy nie musiała jej o nic prosić. Jej Wysokość Anielskość zawsze sama się domyślała, kiedy pomoc jest niezbędna. Udzielała jej cicho, dyskretnie i nadzwyczaj skutecznie. Aldonka była człowiekiem duszą, z ogromnym sercem na dłoni. Była istotą nad wyraz romantyczną, o poetyckim wnętrzu, które uwidoczniało się na każdym kroku. Hanka uwielbiała z nią przebywać i czerpać z niej jak z otwartej księgi życia, której rymy potrafiły rozjaśnić nawet najtrudniejsze dni. Aldonka była jej koleżanką po fachu. Dzieliła je ponaddwudziestoletnia różnica wieku, a łączyło podobne podejście do świata i ludzi. Aldonka posiadała wrażliwość, która pozwalała jej dostrzegać więcej, niż można było zobaczyć w rzeczywistości. Znały się od roku. Aldonka nieustannie wprowadzała ją w arkana sztuki pedagogicznej. Zawzięcie tłumaczyła jej, jak pracować, żeby osiągać założone cele, a nie zamienić się w polonistkę szufladę. Przez polonistkę szufladę Aldonka rozumiała kogoś, kto uczy odtąd dotąd, nic poza tym. Tyle ile nakazuje program nauczania.

– Do niczego się w życiu nie nada polonistka szuflada! – powtarzała, przybierając łagodny wyraz twarzy doskonale maskujący zawodową swobodę i niepokorność.

Siedziały przy stole w jadalni, popijały popołudniową herbatkę i zagryzały ją amoniaczkami w kształcie serduszek. Choroba zwolniła Hankę ze wszystkich obowiązków w szkole oprócz sprawdzania próbnych matur.

– Nikogo nie obchodzi, żeś chora, na maturki przyszła pora – powiedziała do niej Aldonka podczas ich porannej rozmowy telefonicznej.

Gdy rano odebrała od niej telefon, bardzo ucieszyła ją perspektywa spotkania. Nawet świadomość maturalnego przydziału – dostała piętnaście prac i jedynie trzy dni na ich sprawdzenie – nie popsuła jej humoru i z niecierpliwością oczekiwała na spotkanie z duchową przewodniczką. Cały tydzień spędziła na grzecznym przyjmowaniu leków, odpoczynku i robieniu porządków w różnych, zapomnianych zakamarkach domu. Sprzątanie okazało się swoistą podróżą sentymentalną między drobiazgami, które wszędzie odnajdywała. Każdy z nich miał swoją historię, najczęściej miłą, bo z rodzicami w tle. Odważyła się nawet na wejście do ich, nieodwiedzanej do tej pory, garderoby. Rodziców nie było z nią od ponad półtora roku, a ich rzeczy osobiste zapełniały to miejsce, wcale jej nie przeszkadzając. Może kiedyś będzie potrzebowała tej przestrzeni, ale jeszcze nie teraz. Wszystko więc obejrzała i zostawiła na swoim miejscu, tak jakby mieli wrócić do niej, do domu, jutro, ewentualnie pojutrze. Siedząca naprzeciw niej Aldonka, z właściwym tylko sobie humorem, wtajemniczała ją w wydarzenia minionego tygodnia. Oczywiście bez większych problemów wierszowała rzeczywistość.

Hanka bawiła się w jej towarzystwie doskonale. Dopiero spojrzenie na zegarek delikatnie zwarzyło jej humor. Dochodziła osiemnasta. Musiała przygotować kilka rzeczy na kolację, przed którą chciała się jeszcze odświeżyć. Aldonka, której empatia była wprost proporcjonalna do ilorazu inteligencji Einsteina, natychmiast z jednego jej spojrzenia wyczytała, że trochę się zasiedziała.

– Czekasz na kogoś? – zapytała wprost.

– Tak. Przychodzą do mnie przyjaciele na kolację. Zostań, proszę – zaproponowała zła na siebie, że nie wpadła na ten pomysł wcześniej.

– Chyba żartujesz? – Aldonka wstała i już szykowała się do wyjścia.

– Wcale nie żartuję! – zdecydowanie zaprotestowała.

– Młodzi mężczyźni będą? – zapytała Aldonka, kończąc zapinać kożuch.

– Oczywiście, że będą! – rozpromieniła się. – Zastanów się dobrze, mówię ci, opłaca się zostać – uśmiechała się do Aldonki promiennie i zachęcająco.

– W takim razie muszę uciekać, i to szybko.

Hania rzuciła jej pytające spojrzenie.

– Tylko nie mów, że nie rozumiesz! – Aldonka pogroziła palcem.

– Nic a nic! – odparła szczerze, opierając się o futrynę drzwi wyjściowych i uniemożliwiając wyjście Aldonce.

– Jestem już starą kobietą – zaczęła tamta – i zdaję sobie sprawę... Bardzo mocno zdaję sobie sprawę – podkreśliła – z tego, co w życiu przeleciało mi między palcami. Jak się napatrzę na takich pięknych młodzieńców, to moje serce nie da mi w nocy spać. Nie będę mogła usnąć, żałując wciąż od nowa, że na szaleństwa młodości nie jestem już gotowa – westchnęła, a Hanka niestety nie doszukała się w tym westchnieniu atmosfery żartu.

– I kto to mówi? – prychnęła, naśladując Dominikę, mistrzynię w prychaniu. – Na miłość przecież nigdy nie jest za późno. – Gdy tylko skończyła mówić, usłyszały dzwonek domofonu.

Hania odruchowo zerknęła na monitor. Przed furtką stał Mikołaj.

– Dałabym głowę, że umówiliśmy się na dziewiętnastą – szepnęła.

– Pokaż go! – Aldonka przepychała się do ekranu, w którym można było podziwiać Mikołaja, i to w całej okazałości. – Jeżeli tak dobrze całuje i kocha, jak wygląda, to idź na całość i nie zastanawiaj się, co będzie jutro. Uwierz, wiem, o czym mówię! Popatrz na mnie. Masz przed sobą kobietę, która zawsze za dużo myślała.

Mikołaj zadzwonił jeszcze raz. Hance zaschło w ustach, i to nie z powodu zbytniej szczerości Aldonki. Podniosła słuchawkę. Nie było już odwrotu.

– Dobry wieczór, Mikołaj. Już otwieram, proszę, wejdź.

– Dziękuję – odpowiedział cicho.

Usłyszała szczęk otwieranej furtki.

– To ja się żegnam, życząc ekscytacji przy kolacji i daj Boże, miłości, niekoniecznie w ciemności. – Aldonka wycałowała ją w oba policzki.

Mikołaj był już przy drzwiach. Otworzyła je szybko. Zauważyła, że zdziwił się trochę, widząc Aldonkę, która nie zostawiła niczego jego wyobraźni.

– Dobry wieczór! – przywitała go z uśmiechem. – Może nie wyglądam, ale jestem koleżanką Hani, razem pracujemy. Proszę się nie obawiać, już zostawiam was samych.

Mikołaj stał nieruchomo, nieznacznie speszony bezpośredniością Aldonki. Wyglądał bardzo atrakcyjnie. W ręku trzymał duży bukiet kolorowych tulipanów. Patrzyła zauroczona na kwiaty, podczas gdy Aldonka wgapiała się w Mikołaja.

– Pomyślałem, że mogą ci się spodobać – nieśmiało podał jej kolorową kulę utworzoną z jej ulubionych kwiatów.

– Są piękne... Nieziemsko piękne... – powtórzyła trochę głośniej. – Moje ulubione... – Powąchała kwiaty.

– Pozwolę sobie przerwać tę romantyczną chwilę – zwróciła się do niej Aldonka. – Tylko pamiętaj, Hanuś – wymówiła jej imię identycznie jak pani Irenka – do środy musisz wszystko sprawdzić.

Słysząc te słowa, Hanka pokornie skinęła głową i zrobiła cierpiętniczą minę.

– W takim razie żegnam państwa i życzę udanego wieczoru. – Aldonka zerknęła jeszcze na Mikołaja, który prezentował się bardzo interesująco w błękitnej, wyglądającej spod kurtki koszuli i czarnych dżinsach.

– Pa! – Hanka cmoknęła Aldonkę w policzek na do widzenia i zamknęła za nią cicho drzwi. Spojrzała na niego i kolejny raz na kwiaty. – Bardzo dziękuję, są cudowne. Myślałam, że w styczniu nie do zdobycia. – Mikołaj stał wciąż w tym samym miejscu. – Proszę cię, rozbierz się i wejdź. Zapraszam i przepraszam cię za mój strój, ale byłam przekonana, że...

– Ja też – przerwał jej delikatnie – byłem przekonany, że umówiliśmy się na dziewiętnastą, ale wczoraj Dominika zarzekała się, że zaczynamy o osiemnastej – patrzył na nią zmieszany. – Nie chciałem się spóźnić... – tłumaczył się.

– Nawet dobrze, że przyszedłeś wcześniej. Aldonka trochę się zasiedziała, więc może mi pomożesz, o ile oczywiście się zgodzisz? – uśmiechnęła się pytająco.

Chciała chociaż trochę oswoić atmosferę. Wyraźnie odczuwała, że poczuł się niezręcznie. Był bardzo spięty. Zgodę przypieczętował ciepłym uśmiechem. Przeszli do salonu.

– A Dominiką nie mamy się co przejmować. Jeżeli myśli, że zaczynamy o osiemnastej, to przyjdą z Przemkiem półtorej godziny później. Czyli możemy się ich spodziewać około dziewiętnastej trzydzieści – uśmiechnęła się do niego, wkładając kwiaty do przezroczystego wazonu. – Problem może tkwić tylko w twoim głodzie. Jesteś głodny?

– Bądź spokojna, wytrzymam – odpowiedział konkretnie.

– To jak cię mogę wykorzystać? – zapytała

– Jak tylko chcesz – powiedział w miarę spokojnie, ale o swobodzie nie było wciąż mowy. Zachowywał się prawie identycznie jak wtedy, gdy spotkali się po raz pierwszy. W szkole.

– W takim razie dostaniesz najbardziej odpowiedzialne zajęcie. Nakryjesz do stołu.

Wyciągnęła z szuflady obrus. Biały. Podeszła do przeszklonej witryny. Przygotowała mu wszystko. Talerze, kieliszki, sztućce. Wybrała serwetki. Jej ulubione, w kolorze *écru*, uszyte przez mamę.

– Bardzo proszę. To jest twój warsztat pracy. Nie będę ci nic sugerować ani narzucać. Nakryj według własnych upodobań. Ja zabieram się za mięso. Jest już doprawione, muszę je tylko włożyć do rękawa, zasypać marchewką i pieczarkami, włożyć do piekarnika i za półtorej godziny będzie pychota.

Krzątała się po kuchni, czując, że nie spuszczał z niej oczu. Zerknęła na niego trochę speszona jego wzrokiem.

– Tylko mi nie mów, że jesteś wegetarianinem – rzuciła z obawą.

– Nie martw się, jestem typowym mięsożercą – odpowiedział, nakrywając ogromny stół obrusem.

– Nie wiedziałam, co przyrządzić na dzisiejszą kolację, ale Dominika była przekonana, że mięcho, tak się wyraziła, mięcho was ucieszy. To znaczy ciebie i Przemka.

Wyciągnęła z lodówki przyprawioną karkówkę. Czuła się trochę nieswojo w jego towarzystwie. Zwłaszcza że w porównaniu z nią wyglądał bardzo elegancko. Jego spojrzenia onieśmielały ją do tego stopnia, że cieszyła się, iż może czymś zająć ręce. Blacha wyjęta z piekarnika czekała już na kuchennym, kamiennym blacie. Rozwinęła foliowy rękaw, w którym zawsze piekła mięso. Powoli i spokojnie układała w nim mięso. Było doprawione między innymi papryką, więc po chwili jej ręce wyglądały tak, jakby były ubrane w czerwone rękawiczki. W kolejce do rękawa czekały pieczarki i małe marcheweczki. Nagle usłyszała śpiew swojego telefonu. Holly Cole nastrojowym głosem obwieszczała, że ktoś chciałby zamienić z nią kilka słów. Spojrzała bezradnie na swoje dłonie i westchnęła.

– Może przyniosę telefon? – zaproponował, trzymając w ręce serwetkę. – Gdzie jest?

– W sypialni. Po schodach... – zaczęła.

– Wiem, gdzie jest sypialnia – popatrzył na nią tak, że poczuła, jak w momencie jej policzki zakwitają kolorem dojrzałych malin. Była na siebie wściekła. Dobrze, że już na nią nie patrzył.

– Powinien leżeć na szafce nocnej! – podpowiedziała głośno, gdy był już na górze.

Słyszała, jak wszedł do sypialni. „Teraz pieczarki", myślała, starając się uspokoić.

– Tak, słucham? – usłyszała jego głos, który zastąpił śpiew jej ulubionej wokalistki. – Proszę chwileczkę poczekać – mówił, schodząc ze schodów.

Teraz marchewka. Wlepiła wzrok w pomarańczowe kawałeczki. Wyjątkowo ich ciemny pomarańcz nie wpływał na nią uspokajająco. Mikołaj był coraz bliżej. Wkładała marchewki do rękawa i układała w warzywno-grzybowym szyku. Podszedł do niej i prostym, spontanicznym gestem przyłożył jej telefon do ucha, żeby mimo pobrudzonych przyprawami rąk mogła porozmawiać.

– Tak, słucham? – Zastygła w bezruchu z rękoma zawieszonymi w powietrzu. – Dobry wieczór, panie dyrektorze, witam – mówiąc to, spojrzała na Mikołaja i zupełnie nie kontrolując swojej reakcji, sugestywnie przewróciła oczami. Przez chwilę grzecznie słuchała, co zwierzchnik miał jej do powiedzenia, po czym przywołując uśmiech w głosie, powiedziała: – Bardzo mi miło, panie dyrektorze, że pomyślał pan o mnie. Jednak nie mogę skorzystać z pana zaproszenia, ponieważ spędzam dzisiejszy wieczór z przyjacielem – zerknęła na Mikołaja, który wciąż trzymał telefon przy jej uchu, delikatnie jej dotykając. Była lekko podenerwowana. Nie wiedziała tylko, czy wpływ na jej nastrój miał głos, który słyszała w słuchawce, czy raczej przypadkowy, bardzo subtelny dotyk, który parzył jej skórę za uchem. – Tak, czuję się już dobrze. Pojawię się w pracy w poniedziałek. – Znów wsłuchała się w męczący ją głos narzucającego się dyrektora. – Oczywiście, profesor Romańska dostarczyła mi matury. Może być pan spokojny, panie dyrektorze. Sprawdzę na pewno. – Celowo nadawała rozmowie charakter oficjalny, budując w ten sposób mur między sobą a kimś, z kim nie miała najmniejszej ochoty spędzać wolnego czasu, chociaż miała go pod dostatkiem.

Mikołaj stał bardzo blisko. Czuła jego zapach. Ładnie pachniał, świeżością. Uśmiechnęła się, słysząc, że pan dyrektor postanowił zakończyć męczącą rozmowę. „Chwała Bogu!", pomyślała, wznosząc w górę spojrzenie.

– Życzę panu pięknego wieczoru i jeszcze raz dziękuję za zaproszenie. Do zobaczenia w poniedziałek. Już – szepnęła do Mikołaja, który natychmiast przestał jej dotykać i rozłączył rozmowę.

Odłożył telefon na blat kuchenny i znów przyglądał się, jak plastikowymi klipsami zapinała worek z przygotowanym jedzeniem.

– O matko! – powiedziała, patrząc na niego. – Przepraszam cię.

– Nie rozumiem – popatrzył na nią i złożył ręce na piersiach, opierając się o blat, przy którym stali. Patrzył na nią morskimi oczami w taki sposób, że zapomniała, co ma zrobić z tak przygotowaną blachą.

– Nawet nie wiem, czy w mojej sypialni jest pościelone łóżko – powiedziała, włączając piekarnik, w którym pomimo jej wewnętrznych zawirowań znalazła się blacha wypełniona jej popisowym daniem.

– Pościelone – zakomunikował z uśmiechem. – To straszne, że śpisz sama w takim ogromnym łóżku. Nie boisz się, że się w nim zgubisz?

Spojrzała na niego zaskoczona pytaniem, które usłyszała, i zauważyła, że już żałował wypowiedzianych przez siebie słów.

– Ależ ja nie śpię w nim sama – powiedziała swobodnie. Żartując, chciała rozładować napięcie. I to nie tylko jego.

Patrzył na nią, tak jakby jej nie zrozumiał.

– Co wieczór przyjeżdża do mnie autobus Arabów – zerknęła na niego i jakby nigdy nic zapytała: – Soku? – Podała mu szklankę, którą wypełniła sokiem pomarańczowym.

– A co będzie, jeżeli dziś przyjadą i mnie tu spotkają? – zapytał bardzo poważnie.

Miał poczucie humoru. Jego akcje w jej oczach odnotowywały błyskawiczną tendencję wzrostową.

– Wiedząc, że są o mnie bardzo zazdrośni, wyjątkowo kazałam im się dzisiaj nie pojawiać.

– I zgodzili się bez gadania? – W końcu zaczynał się dobrze bawić. Ona zresztą też.

– Trochę marudzili, ale nie zapominaj, że mam zdolności pedagogiczne. A mężczyźni są przecież jak dzieci. Niektórzy nigdy nie dorastają.

Uśmiechał się, podczas gdy ona wciąż czuła palący dotyk za uchem. Była przekonana, że został po nim czerwony ślad.

– A pan dyrektor wie o Arabach? – Był coraz poważniejszy.

Bardzo jej się podobało, że potrafił zamienić najzwyklejszą rozmowę w zabawę słowami.

– Tylko ty wiesz o Arabach – powiedziała tajemniczo.

– Czyżbym mógł się poczuć w jakiś sposób wyróżniony? – Po jego kamiennej do tej pory twarzy zaczął błąkać się niewinny uśmieszek.

– I to podwójnie – spojrzała na niego. – Pan dyrektor na pewno myśli sobie teraz, że dałam mu kosza, bo jesteś moim chłopakiem. Mam nadzieję, że tak myśli. Może w końcu da mi spokój.

– Molestuje cię? – zapytał, marszcząc brwi.

– Nie – uspokoiła go. – Męczy nagabywaniem. – Wyjmowała z lodówki sałatę lodową, pomidory, zielone ogórki, ser feta.

– Co to znaczy „męczy nagabywaniem"? – znów zapytał.

– Chce, żebym – westchnęła – poszła z nim to na kawę, to na ciasteczko, to do kina i tak w kółko. Ja za każdym razem mu odmawiam, a on zachowuje się tak, jakby wszystkie negatywne sygnały emocjonalne, które mu wysyłam, wcale do niego nie docierały.

– Może po prostu nie może uwierzyć, że nie lubisz męskiego nagabywania? – Sączył sok z wysokiej szklanki, podczas gdy ona zaczęła się zastanawiać, czy to możliwe, żeby ją prowokował.

– To nie tak – powiedziała stanowczo. – Ja nie lubię nagabywania pana dyrektora. On jest wobec mnie taki... – Nie potrafiła określić słowami tego, co czuła, przebywając w towarzystwie tego skądinąd bardzo miłego człowieka. – Nie wiem, jaki on jest. Ale na pewno ma w sobie coś takiego, co sprawia, że nigdy się z nim nie umówię. Nie udałoby mu się mnie skusić nawet na szklankę chłodnej wody na parzącej słońcem i piaskiem pustyni.

– A jaki musi być mężczyzna, żeby miał szansę się z tobą umówić?

Patrzył na nią pytająco, a ona miała przeczucie, że chytry plan Dominiki, która z premedytacją namieszała w godzinie ich spotkania, właśnie przynosił oczekiwane rezultaty. Czuła również, że zaczyna wchodzić na zakazane terytorium, ale postanowiła udźwignąć pytanie.

– Zastanówmy się... – udawała, że głośno myśli, wciąż nie wiedząc, czy potrafi opowiedzieć o kimś, kto był kiedyś dla niej najważniejszą osobą we wszechświecie. Był... – Na pewno musi być zabawny, żebym się w jego towarzystwie nie nudziła. Odważny i rycerski, żebym czuła się przy nim bezpieczną białogłową. Męski, żebym była przy nim zawsze stuprocentową kobietą. Mądry, żebym się mogła od niego wiele nauczyć. Uczciwy, żebym nigdy, przenigdy, nie musiała się za niego wstydzić. I musi mieć jeszcze wiele innych zalet, żebym raczyła się nim zainteresować. – Odetchnęła, bo poszło jej nieoczekiwanie łatwo. Widziała, jak poważnie się jej przyglądał.

– To może ja skończę nakrywać do stołu.

– Tak, tak – uśmiechnęła się do niego, najładniej jak potrafiła. – Ja zajmę się sałatką i za chwilę dokonam kontroli jakości twojej pracy. Lubisz Holly Cole? – zapytała, czując, że cisza między nimi powinna zostać wypełniona pięknym brzmieniem.

– To ta z twojego telefonu? – zapytał, nie udając, że zna wokalistkę, o którą zapytała.

W odpowiedzi skinęła głową.

– Fajny klimat.

– To włączę.

Podeszła do sprzętu grającego w salonie. Ulubiona płyta znajdowała się w nim prawie zawsze. Włączyła przycisk, który uwolnił najpiękniejszy według niej głos.

– Lubię gotować przy tej muzyce.

– Dominika mówiła, że świetnie gotujesz – zerknął na nią, żeby za chwilę znów wrócić do układania kieliszków na stole.

– Uwielbiam gotować. Odpoczywam przy tym. Co prawda, nie jestem taką doskonałą kucharką jak moja mama albo pani Irenka, ale mam też mniejsze doświadczenie w kuchni. Mam nadzieję, że jeżeli chodzi o sztukę kulinarną, to jeszcze wszystko przede mną.

Obserwowała, jak nakrywał do stołu. Był bardzo dokładny. Wiedział, co do czego służy. Przygotowywał właśnie serwetki, sprawnie je rolując i zamykając srebrnymi gładkimi obrączkami. Dominika miała rację, miał piękne dłonie. „Pan Starski", pomyślała, krojąc w cząstki pomidory. Przypominała sobie moment, w którym zobaczyła go po raz pierwszy. Nie zapamiętała dobrze tego spotkania. Była wtedy bardzo zmęczona i czuła się chora. Nie pamiętała, w co był ubrany. Na pewno nie w taką koszulę, jaką miał dziś na sobie. Gdyby wyglądał tak jak dziś, z pewnością zapamiętałaby go lepiej. Doskonale natomiast zapamiętała kolor jego oczu i ciepły tembr głosu. „Kto by pomyślał, że takie przypadkowe spotkanie może mieć jakiś ciąg dalszy?", zastanawiała się, mieszając prawie gotową sałatkę.

– Jeszcze tylko sos – mruknęła i odwróciła się po oliwę z oliwek.

Prawie wpadła na Mikołaja. Jednak wykazał się doskonałym refleksem i w ostatniej chwili zrobił krok do tyłu.

– Chciałem zgłosić, że zadanie zostało wykonane. Możesz mnie sprawdzić i wystawić ocenę.

Podeszła do stołu. Chyba tego od niej oczekiwał. Popatrzyła na jego dzieło, na niego, znów na stół i znów na niego. Zrobiła poważną minę. Szkolną minę wytrawnego belfra, którego zawsze udawała, żeby rozśmieszyć swoich uczniów.

– Nie wiem, nie wiem... – zaczęła poważnie.

– To może ja już sobie pójdę? – znów złapał w lot jej nastrój do żartów.

– Szczerze? – zapytała więc.

– Tylko szczerze! – odparł, patrząc na nią z uwagą.

– Pięknie! Zrobiłeś to pięknie. Nie potrafiłabym zrobić tego lepiej. Po prostu stołowe arcydzieło. Która jest godzina? – zapytała, widząc, jak zadowolony z pochwały, szybko zerknął na zegarek.

– Dziewiętnasta dwadzieścia – poinformował ją, gdy wciąż nie mogła oderwać wzroku od nakrytego po mistrzowsku stołu.

Mikołaj był bardzo dokładny i zwracał uwagę na szczegóły. Chyba pierwszy raz w życiu spotykała kogoś, kto potrafił podołać jej pedantycznym wymaganiom. Zaimponował jej.

– A zrobiłbyś dla mnie coś jeszcze?

– Nie wiem, nie wiem... – pokręcił głową, używając nie tylko jej wcześniejszej kwestii, ale naśladując również doskonale ton, z jakim ją wypowiedziała.

– Błagam... – popatrzyła na niego prosząco.

Stał bez ruchu, nie reagował.

– Błagam najpiękniej jak potrafię. – Dla wzmocnienia efektu wyciągnęła do niego złożone dłonie.

– Mów zatem! – powiedział tonem, którego nie powstydziłaby się niejedna koronowana głowa.

– Potrzebuję dziesięciu minut dla siebie. Zrób sobie coś do picia. A gdyby przyszli Dominika i Przemek, to ich wpuść. Dobrze?

Kiwnął głową. Wziął z blatu kuchennego miskę z sałatką i zaniósł ją na stół w jadalni. Przyglądała mu się, nie ruszając się z miejsca.

– Możesz iść – powiedział – zajmę się wszystkim.

Odwróciła się i weszła na schody. Pokonała je już prawie całe i między wyśpiewywanymi przez Holly Cole słowami usłyszała dzwonek domofonu. Zatrzymała się. Odwróciła. Patrzył na nią. Zerknął demonstracyjnie na zegarek.

– Zostało ci jeszcze dziewięć minut. Idę pełnić obowiązki gospodarza domu.

– Jesteś aniołem! – krzyknęła, zanim zdążył się odwrócić.

– Akurat nie o tego gospodarza domu mi chodziło. Ale leć już. Leć!

Parsknęła śmiechem, zrozumiawszy jego serialowe skojarzenie, i popędziła do łazienki.

„Fajny, miły, inteligentny, przystojny, z poczuciem humoru, pewnie bez nałogów, może bez poplątanej przeszłości. Czego chcieć więcej?", myślała, rozbierając się. Pogubiła się we własnych odczuciach. Pierwszy raz od wielu miesięcy miała ochotę spędzić z kimś czas na rozmowach o wszystkim i o niczym. Spiesząc się, wybrała ekspresową kąpiel w kabinie prysznicowej, za którą nie przepadała. Woda otulała jej ciało ciepłym, jedwabnym dotykiem. Cieszyła się na myśl, że gdy zejdzie na dół, spotka ludzi, których darzyła sympatią. Cieszyła się też, że za chwilę będą jedli wszystko, co przygotowała z myślą o nich. Jutrzejszy dzień zapowiadał się pracowicie. Dzisiaj zamierzała się bawić tak dobrze, jak tylko w jej wypadku było to możliwe. Wyszła z kabiny. Wilgotne włosy związała w koński ogon. Walczyła z ręcznikiem, podczas gdy jej wzrok zahaczył o stojący na półce balsam do ciała. „Jutro!" Nie zastanawiając się, wciągnęła na siebie czarne dżinsy i włożyła białą koszulową bluzeczkę. Bluzka była może trochę zbyt przezroczysta, ale czas uciekał. Zerknęła na swoje odbicie w lustrze. Przeniosła spojrzenie na koszyczek zawierający przybory do makijażu. Nakremowała twarz. Trzęsły się jej trochę dłonie. Chyba z pośpiechu. Użyła prawie bezbarwnego błyszczyku do ust. Wzięła do ręki tusz do rzęs. Odłożyła go. Wzięła znowu i wykonując zygzakowate ruchy jego szczoteczką, nałożyła go na rzęsy. „Od razu lepiej", pomyślała, obserwując ożywioną twarz lustrzanej przyjaciółki. Jeszcze tylko kropla ulubionych perfum. Używała ich, uśmiechając się do własnego odbicia w dużym, dobrze oświetlonym lustrze. Jej dzisiejszy uśmiech nie był przyklejony. Uśmiechała się naprawdę. I to chyba nawet angażując oczy. Mama jej zawsze powtarzała: „Kochanie, masz takie piękne, miodowe, śmiejące się oczy. Będziesz zawsze młoda, bo młodość masz zapisaną w spojrzeniu. Kiedyś będziesz miała twarz pooraną zmarszczkami, a oczy będziesz miała wciąż jak młoda dziewczyna".

Zamknęła za sobą drzwi łazienki. Dokładnie słyszała dobiegający z dołu rozbawiony głos Dominiki, która przekomarzała się z Przemkiem. Głosu Mikołaja nie słyszała. Zapragnęła, żeby stał teraz oparty o blat kuchennych mebli. Mogłaby go zobaczyć już z holu na górze. Podeszła do schodów. Był tam. Widziała go. Stał dokładnie w tym miejscu, w którym umiejscowiła go przed momentem jej wyobraźnia. Miał złożone ręce. Nie patrzył na trajkoczącą Dominikę. Jego oczy były skierowane na nią. Patrzył na nią. Nie patrzył! Obdarzał ją błękitnym, ciepłym spojrzeniem. Uśmiechnął się. Na krótko. Stał w jej kuchni. W jej zwykle pustej przestrzeni. Pasował do jej prywatnego krajobrazu. Obraz, który widziała, cieszył ją i jednocześnie przejmował lękiem. Spojrzenie Mikołaja urzekało, choć chyba nie tego chciała. Zastanowiła się przez chwilę, czy gdyby mogła dzisiaj usiąść na plaży i spojrzeć na rozkołysane morze, to skojarzyłaby je z morzem łez, które wylała do tej pory w swoim życiu. Może... A może to morskie spojrzenie, które teraz widziała, miało zastąpić w jej życiu patrzenie na morze. Może... Uśmiechnęła się do niego, zdając sobie sprawę, że stoi nieruchomo na schodach.

– A ty co? – krzyknęła do niej Dominika. – Udajesz tralkę schodową? A tak poza tym to ciekawa jestem, co się tu działo, jak nas nie było, skoro musiałaś się po tym wykąpać.

– Nie słyszałaś, że ciekawość to pierwszy stopień do piekła? – zapytała, witając się z siostrą wylewnie. Przemkowi podała rękę. – Siadajcie. Kolację zaczniemy od kremu brokułowego podanego z pikantnym groszkiem ptysiowym – mówiąc to, popatrzyła z zadowoleniem na Dominikę, która dokładnie jak tego oczekiwała, przybrała błogi wyraz twarzy.

– Kocham cię za wiele rzeczy – powiedziała Dominika – ale najbardziej za krem brokułowy z pikantnym groszkiem ptysiowym!

– A ja kocham cię bezinteresownie! – Cmoknęła siostrę w policzek. – Chyba że jeszcze za domowy rosół!

Dominika, słysząc jej ironiczny ton, wydęła tylko usta. Usiadła przy stole. Mikołaj usiadł naprzeciwko jej krzesła.

Leżał z otwartymi oczami i z rękoma założonymi za głowę. Odtwarzacz DVD wyświetlał trzecią dwanaście. Była ciemna noc. Do domu wrócił kilka minut przed pierwszą. Wziął szybki prysznic, położył się i nie mógł zmrużyć oka. Przypominał sobie moment, gdy siedział w samochodzie zaparkowanym pod szkołą i patrzył na Hankę wzrokiem zakochanego małolata. Pamiętał, jak bardzo był wówczas bezradny. Chciał coś zrobić, ale nie potrafił. Odtwarzał w pamięci pokrzepiającą rozmowę z Przemkiem, który przekonywał go, że zawsze osiąga wszystko, czego chce.

Znów przeniósł się myślami do jej domu, do niej. Dziś, a raczej już wczoraj, był blisko niej. Nie potrafił zasnąć z powodu ogarniającej go wciąż ekscytacji wieczorem, który spędził w jej towarzystwie. Pierwszy raz, odkąd ją poznał, wydawało mu się, że patrzyła na niego trochę inaczej niż do tej pory. Zawsze była w stosunku do niego miła. Ale taka już chyba była dla wszystkich, z którymi obcowała. Jednak dziś, kiedy zatrzymała się na schodach i patrzyła na niego, poczuł, że w tym spojrzeniu kryło się coś więcej niż tylko sympatia. Nie chciał się oszukiwać, dlatego wciąż przywoływał w pamięci wyraz jej oczu. Z pewnością nie była zakochana w nim bez pamięci. Tego był pewien na sto procent. Ale patrzyła na niego ładnie, tak samo ładnie jak przez cały wspólny wieczór na kolorowe tulipany, które od niego dostała.

Kwiaty okazały się strzałem w dziesiątkę, i to strzałem z ogromnej odległości. Spędził cudowny wieczór. Nie pamiętał, kiedy ostatnio tak dobrze się bawił. Wychował się na przepysznej kuchni mamy. Wiedział, co dobre. Miał kilka swoich ulubionych potraw, które z biegiem lat stały się numerami popisowymi jego mamy. Wciąż je udoskonalała. Dziś jednak przekonał się osobiście, że zachwyty Dominiki nad sztuką kulinarną Hanki nie były przesadzone. Jedzenie, które przygotowała, było wyśmienite. Sama, co prawda, zjadła bardzo mało. Jednak nie mogła ukryć tego, że ogromną radość sprawiał jej fakt, że oni wszyscy wcinali tak, że aż im się uszy trzęsły. Widział to dokładnie. Już dawno tak się nie najadł. Jadł i wciąż się jej przyglądał. Nie chciał pominąć niczego. Miał doskonały punkt widokowy. Siedział naprzeciwko niej. Przez cały wieczór zażywał potrójnej uczty. Kulinarnej, estetycznej i duchowej. Chwilami zmuszał się, żeby odwracać od niej wzrok. Wydawało mu się, że jest zawstydzona. Nie potrafił jej ocenić i opisać. Patrzył na nią i nie mógł jednoznacznie stwierdzić, jaka była i co go w niej tak nieludzko pociągało.

Przysłuchiwał się, jak przekomarzała się z Dominiką. Miały wypracowany, pewnie przez lata, sposób komunikacji. Stanowiły go uprzejmości przeplatane elementami kłótni. Sprzeczały się z uśmiechem na ustach. Natomiast miłe rzeczy mówiły do siebie uszczypliwym tonem. Jedno było pewne. Znały się jak łyse konie i były bardzo inteligentne. Nie można się było nudzić w ich towarzystwie. Dominika mówiła do Hanki nowoczesnym, młodzieżowym slangiem wypełnionym wyrazami przez nią tworzonymi. Natomiast Hanka używała pięknego języka, w który też potrafiła wplatać słowa potoczne. Była bardzo błyskotliwa i zabawna. Podziwiał ją przez cały czas. Zwłaszcza obserwując, jak krzątała się przy kolacji. Przynosiła, odnosiła, nie pozwalając sobie pomóc. Wszystko robiła samodzielnie. Była doskonale zorganizowana. Miał wrażenie, że działała według bardzo szczegółowego planu. Nie wykonywała żadnych zbędnych i, jak mu się wydawało, przypadkowych ruchów. Oglądał ją centymetr po centymetrze jak historyk sztuki wpatrujący się w nieznany, dopiero odnaleziony obraz bardzo sławnego malarza. Gdyby tylko mógł, zjadłby ją jak wyśmienitą potrawę, którą podała tego wieczoru. Nie mógł oderwać od niej wzroku również dlatego, że w dżinsach i białej bluzce wyglądała świeżo i olśniewająco. Jego uwagi nie umknął fakt, że była delikatnie pomalowana. Pod białą bluzką delikatnie rysował się biały biustonosz. Właśnie przez ten widok musiał bardzo panować nad sobą, gdy z sobą rozmawiali, i skupiać całą swą uwagę na tym, żeby utrzymywać wzrok na poziomie jej twarzy. Niestety, było to trudne, prawie niemożliwe. Niezależnie od starań jego oczy wciąż niebezpiecznie zjeżdżały w dół, łowiąc koronkowy kontur. „Samiec!", słyszał w duchu głos Przemka, który przez cały wieczór dawał mu głupie znaki. Że z Przemka był egzot, to wiedział doskonale, ale denerwował się, żeby w tej rozluźnionej atmosferze czegoś głupiego nie chlapnął. Wciąż mówił dwuznacznymi tekstami, ale mógł je zrozumieć tylko mężczyzna. Przynajmniej taką miał nadzieję. Niesamowite dla niego było to, że był w domu Hanki dopiero drugi raz, a czuł się tak, jakby odwiedzał ją w nim od zawsze. Było naturalnie i bez zadęcia. Rozmowa toczyła się spontanicznie i niewymuszenie. Gdzieś daleko uleciały z niego wcześniejsze nerwy, które towarzyszyły mu zawsze, gdy była w pobliżu. Czuł się bardzo swobodnie. Może nie był zbyt rozmowny, ale chciał chłonąć i zapamiętywać każde wypowiedziane przez nią słowo. Chwilami musiał się mocno skupiać, żeby w lot łapać wszystko, o czym mówiła.

Co prawda, najwięcej trajkotała Dominika. Opowiadała dużo o ich dzieciństwie. O tym, jak udawały przed ogrodnikiem, że są roślinami, a on podlewał je w upalne dni. O tym, jak bawiły się w Romea i Julię. Dominika zawsze była Romeem i musiała po rynnie wchodzić na balkon, na którym stała Hanka ubrana w białą koronkową koszulę nocną mamy i sikała w majty ze strachu, bojąc się, że ktoś je przyłapie. Usłyszeli z Przemkiem również krasomówczą i szczegółową opowieść o tym, jak paliły pierwszego papierosa, a chwilę potem obejrzały wspólnie pierwszy w swoim życiu film erotyczny, który jakimiś tylko sobie znanymi kanałami załatwiła gdzieś Dominika. Dziewczyny bawiły się doskonale, chociaż Hanka kilka razy błagała Dominikę o dyskrecję. Oczywiście bezskutecznie. Nie widział jej do tej pory tak zrelaksowanej. Do dzisiejszego wieczoru miał wrażenie, że otaczała ją jakaś gruba skorupa, pod którą będzie mu się trudno dostać. Teraz myślał, że źle ją ocenił. Po prostu za słabo ją znał. Zbudował we własnej wyobraźni wizerunek Hanki, kobiety trudnej do zdobycia. Ilekroć się śmiała, zwracał uwagę na jej oczy, które wciąż pozostawały poza wszystkim, co działo się w danej chwili z jej twarzą. Wydawało mu się, że jej oczy były wciąż zamyślone, jakby nieobecne. Chyba zbyt dużo analizował. Przeciągnął się. Uwielbiał spać, ale teraz sen nie przychodził. Zmienił pozycję i położył się na boku. Zamknął oczy i widział Hankę, jak przygotowuje dla niego filiżankę herbaty.

– Mikołaj, słodzisz? – słyszał dokładnie jej głos. – Ile?

Odpowiedział, że jedną. Posłodziła mu. Rozmawiali z sobą jak starzy znajomi.

– Jak Hania zrobi herbatkę, to nie ma „pip" we wsi – Dominika bardzo specyficznie reklamowała umiejętności Hanki, leżąc z głową na kolanach siedzącego na kanapie Przemka.

Herbata, którą mu zrobiła, była rzeczywiście przepyszna.

– Obejrzyjmy *Dzień świra* – zaproponowała Dominika.

Odtwarzał w pamięci ich dialog.

– Przecież wiesz, że zawsze na nim zasypiam – przyznała się Hanka.

– To Kargula i Pawlaka! – Dominika najwidoczniej bardzo chciała urządzić im wieczór filmowy.

– Chcecie? – zapytała Hanka. Użyła liczby mnogiej, ale spojrzała na niego. Tylko na niego.

Też lubił tę komedię. Jednak miał się dopiero przekonać, że Hanka z Dominiką były zagorzałymi fankami obu filmowych rodzin. Prześcigały się w wyprzedzaniu dialogów na ekranie. Hanka była oczywiście lepsza. Dominika była bardzo szybka, ale niedokładna. Dlatego Hanka wciąż ją poprawiała.

– No i mamy kałabanię! – prawie krzyczała Dominika.

– Nie mamy, tylko popadliśmy w kałabanię – mówiła spokojnie Hanka.

– Stary, gdzie ja teraz takie garnki kupię? – Dominika.

– Nowiuśkie koszuli! – Hanka.

– Sąd sądem... – Dominika.

– ... A sprawiedliwość musi być po naszej stronie! – Hanka.

– Witia wierzchem jedzie! – Dominika.

– Na kocie? – Hanka.

Przeżył dzisiaj kino bez kina, jakby powiedziała jego nieżyjąca już babcia. Obserwacja wszystkiego, co dziś zobaczył, napawała go optymizmem. Miał nadzieję, że będzie tak, jak powiedział mu kiedyś Przemek. Spotkają się jeszcze kilka razy w większym gronie, a później odważy się i zaprosi ją gdzieś sam. Musiał wierzyć, że przyjmie jego zaproszenie. Znów przewrócił się na plecy. Pod powiekami poczuł piasek. Pomyślał niechętnie o wyjeździe do Pragi. Nie chciał się oddalać od Hanki. Znów ją widział. Stała przed nim. Była śliczna i bardzo zmęczona. Ziewała ukradkiem. Było już późno. Dominika też się zmęczyła i zarządziła odwrót. Niezły był z niej numer. Był przekonany, że podczas pożegnania swoim zachowaniem specjalnie zainicjowała całuśną atmosferę. Po kilka razy żegnała się, całując Hankę, jego, a nawet Przemka, z którym przecież bez wątpienia miała spędzić resztę nocy. Hanka poddała się tej atmosferze i pięknie się z nimi pożegnała. Nie był pewien, czy jej zachowanie było wynikiem spontaniczności czy czegoś innego, ale cmoknęła go na pożegnanie w policzek. Krótko, nieoczekiwanie, taśmowo, bo wcześniej pocałowała też Dominikę i Przemka. Nic jednak teraz nie było od tego ważniejsze. Pocałowała go, podczas gdy on trzymał jej rękę i czuł dotyk jej bardzo małej dłoni. Była chłodna, może nawet zimna. Tego nie zapamiętał. Wszystko, co wydarzyło się między nimi podczas tej krótkiej chwili, było bardzo naturalne. Niestety, gdy spojrzał na nią, wciąż czując na policzku dotyk jej ciepłych ust, rozmawiała już z Dominiką. Przez ułamek sekundy poczuł się prawie jak Mateusz, którego koleżanki obcałowywały regularnie. Niestety, pierwszy raz wydało mu się wysoce prawdopodobne to, że brat mógł się zabujać w swojej pani profesor od polskiego. Wiedział, że mama miała nosa do tych spraw. Nie można było przed nią niczego ukryć.

Otworzył oczy. Myśl o Mateuszu zwarzyła jego dobry humor. Albo otwarte oczy przyzwyczaiły się do ciemności, albo zaczynało świtać. Szklana ściana jego salonu z pewnością szybciej wpuszczała do niego świt, niż czyniło to małe okno w sypialni. W końcu oczy zaczęły mu się kleić. Noc zaczynała się dopominać swoich zwyczajowych praw. Jak na ironię, nie chciał teraz zasypiać. Nie chciał oddzielać się snem od minionego wieczoru. Chciał go odtwarzać w nieskończoność. Sen był teraz nieważny. Zresztą miał na niego dziś dużo czasu. Jaśniejącym świtem zaczynała się właśnie niedziela. Był pewien, że widok uśmiechniętej Hanki, który utrwalał wciąż w pamięci, będzie zajmował mu myśli do następnego spotkania. Był zakochany. Szaleńczo. Niestety, doskonale zdawał sobie sprawę, że nie może się poddać temu szaleństwu. Musiał być cierpliwy. Hanka nie była wyrachowaną Edytą ani szaloną Dominiką. Nie wiedział jeszcze, jaka droga do niej prowadzi. Musiał się tego dowiedzieć, żeby nie popełnić żadnego błędu. Miał wrażenie, że ów mógłby go wiele kosztować. Przemek, poznając Dominikę, miał chyba łatwiejsze zadanie albo był po prostu odważniejszy...

Poniedziałek zaczął się pechowo. Od razu po wyjeździe z garażu poczuł, że jakaś obca siła ściąga mu samochód na lewą stronę. Zatrzymał się i po krótkich oględzinach stwierdził, że złapał gumę. O tyle dobrze, że zauważył to od razu na drodze osiedlowej, gdzie kierowcy nie mieli jeszcze takiego ciśnienia jak na zatłoczonych ulicach. Jadący za nim sąsiad wykazał się współczuciem i pomógł mu zmienić koło. Mikołaj siedział teraz w znów sprawnym samochodzie, ale był zmarznięty i brudny. Obserwował świat zza samochodowych szyb. Jego osiedle przeżywało poranne przebudzenie. Wszyscy się śpieszyli. Nie chciało mu się wracać do domu, żeby się przebrać, ani tym bardziej jechać do pracy. Wiedział niestety, że musi odnaleźć w sobie motywację do zrobienia jednego i drugiego. Był już spóźniony i świadomy tego, że Przemek miał w zwyczaju urządzanie w pracowni piekła zawsze w przeddzień oddawania ważnych projektów. Jakaś nieokreślona siła kazała mu jednak teraz siedzieć nieruchomo na miejscu i nie poruszać nawet zamarzniętym palcem w bucie. Dodatkowo wizja piątkowego wyjazdu do Pragi nie napawała go optymizmem. Nie miał ochoty nigdzie wyjeżdżać. Tym bardziej że bał się, iż w Pradze może być jak w dobrym czeskim filmie. Nikt nie będzie niczego wiedział. Pomimo wczesnej pory czuł się zmęczony. Był zdziwiony własnym samopoczuciem, bo po nieprzespanej nocy z soboty na niedzielę cały wczorajszy dzień przewałkonił się w łóżku. Uśmiechnął się, ponieważ używał w myślach języka mamy, która najbardziej na świecie nie cierpiała właśnie łóżkowego wałkonienia i nigdy się na nie nie zgadzała. Tkwił rozmamłany w samochodzie. Znów uśmiech, narracja mamy powracała. Przekręcił kluczyk w stacyjce i miganiem kierunkowskazu nakazał sobie powrót do domu. Wykonał pierwszy ruch kierownicą i od razu rozdzwonił się telefon. Nawet na niego nie zerknął. Był pewny, że to jego awanturniczy wspólnik nie wytrzymuje panującego w pracowni ciśnienia, które zresztą sam wytwarzał. Miał nadzieję, że odpuści. Telefon jednak nie zamierzał się uciszyć. Sięgnął po niego do kieszeni kurtki. Zdenerwowany zerknął na wyświetlacz i oniemiał. Zobaczył na nim zaczarowane słowo: Hanuś. Odebrał szybko.

– Halo?

– Dzień dobry, Mikołaj. Już miałam się poddać. Nie przeszkadzam? – zapytała swoim spokojnym głosem.

– Nigdy nie przeszkadzasz – odpowiedział instynktownie i obiecał sobie, że będzie z nią rozmawiał na pełnym luzie. Tak, jakby była Dominiką. Było to zadanic bardzo trudne, ale nie niewykonalne.

– Miło mi. – Wydało mu się, że chyba się trochę speszyła. – Telefonuję do ciebie, bo wciąż jestem twoją dłużniczką. Zapomniałam ci w sobotę oddać pieniądze za leki i benzynę. Bardzo cię przepraszam, ale mi to umknęło. Było bardzo sympatycznie...

– Nie ma sprawy – wszedł jej w słowo. – Też chciałem dziś do ciebie zadzwonić, żeby jeszcze raz podziękować ci za przemiły i przepyszny wieczór.

– Cieszę się, że się dobrze bawiłeś. Niestety, wczoraj nie było już tak przyjemnie. Było nawet dużo gorzej.

– Maturki? – zapytał.

– Coś strasznego! – westchnęła głośno. – Sprawdzanie to najgorsza strona mojej pracy. Nie znoszę tego!

– Ale sprawdziłaś wszystko? – zapytał z zainteresowaniem.

– Dziewięć, tak. Na pozostałe zabrakło mi sił i pozytywnych emocji. Muszę je sprawdzić dziś, bo jutro mam w szkole aż osiem godzin i zwykle we wtorki przed szesnastą czuję się tak, jakby była co najmniej dwudziesta druga – wciąż mówiła cicho i spokojnie, a jej głos wpływał na niego relaksująco. Chciałby słuchać go przed snem. Każdego wieczoru i każdej nocy.

– A o której dziś kończysz?

– O trzynastej – odpowiedziała.

– To może dasz się namówić na lunch.

– Chętnie, ale niestety mam już inne plany na dzisiejsze popołudnie. Może kiedy indziej? Ale wracając do bezpośredniego powodu naszej rozmowy. Może mogłabym przywieźć ci dług do twojej pracowni w piątek po pracy.

– W piątek to niemożliwe – znów był wściekły na Pragę. – Rano z Przemkiem wylatujemy do Pragi. – Po drugiej stronie zapanowała cisza na tyle długa, że odniósł wrażenie, iż połączenie zostało przerwane. – Halo? – zapytał niepewnie.

– Jestem, jestem... – usłyszał jej zmieniony głos. Zaczął się zastanawiać, czy nie powiedział czegoś niewłaściwego. – Może więc w czwartek podjechałabym do twojej pracowni, bo muszę być w Złotych Tarasach.

– Czyżby jakieś szalone zakupy?

– Nie... – Prawie zobaczył jej uśmiech. – Zamówiłam sobie w księgarni kilka książek i będą do odbioru już jutro...

– To może jutro? – wyrwało mu się niekontrolowanie, ponieważ chciał ją zobaczyć, najlepiej już dziś.

– Przykro mi, ale jutro po pracy będę nie do życia...

– A w środę? – czuł, że chyba przesadza.

– Umówiłam się już z Dominiką.

– Czyli spadam na czwartek – przerwał jej swobodnie.

Czuł się doskonale, lubił z nią rozmawiać. Bardzo podobał mu się spokój, z jakim mówiła. Znów zazdrościł Mateuszowi, że mógł jej słuchać i oglądać ją do woli, przynajmniej kilka razy w tygodniu.

– Dlaczego zaraz spadasz? – usłyszał jej roześmiany głos. – Kończę zajęcia przed piętnastą, czyli około piętnastej trzydzieści mogłabym pojawić się w twojej pracowni, biorąc pod uwagę odsetki, to chyba z walizeczką pieniędzy – rzekła poważnie.

– Mam dla ciebie doskonałą wiadomość. Mianowicie istnieje możliwość anulowania odsetek.

– Ludzki wierzyciel to podstawa dobrego snu dłużnika. Cóż mam zrobić, mój panie?

Zadała mu pytanie takim tonem, że zaczął ją uwielbiać od nowa.

– Jeżeli dasz się zaprosić na kawę...

– Nie piję kawy... – przerwała mu nieśmiało

– To może na herbatę z cytryną? – mówiąc to, przypomniał sobie doskonały smak sobotniej herbaty, którą dla niego zrobiła.

– Wiesz, co lubię...

Powiedziała to w taki sposób, że spociły mu się ręce. Dałby głowę, że była zalotna.

– W takim razie jesteśmy umówieni. Będę na ciebie czekał. Tylko gdzie?

– Może przyjdę do pracowni, to się nie pogubimy.

– Dobrze. Będę na ciebie czekał w pracowni. Tylko żebyś się nie spieszyła. Poczekam tyle, ile mi każesz – chciał użyć czegoś w rodzaju rycerskiego tonu, ale niespecjalnie mu wyszedł.

– Życzę więc miłego dnia i do zobaczenia w czwartek.

Przeraził się, że chce już skończyć rozmowę.

Musiała usłyszeć jego wystraszony oddech, bo powiedziała:

– Dodałam dzisiaj aspiryny do wody, w której stoją tulipany, żeby się długo dobrze czuły.

– Aspiryny? – udawał zdziwionego, choć jego mama robiła dokładnie to samo.

– Tak. Przedłuża żywot ciętych kwiatów. Nie wiedziałeś?

– Nie. Nie wiem zbyt dużo o kwiatach. Boję się tylko, co się stanie, jeżeli wieczorem zobaczą je Arabowie. – Robił, co mógł, żeby wciąż słyszeć jej głos.

– Arabowie? – powtórzyła. – Aaaa... Arabowie – skojarzyła aluzję do sobotniej rozmowy. – Będę musiała coś wymyślić. Może powiem, że dostałam je od pana dyrektora, to mu porachują kości – zaśmiała się cicho.

– A nie uczyła cię mama, że to nieładnie kłamać? – chciał być dowcipny.

– Uczyła... – odpowiedziała bardzo cicho.

– Nie wierzę, że w twoim wypadku taka nauka poszła w las.

– Chyba się poddaję – powiedziała już normalnym tonem.

– Czyli co powiesz Arabom? – był nieustępliwy w dążeniu do prawdy.

– Mam coś do powiedzenia, ależ owszem. Z tym, że nie Arabom, tylko tobie.

– Zamieniam się w słuch – tym razem doskonale udawał powagę.

– Jestem bardzo grzeczna. Niezależnie od wielkości mojego łóżka sypiam sama. A... Arabowie to jedynie chwilowy kaprys mojej wyobraźni – wyrecytowała śpiewnie całą prawdę.

– Chciałaś, żebym był zazdrosny? – palnął.

I nic dziwnego, że w słuchawce zapanowała niezręczna cisza. Był kretynem! Jednym nieprzemyślanym zdaniem właśnie zepsuł całą rozmowę.

– Jesteś tam? – zapytał niepewnie.

– Jestem, jestem... – szepnęła cichusieńko.

– Co się dzieje? – zapytał też cicho, jakby zarażając się jej szeptem. W słuchawce słyszał dziwnie narastający szum.

– Mikołaj, muszę kończyć. Właśnie skończyła się przerwa i pan dyrektor mi się groźnie przygląda, że rozmawiam przez telefon, zamiast nieść kaganek oświaty – szeptała wesoło i cudownie.

– A nie możesz mieć go w nosie? – zapytał głośno.

– Mama nie pozwalała mi kłamać i mówiła też, że nieładnie jest mieć kogoś w nosie.

– To leć! Do zobaczenia w czwartek. Będę na ciebie czekał...

Chciał jeszcze coś dodać w przypływie doskonałego humoru, niestety, nie zdążył. Cichutkie „pa" Hanki zakończyło rozmowę. Ściskając w dłoni telefon, w którym jeszcze przed chwilą słyszał jej głos, patrzył na swoje brudne spodnie. Hanka zmieniała jego świat. To, co niespełna piętnaście minut temu go przytłaczało, teraz nic nie znaczyło. Jeszcze raz zerknął na ściskany brudną ręką telefon i pocałował go szybko. Prawie identycznie jak w sobotę wieczorem Hanka pocałowała jego policzek. Położył telefon na fotelu pasażera i z miną macho uruchomił silnik. Tylko to zrobił, a telefon znów zadzwonił. Tym razem stęsknił się za nim Przemek. Odebrał, mimo że doskonale wiedział, co za chwilę usłyszy.

– Halo? – zapytał śpiewnie.

– Gdzie ty się, do jasnej cholery, podziewasz?! – Przemek wrzeszczał, dokładnie tak jak to przewidział. Jednak nawet te wrzaski nie były w stanie zepsuć mu doskonałego humoru.

– Będę za jakąś godzinę – powiedział spokojnie.

– Z byka spadłeś! Teraz masz być!

– Przemek, uspokój się. Złapałem gumę. Jestem cały brudny, muszę wrócić do domu i się przebrać.

– Nigdzie nie wracaj! W pracowni też jest woda! Tu się umyjesz! – rozkazywał.

– Co się dzieje? – zapytał, najspokojniej jak potrafił.

– Krew mnie zaleje! Wydaje mi się, że w drukarni źle złożyli część dokumentacji! Przyjedź i natychmiast to obejrzyj, bo mnie zaraz trafi szlag!

Mikołaj cieszył się, że go teraz nie ma w firmie. Gdyby dojechał tam na czas, nie miałby warunków na normalną rozmowę z Hanką. To było jasne jak słońce. Musiał być tam teraz niezły dym. Jakby określiła to jego matka „Sodomia z Gomorią".

– Przemek! Przede wszystkim uspokój się. Przecież ten gość z drukarni nie jest kretynem. Na pewno wszystko jest dobrze.

– Przyjedziesz? – nareszcie w głosie przyjaciela usłyszał nie rozkaz, tylko prośbę.

– Zostaw to! Wyjdź stamtąd! Przejdź się albo zrób sobie kawy! Już jadę! – Teraz to on rozkazywał. – I weź się, do cholery, w garść! – Tylko udawał wkurzonego, bo nic nie było w stanie wyprowadzić go z równowagi.

– Przepraszam cię, stary, ale wszystko mnie wkurza. Mam dość! Jeszcze na dodatek rano miałem spięcie z Domi.

– O, widzę, wszystko się powoli wyjaśnia – wymądrzał się bezczelnie. – Przypomnij sobie, jak mi kiedyś mówiłeś, że prawdziwy profesjonalista nie zabiera baby do pracy, a pracy do baby.

– Przyjedź! Błagam! Ja jestem patafianem, a nie profesjonalistą!

– Czekaj na mnie w bufecie! – uśmiechnął się. Im bliżej był Hanki, tym większe było jego *ego*. – Chcę cię zobaczyć uśmiechniętego i wyluzowanego. W innym wypadku nawet nie zerknę w te dokumenty! Cześć!

Zakończył rozmowę z przeświadczeniem, że z niego też był profesjonalista z Bożej łaski, bo używając powiedzenia Przemka, baba była przy nim zawsze. W domu, w pracy, wszędzie. Na domiar złego, wcale się tego nie wstydził. Wprost przeciwnie, chciał to ogłosić całemu światu. „Wstrzymaj konia, rycerzu!", pomyślał chyba tylko po to, żeby ostudzić pobudzone zmysły. Najpierw musiał szepnąć choć małe słówko Hance, a dopiero potem wtajemniczyć we wszystko resztę świata. Wystartował, trzymając kierownicę brudnymi rękoma. Jechał do pracy, nucąc. Korek go nie denerwował. Świat obryzgany szarą śniegową breją wydawał mu się piękny i skupiony jedynie na tym, żeby go uszczęśliwiać. Dawno tak się nie czuł. Nigdy tak się nie czuł!

Dominika siedziała przed nią i wyła, a stojące na stole pudełko chusteczek higienicznych w zastraszającym tempie traciło swoją zawartość. Hanka obserwowała skrajną rozpacz przyjaciółki od blisko pół godziny. Bała się odezwać, chociaż była szczerze zaniepokojona. Dominika, po której wiele spraw i problemów spływało jak woda po kaczce, była dzisiaj w rzadko u niej spotykanym, kiepskim nastroju. Matury musiały poczekać... Hanka wiedziała, że jak tak dalej pójdzie, to czeka ją pracowita i nieprzespana noc. Za wszelką cenę musiała jednak poczekać na moment, w którym Dominika poczuje się gotowa do zwierzeń. Postawiła przed nią kubek z gorącą herbatą.

– Zobacz, w twoim ulubionym kubku – szepnęła nieśmiało.

Dominika zerknęła, co prawda, na kubek, ale jego widok niestety nie okazał się wystarczającym powodem do zmiany nastroju choćby na kilka sekund. Wciąż płakała. Oczy miała już czerwone i spuchnięte, a jej nos był nosem etatowego, urodzinowego klauna. Hanka przyglądała się jej, opierając się o blat kuchenny. Stała dokładnie w tym samym miejscu, w którym kilka dni temu oglądała Mikołaja. Podobnie jak on, założyła na piersiach splecione ręce. Patrzyła na Dominikę wzrokiem niewyrażającym żadnych emocji. Czekała. Po prostu czekała. Trwało to dobrych kilkanaście minut.

– I co się tak gapisz?

Dzięki Bogu, w końcu siostra zerknęła na nią króliczymi oczami.

– A co ty tak beczysz? – pytając, użyła jej intonacji.

– Mam ochotę, to beczę!

Mogła nareszcie odetchnąć. Minimalna agresja w tonie Dominiki oznaczała powolny powrót do normalności.

– A ja mam ochotę, to się gapię! – nie poddawała się, choć taka nieuprzejmość nie leżała w jej naturze. Męczyła ją. Wiedziała jednak, że w obecnej sytuacji była najlepszym rozwiązaniem.

– Jestem wściekła, wkurzona, wkurzona i wściekła! – Dominika zaczęła puszczać farbę.

O to właśnie Hance chodziło.

– Domyślam się, że pokłóciłaś się z Przemkiem.

Dominika kiwnęła tylko twierdząco głową i nie obdarzywszy jej spojrzeniem, wciąż zaopatrywała się w czyste chusteczki.

– Chociaż wiesz, o co wam poszło? – zapytała powoli. Nie chciała narzucać rozmowie zbyt szybkiego tempa. Znowu zobaczyła twierdzące kiwnięcie głową. – To doskonale. Chcesz o tym porozmawiać? – zapytała jak profesjonalna terapeutka.

– O mieszkanie! – wycedziła przez zęby, ale podniesionym głosem Dominika.

– Mieszkanie? – Hanka udawała, że nie rozumie, choć wiedziała już prawie wszystko.

– Ja chciałabym, żebyśmy mieszkali u mnie, a on oczywiście wolałby, żebyśmy zamieszkali razem, ale u niego. Po prostu pełna zgodność co do niezgodności.

– Naprawdę pokłóciliście się o taką głupotę? – Czuła, że musi zrobić Dominice pranie mózgu.

– Według ciebie to głupota?

– Oczywiście. Rozumiem, że dziś rano śpiesząc się do pracy, rozważaliście kwestię wspólnego zamieszkania. – Dominika przyglądała się jej znów, tym razem podejrzliwie. – Zastanów się, Dominiczko, czy to jest naprawdę powód do kłótni? We wspólnym mieszkaniu najmniej ważne jest to, gdzie będziecie mieszkać. Nie wiem, czy pamiętasz, że wspólne mieszkanie zobowiązuje do pełnego odkrycia się przed drugą osobą.

– Nie rozumiem, do czego zmierzasz.

Hanka czuła, że Dominika nieświadomie całą swoją złość kierowała w jej stronę. Nie podobało się jej to.

– Przypomnij sobie, jak miałaś odebrać w zeszłym roku klucze do swojego mieszkania. Inwestor się opóźnił, a ty zrezygnowałaś z wynajmu. Pamiętasz? Zamieszkałaś ze mną, na krótko. Trochę ponad miesiąc. Widywałyśmy się wtedy w totalnym rosole. Chwilami było super, ale bywało też beznadziejnie. Przyznaj. To nie było już to samo, jak byłyśmy małe i mieszkałyśmy z rodzicami. Poważnie się zastanów, czy chcesz po trzech, no, może czterech miesiącach znajomości wpakować się we wspólne mieszkanie.

Dominika patrzyła na nią tak, jakby Hania mówiła do niej po chińsku.

– A czemu uważasz, że nie powinnam z nim zamieszkać? – zapytała, jednocześnie wydmuchując nos.

– Przecież nic takiego nie powiedziałam – obroniła się natychmiast.

– Ale chciałaś... – Dominika patrzyła na nią badawczo.

– Źle mnie zrozumiałaś. Ja nie chcę ci niczego odradzać. Chcę tylko, żebyś się dobrze zastanowiła, czy jesteś już gotowa na wspólne zamieszkanie z Przemkiem. Spotykacie się, jest wam z sobą dobrze. Super. Pamiętaj jednak, że jak zamieszkacie z sobą, wszystko się zmieni. Nie myśl tylko, że na gorsze. Ale pewne jest to, że się zmieni. A skoro na razie jest wam dobrze, tak jak jest, to...

Dominika nie pozwoliła jej dokończyć rozpoczętej myśli.

– Właśnie ostatnio wcale nie jest tak dobrze. Nie ma dla mnie czasu. Jest ciągle podenerwowany. Zamyślony. Non stop odbiera telefony z pracy. Jakiś koszmar w ciapy. – Po policzkach Dominiki znowu popłynęły łzy.

– Dominika, przecież wiesz, że robią projekt na konkurs. Na pewno wszyscy są podenerwowani, bo im bardzo zależy.

– A co mnie obchodzi jakiś projekt i jakiś cholerny konkurs?

– A właśnie że powinny cię obchodzić! – podniosła głos. – Powinny cię obchodzić! – powtórzyła. – Co więcej, powinnaś być dumna, że Przemek jest ambitny i nie chodzi mu w życiu tylko o kasę, bo jej mógłby przy swoich zdolnościach natrzepać w całkiem inny sposób. Nie widzisz, że robi wszystko, żeby podnieść prestiż swojej pracowni? Pomyśl chwilę. Ten konkurs na pewno kosztuje ich nie tylko dużo zaangażowania, ale też sporo pieniędzy.

– Pieniędzy? – Dominika zrobiła wielkie oczy. – Jak to pieniędzy?

– Przecież jak im się, odpukać w niemalowane, nie uda, to będą i tak musieli zapłacić pensje ludziom, którzy razem z nimi pracują nad tym projektem. Przecież już od jakiegoś czasu ślęczą nad czymś, co może się okazać źródłem wielkiej satysfakcji zawodowej albo, niestety, wielkiego rozczarowania i rozgoryczenia. Obaj, Przemek i Mikołaj, wzięli na siebie ogromną odpowiedzialność i ogromne ryzyko. Więc nie dziw się, że Przemek zachowuje się ostatnio trochę inaczej niż dotychczas. Daj mu trochę czasu. Daj czas wam. Zastanów się, czy warto marnować cenne w życiu emocje na niepotrzebne kłótnie. Po prostu przeczekaj gorszy czas. Nie awanturuj się, nie wymagaj nie wiadomo czego. Uśmiechaj się i czekaj. Poza tym nie ustawiaj się na pozycji rozgrywającego, bo faceci tego nie znoszą.

– A skąd ty tak dobrze wiesz, co znoszą, a czego nie? – Dominika przerwała jej nagle. – Skończyłaś jakąś porąbaną facetologię?

Słysząc jej ton, Hania nie zapanowała nad uśmiechem. Wiedziała, że buńczuczność w głosie przyjaciółki oznaczała całkowity powrót do formy.

– Nie skończyłam. Ale często obserwowałam, jak mama umiejętnie manipulowała tatą. A koniec końców, to jemu wydawało się zawsze, że postawił na swoim. Poza tym pani Irenka też wiecznie powtarza, że to kobieta musi być mądrzejsza. Musi chodzić koło mężczyzny jak koło śmierdzącego jaja i jeszcze udawać, że jej to jajo pięknie pachnie – uśmiechnęła się na wspomnienie pani Irenki. Tęskniła za nią. Chciałaby usłyszeć jej głos.

– Ja się chyba po prostu nie nadaję do żadnego związku – wywnioskowała zrezygnowana Dominika i wzruszyła ramionami.

– A kochasz? – zapytała Hanka, może zbyt bezpośrednio.

Dominika przytaknęła.

– Jeżeli kochasz, to się nadajesz. Wiesz co? Nie chciałabym, żebyś pomyślała sobie, że mam się za wszystkowiedzącą, ale wydaje mi się, że człowiek nigdy nie musi wykazać się taką pracowitością, jak właśnie wtedy kiedy kocha. W miłości trzeba się napracować. Ona przychodzi do nas sama. Nie wiadomo skąd i dlaczego. Ale to wszystko, co dla nas robi. Później musimy zajmować się nią sami. Kiedy jest za gorąco, schładzać, żeby się nic nie spaliło. Jak jest za zimno, podgrzewać, żeby coś nie zamarzło. Jak coś się dzieje zbyt wolno, to przyspieszać, a jak coś goni, tak że tracimy nad tym kontrolę, to zwalniać, bo w pędzie łatwo przeoczyć coś ważnego albo trudno uchwytnego. Wiem, że mi za chwilę powiesz, że niepotrzebnie włączam mój polonistyczny bełkot. Może będziesz miała nawet trochę racji. Ale zanim coś powiesz, to pomyśl, czy nie ma odrobiny prawdy w tym, co powiedziałam. – Utopiła swój pytający wzrok w czerwonych od płaczu oczach Dominiki.

– Może masz! A może nie masz! Sama nie wiem. A poza tym, jak jesteś taka mądra, bystra i wszechwiedząca, to chyba zauważyłaś, że Mikołaj ślini się na twój widok i najchętniej to by...

Nie mogła pozwolić jej dokończyć.

– Myślałam, że przyszłaś do mnie ze swoimi problemami, a nie z problemem Mikołaja.

– A masz problem Mikołaja? – podchwyciła błyskawicznie Dominika.

– Jeżeli mam jakikolwiek problem, to z sobą, a raczej ze swoimi wspomnieniami, do których nie potrafię wracać. I wiedz, że tego Mikołaja w nich nie ma. Więcej problemów nie pamiętam – skończyła, bezwiednie wypowiadając odrobinę zmienioną formułkę z konfesjonału.

Dominika spoglądała na nią badawczo.

– To co? Może chciałabyś się dowiedzieć czegoś więcej na temat moich problemów? – zapytała Hanka zaczepnie.

– Daj spokój... – powiedziała łagodnie Dominika. Taki ton zdarzał się jej rzadko. – Wystarczy, że dałam dzisiaj ciała w kłótni z Przemkiem. Chyba zrobiłam z siebie megaidiotkę. A o twoich problemach wiem tylko tyle, że moje dzisiejsze w porównaniu z nimi to bułka z masłem.

– Więc zjedz tę bułkę i szybko o niej zapomnij. A na Przemka chuchaj i dmuchaj, bo to fajny facet.

– Mikołaj też jest fajny...

Hanka nie była pewna, czy Dominika stwierdza, czy pyta ją o zdanie.

– Jest fajny. Nie zaprzeczam.

– Zrobisz coś z tym?

– Z czym? – Udawała, że nie rozumie.

– No, z tym, że jest fajny.

– Jest fajny. – Udawanie przychodziło jej coraz trudniej. – Nawet go polubiłam. Ale przecież sama powiedziałaś, że jestem kobietą z problemami, więc dopóki się z nimi nie uporam, to... – Nie chciało się jej kończyć rozpoczętej kwestii, zwłaszcza że Dominika zapomniała już o swoim zmartwieniu i wgapiała się w nią w tej chwili jak głodny tygrys w porcję świeżego i krwistego mięsa.

– Jesteś kobietą z problemami. To fakt, trudno się z tym nie zgodzić. Ale jesteś też kobietą bardzo mądrą. Więc pomyśl, czy Mikołaj nie byłby przypadkiem dobrym lekarstwem na twoje problemy?

– Dominika! To ty pomyśl! Skoro jest taki fajny, to chyba byłoby bardzo nie w porządku używać go jako lekarstwa na własne problemy.

– To może powinnaś zapomnieć o problemach i używać Mikołaja na czyste konto?

– Dominika, zrozum, że ja nie mam i już nigdy nie będę miała czystego konta. Ja nie potrafię wyczyścić swojej pamięci. Ja nie potrafię jej nawet otworzyć. Przecież nie można zrobić gruntownych porządków w pokoju zamkniętym na cztery spusty.

Dominika spoglądała na nią, tak jakby nie zrozumiała ani jednego słowa z wypowiedzi, którą Hania właśnie skończyła.

– Jak to? – zapytała niezbyt inteligentnie.

– Dominika, daj mi spokój. Nie chcę o tym rozmawiać.

– A może właśnie powinnaś!

– Może powinnam! Ale nie potrafię! Zrozum, nie potrafię wspominać. Nie potrafię o nim myśleć. Nie potrafię oglądać zdjęć. Tych ostatnich nie obejrzałam ani razu. Leżą na regale w sypialni w zaklejonej kopercie, której boję się choćby dotknąć. Ta koperta straszy mnie prawie każdej nocy.

Wydaje mi się, że jestem silna. Jednak są sprawy ponad moje siły. Nie potrafię teraz myśleć o tym, co razem przeżyliśmy, bo zwariuję. Rozumiesz? Mam w głowie zamknięty pokój i dlatego nie wiem, czy mogę sobie pozwolić na to, żeby popatrzeć na Mikołaja jak na kogoś więcej niż fajnego faceta. Jeszcze to imię. Wymawiam je i szarpię za klamkę pokoju, do którego panicznie boję się wejść. Nie chcę się w nim znaleźć. Nigdy. Rozumiesz? Nigdy! – wymawiając ostatnie słowo, usiadła przy stole i schowała twarz w dłoniach.

– Błagam cię, tylko nie płacz – usłyszała wystraszony głos Dominiki.

– Nie bój się. Płakać też nie potrafię – odsłoniła twarz. – Widocznie wypłakałam mój ziemski przydział łez na tę jedną sprawę. Ale to nie pomogło, bo ona wciąż jest na mojej emocjonalnej tapecie – skrzywiła się niemiłosiernie.

– A może powinnaś zachować się jak po przepiciu.

– Czyli jak? – nie zrozumiała.

– Po prostu. Klin klinem.

– Tak nie można. On jest za fajny. Już ci to mówiłam. Nie mogę testować na nim swojej pokręconej psychiki.

– Przecież ty nie jesteś wcale pokręcona – skrzywiła się Dominika.

– Dzięki za dobre słowo, kobieto. Ale nie tobie oceniać moje pokręcenie. Zaręczam ci, jestem pokręcona równo i dokładniej niż wiertło wiertarki – uśmiechnęła się, choć nie było jej wcale do śmiechu.

– Oglądałaś kiedyś ze mną *Piękny umysł*. Pamiętasz? – Dominika swoim zwyczajem przeskoczyła na inny temat.

– Oglądałam – potwierdziła zdziwiona.

– To pomyśl logicznie. Gość był do tego stopnia genialny, że zrozumiał, na czym polega jego świr.

– Chcesz mi powiedzieć, że też mam świra? – Nie nadążała za zawiłym tokiem myślenia Dominiki.

– Akurat nie to chciałam powiedzieć, tylko to, że możesz zacząć układać sobie życie od nowa, bo wiesz, co masz zamknięte w tym, jak mówisz, pokoju.

– Nie rozumiem – powiedziała, choć doskonale rozumiała, co trochę nieudolnie starała się jej wytłumaczyć Dominika.

– Nie udawaj! Przecież wiesz, o co mi chodzi!

Niestety, siostra znała ją doskonale i trudno jej było przed nią cokolwiek ukryć.

– O co? – zapytała naiwnie.

– O to, że musisz otworzyć inny pokój, a wtedy może z czasem zapomnisz o tym zamkniętym, a nawet jak nie, to będziesz skupiona na innym. Ja wierzę, że z czasem zapomnisz. Zaaapooomniiisz!

Rozmowa przerosła Hankę. Wstała od stołu w momencie, w którym usłyszała dźwięk telefonu Dominiki leżącego obok nieużywanego ekspresu do kawy.

– Przemek! – zakomunikowała.

– Niech się ugryzie w nos! – prychnęła Dominika.

– Miałaś przecież być mądra – powiedziała z przekąsem, widząc radość na twarzy Dominiki, która już ściskała w dłoni wibrujący melodią aparat. Nawet nie starała się ukrywać radości.

– Powiedz, że chce ci się siku! – rzuciła w jej kierunku Dominika i patrzyła na nią wyczekująco.

– Tylko bądź spokojna i mądra – poprosiła, podążając w kierunku toalety.

– Ty nie ucz ojca dzieci robić! – krzyknęła Dominika i odebrała połączenie obrażonym głosem: – Halo? Przemek, poczekaj sekundę. – Dominika zakryła słuchawkę ręką. – To ty bądź mądra! Mikołaj to nie jest jakiś rąbnięty Hamlet i nie zadaje sobie co rano pytania: zakochać się czy się nie zakochać? Jeżeli chcesz wiedzieć, to moim zdaniem już to...

– Nic nie słyszę! – krzyknęła Hanka, zamykając głośno drzwi toalety.

– Już jestem, kochanie – usłyszała zza nich głos Dominiki.

Było jej przykro. Jechała do Złotych Tarasów i było jej przykro. Jechała w ciszy. Wyłączyła radio, bo głowa pękała jej po dzisiejszych lekcjach. Tak się akurat złożyło, że na każdej dużo mówiła. Gardło dawało o sobie znać lekkim bólem przy przełykaniu. Na dworze szarzało i było coraz zimniej. Na ulicy, którą się właśnie poruszała, było jeszcze w miarę spokojnie, ale wiedziała, że za jakieś pół godziny rozpocznie się pora powrotów z pracy do domu. A wraz z nią pojawi się zniecierpliwienie towarzyszące wszystkim kierowcom. Miała dziś nie najlepszy dzień. Nie znalazła miejsca parkingowego obok Złotych Tarasów i była zmuszona do skorzystania z parkingu podziemnego, za którym nie przepadała. Nie bez przyczyny Dominika nazywała go lochem. Wjeżdżała w podziemny świat, a w jej uszach wciąż brzmiały słowa uśmiechniętej od ucha do ucha recepcjonistki z pracowni Mikołaja.

– Pana Starskiego nie ma. Wyszedł. Nie powiedział, kiedy wróci. W czym mogę pomóc? Może coś mu przekazać...?

Jadąc na spotkanie z Mikołajem, czuła coś na kształt ekscytacji. Może dlatego teraz było jej przykro, że go nie spotkała. W pierwszym odruchu chciała zostawić pieniądze, które była mu winna. Jednak po krótkim namyśle podziękowała tej uśmiechniętej figurze za chęć niesienia pomocy. Bez humoru opuściła przestronny i zielony od roślin hol. Zastanawiała się, czy do niego zatelefonować. Byli umówieni. Spóźniła się prawie godzinę. Może zapomniał? Może coś mu nagle wypadło? Ale dlaczego się do niej nie odezwał? Znalazła się w lochu, wciąż zastanawiając się, dlaczego tak się zachował. Może po prostu przez nawiedzoną paplaninę Dominiki uwikłała się w gęstą sieć myśli o Mikołaju. Może zaczęła myśleć o nim jak o kimś, komu bardzo na niej zależy. Przecież powinna traktować go jak przygodnego znajomego, który zapomniał o tym, że mieli właśnie razem pić herbatę. Dobrze, że udało się jej dość szybko znaleźć wolne miejsce na parkingu. Parkowała, rozmyślając o Panu Spóźnionym. Nie chciała już o nim myśleć. Niestety, widziała przed sobą morze w jego oczach. Otworzyła torebkę. Spojrzała na wyświetlacz telefonu. Nic. Cisza. Żadnej wiadomości. Ani jednej próby połączenia. Postanowiła, że pójdzie szybko do księgarni. Odbierze książki. Wróci do domu. Zakopie się w pościeli, żeby spać. Przez nocne sprawdzanie matur próbnych odczuwała deficyt snu. *Summa summarum* może nawet dobrze, że na nią nie czekał. Prowadząc z sobą wewnętrzny dialog, zrezygnowana, wrzuciła telefon do torebki. Byle jak i byle gdzie. Taka niedbałość nie zdarzała się jej często. Zapięła futerko. Obwiązała szyję ulubionym, czarno-białym szalikiem. Wysiadła. Trzasnęła drzwiami. Chyba trochę zbyt mocno. Tego również nie miała w zwyczaju. Nagle hałas trzaskających drzwi przerodził się w nieludzki wrzask, który usłyszała przed sobą. Przeraziła się i instynktownie cofnęła, ściskając jednocześnie rączki torebki. Zerknęła w kierunku, z którego dobiegał histeryczny skowyt. Tak. Słyszała skowyt dzikiego zwierza, który wpadł w przemyślną pułapkę głęboko raniącą jego ciało. Zamarła. Stała nieruchomo i ze strachem w oczach patrzyła na kobietę znajdującą się tuż przy masce jej samochodu. Kobieta wyrosła jak spod ziemi. Jeszcze chwilę temu jej nie było. Hanka słyszała jedynie jej krzyk. Nie wiedziała, co zrobić. Czuła, że za chwilę zemdleje. Wrzask, który słyszała, paraliżował ją. Miała wrażenie, że zaczyna brakować jej tlenu. Była jednak świadoma, że teraz nie może pozwolić sobie na słabość. Nagle wrzask ustał. Kobieta przestała krzyczeć, ale spojrzenie, którym ją właśnie obdarzała, było złe i psychodeliczne. Hanka marzyła, żeby wsiąść do samochodu i poczuć bezpieczeństwo własnego terytorium. Powoli włożyła rękę do torebki w poszukiwaniu kluczyków, które przed chwilą do niej wrzuciła. Poczuła telefon.

– Nie ruszaj się! – wrzasnęła chrapliwym głosem kobieta.

Hanka szybko wyciągnęła rękę z torebki. Ściskała w niej telefon.

– Po co przyjechałaś do mojego domu? – Głos kobiety był przerażająco skrzekliwy. Nieprzerwanie obrzucała ją złowrogim, obłąkanym spojrzeniem. W obu rękach trzymała kolorowe torby reklamujące sklepy znajdujące się poziom wyżej. Co chwila nerwowo zaglądała do którejś z nich.

Hanka obserwowała ją sparaliżowana strachem. Nie wiedziała, co robić. Z nerwów zaschło jej w ustach. Kobieta nie spuszczała z niej oczu. Wpatrywała się w nią, a na jej twarzy pojawił się szaleńczy uśmiech, a raczej przerażający grymas.

– Kto ci pozwolił przyjechać do mojego domu?! – Kobieta zaczęła do niej podchodzić, wykrzykując to dziwne i niedorzeczne pytanie. Na szczęście zatrzymała się. Dzieliła je odległość kilkudziesięciu centymetrów. – Kto?! Kto?! – wciąż darła się, nie dając wytchnienia swojemu zmęczonemu już gardłu. Jakby tego było mało, zaczęła nerwowo tupać i dziwnie poruszać rękami. Reklamówki, które w nich trzymała, szeleściły złowieszczo. – Kto?! – powtórzyła kolejny raz i nagle zdecydowała się na cios. Uderzyła Hankę rozhuśtanymi torbami w ramię. Cios nie był zbyt mocny.

– Już odjeżdżam... – szepnęła.

– Nieee!!! – Krzyk kobiety znów przerodził się w wibrujący skowyt potęgowany dodatkowo echem odbijającym się o betonowe ściany parkingu. – To mój dom i mój szalik! Oddaj mi go! Teraz!

Hanka drżącymi rękoma, posłusznie zaczęła odwiązywać szalik. Kątem oka zauważyła, że nieopodal zaparkował duży srebrny samochód. Z nadzieją na ratunek odwróciła głowę w jego kierunku.

– Na mnie patrz! – Natychmiast została przywołana do porządku. – Na mnie patrz! Słyszysz! Jesteś moją córką, więc patrz na mnie! Dawaj szalik! Mój szalik! Daaaj! – Krzyk kobiety przerodził się w zwierzęce charczenie.

Hanka z nadzieją wsłuchała się w odgłos trzaskających drzwi samochodu. Podała kobiecie szalik, którym ta szybko zaczęła owijać swoją szyję. Utrudniające jej to reklamówki położyła na brudnej murawie parkingu. Zaczęła wąchać szalik. Była przerażająca.

Hanka robiła wszystko, żeby unikać jej wzroku. Nie było to jednak łatwe. Wydawało się jej, że kobieta, wkładając swój nos w jej szalik, przybiera lubieżne spojrzenie, które zatapia w niej z dziką przyjemnością. To było ponad jej siły. Opuściła wzrok.

– Na mnie patrz! Ty młoda suko... – popłynął strumień przekleństw. Kobieta nie przebierała w słowach.

Nikt jej tak nigdy nie nazywał. Słyszała obraźliwe i wulgarne określenia własnej osoby. Starała się nie słuchać, a przerażony wzrok, mimo obaw, utkwiła w przechodzącym, dosłownie o kilka kroków od niej mężczyźnie, który miał okazać się jej wybawieniem z parkingowego impasu. Kobieta wciąż przyglądała się jej, wąchając szalik, a mężczyzna, idąc, zapinał swój elegancki, chyba kaszmirowy płaszcz. Stawiając w nim kołnierz, zaszczycił ją jednym krótkim spojrzeniem i jakby zupełnie nie dostrzegając jej błagalnego spojrzenia, oddalił się. Załamana, podążyła wzrokiem za jego butami. Miały skórzane podeszwy.

– Na mnie patrz! Mówię coś do ciebie! – Krzyk kobiety przybierał na sile, jakby karmił się jej strachem i przerażeniem.

Nogi zaczęły odmawiać jej posłuszeństwa. Oparła się o drzwi samochodu od strony kierowcy, przy których wciąż tkwiła. Czuła, że już dłużej nie wytrzyma, ale wiedziała, że musi być silna. Nie mogła okazać słabości. Bała się o siebie. Pierwszy raz w życiu bała się o siebie. Kobieta na chwilę umilkła. Zdjęła szalik i zaczęła nieudolnie wkładać go do jednej z toreb. Prawie jej się to udało, chociaż jeden koniec szalika leżał w brudnej kałuży. Kobieta była cicho, ale ciągle na nią zerkała. Pilnowała jej. Zaczęła nucić. Chyba jakąś kołysankę. Po kilku zanuconych dźwiękach Hanka poznała tę melodię. Nie potrafiła jej jednak nazwać ani przyporządkować dźwiękom słów. Kobieta zrobiła krok w jej kierunku. Była niebezpiecznie blisko. Tak blisko, że

Hanka dopiero teraz poczuła niesamowity fetor, którym atakująca ją wariatka częstowała swoje najbliższe otoczenie.

– Odejdź od tego samochodu! I gap się na mnie! – Zaglądała jej w oczy, znów krzycząc.

Nagle Hanka poczuła, że ściskany w trupio zimnej dłoni telefon zaczyna wibrować. Wiedziała, że za kilka sekund wibracja zamieni się w jej ulubioną piosenkę. Ryzykując własnym bezpieczeństwem, odebrała połączenie i szybko przyłożyła telefon do ucha. Usłyszała głos Mikołaja. Kobieta dostała szału. Co prawda, nie zbliżyła się bardziej, ale jej krzyk stał się nie do wytrzymania. Mikołaj coś do niej mówił, ale Hanka nie była w stanie niczego zrozumieć. Ze wszystkich stron osaczał ją histeryczny wrzask. Uruchomiła zdrętwiały ze strachu język i podała Mikołajowi swoją lokalizację.

– Pomóż mi... – zdążyła jeszcze wyszeptać, zanim kobieta wyrwała jej telefon z ręki.

Trzymała go teraz w brudnej dłoni, ale wzroku nie odwróciła od Hanki nawet na sekundę. Była wściekła. Hanka zauważyła pianę w kącikach jej ust. Było jej nie tylko słabo. Poczuła, że za chwilę zwymiotuje. Nie zdążyła. Poczuła silne uderzenie w bark. Na chwilę straciła równowagę. Całym ciałem oparła się o samochód i schowała głowę w wyciągniętych do góry ramionach. Nie potrafiła się bronić. „Przyjdź!", zaklinała w myślach Mikołaja.

Kobieta darła się nieprzerwanie, że w końcu głos zaczął odmawiać jej posłuszeństwa. Stał się niski i gardłowy. Charczała jak zwierzę w agonii.

– Patrz na mnie, ty suko! Patrz!

Hanka wciąż łowiła rzucane pod jej adresem słowa. Tym razem nie posłuchała. Stała nieruchomo. Nie zamierzała się już poruszyć. Przykleiła czoło do chłodnej szyby samochodu. Poczuła ulgę. Na krótko, ponieważ rozwścieczona jej nieposłuszeństwem kobieta zaczęła ze wszystkich sił okładać ją trzymanymi w rękach siatkami. Chyba robiła to na oślep. Hanka czuła na swoim ciele dotkliwe razy. Poddawała się im całkowicie. Nie była w stanie poruszyć żadnym mięśniem. Stała nieruchomo, zaciskając powieki. Nie chciała patrzeć na kobietę. Po jej policzkach zaczęły płynąć łzy. Najwyraźniej były odpowiedzią na wciąż nowe, coraz silniejsze uderzenia. Jak się okazało, kobieta była bardzo silna. Gdy Hance wydawało się, że kobieta osiągnęła już szczyt swoich wokalnych umiejętności, okazywało się, że to dopiero preludium do głośniejszych i straszniejszych dźwięków.

Hanka straciła poczucie czasu. Nie wiedziała, jak długo wgniatała swoje ciało w drzwi samochodu. Poczuła, że to już koniec. Opuszczały ją siły, i to nie tylko fizyczne. Nagle między wrzaskami okrutnej agresorki zabrzmiał inny krzyk. Usłyszała kilka męskich głosów. Wydawało się jej, że słyszy wśród nich głos Mikołaja, a może tylko bardzo chciała go usłyszeć. Nie mogła się już utrzymać na nogach. Samochód dawał coraz słabsze oparcie. Kobieta musiała usłyszeć głosy, bo przestała krzyczeć, jednak bić nie przestawała. Jeden, dwa, trzy. Hanka w myśli odliczała razy. Wciąż od jednego do trzech. Nagle Hanka usłyszała odgłos szamotaniny. Uderzenia ustały. Słyszała przekleństwa ochroniarzy przekrzykujących groźne warczenie właśnie obezwładnianej kobiety. Poczuła, że ktoś ją obejmuje.

– Hania – usłyszała ciepły, znajomy głos. – To ja. Już dobrze. Odwróć się. Hania. To ja. Mikołaj...

Nie mogła uwierzyć, że to koniec koszmaru. Podobnie jak wciąż nie mogła się poruszyć. Czuła się zamknięta w jego ramionach. Słyszała przy uchu głos. Dobry, cichy głos. Ale nic nie było w stanie wyrwać jej z odrętwienia, w którym zastygła. Czuła, jak Mikołaj powoli i delikatnie odkleja ją od samochodu i odwraca. Wiedziała, że na nią patrzy, jednak nie potrafiła spojrzeć na niego. Miała zamknięte oczy. Przytulił ją mocno. Poczuła jego ciepło. Była uratowana. Jej dotąd bezgłośny płacz zamienił się, wbrew jej woli, w cichy szloch małego, nieszczęśliwego dziecka, które nie potrafi zrozumieć, dlaczego zostało skrzywdzone. Mikołaj trzymał ją mocno, delikatnie kołysząc. Dotykał jej czoła. Chyba ustami.

– Cicho. Już dobrze... – powtarzał, wciąż kołysząc ją w rytm swoich słów.

Starała się skupić na tym, co do niej mówił. Nie potrafiła. Wciąż słyszała wszystko, co działo się obok. Nie chciała niczego widzieć. Nie chciała już nigdy jej zobaczyć. Wciąż miała zamknięte oczy. Mocno zaciśnięte powieki. Niestety, nie mogła podobnie postąpić z uszami. Ich nie mogła zamknąć. Nieprzerwanie słyszała nieludzki skowyt. Co prawda, oddalał się od nich, ale wciąż był słyszalny. Odbijał się od ścian parkingu i wciąż do niej powracał. Słyszała, jak do Mikołaja podszedł ochroniarz i oddał mu jej telefon. Rozmawiali z sobą krótką chwilę, jednak Mikołaj nie przestawał jej kołysać. Stali tak kilka minut. Może kilkanaście. Czuła się tak, jakby przebiegła maraton. Z bardzo dobrym, zwycięskim rezultatem. Bolały ją mięśnie całego ciała. Pulsujący ból rozsadzał czaszkę, pod którą mózg wciąż odbierał wszystkie odgłosy chorej psychicznie kobiety, chociaż na parkingu zapanowała cisza. „Daj mi mój szalik!", znów słyszała krzyk. Poczuła, że nie ma czym oddychać. Było jej niedobrze. Najchętniej uciekłaby jak najdalej, ale nie miała na to sił. Musiała w końcu otworzyć oczy. Na to musiała znaleźć siłę. Podniosła głowę, otworzyła oczy i zobaczyła przed sobą twarz Mikołaja. Dostrzegła jego współczujące spojrzenie.

– Wyjdźmy stąd. Proszę... – szepnęła, nie mogąc wydusić z siebie głosu. Jej szept dziwnie się trząsł.

Mikołaj bez słowa wyjął z jej rąk torebkę, której się wciąż kurczowo trzymała. Objął ją ramieniem i zdecydowanie pociągnął za sobą. Szła powoli. Dostosował swój krok do jej tempa. Mięśnie nóg drżały, tak jakby rzeczywiście ukończyła długi bieg.

– Może cię po prostu stąd wyniosę? – spojrzał na nią badawczo.

– Pójdę sama – odpowiedziała cicho, wbijając wzrok w jego buty.

Przez resztę drogi nie zamienili z sobą ani jednego słowa. Trzymał ją za rękę. Gdyby nie on, nigdy nie poradziłaby sobie z przejściem przez ten ciemny loch. Gdy znaleźli się na zewnątrz, oparł ją plecami o ścianę budynku. Ujął jej twarz w swoje dłonie i kciukami wycierał policzki mokre od nowych łez. Nie miała świadomości, że wciąż płacze. Znów w obronnym odruchu odcinała się od otaczającego ją świata przez zamknięte oczy.

– Otwórz oczy. Proszę – docierał do niej jego łagodny głos. Była jednak pewna, że słyszała go z lekkim opóźnieniem. Chciała spełnić jego prośbę. Nie potrafiła.

Pocałował ją w czoło i znów poprosił.

– Proszę. Otwórz oczy. Popatrz na mnie...

Kolejny raz nie zareagowała. Powieki stawiały ołowiany opór. Mikołaj, wciąż trzymając jej twarz w swoich dłoniach, delikatnie pocałował ją najpierw w jeden, następnie w drugi policzek. Czuła, że napięcie powoli ustępuje. Bała się tylko, że gdy otworzy oczy, Mikołaj przestanie jej dotykać, a ona złoży się jak domek z kart. Ogrzewał jej twarz swoim ciepłym oddechem. Musiał być bardzo blisko. Może dlatego nie słyszała już przeraźliwego krzyku, tylko odgłos ruchliwej ulicy. Nigdy nie przypuszczałaby, że szum tworzony przez szybko jadące auta wpłynie na nią tak kojąco, jak kołysanka prenatalna na nowo narodzone dziecko. Przez chwilę poczuła się znowu bezpieczna. Obawiała się jednak, że gdy otworzy oczy, zobaczy przed sobą szaleńczy wyraz twarzy tamtej kobiety.

– Jeżeli nie otworzysz oczu, to pocałuję cię w usta – szepnął jej wprost do ucha.

Przez moment zastanawiała się, czy te słowa powinna potraktować jako groźbę czy może obietnicę. Nie otworzyła oczu. Nic się jednak nie wydarzyło. Wciąż stała nieruchomo z rękami opuszczonymi wzdłuż ciała. Jej głowa tkwiła w subtelnym dotyku dłoni Mikołaja. Była pewna, że jej się przyglądał. Miała wrażenie, że wciąż zmniejszał dystans między ich twarzami. Pocałował ją identycznie jak poprzednio. Grzecznie. Najpierw w jeden, po chwili w drugi policzek. Na moment zastygł w bezruchu. Czuła jego ciepło na swoim policzku. Pomimo bardzo złych przeżyć kłębiących się teraz w jej głowie przez chwilę poczuła na swojej twarzy słońce. Nie widziała jego koloru, poczuła tylko relaksujące ciepło. Otworzyła oczy. Zobaczyła przed sobą uśmiechnięte oczy Mikołaja.

– Witamy na ziemi – powiedział, wciąż dotykając jej twarzy.

– Wciąż jestem twoją dłużniczką – usłyszała swój w miarę normalny głos. Chciała się też uśmiechnąć. Niestety, mięśnie twarzy nie pracowały jeszcze normalnie. Z pewnością był to efekt stresu, bo przecież nie pocałunków.

– Obiecasz mi coś? – zapytał Mikołaj, wciąż nie zmieniając pozycji.

– Po tym, co dla mnie dzisiaj zrobiłeś, jestem w stanie obiecać ci wszystko – mówiąc to, patrzyła mu prosto w oczy. Były tak blisko jak nigdy dotąd.

– Chcę tylko jednego. Jeżeli następnym razem będziesz potrzebowała pomocy z różnych dziwnych albo całkiem niedziwnych powodów... – przewrócił oczami, prawie identycznie jak robiła to zwykle sama. Wiedziała, że zrobił to celowo. – ... musisz mi obiecać, że zawsze do mnie zadzwonisz. – Chyba trochę stracił z wcześniejszej pewności siebie, bo uwolnił jej twarz ze swych dłoni.

– Obiecuję – powiedziała cicho, ale nie szeptem.

– Proszę. – Zdjął z ramienia torebkę i podał jej. Z kieszeni kurtki wyjął telefon, który bez słowa wrzucił do torebki. – Już dobrze? – zapytał, uśmiechając się.

– Chyba tak – odparła niepewnie.
– Chyba czy tak? – zapytał znów.
– Raczej chyba – odpowiedziała, powoli wracając do normalności. Tym razem przynajmniej udało się jej uśmiechnąć.
– Uśmiechasz się – zauważył. – Dobry znak. Mam nadzieję, że nic ci nie zrobiła?
– Raczej nie. – Wciąż odnosiła wrażenie, że jej przepona nie może się zdecydować, gdzie jest jej miejsce. – Zabrała mi tylko mój szalik – dotknęła ręką gołej szyi. – Prezent od mamy. – Mikołaj szybko zdjął swój szalik i zdecydowanym ruchem obwiązał jej szyję.
– Jest twój. Też dostałem go od mamy.
– Nie żartuj... – zaczęła go zdejmować.
Przytrzymał jej rękę.
– Jest twój – powtórzył zdecydowanie.
– Ale...
Nie pozwolił jej nic powiedzieć, kładąc palec na swoich ustach.
– A teraz będziesz musiała się gęsto tłumaczyć, dlaczego nie przyszłaś do pracowni. Jeżeli dobrze pamiętam, byliśmy umówieni – wlepił w nią pytający błękitny wzrok.
– Jak to nie przyszłam? – zapytała zdziwiona.
– Przecież umawialiśmy się... – zaczął, ale nie dała mu dokończyć.
– Mikołaj... Byłam w twojej pracowni – powiedziała z przekonaniem. – Dokładnie tak jak się umówiliśmy. Przyznaję, spóźniłam się prawie godzinę. Wasza recepcjonistka z uśmiechem na ustach zakomunikowała mi, że wyszedłeś, nie informując jej, kiedy wrócisz. Jeżeli w ogóle wrócisz. Przyjechałam tu więc sama...
Mikołaj wlepiał w nią zdziwione spojrzenie.
– Jak to ci powiedziała, że wyszedłem? Przecież... – Nie dowierzał.
– Tak mi powiedziała...
– Przecież się umówiliśmy. Dlaczego nie zadzwoniłaś?
Widziała, że jej opowieść bardzo go zdenerwowała. Doskonale wyczuwała jego napięcie. Zdążyła go już trochę poznać. Poza tym nie należał do osób o kamiennej twarzy, które nie mają najmniejszych problemów z maskowaniem własnych uczuć.
– Nie chciałam się narzucać. Pomyślałam, że może coś ci nagle wypadło...

– Po prostu nie mogę w to uwierzyć. To jakieś kosmiczne nieporozumienie. Spędziłem cały dzień nad projektem. Nigdzie nie wychodziłem. Dobrze, że ja postanowiłem ci się narzucać i zadzwoniłem – powiedział z przekąsem, ale bez cienia złośliwości. – Wniosek nasuwa się sam. Czasami warto się narzucać. A teraz zabieram cię na umówioną herbatę albo lepiej zapraszam cię na kolację – spoglądał na nią pytająco.

– Przepraszam cię, Mikołaj, ale nie mam już dziś na nic ani ochoty, ani siły, ani tym bardziej apetytu.

Chciała z nim pójść. Była mu to winna. Jednak zmęczenie brało górę nad chęciami. Czuła szarpiący ból w prawym ramieniu. Jeszcze nigdy w życiu nikt jej nie zbił. Dostało jej się. Przede wszystkim psychicznie, choć zadane razy odczuwała przy najmniejszym ruchu. Mikołaj patrzył na nią z lekkim półuśmiechem. Chyba ją kusił. W innych okolicznościach z pewnością uległaby jego urokowi bez najmniejszych oporów. Dziś był skazany na przegraną. Podejmował nierówną rywalizację z jej rodzicami. Nie mógł się domyślić, że jest na straconej pozycji.

– Może jednak... – nie chciał się poddać.

– Herbata nie zając – zażartowała trochę nieudolnie, więc od razu dodała: – Chciałabym pojechać do rodziców. – Chwyciła ręką szalik. Jego szalik. Teraz już chyba jej. Spojrzała na niego pytająco.

– Nie zaczynaj znowu. Jest twój! – uprzedził jej słowa. – Chodź, odprowadzę cię do samochodu – spojrzał na nią. – A może wolałabyś, żebym nim tu przyjechał?

Uśmiechnęła się. Włożyła rękę do torebki w poszukiwaniu kluczyków. Tym razem znalazła je od razu. Bez patrzenia. Podała mu je. Z patrzeniem.

– Poczekam. Powiedział ci już ktoś, że jesteś aniołem? – uśmiechnęła się.

– Tak. Ty – popatrzył na nią poważnie i zniknął.

Stała wciąż przy ścianie, o którą oparł ją Mikołaj, gdy tylko wyszli z niebezpiecznego parkingowego lochu. Dominika nie pomyliła się, tak go nazywając. Hanka przyrzekła sobie, że już nigdy, przenigdy, do niego nie wjedzie. Dominika zawsze upominała ją, żeby nie używała słowa „nigdy". A ona niezmiennie odpowiadała jej, że nie wypowie go już ani razu, pod warunkiem że Dominika przestanie używać słowa „zawsze". To ich wzajemne handryczenie miało jeden cel. Obie myślały wtedy o tacie, który przy byle okazji uwielbiał powtarzać: „Nigdy nie mów nigdy, nigdy nie mów zawsze”... Dominika z pewnością poradziłaby sobie lepiej, gdyby znalazła się w podobnej sytuacji. Ale ona nie była przecież odważną Dominiką, to po pierwsze, a po drugie, postanowiła, że nie wtajemniczy jej w swoje dzisiejsze przeżycia. Przecież gdyby jej o wszystkim powiedziała, to musiałaby przyznać się do pocałunków. Co prawda, miały one mało wspólnego z rozbuchanym erotyzmem, a w dialekcie Dominiki stanowiły jedynie coś w rodzaju pitu, pitu. Jednak przypominając sobie w tej chwili ciepło ust Mikołaja, odczuwała wewnętrzną, trudną do opisania przyjemność. W tej chwili z pewnością potrafiłaby je odebrać dużo świadomiej niż wtedy, gdy je popełniał. Uśmiechnęła się i została na tym uśmiechu natychmiast przyłapana.

– Widzę, że czujesz się już lepiej. Może więc szybka herbatka?

Przewróciła tylko oczami.

– Dobrze, dobrze. Nie musisz nic mówić. Poza tym nie będę się przecież narzucał – podkreślił, ciężko wzdychając. – Ma pani boski wóz. Zaparkowałem, proszę spojrzeć, najbliżej jak się dało.

Rzeczywiście. Ujrzała swój samochód kilka kroków od miejsca, gdzie stali.

– Bardzo proszę wesprzeć się na moim ramieniu. Proszę pozwolić mi się odprowadzić – to mówiąc, podał jej swoje ramię, a ona przyjęła je z uśmiechem.

Była pewna, że Mikołaj robił to wszystko po to, by się uśmiechała. Swoim swobodnym i żartobliwym zachowaniem chciał odwrócić jej myśli od tego, co się wydarzyło. Szła obok niego. Było jej bardzo dobrze. W momencie zapragnęła, żeby ich krótki spacer nie był elementem kończącym to popołudnie, o zupełnie nieoczekiwanym przebiegu. Gdy znaleźli się obok samochodu, zaskoczyła samą siebie.

– A może pojechałbyś ze mną? – zaproponowała spontanicznie.

Obdarzył ją spojrzeniem, z którego niewiele mogła wyczytać. Nic nie mówił. Był zaskoczony jej nieoczekiwaną propozycją. Jego reakcja jej nie zdziwiła. Sama nie mogła uwierzyć, że to powiedziała. Zapadła niezręczna cisza.

– Pojedź ze mną – przerwała ją, powtarzając propozycję śmielszym głosem.

– Nie wiem, czy to wypada... – Zagubienie dodawało mu uroku.

– Myślę, że moi rodzice nie mieliby nic przeciwko twoim odwiedzinom. – Nie była pewna, czy dobrze robi. Dopadały ją wątpliwości. Chyba trochę za późno.

– Ciekawy jestem, jak mnie przedstawisz? – zerknął na nią pytająco.

– Nie dowiesz się, jeżeli ze mną nie pojedziesz – odpowiedziała zagadkowo.

Patrzył na nią dłuższą chwilę, nie odzywając się. Widziała, że myśli intensywnie. Podrapał się niedbale w tył głowy.

– Nie jestem pewien, czy to dobry pomysł, ale niech stracę. Jadę z tobą. Kto prowadzi? – zapytał.

– Ja – odpowiedziała zdecydowanie, przejmując z jego ręki kluczyki dyndające właśnie na wysokości jej wzroku. – Nie lubię jeździć jako pasażer.

Zaczął prószyć śnieg. Wciąż nie wiedziała, czy dobrze robi, zabierając go na cmentarz. Dotarło do niej, że decydując się na taki krok, odkryje przed nim ważny fragment swojego życia. Może nawet najważniejszy. Nie była pewna, czy jest gotowa, żeby dać mu wgląd w osobistą historię. W jej rozciągający się w czasie dramat. Na wątpliwości było już za późno. Mikołaj siedział obok, nie przypuszczając, dokąd jadą. Poczuła, że bardzo zależy jej na tym, aby umiał przyjąć to, co za chwilę chciała mu dać. Prawdę o sobie. A przynajmniej jej większą część. Myśląc o tym, pojęła, że pierwszy raz od dłuższego czasu na czymś jej naprawdę zależy. A może zależało jej na nim? Nie wiedziała dlaczego, ale to krótkie, pojawiające się, ot tak, pytanie przeraziło ją. Na szczęście rozdzwonił się jego telefon i po dopadającym ją lęku nie pozostał nawet mały ślad. Odebrał szybko. Wsłuchała się w jego głos.

– Tak, wiem. Musiałem wyjść, ale o wszystkim pamiętam. Niczym się nie martw. Do zobaczenia rano na lotnisku. – Był bardzo stanowczy i konkretny.

Domyśliła się, że rozmawiał z Przemkiem. Jednak usłyszane przez nią słowo lotnisko, które Mikołaj wypowiedział mimochodem, jak każde przed nim i każde po nim, wyzwoliło w niej uczucie metalowej obręczy zaciskającej się wokół jej szyi. Wzięła kilka głębokich wdechów. Pomogły. Poradziła sobie. Nie chciała uchylać okna, żeby nie wzbudzić żadnych podejrzeń. Jeszcze jeden głębszy oddech. Już dobrze. Prawie dobrze.

– Czyżby twój wspólnik się za tobą stęsknił? – zapytała spokojnym głosem, patrząc przed siebie.

Czuła, że Mikołaj wciąż na nią zerka. Wiedziała, że kontroluje każdy jej ruch. Kierował samochodem razem z nią. Gdyby mu pozwoliła, zmieniałby za nią biegi, poruszając dźwignią skrzyni biegów.

– Tak. Denerwuje się, że zostawiłem ważne dokumenty w pracowni, a jutro rano wylatujemy do Pragi. Taki już jest. Zawsze sam musi wszystko sprawdzić i wszystkiego dopilnować – westchnął.

Zatrzymała się na światłach. Miała czerwone. Zerknęła na niego.

– Nie wiadomo, czy to wada, czy zaleta?

– Raczej zaleta, tylko czasami utrudniająca życie, i to nie tylko otoczeniu.

– Coś o tym wiem – uśmiechnęła się do siebie i ostrożnie ruszyła, bo jechała po właśnie zamarzającym pośniegowym błocie.

– Też taka jesteś? – zapytał od razu.

– Niestety, choć doskonale zdaję sobie z tego sprawę i staram się z tym walczyć – wyznała.

– Walczysz w życiu z czymś jeszcze? – zapytał tak poważnie, że przeraziła się, iż wie o niej wszystko. Uspokoiła się jednak szybko, utwierdzając się w przekonaniu, że to niemożliwe, że to tylko taka przypadkowa gra słów.

– Tylko mi nie mów, że wyglądam na kobietę walczącą – spojrzała na niego i zawstydziła się, bo omiótł ją wzrokiem zaczynającym lustrację od głowy, a kończącym się na trudnych do zauważenia w tej chwili stopach.

– Wyglądasz – stwierdził poważnie.

Musiała się ratować. Parsknęła więc śmiechem.

– Walczę, ale na pewno nie wyglądam – odważnie zwątpiła w postawioną przez niego tezę.

– Przyznaj się... – dwuznacznie zawiesił głos.

– Do czego? – nieumiejętnie udawała, że go nie rozumie.

– Do tego, z czym w życiu walczysz – był nieugięty.

– Najczęściej to z wiatrakami.

Była z siebie dumna. Udało się jej odpowiedzieć wymijająco. Jednak napotkawszy jego wciąż pytający wzrok, poczuła, że musi rozwinąć myśl. Okazało się, że jej duma była przedwczesna.

– Czyli z chamstwem, ludzką bezmyślnością, lenistwem i ogólnie pojętą bylejakością, której mam wrażenie, niestety wciąż przybywa – mówiła i patrzyła przed siebie.

Byli już bardzo blisko cmentarza. Jej przepona zaczynała wpadać w niebezpieczną wibrację powodującą uczuciowy rezonans, a myśli zaprzątały dwa uporczywie nasuwające się słowa. Przeszłość i pamięć. To one stanowiły najprawdziwszą i najtrafniejszą odpowiedź na zadane przez Mikołaja pytanie. Jej życie było walką z pamięcią i z przeszłością. Do tej pory zawsze tę walkę przegrywała. Oswoiła tę przegraną i przyzwyczaiła się do niej. Może dlatego że przeszłość z dnia na dzień budziła w niej mniejsze rozgoryczenie. Albo bolała coraz mniej, albo Hanka przyzwyczajała się do bólu. Czy można się w życiu przyzwyczaić do wszystkiego? Nawet do bólu?...

Zaparkowała na parkingu przed cmentarzem. Mikołaj spoglądał na osiedle domów naprzeciwko. Niczego się nie domyślał. Powinna była mu powiedzieć. „Tylko jak?", zadawała sobie to pytanie, otwierając bagażnik, którego podstawowe wyposażenie od długiego już czasu stanowiły znicze. Wyjęła dwa. Jak zwykle. Z czerwonego szkła, w kształcie serca. Spojrzał na nią i momentalnie przekazał jej tym spojrzeniem informację, że wszystko pojął i zrozumiał. Jego oczy zrobiły się czujne, ciemniejsze niż zwykle. Przybrały kolor morza w czasie sztormu. Założyła torebkę na ramię.

– Poniosę je. – Wyciągnął znicze z jej rąk.

Skierowali się do pobliskiej bramy cmentarza.

– Nigdy nie byłem na cmentarzu o takiej porze.

– Zobacz! Nie jest wcale ciemno. Prawie wszędzie palą się znicze. Lubię tu przychodzić niezależnie od pory dnia.

Odwróciła twarz w jego stronę, ale szedł ze wzrokiem wbitym w szare płyty chodnika. Przez kilka minut szli, nie odzywając się. Ich ramiona dzieliło od siebie zaledwie kilka centymetrów. Nie dotykali się nimi.

– To tutaj – zatrzymała się i delikatnym ruchem głowy wskazała na pomnik z jasnego granitu.

Zatrzymał się. Nie powiedział ani słowa. Postanowiła się nie odzywać. Wyjęła znicze z jego rąk. Ustawiła na płycie nagrobnej. Już wypalone zdjęła i postawiła tuż obok ławki. Otworzyła torebkę. Szybko odnalazła w niej pudełko zapałek. Zachowywała się jak zwykle. Jedynie jej myśli urządziły się dziś całkiem inaczej. Nie krążyły gdzieś tam, wysoko, wokół rodziców. Koncentrowały się na osobie Mikołaja, który stał obok. W milczeniu. Kątem oka widziała, że wczytuje się w cyfry i litery zdobiące swym brązem płytę obok krzyża. Zapaliła znicze. Ustawiła. Tu gdzie zawsze. Podobało się jej, że cisza, która zapadła między nimi, jej nie męczy. Miała nadzieję, że nie męczyła również jego.

– Może usiądziemy? – zaproponowała, wskazując ławkę.

Ławeczka była krótka. Usiadł, zostawiając większą jej część dla niej. Spojrzeniem poprosił, aby usiadła obok. Posłuchała jego oczu. Usiadła. Zapadła cisza. Wpatrywała się w migające płomyczki zamknięte w czerwieni zniczy. Pomyślała o rodzicach. O mamie, która może cieszyła się gdzieś tam, wysoko, że jej córka przyszła na cmentarz z kimś. Zwykle przesiadywała tu sama. Czasem w towarzystwie Dominiki albo pana Ryszarda.

– Nie wiem, co powiedzieć – Mikołaj pierwszy przerwał rozwieszoną między nimi ciszę.

– Ja... – zaczęła nieśmiało. – Nie wiedziałam, jak ci powiedzieć – szepnęła, akcentując słowo „jak". Nie patrzyła na niego. Poczuła, że chciałaby się w tym momencie do niego przytulić. Oczywiście zabrakło jej odwagi na wydawałoby się prosty gest.

Zaczął mówić. Bardzo cicho. Patrzył, podobnie jak ona, przed siebie.

– Pamiętam dzień, w którym umarła moja babcia. Była już stara i bardzo schorowana. Byłem wtedy w maturalnej klasie, tak jak teraz Mateusz. Długo nie mogłem pogodzić się z tym, co się stało. Nawet mama, jej córka, rozumiała, że ta śmierć była wybawieniem z cierpienia. Ja tego nie rozumiałem. Byłem bezradny wobec tego, co się stało, i wściekły na wszystko i wszystkich. Teraz patrzę na to inaczej. Gdy zapalam znicze na jej grobie, wiem już, że taka jest kolej rzeczy. Takie jest życie. Ale boję się pomyśleć, jak poradziłbym sobie, gdyby spotkało mnie coś takiego.

Widziała, że znów wbijał wzrok w litery, które informowały przygodnych przechodniów dwoma słowami o wszystkim, co się wydarzyło. Tylko dwoma. „Zginęli tragicznie". Nie chciała umieszczać tego napisu, ale pani Irenka powiedziała, że tak trzeba. Posłuchała jej. Jak zawsze.

– Powiedz coś, proszę. – Popatrzył na nią tak, że znowu zapragnęła się do niego przytulić. W jego spojrzeniu nie doszukała się ani nagłego współczucia, ani tym bardziej litości. Widziała przed sobą oczy, które chciały coś zrozumieć, dlatego zaczęła mówić.

– Nie próbuję zrozumieć tego, co się stało. Nie mogę... Nie potrafię... Nawet się nie staram. Czasami tłumaczę sobie, że nie wszystko, co przeżywam, muszę rozumieć. Ale musiałam się z tym pogodzić. Żeby żyć. Na początku tylko udawałam, że żyję. Teraz jest trochę lepiej. Zdarzają mi się dni, że nie muszę udawać prawie wcale. Idę przed siebie, żeby kiedyś przestać udawać. Nie wiem tylko, jak daleko jest to kiedyś. Czy w ogóle gdzieś jest?

Znów w małej przestrzeni między nimi rozpanoszyło się milczenie. Popatrzyła do góry. W niebo. Było pięknie rozgwieżdżone. Zapowiadało mroźną noc. Było jej dobrze. Miała wrażenie, że czas się zatrzymał. Wszystko zastygło w bezruchu. Siedzieli pod jasnymi, nieruchomymi gwiazdami. Agresywne popołudnie ustępowało miejsca spokojnemu wieczorowi. Zmarzła. Było coraz zimniej, ale nie chciała wykonywać żadnego ruchu. Bała się, że mógłby go odczytać jako chęć odejścia. Słyszała jego spokojny oddech. Nagle wyciągnął rękę i objął ją na wysokości ramienia. Był to przyjazny, cieszący ją gest. Tak go odebrała. Tak chciała go odebrać.

– Zimno – szepnął.

– Chcesz już iść? – zapytała, choć bardzo chciała zostać. Przynajmniej jeszcze kilka minut. Nie patrzyła na niego.

– Nie powiedziałem „chodźmy już”, tylko „zimno”... – odrzekł spokojnie.

– Masz rację, zimno. Może już pójdziemy? – Odważyła się i odwróciła głowę w jego kierunku. Napotkała spojrzenie, od którego z pewnością rozgrzałby się nawet nagi mieszkaniec igloo.

– A chcesz iść? – zapytał głosem, którego mogłaby słuchać zawsze.

– Jeszcze tylko chwilkę – zaproponowała, czując, że przycisnął ją mocniej. Odbierała przyjemne ciepło wynikające z jego bliskości. Nagle usłyszała przed sobą miły, dobrze znany jej głos. Nie zauważyła, kiedy zbliżył się do nich jej znajomy. Pan Ryszard.

– Dobry wieczór, pani Haniu! – powiedział, dotykając daszka wełnianego kaszkietu. Chyba dopiero teraz zauważył Mikołaja, bo poprawił się szybko: – Dobry wieczór państwu. Widzę, pani Haniu, że moje miejsce jest dzisiaj zajęte...

Mikołaj, słysząc to, wstał od razu. Spodobała się jej jego reakcja, mimo że straciła jego dotyk. Również wstała.

– Ależ panie Ryszardzie, pana miejsce jest zawsze wolne. Panowie, poznajcie się. – Najpierw popatrzyła na Mikołaja. – To jest pan Ryszard. Może to nie zabrzmi najlepiej, ale to mój cmentarny znajomy. Tutaj się poznaliśmy. – Patrząc na pana Ryszarda, widziała, że bacznie przyglądał się Mikołajowi. – A to, panie Ryszardzie, jest Mikołaj, mój... – zagalopowała się trochę, ale prezentacja musiała być kompletna. – Mój przyjaciel – dokończyła cicho.

Panowie, w różnym wieku, podali sobie dłonie. Pan Ryszard zaczął przestępować z nogi na nogę.

– Dawno pani nie widziałem, pani Haniu. Pomyślałem, że może pani chora. – Popukał w swój but laską, na której się wspierał.

– Rzeczywiście, trochę ostatnio chorowałam – przyznała – ale już jest wszystko dobrze.

– Ale pani Haniu, ja to muszę pani rączki wycałować za tego doktora, co to do mnie przyszedł, niby to z pani polecenia. Dusza, nie człowiek. Obadał, ostukał moje stare gnaty, porozmawiał jak równy z równym. O wszystko wypytał. Recept pozapisywał. Już biorę te wszystkie mikstury i wie pani, pani Haniu, w plecach duża ulga, a i noga tak nie rwie.

– To wspaniale, panie Ryszardzie. Mówiłam panu, że na każdy pana ból doktor Jacek znajdzie jakiś lek – uśmiechnęła się na wspomnienie doktora Jacka.

– Tylko, widzi pani, jakoś tak głupio, bo nasiedział się u mnie, nagadał, napisał, a złamanego grosza nie chciał wziąć – pan Ryszard pokręcił głową.

– Panie Ryszardzie, głupio to komuś na złość robić. Proszę się tym wcale nie przejmować. Doktor Jacek taki już jest. Nigdy nie chce wziąć pieniędzy. Ale najważniejsze, że pomógł. Zresztą jak go znam, to teraz będzie pana odwiedzał regularnie.

– Co pani powie? Ale dobrze by było, bo już myślałem, co to ja, biedny, zrobię, jak mi się te leki, co je teraz przyjmuję, pokończą. Ale ja się tu rozgadałem, a wy, młodzi, to na pewno sami chcielibyście sobie posiedzieć. Chociaż na randkę to chyba nie najlepsze miejsce.

– My, panie Ryszardzie, też już idziemy. Zimno się zrobiło i późno.

– To może tak razem... – zaproponował nieśmiało staruszek.

Zerknęła na Mikołaja, który z ledwo zauważalnym uśmiechem przysłuchiwał się ich rozmowie. Może to nawet nie był uśmiech, tylko taki ujmujący wyraz twarzy.

– To chodźmy. Panie Ryszardzie, jak zwykle służę ramieniem. – Zachowywała się tak jak zawsze i podała staruszkowi swoje ramię, tak jak mężczyzna podaje je swojej wybrance.

Pan Ryszard zerknął jednak dyplomatycznie na Mikołaja.

– Nie będzie miał pan nic przeciwko? – zapytał tak poważnie, że ją rozbawił.

– Jeżeli mi jej pan nie ukradnie, to nie – odpowiedział równie poważnie Mikołaj.

– Młody człowieku. Ja mam wnuczkę w wieku pani Hani. Może być pan całkowicie spokojny.

Zaczęli powoli, w tempie narzucanym przez pana Ryszarda, kierować się do głównej bramy cmentarza. Inne, z uwagi na późną porę, były już zamknięte.

– Ale pani Haniu, mam dla pani nie lada nowinę. Pani sobie wyobrazi, Beatka jest w ciąży. Już czwarty miesiąc. Pradziadkiem będę. Ale nie ma się co dziwić. Pradziadek ze mnie całą gębą. Bez laski nigdzie się już wybrać nie potrafię. Tu strzyka, tam boli. Okulary na garbatym nosie też od rana do nocy.

– Panie Ryszardzie... – zdecydowanie przerwała tę chorobową wyliczankę. – To cudownie! Widzi pan, tak się pan martwił, a ja mówiłam, że wszystko będzie dobrze.

Gdy tylko skończyła mówić, pan Ryszard spojrzał wymownie na Mikołaja. Widziała dokładnie to spojrzenie.

– Też pani mówiłem, że wszystko się ułoży. I daj Boże, żeby tak było. Daj Boże!

Uśmiechnęła się do niego, ale uciekając przed jego nazbyt ciekawskim wzrokiem, zaczęła szukać w torebce kluczyków.

– Może pana podwieźć? – zaproponowała grzecznie.

– Ooo! Co to, to nie! – Pan Ryszard pokręcił w powietrzu swoją laską. – Te spacery z cmentarza do domu to mój jedyny sport. A doktor Jacek mówił, że jak będę aktywny, to będę sprytnie uciekał przed starością. Dlatego podreptam sobie powoli w swoją stronę z moją najlepszą koleżanką – to mówiąc, spojrzał na drewnianą laskę. – A szanownemu państwu w nowym roku życzę zdrowia i tego, co tam sami sobie życzycie.

Przyjęła w obie dłonie wyciągniętą dłoń pana Ryszarda. Z Mikołajem starszy pan pożegnał się po męsku: skinął poważnie głową.

Stali przy wciąż zamkniętym samochodzie i patrzyli, jak pan Ryszard spokojnie, noga za nogą, powolutku zażywa sportu, podpierając się drewnianą, politurowaną laską.

– Bardzo miły staruszek – usłyszała spokojny głos Mikołaja.

Piknięcie ogłosiło otwarcie samochodu. Wsiadła do niego bez słowa i dotykając kierownicy, poczuła się bardzo zmęczona. Chciała choć na chwilę położyć głowę na kierownicy, ale się powstrzymała. Czuła, że na nią patrzy. Zapinał pas bezpieczeństwa, wciąż zerkając w jej stronę. Odwzajemniła spojrzenie.

– To dokąd teraz? – zapytała.

– Może, jak sugerował pan Ryszard, na randkę?

– Masz jeszcze siłę? – zapytała odruchowo.

– A ty? – odbił piłeczkę.

– Jeżeli mam być szczera, to padam z nóg. Poza tym mam wrażenie, że musisz się jeszcze przygotować do jutrzejszego wyjazdu...

– Czyli dostałem kosza – skonstatował z uśmiechem.

– Proszę cię... – zaczęła łagodnie. – Mikołaj, zerknij na zegarek. Jest już późno. Nie wiem jak dla ciebie, ale dla mnie to był naprawdę długi dzień. Nadmienię tylko, że zostałam pobita. Czuję, że moje ramiona będą jutro fioletowe. – Ruszyła. Jechała powoli. Patrzyła przed siebie. – A obiecana herbata... – zaczęła, ale nie skończyła.

Zjechała na pobocze. Zatrzymała samochód. Włączyła światła awaryjne. Czuła na sobie jego zdziwione spojrzenie, ale zapamiętale szukała w torebce portmonetki.

– Stało się coś? – zapytał zdziwiony.

– Nie, nie, tylko... – zerknęła na niego znad otwartej torebki. – Tu jesteś! – odetchnęła z ulgą, wyjmując z torebki to, czego szukała. – Muszę ci w końcu oddać dług, bo znów zapomnę i będę musiała za tobą ganiać – zauważyła, że zrzedła mu mina. – Przepraszam – zreflektowała się szybko. – Nie chciałam, żeby to tak zabrzmiało.

– Ale zabrzmiało – powiedział poważnie.

Zrobiło się jej głupio. Nie chciała, żeby tak wyszło.

– Obraziłeś się? – zapytała, podając na otwartej dłoni przedświąteczny i sylwestrowy dług.

– Tak i nie zamierzam tego ukrywać! – Mikołaj, jak by to określiła Dominika, strzelił pokazowego focha. Odwrócił się od niej i utkwił spojrzenie w niezbyt przyjemnej aurze widocznej za samochodową szybą.

– To przynajmniej przyjmij dług i pozwól się gdzieś odwieźć – powiedziała przymilnie.

Niestety, nie zareagował. Tkwił nieruchomo we wcześniej zajętej pozycji.

– Halo? Jesteś tam? – zapytała, starając się śmiechem rozładować coś, co wkradło się między nich, ale na pewno nie było nerwowym napięciem. Odpowiedziała jej nieruchoma cisza ogrzewana ciepłem jego ciała. – Widocznie mam dzisiaj jeszcze gorszy dzień, niż myślałam. Najpierw oberwałam cieleśnie, a teraz jestem torturowana psychicznie. Mikołaj, nie żartuj. Albo bierzesz kasę, albo... – mówiła głosem kidnapera.

– Albo... – odwrócił się nagle, powtarzając jej ostatnie słowo.

Drgnęła zupełnie nieprzygotowana na taką reakcję.

– Albo... – kolejny raz w ich dialogu padło to słowo bez dalszego ciągu, ponieważ jej wcześniejsza pewność siebie nagle się gdzieś zapodziała. – Albo... – podjęła kolejną próbę sklecenia zdania. Znów nieudaną.

– Albo umówisz się ze mną na randkę! – powiedział szybko, w dodatku tonem raczej rozkazującym niż przypuszczającym.

Przełknęła ślinę. Miała nadzieję, że tego nie usłyszał. Musiała się bronić.

– A co to jest randka? – zapytała zalotnie, choć nie tak zaplanowała brzmienie swego głosu.

Mikołaj uśmiechnął się, dając jej tym uśmiechem do zrozumienia, że wszystko jest w najlepszym porządku. Uśmiech nie zniknął z jego twarzy, gdy zaczął swoim aksamitnym głosem snuć opowieść.

– W najbliższą sobotę przyjadę po ciebie, żebyś nie musiała nigdzie szukać miejsca do parkowania, i zabiorę cię gdzieś na obiad. Najedzeni, pójdziemy na spacer, gdzie tylko będziesz chciała. W ramach sportów zimowych. Jak już zmarzniemy, to usiądziemy gdzieś na chwilę, żeby napić się herbaty. Oczywiście z cytryną. Potem pójdziemy do kina. Film możesz wybrać sama. Po filmie grzecznie odwiozę cię do domu – skończył mówić i patrzył na nią wyczekująco.

Tembr jego głosu był najlepszym lekarstwem na wszystkie dzisiejsze przeżycia. Siedziała jak zaczarowana, wpatrując się w niego prawie nieprzytomnie. Światła awaryjne tykały, zapobiegając ciszy.

– Taka randka to chyba całkiem miłe spotkanie? – zapytała, udając naiwną istotkę.

– Bardzo! – odpowiedział, nie tłumiąc entuzjazmu.

– Jednak muszę odmówić... – westchnęła, słysząc, jak bardzo ich westchnienia weszły sobie w drogę, zagłuszając na krótki moment niemęczące się tykanie dwóch zielonych strzałeczek na desce rozdzielczej.

– Znowu kosz! – podsumował i głośno wypuścił powietrze.
– Nie kosz, tylko studniówka – wyjaśniła szybko.
– Studniówka? – zapytał, charakterystycznie mrużąc oczy.
– Tak. W najbliższą sobotę muszę być na studniówce. Z urzędu. Zresztą między innymi będzie tam też twój młodszy brat. Przypuszczam więc, że całe sobotnie przedpołudnie spędzę na dołującym mnie szukaniu odpowiedniej na tę okazję kreacji wieczorowej. Może nie w stylu późnego rokoko, ale też niezbyt skromnej. Nie chciałabym wyglądać jak uboga krewna własnych uczennic.
– A może powinnaś włożyć czerwoną sukienkę. Wiesz, tę z niedoszłego sylwestra – uśmiechnął się do niej, nie zdając sobie sprawy z niedorzeczności własnej propozycji.
– Nie żartuj! – parsknęła śmiechem. Ubawiła się na samą myśl. Wyobraziła sobie bowiem minę pana dyrektora i niektórych uczniów na widok jej gołych pleców.
– Ale ja wcale nie żartuję – zdziwił się Mikołaj.
– Zaręczam ci, że żartujesz. – Wciąż ściskała w dłoni pieniądze, które były bezpośrednim powodem ich dzisiejszego spotkania. – Daj mi rękę – poprosiła, jednocześnie wyłączając światła awaryjne, bo miała wrażenie, że ich regularny odgłos zaczyna rządzić częstotliwością uderzeń jej serca.
– Nie dam! – usłyszała kategoryczną odpowiedź. Mikołaj najwyraźniej zwęszył podstęp.
– Daj – poprosiła. Najładniej jak umiała.
– Wykręciłaś się z randki jakąś tam studniówką. Nie dostaniesz mojej ręki! – Starał się zachować powagę, ale słabo mu wychodziło.
– Daj mi swą rękę... A czeka cię niespodzianka... – zachęcała bardziej jak dobra wróżka niż jak ubrana w kwiecistą sukienkę Cyganka.
– Może mam jeszcze zamknąć oczy i otworzyć buzię? – przecudownie się z nią droczył, przytaczając słowa dziecięcej zabawy.
– Proponuję kompromis. Daj mi rękę i zamknij oczy. Buzi możesz nie otwierać.
Zrobił wszystko, o co poprosiła.
– Tylko nie zrób mi krzywdy. Błagam – wyszeptał z zamkniętymi oczami niczym spanikowany zakładnik.

Żeby dodać zaistniałej sytuacji dramatyzmu, zaczęła nucić ścieżkę dźwiękową z filmu *Vabank*, po czym delikatnie, starając się go nie dotknąć, położyła na jego otwartej dłoni zwinięte w cienki rulonik pieniądze.

– Już – szepnęła mu prawie do ucha.

– Co już? – zapytał też szeptem.

– Możesz już otworzyć oczy – powiedziała, zamieniając szept w cichy głos.

Mikołaj powoli otworzył oczy i od razu zerknął na dłoń.

– Dług oddany, czyli mam rozumieć, nasza znajomość dobiega końca – stwierdził załamany.

– Szczerze mówiąc – powiedziała szybko, czując, że tylko na to w tej chwili czekał – myślałam, że tak łatwo się nie poddasz i zaproponujesz jakiś inny termin na randkę doskonałą, ale...

Patrzył na nią uważnie, jakby badając, na ile to, co przed chwilą powiedziała, było żartem, a na ile przemyconą w zawoalowany sposób prawdą. Zauważyła, że był mile zaskoczony, chciał nawet coś powiedzieć. Nie zdążył. Silnik zaczął już swoją pracę.

– To dokąd teraz? – zapytała z uśmiechem.

– Stąd masz już blisko do domu. Mogę wysiąść gdzieś przy metrze i podjadę do pracowni.

– Rozumiem, że chcesz znaleźć się w pracowni – przerwała mu zdecydowanie. – Jestem ci to winna – dokończyła, ignorując jego spojrzenie, którego nie potrafiła niestety zinterpretować.

– Jeżeli jesteś mi coś winna, to randkę za dwa tygodnie – sprytnie nawiązał do wcześniejszego tematu.

Lubiła błyskotliwych mężczyzn. Stop! Lubiła błyskotliwych ludzi. Stop! Zatrzymała się na światłach. Znów zaczął prószyć śnieg. Ruch uliczny automatycznie zwolnił tempo.

– Mikołaj, nie chciałabym, żebyś pomyślał, że nie chcę się z tobą umówić. Zaręczam ci, że tak nie jest. Ale za dwa tygodnie też nie mogę. Moja przyjaciółka z pracy robi imprezę rozpoczynającą ferie zimowe, na które nauczyciele czekają chyba bardziej niż uczniowie.

– Aldonka? – zapytał.

– Skąd wiesz?

– Nie wiem. Pytam tylko. Aldonka to jedyna twoja koleżanka z pracy, którą poznałem.

– Ach, tak – zreflektowała się.

– A sobotę za trzy tygodnie też masz zaplanowaną?

– Nic mi o tym nie wiadomo. Poczekaj sekundkę – otworzyła w głowie wirtualny kalendarz, zastanawiając się wciąż, czy dobrze robi. – Jeżeli dobrze myślę będzie to początek lutego. – Skinął głową. – Na ferie ma do mnie przyjechać Iwona z dziewczynkami – głośno myślała – ale chyba dopiero pod koniec drugiego tygodnia. Dobrze, umówmy się wstępnie.

– Dobrze. Umówmy się konkretnie – powtórzył jej kwestię, inaczej kończąc. – Jest tylko jedno małe ale...

– Jakie? – zapytała od razu, nie patrząc na niego. Włączyła kierunkowskaz i zredukowała bieg.

– Czy randka musi się odbyć w Warszawie? – zapytał spokojnie.

– A jakie są inne możliwości? – zerknęła na niego zdziwiona.

– Możliwości są w sumie tylko dwie. Warszawa albo Praga.

– Jak to Praga? – nie była pewna, czy mówił poważnie.

– Dokładnie od najbliższej soboty za trzy tygodnie ma zostać rozstrzygnięty konkurs, w którym bierzemy udział, i będziemy wtedy w Pradze.

– Jak to będziemy? – Kolejny raz podczas tej rozmowy zadała pytanie, czując, że im dłużej rozmawia z Mikołajem, tym mniej rozumie.

– Przemek, Dominika, ty i ja.

Nie mogła uwierzyć w to, co usłyszała. Była zaszokowana kierunkiem, jaki przybrała ich rozmowa. Zrobiła się nieufna.

– To jakiś podstęp? Czyj to pomysł? Dominiki?

– Nie. Dlaczego? To mój pomysł, i to całkiem nowy. Dominika jeszcze o tym chyba nie wie, ale słyszałem, jak Przemek rezerwował dla nich hotel. Tylko proszę cię o dyskrecję. Z tego, co zrozumiałem, to ma być chyba niespodzianka.

Nie ogarniała już niczego. Całe szczęście byli już blisko pracowni.

– Pomyśl tylko. Weekend w Pradze. To takie piękne miasto. Nie chciałabyś się oderwać od codzienności?

Popatrzyła na niego, ale strach, który ściskał ją teraz za gardło, nie pozwalał jej podzielać jego entuzjazmu.

– Sama nie wiem... – jedynie tyle zdołała wydukać.

W tym jednym momencie poczuła, że to, co dla niego było atrakcją, dla niej stanowiło barierę nie do przebycia. Nie chciała wystawiać na próbę własnej normalności. Zwłaszcza że wciąż musiała o nią walczyć.

– Zastanowisz się? – przerwał jej myśli.

– Chyba mnie to przerasta... – odpowiedziała zgodnie z prawdą.

– Nie rozumiem. Praga cię przerasta? – zapytał zdziwiony.

Zatrzymała samochód kilka metrów od wejścia do budynku, w którym znajdowała się pracownia.

– Może nie chcesz tam po prostu pojechać ze mną? – zapytał bezpośrednio.

Zauważyła, że już żałował każdego wypowiedzianego słowa. Zrobiło się jej go szkoda. Westchnęła. Oparła bezradnie głowę na kierownicy, ale bardzo szybko się zreflektowała. Wyprostowała się, spojrzała na niego poważnie i kolejny raz tego wieczoru odważyła się na szczerość.

– Nie chodzi o Pragę... Nie chodzi o ciebie... – zawiesiła głos, nie wiedziała, jakich użyć słów.

– Chyba jestem typowym, nierozumiejącym kobiet facetem. Jeżeli nie chodzi o Pragę i nie o mnie, to dlaczego? – Zaczął zapinać suwak kurtki. Szykował się do wyjścia. Spojrzał na nią niepewnym wzrokiem.

Była przekonana, że nie powinna o tym mówić, ale chciała się przed nim wytłumaczyć. Powiedzieć przynajmniej maleńką część tego wszystkiego, o czym musiała codziennie, od rana do wieczora, próbować zapomnieć. Chciała, żeby wiedział, żeby rozumiał. Żeby nie myślał, że...

– Nie udźwignę lotniska... – Znów, zupełnie nieoczekiwanie, usłyszała swój głos. Trzęsące się jak galareta głoski.

Spojrzał na nią przerażony tym, co usłyszał. Wiedziała, że w tej chwili układał w głowie fragment z rozrzuconych puzzli jej życia. Była pewna, że mając tak mało części z całej układanki, zrobi to nieprawidłowo, ale nic więcej nie potrafiła mu powiedzieć. Nic więcej nie mogła dziś sama usłyszeć. Nie miała sił na prawdę. Miał już zapiętą kurtkę. Zaczęła powoli odwiązywać szalik. Jego szalik. W skrytości ducha nie chciała tego powiedzieć. Nie chciała, żeby wiedział o niej zbyt dużo. Niestety, ze słowami jest jak z kostkami domina. Raz wypowiedziane, nie dają się już nigdy cofnąć. Raz wypowiedziane, zostają między ludźmi na zawsze. Bomba poszła w górę. Sama ją uruchomiła. Poczuła jego dotyk na swojej dłoni. Przeniosła wzrok znad kierownicy na niego, chociaż bała się tego, co zobaczy w jego oczach. Z wielką ulgą dostrzegła w nich spokój i uśmiech schowany gdzieś głęboko między cienkimi niteczkami błękitnych tęczówek.

– Jest twój – wciąż dotykał jej dłoni majstrującej przy szaliku.

Uśmiechnęła się i odetchnęła z ulgą. Było normalnie. Jej myśli skoncentrowały się nie na wypowiedzianych przez niego słowach, tylko na ciepłym, dobrze wyczuwalnym przez nią dotyku.

– Jesteś pewien? A jeżeli mama przy najbliższej okazji zapyta, dlaczego w nim nie chodzisz?

– To powiem prawdę.

– A jeżeli będzie jej przykro, że komuś oddałeś prezent od niej?

– Nie martw się. Powiem jej taką prawdę, że nie będzie jej przykro.

– A nie wydaje ci się, że prawda jest tylko jedna? – zapytała, automatycznie przypominając sobie Tischnerowski podział prawd.

– Na przykład święta prawda? – zapytał, imponując jej wyczuciem nie tylko jej słów, ale chyba też myśli. Choć nie chciałaby, żeby posiadał umiejętność czytania w jej myślach. Uśmiechnęła się.

– Tyż prawda – powiedziała tak lekko, jakby nigdy w życiu nie przeżyła niczego złego.

– Będę uciekał.

Jego ręka wróciła na swoje miejsce. Swoją trzymała wciąż wtopioną w jego szalik. Był miękki. Prawie tak miękki jak dotyk jego dłoni. Patrzyła na Mikołaja, bojąc się, że za chwilę wysiądzie. Nie chciała zostawać sama, ale jednocześnie chciała znaleźć się w bezpiecznej przestrzeni własnego domu. Pragnęła przemyśleć wszystkie słowa, które dziś od niego otrzymała. Patrzyła na hipnotyzujący kobalt jego oczu. Stało się. Pociągnął za klamkę przy drzwiach. Poczuła na twarzy powiew mroźnego powietrza. Dobrze jej zrobiło. Zupełnie niespodziewanie Mikołaj nachylił się nad nią i pocałował jej rękę spoczywającą nieruchomo na szaliku. Był rozbrajający. I pocałunek, i Mikołaj. Nie zauważyła, kiedy wysiadł. Stał już na zewnątrz, przytrzymując drzwi.

– To do... – zawiesił głos, widząc, że chciała coś powiedzieć, po czym dodał szybko: – Tylko proszę cię, za nic mi nie dziękuj.

– Nie miałam wcale takiego zamiaru – skłamała bez mrugnięcia okiem. – Chciałam cię tylko prosić, żebyś jutro się odezwał, jak już będziecie na miejscu – wymyśliła naprędce.

Wszystkie jego dzisiejsze spojrzenia były niczym w porównaniu z uśmiechem, który zobaczyła w tej chwili. Cieszył się. W przeciwieństwie do niej, nie umiał ukrywać swoich uczuć.

– Pa! – powiedział, nie przestając się uśmiechać.

Cicho zamknął drzwi. Stał i nie odchodził. Przekręciła kluczyk w stacyjce. Wciąż stał w tym samym miejscu. Powoli wycofała. Padał coraz gęstszy śnieg, a on stał nieruchomo, jakby nie czując, że na jego głowie rośnie biała śniegowa peruka. Zerkała na niego. Uśmiechał się. Postawił kołnierz kurtki. Nie miał szalika. Było coraz zimniej. Termometr samochodowy informował, że temperatura na zewnątrz wynosiła minus dwanaście stopni. Przejeżdżając obok niego, zatrzymała się na dosłownie parę sekund. Otworzyła okno i krzyknęła:

– Zapomniałabym! Dziękuję!

Uśmiechał się, a z ruchu jego ust odczytała: „To ja dziękuję". Zamknęła okno wpuszczające do wnętrza samochodu niesamowity ziąb. Przesłała mu całusa. Tak jak robiła to zawsze, żegnając się z Dominiką, Aldonką, panią Irenką. Wykonała prosty, odruchowy i spontaniczny gest. Skupiona na nieruchomej i wciąż malejącej postaci Mikołaja, nie zauważyła, że nie jest jedyną uczestniczką ruchu drogowego, która chce dołączyć do życia głównej ulicy. Na jej szczęście jakiś miły przystojniaczek otrąbił ją niemiłosiernie, ale wybawił od stłuczki.

– Ależ proszę, jedź, jak ci się tak spieszy! – wykonała zapraszający ruch ręką.

Odwróciła się, bo spojrzenie w górne lusterko już nie wystarczało. Wciąż stał w miejscu, w którym się rozstali. Jej Pan Spóźniony dzisiaj się nie spóźnił. Przybiegł w samą porę.

Włączyła radio. Przywitało ją karnawałowym szaleństwem. Kiedyś lubiła zabawę. Uwielbiała tańczyć. Teraz tkwiła w zawieszeniu. Nie wiedziała jednak między czym a czym. Dziś przyłapała się na dawno zapomnianym uczuciu. Czekała. Podświadomie na coś czekała. Nie wiedziała na co. Nie rozumiała tego uczucia. Nie ogarniała go. Jedyne, co czuła, to budzącą się świadomość, że to czekanie było niczym wena dla artysty. Czy to, że na coś czekała, oznaczało, iż chciało jej się żyć? Znowu. Jak kiedyś. Może czekała na uśmiech, spojrzenie, przypadkowe dotknięcie albo całkiem nieprzypadkowe. Może już dziś czekała na wiadomość od Mikołaja. Chociaż miała ją dostać dopiero jutro. Przecież to chyba niemożliwe, żeby czekała na niego? Znów ktoś na nią zatrąbił. Nic dziwnego. Zielone światło, a ona stoi niczym święta krowa na indyjskim skrzyżowaniu. Gdy była w Indiach na wakacjach z rodzicami, największe wrażenie zrobił na niej kontrast istniejący między życiem hotelowym a tym zewnętrznym, ulicznym. Indie były brudniejsze od najbrudniejszej polskiej krasuli pasącej się na sterylnej zielonej łące. Były teraz tak bardzo odległe, że Praga wydała jej się nagle bliska i osiągalna.

– Ile można na ciebie czekać? – Przemek był zielony ze zdenerwowania.

– Uspokój się. Przecież mamy jeszcze całą godzinę – Mikołaj zerknął na zegarek. – Ponad godzinę – podkreślił głośniej. – Cześć! – przywitał przyjaciela, specjalnie używając bardzo spokojnego tonu.

– Masz wszystko?

– Mam. Spokojnie. Chodź, napijemy się kawy. Jadłeś coś? – zapytał tak troskliwie, jakby Przemek był jego dzieckiem, i to w dodatku jeszcze małym.

– Nie! – Nastrój Przemka pozostawiał wiele do życzenia.

– A nie słyszałeś nigdy, że jak Polak głodny, to zły.

– Jestem głodny, ale marzę tylko o tym, żeby oddać to cholerstwo. Złapać oddech, dystans i trochę snu.

– Czyżbyś miał dziś w nocy kłopoty ze snem? – zerknął podejrzliwie na Przemka, lecz ten nie pozwolił mu na swawolne myśli.

– Była u mnie Domi, ale pół nocy spędziliśmy na gadaniu – wyjaśnił natychmiast.

– A o czym można przez pół nocy rozmawiać z atrakcyjną dentystką?

– Za dużo chciałbyś wiedzieć! – uciął Przemek. – Ale widzę, że ty też jakoś wyjątkowo wyspany nie jesteś. Może spędziłeś nockę na pięterku u Hanki? – zaśmiał się szyderczo.

– Nie widzę w tym nic śmiesznego – odparł poważnie.

– Nie gadaj! – zdumiony Przemek otworzył szeroko zaczerwienione od niewyspania oczy.

– Co nie gadaj?

– Spałeś z Hanką?

– Chciałbyś za dużo wiedzieć!

– Czyli nie spałeś – podsumował, współczująco wzdychając Przemek. – Ale już coś... Tego?

– Wczoraj spędziliśmy bardzo dziwne popołudnie.

– Dziwne?

– Tak. Zadzwoniłem do niej, bo umówiliśmy się w pracowni, a dużo się spóźniała. Odebrała i okazało się, że ma kłopoty. Na parkingu pod Złotymi Tarasami zaatakowała ją jakaś psychicznie chora kobieta.

– Aaa... Szurnięta Jola – Przemek zachował się tak, jakby spotykał ją tam co najmniej kilka razy dziennie. – Dyżuruje tam od czasu do czasu, dopóki jej nie zgarną. Ale nie jest chyba bardzo groźna. Trzeba ją tylko przekrzyczeć. Miała ze mną raz przyjemność i już do mnie nie przyskakuje. Umiem się wydrzeć dwa razy głośniej niż ona.

– Hankę przeraziła nie na żarty. Byliśmy umówieni na herbatę, ale jak zwykle wszystko skończyło się inaczej.

– Coś ty taki zagadkowy? – Przemek trochę się uspokoił. Małymi łykami pił gorącą kawę z papierowego kubka.

– Byliśmy na cmentarzu.

– Zamiast na herbatkę, na cmentarz. Kreatywnie, dlaczego nie?

Obydwaj zamyślili się na chwilę.

– Trzeba wyrzucić Sylwię! – wypalił Mikołaj ni z gruchy, ni z pietruchy.

– Puknij się! Chcesz wywalić jedyną, i to w dodatku zgrabną lufę z roboty?

– Jaka zgrabna, taka głupia!

– Głupia? – zdziwił się Przemek.

– Powiedziała wczoraj Hance, że mnie nie ma, a wiedziała doskonale, że jestem.

– No proszę, baby się o ciebie biją. Jeszcze trochę, a będą się drapać po twarzach czerwonymi paznokciami i targać za włosy. To lubię! – Przemek najwidoczniej zapomniał, że jeszcze przed chwilą nie miał za grosz poczucia humoru.

– To przez nią Hanka natknęła się wczoraj na tę, jak mówisz, Jolę wariatkę.

– Szurniętą Jolę – poprawił go Przemek. – Powiedz lepiej, co z tym cmentarzem.

– Jej rodzice nie żyją – powiedział najkrócej jak się dało.

Wzrok Przemka zatrzymał się na jego wzroku.

– Co? – dziwnie sapnął.

– Zginęli tragicznie – wypowiedział makabryczne zdanie umieszczone na grobie rodziców Hanki.

– Jak?

– Nie wiem.

– Kiedy?

– W sierpniu miną dwa lata.

Przemek wolną ręką złapał się za głowę.

– To, że ci powiedziała, chyba dobrze rokuje – wydusił z siebie po kilku minutach.

– Tak w sumie to mi nie powiedziała.

– Możesz przestać szyfrować i powiedzieć coś więcej!

– Po tej Joli była bardzo roztrzęsiona. Ta wariatka zabrała jej szalik, komórkę i okładała ją w amoku jakimiś torbami. Jak ją stamtąd wyciągnąłem na zewnątrz, była blada jak trup. Nie chciała już herbaty, tylko chciała jechać do rodziców. Zaproponowała, żebym pojechał z nią. Myślałem, że jadę do żywych – zawiesił głos.

– No i co zrobiłeś? – dopytywał się niecierpliwie Przemek.

– A co miałem zrobić? Nic. Przeżyłem szok. Coś tam mamrotałem o śmierci mojej babci, ale chyba całkiem bez sensu.

– Nie zapytałeś nawet, jak to się stało?

– Trochę wyszło między wierszami...

– To znaczy... – Przemek ciągnął go za język.

– Chyba zginęli w katastrofie lotniczej.

– Chyba... To nie czas i miejsce... Wyrzucaj kubek, bo teraz to już mamy naprawdę mało czasu. – Przemek szukał wzrokiem kosza na śmieci.

– Muszę ci się jeszcze do czegoś przyznać... – zaczął Mikołaj niezbyt pewnie.

– Wal!

– Trochę się wygadałem z tą Pragą za trzy tygodnie.

– Nie świruj! Powie jej? – Mówiąc „jej", Przemek miał na myśli Dominikę.

– Nie – odpowiedział pewnym głosem.

– Wygadałeś się, bo chciałbyś ją też zabrać? – Przyjaciel teraz miał na myśli Hankę.

– Bardzo, ale raczej się nie uda – odpowiedział zrezygnowany.

– Odpuszczasz?

– Nie!

– W takim razie powiem Domi o wszystkim wcześniej, to zacznie nad nią pracować. Chcesz?

– Jesteś boski!

– Wiem! Wszystkie mi to mówią! – Narcyzm wychodził Przemkowi bez najmniejszego wysiłku.

– Chciałem tylko zauważyć, że ja jestem facetem.

– To nie odpuszczaj.

– Przecież nie odpuszczam! – żachnął się.

– Ale do samca alfa to ci daleko.

– Bo wcale nie chcę nim być – przekomarzali się, idąc w stronę odprawy paszportowej.

– Chcesz, tylko jeszcze o tym nie wiesz. Chcesz być samcem alfa dla Hanki.

– Gdyby samiec alfa cię teraz słyszał, to by cię wyśmiał. Uspokój się już! – zgromił Przemka. Nie wiedział tylko, czy za słowa, czy za wzrok skoncentrowany na nogach przechodzącej obok nich stewardesy.

– Strasznie mnie pociągają takie umundurowane kobiety! – powiedział Przemek tak głośno, że ubrana w granatowy uniform stewardesa obdarzyła go sympatycznym uśmiechem.

– W końcu Dominikę też poznałeś w białym kitlu – szepnął mu cichutko do ucha.

– Dzień dobry panom! – przywitała ich miło kolejna, umundurowana blond postać.

– Witamy panią! – prawie zaśpiewał Przemek skrywający w sobie wiele cech samca alfa.

Podczas gdy Przemek całkowicie nieszkodliwie bajerował zgrabną obsługę lotniska, on wyciągnął telefon i szybko napisał.

<Nie zapomnij szalika. Jest bardzo zimno. PA.>

Wystartowali. Oparł głowę o niewygodny fotel. Zamknął oczy. Był zmęczony, niewyspany. Pomyślał, że się starzeje. Kiedyś był typem nocnego marka i nie rzutowało to w żaden sposób na jego formę w ciągu dnia.

Odkąd, w swoim mniemaniu, zbliżył się do Hanki, nie sypiał dobrze. Dni bez niej były ciągnącą się i żmudną codziennością, a noce męczącym myśleniem.

– Śpisz? – zapytał Przemek, dokładnie w chwili gdy przychodził sen.

– Nie – odpowiedział, nie otwierając oczu.

– Wiesz, tak sobie myślę, że to nic dziwnego, że one tak się razem trzymają. Wczoraj Domi opowiedziała mi trochę o sobie. Pierwszy raz. Matki nie pamięta, a ojciec, szkoda gadać. Był wiecznie naprany. Gdyby nie Hanka, to nie wiadomo, co by się z nią stało.

Świadomość, że mógł dowiedzieć się czegoś o Hance, oddaliła od niego sen o lata świetlne. Otworzył szeroko oczy.

– Poznały się w podstawówce. Hanka była w drugiej klasie, a Domi do niej trafiła, bo nie zdała. Czujesz klimat? Nie zdała. Powtarzała drugą klasę. Dziecko ojca pijaka. Nie umiała ani pisać, ani czytać. Hanka była najlepsza w klasie. Była młodsza, ale wzięła ją pod swoje skrzydła. Najpierw w szkole, a później nawet poza nią. Domi powiedziała, że wsiąkła w jej życie jak woda w gąbkę. Opowiadała mi wczoraj o Hance jak o świętej, jak o kimś wyjątkowym.

– Bo ona jest wyjątkowa – skwitował.

– Wiesz, ja to tak naprawdę jej nie znam. – Przemek wlepił wzrok w gazetę.

– Ja niestety też. Ale w życiu jeszcze do żadnej kobiety tak mnie nie ciągnęło.

– Wtedy, bracie, na tej kolacji u niej, wgapiałeś się w nią, tak jakbyś widział babę pierwszy raz w życiu.

– Ona jest taka... Sam nie wiem... Chyba nieprzewidywalna.

– Dlatego cię do niej ciągnie, a poza tym, chcesz czy nie, jesteś samcem.

Nie mógł się ustosunkować do takiej klasyfikacji własnej osoby, bo Przemek ciągle mówił.

– Domi powiedziała mi, że dzięki Hance i jej rodzicom jest tu, gdzie jest. Ale nie wspomniała nawet słowem, że rodzice Hanki nie żyją. Pewnie dla niej to też nie najłatwiejszy temat. Skoro była z nimi blisko, w sumie to od dziecka. Zobacz, Mikołaj, jak to jest. Obaj mamy rodziców w komplecie. Nie wiem, jak ciebie, ale mnie moi to czasami tak wkurzają, że mi słabo. Szczególnie matka. Ale nie wyobrażam sobie, że coś miałoby im się stać. Jedno jest pewne. W ich gadaniu, że są siostrami, jest dużo prawdy. – Przemek przewrócił kartkę gazety, chociaż nawet na nią nie spojrzał.

– Powiedziała ci coś jeszcze? – zapytał z nadzieją, że dowie się czegoś więcej.

– O Hance? – Przemek złapał w lot, o co mu chodzi. – W sumie to sporo. Że jest mądra. Podobna do taty, ale zachowuje się identycznie jak jej matka. – Przemek zamyślił się na chwilkę. – Wiesz, to dziwne, ale Dominika opowiadała mi o rodzicach Hanki tak, jakby żyli. Powiedziała nawet, zapamiętałem to dobrze, powiedziała, że tato też jest architektem.

– Naprawdę? A mama?

– Nie wiem. Nie pytałem, ale powiedziała mi, że kocha ją tak jak Hankę. Identycznie. Jakby była jej prawdziwym dzieckiem. Mówiła też, że jej ojciec, ten prawdziwy, biologiczny, jak był trzeźwy, to zawsze całował mamę Hanki po rękach. Straszny był z niego gnój. Rzadko był trzeźwy i bił Dominikę. Zapił się w końcu na śmierć i zimą zamarzł na przystanku autobusowym. I dobrze.

– A co się stało z jej matką?

– Domi wie tylko, że ich zostawiła, gdy Domi była mała. Nie miała wtedy nawet roku.

– Co to znaczy zostawiła?

– No była i nagle się ulotniła.

– A reszta rodziny? Jak to się ulotniła? Przecież ludzie nie znikają, ot tak sobie.

– Co ty gadasz? Wiesz, ile osób szuka swoich bliskich? Rozumiesz, poszedł rano po bułki i nie wrócił przez dwadzieścia lat.

– Nie szukała jej nigdy?

– Kto?

– Dominika. Nie szukała nigdy matki?

– Nie wiem. Nic więcej nie wiem. Nie pytałem.

– Nie wiem, jak można zostawić małe dziecko z pijakiem.

– Każdy mierzy swoją miarą. Ty byś swojego nie zostawił, ale ludzie są różni. Jedni źli, a inni nieodporni psychicznie. Może jej odbiło? Nie wiem, nie chcę teraz o tym myśleć. – Przemek nerwowym ruchem zamknął nieprzeczytaną gazetę.

– Ale nie mogli być tak po prostu źli, skoro urodziła im się taka fajna Dominiczka – chciał pocieszyć Przemka, ten jednak spojrzał na niego, jakby nie rozumiał, o co mu chodzi. – No wiesz, jabłko, coś tam, coś tam, jabłoń.

– Chyba im się coś w życiu nie posklejało... Ale co tam! W poniedziałek rozmawiałem z matką. Powiedziałem jej o Domi.

– I co, zażądała prezentacji?

– No masz! Będzię. W najbliższą sobotę. Obiadek – powiedział z przekąsem Przemek, marszcząc czoło. – Co prawda, matka jest niepocieszona, że rodziny brak. Nie rozumie tego. A Domi twierdzi, że to nawet dobrze, bo ma jeszcze jedną dodatkową zaletę. Nie wniesie do mojego życia teściowej.

– I co ty, biedny, zrobisz? Takie życie bez teściowej to jest chyba strasznie nudne – mówiąc to, przeciągnął się, bo na sen nie miał już szans.

– Zaręczam ci, że moja mama i jej różne genialne pomysły wystarczą i za nią, i za teściową.

– A dowiedziałeś się czegoś więcej? – Mikołaj chciał jeszcze choć przez chwilę powałkować temat.

– Przecież znasz Domi. Jak chcesz się czegoś konkretnego dowiedzieć, to się jej po prostu zapytaj.

– Chyba zwariowałeś? – fuknął tak głośno, że kobieta siedząca obok zerknęła na niego, krzywiąc się. Chyba ją zbudził, więc szybko przeprosił.

– Dlaczego? Domi jest wyluzowana i wszystko ci powie.

– To według ciebie mam iść do niej i zapytać wprost, czy mam jakieś szanse u Hanki?

– Wiesz co? Architektem to ty jesteś nawet dobrym, ale ginekologiem to byś nie mógł być.

– Ginekologiem? – znów zapytał zbyt głośno, a jego sąsiadka tym razem znacząco chrząknęła.

– Na babach się nie znasz! I to nic a nic! Przecież gołym okiem widać, że Hanka czuje do ciebie miętę.

– Naprawdę? – wpatrzył się w Przemka, jakby ten był wyrocznią.

– Ty udajesz durnia czy nim jesteś?

– Chyba jestem, bo w ogóle nie potrafię wypracować metody na Hankę.

– Powiedz lepiej, że nie potrafisz jej skutecznie poderwać.

– Panowie! – usłyszał głos gnieżdżącej się obok sąsiadki. – Czy moglibyście nie wtajemniczać w swoje sprawy połowy samolotu?

– Przepraszamy bardzo! – odezwał się Przemek. Oczywiście bardzo głośno, a on tylko grzecznie skinął głową.

– Lepiej powiedz, po czym widać, że mam u niej jakieś szanse – szepnął coraz bardziej zadowolony.

– Po tym, jak na ciebie patrzy, debilu.

– Czyli jak?

– No na przykład inaczej niż na mnie.

– Wiesz co, Przemek? – Odpowiedź przyjaciela wydała mu się w tej chwili wyjątkowo głupia. – Jak zwykle udajesz, że dużo wiesz i na wszystkim się znasz, a jak przychodzi co do czego, to żadnych konkretów.

– Facet! Chcesz mieć konkrety, to przyciśnij ją do muru. Powiedz, że szalejesz na jej punkcie, i pocałuj ją tak, żeby pomyślała, że robi to pierwszy raz w życiu.

Znał Przemka doskonale, ale teraz nie był pewien, czy był w rzeczywistości takim pewniakiem, na jakiego się w tej chwili kreował. Jego rada chyba nie była najmądrzejsza. Przecież na dobrą sprawę przyciskał już Hankę do muru. Ale zawsze było coś nie tak. Albo była chora, albo zdenerwowana, albo zmęczona. Przemek zaczął czytać gazetę. Chyba dawał mu do zrozumienia, że uznał rozmowę za zakończoną. On jednak nie powiedział jeszcze ostatniego słowa.

– Uważasz, że to źle, że czekam na odpowiedni moment? – Musiał się kontrolować, żeby nie podnosić głosu.

– A czekaj sobie, ile tylko chcesz, tylko przestań już marudzić jak baba w ciąży. Moje zdanie jest takie. Ona ma na ciebie ochotę, i tyle. A jak będziesz się za bardzo ze wszystkim ślimaczył, to pomyśli sobie, że ty nie masz na nią ochoty, i będzie pozamiatane. Facet, przecież ty nie masz już szesnastu lat, a ona też na pewno, nie oszukuj się, nie jest dziewicą i wie, jak to jest z facetem...

– Przesadzasz! – przerwał mu, niestety, znów zbyt głośno. Na szczęście sąsiadka się nie odezwała, bo w tej chwili nie ręczył za siebie. Nie chciał myśleć o tym, że ktoś już dotykał jego Hanki. Był wściekły na Przemka, musiał jednak przyznać, że to, o czym mówił, było więcej niż prawdopodobne.

– Nie przesadzam! Przestań się wydzierać! Uspokój się! Przecież nie powiedziałem, że Hanka miała tylu chłopów, ile pływający Batory nitów. Po prostu. Ma już swoje lata, wygląda na higieniczną, więc na pewno pewne rzeczy ma już za sobą. Chyba się nie łudzisz, że będziesz pierwszy?

– A co ma do tego higiena? – Mikołaj był wściekły.

– Miałem na myśli higienę psychiczną, baranie! – Przemek kolejny raz zamknął gazetę. – Przecież nie byłaby taka miła i serdeczna, gdyby była materiałem na zrzędliwą starą pannę z pajęczyną między nogami.

Tego było już za wiele.

– Celowo mnie wkurzasz? Po co mi to w ogóle mówisz?

– Po to, żebyś zdał sobie, do cholery, sprawę, że inaczej podrywa się młódkę, która nie była jeszcze nigdy z facetem, a inaczej kobietę, która... No wiesz? – Przemek patrzył na niego zniecierpliwiony. – Przecież nie musisz patrzeć jej przez pół roku w oczy, żeby później chwycić ją za rękę. No facet! Co z tobą?!

Przez chwilę zastanawiał się, czy Przemkowi przyłożyć, czy zacząć mu zazdrościć podejścia do kobiet. W sekundzie postanowił, że pójdzie na studniówkę. Niby popatrzeć na Mateusza. Poczeka na nią, aż stamtąd wyjdzie. Zabierze ją do siebie. Będą w końcu sami...

– Zapnij pasy! – Głos Przemka wyrwał go z zamyślenia. – Chyba że chcesz, żeby pogrzebała ci przy nich ta stara – Przemek zerknął niechętnym wzrokiem na zbliżającą się w ich kierunku stewardesę. – Że też trafił nam się taki paszczak! Wyobraź sobie – Przemek ściszył głos – że stewardesą jest Hanka. Podchodzi, kołysząc biodrami, bierze cię za rękę i prowadzi za tamtą kotarkę – wskazał na zasłonkę, za którą znikał właśnie znajomy paszczak – i powoli, powolutku pozbywa się granatowego mundurka, i... – Przemek zaśmiał się szyderczo. – I lądujemy, bratku! Lądujemy! – Ten to zawsze wiedział, jak mu podnieść ciśnienie. – Jesteśmy w Pradze. Nie jest to, co prawda, romantyczny Paryż, ale jak wszystko dobrze pójdzie, to może właśnie tutaj...?

Nie chciał go już słuchać, zwłaszcza że namolna sąsiadka przyglądała mu się z ukosa. Miał wrażenie, że doskonale słyszała ich rozmowę. Poza tym paszczak znów chodził i sprawdzał, czy wszyscy pasażerowie grzecznie zapięli pasy bezpieczeństwa. Jego wzrok zatrzymał się na bordowej kotarce. Musiał się uspokoić. Zaczął się zastanawiać, co napisać do Hanki. A może lepiej zadzwonić. Nie! Lepiej napisać. Jeżeli mu odpisze, będzie mógł czytać jej słowa w nieskończoność. Co prawda, gdyby zadzwonił, usłyszałby jej głos. Ale tylko raz...

– Cześć, Iwonko! Jak miło cię słyszeć!

Uśmiechała się. Poranek zastał ją w dobrym nastroju. Pracę rozpoczynała dziś później niż zwykle. Jedna z klas, którą uczyła, wyjechała na wycieczkę. Miała z nią dwie pierwsze godziny. Nie dostała żadnego zastępstwa. Żyć! Nie umierać! – jak mawiała w chwilach radości mama. Jej wesoła i pełna optymizmu mama.

– Iwonko! Oczywiście, że zaproszenie aktualne.

Rozmawiała z Iwonką, a jednocześnie oglądała w lustrze swojej łazienki purpurowo-fioletowe ramię. Wczorajsze spotkanie z Mikołajem sprawiło, że prawie wcale nie myślała o przykrym zajściu na parkingu. Wydarzyło się po nim tyle innych rzeczy, że udawało się jej do tego nie wracać. Jedynie ramię przypominało dziś o wszystkim, a jego kolor przemawiał do niej, prosząc o większą uwagę dla siebie. Odbierając połączenie od Iwonki, zauważyła, że ma wiadomość od Mister Karpia. Numer telefonu Mikołaja wciąż miała zapisany pod takim hasłem. Nie zdążyła jej jednak odczytać.

– Jesteśmy więc umówione. Przyjeżdżasz do mnie z dziewczynkami w ostatni weekend ferii – z uśmiechem ustaliła konkretną datę.

Była bardzo ciekawa, co do niej napisał. Musiał to zrobić przed wylotem. Teraz jeszcze chyba wciąż był w samolocie.

– Ale Iwonko, jeżeli miałabyś ochotę przyjechać też z Jurkiem, to...

Iwona jej przerwała. Patrzyła więc znów na swoje odbicie w lustrze, rozciągając skórę pod oczami. Chyba zbliżał się moment zakupu przeciwzmarszczkowego kremu pod oczy. Przyglądała się sobie z uwagą. Iwonka mówiła, mówiła, mówiła, a ona bezwiednie zaczęła wspominać czasy, kiedy była małą dziewczynką. Miała chyba dziewięć lat. Nie, mniej. Jeszcze wtedy nie znała Dominiki. Mama pozwalała jej na chwilę zostać kosmetyczką i mała Hania zmywała jej twarz tonikiem. Osuszała chusteczką higieniczną. Małymi paluszkami wklepywała krem i w końcu robiła bardzo kolorowy makijaż. Mama nazywała go papuzim i śmiała się z siebie do łez, które najczęściej psuły efekt końcowy pracy małych rączek.

– W takim razie, jeżeli chcesz od niego odpocząć, to nadarza się doskonała okazja. Ułożę atrakcyjny plan rozrywek dla ciebie i dziewczynek. Ruszymy w miasto i będziemy się dobrze bawić. A może namówiłabyś na przyjazd też mamę? – zapytała i od razu zobaczyła panią Irenkę krzątającą się po jej kuchni. „Jezusie Nazareński! Ile tu przypraw!” Prawie słyszała jej głos.

Uśmiechnęła się do swojego odbicia w lustrze, choć czuła rwący ból pod kolorową skórą ramienia. Żeby zdążyć do pracy, musiała za chwilę zacząć się ubierać. Styczniowe bladożółte słońce przedzierało się przez warstwę śniegu tworzącą naturalną roletę na oknie dachowym łazienki. Czuła delikatne ciepło na zdrowym ramieniu. Obejrzała paznokcie. Często to robiła, rozmawiając przez telefon. Identycznie jak mama. Była ciekawa, czy to kwestia genów, czy po prostu naśladownictwa. Uwielbiała, gdy zauważała u siebie jej gesty.

– To popracuj nad nią. Może się uda? Iwonko, ja też cię całuję. Uściskaj ode mnie dziewczynki i Jurka, a mamie powiedz, że będę na nią czekała w tej mojej Warszawie.

Nie zdążyła przekazać pozdrowień od Dominiki, bo Iwonka się wyłączyła. Chyba też spieszyła się do pracy.

Masz 1 nieprzeczytaną wiadomość.

Komunikat na wyświetlaczu jej telefonu sprawiał, że czuła radość, ciekawość i ekscytację. „Kolejność emocji przypadkowa", pomyślała z uśmiechem. Zdążyła otworzyć skrzynkę odbiorczą, gdy rozdzwonił się telefon. Tym razem stacjonarny. Podeszła do szafki nocnej i przyłożyła słuchawkę do ucha.

– Halo? – zapytała niepewnie, ponieważ dzwonek tego telefonu bardzo rzadko zakłócał ciszę w jej domu.

– A ty co? Zaczęłaś udzielać porad językowych przez telefon? – usłyszała zniecierpliwiony głos Dominiki. – Dzwonię i dzwonię, a tu wciąż zajęte i zajęte!

– Też cię witam i chciałam zauważyć, że nie mówi się „dzwonię", tylko „telefonuję". Rozmawiałam z Iwonką – dodała szybko, żeby uniknąć słownego bombardowania Dominiki. – Przyjeżdża z dziewczynkami w ostatni weekend ferii zimowych. Będziemy musiały zorganizować dla niej jakiś relaks. Mam wrażenie, że jest trochę zdołowana. Chyba niespecjalnie jej się układa z Jurkiem.

– Tak to jest z chłopami – wtrąciła Dominika. – A nasze chłopy dzisiaj w Pradze.

– Chyba przesadziłaś z tym nasze? – broniła się, jak umiała, przed despotycznym tonem Dominiki i jej chorobliwą skłonnością do łączenia jej w parę z Mikołajem. – Mikołaj i ja nie stanowimy jeszcze pary.

– Podoba mi się to „jeszcze"! Powinnaś dodać też „na razie". Tylko mi teraz nie mów, że przypadkowo tak ci się powiedziało.

– Bezwiednie – grzecznie odkryła prawdę.

– Czyli można powiedzieć, że podświadomie czekasz na...

– Nie zajmuj się teraz moją podświadomością, tylko powiedz, dlaczego telefonujesz.

– Telefonujęęę... – Dominika podkreśliła prawidłowość swojej wymowy przedłużając w nieskończoność ostatnią głoskę. – Bo ponieważ... – ciągnęła kpiąco – Przemek zostawił u mnie swój telefon, a gdzieś mi wcięło numer Mikołaja. Więęęc zatelefonuj do niego i powiedz, żeby się moje szczęście nie martwiło, że telefon gdzieś podziało. Jest w dobrych i zwinnych rączkach. – Dominika nie mówiła. Świergotała, ćwierkała i śpiewała.

– Twój radosny głos pozwala mi przypuszczać, że choć na dworze mróz, miłość kwitnie.

– Miłość kwitnie. Dzwony dzwonią. Ciało mi płonie... – Dominika teraz śpiewała naprawdę.

– A praca czeka! – bezlitośnie przerwała jej wokalny popis. – Przepraszam cię, ale muszę się już ubierać, bo spóźnię się do pracy – wypowiadając ostatnie słowa, usłyszała odgłos górskiego strumienia, który informował ją, że nadeszła nowa wiadomość. Charakterystyczny plusk oczywiście nie uszedł uwagi Dominiki.

– Kto do ciebie napisał? – zapytała od razu.

– A co ty jesteś taka ciekawska? Lepiej mnie posłuchaj – mówiła szybko, żeby nie dać Dominice nawet krótkiej chwili na przepytywankę. – Pomyślałam, że zatelefonuję do Nałęczowa i pojedziesz tam z Iwonką. Chociaż na jeden dzień, a ja zajmę się dziewczynkami.

– Całowałaś się!!! – ryknęła Dominika.

– Uspokój się. Nie całowałam się. Po prostu pomyślałam, że Iwonce przydałby się relaks.

– Boże, jaka ty jesteś nudna. Normalnie flaki z olejem. Zastanów się lepiej, co tobie by dobrze zrobiło. Bo jestem pewna, że...

– Dominika, muszę już kończyć! – nie pozwoliła siostrze na fantazjowanie. Czas się kurczył i miała już dwie nieprzeczytane wiadomości od Mikołaja. – Przyjdziesz wieczorem?

– A obejrzymy pornosa?

– Jak chcesz, to możemy nawet nakręcić – zażartowała.

– Wiedziałam! Wiedziałam! Wiedziałam! – Dominika kolejny raz śpiewała.

– Co wiedziałaś?

– Że doskwiera ci brak seksu. Nawet taka piękna i dziewicza dusza jak twoja nie może sobie poradzić z rozbuchaną wyobraźnią i pobudzoną cielesnością.

– Przyjedź wieczorem! Oczywiście, jeżeli nie boisz się molestowania. Do zobaczenia. Cmok! – pożegnała się z Dominiką, używając tonu, którego z pewnością używały kobiety zarabiające na życie erotyzowaniem przez telefon.

Masz 2 nieprzeczytane wiadomości.

Tekst na wyświetlaczu telefonu już drugi raz zachęcił ją do radosnego uśmiechu. Niestety, krótkie spojrzenie na zegarek uzmysławiało, że zostało jej już niecałe dwadzieścia minut do wyjścia. Jednak chwyciła telefon i zwinnie wskoczyła do łóżka. Otworzyła pierwszą wiadomość. Przebiegła po niej niecierpliwym wzrokiem. Wiadomość była piękna. Opiekuńcza. O szaliku i o chłodzie, który natychmiast rozgrzewało gorące PA, napisane wielkimi literami. Patrzyła na to wielkie PA i oczy jej się śmiały. Do wiadomości, do Mikołaja, do poranka, chyba nawet do życia. Któż by pomyślał? Dwie linijki. Siedem słów. A radości tyle, ile maleńkich kwiatków na gałązce wiosennego bzu.

Teraz druga. Dotykała klawiszy telefonu. Spokojnie. Jeszcze nigdy nie czuła tak wyraźnej sympatii do tego małego urządzonka, które trzymała w dłoni. Niczym były dla niego odległość i granice. Jest. Czytała. Pierwszy raz, drugi, trzeci. Czytała w świetle, które oferowało słońce za oknem, i w mroku, który panował pod kołdrą.

<Jestem. Praga jest piękna zimą. Zobaczysz... PA!>

Odpisać? Ale co? Ale jak? Spojrzała na zegarek. Pięć minut! Zostało jej tylko pięć minut! Wyskoczyła spod kołdry jak grzesznica nieoczekiwanie uwolniona z madejowego łoża. Szybko. Z uśmiechem. Z nadzieją. Szybko. Później odpiszę! Uroda Pragi i kobalt oczu muszą poczekać. Jeszcze tylko szalik...

Udało się. Zdążyła. Siedziała za swoim biurkiem. Miała czas na zebranie rozedrganych uczuć i rozczłonkowanych myśli. Uczniowie, których w tej chwili obserwowała, zapamiętale wpatrywali się w kartki papieru kancelaryjnego, na których tworzyli właśnie wypracowanie klasowe. Była świadoma, że będzie musiała spędzić nad jego sprawdzaniem co najmniej trzy popołudnia. Ale to nie było teraz ważne. Cieszyła się, że nie musi prowadzić lekcji, że nie musi nic mówić. Patrzyła na schylone głowy młodych ludzi, ale widziała tylko małe czarne literki, przez które prawie spóźniła się do pracy. Nagle usłyszała głośne westchnienie. Pobiegła oczami za własnym słuchem i napotkała wzrok Mateusza Starskiego. Przyglądał się jej. Miał brązowe oczy. Ale patrzył na nią podobnie jak jego starszy brat. Jej myśli krążyły wciąż wokół słów, które chciała napisać do Mikołaja. Uśmiech Mateusza wyrwał ją z nieruchomego spojrzenia, które młodszy Starski mógł, niestety, uznać za zapatrzenie w jego osobę. Nie było rady, też się uśmiechnęła. Kierując palec wskazujący na kartkę leżącą przed nią, nadała odpowiedni kierunek spojrzeniu Mateusza. Natychmiast posłuchał jej, wyrażonej gestem, sugestii. Schylił głowę i zaczął pisać. Rozejrzała się po klasie. Nigdy nie spacerowała między ławkami, gdy uczniowie pisali prace sprawdzające poziom ich wiedzy. Nie chciała ich rozpraszać.

Rozejrzała się. Szkolna klasa. Tu czuła się bezpiecznie. Tu miała wrażenie, że to ona rozdaje karty. W jej życiu było inaczej. To los zagrał pierwsze skrzypce. Tutaj, w klasie, mógł wpływać na kolory i figury. Grą zarządzała sama. Niepodzielnie.

Warszawa też jest ładna, ale widoku ośnieżonej Pragi zazdroszczę.

Zapisała na leżącej przed nią kartce. Pierwsze zdanie. Przeczytała je kilka razy. Może być. Teraz drugie. Jeszcze tylko pedagogiczny radar po klasie.

Szalik jest cudowny. Pachnie tobą. Spałam z nim.

Spojrzała na napisane wyrazy z uśmiechem. Pomyślała, że Dominika byłaby z niej dumna. Niestety, przyczajony w jej głowie cenzor już przystąpił do efektywnej pracy. Skreśliła to zdanie. Napisała inne.

Owinięta granatem szalika, życzę powodzenia.

Początek dobry, koniec beznadziejny. Powodzenia? Zastanowiła się. Nie. Bez sensu. Jakiego powodzenia? U kobiet? A może...

Owinięta granatem szalika, pozdrawiam.

PS Telefon Przemka jest u Dominiki.

Przeczytała. Lepiej. Przeczytała jeszcze raz. Dużo lepiej, podpowiadał jej nudny cenzor. Nie chciała go słuchać. Chciała dodać coś dwuznacznego. Coś nastawionego na uczuciową analizę.

PS Telefon Przemka jest u Dominiki, która zdążyła się już stęsknić.

Nie miała pojęcia co dalej. Chyba nigdy dotąd nie miała kłopotów z pisaniem. Ale nigdy dotąd nie pisała do niego. Mówiła do niego. Myślała do niego, musiała się do tego przyznać. „Wiem!"

Owinięta granatem szalika, uśmiecham się.

Przeczytała to kolorowe przeżycie. Spodobało się jej. Uśmiecham się. To było to. Czyli...

Warszawa też jest ładna, ale widoku ośnieżonej Pragi zazdroszczę. Owinięta granatem szalika, uśmiecham się. PA!

Przebiegła wzrokiem po swojej radosnej twórczości. Była zadowolona. Sprytnie poradziła sobie z cenzorem. Usłyszała dzwonek dający jej do zrozumienia, że straciła poczucie czasu. Nie wiedziała, kiedy minęły prawie dwie godziny. Energicznie wstała zza biurka.

– Proszę państwa! Kończymy pracę. Bardzo proszę o odłożenie długopisów i złożenie prac.

Wprowadziła taki zwyczaj, że uczniowie napisane prace zostawiali u niej na biurku, wychodząc z klasy. Jednak dziś zachowali się inaczej. Jedna z uczennic wstała i zebrała prace od wszystkich, po czym podeszła do niej. Krok za nią szedł Mateusz Starski.

– Pani profesor – zaczął niezbyt odważnie, w chwili gdy Malwina kładła na biurku prace.

Hanka wyczuła, że chwila ma charakter oficjalny, ponieważ wszyscy uczniowie wstali. Uśmiechnęła się do Mateusza, wyczuwając jego zdenerwowanie.

– Pani profesor – powtórzył stremowany – mamy zaszczyt zaprosić panią na studniówkę. – Podał jej kopertę z pewnością skrywającą zaproszenie.

– Bardzo dziękuję. Miło mi, że o mnie pamiętaliście. Postaram się przyjść – uśmiechnęła się do osób stojących w klasie, po czym serdecznie uścisnęła dłonie ich reprezentantów.

– Pani profesor – odezwał się stojący dość blisko niej uczeń, przez szkolną brać zwany Kabanosem, choć nie był ani długi, ani wysuszony. – Pani musi przyjść, bo już opracowaliśmy harmonogram na pani bileciku. – W klasie zapanowała wesoła atmosfera.

– Nie przypuszczałam, że mam już zapisany bilecik. Chciałabym tylko wszystkich zainteresowanych lojalnie uprzedzić, że jest ze mnie taka tancerka jak z... – zamyśliła się, szukając odpowiedniego porównania. Była zdekoncentrowana, nie mogła go znaleźć. – Bardzo proszę, ogłaszam krótki konkurs polonistyczny. Nagrodą jest ocena bardzo dobra. Proszę poszukać obrazowego porównania oddającego brak moich umiejętności tanecznych. Nie ukrywam, że skojarzenia związane z literaturą są bardzo mile widziane.

W klasie na moment zapanowała cisza, którą przerwał stojący obok, przewyższający ją znacznie, Mateusz.

– Pani profesor – zwrócił się do niej w ten sposób już po raz trzeci w krótkim odstępie czasu. – Z pani jest taka tancerka jak z Romea poligamista – powiedział, patrząc niepewnie w jej oczy.

– Pięknie, panie Starski. Piątka. – Z przyjemnością otworzyła dziennik i słowo ciałem się stało. Wpisała Mateuszowi ocenę bardzo dobrą w rubryce zatytułowanej „Aktywność".

Porównanie było bardzo trafne. Poza tym zapożyczone z jej ukochanego dramatu.

– Jeszcze raz bardzo dziękuję za zaproszenie, a to – położyła dłoń na jeszcze ciepłych pracach klasowych – obiecuję sprawdzić najszybciej, jak to tylko możliwe. Dziękuję państwu. Do zobaczenia. Możecie wychodzić.

Usłyszała dobrze znany odgłos wymarszu uczniów z klasy. Śmiechy i chichy. Rozmowy i radość z tego, że już po wszystkim. Wyjątkowo postanowiła spędzić przerwę w klasie. Zamknęła drzwi za uczniami. Na klucz. Nie chciała, żeby ktoś jej przeszkadzał. Wyjęła z torebki telefon i w ciszy, przez którą niestety przedzierał się głos uczniów deklamujących *Inwokację*, napisała wiadomość do Mikołaja. Taką jak zaplanowała. Z PA napisanym dużymi literami. Wysłała ją. Chciałaby zobaczyć jego minę... Chciałaby... Jakie to dobre uczucie chcieć... Myślała o tym, wychodząc z klasy. Na korytarzu natknęła się na odpytującą się nawzajem młodzież.

– Uczcie się, uczcie. Gdyby mógł was teraz usłyszeć Mickiewicz, z pewnością byłby z was dumny – uśmiechnęła się do uczniów.

Nie miała w zwyczaju spędzać przerw w klasie. Zwłaszcza długiej. Wolała przesiadywać w pokoju nauczycielskim, zaglądając Aldonce w jej bladoniebieskie, wesołe oczy i słuchać wszystkiego, co miała do powiedzenia. Uwielbiała w niej nieustającą życiową pasję. Wszystko, o czym mówiła Aldonka, było zawsze tematem najważniejszym. Nic, o czym mówiła, nie wydawało się tematem lekkim bądź, co gorsza, odgrzewanym. Nieważne, o czym mówiła. Zresztą Aldonka nigdy nie mówiła tak po prostu. Ona zawsze opowiadała. O sztuce w teatrze, który zwykła nazywać świątynią dla wybitnych intelektualistów. O przemłóconej w nocy książce, o podobnym do Hitlera menelu napotkanym w metrze...

Weszła do pokoju nauczycielskiego. Aldonka chyba telepatycznie wyczuła, że o niej myślała, bo gdy tylko Hania odłożyła dziennik lekcyjny na miejsce, natychmiast napotkała jej piorunujący wzrok, który zdawał się krzyczeć: gdzieś była, ma miła, jak mam dla ciebie tyle wiadomości, ile chuda ryba ości. Aldonka uwielbiała rymować. Uwielbiała i umiała. Śmiała się często, że nie na darmo pochodzi z Częstochowy, bo taki właśnie rym najczęściej przychodzi jej do głowy. Gdyby Fredro był kobietą, na pewno miałby na imię Aldonka.

– Prawie koniec przerwy! Gdzieś była? Coś robiła? – zapytała teatralnym szeptem Aldonka.

– Coś się dzieje? – zaniepokoiła się troszeczkę.

– Widziałaś? – Aldonka była wyraźnie podekscytowana.

– Co? – W ich rozmowie dominowała konwencja krótkich, zadawanych szeptem pytań.

– Nie co. Tylko kogo.

– Chodzi ci o nowy garnitur pana dyrektora?

– Czyli nie widziałaś.

– Ale kogo?

– Odwróć się. Tylko dyskretnie. Na trzeciej zobaczysz nowego informatyka.

Zrobiła, tak jak kazała Aldonka. Nie lubiła się odwracać, więc wstała i powoli podeszła do parapetu okiennego, na którym leżała aktualna prasa. Wzięła do ręki pierwszą z brzegu gazetę i wracając na miejsce, odbiła szybkie spojrzenie od przystojnego, ciemnookiego bruneta rozmawiającego właśnie z aż nadto wyelegantowanym panem dyrektorem. Usiadła, a Aldonka wlepiła w nią pytający wzrok.

– Mam się wypowiedzieć?

– Jeżeli chcesz, to możesz się wyśpiewać. O Boże! – Ton Aldonki zmienił się całkowicie. – Patrzy na ciebie! Wstań natychmiast, niech dokładnie zobaczy twoją figurę w tej sukience.

Słysząc to, Hanka nie wytrzymała i parsknęła śmiechem.

– Aldonka, uspokój się. Jest fajny, ale nie na tyle, żebym chciała prezentować przed nim swoje raczej wątpliwe wdzięki.

– Fajny? – Aldonka była zaskoczona jej brakiem wyczucia piękna. – Przecież to współczesny Cary Grant. Wysoki, zgrabny, z elektryzującym spojrzeniem. Amant pełnej krwi.

– Nie mówi się „amant pełnej krwi", tylko „arab czystej krwi" – poprawiła ją szybko.

Aldonka jednak, jakby jej nie słysząc, kontynuowała.

– Nie udawaj, że nie widzisz, co się dzieje w pokoju.

Rzeczywiście, mocno sfeminizowany pokój nauczycielski huczał jak wypełniony po brzegi węglem piec centralnego ogrzewania przy porywistym wietrze. Ona jednak w żaden sposób nie potrafiła dołączyć swych emocji do tego, co się działo wokół.

– Widzę, ale to nie mój typ – podsumowała, a Aldonka zerknęła na nią bez przekonania.

– Chcesz uśpić moją czujność? – zapytała jak najbardziej poważnie.

– Jeżeli ci się podoba, to go sobie weź. Masz moje pełne błogosławieństwo.

– Łatwo powiedzieć, trudniej zrobić. On nie jest w twoim typie, a w moim przedziale wiekowym odnajduje się, niestety, nad wyraz słabo.

– Aldonko, nie myśl o tym. Miłość nie wybiera i nie zagląda w metrykę urodzenia.

– Ja mogłabym stworzyć z nim tylko antykwariat.

– Antykwariat? – zapytała. Skądinąd znała ogromną miłość Aldonki do książek, ale nie zrozumiała.

– Przecież to proste. Ja antyk, a on wariat.

– Aldonko! – roześmiała się szczerze. – Może nieprzypadkowo mówi się, że można zwariować z miłości.

– Ale nie do starości! – zdążyła szepnąć Aldonka, bo już dał się słyszeć głos pana dyrektora odzianego dziś w wełnę najlepszego gatunku.

– Drogie panie, pozwolę sobie przedstawić. Pan Łukasz Marski, nasz nowy informatyk. Panie Łukaszu, a oto kwiat naszego języka polskiego. Panie Aldona Romańska i Hanna Lerska.

Sympatyczny i bardzo przystojny brunet ukłonił się im z rozbrajającym uśmiechem. Hanka zauważyła, że Aldonka miała rację. Mężczyzna miał w sobie coś z Granta. Może magnetyzujące spojrzenie?

– Czy będą panie tak miłe i wyrażą zgodę – kontynuował dyrektor, patrząc jednak tylko na Aldonkę – żeby pan Łukasz dołączył do pań i zajął miejsce przy najsympatyczniejszym stoliku w naszym pokoju?

– Ależ oczywiście! – Aldonka skakała wzrokiem po stojących obok mężczyznach. – Bardzo proszę, panie Łukaszu.

Zabójczo przystojny pan Łukasz podziękował i zajął wskazane przez Aldonkę miejsce, a pan dyrektor oddalił się w ukłonach i uśmiechach. Pozostał po nim tylko zapach dobrej wody kolońskiej. Usłyszeli dzwonek. Aldonka wcale nie przejęła się jego hałasem.

– Jako że ja w tym towarzystwie najwcześniej jestem urodzona, od dzisiaj dla ciebie, informatyczny kolego, jestem po prostu Aldona.

Hanka patrzyła na nią z uśmiechem. Uwielbiała ją. Pan informatyk ujął w obie dłonie wyciągniętą rękę Aldonki.

– Łukasz – powiedział aksamitnym, elektryzującym głosem.

– Mam na imię Hanka – korzystając z okazji, wyciągnęła dłoń w jego kierunku.

– Miło mi. Łukasz.

Rzuciła mu krótkie spojrzenie i szybkim krokiem skierowała się w stronę szafy z dziennikami. Istotnie, był wyjątkowo urodziwy. Miał intrygujące oczy. Prawie czarne. Może dlatego nie mogła w nich nic dostrzec. Aldonka mrugnęła do niej porozumiewawczo, gdy wychodziły z pokoju nauczycielskiego.

– Jest mój!

– Bądź spokojna. Nie śmiałabym stanąć na drodze wielkiej miłości, zwłaszcza że śpieszę się odpytywać z miłości do ojczyzny. Czeka mnie godzina spędzona wśród wersów *Inwokacji*.

– To goń. Cmok!

Hanka lubiła to Aldonkowe cmok. Wydawało się jej takie rodzinne. Aldonka była dla niej jak rodzina. Bliska, ciepła, szczera i zawsze serdeczna. Jak niewiele trzeba... A może właśnie: jak wiele...

– Helol! Helol!

Hanka słyszała i widziała na ekranie domofonu Dominikę, która bez trudu udawała niezbyt inteligentną, ale bardzo zabawną blond piękność. Krejzolkę z ich ulubionego kabaretu. Szybko otworzyła bramę. Było bardzo zimno. Wszędzie trąbiono o globalnym ociepleniu, ale tegoroczna zima chyba o tym nie słyszała i jak na razie grała ekologom na nosie. Mrozy były iście syberyjskie. Samochód Dominiki zajął miejsce na podjeździe, a ona stała już w drzwiach. Twarz zasłaniała wiadrem popcornu, zza którego dobiegał jej głos.

– Pomyślałam, że w taki ziąb lody to nie tylko lekka przesada, ale nawet nielekki masochizm.

– Wchodź! – poganiała ją, bo właśnie wybiegła spod prysznica, który skutecznie zmył z niej trudy kończącego się dnia.

– Widzę, że przygotowałaś się już do nagrania – rzuciła Dominika, odpinając zgrabiałymi z zimna palcami drewniane guziki kożucha w smacznym, czekoladowym kolorze. – Tylko nie udawaj, że nie pamiętasz, co mi obiecałaś.

– Nie wiem, co ci obiecałam, ale mam pomidorową, ziemniaczki i schabowe z kiszoną kapustą – wyrecytowała na jednym oddechu i poczuła się bardzo głodna.

– Chyba się z tobą ożenię! – wrzasnęła Dominika, zdejmując ośnieżone kozaki.

– Muszę cię zmartwić, w najbliższym czasie nie wybieram się do Holandii.

Dominika w mig pojęła aluzję i parsknęła śmiechem.

– To będziemy żyły na kocią łapę! Najpierw zupka? – zapytała przymilnie.

– Zupka – odpowiedziała w próżnię, bo Dominika już była w drodze do jadalni.

Owinęła się szczelniej szlafrokiem i przeszła do kuchni. Miseczki z makaronem przygotowała wcześniej i teraz tylko nalewała do nich gorącą zupę. Czuła na swych plecach wzrok milczącej Dominiki.

– Co mi się tak przyglądasz? – zapytała, stawiając przed nią miseczkę ze strawą pachnącą dojrzałymi pomidorami.

– Jesteś jakaś inna. O kurczę, ale gorąca. – Dominika za szybko chciała się najeść.

– Gorąca? – postanowiła się z nią podroczyć.

– Zupa gorąca! – nie dała się. – A ty? – Dominika przyglądała się jej, przekrzywiając głowę raz w jedną, raz w drugą stronę. Robiła to prawie identycznie jak wróble okupujące latem ogrodowy płot.

– Chcesz powiedzieć, że przytyłam?

– Chyba nie chodzi o masę, tylko o nastrój. Wydajesz się jakaś weselsza.

– Staram się – odpowiedziała nieco enigmatycznie. – Dobra? – zapytała, zerkając do miseczki stojącej przed Dominiką, która od razu wzniosła oczy do nieba w bezsłownym hymnie na cześć pomidorowej.

Hanka wstała od stołu, żeby zmniejszyć płomień pod garnkiem z gotującymi się ziemniakami i zająć się smażeniem kotletów. Dominika najpierw dmuchała na łyżkę z zupą, później siorbała głośno, by na końcu troszkę pomlaskać. I tak w kółko.

– Ale mnie dzisiaj wkurzył jeden fagas w robocie.

Hanka odetchnęła. Siostra nie miała zamiaru kontynuować tematu dotyczącego jej lepszego nastroju. Mąka, jajko, bułka tarta, patelnia. Zaczęła smażyć kotlety. Kuchenną ciszę wypełnił odgłos skwierczących na patelni schabowych, do którego dołączało cichutkie bul, bul dochodzące z garnka z prawie ugotowanymi ziemniakami. Była uzależniona od dźwięków. Nad morzem lubiła słuchać szumu fal. W górach mokrego szelestu strumienia, a w domu kuchennej rapsodii. Odpoczywała. Nie była sama. Powietrze pachniało przygotowywanym przez nią jedzeniem. Wszystko żyło. Dominika pałaszowała z apetytem. Po dobrym dniu zapowiadał się miły wieczór. Godziny spędzane w pracy czasami dłużyły się w nieskończoność, a dziś minęły jak jedno mrugnięcie okiem. Czuła się bezpieczna i zrelaksowana.

– No mówię ci. Spóźnił się na wizytę ponad pół godziny. A jak zaczęłam pracę, to zaczął mnie popędzać. Gdybym wiedziała, co to za szuja, to nawet bym go nie dotknęła. Ale to jeszcze nic. Wyobraź sobie, zakładam mu plombę, a to brakujące ogniwo z teorii Darwina chce odebrać telefon...

Słuchała Dominiki, odcedzała ziemniaki i myślała, że podświadomie cały dzień czekała na jakiś znak od Mikołaja. Pewnie był zajęty, tłumaczyła go w myślach, żałując, że nie sformułowała tak wiadomości, żeby musiał odpisać.

– Ty mnie w ogóle słuchasz? – zapytała nagle Dominika, wkładając pustą miseczkę po zupie do zmywarki.

– Oczywiście, że słucham – ocknęła się. – Zobacz, jaki ogromny, piękny i złoty. – Położyła na talerzu Dominiki schabowego rekordzistę.

– Śliny pełen pysk – wyznała z uwielbieniem Dominika. – Wiesz, takie wielkie schaboszczaki kojarzą mi się ze szczęśliwym czasem w moim życiu.

– Mnie też – uśmiechnęła się. – Ale moje nie są takie dobre jak mamy.

– Co ty gadasz? Są właśnie identyczne. – Dominika odkroiła już kawałeczek i zamknęła oczy, kładąc go sobie na języku i przeżuwając z lubością. – Tak smakuje dzieciństwo – mruknęła – kotlecikiem schabowym.

– Proszę, jeszcze ziemniaczki i kapustka. – Hanka postawiła na stole dwa półmiski.

Usiadła i za przykładem Dominiki zaczęła nakładać na swój talerz mocno spóźniony obiad.

– Przemek poradził sobie z zapomnianym telefonem? – zapytała, przejmując od Dominiki półmisek z ziemniakami.

– Zrobił przekierowanie na numer Mikołaja – powiedziała niezbyt wyraźnie Dominika. Mówiła z pełnymi ustami.

Nie mogła uwierzyć, że Dominika nie nagabuje jej Mikołajowym tematem, nadużywanym ostatnio podczas ich wspólnych rozmów.

Jadły w milczeniu. Cisza jednak nie mogła trwać zbyt długo, Dominika się w niej męczyła.

– Wiesz co? – zaczęła znów z pełnymi ustami.

Hanka spojrzała na nią bez słowa, czując, co się święci.

– A gdybyśmy tak pojechały na kilka dni do Pragi? – zaczęła niby od niechcenia, niby całkiem niewinnie.

– Ale po co? – Hanka podjęła grę, uśmiechając się w duchu. Właśnie przekonała się, że dwaj architektoniczni wspólnicy byli siebie warci. Działali błyskawicznie, jednocześnie trzymając wspólny front.

– Jak to po co? – zapytała Dominika tak zakonspirowana w swojej grze, że zrobiłaby wrażenie nawet na Macie Hari. – Po prostu zrelaksować się, rozluźnić, złapać oddech i dystans. Co ty jesteś taka niedzisiejsza? Niektórzy ludzie wyjeżdżają tak co weekend. A to na zakupy do Harrodsa, a to posiedzieć przy fontannie di Trevi albo przespacerować się po Polach Elizejskich. Trzeba umieć odpoczywać.

– To może lepiej pojedźmy do spa? – Rozmowa zaczynała ją bawić.

– Przestań mnie za każdym razem brać pod włos z tym spa! – oburzyła się Dominika.

– Nie wiem, o co ci chodzi – odparła ze stoickim spokojem i dołożyła sobie antygrypowej kiszonej kapusty.

Aldonka twierdziła, że jej jedzenie zimą wzmacnia odporność organizmu, a wszystkie jej twierdzenia miały zwykle bardzo duże znamiona prawdy. Znów na moment zapanowała cisza. Z niecierpliwością czekała na ciąg dalszy urabiania i zastanawiała się, kiedy Dominika pęknie i wyłoży na stół skrywane w tej chwili karty.

– Mogę nie ściemniać?

Nie czekała zbyt długo, bo Dominika najwyraźniej zmęczyła się już manipulowaniem słowami.

– Przecież ty nigdy nie ściemniasz! – zakpiła z niebywałą przyjemnością. Bawiła się przednio.

– Bo widzisz! – Dominika nie miała zamiaru zareagować na jej przytyk. – Za trzy tygodnie będą wyniki tego konkursu. Tego, wiesz, w Pradze. Przemek z Mikołajem na pewno tam będą. Pojadą kilka dni wcześniej i pomyślałam, że my moglibyśmy do nich dokooptować w weekend. Mi pasuje, sprawdzałam, mam wolne. Na pewno będzie fajnie, a jak się okaże, że ich projekt wygrał, to już w ogóle będzie co świętować.

Hanka odłożyła sztućce i poważnie spojrzała na Dominikę.

– Nie patrz na mnie tak, jakbym ci powiedziała, że jestem facetem, ale do tej pory to ukrywałam.

– Wcale tak nie patrzę. Chciałabym tylko wiedzieć, kto to wymyślił?

– No to jest akurat jasne. Przemek i Mikołaj. Nie wiem jak tobie, ale mi się ten pomysł bardzo podoba.

Na talerzu Dominiki lądował właśnie kolejny schabowy.

– Wcale ci się nie dziwię. Tylko, proszę cię, oceń ten pomysł z mojej perspektywy. Ty z Przemkiem będziecie spędzać romantyczny weekend w Pradze, podczas gdy ja...

– Podczas gdy ty – weszła jej w słowo Dominika – będziesz spędzała czas z Mikołajem.

Hanka uciekła przed twardym spojrzeniem siostry i wlepiła wzrok w talerz, czując, że nie przełknie już ani kęsa.

– Hanka? – Dominika nie chciała odpuścić.

– Co? – zapytała, patrząc jej odważnie w oczy.

– Może wydusisz z siebie, co o tym myślisz?

– Szczerze?

– Przecież ty inaczej nie umiesz! – fuknęła niezbyt przyjaźnie Dominika.

– Skąd wiesz? – zapytała i zdziwiła się, że stać ją na tak ostry ton.

– Nie zaczynajmy teraz innego tematu!

– Przecież wiesz, że lubię Pragę. Dobrze mi się kojarzy. Z tatą. – Poczuła, że musi zmierzyć się z prawdą. – Ale nigdzie nie pojadę. I nie chodzi mi teraz o Mikołaja. Ja nie poradzę sobie ze Żwirki i Wigury – wypowiadając nazwę feralnej ulicy, poczuła się jak bohaterka. Od tamtego dnia do dziś nie istniała bowiem ani w topografii miasta, ani w jej głowie. Nie było jej. Omijała ją szerokim łukiem. Ba, omijała nawet tamtą część miasta. Przed sekundą, nad niedojedzonym obiadem, wypowiedziała zakazane słowa, i to bez większych konsekwencji. Wszystko było jak wcześniej. Nic się nie stało. Tylko Dominika zastygła bez ruchu, z widelcem w ustach.

– Kretynka ze mnie – powiedziała bardzo szybko. – Nie pomyślałam. Przepraszam cię.

Reakcja Dominiki bardzo ją zaskoczyła. Spodziewała się raczej ataku, a nie przeprosin. Zdecydowanym ruchem odsunęła od siebie talerz i spojrzała siostrze w oczy.

– Obiecałam ci szczerość, dlatego to powiedziałam, i mam nadzieję, że mnie rozumiesz.

Dominika westchnęła i też złożyła sztućce, z tym że na pustym talerzu.

– To jakiś wyjątkowy kretyn wymyślił, że z pełnym brzuchem się lepiej myśli. Przecież to bzdura. Boże, ale się napakowałam.

– To może herbatka z cytrynką albo lepiej miętka? – zapytała szybko Hanka.

– Nie! Żadna herbatka, dopóki nie skończysz. – Dominika wskazała palcem na wciąż ciepłą zawartość stojącego przed Hanką talerza.

– Już nie mogę – skrzywiła się.

– Ja zrobię herbatę, a ty nie odejdziesz od stołu, dopóki jedzenie nie zniknie z talerza. Zrozumiano? – Dominika niespodziewanie łatwo wchodziła w rolę kategorycznej matki.

Już krzątała się, przygotowując herbatę. Hanka obserwowała ją i powoli, bez przekonania znowu zaczęła jeść. Przypomniał się jej tato i ich rozmowa w kościele Świętego Mikołaja, właśnie w Pradze. To ironia losu, że tak dokładnie zapamiętała tę rozmowę, choć mogła mieć wtedy nie więcej niż dziesięć lat. Może jedenaście? Prawie poczuła na swojej skórze, schowanej teraz pod grubym szlafrokiem, chłodną ciszę kościoła, w której tato opowiadał jej o tym, że w życiu człowieka najważniejsza jest rodzina.

– Wiem! – krzyknęła Dominika, powodując, że Hanka znów znalazła się w jadalni i patrzyła na bardzo powoli zmniejszającą się zawartość talerza.

– Co wiesz?

– No wiem, jak chwycić byka za rogi!

– To akurat żadna nowość. Zawsze to wiesz. – Hanka złożyła sztućce. Obiad był pyszny, prawie jak ugotowany przez mamę, ale nie mogła przełknąć już ani kęsa.

– Nie składaj sztućców! – Dominika była bezlitosna.

– Już naprawdę nic nie zmieszczę.

– To daj, ja skończę. Szkoda wyrzucać, a świń nie mamy. – Dominika, nie zmieniając sztućców, w pośpiechu pochłonęła wszystko, co zostało na talerzu.

– Chyba bardzo fajnie jest jeść bez ograniczeń i mieć taką figurę... – zapatrzyła się na kobiece kształty przyjaciółki.

– Najważniejsze, żeby wiedzieć, jak spalać – mrugnęła do niej porozumiewawczo Dominika. – Jak to wiesz, to możesz wsuwać, ile wlezie.

– Chcesz wzbudzić moją zazdrość? – popatrzyła na Dominikę, mrużąc oczy.

– Puknij się! Ty gruba babo! – mówiąc to, Dominika bardzo frywolnie zaglądnęła w dekolt jej szlafroka. – Nieźle, nieźle... Takie gorące ciałko nie powinno się marnować.

– A kto powiedział, że się marnuje? – Jej zamiarem było zasianie niepewności.

– Proszę! Herbatka! – Dominika postawiła przed nią filiżankę. – A teraz popijaj i słuchaj uważnie, co mam ci do powiedzenia.

– A może chcesz coś słodkiego do herbatki? – zaproponowała, bojąc się, że Dominika nie da jej spokoju.

– Wiem, że grasz na zwłokę – siostra natychmiast rozszyfrowała jej zagranie. – Ale powiedz, co masz.

W Dominice od dzieciństwa mieszkał łasuch gigant, dlatego kremówka, którą Hanka wyciągała dla niej w tej chwili z lodówki, wprawiła ją w jeszcze lepszy nastrój niż dwa dania obiadowe razem wzięte. Najpierw wtopiła w okazałe ciastko wygłodniały wzrok, żeby po chwili zanurzyć w jego kremie palec wskazujący.

– Podałam ci widelczyk. Nie zauważyłaś? – Hania wskazała dłonią na delikatnie srebrzący się obok talerzyka deserowego piękny widelczyk z tak zwanej zastawy ślubnej rodziców.

– Z widelca nie smakuje tak dobrze jak z palca. A ty nie jesz?

– Nie mogę. – Trzymała w dłoniach gorącą filiżankę i patrzyła rozbawionym wzrokiem na Dominikę, która sprytnie wyjmowała krem spod ciasta.

– To teraz posłuchaj – zaczęła, nie przerywając jedzenia. – Wezwiesz taksówkę. Wsiądziesz. Zamówisz kurs na lotnisko. Zamkniesz oczy. Poprosisz taksówkarza, żeby włączył głośno radio, i spotkamy się na lotnisku. Wsiądziemy do samolotu i za niecałe dwie godziny będziemy w Pradze. Proste? – zapytała, patrząc na nią i oblizując krem z palca.

– Proste – odpowiedziała cicho.

– To mamy wszystko ustalone. – Dominika w zastraszającym tempie całkowicie pozbawiła kremówkę pysznego kremu. Zostały z niej tylko dwa cienkie kwadraty ciasta francuskiego.

– Dominika? – Przełknęła nerwowo ślinę i wbijając wzrok w jesionowe słoje zdobiące blat stołu, powiedziała cicho: – Ta podróż mnie przerasta. Masz mnie chyba za silniejszą, niż jestem.

– A ty mnie za głupszą, niż jestem! – wypaliła jak z ciężkiego działa Dominika. – Jeżeli myślisz, że nie wiem, co się dzieje, to jesteś w błędzie. A to, że spędzamy z sobą ostatnio mniej czasu, bo pojawił się Przemek, nie oznacza, że... oślepłam!

– Możesz nie robić mi psychoanalizy – postawiła się. – Nawet jeżeli ci się wydaje, że wiesz, co się dzieje. Poza tym jeżeli nawet coś się dzieje, to powiedz mi, czy to nie może się dziać samo, bez żadnej ingerencji i sztucznego naginania życia?

– Ty już chyba całkiem zbzikowałaś! – Dominika wzięła do ręki srebrny widelczyk. Chyba nieświadomie. – Przecież ja nie chcę, do cholery, w nic ingerować. – Wymachiwała nerwowo widelcem. – Puknij się! Chodzi mi tylko o to, żebyś jakimś cudem zaczęła myśleć, że w twoim życiu jeszcze wiele może się wydarzyć. Dobrego! – Ostatnie słowo wymówiła, prawie krzycząc.

– Ale Dominiczko kochana – chciała załagodzić sprawę – musisz wiedzieć, że ja w to wierzę. Inaczej. Postawię sprawę jasno. Zaczynam wierzyć i jestem tego świadoma.

– To, jak jesteś taka mądra, przepraszam, świadoma wszystkiego, co się dzieje w twoim życiu, to powiedz mi teraz, ale tak z ręką na sercu, co czujesz?

Widząc minę Dominiki, poczuła, że nie potrafi spełnić jej prośby.

– No mów! – naciskała siostra.

Ona nigdy nie odpuszczała. Chociaż gdyby ktoś obserwował ją teraz z boku, to z pewnością pomyślałby, że jedyną sprawą, na której jej aktualnie zależy, jest zmieszczenie ciasta pozostałego z kremówki w filiżance z herbatą. Dominika uwielbiała jeść ciasto rozmoczone w herbacie. Hanka obserwowała jej zmagania, mając przeświadczenie, że nie wie, jakich użyć słów, żeby opisać wszystko, co czuje. W jej życiu, jakby poza jej udziałem, pojawiło się coś, co po długim okresie emocjonalnej posuchy wyrywało ją z odrętwienia. Nie chciała tego nazywać. Podświadomie uciekała przed werbalizowaniem dopadających ją uczuć. Robiła to chyba dlatego, żeby się nie wystraszyć albo żeby nie oczekiwać na coś, co mogłoby nie nadejść wcale. Asekurowała się. Jadąc do pracy, usłyszała ostatnio piosenkę. W radiu. Nastrojowy i smutny głos powtarzał kilkakrotnie słowa: „Niech ci się miłość nie kojarzy z pożegnaniem". Zasłyszane w porannym pędzie słowa poraziły ją, bo wyjątkowo trafnie oddawały jej stan emocjonalny. Miała dobre chęci. Była pełna nadziei, która potrafiła na długo ogrzać się jednym krótkim spojrzeniem morskich oczu. Ale miała też w sobie silnie zakodowany paniczny strach przed cierpieniem, które mogło z niewyjaśnionych przyczyn pojawić się od nowa w jej życiu. Nagle, ale na długo. Nie mogła do tego dopuścić. Musiała uważać na wszystko. Musiała uważać na życie. Westchnęła głośno.

– Możesz sobie wzdychać, ile chcesz i jak długo chcesz, a ja i tak nie dam ci spokoju. Zbierz się w sobie i gadaj, co czujesz, a zanim zaczniesz, to pomyśl sobie, że nie ma na świecie drugiego ludzia, który zna cię tak dobrze jak ja. Mów! Mów, do cholery! Jeżeli w ciągu minuty nie zaczniesz, to ja ci powiem, co się z tobą dzieje. I zaręczam ci, nie pomylę się ani trochę. I nie nagadam się też jakoś specjalnie, bo użyję tylko jednego słowa. Dosłownie jednego! Może dwóch!

– Nie zamierzam nic powiedzieć, więc nie czekajmy nawet tej minuty. Ty mów, a ja sobie posłucham – zaproponowała zrezygnowana.

– Czyli walkower? – chciała upewnić się Dominika.

Hanka w odpowiedzi tylko wzruszyła ramionami.

– Boisz się przyznać do tego, co czujesz, przede mną czy przed sobą?

Przyjaciółka od serca niestety postanowiła się nad nią poznęcać. Chciała osiągnąć zamierzony cel za wszelką cenę. Po trupach. Hanka siedziała naprzeciwko niej i obserwowała, z jakim smakiem wyjada z talerzyka okruszki. Co prawda, nie czuła się jeszcze jak żywy trup, ale miała świadomość, że przegrywa ten pojedynek na słowa i za chwilę będzie musiała wywiesić białą flagę.

– Boję się sama przed sobą – odważyła się wyznać.

– Widzisz! Udało się! Nic nie przychodzi nam w życiu tak łatwo jak gadanie.

– A oddychanie? – zapytała Hanka bez zastanowienia.

– Pogadaj sobie o tym z chorymi na astmę! Ale przestań pajacować, tylko mów.

– Przecież już ci powiedziałam...

– Sraty pierdaty! – przerwała jej Dominika. – Nic mi nie powiedziałaś! Pomogę ci. Boisz się przyznać przed sobą, że... Że co?

– Że... – chciała przełknąć ślinę. Niestety, jej się to nie udało. W ustach miała Saharę. – Że chyba się zakochałam. – Jesionowe słoje zaczęły tańczyć niebezpiecznie przed jej oczami. Podniosła wzrok i spojrzała wystraszona na Dominikę, na której jej wyznanie nie zrobiło najmniejszego wrażenia.

– Skreśl „chyba"! – powiedziała szybciej niż szybko.

– Dlaczego?

– Bo jest niepotrzebne.

– Nie jestem pewna. – Hanka postanowiła stawić opór apodyktycznej siostrze.

– To ja je skreślam! I mówię, słuchaj uważnie. Zakochałaś się i kropka! I bardzo dobrze! I super! I bez marudzenia! I jedziemy do Pragi!

– I co będziemy tam robić?

– Nie obawiaj się, my z Przemkiem nie będziemy wam wchodzić w paradę.

– Właśnie tego się obawiam.

– Tylko mi nie mów, że się go boisz.

– Nie, nie boję się. Tylko się zastanawiam, jak ja mam mu o wszystkim opowiedzieć. Kiedy?

– Ja opowiedziałam Przemkowi o sobie w noc przed jego wyjazdem do Pragi. W dużym skrócie.

– Widzisz... – Hanka wstała od stołu i odstawiła do zlewu pustą filiżankę. Oparła się o kuchenny blat. Złożyła ręce i patrzyła pytającym wzrokiem na Dominikę.

– Przede wszystkim nie myśl za dużo. Nie musisz mu się przecież od razu spowiadać z całego życia. Przyjdzie odpowiedni moment, to mu powiesz. Nic na siłę. Żadnych nerwowych ruchów.

– Ale ty Przemkowi powiedziałaś... – Chyba się zdenerwowała, bo nagle rozbolała ją głowa.

– Chciałam tylko zauważyć, że ja jestem z Przemkiem chyba w trochę innym miejscu niż ty z Mikołajem. – Dominika odsunęła się z krzesłem od stołu, a jej nogi wylądowały na jego blacie obok brudnych naczyń. – Ale mnie wkurza, że ta moja robota jest taka stojąca. Niedługo na pewno nabawię się żylaków. Powiedz mi, po jasną cholerę ty się tak zadręczasz? Po prostu nie myśl tyle.

– Dominika, ja się nie zadręczam, tylko zastanawiam się, czy to jest w porządku pozwolić człowiekowi zbliżać się do siebie, nie mówiąc mu o sobie całej prawdy.

– Wiesz co? Ty naprawdę jesteś szurnięta. Zachowujesz się, jakbyś miała na sumieniu jakieś przestępstwo albo co najmniej kryminalną przeszłość. Dziewczyno! Ogarnij się! Po prostu nie ułożyło ci się w życiu i nie ma co dorabiać do tego jakiejś porąbanej ideologii. Przyjdzie odpowiedni moment, to mu powiesz, i tyle.

– A jeśli... – zaczęła nieśmiało, jednak jej prawo do głosu było dziś słabo respektowane.

Dominika nie dała jej dojść do słowa.

– Już przestań! Nie myśl w ogóle o tym. Czyste konto. – Dominika otworzyła usta, żeby jeszcze coś dodać, ale na szczęście zadzwonił jej telefon.

Podniosła torebkę leżącą na podłodze obok krzesła i zaczęła energicznie mieszać jej zawartość w poszukiwaniu telefonu. Bezskutecznie. Dzwonek był coraz głośniejszy, a poszukiwania wciąż bezowocne. Dominika wysypała więc zawartość torebki na stół, między stojące na nim półmiski, i rozgarniając ją, znalazła w końcu dzwoniący telefon. Odebrała z uśmiechem.

– Cześć, kochanie! – zaszczebiotała rozanielona.

Hanka nie chciała podsłuchiwać rozmowy kochanków. Postanowiła się w końcu ubrać. Poza tym miała do przemyślenia jedno krótkie, wypowiedziane przez siebie zdanie, które jakimś cudem wydusiła z niej Dominika. To chyba dobrze, że je wypowiedziała, nie mając na względzie tak naprawdę oczekiwań Dominiki. Wydawało się jej, że zrobiła duży krok naprzód. Był to krok ryzykowny, ale bardzo prawdziwy. Bez udawania. Idąc, zatrzymała się nagle na schodach. Obejrzała się za siebie. Dominika siedziała na stole zasypanym teraz drobiazgami z jej torebki. Nogi trzymała na krześle. W ciszy i skupieniu słuchała Przemka. Hanka chwyciła się poręczy schodów i przeniosła wzrok w miejsce, w którym ostatnio stał Mikołaj. Dzisiaj było puste. Szkoda. Nie wiedziała, nawet nie zauważyła, kiedy się zaangażowała. Ruszyła na górę. Słyszała głos Dominiki, ale nie potrafiła usłyszeć jej słów. Najważniejsze, że dzięki jej uporowi usłyszała dziś siebie samą. Trochę wbrew sobie, ale jednak usłyszała.

Stał w przedpokoju swojego mieszkania. Był tak wykończony, że najchętniej położyłby się już tutaj, na podłodze. Spędzili z Przemkiem bardzo intensywny weekend w Pradze. Obejrzeli wszystkie rozpoczęte realizacje ich potencjalnego inwestora. Przyglądali się terenowi, na którym miał stanąć szpital. Przemek po złożeniu dokumentacji odzyskał pewność siebie i zachowywał się tak, jakby wygraną w konkursie mieli w kieszeni. Mikołaj, chociaż wiedział, że ich pomysł na szpital jest bardzo dobry i doskonale dopracowany w każdym szczególe, był sceptyczny. Elementem osładzającym mu pobyt w Pradze była wiadomość od Hanki. Czytał ją prawie bez przerwy. Wyłączając czas, gdy jego prywatny telefon przejmował w swoje łapska Przemek i konwersował z Dominiką. Wczorajszy sobotni wieczór spędzili na bezsensownym, przynajmniej w jego wypadku, alkoholizowaniu się. Dzisiaj od rana nie mógł patrzeć na jedzenie. Czuł się fatalnie. Zerknął na swoje odbicie w lustrze. Może nie nadawał się ze swoją twarzą do odgrywania bohatera horroru, ale nie znaczyło to, że wyglądał dobrze. Pod oczami rysowały mu się podkowy stalowego koloru. Skóra na twarzy przybrała ziemisty odcień. Był chyba nawet trochę odwodniony, ale nie mógł nic przełknąć w obawie przed męczącymi wymiotami. Patrząc na siebie kolejny raz, obiecywał sobie, że nigdy więcej nie da się Przemkowi namówić na taką demolkę własnego organizmu. Po nieprzespanej nocy i dniu spędzonym, jak to się Przemek poetycznie wyraził, na straszeniu sedesu, na nic nie miał sił. Musiał coś zrobić, żeby wrócić do krainy żywych, w której jakby nigdy nic obracał się wciąż Przemek. Był alkoholowym mocarzem. Mógł wypić wieczorem morze alkoholu, a rano wsuwał w hotelowej restauracji jajecznicę na boczku.

Mikołaj położył na podłodze niezbyt dużą torbę podróżną, która ciążyła mu tak, jakby była okrętowym kontenerem. Zdjął kurtkę. Wolnym krokiem przeszedł przez salon. Wszedł do sypialni, która przywitała go rozbebeszonym łóżkiem, i runął na nie tak, że pomimo solidnego wykonania wydało złowrogi pomruk prawie pękającego drewna. Leżał bez ruchu, przez dłuższą chwilę walcząc z powracającymi co jakiś czas mdłościami. Chciał wstać, przynajmniej się rozebrać. Rano nawet się nie wykąpał. Nie miał siły. Marzył o doprowadzeniu się do porządku, ale ciało odmawiało mu posłuszeństwa. Leżał więc jak skóra niedźwiedzia i pluł sobie w brodę, że kolejny raz okazał się kretynem, który nie uczy się na własnych błędach. Wiedział doskonale, że jego organizm nie toleruje wódki. Jednak nie chcąc sprawiać Przemkowi przykrości, napił się z nim tej strażackiej, bo wypalającej mu wnętrzności, ognistej nalewki. Nagle jego wrażliwe dziś uszy usłyszały gong telefonu wprawiający jego głowę w niebezpieczne dla życia drgania. Zerknął na stojący przy łóżku budzik. Wskazywał dwudziestą dwadzieścia. „Urodziny godziny”, pomyślał, zastanawiając się, czy ma siłę na to, żeby pokonać odległość dzielącą go od kurtki, w której zostawił telefon. Dzwonek telefonu wwiercał mu się w mózg, a on nie był w stanie się nawet poruszyć. Jednak ten, kto chciał z nim porozmawiać, nie dawał tak łatwo za wygraną. Dosłownie na moment przerwał próbę połączenia, po czym wytrwale ją wznowił. Mikołaj miał wrażenie, że telefon robi coraz większy hałas. Teraz był dźwiękiem wiertarki udarowej pracującej tuż przy jego skroni. Walcząc z mdłościami, wstał i poczłapał do przedpokoju, wspierając się od czasu do czasu o ścianę. Powoli wyjął z kieszeni kurtki źródło swojego braku spokoju. Zdrowo skołowany, zerknął na nie i przekleństwo samo usiadło mu na ustach. Jeszcze tylko tego brakowało.

– Cześć, mamo – nawet nie silił się na lekki i przyjemny dla ucha głos.

– Mikołaj, co ci jest? Jesteś chory? – Jego matka nawet na odległość działała jak najlepszy w swym fachu detektyw.

– Niedobrze mi, chyba zatrułem się czymś w samolocie.

– O Matko Boska! A co jadłeś?

– Spokojnie, mamo. Nie jest tak źle. Potrzebuję się po prostu położyć i to przespać – lawirował nieudolnie.

– Ja nie pytam, czego teraz potrzebujesz! Pytam, co jadłeś?

Mama zrobiła się nagle stanowcza, czyli mógł przypuszczać, że wyczuła pismo nosem.

– Jakąś kanapkę – powiedział na odczepnego.

– A może ty tę kanapkę, synuś, czymś nieodpowiednim popiłeś? – zapytała drwiąco.

– Mamo, proszę cię... – szepnął i poczłapał z telefonem przy uchu w kierunku sypialni.

– Zaparz sobie mięty albo, nawet lepiej, napij się zwykłej czarnej herbaty. A teraz mnie posłuchaj. Wczoraj ojciec spędził cały dzień na zakupach z Mateuszem. Kupili buty, krawat i koszulę, ale żadnego garnituru. Ja już nie mam do niego siły...

– Do kogo? – zapytał nieprzytomnie.

– Do jednego i drugiego. Obiecaj mi, że w najbliższą sobotę rano zabierzesz gdzieś Mateusza i wmusisz w niego jakiś garnitur, bo ojcu się nie udało. A przecież nie może wystąpić na studniówce w dżinsach. Chociaż miał już dzisiaj taki pomysł.

Leżał na łóżku ze wzrokiem utkwionym w suficie i był w stanie dla świętego spokoju obiecać wszystko i wszystkim. Dlatego przyrzekł mamie, że się zajmie garniturem Mateusza, dokładnie w chwili gdy jego łóżko zachowywało się jak helikopter chcący z zawrotną prędkością osiągnąć rekordową wysokość.

– Tak, mamo, obiecuję – powtarzał już któryś raz z kolei. – Przyjadę po niego w sobotę pomiędzy dziewiątą a dziesiątą. Tak, mamo, pa. Zrobię sobie na pewno, pa.

Skończył rozmowę. Nie był pewien, czy mama chciała jeszcze coś dodać. Była na niego zła, to jasne. Doskonale wyczuła, że jego stan nie miał charakteru kulinarnego. Tego był pewien. Leżał na łóżku na wznak. Musiał przymknąć powieki, bo żyrandol, na który właśnie spoglądał, zaczął wykonywać nieregularny ruch wahadłowy, z fizycznego punktu widzenia niemożliwy. Marzył o śnie, który teraz byłby wybawieniem ze szponów targającej nim niemocy. Mama jednak nie chciała dać mu czasu na dojście do siebie i znowu dzwoniła. Pewnie o czymś sobie jeszcze przypomniała, co oczywiście nie mogło poczekać na jego powrót do krainy żywych. Kolejny raz dźwięk telefonu drażnił jego nadwrażliwe dziś zwoje nerwowe. Jedyny pozytywny aspekt tej sytuacji polegał na tym, że nie musiał nigdzie szukać telefonu, który coraz dynamiczniej wibrował w jego dłoni. Nie otwierając oczu, odebrał. Przytknął go sobie do ucha, ciesząc się, że przestał w końcu hałasować.

– Mamo, naprawdę nie musisz się niczym przejmować. Już mi trochę lepiej.

– Cześć, Mikołaj – usłyszał jej głos. – Tu Hanka.

Otworzył oczy i popatrzył na żyrandol, który tym razem nie wykonywał żadnych rozbujanych ruchów.

– Cześć, Haniu, przepraszam cię, ale myślałem, że to moja mama.

– To tylko ja. Postanowiłam zatelefonować, bo dowiedziałam się od Dominiki, że w Pradze zatrułeś się alkoholem. Przykra sprawa... – powiedziała ze zrozumieniem.

– Umieram – przyznał się. – Nawet sobie nie wyobrażasz, jakim jestem kretynem – postanowił nie oszczędzać się podczas tej rozmowy.

– Nie przesadzaj, każdemu może się przydarzyć coś takiego. Mam na myśli oczywiście zatrucie... Ja na przykład unikam alkoholu, bo za każdym razem jestem po nim chora.

– To identycznie jak ja – wszedł jej w słowo – tylko jestem od ciebie głupszy. Wczoraj Przemkowi udało się mnie namówić do złego i dziś... Szkoda gadać. W samolocie myślałem, że umrę.

– Telefonuję, żeby ci powiedzieć, co musisz zrobić, żeby w miarę szybko ci przeszło.

– Z tym chyba nie można nic zrobić – powiedział załamany.

– Mój tato też zawsze chorował po alkoholu i mama leczyła go wtedy sodą oczyszczoną. Nadzwyczaj skutecznie.

– Sodą? – Nie był pewien, czy dobrze usłyszał. Chyba rzucało mu się na uszy.

– Tak – potwierdziła. – Masz gdzieś w pobliżu otwartą aptekę? – zapytała wprost.

– Mam.

Słyszał jej głos, ale nie mógł uwierzyć, że do niego zadzwoniła.

– Więc musisz się zdobyć na heroiczny wysiłek i się do niej przespacerować. Chłodne powietrze na pewno dobrze ci zrobi. Kup sobie sodę oczyszczoną. Jak wrócisz do domu, nalej do szklanki ciepłej wody, nie gorącej, rozpuść w niej płaską małą łyżeczkę sody i wypij to, nie zważając na niezbyt przyjemny smak. Wiem, że w twoim stanie nie będzie to najłatwiejsze, ale musisz się postarać. Dla dobra sprawy. Zaręczam ci, że jeżeli uda ci się szybko zasnąć, to jutro nie będziesz pamiętał o dzisiejszych sensacjach żołądkowych. – Na chwilę umilkła. – Jesteś tam?

– Jestem – odpowiedział zmęczonym głosem. – Ale czuję się tak, że lepiej, żeby mnie nie było.

– Znajdziesz siłę, żeby pójść do apteki?

– Jeżeli ma mi to pomóc, to znajdę. Dziękuję, że zadzwoniłaś.

Hanka, jakby nie słysząc ostatniego zdania, które wypowiedział, pożegnała się szybko. Stanowczo za szybko. Niestety. Zdążył jeszcze tylko zarejestrować, że życzyła mu zdrowia. Gapił się na nieruchomy żyrandol i zastanawiał, czy to możliwe, żeby jej na nim zależało. Przecież gdyby tak nie było, to miałaby w głębokim poważaniu fakt, że się poniewierał do granic możliwości. Zerknął na buty, których nie miał siły zdjąć po wejściu do mieszkania. Teraz cieszył się, że tego nie zrobił. Pomimo pojawiających się średnio co kilka minut zawrotów głowy wstał i rozpoczął powolną wędrówkę do apteki po panaceum, które poleciła mu jego dziewczyna. Idąc, powtarzał w myślach nie jej imię, tylko słowo „dziewczyna". Musiał to robić, żeby znajdować w sobie siłę do stawiania kolejnych kroków. Przecież nie musiała do niego dzwonić. Mogła nie przejąć się tym, co się z nim działo. Zwłaszcza że już kiedyś powiedziała mu, że nie chce się narzucać. Pamiętał to dobrze. Dobrze, że na dworze nie wiało bo mógłby się nie utrzymać na chodniku. Miał szczęście, apteka była blisko. Chociaż dzisiaj to blisko było szczególnie daleko. Zobaczył podświetlony na czerwono neon informujący, że apteka była czynna dwadzieścia cztery godziny na dobę. W jego głowie czerwonym światłem świecił neon z napisem „Hania". Jego czerwień dodawała mu sił. A może czerpał je jedynie ze świadomości, że myślała o nim? Musiała to robić, skoro zadzwoniła. Postanowił, że jeżeli dożyje do soboty, to pojedzie z Mateuszem po garnitur, tak jak prosiła go mama. A wieczorem będzie udawał dobrego brata, który chce udokumentować taniec Mateusza, i pod pozorem robienia zdjęć też pójdzie na rozpoczęcie studniówki. Zrobi jej zdjęcia. Mnóstwo zdjęć, ponieważ to jedno, które miał, przestało mu wystarczać. Nie widział na nim jej oczu. Napstryka zdjęć, a później będzie mógł je wciąż oglądać. Będzie mógł ją zobaczyć, kiedy tego zapragnie. Na zdjęciach. Na razie tylko na zdjęciach.

– Słucham pana? – zapytała wpatrzona w niego biała pani z okienka.

– Poproszę sodę oczyszczoną – powiedział trzeźwym głosem, który brzmiał głośno i wesoło. Usłyszał się i zrozumiał, że nieprawdą było to, co powiedział kiedyś do Przemka. On nie był chory na Hankę, on po prostu...

Aptekarka podała mu małą papierową torebkę i uśmiechając się, położyła na ladzie sproszkowaną odtrutkę. Zaczął szukać portfela. Nerwowo oklepał wszystkie kieszenie i nic. Portfel został w domu. Chyba w torbie od laptopa.

– Zapomniałem portfela – sapnął załamany, spoglądając na spokojną magister farmacji.

Przyglądała mu się z lekkim uśmiechem na twarzy.

– Zakochany... – pokręciła głową ze zrozumieniem. – A przyniesie pan jutro? – zapytała.

– Oczywiście – uśmiechnął się zdziwiony. Myślał, że będzie musiał drałować jeszcze raz.

Ścisnął w ręku sodę, która miała mu pomóc, łącząc się z nim w bólu i niemocy. Musiało się tak stać. W końcu tak uważała Hanka.

– Mikołaj! Popatrz, jaki on jest przystojny – mama z nieskrywanym uwielbieniem patrzyła na Mateusza, który brylował w towarzystwie rówieśników.

Zamiast jej posłuchać, Mikołaj obserwował jej wzruszenie. Wszyscy dookoła byli odświętnie ubrani. Za chwilę miała się rozpocząć studniówka. W powietrzu było czuć emocje maturzystów, którzy lada moment mieli zaprezentować się w tańcu. Miał wrażenie, że bierze udział w wielkiej gali. Brakowało tylko czerwonego dywanu. Był mocno zaszokowany wyglądem koleżanek Mateusza. Za jego czasów dziewczyny na studniówce były ubrane w białe bluzki i ciemne spódnice. Jedna z jego koleżanek miała na sobie, co prawda, czarną sukienkę, ale została z tego powodu obwołana ekstrawagancją wieczoru. Tegoroczne maturzystki wyglądały nieziemsko. Były przede wszystkim ufryzowane. Ubrane w suknie o najdziwniejszych fasonach i kolorach. Patrząc na to wszystko, miał pewność, że świat zrobił dwudziestoletni krok do przodu, nie przejmując się wcale tym, że od jego studniówki minęło dopiero dziesięć lat. Słyszał rozmowy, śmiechy i odgłosy fleszy aparatów fotograficznych. Mama stała obok i cały czas coś do niego mówiła. Była zdenerwowana, dlatego udawał, że jej grzecznie słucha. Ojciec spotkał jakiegoś znajomego i rozmowa z nim pochłonęła go całkowicie. Nie rejestrując w ogóle słów mamy, rozglądał się gorączkowo po sali w poszukiwaniu Hanki. Czuł się prawie tak jak wtedy, gdy czekał na nią przed balem sylwestrowym. Dziś miał jednak przekonanie, że ją zobaczy. Po ostatniej rozmowie telefonicznej nie miał z nią kontaktu. Próbował dzwonić, ale była poza zasięgiem. Później nie miał już odwagi ponowić telefonu. Teraz, spełniając prośbę mamy, podążył wzrokiem w kierunku, w którym patrzyła. Zobaczył Mateusza w przepięknym granatowym garniturze, na którego poszukiwania poświęcił dzisiejsze przedpołudnie. Musiał przyznać, że jego młodszy brat wyróżniał się z tłumu. Był wyjątkowo przystojny, dlatego kłębiący się wokół niego tłum roześmianych dziewcząt nie był z pewnością dziełem cudownego przypadku.

– Boże, jaki on jest do ciebie podobny! – szepnęła mama.

Kiedyś najeżyłby się, słysząc coś takiego. Dziś odebrał te słowa jako wyjątkowy komplement. Jednak to, co dostrzegł w tej chwili w spojrzeniu brata, poraziło go swoją oczywistością. Miał pewność, że Mateusz, podobnie jak on, szukał w tej chwili w otaczającym ich tłumie jednej osoby. Niestety, ona wciąż się nie pojawiała albo nie mógł jej odnaleźć. Tłum gęstniał. Ludzi przybywało z minuty na minutę. Zerknął na zegarek. Do dwudziestej zostało tylko pięć minut. Zaczął się niepokoić. Wiedział, że Hanka nie jest typem kobiety, która lubi się spóźniać tylko dlatego, żeby mieć wielkie wejście, odnotowane przez wszystkich uczestników imprezy. Popatrzył na Mateusza i się przeraził. Zobaczył w nim samego siebie. Prawie identycznie przeczesywali skupionym wzrokiem coraz bardziej falujący tłum.

– No i co tam? – szepnął mu znienacka do ucha ojciec. – Nawet niezłe widoki – uśmiechnął się do niego porozumiewawczo.

W tej samej chwili Mikołaj zauważył, że mama popatrzyła karcącym wzrokiem na swojego ciut za bardzo rozochoconego męża.

– Uspokój się! – rozkazała poważnym tonem. – Przecież to mogłyby być twoje córki!

Ojciec, jak na prawnika przystało, nie dał się zbić z pantałyku.

– Ale nie są, kochanie! – szepnął zadowolony.

– Uspokój się – powtórzyła już spokojniej mama. – Stań ładnie przy starej żonie i skup całą uwagę na swoim synu, który zaraz zaprezentuje nam się w tańcu.

Ojciec zrobił dokładnie wszystko, o co poprosiła go mama.

– Mikołaj, tylko zrób dużo zdjęć, ładnych – poprosiła coraz bardziej wzruszona.

Nagle na sali zrobiło się cicho. Uczniowie, nie wiadomo kiedy, ustawili się w pary. Polonezowa partnerka Mateusza miała na sobie czerwoną sukienkę, co oczywiście nie umknęło uwagi mamy.

– Za moich czasów czerwień na studniówce była niedopuszczalna, karygodna – szepnęła i zgorszona, pokręciła głową.

– Basiu, ale kiedy to było? – ojciec oczywiście musiał wtrącić swoje pięć groszy, na szczęście zrobił to z uśmiechem i czule przytulił mamę.

Mikołaj uwielbiał, gdy się tak przekomarzali. Byli wtedy wciąż młodzi i zakochani. Z oddali zobaczył skądinąd dobrze mu znanego pana dyrektora, który nie siląc się na długie i nudne przemówienie, powiedział tylko, że poloneza czas zacząć... Z głośników popłynęła piękna muzyka, w której takt parkiet natychmiast wypełnił się młodzieńczym korowodem.

– Mikołaj, rób zdjęcia – szeptała nerwowo mama, majstrując chusteczką przy oczach.

Zerknął na ojca podążającego wzrokiem to za oddalającą się, to znów zbliżającą w ich kierunku sylwetką Mateusza. Musiał przyznać, brat w chodzonym prezentował się dostojnie, dając jednocześnie dowód na to, że posiadał doskonałe wyczucie rytmu. Tańczył z ogromną swobodą i lekkością. Mikołaj nie mógł uwierzyć, że jego mały brat, z którym do niedawna toczył boje, nie wiadomo kiedy stał się mężczyzną. Dlatego nie mógł lekceważyć tego, co dostrzegł dzisiaj w jego poszukiwawczym spojrzeniu. Tańcząca młodzież wyczyniała na parkiecie różne figury, przejścia i kombinacje.

– O! Janusz! Popatrz! – usłyszał szept mamy, chociaż był skierowany do ojca. – Po lewej stronie, przy kolumnie, stoi ta polonistka, w której podkochuje się nasz Mateusz.

Zamarł, słysząc te słowa. Dobrze, że trzymał się aparatu. Jak to możliwe, że jej nie zauważył? Był przekonany, że jeszcze sekundę temu nie stała tam gdzie teraz. Patrzył na nią oniemiały.

– Która to? – zapytał żywo zainteresowany ojciec.

– Ta w białej bluzce i czarnej spódnicy – wytłumaczyła bardzo szybko mama, a ojciec odnalazł wzrokiem w tłumie Hankę.

– W życiu nie domyśliłbym się, że to nauczycielka – ojciec bardzo trafnie skomentował wygląd Hanki. – Taka młoda?

– A co ty myślałeś? Przecież gdyby była stara, to nasz Mateusz nie zwróciłby na nią uwagi.

– Wygląda jak uczennica. Jest naturalniejsza niż niejedna z tancerek.

– A żebyś wiedział, jaka miła, jaka delikatna...

Mikołaj przysłuchiwał się rozmowie rodziców i czuł, że dłużej tego nie wytrzyma. Dzięki Bogu, po chwili zachwytów znów skupili całą swą uwagę na Mateuszu. Wykorzystał ten moment i skierował obiektyw w stronę Hanki. Zaczął robić jej zdjęcia. Jedno po drugim. Podobnie jak tamtego dnia na plaży, nie była świadoma, że ktoś chce w tej chwili zatrzymać ją zamkniętą w obrazie, do którego będzie mógł wracać, gdy tylko tego zapragnie. Wyglądała cudownie. Musiała się spóźnić. Na policzkach miała lekkie mrozowe rumieńce. Była ładnie uczesana, jak na sylwestra, ale chyba nie tak samo. Mama miała rację. Wyglądała raczej jak maturzystka, a nie pani profesor. W ręku trzymała maleńką czarną torebeczkę pasującą doskonale do jej stroju. Wyglądała bardzo skromnie, pewnie dlatego wyróżniała się w tłumie. Zresztą odkąd ją zobaczył, nie dostrzegał już nikogo poza nią. Patrzył na nią jak zahipnotyzowany. Chciał do niej podejść, ale nie wiedział, jak to zrobić. Młodzież kończyła tańczyć, a oni stali po przeciwnych stronach parkietu, nawet nie naprzeciwko siebie. Bał się, że za chwilę zgubi ją w tłumie. Zrobił jeszcze kilkanaście zdjęć. Patrzyła na tańczących ze wzruszonym uśmiechem. Nieoczekiwanie, w spontanicznym geście, złożyła ręce jak do modlitwy i podążała wzrokiem za maturzystami, którzy opuszczali parkiet wśród braw całkowicie zagłuszających ostatnie takty poloneza.

– To już jest koniec. Nie ma już nic. Jesteśmy wolni. Możemy iść – zaśpiewał swobodnie ojciec, a mama zmroziła go spojrzeniem.

– Mikołaj, może wpadniesz do nas teraz na kolacyjkę? – jej głos był nad wyraz proszący.

Pomyślał od razu, że na pewno chciałaby mieć dzisiaj wieczorem w domu chociaż jedno dziecko. Duże, bo duże, ale dziecko. Nie lubił jej odmawiać, ale wykręcił się nadmiarem pracy i chęcią zrobienia jeszcze kilku zdjęć Mateuszowi. Tym ją przekonał.

– To jutro na obiad?! – mama nie dawała za wygraną, a on nie miał ani chwili do stracenia, dlatego nie myśląc wiele, zgodził się natychmiast.

– W takim razie o czternastej – zdążyła szybko powiedzieć, bo ojciec ciągnął ją już w kierunku szatni. Nie znosił tłumu.

W końcu został sam. Wciąż spoglądał w jej stronę, bojąc się, że mu ucieknie. Rozmawiała z jakąś kobietą odwróconą do niego tyłem. Podjął męską decyzję i postanowił podejść do niej, choć na chwilę. Zaczął przeciskać się w jej kierunku. Wydostał się z tłumu na parkiet, na którym było dużo luźniej. Jeszcze tylko kilka kroków. Idąc, został kilka razy potrącony albo może to on potrącał. Nie wiedział. Widział tylko Hankę, była coraz bliżej. Gdy dzieliło go od niej tylko kilka kroków, zauważył, że to rozmowa z Aldonką wprawiała ją w bardzo dobry nastrój i pochłaniała bez reszty jej uwagę.

– Dobry wieczór – powiedział cicho. Nie był pewien, czy powinien im przeszkadzać.

– Dobry wieczór. Zastanawiałam się, czy do mnie podejdziesz – musiała zauważyć go wcześniej.

– Dobry wieczór – powtórzył, patrząc tym razem na Aldonkę, która w czarnej, długiej do kostek sukni w niczym nie przypominała tej Aldonki, jaką widział kiedyś u Hanki. Nic dziwnego, że nie poznał jej od razu.

– A, dobry wieczór panu. To ja uciekam – Aldonka zerknęła na niego, później na Hankę. – Zajmę ci miejsce obok siebie. Czy tego chcesz czy nie! – odwróciła się na pięcie i wmieszała w tłum.

– Widzę, że doszedłeś do siebie – spoglądała na niego z uśmiechem, jakby nie dostrzegając emocji, które rozkładały go teraz przed nią na obie łopatki.

– Pięknie wyglądasz – wydukał, nie mogąc oderwać od niej oczu.

– Dziękuję. Jesteś bardzo miły.

– Nie miły, tylko szczery – palnął.

– Soda pomogła? – zgrabnie zmieniła temat.

– Gdyby nie twoja rada, to chyba bym tego nie przeżył. – Nie widział niczego, co działo się wokół nich. Miał wrażenie, że byli sami. – Dzwoniłem do ciebie w poniedziałek, żeby ci podziękować, ale byłaś poza zasięgiem.

– Ja? – zrobiła zdziwioną minę. – Poza zasięgiem? Niemożliwe – utkwiła na chwilę wzrok gdzieś w przestrzeni za jego plecami. – O, pan dyrektor, mam nadzieję, że nie zauważył mojego spóźnienia.

– Stało się coś? – zapytał szybko. Nie chciał, żeby poświęcała swoją uwagę dyrektorowi. Był zazdrosny.

– Wiesz, ja jestem pechowa. Ostatnio, jeżeli muszę być gdzieś punktualnie, to zawsze się coś wydarzy. Byłam dzisiaj na zakupach i wszystko było w porządku. A wieczorem, jak weszłam do garażu, to okazało się, że w lewym przednim kole złapałam gumę. Więc musiałam zamówić taksówkę. Potem okazało się, że taksówkarz... – zrezygnowana machnęła ręką. – Nie chce mi się nawet do tego wracać.

– I bardzo dobrze! – skwitował zadowolony.

– Co bardzo dobrze?

– Będę mógł cię odwieźć po balu do domu! – szepnął stanowczo.

– Mikołaj, nie wygłupiaj się. Wrócę taksówką.

– Ale ja w życiu nie byłem taki poważny. Odwiozę cię i jeżeli pozwolisz, zmienię ci koło.

– Ale... – zaczęła.

– Żadnego ale! – uciął. – Jadę teraz do siebie. Jeżeli uznasz, że masz dosyć zabawy, to po prostu do mnie zadzwoń, a ja przyjadę po ciebie szybciej niż najszybsza stołeczna taksówka.

Już otwierała usta, jednak znów był pierwszy. Jej spokojny sposób mówienia zawsze był jego wielkim sprzymierzeńcem. Potrafił wejść jej w słowo, gdy tylko tego chciał.

– Obiecaj, że zadzwonisz... – popatrzył na nią prosząco, używając spojrzenia, które testował zwykle na swojej mamie, gdy chciał ją zaczarować.

– Obiecuję – spojrzenie zadziałało.

– Pani profesor... – dał się słyszeć z daleka młody głos, który na szczęście nie należał do Mateusza.

Zdążył jednak zauważyć, że zbliżający się do nich młodzieniec był równie przystojny jak jego brat.

– To pa! – szepnął szybko i słysząc jej ciche „pa", ulotnił się.

Szybkim krokiem skierował się w stronę tłumnie okupowanej szatni. Stanął grzecznie na końcu długiej kolejki. Obracał w dłoni metalową blaszkę z numerkiem i był przekonany, że dopada go paranoja. Wydawało mu się, że każdy mężczyzna patrzący na Hankę jest w niej zakochany. Mateusz, uczniowie, przystojny brunet, którego natrętne spojrzenie nie uszło jego uwagi. Nawet ojciec. Może miał paranoję, ale był też z siebie zadowolony. Nareszcie udało mu się odpowiednio zachować. Sam, osobiście, załatwił sobie możliwość odwiezienia jej do domu. Nie maczali w tym palców ani Dominika, ani Przemek. Był dumny z własnej odwagi i z tego, że znów mógł coś dla niej zrobić. Oddał numerek i szybko ubrał się w odzyskaną kurtkę. Wyszedł z hotelu, w którym rozpoczynała się zabawa. Usłyszał muzykę dokładnie w chwili, gdy poczuł na skórze twarzy chłód całkiem pogodnej nocy. Cały dzień padał śnieg, a teraz zobaczył nad sobą bezchmurne, ciemne, rozjaśnione drobną kaszką gwiazd niebo. W pobliżu hotelu zwalniały się właśnie dziesiątki miejsc parkingowych. Jeszcze pół godziny temu były nieosiągalne. Jemu udało się zaparkować bardzo blisko wejścia do hotelu. Wsiadł do samochodu. Nie miał ochoty nigdzie jechać. Miał dobry punkt widokowy. Widział wszystko, co się działo na parkiecie sali balowej.

Do młodzieży zgromadzonej przy stolikach przemawiał pan dyrektor. Niektórzy nawet nie udawali, że słuchają. Lustrował stoliki w poszukiwaniu Hanki. Teraz okazał się większym szczęśliwcem niż wtedy, gdy był chwilowym uczestnikiem imprezy. Nie spodziewał się nawet, że tak szybko ją dostrzeże. Niestety, jego dobry humor szybko ustąpił miejsca poirytowaniu. Istotnie, Hanka siedziała przy stoliku obok Aldonki, ale po jej drugiej stronie mościł się przystojny brunet. To, co zobaczył, sprawiło, że poczuł ogromną chęć, żeby poczekać na telefon od niej tutaj, we własnym samochodzie. Chciał na nią patrzeć, nie obawiając się, że ktoś może to zobaczyć. Chciał jej pilnować. Dopiero specyficzny ból w kostkach rąk uświadomił mu, że zbyt mocno ściska trzymaną w dłoniach kierownicę. Spokojnie, tylko spokojnie! Uspokajał sam siebie. Przecież nie działo się nic złego. Patrzył na Hankę, która, jakby nie zważając na mówiącą wciąż do niej Aldonkę, wpatrywała się w perorującego pana dyrektora. Była kulturalna. Dyrektor wygłaszał przemówienie. Wypadało go więc z szacunkiem wysłuchać. Zaczęła bić brawo. Oznaczało to, że krawaciarz zakończył swoją tyradę. Między stolikami, w jego pojęciu bezszelestnie, zaczęli krążyć kelnerzy, roznosząc dania. To, co obserwował, w niczym nie przypominało jego studniówki zorganizowanej, tak zwanym własnym sumptem, w szkole. Denerwujący go samą obecnością „brunet wieczorową porą" wciąż przyglądał się Hance, co nie przeszkadzało mu pałaszować z apetytem chyba jakiejś zupy. Przez dłuższą chwilę szukał wzrokiem Mateusza. Bezskutecznie. Zazdrościł mu, że mógł tam teraz być, a nie jak on ukrywać się ze swoimi spojrzeniami. Patrzył na Hankę, która niestety z zaciekawieniem przyglądała się brunetowi. Aldonka też wlepiła w niego swoje wciąż śmiejące się oczy. Widząc to, czuł się bezsilny i bezradny. Zupełnie jak wtedy, gdy obserwował Hankę na plaży i nie wiedział, co dalej począć. Chciał ją mieć tylko dla siebie. Chciał, żeby patrzyła tylko na niego, rozmawiała tylko z nim. Zwłaszcza że wiedział już, jak to jest, gdy trzyma się ją na rękach. Wiedział, jak wygląda, gdy śpi. Pamiętał jej delikatną skórę na policzkach. Wciąż było mu mało. Na parkiecie, jak grzyby po deszczu, zaczęły wyrastać przytulone do siebie pary. Muzyka musiała być spokojna, bo tańczący kołysali się leniwie. Obserwował, jakby to określiła mama, tango przytulango. Wpatrywał się w młode dziewczyny w ramionach swoich ukochanych. Poczuł się dziwnie stary. Czas mijał, życie się kurczyło, a on tylko obserwował innych, gdybając. Z zapatrzenia wyrwało go delikatne pukanie w szybę samochodu. Na początku zobaczył tylko rękę, a zaraz po niej ukazała mu się duża twarz policjanta, który przyglądał mu się obojętnym wzrokiem. Mikołaj otworzył okno.

– Słucham?

– Wszystko w porządku? – zapytał oficjalnie młody stróż prawa.

Ten też był od niego młodszy. Poczuł się tak, jakby wszyscy na ziemi byli od niego młodsi i mieli ułożone i stabilne życie uczuciowe. Był odmieńcem zaciskającym wciąż ręce na kierownicy.

– Tak, w porządku – odpowiedział niezbyt przytomnie.

Chyba wydał się policjantowi dziwną składową jego służbowego rewiru, bo wylegitymował go, sprawdził dokumenty pojazdu i poszedł w swoją stronę.

Mikołaj zerknął na zegarek. Przed dużymi oknami sali balowej hotelu zauważył dwóch pijaczków, którzy podpierając się nawzajem, ledwie szli. Nie mógł usłyszeć, co do siebie mówili. Był jednak przekonany, że poziom upojenia alkoholowego, który obaj reprezentowali, pozwalał im jedynie na wydawanie z siebie nieartykułowanych, bełkotliwych dźwięków. Oderwał od nich wzrok i spojrzał na stolik, przy którym jeszcze przed sekundą siedziała Hanka. Teraz jej miejsce było puste. Odetchnął z ulgą, gdy zauważył, że brunet rozmawia z Aldonką i jeszcze jakąś jedną koleżanką, która kokietowała go rozbawionym wzrokiem. Brunet, choć niczym mu w nie zawinił, irytował go jak mało kto. Niestety, ulga, którą poczuł, nie trwała długo. Obrazek, który teraz zobaczył, podziałał na niego z taką siłą rażenia jak co najmniej krzesło elektryczne na skazańca. Nie mógł uwierzyć w to, co zobaczył. Poczuł ból w zaciskających się szczękach. Poczuł ból całego ciała. Fizyczny ból będący błyskawiczną reakcją na widok ręki Mateusza dotykającej pleców Hanki. Patrzył i nie wierzył własnym oczom. Hanka tańczyła z Mateuszem. Mało! Uśmiechała się do niego i z nim rozmawiała. Lewą ręką dotykała jego ramienia ubranego w marynarkę, której kilka godzin temu sam dotykał, dokonując zakupu. Jej prawa dłoń spoczywała na otwartej ręce Mateusza. Patrzył na tę niemą scenę i po cichu trafiał go szlag. Nie był w stanie logicznie myśleć i tłumaczyć sobie, że to tylko taniec. Jeden, nic nieznaczący taniec. Nie mógł tego zrobić, bo za dobrze razem wyglądali. Wydawała się przy nim bardzo kobieca i zwiewna. Mateusz był poważny, chyba lekko spięty i zabójczo przystojny. Dobrze, że nie widziała tego mama, bo z pewnością skomplementowałaby tę parę jak z obrazka. A on by tego nie przeżył. Czuł buzującą w żyłach krew. Czuł się podle. Jednocześnie w jego głowie dokonywało się teraz swoiste przewartościowanie metod, które miały go doprowadzić do Hanki. Były do niczego. Wszystko było do niczego. Wszystko było nie tak. Czuł się beznadziejnie. Ich taniec działał na niego jak płachta na byka. Na parkiecie zrobiło się małe zamieszanie. Jedne pary z niego schodziły, a ich miejsce zajmowały inne, spragnione bliskości. „Zmiana piosenki", pomyślał chłodno. Nie miał jednak w związku z tą zmianą żadnych powodów do radości. Nowy utwór nie dokonał cudu i niestety nie wyciągnął Hanki z objęć Mateusza. Gorzej! Miał wrażenie, że jego rozochocony brat przyciskał ją do siebie coraz mocniej, bo dystans między ich ciałami zmniejszał się niebezpiecznie. Szeroka spódnica Hanki oplatała, niczym bluszcz, długie nogi Mateusza. Przynajmniej przestali z sobą rozmawiać. Pomyślał, że mogłoby w tej chwili zabraknąć prądu. Studniówka *unplugged*! Fiksował, patrząc na Hankę. Ciekawe, czy zachowywałby się tak samo, gdyby tańczyła z kimś innym? Jedno wydało mu się jasne. Jego brat też był w niej zakochany. Coś, co jakiś miesiąc temu było niezbyt logicznym spostrzeżeniem mamy, dziś przybierało dla niego formę faktu, którego był naocznym świadkiem. Mateusz nie przytulał w tańcu żadnej koleżanki. Od razu zastartował do nauczycielki. Mikołaj znał go doskonale. Mateusz nie poczekał, aż zabawa się rozkręci. Miał wszystkich w nosie. Jak zwykle. Miał w głębokim poważaniu tych, którzy na pewno im się teraz przyglądali, i to w dodatku z ciekawością. Był zakochany i odważny. Chciał jej dotknąć, więc nadarzyła się doskonała okazja. W klasie nie miałby takiej. Podszedł do pani profesor i poprosił ją do tańca, a ona...

Mikołaj nie spuszczał z nich oczu. Katował się ich widokiem. Zatrzymali się. Zamienili z sobą kilka słów. Ku jego radości Mateusz odprowadzał w końcu Hankę do stolika. Niestety, wciąż trzymał ją za rękę. Musieli częstować się serdecznościami, ponieważ nawet Aldonkę ożywiła ich wymiana uprzejmości i chyba się do niej przyłączyła, posyłając Mateuszowi na do widzenia supersympatyczny uśmiech. Hanka usiadła. Aldonka mówiła do niej bez przerwy, a ona tylko się uśmiechała. Zerknęła na zegarek. Miał nadzieję, że chciała już stamtąd wyjść. Hipnotyzował ją wzrokiem, którego nie mogła być świadoma. Przez moment poczuł się jak tajny agent. Kiedyś, gdy czekał na nią w pobliżu szkoły, żeby ją tylko zobaczyć, czuł się jak idiota. Swoje dzisiejsze poczynania oceniał trochę lepiej niż tamte. Wciąż był w nich jednak bardzo bierny. Co to za agent, który używa fajtłapowatych metod? Hanka siedziała nieruchomo i patrzyła zamyślona na tańczącą młodzież. Parkietem musiały zawładnąć gorące rytmy, bo tłum bujał się bardzo dynamicznie. Hanka siedziała przy stoliku i sączyła wodę z wysokiej szklanki, nie będąc już w zasięgu rąk Mateusza. Cały ten tańczący tłum wydał mu się śmieszny. A przecież jeszcze chwilę temu nie było mu do śmiechu. Zauważył, że wzięła na chwilę do rąk małą torebeczkę. Coś z niej wyjęła. Modlił się, żeby to był telefon. Chciał, żeby już teraz, w tej chwili, poprosiła go o odwiezienie do domu. Niestety, po krótkiej chwili zamknięta torebka wylądowała znów na krześle, a on tkwił w lodowatym samochodzie, narażając się na dołujący widok ukochanej kobiety w ramionach obcych facetów. Chyba swoim negatywnym myśleniem wywołał wilka z lasu. Wieczorowy brunet stanął przed nią i chyba prosił ją do tańca. Chyba? Nie chyba! Już wstała i dała się mu prowadzić w stronę parkietu. Za rękę. Widział, jak bierze ją w ramiona. Zaczęli tańczyć. Dobrze, że z sobą nie rozmawiali. Nad Mikołajem musiała czuwać jakaś istota boska, bo zniknęli mu z oczu. Poczuł się zmęczony, zmarznięty i miał już dość tego samobiczowania. Przekręcił tkwiący w stacyjce kluczyk. Postanowił, że na telefon od niej poczeka w domu. Wycofał. Miał tylko nadzieję, że Hania dotrzyma słowa i się do niego odezwie. Wyjeżdżając z podporządkowanej uliczki, zauważył kilka napisów na starym i obdrapanym murze. Jakiś tramwaj prosił, żeby nie płakać, kiedy odjedzie. Pod jego prośbą wielkimi literami było wykaligrafowane jedno słowo. Niecenzuralne. Oczywiście z błędem ortograficznym. Widział trzy litery, a powinny być cztery. Zapatrzył się na ten wyraz, na moment tracąc z oczu trasę, którą jechał. Dobrze, że ulice o tej porze świeciły pustkami. Jadąc Alejami Jerozolimskimi, czuł się trochę tak, jakby ten przeczytany na murze wyraz stanowił krótką, ale bardzo dosłowną charakterystykę jego dzisiejszego zachowania. Wszystko, co zobaczył, dało mu do myślenia. Jeszcze żeby umiał wnioskować i zachować przy Hance zimną krew. A tu ani jednego, ani drugiego! Zmęczony dręczeniem się, włączył radio. Niestety, słowo „studniówka" nie schodziło spikerowi z ust. Miał pewność, że do końca życia będzie mu się już źle kojarzyć. Z niemocą i bezsilnością.

Był masakryczny ziąb i kwadrans po północy. Stała przed hotelem otoczona łańcuszkiem tegorocznych maturzystów. Czekała na Mikołaja, który zaofe-rował się, że odwiezie ją do domu. W tej chwili bardzo żałowała, że obie-cała mu, że się do niego odezwie. Na jej nieszczęście w gronie stojących obok niej nastoletnich wielbicieli znajdował się Mateusz Starski. Musiała w końcu przestać przed sobą udawać, że nie zauważa, co się z nim od ja-kiegoś czasu działo. Dzisiejszy wieczór utwierdził ją w celności spostrzeżeń, które starała się do tej pory bagatelizować. Ten młody człowiek osaczał ją spojrzeniami. Zastanawiała się intensywnie, co zrobić, żeby...

– Pani profesor? – odezwał się właśnie Mateusz. – A kto po panią przy-jedzie?

– Przyjaciel – odpowiedziała zagadkowo, zdając sobie natychmiast sprawę z powagi sytuacji, którą musiała własnymi umiejętnościami lub ja-kimś cudem w miarę szybko rozwiązać.

– Panowie! – zaczęła, obejmując spojrzeniem młodzieńców, którzy nie byli już tacy pozapinani na ostatnie guziki jak podczas rozpoczęcia balu. Nie-którzy z nich stali przy niej tylko w koszulach z poluzowanymi krawatami. – Bardzo was proszę, idźcie się już bawić. Jest zimno. Jeszcze się poprzeziębiacie.

– Ależ pani profesor! – odezwał się Konrad Murek, nazywany przez wszystkich Kabanosem. Najlepszy przyjaciel Starskiego. Uwielbiała go za wyjątkowo specyficzne poczucie humoru. – Przecież my nie możemy tak pani tu samej zostawić. W środku miasta, po północy. A poza tym chcieli-byśmy pogratulować dobrego gustu pani wybrankowi.

Nogi się pod nią ugięły, gdy to usłyszała. Nie dała tego po sobie po-znać, ale ogarniała ją coraz większa panika. Miała coraz mniej czasu. Mu-siała się spieszyć.

– Nie zdają sobie panowie sprawy, że czekając tu ze mną, stawiają mnie panowie w niezręcznej sytuacji – zaczęła odważnie. – Wyobraźcie sobie, co poczuje mój przyjaciel, gdy zobaczy mnie w gronie takich przystojniaków... – zażartowała i ucichła, spoglądając prosząco właśnie na Starskiego. Liczyła w tej chwili na moc swojego oddziaływania i jego dobrą wolę. Poza tym wiedziała doskonale, że jest nieformalnym przywódcą żegnającej ją grupy.

– Aluzju poniał? – zapytał Kabanos tonem bohatera filmu o czołgu, czoł-gistach i psie, po czym wymownie spojrzał właśnie na Mateusza.

Starski tylko parsknął śmiechem i po chwili, która ciągnęła się w nieskończoność, zarządził odwrót. Udało się. Jej nastoletni adoratorzy pachnący lekko, ale tylko leciutko, alkoholem, surowo dziś wzbronionym, wśród śmiechów znikali w trzewiach niespokojnego dzisiaj hotelu.

Odetchnęła z ulgą. Była zmęczona, ale nie chciało jej się spać. Marzyła o filiżance ulubionej herbaty. Dopiero teraz, w ciszy nieruchomej ulicy, zaczęła cieszyć się, że go za chwilę zobaczy. Jego brat prosił ją dziś do tańca aż czterokrotnie. Byli do siebie trochę podobni. Wpatrując się w zakurzone od tańca buty, zastanawiała się, czy Mikołaj tańczy tak dobrze jak Mateusz.

– Dobry wieczór, pani profesor! – Mikołaj wyrósł przed nią tak nagle, że się go trochę przestraszyła. Uchylił przed nią drzwi swojego samochodu i patrzył zniewalająco. Wsiadła.

– Nawet nie wiesz, jak mi głupio, że zarywasz noc dla mojej wygody – powiedziała od razu, gdy usiadł obok niej.

– I bardzo dobrze – odpowiedział, nawet na nią nie zerknąwszy.

– Jeżeli chcesz pogłębić moje wyrzuty sumienia, to ogłaszam wszem wobec, że ci się to udaje.

Popatrzył na nią przez dosłownie sekundę i prowadził samochód bez słowa, z przyklejonym uśmiechem. Jej słuch zaczął w końcu odpoczywać po ogromnej dawce hałasu. Cisza między nimi sprawiała, że przysłuchiwała się regularnemu dźwiękowi pracującego silnika. Radio milczało. Może celowo go nie włączył, bojąc się, że Hanka zaśnie, tak jak tego wieczoru, gdy się poznali. Wchodząc w zakręt, przerwał milczenie.

– Jak się bawiłaś? – zapytał. Wydało się jej, że trochę zdawkowo.

– Było bardzo sympatycznie. Dawno nie tańczyłam.

– Lubisz tańczyć? – usłyszała znów krótkie i konkretne pytanie zakończone zmianą biegów i ledwo uchwytnym spojrzeniem.

Nerwowo przełknęła ślinę. Miała nadzieję, że tego nie zauważył.

– Kiedyś... Lubiłam. Bardzo... – odpowiedziała nieskładnie i wlepiła wzrok w pustą ulicę. Musiała coś powiedzieć, żeby nie dopuścić do siebie złych myśli. – Ale doskonale się jeździ w nocy. Czuję się, jakbym znalazła się w innym mieście.

Pokiwał głową. Był nieobecny. Miała wrażenie, że jest jakiś nieswój. Jej empatia wyła na alarm niczym strażacka syrena.

– Jesteś na mnie zły? – odważyła się zapytać otwartym tekstem.

– Co ci przyszło do głowy? – spojrzał na nią zdziwiony. – Czemu miałbym być zły?

– Wydawało mi się... – urwała, żałując, że zaczęła tę rozmowę. Odnosiła dziwne wrażenie, że rozmawiają z sobą, używając dialogu małżeństwa, które romantyczne chwile ma już dawno za sobą.

– Tańczyłaś z uczniami? – tym razem to on zaczął.

– Tak.

– A z Mateuszem? – zapytał niby od niechcenia, ale słysząc go, od razu zaczęła podejrzewać, że coś go trapi.

– Kilka razy – odpowiedziała zgodnie z prawdą. Słysząc się, pomyślała, że może lepiej byłoby, gdyby skłamała.

– Nie wydaje ci się, że Mateusz...

– Zaczęło mi się właśnie wydawać... – nie pozwoliła mu skończyć i natychmiast pożałowała wypowiedzianych słów, zwłaszcza że Mikołaj patrzył teraz na nią bardzo skupionym wzrokiem.

– I co ty na to? – zapytał po chwili.

– Nic – uśmiechnęła się i wzruszyła nerwowo ramionami. – Tak się czasami zdarza. Zresztą Mateusz nie jest moim jedynym nastoletnim adoratorem – powiedziała niefrasobliwie, chcąc rozluźnić atmosferę. Czuła, że Mikołaj jest spięty. Ta rozmowa dużo go kosztowała, choć starał się to ukryć. Znów milczał.

– Jesteśmy – odezwał się w końcu i popatrzył na nią znowu normalnie.

Może sobie za dużo wyobrażała? Ze swojej minitorebeczki wyjęła pilota i otworzyła od razu obie bramy.

– Wjechać? – zapytał zdziwiony.

– Jeżeli masz ochotę na filiżankę herbaty, to tak.

Ruszył bez słowa i zatrzymał się na podjeździe. Wysiedli. Było bardzo zimno. Przechodząc przez garaż, zerknął na chore koło jej samochodu.

– Może się tym zajmę? – zapytał, dotykając wulkanizacyjnego kapcia.

– Jeżeli nie pamiętasz, to przypominam, że zaprosiłam cię na herbatę. Nie wybaczyłabym sobie, gdybyś w środku nocy pobrudził się przy tak niewdzięcznej pracy. Zobacz, jaki ten samochód jest brudny. Miałam go umyć, jadąc na studniówkę.

– To jak sobie z tym poradzisz? – zapytał, sympatycznie marszcząc brwi.

– Zwykle w takich wypadkach pomaga mi pan Andrzej. To nasz... Mój ogrodnik – poprawiła się szybko. – A może zadzwonię do jakiegoś mechanika albo warsztatu. Nie wiem jeszcze.

– Przyjadę jutro – zdecydował stanowczo.

Chyba lubił stawiać na swoim. Popatrzyła na niego i zobaczyła, że nie powinna nic mówić. Już postanowił. Całe szczęście jego młodszy brat nie był taki stanowczy i dzięki Bogu w odpowiednim momencie wrócił do zabawy.

– Jutro... to muszę jechać do pracy – chciała pozbawić go przynajmniej odrobiny pewności.

– Przecież jutro jest niedziela – zdziwił się.

– Niedziela jest już dziś, więc zapraszam cię na witającą dzień herbatę – otworzyła przed nim drzwi. – Proszę.

– Dama pierwsza! – albo odzyskał humor, albo dobrze udawał.

Posłuchała go i szybko weszła do domu, pozbywając się po drodze zakurzonych butów.

– Nawet sobie nie wyobrażasz, jak damę bolą nogi – westchnęła ciężko.

– Może pomógłby im masaż? – zapytał odważnie, lecz odważnemu pytaniu nie towarzyszyło takież spojrzenie, dlatego zostawiła pytanie bez odpowiedzi.

Znaleźli się w kuchni. Nalewała wody do czajnika, a pytanie o masaż odbijało się wciąż echem w jej głowie. Mikołaj zajął swoje ulubione miejsce. Stanął przy kuchennym blacie, splótł przed sobą ręce i nie spuszczał z niej oczu. Czuła to. Jego wzrok prawie ją parzył.

– Dlaczego mi się tak przyglądasz? – zapytała, ustawiając białe porcelanowe filiżanki na przezroczystych spodkach. Zadała to pytanie trochę wbrew sobie, gdyż czuła, że zaczyna stąpać po cienkim lodzie.

– Podobasz mi się... Od pierwszego wejrzenia.

Chyba odważnie na nią patrzył, ale bała się potwierdzić naocznie swoje przypuszczenia. „Chciałaś! To masz!", pomyślała. Językowa mistrzyni nabrała wody w usta.

– Z cytryną? – zapytała, ratując się.

– Z cytryną – odpowiedział normalnie, a szeptem dodał: – Powiedziałem przed chwilą, że mi się podobasz – kroiła cytrynę. – Słyszałaś?

Czuła na sobie jego wzrok i bała się, że roztopi się od jego temperatury jak śniegowy bałwan od pierwszych promieni wiosennego słońca.

– Słyszałam – wydusiła z siebie, nie patrząc na niego. Była tchórzem.

Herbata była już gotowa. Nad filiżankami unosiła się zachęcająca do rozpoczęcia picia para, a ona była tchórzem. Nie potrafiła na niego spojrzeć. Nie teraz. Stał obok. Za blisko... Jakby nic się nie działo i cierpliwie czekał na jej reakcję. Niestety, potrafiła tylko wlepić nieruchome spojrzenie w blat.

– Może się napijemy? Bo jak tak dalej pójdzie, to herbata nam wystygnie – zaproponował. – Lubisz zimną? – uratował ją, dlatego w końcu na niego spojrzała.

– Nie lubię. Wolisz usiąść tu – popatrzyła na stół w jadalni – czy na kanapach w salonie?

Zerknął na kanapy i podniósł z blatu obie filiżanki.

Nie patrząc na niego, przeszła do salonu i usiadła na kanapie. Podał jej filiżankę i skierował się w stronę fotela stojącego naprzeciw. Pili w milczeniu. Do tej chwili cisza pojawiająca się między nimi nigdy jej tak nie męczyła. Do dziś. Do teraz. Musiał wyczuć jej dyskomfort, bo zaczął mówić.

– Jeżeli obiecam ci, że już nigdy nie powiem, że mi się podobasz, to poprawi ci się nastrój? – zapytał prawie żartem.

Popatrzyła na niego zdziwiona pytaniem. Był cudowny, a ona psychicznie zablokowana. Dominika miała rację. Gdyby było inaczej, to z pewnością potrafiłaby teraz odstawić na stolik herbatę, na którą zupełnie straciła ochotę. Potrafiłaby wstać. Podejść do niego. Wyjąć mu z rąk filiżankę, odstawić gdziekolwiek. Usiąść mu na kolanach i poprosić, żeby ją przytulił. Gdyby była normalna, zrobiłaby to wszystko. Niestety, nie była.

– Zmęczona?

– Trochę.

– To może...

– Nie idź jeszcze...

Znów patrzył, a ona potrafiła tylko utkwić swoje spojrzenie w coraz chłodniejszej herbacie.

– Lepiej już pójdę. Jesteś dzisiaj jakaś... inna... – dokończył po chwili, której potrzebował na zastanowienie.

– Boisz się mnie? – zapytała bezpośrednio. Czyżby chciała udowodnić sobie, że jest gotowa podjąć walkę z siedzącym w niej tchórzem?

– Nie – odpowiedział natychmiast. – Boję się siebie – dodał po chwili tak poważnym głosem, że nie była w stanie oddychać.

Wstał, odstawił do zlewu filiżankę. Chyba pełną. Tkwiła na kanapie. Nie potrafiła się poruszyć. Była przerażona tym, co przed chwilą usłyszała. Nie pierwszy raz byli z sobą sam na sam, jednak tym razem najwyraźniej żadne z nich nie potrafiło sobie z tym poradzić. Stał przy zlewie odwrócony do niej tyłem. Nieruchomo. Opierał o blat zwinięte w pięści dłonie. Wpatrywał się w oświetlony lampami i rozświetlony śniegową bielą ogród. Patrzyła na niego, choć wiedziała, że nie powinna tego robić. Nie teraz. Czuła na sobie ogień, który nie wiadomo skąd i kiedy pojawił się dziś między nimi. Z jednej strony panicznie bała się oparzeń, z drugiej – chciała znaleźć się w jego centrum. Odwrócił się nagle. Nie pierwszy raz wykonywał w jej obecności tak nieoczekiwany ruch.

– Pójdę już. Jesteś zmęczona. Powinnaś się położyć – wyrecytował bardzo szybko.

Popatrzył na nią niepewnie. Chciał, żeby go zatrzymała. Czuła to. Ale to było ponad jej siły. Była przerażona własną reakcją na jego bliskość. Chciała wszystkiego, a bała się nawet na niego spojrzeć. Przeszedł do holu. Wstała i odczuwając uciążliwy brak władzy nad własnymi kolanami, poszła za nim. Oparła się o futrynę łączącą hol z wiatrołapem. Nie było w niej drzwi. Mama nie lubiła drzwi, miała klaustrofobię.

Zdjął z wieszaka kurtkę. Ubierając się, musiał zauważyć swój granatowy szalik leżący na małej szafeczce, która stała pod wielkim lustrem.

– Nosisz go? – zapytał, kierując spojrzenie na jej odbicie w lustrze.

– Tak. Bardzo go lubię – odpowiedziała z uśmiechem, szukając w lustrze jego oczu. Nie znalazła ich.

– Przynajmniej jego – mruknął prowokująco bardziej do guzików swojej kurtki, które właśnie zapinał, niż do niej. Odwrócił się. Oczywiście bardzo szybko.

Wiedziała, że musi coś powiedzieć. Chciała.

– Mikołaj... – zaczęła niepewnie. – Ciebie też lubię... To znaczy... – tchórzliwie zamilkła. – Posłuchaj... – wzięła płytki wdech. – To wszystko nie jest takie proste... – Koniec. Nic więcej. Ani jednego słowa więcej. Chciała nie mieć przeszłości, bo oddzielała ją od niego wysokim murem. Nie do przeskoczenia. Nerwowo bawiła się zapięciem zegarka.

– Wiem – powiedział nieoczekiwanie. – Nic nie jest w życiu proste. Wszystko musi być skomplikowane i na wszystko musimy ciężko zapracować. Jeżeli tak nie jest, to nie potrafimy docenić tego, co mamy, albo wcale tego nie zauważamy – wyrecytował jak wiersz. – Jakie masz plany na jutro? To znaczy dziś? – poprawił się, trzymając już rękę na klamce.

– Pracowite. Mam bardzo dużo prac do sprawdzenia – zmienił temat, więc potrafiła na niego patrzeć.

– W takim razie przyjadę o siedemnastej i wymienię ci koło, a w poniedziałek załatwię sprawę u wulkanizatora. Umowa stoi? – popatrzył na nią z miną hazardzisty, któremu idzie karta.

– Wulkanizatora załatwię sama – postawiła się, choć patrzył na nią w tej chwili sam wielki szu.

– Dobrze. Otworzysz mi bramę?

– Oczywiście. Już biegnę po pilota – odwróciła się.

Maleńki pilot uratował ją przed pożegnaniem. Nie chciała się żegnać. Nie chciała, żeby wychodził, ale nie umiała go zatrzymać. Wracając, z pilotem w dłoni, nieopatrznie nacisnęła przycisk otwierający bramę garażową, dlatego gdy znalazła się w garażu, Mikołaj siedział już w swoim samochodzie. Miał niedomknięte drzwi. Otworzyła bramę wjazdową.

– Leć do domu, bo się zaziębisz. Do jutra.

Chciała mu podziękować. Powiedzieć chociaż pa. Pomachała tylko ręką. Na nic więcej nie było jej stać. Stała w zimnym garażu i patrzyła, jak Mikołaj sprawnie wyjechał. Był już na ulicy. Było ciemno. Przestała widzieć jego samochód. Mrok rozświetlony na chwilę samochodowymi światłami i pomarańczem migającego kierunkowskazu zamienił się znowu w zimną ciemność. Szczęk bramy wjazdowej zameldował, że się zamknęła. Słyszała odgłos zamykającej się bramy garażowej. Otoczyła ją prawie zupełna ciemność. Celowo nie zaświeciła światła. Miała teraz przed oczami migający oranż kierunkowskazu, uruchomionego ręką Mikołaja. Kolor pomarańczowy wpływał na nią uspokajająco. Ilekroć siedziała na plaży, w swoim ulubionym leżaku, zamykała oczy i kierowała twarz w kierunku słońca. Szum fal, który wówczas słyszała, miał dla niej barwę pomarańczową. Słońce, świecąc na jej zamknięte powieki, oblewało ją zewsząd pomarańczowym ciepłem. Jaśniejszym, ciemniejszym, ale zawsze pomarańczowym. Oddałaby wiele, aby móc poczuć na sobie w tej chwili to tak dobrze znane ciepło. Zwłaszcza że przenikający ją właśnie chłód uzmysławiał jej, że tu i teraz nie ma najmniejszych szans na szum, na ciepło i na pomarańcz. Zmarznięta, weszła do holu, powoli zamykając za sobą drzwi. Zdjęła spódnicę i powiesiła ją na poręczy schodów. Była zmęczona, ale bała się, że sen może nie nadejść zbyt szybko. O ściany cichego teraz salonu odbijały się echem słowa Mikołaja. „Od pierwszego wejrzenia...", odtworzyła jego głos. W bardzo dziwny sposób użył tych słów. Przecież funkcjonowały one w innym związku frazeologicznym. Innym niż ten, którego użył dziś Mikołaj. Od pierwszego wejrzenia zdarzała się miłość, a nie...

Wchodząc po schodach, zdjęła kupioną specjalnie na dzisiejszą okazję bluzkę. Rzuciła ją, nie patrząc, gdzie spadnie. Nie chciała oglądać się za siebie. Nie musiała. Przynajmniej w wypadku bluzki. Szła w kierunku sypialni ubrana jedynie w bieliznę i rajstopy. W sypialni od razu zanurzyła się w pościeli. Zerknęła na muszlę. Jednak nie wyciągnęła po nią dłoni, tylko przyjrzała się jej dokładnie. To dziwne, ale dopiero dziś, i to przy niezbyt jasnym świetle lampki nocnej, zauważyła, że cieniutkie niteczki pokrywające prawie całą powierzchnię jej muszli są koloru pomarańczowego. Dotknęła jej. Była chłodna, ale nie zimna. Nie przystawiła jej jak zwykle do ucha. Wiedziała, że nic nie jest w stanie zagłuszyć w niej melodii, której nuty przykleiły się do niej i wystukiwały w jej głowie wciąż ten sam rytm. To on nie pozwalał jej zasnąć pomimo zmęczenia. Leżała z zamkniętymi oczami i przekonywała się, że przyczyną jej bezsenności jest ów rytm, a Mikołaj nie ma z nią nic wspólnego. „Tere-fere!", prawie usłyszała kpiący głos Dominiki, która na pewno teraz smacznie spała w objęciach boskiego Przemo. A może to nie był głos Dominiki? Może to było jej własne, prywatne tere-fere? Może... Żałowała, że dzieli ją od morza tak wielka odległość. Jego szum na pewno pomógłby jej pozbierać myśli rozrzucone w różnych kierunkach.

A niech tam! Może nie należy za wszelką cenę sklejać myśli. Może rozrzucone byle jak, byle gdzie, mają większą siłę sprawczą, większą wartość. Przecież to, co raz się sklei, nie ma już szans na inną konfigurację. Leżała...

Nareszcie zrobiło jej się ciepło. Sen był coraz bliżej. Może dlatego właśnie, trochę sennie, docierało do niej, że jest bardzo mocno związana z morzem... Tym szumiącym... A może z tym w oczach Mikołaja...

Wszedł do kuchni. Nie spóźnił się, ale i tak wyczuł, że coś złego, bliżej nieokreślonego wisi w powietrzu. Mama mieszała zawzięcie w parującym garnku, a tato udawał, że czyta gazetę. Był bez okularów.

– Dzień dobry. Stało się coś? – zapytał lekkim tonem, który wyszedł mu doskonale, chociaż miał za sobą nieprzespaną i nielekką noc.

Ojciec popatrzył na niego charakterystycznym spojrzeniem znad okularów, których dzisiaj nie miał. Niestety, nie odezwał się ani słowem. Odwrócona tyłem mama nawet nie drgnęła. A miało być tak miło...

– Mamo? Co się dzieje? – Podszedł do niej i bojąc się, że znów nie zareaguje, chwycił ją za ramiona i odwrócił od garów. Nie było to trudne, ponieważ była całkowicie bezwolna. Spojrzał na nią i zobaczył tylko zaczerwienione od płaczu albo z niewyspania oczy. Popatrzyła na niego i drżącym, skorym do płaczu głosem powiedziała:

– Coś się stało Mateuszowi.

Ojciec wciąż gapił się w gazetę.

– Co się stało? – wydusił z siebie ciężko, bo wyobraźnia podsuwała mu najczarniejsze scenariusze, zwłaszcza że rodzice, zwykle męcząco gadatliwi, dziś milczeli, powodując, że zaczął się bać własnych myśli. Złych myśli.

– Gdzie on jest? – zapytał szybko.

– U siebie – odpowiedział ojciec, nie unosząc schowanego za gazetą wzroku.

– Uff!!! – Mikołaj odetchnął głośno. – Czyli żyje i jest cały, tak? – Patrzył na mamę. – Może ktoś mi w końcu wyjaśni, o co tu chodzi. Mamo?! – podniósł głos, choć wcale nie miał takiego zamiaru.

– Wrócił wczoraj dość szybko – zaczęła cicho mama. – Był w domu przed pierwszą w nocy. Nie spałam, ale nie chciał mi niczego opowiedzieć. Wyczułam od niego alkohol. Zamknął się w pokoju i do dziś z niego nie wyszedł. To do niego niepodobne. Nie przyszedł nawet na śniadanie, choć prosiłam go z tysiąc razy. Stoi od rana przy oknie i patrzy wciąż w ten sam punkt na ulicy. Nie chce z nami rozmawiać. Mówię ci, Mikołaj, czuję, że stało się coś strasznego. Matko Boska! Ja już naprawdę nie mam siły. A już było tak dobrze. Wydoroślał, zmądrzał, wyciszył się, a tu masz babo placek. Od początku... – Łzy ciekły jej po policzkach.

Dopiero teraz zauważył, że mama nie miała makijażu. A przecież miała go zawsze...

Poczuł, że kurczy mu się żołądek, wywołując natychmiastowe uczucie nudności. Był prawie pewien, że to, co się teraz działo z Mateuszem, miało jakiś związek z Hanką. Może coś mu wczoraj powiedziała, żeby go trochę sprowadzić na ziemię. Mama, jakby czytając mu w myślach, dodała:

– Mam wrażenie, że to chodzi o tę jego nauczycielkę. Mikołaj, idź do niego. Porozmawiaj z nim. Może tobie coś powie? Albo chociaż przemów mu do rozsądku.

Nogi się pod nim ugięły. Najchętniej uciekłby tam gdzie pieprz rośnie. Przecież nie mógł z nim rozmawiać o niej. Skierował się na schody, czując, że rozmowa jest niestety nieunikniona, ale każdym centymetrem swojej skóry czuł również, że nie przyniesie nic dobrego. Pokonywał kolejne stopnie schodów, czując coraz większą pustkę. Jakaś siła wciągała go w czarną dziurę. Nacisnął klamkę w drzwiach prowadzących do pokoju Mateusza. Otworzył je bardzo powoli. Zobaczył brata stojącego w pozie opisanej przez mamę. Zamknął za sobą drzwi i się o nie oparł.

– Cześć – powiedział normalnie, jak zwykle, choć serce waliło mu jak młotem.

Mateusz nawet nie drgnął.

– Cześć! – powtórzył trochę głośniej.

Znowu cisza.

– Mateusz, co się stało? Słyszysz mnie? Co ty wyrabiasz? Rodzice się zamartwiają! – zdecydował się na bardziej ostry ton. – Zwariowałeś?! Mama odchodzi od zmysłów! Co z tobą?! – zaczął iść w jego stronę.

To był chyba dobry pomysł, bo Mateusz odwrócił się nagle i spojrzał na niego wzrokiem wkurzonego terminatora.

– Widziałem was wczoraj!

– Nas? – nie zrozumiał Mikołaj. – Jakich nas?

– Was! – Mateusz świdrował go spojrzeniem.

– Nie wiem, o co ci chodzi. Możesz jaśniej?

– Spałeś z nią?

Zadane przez Mateusza pytanie spadło na niego jak grom z jasnego nieba. Porażony jego słowami, nie potrzebował już ani sekundy więcej, żeby zrozumieć, co się stało. Wszystko było jasne.

– Posłuchaj, Mateusz... – zaczął powoli, jednak jego brat był wściekły i nie zasypiał gruszek w popiele.

Wykrzyczał mu tym razem wcześniej zadane pytanie, piorunując go wzrokiem. Opuścił ręce wzdłuż ciała. Zauważył, jak jego dłonie zaciskają się w pięści. To go wkurzyło.

– Nie twój interes – wycedził przez zęby.

Chciał jeszcze coś dodać. Nie zdążył, bo pięść Mateusza wylądowała na jego ustach z ogromną siłą. Poczuł ból i pieczenie. Musiał nad sobą zapanować, bo miał ochotę też mu przywalić, zwłaszcza że krew z rozwalonej wargi już brudziła mu rękę.

– Uspokój się!!! – wrzasnął tak głośno, że całkowicie zagłuszył szloch mamy, która stanęła nagle w drzwiach i już wołała ojca.

– Mamo, zostaw nas samych! – Mateusz najwidoczniej miał w nosie obecność mamy i jego krzyki, bo znów był przy nim i szarpał go za koszulę.

– Puść mnie! – wrzasnął Mikołaj dwa razy głośniej niż poprzednio. Nie chciał się bić. Nie przy mamie.

– Mateusz! Puść go! – Mikołaj usłyszał podniesiony głos ojca. Zupełnie jak za dawnych czasów. – Co wy, do cholery, wyrabiacie?!

Mikołaj dopiero teraz zauważył, że chwycił Mateusza za nadgarstki, które miażdżył z całych sił. Mateusz wyszarpnął mu je i zrobił krok do tyłu. Nie był to jednak ruch zachowawczy. Mierzył Mikołaja nienawistnym spojrzeniem, nic sobie nie robiąc z obecności zestresowanych rodziców.

– Mateusz! – zaczął ojciec. – Co ty wyrabiasz? Ile ty masz lat? Za co go uderzyłeś?

Mateusz, nie patrząc na nikogo, odwrócił się do okna, przyjmując pozycję, w jakiej Mikołaj zastał go kilka minut temu.

– Niech on wam wszystko wytłumaczy! – powiedział do firanki, a nie do rodziców. – A teraz idźcie sobie! Chcę być sam! – Nikt nie wykonał żadnego ruchu. – Wynoście się stąd! Już!!! – odwrócił się i wrzasnął wkurzony do białości ich biernością.

Pierwsza wyszła mama. Mikołaj pobiegł za nią wzrokiem. Widział, jak idąc po schodach, płakała i wycierała policzki w swój ulubiony fartuch, na którym zielona, czerwonousta żaba informowała, że lepiej całuje, niż gotuje. Ojciec wskazał mu palcem schody i skierował się do wyjścia. Mikołaj poszedł za nim, zostawiając Mateusza stojącego znów przy oknie. Gdy wszedł do kuchni, mama siedziała przy stole z twarzą ukrytą w dłoniach. Płakała. Trzęsły się jej ramiona. Nie mógł tego znieść. Usiadł naprzeciwko niej. Ojciec stanął przy oknie i najwyraźniej uspokajając nerwy, wodził palcem wskazującym po doniczce dorodnego kaktusa stojącej na kuchennym parapecie. Mama wyjęła z kieszeni chusteczkę i wydmuchała nos. Wierzchem dłoni wytarła mokre policzki i popatrzyła na niego oczami, do których wciąż napływały nowe łzy.

– Masz mi teraz powiedzieć wszystko, jak na spowiedzi! O co tu chodzi? Bo jak nie, to wyjdę stąd i nigdy mnie już nie zobaczycie! – paradoksalnie, jej trzęsący się głos miał w sobie ogromny ładunek siły i odwagi.

Wiedział, że to nie żarty. Musiał powiedzieć wszystko. Nie wiedział, oczywiście, od czego zacząć, bo tego wszystkiego, na dobrą sprawę, było bardzo mało. Poza tym rozwalona przez Mateusza dolna warga piekła go niemiłosiernie. Czuł w niej rwący ból. Przyłożył do niej rękę, chcąc zdusić szarpiący ból. Nic z tego. Dotknięcie tylko pogorszyło sprawę. Syknął.

– Boli? – zapytała mama i pociągnęła czerwonym od płaczu nosem.

– To? – zapytał, wskazując na usta. – To dzisiaj najmniejszy problem. – Zerknął na ojca niezmiennie pieszczącego doniczkę kaktusa.

– Mikołaj, błagam cię, powiedz, o co wam poszło? – Mama wlepiła w niego proszące oczy. – O co chodzi Mateuszowi? Przecież ty wszystko wiesz. Prawda?

– Pamiętasz, mamo... – postanowił zacząć od początku. – Pamiętasz, mamo – powtórzył – jakiś czas temu powiedziałem ci, że się zakochałem.

Mama pokiwała głową, nie łącząc jeszcze faktów.

– A pamiętasz, jak mi powiedziałaś, że Mateusz się zmienił, bo się podkochuje w swojej polonistce?

Podobnie jak wcześniej, mama kiwnęła głową. Patrzyła jednak na niego, czekając wciąż na jakieś konkrety. Wszystko, co do tej pory powiedział, nie wystarczało, żeby pojęła zaistniałą sytuację. W związku z tym musiał powiedzieć jak najkrócej coś, przez co wszyscy stanęli dziś przed trudnym rodzinnym doświadczeniem.

– Zakochałem się w Hance Lerskiej, nauczycielce Mateusza. – Mama popatrzyła na niego tak, jakby powiedział, że za tydzień bierze ślub z kolegą z pracy. Nie mógł się tym teraz przejmować. Musiał dokończyć. – Wczoraj w nocy odbierałem ją ze studniówki. Mateusz nas zobaczył...

Nie potrzebował już niczego dodawać, bo ojciec odwrócił się nagle od okna i spojrzał na niego wzrokiem, z którego nic nie mógł wyczytać. Mama wpatrywała się w niego podobnie.

– Czyli co? – zapytała. Chciała jeszcze coś dodać, ale ojciec postanowił odpowiedzieć za niego.

– Baśka! Nie rozumiesz? Mamy gotowy scenariusz wenezuelskiego tasiemca. Tylko usiąść i pisać! Dwaj bracia zakochani w tej samej kobiecie.

Mikołaj poczuł na sobie twarde spojrzenie ojca. Zlekceważył je całkowicie. Był na niego wściekły za to, co przed chwilą usłyszał. Ojciec niestety jeszcze nie skończył.

– Jesteście parą? – zapytał, reprezentując typowo męski punkt widzenia. Chciał wiedzieć dokładnie to samo co Mateusz. Był jednak prawnikiem, dlatego zadane przez niego pytanie przybrało poprawną i dyplomatyczną formę.

– Nie – odpowiedział Mikołaj, myśląc tylko o mamie. – Ale mam nadzieję, że nią będziemy – dodał już ze względu na oboje rodziców.

Mama wstała od stołu. Podeszła do mebli kuchennych, otworzyła szufladę, wyjęła z niej mały ręczniczek, zmoczyła go wodą i przyłożyła do jego chyba puchnących ust. Poczuł bardzo przyjemny chłód.

– I co teraz? – zapytała niepewnie.

Mikołaj nie wiedział, co jej odpowiedzieć.

– Janusz, no powiedz coś.

Ojciec spojrzał najpierw na niego, a potem na mamę.

– A co ja mam powiedzieć? Chyba tylko to, że widocznie mało bab chodzi po tym świecie, bo nasi obaj synowie namierzyli akurat jedną i tę samą. – Wymawiając słowo „synowie", patrzył na Mikołaja. – Od kiedy się spotykacie? – zapytał, ale nie doczekał się żadnej odpowiedzi. – Kiedy ją poznałeś? – zapytał inaczej. Jego zawodowe umiejętności przydawały mu się podczas tego przesłuchania.

– Na zebraniu rodziców – odpowiedział Mikołaj zgodnie z prawdą. Poznał ją na zebraniu. Zobaczył na plaży.

– Tylko mi nie mów, że od razu ją poderwałeś.

– Tato! Chyba trochę przesadzasz?! – Podskoczyło mu ciśnienie, bo ojciec zachowywał się według niego beznadziejnie. – Przecież nie to jest teraz ważne! Posłuchajcie! – Zerknął na mamę, która przyglądała mu się uważnie, nic nie mówiąc. Jak nigdy. Zwykle miała najwięcej do powiedzenia. Nie tym razem. – To nieważne, kiedy, gdzie i jak ją poznałem. Jestem w niej zakochany i przykro mi, że dowiedzieliście się o tym w taki sposób. Jeżeli chodzi o Mateusza, to też mi przykro, ale co ja mam zrobić? Może powinienem pójść do niego i powiedzieć mu, żeby się popukał. Przecież ona jest od niego dużo starsza!

– Mikołaj... – milcząca do tej pory mama odezwała się nieśmiało. – Ale on za dwa miesiące ma maturę. A jak się załamie i zawali? Przecież ona go uczy...

– Mamo, ale po co mi to mówisz? Przecież ja wiem. Tylko co mam zrobić? Oczekujesz ode mnie, że pójdę do niego i powiem, że mu ją oddaję? Mam mu powiedzieć: „Weź sobie, Mateuszku, moją Haneczkę, bo masz maturę"! – Niepotrzebnie podniósł głos, bo Bogu ducha winna mama znowu schowała twarz w dłoniach.

– A dlaczego cię uderzył? Co mu powiedziałeś? – zapytał rzeczowo ojciec.

– Chciał wiedzieć, czy z nią sypiam, więc powiedziałem mu, że to nie jego interes!

– O Matko Boska, jacy wy jesteście beznadziejni... – Mama przeniosła dłonie z twarzy wyżej i chwyciła się nimi za głowę. – Mikołaj, przecież on teraz myśli, że... – nie dokończyła.

– Mamo! – przerwał jej zdecydowanie. Miał po dziurki w nosie tej rozmowy. – I dobrze! Niech tak myśli. Przecież Hanka jest poza jego zasięgiem. Niech lepiej nie myśli, że ma u niej jakieś szanse. – Przed chwilą wszedł w słowo mamie, a teraz jemu przerwał ojciec.

– A ty masz u niej jakieś szanse?

– Mam! – poczuł, że go zaraz coś trafi. – Ale nie jest łatwo! – wycedził zdenerwowany.

Ojciec, słysząc to, jakby nigdy nic uśmiechnął się i spokojnie odezwał się do mamy:

– Baśka! A ty przestań już beczeć! Nie załamuj rąk, tylko daj nam obiad, umieram z głodu.

– Dostaniecie obiad, ale pod warunkiem.

– Jakim? – zapytał zdziwiony ojciec.

– Musicie sprowadzić tu Mateusza i nie obchodzi mnie, jak to zrobicie!

Mikołaj napotkał wyczekujący, wbity w siebie wzrok ojca. Wstał od stołu. Odłożył do zlewu mokry ręcznik i bez słowa skierował się do drzwi. Gdyby nie mama, wyszedłby. Na pewno. Niestety, zamiast do drzwi, całkowicie wbrew sobie, skierował się ku schodom. Wchodząc na nie, myślał, co zrobić. Co mu powiedzieć? Mateusz zachował się dzisiaj jak walczący kogut, dlatego to na Mikołaju spoczywał obowiązek wykazania się mądrością. Musiał załagodzić sprawę dla dobra mamy, ale przede wszystkim dla dobra Hanki. Postanowił zrobić to przede wszystkim dla niej. Bał się, że jego szurnięty braciszek wywinie jej w szkole jakiś idiotyczny numer.

Zatrzymał się przed drzwiami pokoju. Przez moment zastanawiał się, czy nie zapukać. Wszedł jednak pewnie i bez pukania. Przecież był w nim, do cholery, jego brat, a nie nuncjusz apostolski. Zastał Mateusza leżącego w łóżku. Pomyślał, że to dobry znak, nie przyklejał już wzroku do widoku za oknem. Teraz wgapiał się w sufit. Chyba bezmyślnie.

Mikołaj rozejrzał się po pokoju i usiadł na krześle przy biurku, na którym używając języka mamy, brakowało tylko baby i dziada. Mateusz, zresztą podobnie jak on, nie przywiązywał zbyt wielkiej wagi do porządku. Zerknął na niego i zaczął mówić.

– Jestem pewien, że nie masz teraz ochoty mnie słuchać. – Mateusz nawet nie drgnął. – Ale musisz wysłuchać wszystkiego, co mam ci w tej chwili do powiedzenia. Najpierw posłuchasz, a potem zejdziesz na dół i bez cyrku zjesz grzecznie obiad. Mam nadzieję, że rozumiesz, co do ciebie mówię. – Znów zero reakcji, ale postanowił się tym nie przejmować. – Zakochałem się w Hance i nie zamierzałem tego przed nikim ukrywać. Wyszło, jak wyszło. Informuję cię, że z nią nie spałem, chociaż wciąż uważam, że to nie twój zakichany interes. Jeżeli cię to pocieszy, to powiem ci też, że mam do niej tak samo daleko jak ty, chociaż mówię jej po imieniu. – Zamilkł na chwilę, tylko po to żeby zebrać siły na mocny koniec. – A teraz wstawaj! Przestań udawać księcia z bajki i złaź na dół!

Mateusz leżał, jakby wszystko, co do niego powiedział, nie zrobiło na nim żadnego wrażenia. Mikołaj był przygotowany na to, że nie będzie łatwo. Znów pomyślał o Hance i ta myśl mu pomogła. Podszedł do łóżka.

– Wstawaj! – podniósł nieznacznie głos. Niestety, Mateusz pozostawał w bezruchu. Nawet jego gałki oczne były nieruchome. – W takim razie leż sobie tutaj dalej i użalaj się nad sobą. Gdybyś był prawdziwym facetem, z jajami, to ruszyłbyś w końcu swój tyłek. Jeżeli ci się to uda, to czekamy na ciebie na dole.

Odwrócił się na pięcie i wychodząc, mocno trzasnął drzwiami. Specjalnie, po męsku, żeby wkurzyć swojego szanownego braciszka, księcia udzielnego. Zbiegł po schodach. Wchodząc do kuchni, zobaczył wlepione w siebie spojrzenia obojga rodziców, po czym usłyszał na schodach kroki Mateusza. Mógł sobie pogratulować. Udało mu się wjechać szczeniakowi na męską ambicję. Uśmiechnął się do mamy. Widział, jak odetchnęła z ulgą. Mateusz wszedł do kuchni bez słowa i usiadł na swoim miejscu. Ojciec sięgnął po leżącą na parapecie gazetę. Nie zdążył jej jednak otworzyć, bo mama sprytnym i zdecydowanym ruchem wyrwała mu ją z ręki.

– Nie ma czytania przy jedzeniu! Smacznego!

Słysząc jej pewny głos, Mikołaj pomyślał, że ich ognisko domowe zostało uratowane. Co prawda, na razie tylko żarzyło się lekko, ale na całe szczęście dym, którego tu jeszcze przed chwilą było pod dostatkiem, zamienił się teraz w zapach obiadu jedzonego przy rozmowie pobrzękujących do siebie sztućców.

Gdyby Dominika w tej chwili czuła to co ona, z pewnością powiedziałaby, że „do zarzygania jeden krok". I miałaby rację. Czasami gdy człowiek się nachodzi, mówi, że nie czuje nóg. Dosłownie rzecz ujmując, nie czuła teraz oczu. Miała dość. Litery skakały jej we wszystkie strony jak nadpobudliwe koniki polne. Coraz częściej musiała korzystać z różnego rodzaju słowników. Oznaczało to, że osiągnęła SKS, czyli stan krytyczny sprawdzania. Dobijały ją prace uczniów dyslektycznych, którzy robili takie błędy, że niektóre wyrazy musiała głośno odczytywać, by poznać ich znaczenie. Jej zmysł wzroku aktualnie doznawał ortograficznego oczopląsu. Nie pomagała nawet herbata. Na szczęście zostały jej już do sprawdzenia tylko proste kartkówki, a nie pozbawione stylu i polotu epistoły. Nawet idiotyzmy w rodzaju „Jacek Soplica miał wyrzuty po mordzie" albo „i wtedy w Soplicowie zrobiła się zadyma" nie były w stanie poprawić jej humoru. Była bardzo zmęczona i zniechęcona. Dobrze, że przynajmniej ranek miała udany. Była u rodziców. Na cmentarzu przywitało ją lutowe słońce. Siedziała na swojej ławeczce i ogrzewała się w jego ledwo ciepłych promieniach. Gdy tylko zamykała oczy, chłodny wiatr smagał ją po twarzy i dostrzegała przed sobą jedynie odcień jasnokanarkowej żółci. Ani śladu pomarańczu. Słyszała radosne ćwierkanie wróbli, które ptasimi pogawędkami witały słońce, dające im najprawdopodobniej chwilową ułudę wiosny. Niestety, był dopiero początek lutego. Dni mroźne i krótkie, do wiosny daleko. Wyprostowała obolałe plecy i zerknęła za okno. Zaczynała się dołująca ją szarówka. Z niecierpliwością czekała na moment, kiedy dni zaczną wykradać cenne minuty długim nocom. Dominika, zajęta miłością, nie odzywała się przez cały weekend. Hanka przetarła oczy. Czekał ją bardzo trudny tydzień w szkole. Musiała wystawiać oceny semestralne. Nienawidziła tego robić. „A może by tak wziąć zwolnienie lekarskie na dowolny organ?", zastanowiła się. Po czym szybko zganiła się w myślach za tak niedorzeczny pomysł.

Musiała jeszcze na chwilę wrócić do sprawdzania. Pocieszała się myślą, że to ostatnia taka nasiadówka przed feriami. Nie mogła się ich doczekać. Może powinna odwiedzić panią Irenkę? Myśl ta sprawiła, że jej nastrój od razu zmienił swoją barwę. Może nie był pomarańczowym ciepłem przerywanym lekkim wiatrem, ale poczuła się dużo lepiej, zwłaszcza że zbliżała się siedemnasta. Była przekonana, że Mikołaj przyjedzie punktualnie. Upiekła szarlotkę według doskonałego i łatwego przepisu pani Irenki, który sama autorka zwykła nazywać: dużo jabłek, mało ciasta. Wstała od biurka w pracowni taty. To przy nim zwykle pracowała. W wiklinowym koszyczku wciąż stały na nim wzorcowo zatemperowane przez tatę ołówki o różnej twardości. Ze skórzanej ramki uśmiechała się do niej mama. Była taka piękna i młoda. Zdjęcie zostało zrobione, jeszcze zanim poznała tatę. Może dlatego tak je lubił i mówił, że to przecież niemożliwe, że się kiedyś nie znali. Przechodząc przez hol, zerknęła na swoje odbicie w lustrze. Niestety, nie kłamało. Nie wyglądała najlepiej. Zero makijażu, koński ogon, sińce pod oczami i dopełniające wizualnej porażki szare dresy. „Bosko!", pomyślała z niesmakiem, patrząc na swoje odbicie. Rzuciła okiem na zegarek. Do siedemnastej zostało kilka minut. Biorąc pod uwagę napięcie, które wkradło się wczoraj w ich relację, postanowiła nie robić nic z własnym wyglądem. Nie chciała kusić losu. Miała świadomość, że przede wszystkim musi uważać na słowa. Wiedziała, że nie może powiedzieć niczego prowokującego, bo znowu w najmniej odpowiednim momencie wylezie z niej chowający się bardzo głęboko tchórz. Najbardziej mobilny tchórz na świecie. Potrafiący w ciągu niecałej sekundy uciec z głębi jej serca, usiąść na nosie i ze spojrzeniem lisa przechery zaglądać z bezczelnym uśmiechem w jej wystraszone oczy. Paskudnik i szuja! Wzięła głęboki wdech. „Spokój i dyplomacja", pomyślała. Nie zdążyła rozwinąć myśli, ponieważ usłyszała dźwięk domofonu. Spokój ulotnił się błyskawicznie. Miała nadzieję, że przynajmniej dyplomacja została. W końcu dyplomacja była kobietą, musiała więc trzymać jej stronę. „Pies drapał spokój!", pomyślała, dodając sobie otuchy, gdy otwierała pilotem obie bramy, nie bawiąc się w rozmowę przez domofon. Przez kolorowe szkło witraża zdobiącego drzwi wejściowe obserwowała samochód Mikołaja wjeżdżający na wyłożony granitową kostką podjazd. Słysząc kroki w garażu, skierowała się w jego stronę. Miała nadzieję, że dyplomacja skradała się tuż za nią.

Zastała go przy zwiędłej oponie, której dotykał, brudząc sobie rękę.

– Cześć. – Zaświeciła w garażu światło. – Zamknę bramę, żebyś nie zmarzł.

Mikołaj wstał powoli. Zaczął odpinać kurtkę. Nie odezwał się do niej na razie ani słowem.

– Cześć.

Nareszcie. Już zaczynała się denerwować.

– Powiedz, gdzie masz narzędzia i zapasowe koło.

Bardzo powoli odwrócił się w jej stronę. Jednak nie spojrzała najpierw w intrygujące ją od dawna oczy, ponieważ nie dało się nie zauważyć jego rozciętej i lekko spuchniętej dolnej wargi.

– Boże! Co ci się stało? – zapytała z przerażeniem.

– A, to? – wskazał od niechcenia na usta. – To nic takiego. Biłem się.

– Biłeś się? – powtórzyła jego słowa, nadając im formę pytania. – Myślałam, że chłopcy w twoim wieku bijatyki mają już dawno za sobą.

– Też tak myślałem. Ale to nie była wcale bijatyka, tylko raczej delikatna przepychanka – uśmiechnął się do niej inaczej niż zwykle. Tylko oczami. Usta musiały go boleć.

– Nie chciałabym być wścibska, ale dlaczego się biłeś? Przepraszam, przepychałeś? – uściśliła.

– Przepychałem się – zaakcentował słowo „się" – przez kobietę.

Przeżyła szok. Jej wnętrze wyglądało teraz jak przedziurawiona opona. Zaczęło brakować jej powietrza, a stojąca w jej cieniu dyplomacja najwyraźniej zapomniała, że ma trzymać jej stronę, i podpowiadała kąśliwie: „Widzisz, ma kogoś, więc nie musisz się już niczym przejmować!". Nie chciała, żeby zauważył jej rzednącą minę. Dzięki Bogu z odsieczą natychmiast przymaszerowały wspomnienia. Sięgnęła po skrzynkę z narzędziami, która stała na półce.

– Wiesz, jak byłyśmy małe, Dominika i ja – wytłumaczyła, kładąc skrzynkę obok koła – zawsze marzyłyśmy o tym, żeby jacyś przystojni królewicze albo co najmniej rycerze się o nas pojedynkowali – uśmiechnęła się, bezwiednie skupiając wzrok na jego skaleczonych ustach.

– To można powiedzieć, że twoje dziecięce marzenie się spełniło. Może nie całkiem, ale przynajmniej w połowie.

– Nie rozumiem? – powiedziała, ciesząc się, że oddała mu już skrzynkę z narzędziami, bo gdyby tego nie zrobiła, z pewnością wylądowałaby w tym momencie na jej stopach.

Oparł się o jej samochód.

– Nie jestem ani rycerzem, ani królewiczem, ale biłem się o ciebie.

– O mnie? – zapytała zdumiona. – Jak to o mnie? – nie mogła uwierzyć.

– Po prostu o ciebie – patrzył na nią bardzo poważnie. Nie żartował.

– Ale z kim? – wydusiła z siebie coraz bardziej zdenerwowana.

– Z Mateuszem.

– To jakiś żart – raczej stwierdziła, niż zapytała.

– Niestety, nie jestem dziś w nastroju do żartów. Miałem ciężką przeprawę w domu. Najpierw z Mateuszem, a później z rodzicami.

– Mikołaj, o czym ty mówisz?

– Wczoraj. Widział nas. Mateusz. To znaczy po studniówce – mówił nieskładnie. Był zdenerwowany. – Widział, jak po ciebie przyjechałem. Wyobraźnia zaczęła mu pracować i pomyślał sobie, że ty i ja... – nie dokończył. Nie musiał.

– Boże! – przeraziła się, a pojawiająca się nagle słabość kazała jej natychmiast przysiąść na prowadzących do garażu schodkach, na których właśnie stała. Zakryła dłonią usta. – Mogłam się domyślić. Boże, co ja narobiłam? – załamała się.

– Haniu, posłuchaj mnie. Nic nie narobiłaś. To, że po ciebie przyjechałem, nie oznacza jeszcze...

– Mikołaj – przerwała mu. – Posłuchaj, wczoraj Mateusz z kilkoma kolegami odprowadzili mnie w nocy przed hotel. Bojąc się waszego spotkania, powiedziałam im, że przyjedzie po mnie przyjaciel. Dałam im do zrozumienia, że to ktoś dla mnie bardzo ważny, i chciałabym poczekać na niego sama. Boże! Co ja najlepszego narobiłam? – Dotknęła dłońmi pulsujących nerwowym bólem skroni. Popatrzyła na niego. Wciąż stał oparty o samochód.

– Musiał gdzieś zaczaić się i zobaczył nas razem. Potem od razu wrócił do domu i nie chciał rozmawiać z rodzicami, którzy odchodzili od zmysłów, zastanawiając się, co się mogło stać.

– Boże, przecież mogłam przewidzieć, że oni wszyscy będą... – Schowała oczy za zaciśniętymi pięściami. Nie wiedziała, czy jest bardziej wściekła na siebie, czy jej bardziej przykro z powodu Mikołaja i jego dzisiejszych rodzinnych niesnasek.

– Haniu, uspokój się. Naprawdę nic się nie stało.

Nie umiał kłamać. Była pewna, że myślał i czuł zupełnie co innego.

– Jeżeli myślisz, że uspokoi mnie to, co właśnie powiedziałeś, to jesteś w błędzie. Jak możesz mówić, że nic się nie stało? Pobiłeś się z własnym bratem, który w dodatku jest moim uczniem i myśli sobie, że... – zamilkła. – Co on sobie myśli? – popatrzyła na niego przerażona.

– Spokojnie. Teraz już wie, co i jak, ale na początku był przekonany, że... Że my...

– Mikołaj... – przerwała mu, widząc, jak się męczy. – Proszę cię, powiedz mi wprost, chcę wiedzieć – mdliło ją z nerwów, ale musiała znać prawdę.

– No, po prostu pomyślał, że spędziliśmy z sobą noc – powiedział szybko.

Nie mogła uwierzyć w to, co usłyszała. Nie znosiła, nienawidziła, gdy nie miała kontroli nad tym, co się wokół niej działo i bezpośrednio jej dotyczyło. Chciała się zapaść pod ziemię, ale musiała się przedtem jeszcze czegoś dowiedzieć.

– Proszę, powiedz, że mu wszystko wytłumaczyłeś – popatrzyła na niego z nadzieją.

– Na początku wkurzył mnie swoim gadaniem i powiedziałem mu, że to nie jego interes, czy z sobą sypiamy, więc mi przyłożył. Ale po rozmowie z rodzicami trochę ochłonąłem, rozmawiałem z nim jeszcze raz i wszystko mu wyjaśniłem. Zrobiłem to tylko dla ciebie, dla twojego dobra, bo nie muszę mu się tłumaczyć.

– Mikołaj, co mu wyjaśniłeś? Wszystko, to znaczy co? – miała dość niedomówień.

– Haniu, spokojnie...

Chyba nie chciał powiedzieć nic więcej. Bała się tego.

– Błagam cię, powiedz mi, co mu powiedziałeś.

– Że z tobą nie spałem. Nigdy! – ostatnie słowo wymówił bardzo głośno.

Wstała. Miała dosyć siedzenia.

– A co na to wszystko powiedzieli twoi rodzice? – musiała oprzeć się o ścianę. Jej przepona nerwowo podskakiwała. Schowała dłonie w kieszeniach ulubionych dresów.

– Dopóki nie dowiedzieli się, o co chodzi, bardzo się denerwowali. Zwłaszcza mama, bo jak się coś dzieje, to zawsze zakłada najgorsze. Płakała. Wytłumaczyłem im, że czasami tak się dzieje, że dwóm facetom podoba się ta sama kobieta. Ale przepraszam – uniósł do góry dłonie. – Obiecywałem wczoraj, że nie będę przy tobie poruszał tego tematu – uśmiechnął się.

Odniosła wrażenie, że w przeciwieństwie do niej zaczął się bawić całą sytuacją. Chyba nie zdawał sobie sprawy z konsekwencji tej historii. Na trzęsących się nogach pokonała trzy dzielące ich schodki. Stanęła odważnie naprzeciwko niego. Spojrzała mu w oczy i to był błąd, ponieważ jej odwaga była już tylko niewyraźnym, mglistym wspomnieniem.

– Mikołaj... – zaczęła niepewnie. – Może w związku z tym, co się stało, powinniśmy przestać...

Przerwał jej w pół słowa, kładąc swój palec wskazujący na jej ustach.

– Nic nie mów. Proszę cię. Nic nie powinniśmy. Nie przejmuj się Mateuszem. Za kilka dni mu przejdzie, a nawet jeżeli nie, to przecież w życiu trzeba wszystkiego spróbować. Musi się przekonać, jak to jest, kiedy ktoś cię nie chce. Do tej pory to on skakał z kwiatka na kwiatek i nigdy nie oglądał się za tymi, które właśnie zostawiał dla innych. Więc może się w końcu dowie czegoś o życiu? Nauczy. Niech się przekona na własnej skórze, że trzeba mieć dużo szacunku dla uczuć innych. Nie uważasz?

Zaskoczył ją tym pytaniem.

– Uważam – odpowiedziała krótko. Jednak musiała powiedzieć mu o wszystkim, co ją w tej chwili dręczyło. – Mikołaj, proszę cię, nie zrozum mnie źle, ale musisz przyznać, że sytuacja nie jest najzdrowsza. Ja go uczę, a on niedługo będzie zdawał maturę...

Znowu nie pozwolił jej dokończyć.

– Mówisz dokładnie jak moja matka. To, że będzie zdawał maturę, nie oznacza, że trzeba się z nim obchodzić jak ze zgniłym jajkiem. Posłuchaj. Ja wiem, jak to jest, kiedy ktoś mówi ci, że cię kocha, a za dwie godziny, w jednej sekundzie, stajesz się dla niego nic nieznaczącym epizodem. Biorąc pod uwagę twoje zachowanie, nie trzeba być wyjątkowo spostrzegawczym, żeby zauważyć, że masz za sobą jakiś nieudany związek. No, powiedz sama – mówił bardzo szybko, a ona czuła się tak, jakby ktoś coraz bardziej przypierał ją do muru. I, o dziwo, tym kimś wcale nie był Mikołaj. Za sobą miała betonowy mur, a przed sobą ścianę płaczu. Poczuła się skrajnie wyczerpana.

– Mikołaj... – zaczęła trzęsącym się głosem. To był dobry moment. Gdyby miała więcej siły i odwagi, powiedziałaby mu wszystko. W trzech zdaniach. Dosłownie, użyłaby trzech zdań. Nie potrzebowała więcej. Niestety, nie potrafiła tego zrobić. Nie miała też sumienia, żeby zlekceważyć jego pytanie. Wiedząc już, że ma za sobą złe przeżycia, chciała być wobec niego szczera, więc zaczęła jeszcze raz. Wzięła głęboki wdech i powiedziała cicho, wbijając wzrok w stojącą między nimi skrzynkę narzędziową: – Mikołaj, mnie się miłość źle kojarzy... – walczyła z napływającymi do oczu łzami.

Nagle poczuła jego dotyk. Znów użył palca wskazującego. Tym razem włożył go pod jej brodę i podniósł do góry jej schowaną twarz. Spojrzała na niego. Nie mogła inaczej. Nie pozostawiał jej wyboru. Patrzył na nią mądrym wzrokiem, w którym odnajdywała zrozumienie. Delikatnie się uśmiechał. Odniosła wrażenie, że już nic nie musi mówić. Że on wszystko o niej wie i wszystko doskonale rozumie. Chciałaby bardzo, żeby tak było. Niestety, było inaczej. Ulegała magii chwili. Przecież nie wiedział o niej nic.

– Obiecasz mi coś? – zapytał, wciąż przytrzymując jej twarz.

– Ilekroć się spotykamy, zawsze chcesz, żebym coś obiecywała – pomyślała głośno.

– Taki już jestem. Obiecasz?

Skinęła delikatnie głową, napotykając w pewnym momencie opór jego dłoni.

– Obiecaj, że nie będziesz myślała o Mateuszu. Pamiętaj, nic złego się nie dzieje.

– Obiecuję – powiedziała, patrząc mu w oczy.

– Jak myślisz? Czy mogę teraz wykorzystać sytuację?

– Nie rozumiem? – udała naiwną, prawie tracąc równowagę.

– Jakby nie było – mówił spokojnie, uważnie dobierał słowa – doznałem dziś uszczerbku na zdrowiu, a raczej na urodzie. Może mógłbym liczyć na jakieś zadośćuczynienie? – nachylił się nad nią.

Dopiero teraz poczuła, że jego dotyk na podbródku parzył ją nie do wytrzymania.

– Herbata? – zaproponowała idiotycznie. Czuła, że dłużej nie wytrzyma jego bliskości.

– Coś jeszcze? – zapytał prawie niesłyszalnie.

– Szarlotka?

– Coś jeszcze? – Był niebezpiecznie blisko.

– Kolacja? – wypowiedziała już bez użycia głosu.

Ich twarze oddzielało od siebie jedynie kilka centymetrów. Nie więcej. Nie mogła w to uwierzyć, ale to ona pokonała tę odległość. Pocałowała go. Nie. Dotknęła. Nie. Musnęła tylko. To nie był pocałunek. To była mikrosekunda, która przeniosła ją do innego wymiaru. Znalazła się w świecie wypełnionym bez reszty Mikołajem. Musiała z niego uciekać. Szybko!

Znów stała nieruchomo. Patrzyła na niego. Nie wiedziała, jak do tego doszło, ale trzymał jej dłonie w swoich, patrzył na nią błyszczącymi oczami i czuła, że teraz to on miał odwagę pokonać dzielącą ich odległość. Mogła tego nie wytrzymać.

– Pójdę... Wstawię... Wodę... – wyszeptała zdrętwiałym szeptem.

Odsunęła się od jego niebezpiecznie rozchylonych ust. Patrzył na nią tak, że nie musiał nic mówić. Wiedziała wszystko. Jego oczy były teraz ustami. Musiała uciekać. Jeszcze tylko dłonie. Musiała je odzyskać.

– Idź – miała je z powrotem. – Idź... – znów szepnął.

Odwróciła się, słysząc, jak otwiera skrzynkę narzędziową. Pokonała garażowe schodki. Wolnym krokiem przeszła do holu i poczuła, że musi tam wrócić. Cicho, bezszelestnie. Sprawdzić, czy on jest tam w rzeczywistości. Chciała na niego tylko popatrzeć. Zrobiła to. Był tam. Widziała go siedzącego na garażowych schodkach. Nie miała teraz ochoty na herbatę, a on na naprawę koła. Wycofała się. Lustro w holu odnotowało jej przeraźliwą bladość. Stanęła przy kamiennym kuchennym blacie i dotknęła go obiema dłońmi. Był lodowaty. Chłonęła jego chłód, chcąc ostudzić przegrzane zmysły. Nie udawało się jej. Okazało się, że nie potrzebowała chłodu. Potrzebowała czasu. Dużo czasu. Musiała się czymś zająć. To znaczy musiała zająć czymś ręce, bo jej przerażone i jednocześnie uśmiechnięte myśli krążyły wciąż wokół garażowych schodków. Nie była pewna, czy dobrze się stało, ale usta nie pozwalały jej wątpić. Były wciąż oczarowane jego dotykiem i uśmiechały się. Ona nie wiedziała, co robić, a one się uśmiechały, mając za nic wszystkie jej obawy.

Kroiła ciasto, gdy usłyszała dźwięk domofonu. Brzmiał tak, jakby przed furtką stał ktoś przesyłający jej właśnie wiadomość alfabetem Morse'a. Podeszła do drzwi. Nie musiała zerkać na monitor. Była pewna, że to Dominika. Otworzyła jej bez słów i szybko wróciła do kuchni, by wlepić wzrok w ciasto. Układając słodkie kwadraty na ogromnym półmisku deserowym, słyszała jak Dominika rozbiera się, nucąc: „miłość ci wszystko wybaczy". Weszła do kuchni, nie przerywając swojego muzycznego popisu.

– Nie przeszkadzam? Mikołaj jeszcze odpoczywa po nocy? – zapytała głośno. Najwidoczniej jego samochód na podjeździe rozbudził jej wyobraźnię.

– Cześć! – Hanka uśmiechnęła się do przyjaciółki, całkowicie lekceważąc wścibskie spojrzenia.

– Cześć, cześć! – Dominika zerkała jej przez ramię. – Dasz kawałek? Czy wszystko dla zmęczonego kochanka?

– Dam, i owszem. A co się stało, że zostawiłaś swojego kochanka samego? – nie pozostawała dłużna w złośliwościach.

– Pomyślałam, że jesteś samotna i że wyciągnę cię do kina. – Dominika z rozbrajającym uśmiechem wymieniła tytuł filmu, który bardzo chciała obejrzeć.

Hanka nie przepadała za kinem. Jednak nowa adaptacja jednej z jej ulubionych powieści kusiła ją od jakiegoś już czasu. Krzątała się, przygotowując filiżanki, a Dominika wciąż przyglądała się jej z pytającym uśmieszkiem.

– To co? Rozumiem, że mam zaplanować sobie jakiś wolny weekend na wyjazd do Nałęczowa.

– Czy koleżanka aby nie pospieszyła się z wnioskowaniem? – uśmiech nie schodził jej z ust.

– No, wiesz. Całe rano spędziłam na cudownym leniuchowaniu, tak to nazwę – chrząknęła znacząco – w towarzystwie towara wszech czasów, aż mnie wyrzuty sumienia wzięły, że korzystam z życia aż nadto, a ty, bidulko, jak cię znam, spędzasz niedzielę z czerwonym długopisikiem w garści. I oto jestem! – Dominika uniosła ręce i okręciła się wokół własnej osi. – Zrezygnowałam dla ciebie z kilku orgazmów. Ale widzę, że całkiem niepotrzebnie – przerwała i skierowała swe kroki w kierunku schodów na piętro.

– A ty dokąd? – celowo wyprzedziła ją i własnym ciałem zasłoniła wejście na schody.

– No coś ty? – ofuknęła ją Dominika. – Gadaj, gdzie on jest!

Hanka uśmiechnęła się i robiąc nadzwyczaj tajemniczą minę, szepnęła jej wprost do ucha.

– W garażu...

– W garażu? – powtórzyła, krzywiąc się, Dominika. – A co on tam robi?

– Wymienia mi koło – odpowiedziała, wyjmując z witryny deserowe talerzyki.

– Chcesz powiedzieć, że zamiast zajmować się tobą, zajmuje się twoim samochodem? – mówiąc „tobą", Dominika dotknęła jej biustu.

Hanka odskoczyła jak oparzona.

– Przykro mi, że się zawiodłaś. Poza tym łapy przy sobie! Powiedział ci ktoś kiedyś, że jesteś zdrowo szurnięta? – zapytała, ale szybko pożałowała swych słów.

– Tak. – Dominika uśmiechnęła się do niej, więc odetchnęła z ulgą. – Ale to nikt ważny. Więc się tym nie przejęłam. To co, idziemy do tego kina?

– Na którą? – spojrzała na zegarek. Było kilka minut po osiemnastej.

– Na dwudziestą.

– Trochę późno. Mam jeszcze sprawdzanie.

Trzasnęły drzwi. W holu pojawił się Mikołaj. Miał podwinięte do łokci rękawy szarej sportowej bluzy i uśmiechał się zniewalająco, nic sobie nie robiąc z przeraźliwie brudnych rąk.

– Cześć, Dominika – przywitał się grzecznie.

– Cześć! – Dominika podeszła do niego bliżej. – O matko! A to co? Ugryzła cię? – wypaliła, wskazując ruchem głowy na Hankę.

Siostra miała ochotę ją udusić.

– Nie. Hanka nie gryzie. Po prostu byłem u niedelikatnej dentystki.

Jego powiedziany z poważną miną dowcip sprawił, że parsknęła śmiechem. Popatrzył na nią tak, że to spojrzenie musiała poczuć nawet okienna szyba za jej plecami. Nie widziała w tej chwili niczego poza jego uśmiechniętymi oczami. Zawierały w sobie trudną do opisania radość z ogromnej tajemnicy należącej tylko do ich ust.

– A ty co tak stoisz jak figura woskowa? – Dominika oczywiście puściła mimo uszu stomatologiczną uwagę Mikołaja. – Herbatkę rób, a ja pomogę Mikołajowi rączki umyć. A poza tym co ci przyszło do głowy, żeby z utalentowanego architekta robić mechanika? Spójrz! Jego ręce są stworzone do...

Hania chrząknęła znacząco, wiedząc, co Dominika chciała właśnie chlapnąć. Chyba dobrze zrobiła, bo siostra obdarzyła ją spojrzeniem maltretującym muchy w locie, ale dzięki Bogu nie dokończyła rozpoczętego zdania.

– Chodź! – Dominika zwróciła się do Mikołaja. – Mamy sprawę do obgadania. A jak wrócimy, wszystko ma być gotowe! – Zgarnęła go ramieniem, jakby był jej własnością.

Widząc to, Hanka zrobiła się zazdrosna. To uczucie ją przeraziło. Była zła na Dominikę, ale na siebie chyba bardziej. Nie wiedziała, co się z nią dzieje. Nie potrafiła zapanować nad swoimi uczuciami i emocjami. Otworzyła witrynę w poszukiwaniu talerzyków deserowych, które już wcześniej z niej wyjęła. Słyszała przytłumione głosy dochodzące z łazienki. Nie mogła nic z nich zrozumieć, bo zagłuszał je szum wody płynącej z kranu. Umyła ręce. Wszystko było gotowe. Niestety, jej przepona wciąż udawała liście osiki na wietrze. Usiadła przy stole. Nie pomogło. Czekała. Gdy wrócili, Dominika wyjęła z torebki telefon, wybrała numer i usiadła przy stole, patrząc jej głęboko w oczy. Czekając na połączenie, nałożyła sobie ciasta. Mikołaj zajął swoje ulubione miejsce przy kuchennym blacie. Patrzył na nią. Była onieśmielona, zwłaszcza że dopiero teraz zauważyła, iż podwinięte rękawy bluzy odsłaniały jego bardzo męskie przedramiona.

– Siadaj, proszę – szepnęła w jego stronę.

– No, cześć, kochanie – powiedziała Dominika. – Stęskniłam się! Lubisz szarlotkę? – Cisza. – To przyjeżdżaj do Hanki. Zaprasza cię. – Słysząc, co mówi Dominika, Hania skinęła tylko głową, potwierdzając zaproszenie. – Jest tu też Mikołaj. Zjemy. Posiedzimy chwilę i pójdziemy razem do kina. – Przemek w tej rozmowie miał tylko małą rólkę. Był to raczej monolog, nie dialog. – To pa! – Dominika głośno odłożyła telefon na blat stołu i popatrzyła na nią zaczepnie.

– No co? Chyba się dobrze zachowałam?

– Bardzo dobrze. Tylko nie wiem, czy z tym kinem to dobry pomysł – zerknęła pytająco na Mikołaja

– On idzie – Dominika mówiła dzisiaj za wszystkich. Mikołaj nie miał szansy wcisnąć nawet półsłówka. – Już to obgadaliśmy.

– Ale ja mam jeszcze sprawdzanie... – zaczęła niepewnie.

– Nie bądź nudna. Idziemy, i koniec.

Popatrzyła na uśmiechniętego Mikołaja i z bezsilności przewróciła tylko oczami. Wzięła jego talerzyk, nałożyła na niego ciasto i położyła przed nim.

– Mam nadzieję, że będzie ci smakować.

– Dzisiaj wszystko mi smakuje – powiedział takim tonem, że znowu znalazła się na garażowych schodkach.

– Oj, wyczuwam w powietrzu jakieś napięcie... – nie omieszkała zauważyć Dominika, nakładając sobie kolejną porcję szarlotki.

Hanka zgromiła ją surowym wzrokiem i od razu została za to krzywe spojrzenie ukarana. Dominika, dolewając oliwy do ognia, pacnęła się w czoło.

– Ach, tak. Przecież to moje napięcie przedmiesiączkowe.

Mikołaj wbił oczy w talerzyk, a ona też nie bardzo wiedziała, co począć z rękami i całą sobą. Najchętniej zakneblowałaby Dominikę, która plotła trzy po trzy i co gorsza, bawiła się przy tym doskonale.

– Pyszne! Mogę jeszcze? – Na szczęście potrafił udawać, że niczego nie słyszy.

– Oczywiście – ucieszyła się. – A może jesteś głodny, może zrobię ci do zjedzenia coś konkretniejszego?

– A ty, Hanka, nie wiesz, że faceta nigdy nie pyta się o to, czy jest głodny, tylko czy mu się chce jeść? Słyszałam, że każdy normalny facet to cały czas jest głodny.

– Za chwilę cię uduszę – powiedziała Hanka spokojnie. Miała po dziurki w nosie męczących ją sugestii. Spojrzała na Mikołaja, szukając pomocy.

– Z wielką chęcią zjem jeszcze kawałek szarlotki i nie będzie mi się już chciało jeść.

– Bingo! – krzyknęła Dominika.

– Jeżeli się nie uspokoisz, to nie pójdę z wami do żadnego kina! – Jej groźba została częściowo zagłuszona przez dźwięk domofonu.

– Boże, mój ukochany stoi u drzwi – Dominika rzuciła się, aby je jak najszybciej otworzyć.

Na kilka sekund zostali sami. Postanowiła je wykorzystać.

– Mikołaj, przepraszam cię za nią. Ona tak zawsze...

– Nie przepraszaj – przerwał na moment jedzenie ciasta. – Zdążyłem ją już trochę poznać i wiem, jak działa. I powiem ci, że w tym szaleństwie jest metoda. Poza tym uważam, że Dominika, pomimo całej swej życiowej popędliwości, jest bardzo pragmatyczna i mądra.

– Też to wiem – zgodziła się z nim. – Ale czasami jej zbytnia bezpośredniość bardzo mnie męczy.

– Może skończycie z tym obgadywaniem! – Dominika była już przy stole. Przyciągnęła za sobą Przemka, który dzierżył w dłoni butelkę czerwonego wina.

– Bardzo proszę, to piękne kwiatki dla pięknej gospodyni – wręczył jej z gracją flaszkę, za którą podziękowała uśmiechem.

„No to teraz zobaczysz!", pomyślała, patrząc wymownie na Dominikę. Prawie zawsze rozumiały się bez słów, dlatego miała nadzieję, że tak jest i teraz. Przeniosła spojrzenie na Przemka.

– To bardzo miło – zaczęła mówić tak elektryzującym głosem, że Mikołaj natychmiast wlepił w nią zaszokowany wzrok – otrzymać od takiego przystojniaka tak bogaty bukiet... Zapachowy – dodała po chwili.

Czuła na sobie spojrzenie Mikołaja. Wodził za nią głodnym wzrokiem, gdy wyjmowała kieliszki z witryny. Przemek, w asyście Dominiki, pozbywał się wierzchniego okrycia.

– Ja nie piję, więc zawiozę was do kina – postanowiła autorytarnie.

– Nie – usłyszała głos Mikołaja. – Ja będę kierowcą, z tym że twojego samochodu. Przynajmniej sprawdzę, czy z kołem wszystko w porządku.

– Dobrze – zgodziła się szybko i bez namysłu.

– A na co idziemy? – zapytał Przemek, siadając przy stole.

– Nie interesuj się! – zgromiła go Dominika odwijająca z jego szyi długi szalik. – Jakbyś nie wiedział, to informuję cię, że idziemy do kina, a nie na film.

Przemek był widocznie przyzwyczajony do nakazowego typu narracji Dominiki, ponieważ jej wypowiedź nie zrobiła na nim najmniejszego wrażenia. Popatrzył na Mikołaja.

– A tobie co się stało? – zapytał z zaciekawieniem.

– Ugryzłam go. – Udało się. Tym razem była szybsza od Dominiki. Starała się też przybrać bezpruderyjny wyraz twarzy, ale chyba bez powodzenia.

Przemek zrobił wielkie oczy. Jednym z nich mrugnął do Mikołaja.

– To, stary, musimy to opić.

Grzecznie podała lampki do wina i korkociąg. Mikołaj zajął się otwieraniem butelki. Przemek uśmiechał się pod nosem, a Dominika wyjadała jabłka z szarlotki. Oczywiście paluchem. Jak zwykle.

Hanka słyszała charakterystyczny odgłos nalewania wina do kieliszków. Bardzo dawno go nie słyszała. Skojarzył się jej z rodzicami. Może dlatego przypomniała sobie głos mamy proszącej Dominikę, żeby jadła budyń łyżeczką, a nie palcem. „Kochanie, a niech je, jak jej smakuje", głos taty pamiętała chyba dokładniej. Tak bardzo ich jej teraz brakowało. Chciała im opowiedzieć o tylu sprawach. Miała się czym pochwalić. Zaczęła zerkać w przyszłość. Nagle przeraziła się. Dotarło do niej, że gdyby teraz tutaj byli, to ona z pewnością siedziałaby wtulona w... Zrobiło się jej słabo. Musiała uciec. Nie słyszała żadnych rozmów. Słyszała tylko paniczne bicie własnego serca. Oddech sprawiał ból.

– Co ci jest? – usłyszała pytanie zadane chyba przez Mikołaja.

– Nic... Nic... Pójdę się przebrać. Przepraszam was na moment. – Musiała wstać od stołu, przy którym siedziało w tej chwili również towarzystwo z zaświatów. Musiała zdążyć uciec przed wspomnieniami. Odetchnąć świeżym powietrzem.

Pokonywała kolejne stopnie schodów na trzęsących się nogach. Ręce dygotały. Musiała robić tylko wdechy. Brakowało jej powietrza. Myśl, że gdyby jej bliscy żyli, w jej życiu nie byłoby miejsca dla Mikołaja, dla tego Mikołaja, przyprawiała ją o pogłębiające się uczucie słabości. Miała zawroty głowy. Była przerażona. Otworzyła okno w sypialni. Na oścież. Zimne powietrze zadziałało na nią jak najsilniejsze leki uspokajające. Zamknęła oczy i nie czując chłodu, próbowała doprowadzić swój puls do granic normy.

– Hanka!!! – usłyszała Dominikę drącą się z dołu. Nie wiedziała, jak długo stała w miejscu. Poczuła, że jest przemarznięta. – Co ty tam tak długo robisz? Schodź! Musimy już wychodzić!

– Idę! – odkrzyknęła, o dziwo, całkiem normalnym głosem, który niczym nie wskazywał na emocjonalne tsunami pochłaniające ją bez reszty.

Było jej zimno i chciało się jej wyć. Nie płakać. Wyć. Wszystko wróciło. Czuła pod palcami strukturę materiału marynarki Mikołaja, choć ręce miała puste. Z trzaskiem zamknęła okno. Hałas miał ją oddzielić od tamtego świata. Nie udało się. Odkręciła kran. Umyła twarz lodowatą wodą. Lepiej. Już lepiej. Jeszcze raz. Już dobrze. Prawie dobrze...

– Hankaaa!!!

– Idęęę!!!

Nie znosił poniedziałków. Wrócił do domu wykończony. Cały dzień spędził nad idiotycznym projektem bliźniaka. Dwaj inwestorzy, którzy zamierzali w nim zamieszkać, mieli dwie różne koncepcje. I zrób tu, chłopie, bliźniaka! Nie mógł zrozumieć, dlaczego chcieli mieszkać w jednym domu. Co prawda, ich żony były siostrami bliźniaczkami, ale co z tego? Miał pecha, musiał stworzyć projekt, który powinien usatysfakcjonować obu szwagrów. Z tym że jeden z nich stawiał na funkcjonalność, a drugi na elegancję. Ich wytyczne do projektu zajmowały ponad dwadzieścia stron. Projekt był dla niego wyzwaniem nie tylko zawodowym, ale i psychologicznym. Przez osiem godzin tkwił w architektonicznej matni bez szans na uwolnienie się. W dodatku był niewyspany. Wczorajszy dzień dał mu ostro po łbie. Nie wypił ani grama alkoholu, a dziś czuł się tak, jakby męczył go kac morderca.

Tyle się wczoraj wydarzyło, że emocji starczyłoby mu nawet na tydzień. Niezbyt udane popołudnie spędzone w napiętej, nie do końca przyjaznej rodzinnej atmosferze zamieniło się na szczęście w miły wieczór u Hanki i dziwną kinową noc. Na filmie nie mógł się skupić. Hanka była zbyt blisko. Przez ponad dwie godziny projekcji walczył z sobą, zastanawiając się, czy wziąć ją za rękę. Chciał to zrobić, ale bał się, że mu na to nie pozwoli. Filmu nie rozumiał. Wciąż czuł na swoich obolałych ustach jej pocałunek. Chwila, którą przeżył w garażu, była tak ulotna, że zastanawiał się, czy jej sobie nie wymyślił. Był chyba nie całkiem w porządku wobec Hanki, bo chciał wykorzystać jej wyrzuty sumienia i sprowokował ją. Udało mu się to doskonale, bo to ona go pocałowała. To ona wykonała najważniejszy ruch wczorajszego wieczoru, niestety, od razu po nim ukryła się w kuchni. W kinie była jakby nieobecna. Smutna. Zastanawiał się, co zrobił nie tak. Domyślał się, że była typem wrażliwca. Studniówkowa akcja wytrąciła ją z równowagi, a on bez skrupułów wykorzystał sytuację. Źle się z tym czuł. Obiecał sobie, że już nigdy się wobec niej tak nie zachowa. Poza tym miał wrażenie, że Dominika też równo jej dołożyła. Jednego był pewien. Coś skutecznie zepsuło Hance humor. Po kinie była milcząca. Nie odzywała się prawie wcale. Nawet na niego nie patrzyła. Może przesadził z tekstami w garażu? Ale przecież przy herbacie wszystko było w porządku. Patrzyła na niego tak, jak lubił najbardziej. Dopiero gdy zeszła z góry, coś się stało. Nawet po schodach szła inaczej niż zwykle. Trzymała się poręczy, jak nigdy.

Wieczorem padł na łóżko wykończony. W pracy był zajęty i dopiero teraz, analizując jej wczorajsze zachowanie, doszedł do wniosku, że musiał ją czymś urazić. Na pewno nie chodziło o Dominikę, bo do jej odważnych i przesadzonych tekstów z pewnością była przyzwyczajona. Jeszcze raz odtwarzał w pamięci ich wczorajsze spotkanie. Prawie słowo po słowie. Nie miał pojęcia, co zrobił albo powiedział nie tak. Musiał się tego dowiedzieć. Najchętniej pojechałby do niej od razu. Obawiał się jednak, że teraz każdy nierozważny ruch mógłby go wiele kosztować. Może nawet wszystko, co udało mu się do tej pory osiągnąć. Nagle poczuł się trochę jak jego idol z dzieciństwa. Pomysłowy Dobromir. Doznał olśnienia. Przecież sama mu powiedziała, o co chodzi. Jak ona to powiedziała? Niestety, nie potrafił sobie dokładnie przypomnieć. Pamiętał jedynie, że chodziło o miłość. Jeszcze raz usiłował przypomnieć sobie jej słowa.

Oddałby wszystko, żeby wiedzieć, co w jej życiu poszło nie tak. Był bardzo ciekawy, co jej zrobił ten złamas, z którym kiedyś była. Jak ją skrzywdził? Chciałby go dostać w swoje ręce. Wiedziałby, co z nim zrobić. Żałował, że nie potrafiła przekreślić przeszłości. Jemu się to udało. Ale, po pierwsze, był facetem, a po drugie, to chyba wcale nie kochał. Z Hanką na pewno było inaczej. Musiał coś zrobić, żeby mu o wszystkim powiedziała. Tylko co? Zerknął na leżącą na kuchennym stole komórkę. Osiemnasta czterdzieści dwie, odczytał na wyświetlaczu. Za oknem było ciemno. Słyszał szum samochodów. Ludzie wracali po pracy do domów. Powinien ją do siebie zaprosić. Zerknął na zlew, w którym piętrzyły się brudne kubki po kawie. Z całego ubiegłego tygodnia. Nie chciało mu się ich nawet włożyć do zmywarki. U Hanki zawsze panował nienaganny porządek. Musiał coś z tym zrobić. Jego nagły porządkowy zapał nie miał na razie szans na realizację. Usłyszał telefon. Dzwoniła mama. Przez moment zastanawiał się, czy odbierać.

– Cześć, mamo – nie potrafił udawać nieobecnego. Nie przed nią.

– Cześć, synku. Co u ciebie? – mama udawała, że to rozmowa rutynowa. Wiedział, że tak nie jest.

– Co z Mateuszem? – zapytał od razu.

– Lepiej – nie spodziewał się tak zdawkowej odpowiedzi. – Dzwonię, żeby porozmawiać o tobie, a nie o Mateuszu.

– Mamo – zaczął, udając swobodę – nie musisz się o mnie martwić. Jestem już duży. Zdałem maturę, skończyłem studia, radzę sobie.

– Nie jestem tego taka pewna – powiedziała z nieukrywanym przekąsem.

– Nie wiem, o co ci chodzi.

– Nie o co, tylko o kogo – drążyła.

– Pytaj.

– Z tą profesor Lerską to coś poważnego?

Podziwiał mamę za cywilną odwagę. Zawsze umiała nazywać rzeczy po imieniu i dążyć do prawdy.

– Z mojej strony tak. Nigdy o żadnej kobiecie nie myślałem tak poważnie – przerwał, ale chciał, żeby wiedziała wszystko. – Jestem zakochany po uszy i zupełnie nie wiem, co z tym zrobić.

– Jak to co zrobić?! A ona?

– Nie wiem.

– Powiedziałeś jej?

– Nie.

– Dlaczego?

– Bo to wszystko jest bardzo skomplikowane...

– Nieodrodny syn swego ojca – westchnęła. – Mówisz tak, jakby miała męża i dzieci.

– Mamo, nie przesadzaj. Nic o niej nie wiem. Domyślam się tylko, że ma za sobą jakiś nieudany związek, jest bardzo skryta... – Cieszył się, że rozmawiają przez telefon, bo gdyby miał przed sobą wszystkowiedzące oczy mamy, nie potrafiłby wydusić z siebie nawet kilku słów na temat Hanki.

– To ja już nic ci na to nie poradzę. Ale chcę, żebyś wiedział, że będę trzymała za ciebie kciuki, bo jej bardzo dobrze z oczu patrzy. Piękna dziewczyna i mądra na dodatek. Poza tym pasujecie do siebie. To dobrze, pani Krystyno – mama nagle zmieniła ton i temat.

Zachciało mu się śmiać.

– Jesteś na podsłuchu? – zapytał rozbawiony.

– Tak, pani Krystyno, jest dokładnie tak, jak pani przypuszcza.

– Mamo, jesteś boska!

– Tylko, pani Krystyno, jak się pani dowie czegoś nowego, to proszę mnie od razu powiadomić. Dobrze?

– Dobrze, mamo.

– W takim razie będę czekała na dobre wiadomości. Do widzenia.

– Pa, mamo.

Siedział, patrząc na zrobiony przez siebie w ciągu całego tygodnia kuchenny rozgardiasz, i cieszył się jak dziecko. Nie raz i nie dwa przekonał się już w życiu, że mama zawsze miała rację. Gdy był młodszy, często uważał, że miała skłonność do panikowania i krakania. Ale zawsze i tak wychodziło na jej. Jeżeli uważała, że pasują do siebie z Hanką, to znaczy, że chciała mu dać do zrozumienia, iż czuje, że coś z tego wyjdzie. Nieprzerwanie wgapiał się w owoc swojego lenistwa i niechlujstwa spoczywający w zlewie, i nie tylko. Powinien się zabrać do gruntownych porządków. Jednak wiedziony dobrym nastrojem, zagrzany do walki przez własną matkę, wziął do ręki telefon.

Musiał ją teraz usłyszeć. Szybko wybrał jej numer. Tego się nie spodziewał. Rozmawiała z kimś. Jej numer był zajęty. Mina mu zrzedła i od razu włączyła się lampka funkcji zazdrość. Żeby się trochę uspokoić, zaczął sprzątać. Otworzył zmywarkę i wypełniał ją brudnymi kubkami. Gdy skończył pracę nieprzeszkadzającą mu w myśleniu o Hance, znów usiadł przy stole z telefonem przy uchu i historia zajętości się powtórzyła. Z kim mogła tak długo rozmawiać? Postanowił, że da sobie i jej dziesięć minut. Musiał czekać. Wstał i otworzył lodówkę. Wiało z niej nie tylko chłodem, ale i pustką. Kilka rzeczy, które nie były w stanie zrobić tłoku na szklanych półkach, i tak nadawało się już tylko do kosza. Jednym sprawnym ruchem zrobił z lodówki zimny pustostan. Spojrzał na zegarek. Minęło dopiero osiem minut. Nie chciał dłużej czekać. Zmienił zasady i podjął trzecią próbę. Udało się. Odebrała prawie od razu.

– Cześć, Mikołaj – powiedziała bardzo szybko. – Poczekaj sekundkę...

Nie zdążył wydusić z siebie nawet słowa. Usłyszał, jak odłożyła telefon. Zrobiła to w taki sposób, że słyszał, co się działo u niej w domu. Do jego uszu dobiegały dźwięki domofonu i jej szybkich kroków.

– Tak, słucham? – Łowił gdzieś w eterze jej ledwo słyszalny głos. – Nie, dziękuję państwu bardzo, ale nie jestem zainteresowana zmianą wyznania. Pozdrawiam.

Uśmiechnął się. Była przesympatyczna, przemiła, przecudowna. Znów usłyszał kroki.

– Już jestem – powiedziała lekko zdyszana.

– Nie można się do ciebie dodzwonić – zauważył z wyrzutem.

– Rozmawiałam z ciotką Anną. To siostra mojej mamy. Gaduła jakich mało. Telefonowała, żeby mnie poinformować, że mnie odwiedzi. Przyjedzie do mnie za tydzień, i to aż na cztery dni.

– Rozumiem, że mówisz mi o tym, żeby dać mi do zrozumienia, że pierwszy tydzień ferii masz już zaplanowany i nie znajdziesz dla mnie nawet chwili. – Chyba przesadził z wnioskowaniem, bo nie odezwała się do niego. – Halo? Hania?

– Jestem, jestem. Ale, Mikołaj... Oddzwonię. Dobrze...?

Usłyszał tylko, jak się wyłączyła. Odłożył telefon i wlepił wzrok w prawie pusty zlew. Jego dobry humor przepadł bez wieści. Nie miała nawet chwili czasu, żeby z nim porozmawiać. Gapił się na telefon, zastanawiając się, czy oddzwoni, jak obiecała. Zerknął na parapet, na którym obok niewymagającego wyrafinowanej pielęgnacji kaktusa otrzymanego od rodziców piętrzył się niebezpiecznie przechylony w jedną stronę stos składający się z przeterminowanej prasy, którą miał zwyczaj czytać, a raczej kartkować przy śniadaniu. Podniósł się z krzesła i błyskawicznie zamienił ów stos w makulaturowy podarunek. Za gazetami spała sobie mała biedronka. Gdy przyglądał się jej czarnym, śmiesznie poskładanym nóżkom, usłyszał dźwięk telefonu. Dzwoniła Hanuś.

– Bałem się, że o mnie zapomnisz – odebrał natychmiast.

– Przepraszam cię, ale to znów telefonowała ciotka Anna. Zapomniała mi z tego wszystkiego powiedzieć o najważniejszym, czyli kiedy dokładnie przylatuje.

– Przylatuje? – zdziwił się.

– Tak, od lat mieszka w Chicago. Ale dobrze, że rozmawiamy, bo mam wrażenie, że wczoraj nie podziękowałam ci za wymianę koła.

– Nie ma sprawy – wszedł jej w słowo. – Lepiej mi powiedz, czy podobał ci się film?

Usłyszał jej westchnienie.

– A czytałeś może książkę? – zapytała, wprawiając go w zakłopotanie.

– Pewnie uznasz, że to wstyd, ale przyznaję się, nie czytałem.

– Nie. Wcale tak nie uważam – prawie usłyszał jej uśmiech. – Ja przeczytałam tę książkę w jedną noc. Wieczorem zaczęłam, rano skończyłam. Czytając, miałam wrażenie, że siedzę w przecudnej restauracji. Otacza mnie niepowtarzalna atmosfera i jem wyśmienite przepiórki w płatkach róży. Natomiast wczoraj, oglądając film, męczyłam się przez dwie godziny. Czułam się tak, jakby ktoś poczęstował mnie leżącą na szarym i zatłuszczonym papierze niezbyt świeżą pasztetową. Z całym szacunkiem dla pasztetowej, którą bardzo lubię. Umęczyłam się okrutnie.

Parsknął śmiechem.

– Z czego się śmiejesz? – zapytała zdziwiona.

– Z siebie. Wczoraj w kinie byłem przekonany, że jestem intelektualnym zerem, bo wynudziłem się jak mops.

– Przeczytaj książkę. Polecam. Jeżeli chcesz, to mogę ci ją pożyczyć. Szkoda tylko, że widziałeś ten film, bo na pewno będzie hamował twoją wyobraźnię podczas czytania. Niestety, takie pasztetowe filmy zabijają smak literatury przez wielkie el.

– Martwiłem się o ciebie... – zmienił temat i ton. Mógł się domyślić, że odpowie mu cisza. – Haniu, jesteś tam?

– Jestem... – potwierdziła cichnącym wciąż głosem.

– Haniu... Powiedz mi, co się dzieje? Przecież czuję, że coś jest nie tak. Jeżeli czymś cię uraziłem, to po prostu mi powiedz. Przepraszam cię...

– Mikołaj... – zaczęła niepewnie. Dobrze znał ten wycofujący się ton. – Nie zrobiłeś nic złego. Ja po prostu już taka jestem. Niezbyt normalna...

Rezygnacja, którą usłyszał w jej głosie, przeraziła go.

– Nie mów tak. Kiedy możemy się spotkać? Muszę cię zobaczyć. – Niepokoił się o nią. W słuchawce po drugiej stronie zapanowała dręcząca go cisza, sprawiająca mu fizyczny ból. – Haniu, proszę cię, odezwij się. Powiedz cokolwiek, tylko nie to, żebym się odczepił.

– Mikołaj... W moim życiu wszystko jest bardzo trudne i skomplikowane...

– To mi to wytłumacz – poprosił łagodnie. – Przecież ja wszystko zrozumiem.

– Mikołaj... Ja potrzebuję czasu. Są sprawy, o których nie potrafię ci powiedzieć, ot tak, po prostu, bo sama ich do końca wciąż nie rozumiem. Nie pogodziłam się z nimi i nie wiem, czy mi się to kiedykolwiek uda. Uwierz mi, to nie ma żadnego związku z tobą. Do tej pory musiałam sobie ze wszystkim radzić sama. Teraz też muszę przez to przejść sama i potrzebuję czasu. Tkwię po uszy w innej rzeczywistości...

– Posłuchaj – był zdesperowany, nie mógł dłużej słuchać tego, o czym mówiła. Nie była w stanie go przestraszyć. – Muszę się z tobą spotkać. Kiedy znajdziesz dla mnie chwilę? W tygodniu czy w weekend?

Długo milczała, w końcu doczekał się odpowiedzi.

– W tygodniu nie mogę. Mam okropny czas w pracy.

– To może w sobotę?

– Nie mogę, idę do Aldonki. Pamiętasz? Wydaje mi się, że ci mówiłam.

Zbywała go, ale był spokojny.

– Oczywiście, że pamiętam. To może w niedzielę? – nie poddawał się.

– W niedzielę przylatuje do mnie ciotka Anna i będzie u mnie do czwartku.

– Czyli wychodzi na to, że zobaczymy się dopiero w Pradze – inteligentnie wydedukował.

– Mikołaj, proszę cię... – znów była przerażona, jakby zaproponował jej noc z wampirem.

– Zarezerwowaliśmy z Przemkiem pokoje. To znaczy dla ciebie i dla Dominiki.

– Nie jestem pewna, czy ten wyjazd to najlepszy pomysł... Mikołaj... Ja nie mogę ci obiecać...

– Haniu, ja nie proszę cię teraz o żadne obiecanki – był stanowczy. – Sam ci obiecuję, że dam ci spokój. Przez najbliższe prawie dwa tygodnie. Proszę cię tylko o jedno. Nie myśl o tym, że wszystko jest trudne i skomplikowane, i przyjedź do Pragi. Błagam cię. Przemyśl to i nie mów mi już dzisiaj, że nic z tego. Proszę... – Kolejny raz usłyszał jedynie ciszę.

– Pa – szepnęła drżącym głosem i zakończyła rozmowę.

– Pa – odpowiedział, nie mając pewności, czy go usłyszała.

Cisza w słuchawce była okropna. Odrzucił telefon na stół z taką siłą, że spadł na podłogę. Płakała. Był pewien, że mówiąc do niego „pa", płakała. Nie pierwszy raz był załamany swoją niemocą. Nie mógł nic zrobić i czuł się z tym beznadziejnie. Wszystko było nie tak. Wciąż wszystko było nie tak, jak tego chciał. Napotykał same trudności. Gdyby chociaż wiedział, o co w tym wszystkim chodzi, może mógłby coś poradzić. A tak? Otworzył lodówkę. Była w niej jedna, jedyna butelka. Wódka, którą dostał kiedyś od Przemka. Wiedział, że to, co teraz robi, jest pozbawione jakiegokolwiek sensu. Zdawał sobie sprawę, że to odchoruje, ale musiał się jakoś znieczulić. Chociaż na krótką chwilę. Miał już w ręce kieliszek. Napełnił go lodowatym, przezroczystym płynem. Powąchał zawartość kieliszka, po czym cisnął nim z całej siły w kierunku zlewu. Szkło się rozprysło. Na pewno z hałasem. On go nie usłyszał. Był wściekły na siebie, na życie, na wszystko. Nawet na biedronkę, która maszerowała teraz pijanym krokiem po parapecie. Wszystko było pod górę. Żadnych ułatwień. Musiał się przejść i ochłonąć. Ubrał się szybko i trzasnął drzwiami, nie zamykając ich na klucz. Miał to gdzieś. Nie wiedział, jak przeżyje najbliższe dwa tygodnie. Nie potrafił się nawet napić! „Niech to szlag!", pomyślał i trzasnął z całej siły drzwiami klatki schodowej, na których jakiś miłośnik ciszy kolorowymi plastrami dla dzieci przykleił napis: „NIE TRZASKAĆ DRZWIAMI!!!".

Wszystko mija, nawet najdłuższa żmija. Uśmiechała się, myśląc o Aldonce, która takim właśnie mottem opatrzyła radę pedagogiczną dokładnie w chwili jej rozpoczęcia. Od ponad dwóch godzin obserwowała dziejące się na jej oczach najróżniejsze pedagogiczne wydarzenia. Cieszyła się, że z sukcesem zakończyła cyferkowy tydzień. Wystawiła oceny. Wybłagane dwójki zostały rozdane, zasłużone jedynki niestety również. Przeżyła tę matematyczną katorgę dzięki piątkom, czwórkom, a nawet trójkom, które prawie tak samo często były powodem do łez, jak i wielkiej radości. Za oknem panowała już, biorąc pod uwagę kolor nieba, ciemna noc, a końca męki nie było widać. Wszystko ją bolało. Najbardziej chyba głowa. Aldonka siedziała tuż obok i nawet nie starała się udawać zainteresowania. Ona, niestety, tak nie potrafiła. Przez grzeczność przyglądała się kolejnemu aktowi szkolnego przedstawienia, marząc o antrakcie. Wychowawcy klas musieli prezentować różne, nieprzemawiające do jej wyobraźni słupki, procenty, sprawozdania do słupków i elaboraty do procentów. Aldonka zaczytana w jakimś romansidle co chwila wzdychała, a uśmiech prawie nie schodził z jej ust. To zadziwiające. Życie osobiste zrobiło tej kobiecie mało zabawnego psikusa, a ona nie była żadną tam zgorzkniałą i zdziwaczałą starą panną, tylko pełną energii i dobrego humoru jej rówieśnicą, która notorycznie zapominała o używaniu kremów przeciwzmarszczkowych. Twarz Aldonki była już pokryta zmarszczkami. Obserwowała je dyskretnie, z boku, z przekonaniem, że większość z nich miała swoje źródło w radosnej mimice Aldonki. Trudno, żeby nie istniały, skoro ich posiadaczka uśmiechała się z pewnością nawet przez sen.

Aldonka najwidoczniej poczuła, że się jej analitycznie przygląda. Zerknęła w jej stronę.

– Chcesz się obudzić? – zapytała cicho i oczywiście z uśmiechem.

W odpowiedzi Hanka kiwnęła głową. Rzeczywiście przysypiała, nie zamykając oczu dla niepoznaki.

– Przeczytaj sobie odtąd – Aldonka podsunęła jej prawie pod nos otwartą lekturę.

Z ciekawością zerknęła na okładkę książki. Chciała wiedzieć, co czyta. Ulubiona przez Aldonkę królowa romansu pisała:

> Wszedł w nią gwałtownie. Nie mógł dłużej czekać. Jęknęła. Nie był to jednak jęk dojrzałej, wiedzącej, co się dzieje, kobiety, który dobrze znał. Był to spazm dziewczyny, która pierwszy raz rozchylała swoje uda przed mężczyzną. Odkryta przez niego prawda poraziła go. Jednocześnie poczuł przyjemność nie do opisania. Był pionierem, który patrząc na rumieńce swojej oblubienicy, oddawał się bez reszty powolnemu tańcowi życia. Poruszał się powoli, niespiesznie. Obserwował jej na wpół otwarte oczy. Na początku wystraszone, lecz z minuty na minutę zmieniające swój wyraz, a nawet kolor. Z każdym jego ruchem stawały się coraz ciemniejsze. Poczuł, że musi przyspieszyć, żeby dorównać swojemu oddechowi.

– Dawaj już! To moje! – Aldonka zaczęła się śmiać. – Fajne, co?

Hanka nie wiedziała, co odpowiedzieć, więc przewróciła tylko oczami. Musiała przyznać, że lektura tego fragmentu skutecznie wycięła ją z otaczającego świata i sprawiła, że jej tętno niebezpiecznie przyspieszyło. Niestety, na sali nie tylko Aldonka i ona odczuwały zmęczenie materiału i chęć poruszania ustami. Podczas gdy wokół powinna panować cisza jak makiem zasiał, wrzało prawie jak w ulu pracowitych pszczółek.

– Proszę państwa! Bardzo proszę o ciszę! – dał się słyszeć głos pana wicedyrektora, który uwielbiał wchodzić w rolę żandarma.

Było mu jednak daleko do przezabawnego Louisa de Funèsa. Ba! Był jego oczywistym przeciwieństwem. Był nieśmieszny, wredny, zarozumiały i miał spojrzenie naćpanego listkami eukaliptusowymi misia koala.

Aldonka wszystkie uwagi znienawidzonego przez siebie wice miała w głębokim poważaniu. Demonstracyjnie zamknęła rozerotyzowane stronice swojej lektury. Wyciągnęła z torebki kartkę, na której szybko napisała kilka słów i podetknęła jej pod nos. Hanka uwielbiała tę jej okrąglutką, staranną, leciuchną, zwykle wierszowaną twórczość. Rzuciła okiem i nie zawiodła się. Aldonka pisała:

Pojutrze imprezka!
Czy koleżanka pamięta?
Że powinna na nią przybyć!
I to uśmiechnięta!

Uśmiech w towarzystwie Aldonki był warunkiem koniecznym i bardzo prostym do osiągnięcia. Odpisała jej natychmiast.

Pamiętam! Co zrobić do jedzenia?

Ależ nie mówmy teraz o jedzeniu!
Pomyślmy lepiej o męskim istnieniu!

Nie rozumiem.

Nasz nowy informatyk
odwiedzi me pokoje!
Wyczuwam, że jest gotów
Na miłosne podboje!

To ubierz się ładnie!

Czyżbyś nie zauważała?
Że on w istocie ciekaw
Nie mego, lecz twojego
CIAŁA!

To ma pecha!

Nie kpij, złośnico,
Z czyjejś miłości!
Zwłaszcza gdy w twoim sercu
nie gości!

A skąd ten pomysł, że w moim sercu nie ma miłości?

Uchyl więc rąbka tajemnicy
Swojej dyskretnej powiernicy.

To tajemnica skomplikowana...

Posłuchaj mnie, dziewczę!
Skomplikowana jest tylko cnota dla dziewicy,
Która nagle i ot tak, z niczego,
Doznaje poczucia chcicy!

Przeczytała ostatni wers swawolnej twórczości Aldonki i z trudem zapanowała nad głośnym śmiechem. Korzystając z jej nieuwagi, Aldonka wyszarpnęła z jej rąk kartkę. Znów była przy piórze.

Widziałam! Jako żywo!
On za tobą wodzi
Czarnymi oczyma!
I nie jest to moja z ciebie
Niedorzeczna kpina!

Cóż poradzić?
Mnie się nie podoba wcale!

Czyżbyś nie zauważała?
W naszej szkole nie znajdziesz
Dziś lepszego ciała!

Zważ, że on na wszystkie
Białogłowy działa!

Nie na wszystkie!!!

Ale z ciebie flądra!
I mniemasz, żeś mądra?!
Korzystaj z młodości!
Póki masz warunki!
Spojrzyj na mnie czasem!
Zostały mi trunki!
I podniecająca, nie zawsze, lektura!
W mym łóżku nie spotkasz
Ni starego kocura!
Przyznaj się natychmiast!
Kim jest ten mężczyzna?
Przez którego niemiła ci dziś
Informatyczna tężyzna?!

Pamiętasz Mikołaja?

Czyżby pan z tulipanami?
Bawił się w najlepsze!
Twoimi myślami?!

Tak... W istocie...

Czyli kochasz?

A gdzie rym?

Niepotrzebne rymy!
Gdy miłość widzimy!

Co widzisz?
Pisz szybko!

Powłóczysz oczami!
Męczysz westchnieniami!
Nie jadasz kanapek!
Nie uśmiechasz się do dziatek!
Dla mnie nie masz czasu!
I to o chłopa tyle ambarasu?!
Wiesz już, czy kocha?

Nie wiem!

A zainteresowany?
Choć troszkę?
Twoimi wdziękami.
Dotykał?
Całował?
Pieszczot nie żałował?

???

Chcesz być tajemnicza?
Ależ proszę!
Wiedz jedno!

Zajęte dialogiem na papierze, nie usłyszały, że pan dyrektor zarządził przerwę. Szum rozmów i ruch między rzędami krzeseł przerwał im wymianę myśli. Aldonka wlepiła w nią ciekawy szczegółów wzrok.

– Ile mamy czasu? – rzuciła pytanie do już wychodzących i wciąż męczyła Hankę pytającym spojrzeniem.

– Pół godziny – odpowiedział ktoś z centrum wygłodniałego tłumu.

– Chodź! – Aldonka pociągnęła ją za ramię. – Musimy coś zjeść i pogadać!

Bufet szkolny przeżywał nietypowe o tak późnej porze oblężenie. Dzięki przebojowości Aldonki zostały obsłużone jako jedne z pierwszych i siedziały już nad pełnymi talerzami. Hanka patrzyła na ruskie pierogi, nie czując głodu.

– Muszę ci się przyznać... – zaczęła Aldonka, dmuchając na gorącego pieroga. – Że tak coś czułam.

– Co czułaś? – zapytała, modląc się do pierogów.

– Że ten przystojniak o niebiańskim spojrzeniu zawrócił ci w głowie.

– Zaraz zawrócił... – obruszyła się nieznacznie.

– Przecież widzę!

– Co widzisz? – kolejny raz zadała proste pytanie.

– Widzę klasyczną odmianę zachowania po tytułem chciałabym, a boję się. Powiedz lepiej, dziecko, starej koleżance, czego ty się, bidulko, boisz?

– Siebie – odpowiedziała bez namysłu.

– Dobre sobie! To nie jesteś typową przedstawicielką naszego gatunku, który najczęściej obawia się właśnie faceta. A że taki to tylko wykorzysta. Że będzie się uganiał za spódniczkami. Że to, że tamto... A ty się boisz siebie? Ale czego konkretnie się boisz?

Hanka przestraszyła się pytania, które usłyszała, dlatego wbiła w pieroga spojrzenie zamiast widelca. Całe szczęście Aldonka mówiła dalej.

– Boisz się, że to ty będziesz krzywdzić? Dobrze rozumiem?

Aldonka zaszokowała ją swoją prostolinijnością, inteligencją i odwagą. Swoim pytaniem postawiła diagnozę trafiającą w samo sedno jej obaw. Prawie. Aldonka nie znała jej przeszłości. Nic wiedziała nic o tamtym Mikołaju. O rodzicach wiedziała. O Mikołaju nic. Ani słowa. Jednak umiała czytać w jej myślach. Lepiej! Aldonka umiała nawet czytać między wierszami jej myśli, dlatego Hanka zerknęła na nią i skinęła głową. Wciąż nie mogła zmusić się do tego, żeby zacząć jeść.

– Posłuchaj mnie teraz. Tylko uważnie. Nie będę wnikała w to, czy już kogoś w życiu skrzywdziłaś, czy może ktoś ciebie. Nie mówisz. Nie pytam. Chcę cię tylko prosić o to, że jeżeli coś do niego czujesz, to skup się tylko na tym uczuciu. Na niczym więcej! Nie myśl o niczym innym. Zaręczam ci, zdaję sobie doskonale sprawę z tego, o co cię teraz proszę. Ja kochałam raz. Tylko raz, ale na zabój. Niestety, głupia wtedy byłam też na zabój. Przegapiłam wszystko, bo zamiast się skupić na miłości, zwracałam uwagę na życiowe pierdulety. Do dziś, codziennie i z wciąż identycznym, niesłabnącym żalem wypominam sobie tamtą głupotę. To przez nią nie cieszę się z życia, tak jak powinnam. Zgadnij teraz, co robię przez całe życie?

Hanka patrzyła na Aldonkę zaskoczona pytaniem i szczerością. Nie wiedziała, co ma jej odpowiedzieć.

– Widzisz! Nie wiesz! Nie znasz odpowiedzi na tak proste pytanie, bo jesteś młoda i nie obraź się za to, co powiem, ale uważam, że wielu spraw jeszcze nie dostrzegasz. A jeżeli nawet, to nie jesteś w stanie ich zrozumieć i poczuć. Ale ja ci, Haniu, powiem, i to bez owijania w bawełnę. Powiem ci, co ja całe życie robię. Ja się marnuję. Całe życie się marnuję. Marnowałam się, jak byłam młoda. Marnuję się też teraz. I powiem ci coś jeszcze. Gdyby nie praca i te dzieciaki wokół, od których codziennie, jak jakiś wampir, czerpię energię i chęć do życia, już dawno siedziałabym w białym, wiązanym na plecach kubraczku, w małym pokoiku bez okienek, z pikowanymi materacykami na ściankach. Tu, wiesz, całkiem niedaleko od Warszawy. I rozumiesz dlaczego? Bo się zmarnowałam. Bo wszystko poszło nie tak. Bo stchórzyłam i udawałam, że nie kocham, a kochałam do szaleństwa. – Aldonka patrzyła na nią i uśmiechała się, jakby opowiadała jej zgoła inną, przyjemną historię. Pstryknęła palcami. – O tak! – Pstryknęła jeszcze raz. – O tak, przeleciała moja szansa. Ale to jeszcze nic. Przyszła druga. A ja, jak nadająca się do psychiatryka wariatka, nie skorzystałam z niej. Wiesz dlaczego? – Pytanie tym razem nie przeraziło Hanki. Wiedziała już, że było retoryczne. – Bo obraziłam się na życie. Bo jak to? Ja taka inteligentna, nieprzeciętna, super, ekstra! A życie co? Po tyłku mnie? Kto to widział? Haniu, zmiłuj się. Ja cię obserwuję i widzę, co się z tobą dzieje. Pewnie nie wiem o tobie wielu rzeczy, ale krew mnie zalewa, że jesteś taka do mnie podobna. Nie tej teraz, tylko tej sprzed lat. Dziewczyno! Musisz się wziąć w garść. Zamieść pod dywan wszystkie anse, które masz do życia, i mocno przydeptać. Żeby już nigdy spod niego nie wylazły! A ten niebieskooki wygląda mi, tak jak ty, na wrażliwca. Jeżeli coś czuje, to będzie się z tobą cackał, analizował, czekał na odpowiedni moment, aż, nie daj Boże, znajdzie się taka, co mu w tej trudnej sytuacji pomoże. Będzie go wspierać. A on, nieborak, będzie myślał o tobie, ale dziecko zmajstruje jej. I po sprawie. Amen. Kropka. A na imprezę zrób sałatkę grecką.

Talerz Aldonki był pusty, a jej wciąż wypełniony pierogami. Zimnymi.

– Chcesz herbaty? – zapytała Aldonka.

– Chcę, ale jeszcze bardziej chcę twojej mądrości. Dostanę oba życzenia?

– Lubię cię. Bardzo – wyznała Aldonka, uśmiechając się.

– Ja ciebie też.

– Proszę państwa! – rozległ się głos pana dyrektora. – Przypominam, że za pięć minut zaczynamy.

Przechodzący obok bufetu dyrektor swoje słowa skierował do wszystkich, ale popatrzył tylko w stronę stolika, przy którym siedziały z Aldonką. Popatrzył na Aldonkę.

– Ale z niego ekonom! – prychnęła Aldonka z wdziękiem niezadowolonej kotki. – A ty popatrz mi teraz prosto w oczy i powiedz, czy zrozumiałaś wszystko, co powiedziałam?

– Zrozumiałam – odpowiedziała, ale spojrzeć się bała. Wlepiła wzrok w stół.

– Przestań uprawiać stołologię! – usłyszała belferski ton przyjaciółki. – Masz mi coś do powiedzenia?

– *Et tu, Brute, contra me?* – mówiąc to, w końcu popatrzyła z odwagą w zawsze śmiejące się oczy.

– Miłe me dziewczę! – powiedziała z przekąsem Aldonka. – Wykaż się mądrością i, na Boga, nie dostrzegaj we mnie Brutusa! Przyjrzyj mi się i wsłuchaj się w mój głos... Przecież ja jestem alfą i omegą! Nie uważasz?

– Uważam – przytaknęła poważnie, wierząc w szczerość i mądrość Aldonki.

– Czyli mogę być o ciebie spokojna, bo wiesz, co robić?

– Wiem! Chodź już! – pociągnęła za sobą Aldonkę.

Szły obok siebie, uśmiechając się. Chyba każda z innego powodu. Niektóre organizmy oddychały całą powierzchnią ciała. Ona w taki sposób wchłaniała przyjaźń tej kobiety. Całą sobą. Głęboko wierzyła w to, że Aldonka chciała jej pomóc. Musiała jeszcze umieć pomóc sobie sama. To niestety nie było takie proste. Może powinna powiedzieć wszystko Aldonce... Może...

„Wszystko fajnie. Tylko ten cholerny chlor!”, myślał, czując na ciele przyjemny opór wody. Podpłynął do brzegu basenu. Wynurzył się i zdecydowanym ruchem wygładził ociekające wodą włosy. Zdjął niewygodne okularki, których nie znosił. Bez nich jednak chlor na pewno wypaliłby mu oczy. I tak czuł, że go pieką. Jednak pieczenie nie przeszkadzało mu z miną zwycięzcy spoglądać na dopływającego dopiero Przemka.

– I co się tak cieszysz? – zapytał ten, parskając.

– Wygrałem!

– Wiesz, słyszałem, że pływacy przed zawodami mają zakaz uprawiania seksu, bo źle wpływa na ich wyniki.

– Chcesz wytłumaczyć swoją przegraną? – zapytał z miną czempiona.

– Wprost przeciwnie. – Przemek też zdjął okularki. – Chciałem doszukać się przyczyny twojej doskonałej formy.

– Bardzo śmieszne! – zrobił obrażoną minę i podciągnął się na wyprostowanych ramionach, zgrabnie opuszczając basen.

– Ciekawe, czy szczytowanie na basenie jest...

– Przestań, dobra? – Naprawdę chciał, żeby Przemek przestał.

– Dobra! Dobra! – Przemek wyszedł z basenu, korzystając z drabinki. – To co? Suszymy się i idziemy się lekko znieczulić? U mnie? U ciebie? Czy gdzieś out?

– Najlepiej out – dokonał szybkiego wyboru, wchodząc pod prysznic.

Spłukiwał ciało prawie zimną wodą, a i tak nic nie czuł. Od ostatniej rozmowy z Hanką nic nie czuł. Nie wiedział, o co w tym wszystkim chodzi. Nie wiedział, co ma robić. Czuł się bezradny jak dziecko, któremu zabrania się czegoś, nie tłumacząc dlaczego. W pracy nie potrafił się skupić. Gnał z niej do domu, żeby wgapiać się w zdjęcia ze studniówki. Wyglądała na nich pięknie. Na wszystkich była uśmiechnięta. Na jednym patrzyła prosto w jego obiektyw. Wyglądała tak, jakby patrzyła na niego. To zdjęcie lubił najbardziej. Miała na nim złożone ręce i rozchylone w uśmiechu usta.

– Wyłaź już! – popędzał go Przemek. – Jak się będziesz tak ślimaczył, to nam zamkną wszystkie fajne imprezownie w mieście.

Wycierał się i obserwował, jak Przemek bez najmniejszej żenady nago paradował po szatni, a gdy zaczął się w końcu ubierać, dziwny uśmieszek nie schodził mu z ust.

– O czym myślisz? – zapytał.

– Nie chcesz wiedzieć! – odpowiedział Przemek z niezmiennie błądzącym po ustach uśmiechem.

– Chyba masz rację. Nie chcę. Myślisz o Pradze? – zmienił temat.

– Codziennie.

– I co? – odbywał z Przemkiem typowo męską rozmowę. Jak zwykle. Żadnych ozdobników, same konkrety.

– Wymyśliłem opcję dobrą na każde rozwiązanie.

– To znaczy? – wkładał koszulkę, którą dostał od Mateusza tuż przed studniówkową chryją. Srebrzył się na niej napis: „Born to be Underground".

– To znaczy, że zamierzam oświadczyć się Domi i zrobię to właśnie w Pradze. Fajna koszulka.

– Co? – Zastygł na moment z butem w dłoni. Nie wierzył, w to co właśnie usłyszał od największego luzaka, jakiego świat widział.

– To co słyszałeś! Jak wygramy konkurs, to będą dwie okazje do świętowania, a jak przegramy, to tylko jedna. No wiesz, muszę mieć coś w zanadrzu, żeby, jakby co, osłodzić sobie smak porażki.

– Nie wiedziałem, że z ciebie taki asekurant.

– Ja wiem? – zapytał sam siebie Przemek. – Zaraz asekurant! Po prostu czuję, stary, że czas na mnie. Kocham ją, nie nudzi mnie, zawsze coś się dzieje. Dobrze nam razem, to na co mam czekać?

– W takim razie gratuluję i odwagi, i decyzji. – Skończył się ubierać.

– A ty? Przekonałeś Hankę?

– Do czego? – potrzebował czasu, żeby wskoczyć na odpowiedni tor myślowy. Woda dawała wytchnienie jego zestresowanym mięśniom, ale zabrała mu przy okazji wszystkie siły. Czuł się bardzo zmęczony i gotowy do spania.

– Do wyjazdu. – Przemek zapiął torbę i założył ją sobie na ramię, wpatrując się w niego.

– Nie!

– Jak to nie?! – Jednym ruchem zdjął torbę i usiadł na niziutkiej ławeczce. Wyglądał na niej komicznie. – Siadaj!

– Tutaj? – zapytał, wskazując na ławkę w krasnoludkowym rozmiarze.

– Nie, na tafli wody! – zniecierpliwił się Przemek. – Siadaj i gadaj, co ty, do cholery, wyczyniasz z tą laską. Byłem przekonany, że po niedzielnym wieczorze wszystko jest już klepnięte.

– No to już wiesz, że nie jest.

– To co ona jakaś taka niemrawa?

– Też chciałbym wiedzieć. Ale im dłużej ją znam, tym mniej o niej wiem. Może Dominika...

– Zapomnij! – zdecydowanie przerwał mu Przemek. – Nie chce puścić pary z ust. Raz robiłem jakieś podchody, ale wydarła się na mnie. Powiedziała, że jesteście dorośli i musicie się dogadać sami.

– Nieszczególnie nam to wychodzi.

– Nie wiem, stary, co ci powiedzieć.

– Wciąż myślę, że gdyby stał się jakiś cud i zdecydowałaby się na Pragę, to może coś by drgnęło, ale chyba nie ma na to szans.

– Mogę ci tylko obiecać, że pogadam z Domi. Nie żeby z niej coś wyciągnąć, ale żeby trochę nad nią popracowała. Wiesz co? Powiem ci, że ostatnio jej się przyjrzałem i wygląda na całkiem normalną.

– Co chcesz przez to powiedzieć? – zapytał, napotykając kpiące spojrzenie Przemka. Nie znosił, gdy tak na niego patrzył. – Już rozumiem! Skoro ona jest według ciebie normalna, a w kółko nam coś nie wychodzi, to znaczy, że ze mną jest coś nie tak?

– Tego nie powiedziałem! – zaprotestował Przemek.

– Ale chciałeś!

– Puknij się! Wiesz co? Odkąd ją poznałeś, jesteś w ciągłym amoku. Weź się, chłopie, zastanów, czy opłaca ci się taka jazda.

Słysząc raniące go do żywego pytanie Przemka, Mikołaj nerwowo wstał z ławki, na której siedzenie powodowało nieprzyjemne skurcze w łydkach.

– Tysiące razy się nad tym zastanawiałem! – wrzasnął. – I wiesz co? Nie umiem się z tego... – przerwał nagle, zabrakło mu słów.

– Wymiksować? – szybko podpowiedział mu Przemek.

– Właśnie!

– To może masz przynajmniej ochotę, żeby upodlić się w dobrym towarzystwie?

– Przemek! Ja ostatnio na nic nie mam ochoty.

– Ale się z tobą porobiło! Stary, ja cię nie poznaję! Niedobrze z tobą! Niedobrze! To co? Chcesz powiedzieć, że dzisiejsze chlańsko nieaktualne? Wracamy grzeczniutko do domku. Papucie. Łóżeczko i spanko?

Słysząc zawiedziony ton Przemka, chciał się uśmiechnąć. Nie potrafił.

– Wiem, że to dla ciebie żadna atrakcja – skwitował – ale ja mam naprawdę wszystkiego dosyć. Do niczego się nie nadaję. Muszę się położyć i najlepiej to wszystko przespać! – Szarpnął z podłogi torbę i skierował się do wyjścia, nie oglądając się za siebie.

Wyszedł na zewnątrz. Było zimno. Hanka bawiła się teraz w najlepsze u Aldonki. Nie zawracał jej głowy. Tak jak obiecał. Dawał jej czas. Nie był tylko pewien na co? On tego czasu nie potrzebował wcale. Wszystkim, czego potrzebował, była ona. Stał i gapił się bez sensu w niebo. Mróz szczypał go w wymoczoną twarz. Za kilka dni musiał wyjechać do Pragi z Przemkiem, który teraz wpatrywał się w niego spojrzeniem podobnym do spojrzenia jego własnej matki.

– Co mi się tak przyglądasz?

– Zastanawiam się, czy odpuścisz.

– I co? Wymyśliłeś coś?

– O to chodzi, że nic – westchnął Przemek i od razu zapytał: – Co masz zamiar zrobić?

– Nie mogę odpuścić. Nie potrafię. Najgorsze w tym wszystkim jest to, że jak mi się wydaje, że jest wszystko dobrze i mogę zrobić następny krok, to walę głową w mur. Przecież ostatnio wieczorem było super. A w kinie znowu była jakaś taka nieobecna. Wiało chłodem. – Znaleźli się na prawie pustym parkingu. Oparł się o swój brudny samochód. – Zastanawiam się, czy nie powinienem przestać się czaić i zapytać ją wprost, o co chodzi.

– Może to jest metoda? – Przemek stanął naprzeciwko niego. Też oparł się o swój samochód. – Z jednej strony to ci współczuję, ale z drugiej, pomyśl sobie, jak będziesz się cieszył, jak ją dostaniesz w swoje łapska. Przecież gołym okiem widać, że ona też ma coś do ciebie.

– No właśnie, i w tym cała zagadka. Sama mi o tym ostatnio powiedziała, a później owinęła się od stóp do głów drutem kolczastym.

– Może trzeba czekać? – Przemek nie był dziś zbyt odkrywczy. W końcu nie chodziło o projektowanie. W tym nie miał sobie równych.

– Przecież czekam. Nie dzwonię. Nie bawię się w idiotyczne podglądanie. I liczę na to, że przyjedzie do Pragi. Chyba już skretyniałem do końca.

– Przestań się nad sobą użalać! To po pierwsze. A po drugie, jak dłużej postoimy na tym mrozie, to sami możemy nie dolecieć do Pragi. Czujesz, jak daje po uszach? Wsiadaj do samochodu! Myśl pozytywnie!

– Cześć!

Podali sobie ręce. Nie wykonując żadnego ruchu, patrzył, jak Przemek wsiada do samochodu i z piskiem opon wirażuje, opuszczając parking.

Przemek był prawdziwym przyjacielem. Im dłużej go znał, tym częściej miał wrażenie, że to właśnie on czasami lepiej wiedział, o co mu w życiu chodziło. Zmarznięty do szpiku kości, wsiadł do samochodu i każdym centymetrem lodowatego ciała czuł, czego teraz najbardziej potrzebował. Basen nie pomógł. Zgrabiałymi z zimna palcami przekręcił kluczyk w stacyjce. „Czy ten pan i pani są w sobie...", usłyszał słowa znanej mu piosenki i natychmiast wyłączył radio. Miał dość otaczających go zewsząd durnych pytań. Wszyscy go w kółko o coś pytali. Sam też zadawał sobie za dużo pytań, choć najbardziej na świecie chciał wejść teraz w fazę odpowiedzi. Niestety, wszystko wokół niego było skomplikowane i zakończone wrednym pytajnikiem. Hanka? Jej uczucia? Mateusz? Ciekawe, co jeszcze mogło do tego dołączyć. Znając swe zezowate szczęście, wnioskował, że lepiej nie kusić losu i nie zastanawiać się nad tym, co jeszcze.

Choćbyś złe wieści miała, powiedz je wesoło.

– „Czy ten pan i pani są w sobie zakochani?" – śpiewała w samochodzie Dominiki motyw przewodni imprezki u Aldonki. Przyczepił się do niej już chyba na zawsze.

– Zamknij się wreszcie! – Dominika popatrzyła na nią zniecierpliwiona. – Masz szczęście, że Aldonka do mnie zadzwoniła, bo jesteś tak naprana, że taksówkarz mógłby ci zrobić dziecko, a ty nie przerwałabyś nawet swej pieśni.

– Nie jestem naprana, tylko lekko wcięta – zaoponowała.

– Lekko wcięta to byłaś pół godziny temu. A teraz daje ci po łbie wóda, którą wychyliłaś tuż przed wyjściem od Aldonki.

– Mówisz? – Patrzyła na Dominikę i wciąż chciało jej się śmiać. Może rzeczywiście była troszkę pijana.

– Mówię i wiem. Jutro będziesz się czuła tak, jakby Rudy przejechał ci po głowie.

– Rudy? – powtórzyła za Dominiką, nie rozumiejąc. – Przecież koty nie jeżdżą, tylko chodzą. I to swoimi ścieżkami – podniosła do góry palec wskazujący prawej dłoni, żeby podkreślić mądrość swojej nieco wybełkotanej wypowiedzi.

– Rudy sto dwa! Kretynko! – Dominika podniosła głos.

– Tylko nie kretynko! – spojrzała zaczepnie na przyjaciółkę. – To, że jestem na lekkim rauszu, nie oznacza, że możesz mnie obrażać. Zapomniałaś już chyba, kto cię odebrał w tamtym roku z balu stomatologa! Gdyby nie ja, to utopiłabyś się w sedesie!

– Nie przesadzaj!

– Jak ja się upiję raz na sto lat, to zaraz jestem kretynką! A ty to możesz zawsze i wszystko! – Nagle poczuła, że rozchodniaczek wypity na pożegnanie z Aldonką wyraźnie jej nie służy. Dopadała ją chyba choroba lokomocyjna. Nie wiedziała, czy odczuwane przez nią bujanie wynikało z jazdy samochodem czy z przealkoholizowania.

– Fajnie było? Wysiadaj! – Dominika otworzyła przed nią drzwi.

Hanka dopiero teraz zauważyła, że samochód już nie jedzie, a przez jego przednią szybę widać jej dom rodzinny.

– Poczekaj! – Znowu podniosła do góry palec wskazujący. – Mam wysiadać czy opowiadać? Bo już sama nie wiem! – Wiedziała, że w tej chwili odzywała się do Dominiki, ale nie poznawała swojego głosu. Myślała szybko. Mówiła wolno. Jakby na zwolnionych obrotach. Ewidentnie jej bateria była na wyczerpaniu.

– Może najpierw wysiądź – Dominika zmieniła ton na przyjemniejszy. Mówiła do niej trochę jak do nieszkodliwego wariata.

– Szofer każe wysiadać! Panno Haniu! To wysiadka! – Jakimś cudem wytarabaniła się z samochodu Dominiki o własnych siłach. Dobrze, że było ciemno, bo nie dostrzegała kręcącej się wokół niej przestrzeni. Czuła się tak, jakby ktoś umieścił ją w wirującej pralce. – Wiesz co, Dominisiu? Ja jestem chyba jednak trochę pijana – przyznała się w końcu z radością w głosie.

– Trochę?! Ty jesteś pijana jak bela! – podsumowała mało subtelnie Dominika. – Jeszcze nigdy się chyba tak nie naprałaś! Uważaj na schodach!

– No wiesz? Przecież mówi się, że zawsze jest ten pierwszy raz. Tylko co sobie o mnie pomyśli Aldonka? – Trzymała się poręczy i bardzo powoli pokonywała prowadzące do domu schody. Zawsze było ich mało, a dziś dużo. Dziwne!

– Możesz być spokojna. Mocna faza dopadła cię dopiero w ciepłym samochodzie. Od Aldonki wychodziłaś jedynie w nietypowym ostatnio dla ciebie szampańskim nastroju. Jak ktoś nie wie, że jesteś tak naprawdę sztywniarą, to niczego nie zauważył.

– To dobrze, Dominisiu, dobrze. Nie chciałabym uchodzić za szkolną moczymordę. – Musiała oprzeć się o ścianę, bo kręciło się jej w głowie. Ale schody, dzięki Bogu, pokonała siłą rozpędu.

– Dawaj klucze! – usłyszała polecenie Dominiki, więc zaczęła grzecznie szukać ich w torebce. Znalazła je w końcu i położyła na otwartej dłoni wyciągniętej w stronę Dominiki.

– Tylko traf do dziurki – parsknęła.

– Co się tak cieszysz? – Dominika wydawała się jej poważniejsza, niż ustawa przewiduje. – Jesteś taka nawalona, że gdyby nie ja, to ktoś mógłby cię teraz okraść.

– O! Mylisz się, moja droga! *Omnia mea mecum porto!* Palec do góry! A niech tam!

– Nie wysilaj się i przestań bełkotać, bo i tak nic z tego nie rozumiem. – Dominika zachowywała się coraz gorzej. Nieoczekiwanie zamieniła się w niemiłego policjanta.

– Chciałam tylko powiedzieć, że nie boję się złodziei, bo wszystko, co posiadam, mam zawsze przy sobie – wytłumaczyła prawie całkiem trzeźwo.

Dominika wepchnęła ją do domu. Hania czuła się coraz gorzej. Do mdłości i zawrotów głowy dołączyła ogólna słabość. Ale Dominika zachowywała się tak, jakby zupełnie nie zauważała jej pikującej w dół formy.

– Nie oszukasz mnie! Nawet nie próbuj, moja ty nabzdryngolona siostrzyczko! Tego, że nie masz już cnoty, jestem akurat pewna!

Hanka miała wrażenie, że Dominika bawi się coraz lepiej, podczas gdy ona czuła się coraz gorzej. Całkowicie zapomniała już, że wychodząc od Aldonki, była wyluzowaną hedonistką.

– Chciałam powiedzieć – mówiąc, walczyła z mdłościami – że się mylisz, moja droga. Mam cnotę, to po pierwsze! A po drugie, zaraz pojadę do Rygi.

– Jak chcesz do Rygi, to zasuwaj do klopa, bo nie zamierzam po tobie sprzątać! – Dominika nie miała nad nią litości.

– Zanim do Rygi... – Znów uniosła palec wskazujący do góry, a raczej on sam się uniósł, bo nie miała nad nim żadnej władzy. Nie miała władzy nad niczym. Co gorsza, żołądek postanowił robić przewroty. W tył i w przód. – Muszę ci coś powiedzieć.

– Mów, ale szybko! Chodź! – Dominika pociągnęła ją za sobą, jakby była workiem z ziemniakami.

– Jeżeli chcesz wiedzieć, to jestem cnotliwa. I powiem ci więcej! Z moją cnotą jest tak jak z moją żałobą. Obie noszę w sercu! A nie gdzie indziej!

– Wiesz co? Idź już lepiej, bo gadasz jak potłuczona.

– Dokąd mam iść? – Nie rozumiała Dominiki. Nic a nic.

– Do Rygi.

– Ja? Do Rygi? Na piechotę? Zwariowałaś! I kto tu jest pijany?!

– Przecież jeszcze przed chwilą chciało ci się puścić pawia! – Dominika była wyraźnie zniecierpliwiona, ale nie przeszkodziło jej to w padnięciu z plaskiem na kanapę w salonie.

– Przed chwilą to było przed chwilą! – zauważyła trzeźwo. No, może prawie trzeźwo. – A teraz chcę miętowej herbaty! – Była szczęśliwa, czując za sobą chłód ściany. Gdyby nie ta podpora, na pewno leżałaby już jak długa i udawała perski dywan.

– To se zrób! – syknęła Dominika.

– Chciałam tylko zauważyć, że w języku polskim nie istnieje forma se – skończyła mówić i zasłoniła ręką usta. – Niedobrze mi – powiedziała, tłumiąc słowa w dłoni.

– Chcesz do Rygi? – Dominika w sekundzie znalazła się przy niej.

– Nie! Chcę na kanapę!

Dominika pociągnęła ją w stronę kanapy i szybko ją na niej położyła. Była bez tchu, bez ducha, to szkieletów ludy... Boże, wszystko jej się w głowie poprzestawiało.

– Lepiej? – zapytała prawie troskliwie Dominika.

– Błagam! Zrób mi herbaty miętowej.

– Chcesz miskę? – Ręka Dominiki ugniatała właśnie jej obolałe czoło.

– Nie chcę miski! Chcę herbaty! W kubku! Nie chcę w misce!

– Leż! Zaraz ci przyniosę.

Słyszała kroki Dominiki. Przymknęła oczy. Zawirował świat tysiącem barw. Tysiąc różnych pytań przywiał wiatr... Musiała otworzyć oczy, żeby nie odlecieć. Dobre sobie, latająca kanapa! Co tam twardy dywan! Latająca kanapa to jest dopiero luksus! Udało się. Chyba miała otwarte oczy, bo widziała nogi Dominiki.

– Jak mi przyniesiesz herbatę, to coś ci powiem.

– Lepiej powiedz, jak było.

– Do dupy było!!! – Najkrótsza recenzja świata. Cudowna i trafna. Wypowiedziała ją takim tonem, jakby mówiła, że było cudnie, wspaniale, ekstatycznie, zachwycająco.

– A to dlaczego? – Dominika przesłała jej czujne spojrzenie, wciąż coś tam gmerając przy herbacie. Podczas gdy ona czuła się bardziej rozmontowana niż bohater *Dnia świra* o poranku.

– Bo musiałam tańczyć z informatykiem, który mnie za mocno przyciskał do siebie, i jakby tego było mało, dmuchał mi w szyję. Bo dziewczyny w kółko gadały tylko o mężach, dzieciach i tym podobnych. Bo Aldonce złamał się obcas. Bo chciałam być gdzie indziej. Wystarczy? – spojrzała na Dominikę, która stanęła nad nią z filiżanką herbaty.

– Przestań już marudzić i usiądź! – rozkazała.

– Wystarczy?! – powtórzyła pytanie i nawet nie drgnęła.

– Wystarczy! A teraz usiądź i pij. Dolałam trochę zimnej wody, żebyś się mogła od razu napić.

– Ale jesteś fajna... – Usiadła i wzięła od Dominiki filiżankę. Umoczyła usta w herbacie i poczuła, że to właśnie jej potrzebowała teraz najbardziej. Piła łapczywie.

– Ej, ale nie pij tak szybko! – strofowała ją Dominika. – Jeszcze się zakrztusisz!

– No i dobrze by było. Zakrztuszę się, uduszę i będzie spokój – powiedziała bez emocji, a Dominika usiadła obok i przyglądała się jej badawczo.

– Co ty gadasz!? Posłuchaj się! Lerska, tobie już całkiem odbiło!

– Jak się uduszę, to nie będę musiała jutro jechać na lotnisko. Po ciotkę Annę – dodała po chwili. – I nie będę musiała patrzeć na twarz swojej mamy.

– A tu cię mam! – Dominika doznała olśnienia. – Uwaliłaś się, bo boisz się tej wizyty – wywnioskowała błyskawicznie.

– Nie boję się wizyty! Tylko lotniska i twarzy. Przecież ci mówię. Boże, jak mi niedobrze.

– Mówiłam ci, nie pij tak szybko! Tylko małymi łyczkami! – Dominika przeszła na chwilę do kuchni.

Hanka postanowiła wykorzystać jej nieobecność i chwiejnym krokiem podeszła do okna w salonie. Otworzyła je na oścież.

– Co ty wyrabiasz?! Chcesz się zaziębić?! – Dominika już była przy niej i niestety zamykała okno.

Hanka nie chciała, żeby to robiła, więc chwyciła ją za rękę i popatrzyła błagalnie.

– Proszę, jeszcze tylko chwilę. Potrzebuję świeżego powietrza.

– Dobrze. Zostawimy na chwilę otwarte, ale wracaj na kanapę. Juuuż! Przyniosę ci z góry koc.

– Przynieś poduszkę i kołdrę z gościnnego. Tu będę spała. Co się tak patrzysz? Przecież gościnny jest na parterze, to masz bliżej. – Położyła się na kanapie. Było jej zimno i słabo.

– Patrzę, bo to nie w twoim stylu. Spanie na kanapie. Kto to widział? – Dominika parodiowała słowa, które zwykle padały z jej ust.

– A co jest w moim stylu? – prowokowała.

– Same nudy! – Dominika była szczera do bólu.

– Bo ja jestem nudna! – zauważyła zrezygnowana.

– Nie jesteś, tylko chcesz!

– Nie chcem! Ale muszem!

– Poczekaj tu grzecznie, a ja przyniosę ci bambetle do spania.

Gdy tylko Dominika zniknęła jej z oczu, znów podeszła do otwartego okna. Zamknęła oczy i przytrzymując się ramy okiennej, wdychała nocne, mroźne powietrze. Czuła się tak, jakby znalazła się w wesołym miasteczku, choć wesoło nie było jej wcale. Ktoś bez jej zgody umieścił ją w machinie, która za nic miała prawo grawitacji. Ruchomy „wymiotron" pochłaniał ją bez reszty.

– Co ty wyrabiasz?! Kładź się natychmiast i mnie nie denerwuj!!! – Dominika była stanowcza i pociągnęła ją za sobą. Popchnęła ją w stronę kanapy, na którą Hanka runęła jak długa.

Czuła, jak siostra wtyka pod jej głowę poduszkę i szczelnie nakrywa ją kołdrą. Nie miała siły otworzyć oczu, odezwać się ani podziękować. Usłyszała tylko krótkie:

– Idę, zadzwonię jutro.

Dominika była chyba gotowa do wyjścia, bo usłyszała odgłos zapinania suwaka kurtki.

– Chcesz jeszcze herbaty?

Hanka otworzyła oczy i zobaczyła nad sobą Dominikę otuloną białym szalikiem. Pokręciła przecząco głową.

– A coś innego chcesz?

– Żebyś odebrała jutro ciotkę z lotniska.

– Chyba cię pogięło! – wrzasnęła Dominika.

– Błagam... – wydusiła z siebie tylko to jedno słowo.

– No i co jej powiem? Cześć, ciocia, Hanka nie przyjechała, bo ma kupę w majtkach.

– Przecież coś wymyślisz... Błagam cię. Ja będę czekała na was w domu. Z obiadem.

Patrzyły na siebie. Dominika obdarzała ją nieruchomym spojrzeniem. Wyglądała w tej chwili tak statycznie, że można by pomyśleć, iż była figurą woskową. Po chwili okazało się jednak, że jej mózg podczas tego pozornego bezruchu wykonywał skomplikowaną akrobatykę artystyczną.

– Pojadę – Dominika zgodziła się nadspodziewanie łatwo i usiadła na chwilę w fotelu naprzeciwko niej.

– Jesteś wielka! – powiedziała Hanka z uznaniem, prawie nie wierząc w to, co przed chwilą usłyszała.

– Nie rozpędzaj się z komplementami, bo jeszcze nie skończyłam. Pojadę, ale mam jeden warunek.

– Niech żyje bezinteresowność! – zakpiła.

– Albo przyjmujesz mój warunek, albo jutro bujasz się na lotnisko sama!

– Co to za warunek? – przewróciła się na bok z jękiem.

– Powiem krótko. Ja pojadę jutro po ciotkę, a za tydzień ty pojedziesz ze mną do Pragi.

– To nie jest warunek. To jest szantaż.

– Nazywaj to sobie, jak chcesz! – Dominika wstała z miejsca. – Według mnie to czysty układ. Jak by tu powiedzieć? Lotnisko za lotnisko! – Dominika patrzyła na nią pytająco, a ona miała jedynie siłę na to, żeby zamknąć oczy. – W takim razie cześć.

Słyszała, jak Dominika pokonuje drogę do holu. Słyszała jej kroki na terakocie prowadzącej wprost do drzwi. Przerażona, otworzyła oczy dokładnie w momencie, w którym Dominika chwyciła za klamkę.

– Samolot przylatuje o piętnastej, ale pojedź trochę wcześniej – napotkała wściekły wzrok Dominiki, dlatego dodała szybko: – Dziękuję.

– Tylko zapamiętaj sobie! Nie robię tego za twoje pijane dziękuję! Następny weekend spędzasz w Pradze!

Hanka zamknęła oczy i usłyszała mocne trzaśnięcie drzwiami.

Leżała, mając wrażenie, że skacze nie z kwiatka na kwiatek, lecz odbija się od jednej psychozy tylko po to, żeby wpadać w następną. Tęskniła za swoją muszlą, która była niestety poza jej zasięgiem. Chciała wsłuchać się w jej melodię. Potrzebowała wyciszenia. Ciało odmawiało posłuszeństwa.

Rozdygotane wnętrzności paliły. Ślinianki wprowadziły strajk włoski i nie czuła w ustach niczego poza męczącą suchością. Herbata się skończyła, a anioł stróż zbiesił i walił ją teraz ze wszystkich sił patelnią po głowie. Nie miała siły na dochodzenie, skąd ją wytrzasnął. Jedno było pewne: była to bardzo twarda patelnia. Ale nie mogła mu mieć za złe tego, co z nią w tej chwili wyczyniał. Oczywiście, jak to anioł, miał swoją świętą rację. Przesadziła. Z alkoholem i z uczestnictwem, a raczej nieuczestnictwem, w negocjacjach z Dominiką. Co to za idiotyczny układ! Jaka Praga? Leżała bez ruchu wciąż ogłuszana razami niewidzialnej anielskiej patelni. Czuła dziwne pulsowanie w uszach, które zachowywały się tak, jakby nagle zmieniała swoje położenie w odniesieniu do poziomu morza. Wyobraziła sobie morze, mając nadzieję, że poczuje się dzięki temu chociaż odrobinę lepiej. Niestety, widziała wszystko w czarno-białych barwach. Plaża była szara, morze czarne, a niebo białe. Szybko wywnioskowała, że najwidoczniej nie była artystyczną duszą. Dla prawdziwego artysty alkohol był środkiem dopingującym i upiększającym wizję otaczającego świata. Jej, zamiast wyostrzać zmysły, odbierał wenę twórczą i znieczulał na piękno. „A niech jej będzie! Najwyżej! Przejdę się Złotą Uliczką! Ciekawe czy się zmieniła?", nakryła kołdrą głowę i wszystkie myśli rozbiegane od nadmiaru alkoholu buzującego w jej krwi. Poczuła się wyczerpana. Nie słyszała swojej muszli, ale sen chyba nadchodził. Zobaczyła nad sobą szare oczy Mikołaja. Szare morze, szare oczy. Nie! To nie były te oczy. To były oczy jej Mikołaja. Wesołe, szare oczy, patrzące z miłością. Tak jak tamtego ranka, gdy mama krzyczała z dołu: „Mikołaj! Chodź już! Musimy wyjeżdżać, bo się spóźnimy!". Zapamiętała dokładnie jego spojrzenie z tamtej chwili. Szare spojrzenie i słowa. „Tylko się nie ubieraj...", szepnął w jej szyję i od razu po tym usłyszała jego biegnące po schodach kroki. Jeszcze tylko mama krzyknęła: „Do zobaczenia!". Ona nie zdążyła nic odpowiedzieć, bo tato już trzasnął drzwiami prowadzącymi do garażu. Były zepsute, coś dziwnego działo się z klamką. Miał je naprawić po powrocie. Trzasnął znowu. Tym razem głośniej...

Obudziła się... Przyniesiona przez Dominikę kołdra leżała na podłodze, a ona skulona na kanapie, trzęsła się z zimna i płakała. Wstała. Po omacku doszła do uchylonego okna. Zamknęła je cicho, jakby się bała, że może kogoś obudzić. Była sama. Niestety. Otworzyła oczy i nikogo już przy niej nie było. Była jedynym życiem w tym domu. Zerknęła na wyświetlacz kuchennego piekarnika. Brakowało kilku minut do piątej rano. Była trzeźwa. Mdłości ustały. Usiadła na podłodze w kuchni i oparła się plecami o drzwiczki kuchennej szafki. Nie mogła przestać płakać. Oparła głowę na kolanach i kolejny, pewnie milionowy już raz opłakiwała to, co stało się z jej życiem. Była zdruzgotana realnością i bliskością szarych oczu, błądzących wciąż po jej podświadomości. Ich wyraz, głosy, trzaskające drzwi prześladowały ją znów. Od początku. Myślała, że nie wrócą. A jednak... Nie mogła opanować dygotania rąk i nóg. Nie było ono jednak reakcją na przemarznięcie. Zdawała sobie sprawę, że musi jak najszybciej wstać z podłogi. Zanim poczuje w rękach materiał jasnoszarej marynarki. Musiała położyć się na kanapie. Okryć kołdrą i spróbować zasnąć albo przemęczyć się, czekając na jasność dnia. Musiała, ale wbrew sobie tkwiła nieruchomo na zimnej kuchennej terakocie i opłakiwała to, co było, i chyba też to, co jest. Oparła głowę o drzwi szafki, w której przechowywała przyprawy. Na policzkach czuła lodowate łzy. Jak to możliwe? Przecież powinny być ciepłe. Musiała znów przysnąć, bo kolejny raz obudziły ją chłód i niewygodna pozycja. Bolał ją kark. Wciąż było ciemno. Nie wiedziała, jak długo tkwiła w zimnym punkcie. Wstała i zawinęła się w leżącą na podłodze kołdrę. Weszła na schody. Pokonała je szybko i bez najmniejszego wysiłku. Była trzeźwa i zmarznięta do szpiku kości. Była zdziwiona, że jej ciało, któremu zafundowała bezlitosną, podłogową, nocną krioterapię, nie buntowało się, odmawiając jej posłuszeństwa. Nic takiego się nie działo. Weszła do sypialni i położyła się w zimnym łóżku. W blasku bijącym od strony ogrodowych lamp, który wkradał się do jej przyzwyczajających się do ciemności oczu, dostrzegła zarys muszli. Nie odważyła się jej wziąć. Nie bała się tego, co w niej usłyszy. Pierwszy raz w życiu przeraziła się na myśl, co może zobaczyć, jeżeli przyłoży ją do ucha. Bała się, że zobaczy szare morze. Szare, a nie niebieskie. Żeby nie zwariować, musiała zapomnieć o szarościach. Od teraz. Od tej chwili. Pragnęła kolorów. Kolorów morza. Błękitu, który dawałby gwarancję bezpieczeństwa, i granatu oferującego ciepło. Otworzyła szafkę nocną i wyciągnęła z niej starannie złożony szalik. Dzisiaj musiał wystarczyć jej granat. Na błękit miała wciąż za mało odwagi. Niestety, wciąż za mało. Przytuliła się do szalika. Pachniał Mikołajem. Zamknęła oczy. Było jej coraz cieplej. Skupiła się na dotyku, nie na kolorze. Obawa przed szarością wciąż niebezpiecznie błąkała się w pobliżu. Zamknęła wszystkie myśli w miękkich warkoczach szalika. W otaczającej ją teraz ciszy pragnęła usłyszeć równomierny i spokojny oddech. Jednak aby zasnąć, musiała skupić się na swoim. Zaczęła liczyć wydechy cudownie ogrzewające szalik. Monotonna arytmetyka okazała się pomocna. Zasypiała ukołysana liczbami i miękkim, opiekuńczym granatem.

Jak każdego ranka studiowała w lustrze swoje odbicie. Ciepły prysznic niewiele pomógł. Jej twarz była naznaczona szaleństwem wczorajszego wieczoru i szarpanym snem w nocy. Miała lekko zielonkawy odcień, przy którym jej zwykła bladość oznaczała doskonałą formę. Niebieskosine podkowy rysujące się pod oczami kontrastowały wyraźnie z kolorystycznie neutralnymi ustami. Patrząc na siebie, miała wrażenie, że ogląda kompletnie nieudaną impresję na własny temat. Co gorsza, zbliżało się południe. Czekało ją gotowanie powitalnego obiadu na cześć ciotki Anny. Musiał być wyśmienity, aby pozwolił jej wkraść się w łaski ciotki pomimo braku osobistego powitania na lotnisku. Weszła do garderoby, czując się tak, jakby miała na głowie hełm miażdżący jej myśli. Nie mogła się skupić. Wizja zakupów w takim stanie była przerażająca. Ale żeby obiad nabrał realnej formy, musiała je zrobić. Ubrała się we wszystko, co było pod ręką, myśląc, że mogło być dużo gorzej. Z nią, ze światem, ze wszystkim. Nigdy nie jest tak źle, żeby nie mogło być gorzej. Powtarzała w duchu tekst Dominiki. Zapięła dżinsy, sięgnęła po kremowy sweter wypieszczony dłońmi pani Irenki. Dostała go od niej w Wigilię. Doskonale udawała, że wierzy, iż pod choinkę przyniósł go rubaszny jegomość o rumianych policzkach. Nie zarejestrowała, jak to się stało, ale kompletnie ubrana znalazła się w salonie.

Wzięła torebkę i higienicznie, to jest bez jedzenia i picia, postanowiła rozpocząć dzień od małych zakupów. Duże odpadały. Nie miała na nie ani czasu, ani sił. Musiała się skupić na dzisiejszym obiedzie. Wyjechała z garażu, pozamykała za sobą bramy i ruszyła na spotkanie z ulubionym bazarkiem mamy. Miała do niego wielki sentyment. Wjechała na parking naszpikowany samochodami prawie do ostatniego miejsca. Gdy przychodziła tu z mamą, ten mały bazarek wydawał się jej straganową metropolią. Przeszła przez bramę i wiedziała, że dziś trudno byłoby jej się zgubić wśród kilku sklepików zamkniętych w prostej architekturze trzech równoległych, niezbyt długich alejek handlowych. Piekarnia, spożywczy, mięsny, warzywniak. Ułożyła w myślach, z punktu widzenia tobołów, najekonomiczniejszą kolejność zwiedzania. Zza białych chmur co chwila wyglądało słońce. Z dachów przystrojonych naturalnymi firankami sopli kapała woda. Widząc ten lodowo-wodny happening, odkryła, że z utęsknieniem czeka na wiosnę. Mechanicznie, jak doskonale zaprogramowany robot, odwiedzała kolejne sklepiki. Obserwowała otaczający ją ruch. Widząc starszą panią zajadającą ze smakiem z pewnością ciepłego pasztecika, poczuła, że jeszcze długo nie będzie mogła nic przełknąć. Jej żołądek miał rozmiar ściśniętej piąstki noworodka. Zauważyła, jak stojąca nieopodal mała dziewczynka błaga mamę o dwa złote, które umożliwiłyby cwał nieruchomemu brązowemu rumakowi.

– Ale nie mam... – tłumaczyła jej cierpliwie mama. – Zobacz, mam dwie złotówki, a tu trzeba wrzucić dwa złote w jednym pieniążku.

– Ale daj... – dziewczynka nie chciała ustąpić.

– Poczekaj tu. Wejdę na chwilkę do sklepu i poproszę, to pani zamieni mi te dwa pieniążki na jeden.

Hani bardzo się spodobała gotowość mamy do kupienia córce marzenia.

– Nie idź! – Podkówka, która pojawiła się w miejscu ust dziewczynki, zdradzała jej płaczliwy zamiar.

– To chodź. Pójdziemy razem.

Dziewczynka mocniej przytuliła się do konia, obejmując rączkami jego nieco przydługą szyję. Jej usta nadal miały kształt podkówki.

Nie bacząc na kurczący się czas, Hanka obserwowała tę scenę, rozważając dylematy małej amazonki. Wyjęła z kieszeni drobne pieniądze. Otworzyła dłoń. Leżały na niej mieniące się w słońcu monety. Podeszła do kobiety.

– Proszę – podała jej dwa złote.

– Dziękuję bardzo – kobieta zmieszała się i wetknęła w jej dłoń dwie złotówki, patrząc to na nią, to na małą z miłym uśmiechem. – Ten koń to nasz główny punkt programu.

Podała dziewczynce pieniążek, a ta małymi paluszkami wrzuciła go do otworu oklejonego bijącą po oczach taśmą w żółtym kolorze. Konik wystartował. Bujał jak szalony wniebowziętą małą kobietkę, której pompon przy czapce wykonywał taniec synchroniczny z galopującym wierzchowcem.

Zamiast iść w swoją stronę, Hanka wciąż tkwiła obok matki dziewczynki. Jakaś niewidoczna siła trzymała ją przy wniebowziętej dziewczynce i jej sympatycznej mamie. To cudowne uczucie mieć dla kogo żyć i spełniać marzenia bliskich. Nawet te, które kosztują tylko dwa złote. Mama dziewczynki zerkała do jej już trochę wypełnionego koszyka. Piętrzyły się w nim wiktuały, nad którymi górował okazały kawałek schabu zawinięty w przezroczystą folię i dwie rumiane bagietki.

– Gdzie kupiła pani taki piękny schab? – zapytała kobieta.

– U pani Jadwigi – odpowiedziała, nie spuszczając oczu z dziewczynki, która gnała po rozległej prerii, niemającej nic wspólnego z międzyblokowym bazarem.

– U pani Jadwigi?

– Mamo, już koniec? – Konik był znów nieruchomy, a dziewczynka niepocieszona.

– Koniec, Hanusiu. Konik musi teraz odpocząć, a my musimy kupić mięsko na obiadek. Czyli gdzie znajdziemy panią Jadzię? – zapytała kobieta, podczas gdy ona nie mogła napatrzeć się na, jak się właśnie okazało, swoją małą imienniczkę.

Wskazała maleńki sklepik, którego wystawę zdobiła jedynie lalka w mocno przykurzonym stroju krakowskim. Stała wciąż w miejscu, podczas gdy jej nowe znajome pożegnały się szybko i zdążały we wskazanym przez nią kierunku. Mała Hania odwracała się co chwilę i wdzięcznie przesyłała całuski. Albo do swojego nieruchomego już przyjaciela, albo do niej. Patrzyła na nie dopóty, dopóki nie zginęły jej z oczu. Dopiero teraz poczuła, że koszyk ciążył jej nieziemsko. Nie czuła ręki, w której go trzymała. Dobrze, że został jej już tylko warzywniak. Zbliżała się do niego, z daleka słysząc głos jego właścicielki, pani Walentyny. Stanęła na końcu krótkiego ogonka i podziwiała soczystozielone brokuły rozpychające się dumnie w drewnianej skrzynce. Usłyszała głos pani Walentyny:

– O! Dzień dobry, pani Hanusiu! Ale dawno pani nie widziałam! Mam dzisiaj dobry dzień, bo przychodzą do mnie same ulubione klientki! – mówiąc to, pani Walentyna spojrzała na kobietę wybierającą w tej chwili sałatę masłową.

Hanka zerknęła w stronę kobiety ubranej w jasny płaszcz, a ta zamarła na sekundę, napotkawszy jej spojrzenie. Nieznacznie poruszyła się jedynie sałata w jej dłoni.

– Dzień dobry! – powiedziały do siebie prawie jednocześnie.

– O! Proszę! Rzeczywiście same znajome – skwitowała pani Walentyna. – Pani Basieńko, a może jeszcze pomidorki? Co prawda, nie nasze, ale pachną jak nasze. Mówię pani!

Stała jak wryta i patrzyła, jak mama Mikołaja sprawnym ruchem wkłada sporą główkę sałaty do plastikowej torby, prosząc jednocześnie o pachnące Polską pomidory.

– Pani Walentyno, może być nawet półtora kilo. Widzę, że u pani profesor też jest dzisiaj dzień uzupełniania zapasów – Barbara Starska patrzyła na nią z uśmiechem, a ona stała jak nieżywa. Nie potrafiła zareagować. Co prawda, już raz ją widziała, w szkole, na zebraniu. Dziś jednak była porażona podobieństwem Mikołaja do kobiety patrzącej na nią w tej chwili.

– Tak. Przepraszam – jakimś cudem wydusiła z siebie dwa słowa. – Przepraszam, ale zupełnie pani nie poznałam – bardzo powoli odzyskiwała zdolność artykułowania dźwięków.

– Przyznam się pani szczerze, że też się dziś specjalnie nie rozglądam na boki, bo mam gości na obiedzie, a jeszcze niczego nie przygotowałam. Przychodzi do nas moja siostra z mężem. Niby sami swoi, ale wie pani, zawsze coś tam trzeba upichcić.

– To panie sobie tutaj porozmawiajcie – odezwała się pani Walentyna – a ja wezmę od tego młodzieńca listę i dam mu, co tam mu mamcia zapisała.

Hanka zauważyła stojącego za nią sympatycznego nastolatka o śniadej cerze, gniotącego w dłoni i tak już wymiętą karteczkę.

– O! Jak mama ładnie pisze – pani Walentyna wpatrywała się w listę zakupów.

– To nie mama, to babcia – sprostował młodzieniec i wlepił wzrok w swoją dzwoniącą w tej chwili komórkę.

Hanka znów patrzyła na mamę Mikołaja, która nie mogła ogarnąć niezliczonej ilości toreb ścielących się u jej stóp.

– Pani Walentyno, ale dla mnie to już wszystko. Zapłacę pani i muszę gonić, bo z niczym dziś nie zdążę.

Hanka patrzyła na tę kobietę i zazdrościła jej otwartości i serdeczności, którymi obdarzała znajdujących się w pobliżu ludzi.

– A to leć! Kochaneczko moja. Za to wszystko to jakieś dwadzieścia trzy złote, z rabatem dla stałej klientki, oczywiście.

– To może ja pomogę? – Hanka obudziła się wreszcie z dziwnego odrętwienia i nie czekając na pozwolenie, zaczęła zbierać z ziemi szeleszczące siatki. Swój koszyk zostawiła w zasięgu wzroku pani Walentyny, która rozumiejąc ją bez słów, dała jej znać, że rzuci na niego okiem. Objuczona torbami szła, obok mamy Mikołaja, nie wiedząc, co powiedzieć.

– Bardzo pani dziękuję za pomoc. Jeszcze zaparkowałam tak daleko, ale bliżej wszystko było zajęte. Mam dzisiaj tyle roboty, że mi słabo na samą myśl. – Z trudem nadążała za tą wciąż mówiącą i lawirującą między zaparkowanymi autami kobietą. – Widzi pani, dwóch chłopów w domu, a ja wiecznie sama z tymi siatami. Mikołaja nie liczę, bo ma swoje życie, a Mateusz to się teraz nagle taki pilny zrobił, że nosa zza książek prawie nie wyściubia. Mój mąż za to na zakupach to się robi taki marudny, że mi się od razu wszystkiego odechciewa. Więc, widzi pani, ja całe życie jak ten osiołek podróżny. Wyję, ale swoje robię.

Znalazły się przy samochodzie. Hanka robiła tęgą minę, choć czuła, że ręce jej za chwilę odpadną, a nogi się połamią. Palcom u rąk, w które wrzynały się ponaciągane uszy jednorazowych siatek, groziła martwica.

– Bardzo pani dziękuję – nieprzerwanie mówiła mama Mikołaja. – Dziś rzadko się zdarza taka bezinteresowna pomoc. Ale ja nadaję i nadaję. Wiem, wiem straszna ze mnie gaduła.

– Nic się nie stało – powiedziała cicho. Była bardzo onieśmielona bliskością i otwartością tej ważnej dla Mikołaja kobiety. – Na pocieszenie mogę pani tylko powiedzieć, że mnie też czekają dziś kulinarne zmagania. Około szesnastej przyjeżdża do mnie ciocia z zagranicy i chcę ją przyjąć tradycyjnym polskim obiadem.

– A chociaż ktoś pani pomoże? – zapytała pani Starska, zamykając wypełniony zakupami bagażnik.

– Z gotowaniem muszę poradzić sobie sama, ale przyjaciółka odbierze ciocię z lotniska, więc nie wypada mi narzekać – uśmiechnęła się. Wcześniejsze napięcie ulatywało z minuty na minutę. Chyba za sprawą niespotykanej otwartości spoglądającej na nią kobiety.

– Jeszcze raz bardzo pani dziękuję, pani profesor.

– Mam na imię Hania – powiedziała, chyba zbyt cicho, błądząc wzrokiem po guzikach jasnego płaszcza swojej rozmówczyni.

– W takim razie dziękuję, pani Haniu, i życzę, żeby obiad udał się pani doskonale. I oczywiście udanych ferii. Proszę wypoczywać i korzystać z wolności.

Hanka nie zauważyła nawet, kiedy jej, dziś wyjątkowo wątłe ramiona, znalazły się w zdecydowanym uścisku sympatycznej kobiety, która obcałowywała ją właśnie na pożegnanie.

– Do widzenia – tylko tyle była w stanie z siebie wydusić.

– Pa, kochanie! – usłyszała.

Obserwowała mamę Mikołaja bardzo powoli wyjeżdżającą z parkingu. Mały biały samochód w końcu zniknął jej z oczu, a ona zastanawiała się, dlaczego w myślach nazywała tę kobietę mamą Mikołaja. Przecież była też mamą Mateusza. Działo się z nią coś dziwnego. Albo była zmęczona, albo wypity wczoraj alkohol przeszkadzał jej w myśleniu. Wczoraj mówiła w zwolnionym tempie. Dzisiaj w ten sposób myślała. Mama Mikołaja. Znów wróciło do niej to sformułowanie.

– Mama... – powiedziała sama do siebie. Wcale nie cicho i poczuła nagle, że zalewa ją fala tęsknoty. Ogromna, co najmniej trzymetrowa. Poczuła, jak rozbryzguje się na jej twarzy. Automatycznie zamknęła oczy. Jednak szybko je otworzyła. Ktoś ją potrącił.

– Zakochana! – została obrzucona nienawistnym spojrzeniem starszego mężczyzny.

– Najmocniej pana przepraszam! – uśmiechnęła się promiennie do tego zgorzkniałego złośnika.

Odwróciła się na pięcie i ruszyła przed siebie. Szła w kierunku warzywniaka i słyszała głos mamy. „Jeżeli ktoś jest dla ciebie niemiły, ty bądź miła i uśmiechnij się do niego. Zobaczysz, nie będzie wiedział, jak się ma zachować". Mama miała rację. Ordynus stał zdziwiony, a ona szła, uśmiechając się z daleka do pani Walentyny. Kiedy wspominała mamę, wszystko wydawało się łatwiejsze. Poczuła nagły głód na widok młodzieńca, który wgryzał się z apetytem w lukrowanego pączka. Postanowiła, że kupi pączki. Na deser. Dominika się ucieszy. „Pączuś! Mniam, mniam", prawie usłyszała jej głos. Zobaczyła też mądry wzrok ciotki Anny, która patrzyła identycznie jak mama. Nie mogła uwierzyć, że niedługo zobaczy to doskonale znane spojrzenie. Mama Mikołaja też miała mądre oczy. Podobne do oczu ciotki Anny. Tylko patrzyła inaczej. Gdy mówiła, charakterystycznie odwracała głowę, lekko w bok. Identycznie jak Mikołaj.

Wystarczyło jedno spojrzenie jego matki, jedynie lekko przypominające sposób, w jaki na nią patrzył, i poczuła tęsknotę. Za nim. Odruchowo dotknęła granatowego szalika dyndającego teraz na jej szyi w rytm szybkich kroków.

– Szalik! – szepnęła z przerażeniem.

– Słucham? – zapytała zdziwiona pani Walentyna, podnosząc wzrok znad czosnkowego warkocza, który splatała z wielką wprawą. – Co tam, pani Hanusiu, dzisiaj dla pani pakujemy?

– Włoszczyzna, cebula, pomidory, ogórki, brokuły, jabłka, banany... – wymieniała bez ładu i składu to, na co padał właśnie jej wzrok, a pani Walentyna patrzyła na nią zdziwiona.

– O! Widzę, że pani zamiast o zakupach myśli pewnie o jakimś przystojniaczku. Mam rację?

– Tak, pani Walentyno – przyznała bezwiednie. – Zacznijmy jeszcze raz. Tylko wolniej. Włoszczyzna albo lepiej dwie włoszczyzny... – Pani Walentyna sprawnie pakowała wszystko, co wymieniała. – Kilogram pomidorów... Sałatę lodową... Tak, ta jest ładna... Dwa kilogramy ziemniaków... Tak, pani Walentyno, na pewno wystarczy... Rzeczywiście, mandarynki są piękne... Dobrze, proszę zważyć...

Miał *déjà vu.* Kolejny raz był nieprzytomny i kolejny raz dzwonił telefon. Pracował prawie całą noc. Myślał, że będzie mógł się wyspać. Ale nie! Od jakichś dziesięciu minut ktoś bombardował go, upierdliwie dzwoniąc. Poduszka na głowie przestała pomagać. Telefon niezmordowanie awanturował się na stole w kuchni. Przy kolejnej, nie liczył której, próbie połączenia poddał się i wstał. Był wściekły. Nie patrząc, co to za morderca snu, odebrał z zamkniętymi oczami i przysiadł na stole. W słuchawce usłyszał głos mamy. Mógł się domyślić. Rutynowa sobotnia kontrola.

– Mamo, stało się coś? – zapytał, ziewając.

– Nic się nie stało. Po prostu chciałam cię usłyszeć. To ty lepiej powiedz, czy coś się nie stało, bo dzwonię, a ty nie raczysz nawet odebrać?!

– Mamo! Czy wiesz, że jest sobota rano? – zapytał osłabiony psychicznie i fizycznie tym, co właśnie usłyszał od swojej stęsknionej mamy.

– Dziecko! Rano to było, ale jakieś pięć godzin temu. Co ty robiłeś w nocy, skoro trzynasta trzydzieści to dla ciebie rano?

Wydawało mu się, że mama po tak zadanym pytaniu oczekiwała jakiejś pikantnej opowieści. Postanowił wyprowadzić ją z błędu.

– Mamo, całą noc pracowałem – mówił z zamkniętymi oczami. – Prawie do rana. Mamo, nie żyję. Zadzwonię wieczorem. Dobrze? – Każde zdanie kończył, ziewając, ale jego najukochańsza mama najwyraźniej nic nie robiła sobie z tego, że jej synuś jest w tej chwili zdolny jedynie do spania.

– Za dużo pracujesz! Masz chociaż coś do jedzenia? Masz w domu porządek? Pranie zrobiłeś?

Poczuł się, jakby brał udział w idiotycznym teleturnieju, w którym pytanie goniło pytanie.

– Mamo, błagam cię. Daj spokój. U mnie wszystko dobrze.

Nie musiał otwierać oczu, żeby mieć dowód na to, że łże jak pies. Na stole były brudne naczynia. Stare, przewertowane gazety i śniadaniowy przegląd tygodnia. Na tym wszystkim leżało otwarte i zatłuszczone pudełko po pizzy. Porządeczek! Nie ma co! W łazience nie było lepiej. Stertę brudów łatwiej było obejść, niż przeskoczyć. Nie otwierał oczu, bo był zmęczony i nie chciał podziwiać swojego gospodarczego upadku.

– No i czemu nic nie mówisz? – zapytała po kobiecemu mama.

– Bo jeszcze śpię – ziewnął do słuchawki.

– Jak ci powiem, kogo dziś spotkałam na bazarku, to się natychmiast obudzisz! No zgadnij! Kogo?

– Nie wiem. Marchewkę z groszkiem? – zakpił poirytowany brakiem możliwości kontynuowania snu.

– Ale ty jesteś podobny do ojca. Momentami czuję się tak, jakbym to z nim rozmawiała...

– Mamo, proszę cię, powiedz, kogo widziałaś, i pozwól mi spać. – Ostatnie słowa, które wypowiadał, zostały całkowicie zniekształcone przez szerokie ziewnięcie.

– Widziałam panią... Hanię... Lerską...

Otworzył oczy, ale zupełnie nie wiedział, co powiedzieć.

– Wiesz, co u niej słychać? – zapytała mama zaskoczona brakiem jego reakcji na wieść dnia.

– Nie, nie wiem. Nie widziałem jej od tygodnia. Była na bazarze? – zapytał zdumiony. Nie pasowała mu do tego miejsca.

– Była – potwierdziła mama. – Kupowałyśmy razem warzywa u pani Walentyny.

– Jak to razem? – przełknął ślinę, bo o mało nie udławił się z wrażenia.

– Normalnie. Ona i ja. Ja i ona – mama wytłumaczyła mu nieco enigmatycznie zagadnienie wspólnych zakupów. – Też ma dzisiaj gości. Przyjeżdża do niej jakaś ciotka, i to z zagranicy.

– Skąd wiesz? – Wstał ze stołu i szybkim krokiem udał się w stronę sypialni.

– Jak to skąd wiem? Powiedziała mi.

– Rozmawiałyście? – Zdziwiony padł na jeszcze ciepłe łóżko.

– A co w tym dziwnego? Mało! Pomogła mi zanieść siaty do samochodu. Aż mi jej było szkoda, bo te torby były większe od niej. – Nie mógł uwierzyć. – Ale wiesz, tak się zastanawiam, czy ona czasami nie jest chora. Bardzo źle wyglądała. Myślałam, że może coś wiesz – mama dziwnie zawiesiła głos.

– Jak to chora? – zapytał, nerwowo wbijając wzrok w okno nie pierwszej czystości.

– No, nie wiem. Ale była blada jak ściana, miała podkrążone oczy i jakoś tak cicho mówiła. Może ją boli gardło?

Doskonale wiedział, jak Hanka mówiła. Z nim też najczęściej rozmawiała tak cicho, jakby bała się, że ktoś inny może ją usłyszeć.

– A o czym rozmawiałyście? – zmienił temat.

– O kobiecym, przekichanym losie – westchnęła mama. – Wiesz, zakupy, siaty, gary. Bardzo miła dziewczyna. Taka swoja.

– Wiesz co, mamo? Muszę kończyć. – Chciał jak najszybciej przerwać tę rozmowę, która postawiła go maksymalnie do pionu. Odechciało mu się spać. Był zdenerwowany. Energicznie wstał z łóżka.

– A może przyszedłbyś na obiad? Będzie ciotka z wujkiem.

– Nie, mamo, muszę posprzątać – mówił byle co. Myślami był już przy Hance.

– Przecież przed chwilą mówiłeś, że masz czysto?

– Ja? – zapytał nieprzytomnie, zbierając ubrania z podłogi.

– Coś czuję, że ci się z matką nie chce gadać. A poza tym coś kręcisz. Jak zmądrzejesz, to do mnie zadzwoń!

– Mamo... – był zniecierpliwiony.

– Mamo! Mamo!

– Zadzwonię wieczorem. Pa!

– Mikołaj! Mikołaj! – usłyszał jeszcze, choć uznał już rozmowę za zakończoną.

– Tak? – zapytał, siląc się na miły ton.

– Zapomniałabym, miała na sobie twój szalik. Ten granatowy. Pa!

Nie zdążył zareagować. Mama włożyła kij w mrowisko i się wyłączyła. Wiedział, że uwielbiała tak robić. Ale nie był na nią o to zły. Uśmiechnął się i padł na łóżko.

Wyszło szydło z worka. Wyszły dwa szydła z worka. Hanka nosiła jego szalik. A mama znała już prawdę o nim. To znaczy o szaliku. Już trzeci raz dzisiaj wstał z łóżka. Przeszedł do łazienki, myśląc intensywnie o bladości Hanki. Bezstresowo przesunął nogą hałdę brudów i z hukiem otworzył kabinę prysznicową. Jednak do niej nie wszedł. Szybko wrócił do sypialni. Wziął do ręki leżący na rozbebeszonym łóżku telefon i starając się nie myśleć o konsekwencjach swojego postępowania, wybrał numer Hanki. Połączenie trwało, a on nie wiedział nawet, co ma jej powiedzieć. Jak zacząć? Przerywane ciszą sygnały ciągnęły się w nieskończoność. Zwykle je odliczał, dziś nie. Może miała daleko do telefonu? Zresztą w jej domu do wszystkiego było daleko.

– Cześć, Mikołaj, poczekaj sekundę...

Zwycięstwo! Odebrała! Może i dobrze, że nie układał specjalnego powitania, bo jak zwykle była zajęta. Nie mogła spokojnie porozmawiać. W słuchawce słychać było jakieś trzaski i szum wody. Kroki...

– Przepraszam cię, Mikołaj – znów ją usłyszał – ale mam urwanie głowy. Ciotka będzie za niecałe dwie godziny, a ja jestem dopiero przy rosole...

– A jak się czujesz? – zapytał bezpośrednio. – A tak w ogóle, to dzień dobry. – Znów usłyszał jakiś hałas.

– O matko!

– Halo! Hanka! Co się dzieje?

– Już, już. Boże! Mało brakowało, a stłukłabym butelkę z oliwą – słyszał jej przyspieszony oddech w słuchawce.

– Hania, posłuchaj. Czy możesz na chwilę usiąść i ze mną porozmawiać? – zadał konkretne pytanie.

– Nie powinnam, ale mogę. Może być krzesło? – zapytała, siląc się na żart. Nie wyszedł jej.

– Nie! – zaprotestował szybko. – Połóż się w salonie na kanapie. Porozmawiamy chwilę, a ty w tym czasie trochę odpoczniesz. Słyszę, że jesteś w nie najlepszym nastroju. Jesteś zmęczona?

– Ciesz się, że mnie nie widzisz – powiedziała prawie wesoło.

Usłyszał jakiś dziwny odgłos. Chyba go posłuchała i położyła się na kanapie.

– Tak się składa, że właśnie chciałbym cię zobaczyć – bez żadnego wysiłku zdobył się na szczerość i poczuł, że właśnie teraz mógłby powiedzieć jej wszystko, co tyle razy układał sobie w głowie. Miał dosyć czajenia się i uważania na słowa. – Ale pytałem, jak się czujesz.

– Jestem zmęczona. Najchętniej schowałabym się w mysiej dziurze i przez jakiś czas z niej nie wychodziła.

Zadziwiła go swoją szczerością.

– Co się stało?

– Życie mnie przerasta. Jak zwykle zresztą. Żadna nowość.

Odniósł wrażenie, że pierwszy raz miał okazję coś z niej wyciągnąć.

– Nie wierzę! – zanegował sprytnie jej słowa.

– Zaręczam ci, jest tak, jak mówię. Ale wiem też, dlaczego do mnie telefonujesz...

– Dlaczego? – przerwał jej.

– Udajesz? – zapytała.

Prawie zobaczył jej uśmiech.

– Nigdy niczego nie udaję – rzekł poważnie.

– Rozmawiałeś z mamą...

Nie potrafił ocenić, czy go pytała, czy stwierdzała fakt.

– Rozmawiałem... – Chciał być tajemniczy.

– I co?

– To zależy... – Uwielbiał się z nią droczyć. Zresztą uwielbiał wszystko, co miało z nią jakikolwiek związek.

– Ale jesteś fajny...

Czuł, jak poprawiał się jej humor. Nie była już taka spięta jak na początku rozmowy.

– Tylko tyle?

– Chyba aż tyle! A wracając do twojej mamy, to chyba trochę głupio wyszło. Mam dzisiaj ciężki dzień i nie poznałam jej od razu.

– Niczym się nie przejmuj. I tak jest tobą oczarowana.

– Proszę cię, nie żartuj.

– Gdzieżbym śmiał? Wcale nie żartuję. Powiedziała mi, że jesteś miła i sympatyczna, i ładna, i że pomogłaś jej z siatami. Ale powiedziała mi też coś, co mnie zmartwiło...

– Co? – zapytała cicho.

– Że jesteś bardzo blada – sińce pod oczami postanowił przemilczeć.

– To muszę przyznać, że ujęła temat mojego wyglądu wyjątkowo subtelnie.

– Coś ci się stało? – zaniepokoił się, chociaż głos, który słyszał przez telefon, sprzedawał mu spokój.

– W sumie to nic...

– Czyżbyś chciała być zagadkowa?

– Gdzieżbym śmiała. Ja nie jestem zagadkowa, tylko nienormalna. Zresztą już ci o tym mówiłam.

– Nie wiem, czy dobrze sobie przypominam, ale to chyba też ty mówiłaś mi, że nie należy mówić o sobie źle.

– Sam widzisz. Wszyscy dookoła mówią tylko o sobie i o sobie, tylko ja jedna o mnie. – Parsknęła śmiechem, a on w tym momencie uwierzył, że nic jej nie jest.

– Widzę, że nic mi dziś nie powiesz na temat swojej bladości, ale słyszę, że humor trochę ci się poprawił.

– To nie humor. To głupawka – szybko wyprowadziła go z błędu. – Zamiast stać przy garach, leżę sobie na kanapie...

– Popatrz przez okno – nie pozwolił jej dokończyć. Nie chciał, żeby wracała do rzeczywistości. – Pada u ciebie śnieg? – zapytał, bo za jego oknem właśnie rozpoczynała się śnieżna zawieja.

– Jeżeli mam zobaczyć za oknem śnieg, to przepraszam, ale nie popatrzę.

Był prawie pewien, że się uśmiechała, albo po prostu bardzo chciał, żeby tak było. Chciał ją zobaczyć.

– Kiedy się zobaczymy? – wypalił, ale nie pożałował swych słów. Nie tym razem. Miał już dość „mientkiej" gry. Niestety, wyluzowana do tej pory

Hanka chyba się zdenerwowała, bo wciąż nie usłyszał odpowiedzi na swoje pytanie. – Słyszałaś, o co zapytałem?

– Tak – odpowiedziała znów cicho.

Gdy tylko zaczynała tak mówić, tracił pewność siebie. Nie wiedział, jak ma się zachować.

– Słyszałam, ale trudno mi cokolwiek powiedzieć, bo przyjeżdża ciotka i jak ją znam, czekają mnie bardzo ciężkie i intensywne dni.

– To znaczy... – nie rozumiał.

– Nie widziałyśmy się od... Nie widziałyśmy się od dawna... – W mig pojął, odkąd się nie widziały. – Ciotka przyjeżdża na pewno między innymi po to, żeby zobaczyć, jak sobie radzę. Będzie mnie ciągać po sklepach w poszukiwaniu garderoby, która mnie rozweseli, a ją wyszczupli. Będziemy latać do kosmetyczki, na masaże i tak dalej. Nawet nie zdajesz sobie sprawy, ile będę musiała wykonać czynności, jednocześnie udając, że jestem silną, nowoczesną dziewczyną, która czerpie z życia pełnymi garściami i nie ogląda się za siebie. Nie wiem, jak ja to wszystko zrobię – podsumowała z powątpiewaniem.

Odniósł wrażenie, że właśnie wyspowiadała się przed nim z lęków związanych z wizytą ciotki.

– A kiedy wyjeżdża szanowna cioteńka? – zapytał żartem, układając w głowie następne pytanie.

– W piątek rano. Mikołaj, jeżeli porozmawiamy dłużej, to naprawdę z niczym nie zdążę.

Usłyszał, że po drugiej stronie coś się działo. Chyba wstała z kanapy.

– To, podsumowując, zobaczymy się dopiero w Pradze – rzekł bez cienia wątpliwości.

– Mikołaj... – usłyszał cichą prośbę zawartą w jego imieniu, ale nie odezwał się ani słowem. Cierpliwie czekał na dalszy ciąg. – Jeżeli chodzi o ten wyjazd, to... Przyznam ci się... Wyczuwam w powietrzu wielką presję...

– Nie chciałem... – przerwał jej. Nie było to trudne, bo mówiła bardzo powoli. – Nie chciałem, żeby tak to zabrzmiało, ale chcę, żebyś wiedziała, że będę tam na ciebie czekał. To znaczy na lotnisku. W sobotę rano. Nie zapytam cię teraz, czy przyjedziesz, bo boję się, że mi powiesz nie to, co chciałbym usłyszeć.

– Mikołaj... – zaczęła znowu tonem, z którym sobie nie radził, bo nie oznaczał dla niego niczego dobrego.

– Dobrze już, dobrze... Powiedz tylko, skąd się wzięła twoja bladość, i pozwolę ci wracać do kuchni – zmienił temat, bojąc się, że usłyszy od niej coś, po czym będzie mógł się już tylko utopić pod prysznicem. Poza tym za wszelką cenę chciał przedłużyć rozmowę.

– Pamiętasz swój stan po powrocie z Pragi?

Udało się! Znów mówiła do niego w miarę normalnie.

– Tylko mi nie mów, że wypiłaś wczoraj na imprezie u Aldonki morze wódki – szczerze powątpiewał.

– Nie musiałam. Wystarczyły mi dwa drinki i osiągnęłam po nich pełną pomroczność – chyba się z siebie śmiała. Nie był pewien.

– Żałuję, że cię wczoraj nie widziałem...

– Niczego nie straciłeś... Ale, Mikołaj...

– Wiem, wiem, wiem. Musisz już kończyć. Jak zwykle nie masz dla mnie czasu – skarżył się jak zbity pies. Chciał ją chociaż trochę sprowokować. Kiedy była blisko, takie zachowanie przychodziło mu z wielkim trudem. Onieśmielała go tak, że nie mógł rozsądnie myśleć. Kolejny raz telefon okazywał się jego sprzymierzeńcem. – To chociaż na koniec powiedz mi to, co najbardziej chciałbym od ciebie usłyszeć.

– A skąd ja mam, biedna, wiedzieć, co chciałbyś ode mnie usłyszeć?

Doskonale. Podjęła temat.

– Powiem ci w telegraficznym skrócie, przecież nie mamy już czasu – mówił bardzo szybko. – Chciałbym usłyszeć trzy twierdzące odpowiedzi na trzy moje pytania. Pytanie pierwsze. Czy znajdziesz dla mnie choć krótką chwilę w tym tygodniu? Pytanie drugie. Czy napiszesz do mnie wieczorem wiadomość, jak minął ci dzień? I pytanie trzecie... – niestety, nie pozwoliła mu go zadać.

– Mikołaj... – przerwała mu. – Muszę kończyć. Telefonuje do mnie Dominika. Ma odebrać ciotkę z lotniska. Boję się, że... Wiesz... Znasz ją przecież...

– To pa! Ale napiszesz wieczorem?

– Obiecuję. U mnie za oknem zawieja śnieżna, pa!

Trzymał telefon przy uchu. Niestety, niczego już nie mógł w nim usłyszeć. Ani jednego jej słowa więcej. Był wściekły na Dominikę. Wiele razy mu pomogła, ale dziś wcięła się w ich rozmowę w najmniej odpowiednim momencie. Gapił się w okno. Przez chwilę zastanawiał się, czy nie zadzwonić do mamy w sprawie szalika. Ale ekspresowo doszedł do wniosku, że i tak nie wiedziałby, co jej powiedzieć. Poza tym tylko winni się tłumaczą, a on nie czuł się wcale winny. Skoro Hanka nosiła szalik, był przecież wielkim wygranym, a mama i tak na pewno wymyśliła już na własny użytek jakąś romantyczną historyjkę. Tak naprawdę jednak mało go obchodziło, co myślała teraz mama. Najbardziej interesowało go, co myślała o nim Hanka.

Przejechał ręką po nieogolonym policzku. Zastanawiał się, co robić. Miał dwie możliwości. Wstać i sprzątać albo nakryć łeb kołdrą i spać. Zwyciężyło to drugie. Postanowił przespać dzień. Już teraz czekał tylko na wieczór. Obiecała, że napisze, to napisze. Zawsze dotrzymywała obietnic. Dlatego tak lubił je u niej wypraszać. Cokolwiek dziś napisze, zmusi ją do spotkania. Weźmie ją za rękę i bez ogródek powie, co do niej czuje. A jak będzie go chciała pogonić, to się po prostu nie da. Zdał sobie sprawę, że właśnie tak ostro zagrzewał się do walki o Hankę, że całkowicie odechciało mu się spać. Zdecydowanym ruchem odrzucił kołdrę. Otworzył jedno oko. Jednak krajobraz po bitwie, jaki przedstawiało jego mieszkanie, podziałał na niego zdecydowanie usypiająco. Obiecał sobie, prawie przyrzekł, że jeżeli dziś uda mu się spotkać z Hanką chociaż na chwilę, to jutro posprząta, a nawet będzie sprzątał regularnie. W miarę regularnie. Nawałnica za oknem przybierała na sile. Waliło śniegiem i zrobiło się prawie ciemno. Natura wybrała za niego. Nie mógł przecież pozostać obojętny na tak doskonałe warunki do spania. Nie musiał nawet udawać, że jest noc. Nie musiał już niczego udawać. Musiał się tylko ogarnąć i jej w końcu powiedzieć. O wszystkim!

– Hania! Kocham cię! Szaleję za tobą!!!

Nie palmy świec w dzień.

Zbiegała ze schodów. Była gotowa. Zdążyła się nawet wykąpać i odpowiednio, to znaczy wesoło, ubrać. Miała na sobie czarną bluzkę, na której rosły krwistoczerwone tulipany i, o zgrozo, czerwone dżinsy pamiętające jeszcze czasy klasy maturalnej. Jej twarz przykrywał makijaż doskonały. A raczej doskonale ukrywający efekty nieprzespanej nocy. Umyte i wymodelowane przed momentem włosy w wersji rozpuszczonej dodawały jej lekkości, młodości i niefrasobliwości. Sztuka kamuflażu, odkryta przez inteligentne zwierzęta, przydawała się jej dziś jak chyba jeszcze nigdy. Zobaczyła swoje odbicie w lustrze w holu i prawie się nie poznała. Patrzyła na młodą dziewczynę, której wygląd mógł sprawić, iż ciotka z pewnością pomyśli, że sytuacja w Warszawie jest opanowana. Gapiła się na siebie i gdyby nie dzisiejsza czarno-biała noc, sama byłaby w stanie w to uwierzyć. Jednak miniona noc była faktem czarnym, nie białym. Czuła przez skórę, że nagła wizyta ciotki będzie niczym innym, tylko psychologiczną inspekcją po zakamarkach jej duszy. Ciotka i tak dała jej grubo ponad rok na otrzepanie piórek. To było ulubione określenie ciotki. Miała skłonność do nadużywania go. Przylatywała, bo chciała się na własne oczy przekonać, czy to, o czym regularnie rozmawiały z sobą przez telefon, było prawdą. Hanka stała przed wielkim lustrem i panicznie bała się tego, co miało za chwilę nastąpić. Nie dlatego że rentgen w oczach ciotki działał lepiej niż w niejednym szpitalu. Najbardziej obawiała się tego, że w ciotce zobaczy swoją mamę. Że mimika ciotki, identyczna jak mamy, zbije ją z nóg, na których stawała bardzo powoli. Że poczucie ogromnej życiowej straty odżyje na nowo i nie pozwoli jej normalnie oddychać. Była przerażona. Ale lustro nie kłamało. Nie wyglądała jak ucieleśnienie strachu. Prezentowała się nadspodziewanie dobrze. Świadomość korzystnego wyglądu dodawała jej niezbędnej w tej chwili odwagi, która mieszając się z zapachem gotowego obiadu, sprawiła, że poczuła się gotowa do odegrania przed ciotką roli szczęśliwej, pogodzonej z życiem dziewczyny, zaglądającej w przyszłość wypełnionymi optymizmem oczami. Usłyszała klakson. Przyjechały! Z bijącym sercem i Saharą w ustach otwierała bramę wjazdową. Wydawało się jej, że ma jeszcze dużo czasu, ale już słyszała śmiech Dominiki. Z sercem w gardle podeszła do drzwi wejściowych. Otworzyła je zdrętwiałą dłonią. Zatrzymała się na chwilę i poczuła, że jej ciało przestało nagle stanowić całość. Każda jego trzęsąca się część zapragnęła funkcjonować oddzielnie. Serce chciało uciekać, a nogi tkwiły w miejscu, jakby wmurowane w próg. Nie pomaga strój, makijaż, fryzura. Poczuła się jak marionetka, której ktoś poplątał ożywcze sznurki. I zobaczyła ją. Stała obok samochodu Dominiki i patrzyła. Czekała na nią. Zaczęła iść w jej kierunku. Kolana wyginały się we wszystkie strony, nogi drżały. Nie czuła chłodu. Jedwabna bluzka grzała jak baranica. Okazało się, że jest tak, jak przypuszczała. Ciotka patrzyła na nią oczami mamy. Dlatego z płaczem wtuliła się w jej ramiona. Poczuła ciepły i leczący wszystkie wątpliwości uścisk. Nie potrzebowała żadnych słów wzmacniających efekt powitania. Jeszcze chwilę temu chciała udawać i odegrać rolę według ściśle określonych reguł. Jedno spojrzenie ciotki wystarczyło, by zdała sobie sprawę, że niczego nie musi udawać. Że może wyć w jej ramionach, ile dusza zapragnie. W tej jednej chwili mogła cieszyć się do łez z obecności ciotki i płakać za mamą, której od dawna tu nie było. Wierzyła jednak, że patrzyła teraz na nie gdzieś z góry i była spokojniejsza. Podczas gdy stały przyklejone do siebie, Dominika zamieniła się w boja hotelowego i kursowała między samochodem a domem z bagażami ciotki.

– Przestańcie już! Jak tak dalej będziecie wyć, to będę musiała zacząć pompować ponton!

Słyszała słowa Dominiki, ale nie mogła, nie chciała, wyswobodzić się z bezpiecznych ramion ciotki. Dotarło do niej, że w życiu oddzielał je od siebie jedynie wąski pasek oceanu, a łączyło wiele uczuć, z których do tej pory może nie zdawały sobie do końca sprawy. Tuż przy uchu usłyszała wzruszony szept ciotki:

– Trąba jerychońska ze mnie, że tak długo zwlekałam z przyjazdem.

– To teraz nieważne – odpowiedziała szybko. – Nawet nie wiesz, ciociu, jak się bałam tego spotkania. Wiem już, że niepotrzebnie – spojrzała w oczy ciotki, która wypuściła ją z objęć.

Stały naprzeciw siebie, mierząc się wzrokiem. Obie zapłakane.

– Jeżeli trzęsie mi się broda, jak teraz tobie, to masz ze mnie niezły ubaw... – ciotka patrzyła na nią identycznie jak mama.

– Możesz być spokojna, ciociu – wytarła ręką nos. – Nic ci się nie trzęsie – wyszeptała. Chciała używać głosu, ale gdzieś się zawieruszył.

– Hanuś, co ty mówisz? Wszystko się we mnie trzęsie. W środku. Wszystko! Wybacz mi, że tak długo nie przyjeżdżałam. Ale chodź już. Jeszcze mi się zaziębisz. Wyleciałaś z domu w samej bluzeczce. – Ciotka objęła ją ramieniem i weszły do domu, prawie nie spuszczając z siebie oczu.

Dominika była już w kuchni i buszowała w garnkach, co nie przeszkadzało jej w wysyłaniu wścibskich spojrzeń. Ciotka rozglądała się po salonie.

– To piękne, wszystko się zmieniło, a jednak nic. Ale że ty, Haniu, w sobotę musiałaś iść do pracy? To chyba przesada.

Napotkała podejrzliwy wzrok ciotki. Wolała się nie odzywać. Pomagała jej się rozebrać, rzucając jednocześnie w stronę Dominiki dziękczynne spojrzenie.

– To myjmy już rączki i jedzmy, bo w garach pełno dobrego żarełka! Nawet nie wiesz, ciociu, jaka z Hanki jest kucharka – ostatnie zdanie Dominika mówiła, będąc już w łazience.

– Wiem, wiem. Skorzystam z toalety i już przychodzę.

Nie musiała mówić, gdzie jest łazienka. Ciotka wszystko wiedziała. Jej oczy mówiły więcej niż niejedna życiowa gaduła. Wiedziała wszystko. Nie tylko to, gdzie jest łazienka. Gdy tylko ciotka zniknęła z pola widzenia, Hanka od razu podeszła do Dominiki i wyściskała ją bez słów.

– Zgłupiałaś?! – Dominika odganiała się od niej jak od natrętnej muchy. – Siniaków mi narobisz, a mam dzisiaj rozbieraną randkę. A poza tym nie zapominaj, że nie zrobiłam tego bezinteresownie. Pamiętasz? Mamy układ! – Dominika mierzyła ją od stóp do głów i gwizdnęła. – Aleś się wylaszczyła!

– Co to za słowo? – Stała już przy garnkach, nie mogła teraz myśleć o wspominanym przez Dominikę układzie.

– Dotyczące twojego wyglądu, *my sweet baby*! Wyglądasz jak lalunia wyjęta żywcem z fotoshopu.

– Ale pięknie pachnie... – Ciotka już sadowiła się przy stole.

– Dominika, siadaj już. Na pierwsze danie rosołek – postawiła na stole parującą od gorącego rosołu wazę.

– Wiesz, Hanusiu, ja też zawsze gotuję rosół, jak ma przyjść Steven, ale mój nigdy tak nie pachnie!

Ciotka Anna była rozwiedziona. Miała dorosłego syna. Był doskonałym kardiochirurgiem, zresztą tak jak jego ojciec, który niestety oprócz skalpela lubił obracać w rękach młode i jędrne ciałka. Nie wyszło mu to na zdrowie, bo nie podejrzewał nawet, że ciotka Anna potrafi na nim wykonać mistrzowskie cięcie. Była za dobra, a przede wszystkim za mądra dla faceta, który nie zawsze używał mózgu.

– A co słychać u Stevena? – zapytała Hanka, siadając przed miską rosołu, choć jak zwykle nie czuła głodu.

– Zapracowany... Myślę, że ma kogoś, ale na razie się nie pochwalił. Ostatnio jak u niego byłam, to jego apartament wprost pachniał kobietą. Pewnie boi mi się ją przedstawić, bo to nie Polka, a wie, jak bardzo chciałabym, żeby się ożenił właśnie z Polką. Ale mam lepszą wiadomość.

Hanka patrzyła na ciotkę z zaciekawieniem, a ona, jedząc rosół, spokojnie między jedną a drugą łyżką powiedziała:

– Mój wspaniały mąż, to znaczy mój eksmąż, wyraził życzenie, że chciałby do mnie wrócić.

Hanka bardzo lubiła wujka Toma. Był tak przystojny, że gdy była małą dziewczynką, to się w nim podkochiwała. Pozwalała też sobie podczas zabaw w rodzinę myśleć o nim jak o swoim mężu.

– A co ty, ciociu, o tym myślisz? – zapytała od razu.

Ciotka spojrzała na nią, uśmiechnęła się i przeniosła wzrok na pustą łyżkę.

– Nie przypuszczam, żeby to było dla mnie dobre rozwiązanie, chociaż tak naprawdę nigdy nie przestałam go kochać. Oczywiście nie powiedziałam mu tego. Dałam mu natomiast do zrozumienia, że jeżeli się postara, to przecież wszystko się może zdarzyć – to mówiąc, nabrała na łyżkę rosołu i włożyła do ust z uśmiechem, który nie był ani cwany, ani złośliwy.

– Ale ty, ciociu, jesteś mądra – sapnęła Dominika znad pustej miski. Zawsze zjadała wszystko pierwsza.

– Dominiczko – zaczęła powoli ciotka – bo kobieta musi być mądra. Ale najlepszy wariant jest taki, że jest mądrzejsza od mężczyzny, z którym żyje, i umie to skrzętnie ukrywać. Wtedy, mówię ci, sukces murowany.

– No to ja najwidoczniej jestem mądrzejsza od Przemka! – Nie było wątpliwości, że Dominika chciała się pochwalić ukochanym, ale spotkanie z ciocią było też świetną okazją do tego, żeby się podszkolić w temacie: kobieta kontra mężczyzna.

Hanka zaczęła ustawiać na stole półmiski z drugim daniem. Dominika od razu zajęła się dystrybucją potraw. Schab, ziemniaki i mizeria znikały w zastraszającym tempie. Ciotka zachwalała potrawy przygotowane przez ukochaną siostrzenicę, a Dominika z przejęciem opowiadała o Przemku. Po obiedzie na stole pojawiły się wspaniałe pączki z różą

– Posłuchajcie – powiedziała ciotka – poczekajmy trochę z tym deserem. Ja jestem, co prawda, spożywczo pojemna, ale teraz przyszedł czas na prezenty.

– Boże! – Dominice zaświeciły się oczy. – Pyszne żarło! Pączki! Prezenty! Wieczorem randka! To jest mój dzień! Kobiety, mówię wam! To jest mój dzień!

Ciotka już była przy walizkach, które zajmowały sporą część salonu.

Hanka zastanawiała się, po co jej takie dwie olbrzymie walizy, skoro przyleciała tylko na kilka dni. Ale ciotka Anna taka już była. Uwielbiała obdarowywać. Mama zawsze ją prosiła, żeby nie przesadzała z wydawaniem pieniędzy na prezenty, na co ciotka niezmiennie jej odpowiadała: z nosa wydłubię, a dam!

– Zgadnij, co dla ciebie mam? – ciotka spoglądała na Dominikę znad otwartej walizki.

– Nie mów! – ta już wszystko wiedziała. Ciotka miała dla niej to co zwykle. – Jaki kolor? – zapytała podekscytowana.

– Chyba jakie kolory? – śmiała się ciotka, nurkując w przepastnej walizce, wypełnionej po brzegi kolorowymi torebkami.

Dominika jednym długim susem przemierzyła odległość dzielącą ją od ciotki i jej zaczarowanej walizki. Hanka obserwowała tę scenę, sprzątając ze stołu. W przeciwieństwie do Dominiki, nie interesowały jej prezenty. Raczyła się teraz spokojem, jaki przywiozła z sobą ciotka. To był największy prezent.

Chciała go odpakowywać powoli. Delektowała się świadomością, że obok jest siostra jej mamy. Dzięki jej uspokajającej obecności miała szansę oddalić się od czarno-białego krajobrazu, który nawiedził ją znów dziś w nocy.

Oparła się o kuchenny blat, zajmując miejsce Mikołaja. Z uśmiechem przyglądała się Dominice, która z wypiekami na twarzy odpakowywała maleńkie paczuszki z coraz ładniejszą bielizną. Od razu prezentowała jej, bez słów, to, co dostała. Mogła więc z pewnej odległości oceniać te w większości koronkowe cudeńka. Bordowe staniczki, czerwone minimajteczki, jedwabne koszulki nocne. Podłoga wokół walizki ciotki usłana była łaszkami zniewalającej urody. Istny raj dla fetyszysty! Również ciotka nie spuszczała zadowolonego wzroku z Dominiki.

– Po prostu cud! – wzdychała ta co chwila, trochę jak w amoku.

– To jest w kobietach piękne – cmokała ciotka. – Tak mało potrzeba im do szczęścia. Perły, brylanty, diamenty. Mała rzecz, a cieszy!

Hanka uwielbiała poczucie humoru ciotki. Mama była od niej o sześć minut starsza, pewnie dlatego była troszkę poważniejsza. Ale tylko troszkę. Niedużo...

– Ty to nazywasz mało? – Dominika, gdyby tylko mogła, zjadłaby to wszystko, co właśnie dostała. – Dziękuję! Dziękuję! Dziękuję! – Obcałowywała ciotkę, jak to ona, po wariacku.

Ciotka śmiała się, ale widziała doskonale, że szukała jej swoim mądrym wzrokiem.

– Haniu, tylko się nie martw, dla ciebie też coś mam.

Dominika wciąż jeszcze wisiała na ciotce.

Hanka postanowiła więc na razie nie ruszać się z miejsca. Chciała się napatrzeć i na długo zapamiętać ten radosny obrazek. Nie mogła się zdecydować, która z nich była bardziej szczęśliwa. Ciotka czy Dominika? Ta, co dawała, czy ta, co dostawała? Nie chciało jej się ruszać z miejsca. Czuła, że obserwując radość, pomaleńku uwalniała się od wspomnień, które mogły jej bardzo zaszkodzić.

– Chodź, Haneczko, zobacz! To od Stevena – ciotka wyciągała z walizki pięknie zapakowane pudło.

Okrywający je papier był pokryty hortensjami w kolorze jasnego fioletu. Jedno spojrzenie na te kwiaty wystarczyło, żeby poczuła w gardle swoją starą, dobrą znajomą – gruszkę.

– Pamiętał? – Podeszła do ciotki i wciąż nie dowierzając, przejęła z jej rąk pudełko, wiedząc doskonale, co w nim znajdzie. Były w nim kosmetyki jej ulubionej linii. Nie do dostania w Polsce, a nawet w Europie.

– Pamiętał! Pamiętał! – śmiała się ciotka. – Od lat ma do ciebie słabość. Zresztą do tego zapachu też.

– Niesamowite! – Czuła, że palą ją policzki.

Ciotka przyglądała jej się badawczo, gdy w przeciwieństwie do Dominiki, powoli otwierała pudełko pięknie pachnących skarbów. Widziała słoiczki, buteleczki, tubeczki. Wszystko piękne. Odkręciła buteleczkę z wodą toaletową i zbliżyła do nosa. Rozpłynęła się w uśmiechu pachnącym mową miłości. Tak nazywały się te kosmetyki. Dawno nie czuła tego bardzo dobrze kojarzącego się jej zapachu.

– Spryciarz z tego mojego Stevena – podsumowała ciotka. Chyba nie przypuszczała, że prezent zostanie przyjęty z takim wzruszeniem.

– Inteligentny spryciarz – dodała Hanka, zerkając na ciotkę.

– A to prezent ode mnie. – Ciotka podała jej ogromną, ozdobną torbę wypakowaną ubraniami. Hanka nie musiała nawet do niej zerkać, aby się przekonać, że jej zawartość stanowiła konfekcja w najlepszym gatunku i w jej ulubionych kolorach. Ciotka niezmiennie od lat ubierała się w kolor, który sama nazywała kolorem kawy z mlekiem. Buty, rajstopy, apaszki, obszerne suknie maskujące puszyste kształty – wszystko miała w tym jednym kolorze. Dla niej od lat była panią *latte*. Może po niej, bo nie po mamie, odziedziczyła taką wierność kolorom. Jej garderoba, nie licząc niewielu kolorystycznych odstępstw, wyglądała jak garderoba eleganckiego pingwina. Była czarno-biała. Jeżeli pojawiał się inny kolor, oznaczało to, że był to prezent od Dominiki, która uwielbiała porównywać ją do tego sympatycznego, zwinnego jedynie w wodzie nielota. Ciotka zatem była panią *latte*, Dominika kolorowym ptakiem dumnym ze swoich mieniących się co chwila inną barwą piórek, a ona sama była dziewczyną z przedwojennej czarno-białej fotografii. Nie lubiła rzucać się w oczy. Zerknęła do torby. Nie pomyliła się, dlatego od razu uśmiechnęła się do jej czarno-białej zawartości. Jednak gdy zaczęła ją wyjmować, zauważyła, że ubrania, które dostała od ciotki, różniły się od noszonych przez nią do tej pory. Wszystkie były wesołe. Na szlachetnych tkaninach bluzek odbijały się od siebie czarne i białe grochy. Na czarnej łączce rosły białe maleńkie stokrotki. Czarne dżinsy były zeszyte białą nitką. Białą sukienkę pokrywały szaro-czarne esy-floresy. Na dnie torby dostrzegła bieliznę, czarną i białą. Delikatnie rzecz ujmując, trochę frywolną. Między nią dostrzegła jeszcze mieniącą się złotem apaszkę w duże grochy. Czarne, białe i czerwone. Apaszka była przepiękna, pomimo czerwieni, za którą nie przepadała. Nie mogła się oprzeć i od razu owinęła nią szyję.

– Cudo! – westchnęła. – Ciociu, same cuda. Dziękuję bardzo. – Podeszła do ciotki i wyściskała ją, najmocniej jak umiała. Gdzieś w tle słyszała głos mamy. „Dziewczynki, wycałujcie teraz ciocię za te wszystkie zabawki". To nie zmieniało się w ciągu lat. Ciotka zawsze doskonale trafiała w gust i Dominiki, i jej.

– Oj, dajcie już spokój i przestańcie się już migdalić, w kółko gadając o cudach, bo się zaczynam czuć jak w Kanie Galilejskiej! – zagrzmiała Dominika. – Lepiej chodźmy już na pączki, bo jak tak dalej pójdzie, to sczerstwieją.

– O tak! Pączki! Uwielbiam! – podjęła temat ciotka.

Siadły przy stole, a Dominika rzuciła się na deser, nie czekając nawet na herbatę.

– Czy jest w życiu coś przyjemniejszego od jedzenia? – zapytała z pełnymi ustami, pałaszując z ogromnym apetytem rumianego i oblanego lukrem pączka.

– Mówisz jak pensjonariuszka domu spokojnej starości, a nie młoda dziewczyna! – parsknęła śmiechem ciotka.

– Nie wiem, ciociu, do czego zmierzasz, ale spróbuj tej bomby kalorycznej, a przekonasz się, że nie przesadzam.

– A może poczekałybyście na herbatę? Za moment będzie gotowa – pozwoliła sobie zauważyć Hanka, stawiając na stole cukiernicę.

– Czekać to ja będę w domu spokojnej starości. Na basen! – dowcipkowała Dominika. – A na razie to... – Drugi już z kolei pączek poczuł na sobie nienaganny zgryz Dominiki.

Hanka przygotowywała herbatę i widziała, jak ciotka zerka to na nią, to na Dominikę, jakby nie mogła się zdecydować, która z nich jej się bardziej podoba.

– Wiecie co? – zaczęła ciotka po chwili. – Jak tak na was patrzę, to zawsze pluję sobie w brodę, że nie mieliśmy z Tomem więcej dzieci. Taka córka to jest dopiero skarb!

– A ty się, ciociu, niczym nie przejmuj – odezwała się uspokajająco Dominika. – Przecież możesz nas, to znaczy mnie i Hankę, w każdej chwili adoptować. Chcesz córek? Masz córki! Od razu odchowane. Jedna piękna, mądra, kulturalna i do tego niebywale skromna – ton Dominiki nie pozostawiał złudzeń. Od razu było wiadomo, że ma na myśli siebie.

– A druga? – zapytała z uśmiechem ciotka.

– A druga? – Dominika westchnęła teatralnie. – Druga? Co tu dużo gadać! Doskonale gotuje, zna się na literaturze wszelakiej, łacinę ma w małym paluszku, ale niestety jest ostatnio bardzo oporna na męski urok i wdzięk.

Hanka zamarła z czajnikiem w dłoni i posłała Dominice piorun zamiast spojrzenia.

– Nie słuchaj jej, ciociu, proszę...

– Oczywiście, że jej nie będę słuchała. Za dobrze ją znam. Ale czuję też, że mamy do pogadania, i z ogromną chęcią wysłuchałabym tego, co ty masz mi do powiedzenia – z odsieczą przyszło jej zmęczenie ciotki, która nie skończyła mówić i ziewnęła. – A którą to mamy godzinę? – zapytała

– Piętnaście po szóstej – odpowiedziała Dominika i wrzasnęła: – Co?! Piętnaście po szóstej! O ludzie! Mam piętnaście minut! Inaczej Przemek pocałuje nie mnie, tylko moją oziębłą klamkę! Muszę lecieć. Zadzwonię, to się w tygodniu umówimy na jakiś shopping! – Cmoknęła ciotkę, a Hance przesłała całusa na odległość. Zabrała koronkowe łupy. Szarpnęła kurtkę z wieszaka, w którą nie zamierzała się ubrać. – Chciałam tylko nadmienić, że podobnie jak mój Przemek, jest dużo przystojniejszy od Stevena! A to przecież niełatwe... – rzuciła na odchodnym.

– Idź już! – syknęła Hanka nieuprzejmie. – Bo się spóźnisz!

– Ale kto? – zapytała ciotka, bawiąc się znakomicie.

– Już ona wie kto! – zdążyła jeszcze chlapnąć Dominika, zanim trzasnęła drzwiami.

– Ona nigdy się nie zmieni! – Chciała chociaż trochę odwrócić uwagę ciotki od słów, które przed chwilą usłyszały.

– Tak, Haneczko – napotkała czujne spojrzenie ciotki. – Ona się już nigdy nie zmieni, a ty, jeżeli nie chcesz, to nie musisz mi nic mówić.

Właśnie za to kochała ciotkę. Za ton naturalniejszy od naturalnego i za wolność, którą potrafiła ofiarować, używając tylko kilku prostych słów. Przy niej wiedziała, że nic nie musi. Przy niej mogła chcieć. Po prostu chcieć.

– Powiem ci – usłyszała swój głos. – Dlaczego miałabym nie powiedzieć? – zapytała samą siebie pod wpływem chwili.

– Haniu, ja wiem, że przyjechałam na krótko. I nie mamy dla siebie zbyt wiele czasu, ale...

– Wystarczy nam, ciociu, niczym się nie martw. – Usiadła przy stole, od którego odeszła na chwilę, żeby zamknąć drzwi za Dominiką.

– Nawet nie wiesz, jak ja się cieszę, że w końcu przyjechałam – powiedziała ciotka z oceanem szczerości w głosie.

– Ja też, ciociu... Ja też... – Pogładziła rękę ciotki, a ta ziewnęła szeroko. – Ciociu, ale ja tak sobie siedzę, a ty musisz być bardzo zmęczona.

– Sama już nie wiem, czy jestem bardziej zmęczona czy bardziej pełna. Nawet nie marzyłam, że będę miała tu takie pyszne powitanie. – Ciotka wstała. Stanęła za krzesłem Hani i pocałowała ją w czubek głowy. – O widzisz, zapomniałabym. Mam dla ciebie coś jeszcze.

Podeszła do prawie pustej walizki, a jednak wyczarowała z niej jeszcze dość dużą, oczywiście ładnie zapakowaną paczkę. Postawiła ją przed nią na stole.

– Odpakuj – powiedziała, siadając przy stole i przyglądając się pączkom.

Zauważywszy to spojrzenie, Hanka miała zamiar zachęcić ciotkę do jedzenia. Nie zdążyła.

– Wiem, co chcesz powiedzieć. Więc ja powiem, że oczywiście będę jadła, ale już tylko oczami. Pozwolisz? – Ciotka zerknęła na nią, po czym urządziła sobie wizualną ucztę, a Hanka zaczęła odpakowywać ostatni prezent.

Zaniemówiła, kiedy zobaczyła swoje ulubione świeczki z zatopionymi w aromatycznym wosku kwiatami wrzosu, bzu i hortensji.

– Nie wiem, co powiedzieć... – wyszeptała wzruszona. Takie świeczki kojarzyły się jej zawsze z mamą, która uwielbiała zapalać świeczki, nie zważając na jasność dnia za oknami.

– Chciałam ci koniecznie kupić tę z różami, ale oczywiście jak na złość nie było.

– To nic, ciociu. Jest piękna! – patrzyła na trzymaną w dłoni świeczkę. Zatopiony w waniliowym wosku bordowy bez roztaczał wokół piękny zapach wiosny.

– Haniu... – Ciotka znowu ziewnęła. – Jeżeli się zaraz nie położę, to chyba wpadnę w te pączki.

– Przepraszam cię, ciociu. Zapomniałam, że ty funkcjonujesz w innej strefie czasowej. Przygotowałam dwa pokoje. Możesz sobie wybrać, który chcesz. Gościnny, tu na dole, albo ten z tarasem na górze. – Nie wypuszczała świeczki z rąk.

– Nie chcę czuć się jak gość, dlatego wybieram ten z tarasem.

– Wiedziałam... – uśmiechnęła się najpierw do ciotki, a później do siebie. To właśnie w pokoju na górze ustawiła dziś świeże kwiaty.

Od godziny hipnotyzował telefon i nic. Było już po dwudziestej i nic! Wyspał się dziś za wszystkie czasy. Objadł się pizzą, którą zamówił w ramach obiadu, zjedzonego wieczorem. Wziął do ręki milczący telefon i kolejny raz czytał wiadomość, którą dostał wczoraj od Mateusza. Braciszek zapraszał go na wieczornego kosza. Nie skorzystał z zaproszenia, bo wcześniej umówił się z Przemkiem na basen. Ale ten SMS oznaczał, że wszystko zaczyna wracać do normy. Wstał od stołu, żeby włożyć do lodówki resztki pizzy. W tym momencie usłyszał dźwięk nadchodzącej wiadomości. Zerknął szybko na telefon i zobaczył najbardziej uśmiechnięte słowo na świecie. Hanuś. Napisała. Był prawie pewien, że napisze, ale nie mógł się doczekać. Chociaż z nią to chyba niczego nie mógł być pewien. Zwłaszcza że swoją pewność tracił przy niej za każdym razem. Dziś wiedział, że nie dopuści do głosu tego rozmamłanego matoła, który już kilka razy mu wszystko zepsuł. Żeby nie zwariować, musiał się z nią spotkać. Musiał. Innej opcji nie było. Nie mógł oderwać wzroku od tego, co napisała.

<Zdążyłam z obiadem. Spotkanie przeżyłam. Leżę teraz na kanapie i delektuję się nicnierobieniem.>

Odpisał natychmiast.

<Za 20 minut jestem u Ciebie. Zabieram Cię na spacer. Bez żadnego ALE!>

Wysłał. Ubierając się, wybiegł z domu. Nie zastanawiał się, co będzie. Najważniejsze było to, że w końcu się odważył i podjął jakieś działanie. Czuł jednak, że odwagą będzie musiał się wykazać dopiero, jak ją zobaczy. Jechał jak wariat. Nie obejrzał się i już był pod jej domem. W kuchni świeciło się światło. Nie chciał dzwonić. Wyjął telefon i wystukał wiadomość.

<Nie wiem, ile minut minęło, ale już jestem. Czekam.>

Odpisała po dwóch minutach.

<A skąd pewność, że wyjdę, panie Starski?>

Przeczytał jej słowa i uśmiechnął się. Już ją trochę znał i wiedział, że gdy mówiła do niego po nazwisku, to oznaczało, że była w dobrym humorze. Poza tym zawsze w parze z panem Starskim na jej ustach gościł uśmiech. Znów szybko odpisał.

<Pewności niestety brak. Ale mam głębokie przekonanie, że dzisiejszym pracowitym dniem zasłużyła sobie pani profesor na relaksujący spacer.>

Nie musiał długo czekać na odpowiedź.

<Zasłużyłam. Daj mi pięć minut.>

Nie mógł opanować uśmiechu. Odpisał.

<Nawet 10.>

Przyszła po ośmiu. Spędził je na trzymaniu kciuków za samego siebie. Powtarzał sobie w kółko, że musi utrzymać SMS-owy luz podczas realnej rozmowy. Obiecywał sobie, że nie zacznie żadnego durnego tematu, który mógłby ją wystraszyć. Czekając, stał oparty o drzwi swojego samochodu i gapił się w kuchenne okno. Czekał, aż wyłączy światło. Nie zrobiła tego. Nieoczekiwanie pojawiła się na schodach i cicho zamknęła za sobą drzwi. Podeszła do niego z uśmiechem.

– Zdążyłam? – zapytała.

Nie musiała podchodzić całkiem blisko, żeby poczuł jej zapach. Pachniała cudownie. Gapił się na nią bez słowa, chyba dlatego znów się odezwała.

– Dobry wieczór, panie Starski. Pytałam, czy zdążyłam.

– Tak, tak – dukał jak zwykle. – Tak pięknie pachniesz, że mnie zatkało.

Szybko otworzył jej drzwi. Potrzebował choć kilku sekund, żeby dojść do siebie i przywołać do porządku fiksujące zmysły. Wsiadła, zamknął za nią drzwi i okrążając samochód, cieszył się jak głupek. Miał ją na chwilę tylko dla siebie. Mogła się przecież nie zgodzić. Wsiadł do samochodu.

– To dokąd teraz? – zapytał, zaglądając jej w oczy.

– Wyciągasz mnie z domu. Nie pozostawiasz mi prawa wyboru i nie masz opracowanego żadnego scenariusza na wieczór? To niemożliwe, żeby taki ładny chłopiec tak nie myślał – zerknęła na niego i przewróciła oczami.

Zawsze gdy była poważna, czuł się onieśmielony. Dobry humor miewała rzadko. Może dlatego tak go teraz zaskoczyła, że było mu bardzo trudno się do niej dostroić. Musiał to zrobić jak najszybciej.

– Posłuchaj, ładna i grzeczna dziewczynko... – postanowił, że nie pozostanie jej dłużny. – Jesteś w błędzie. Mam tysiące planów na ten, jakimś cudem wyszarpany ci wieczór – napotkał jej rozbawione spojrzenie. – Zastanawiam się tylko, który z nich spodoba ci się najbardziej.

– Jeżeli mogłabym coś zasugerować... – mówiąc to, podniosła do góry dwa palce, środkowy i wskazujący, jak w szkole przed odpowiedzią.

– Słucham? – powiedział z wyższością.

– Pozwolę sobie tylko nadmienić – podjęła rozpoczętą przez niego zabawę, bo z powodzeniem udawała wystraszoną uczennicę – że nie mam szczególnie wygórowanych wymagań.

– W takim razie lot balonem odpada, kolacja w Belwederze też. Zostaje nam spacer po Rynku Starego Miasta. Może być?

– Przespaceruję się z ogromną przyjemnością.

Ruszyli i od razu wyłączył radio.

– Dlaczego wyłączyłeś? To taka piękna piosenka.

– Boję się, że zaśniesz – szepnął w jej stronę.

– Bardzo śmieszne. Jak masz zamiar dalej tak sobie żartować, to chyba zmienię zdanie i nigdzie z tobą nie pojadę.

Uśmiechnął się i grzecznie włączył radio.

– Teraz już nie chcę – doskonale udawała rozkapryszoną królewnę.

– A jest coś, czego chcesz? – zapytał tak poważnie, że nie musiał nawet na nią patrzeć, żeby widzieć, co się z nią dzieje. Miał nadludzką zdolność do psucia jej dobrego humoru.

– Domyśl się – odpowiedziała po dłuższej chwili.

– Herbata, cytryna i takie tam... – znów chciał żartować.

– Może być – odpowiedziała cicho, ale nawet na niego nie spojrzała.

A tak sobie obiecywał! Zawsze musiał przykwasić. Przez dobrych kilka, może nawet kilkanaście minut jechali bez słowa.

– Obraziłaś się? – zapytał w końcu. Albo nie usłyszała, albo dobrze udawała, że nie słyszy. – Jeżeli tak, to mogę się nie odzywać – skwitował trochę zaczepnie.

– Myślałam, że nie poddasz się tak łatwo – powiedziała spokojnie. Całe szczęście nie umiała udawać obrażonej.

– A jak wizyta? – sprytnie zmienił temat.

– Nadspodziewanie dobrze. Okazało się, że zupełnie niepotrzebnie się obawiałam. Ciotka jest wspaniała.

– Rozumiem już, dlaczego masz taki dobry humor – zerknął na nią z uśmiechem.

– Powiedziałeś to tak, jakbym była nie wiadomo jak humorzastą królewną – odpowiedziała mu uśmiechem i włożyła dłoń pod pas bezpieczeństwa.

– Nie. Nie bój się, wcale tak o tobie nie myślę. – Oderwał rękę od dźwigni skrzyni biegów i pogładził nią delikatnie jej dłoń uwięzioną pod pasem bezpieczeństwa. – Ale miło mi, że interesuje cię, co o tobie myślę – dokończył po chwili.

– Panie Starski... – zaczęła znów poważnie. – Słysząc pana słowa, odnoszę wrażenie, że mam do czynienia z poważną nadinterpretacją faktów.

– Pani profesor, nie ukrywam, że poczułbym się dużo pewniej, gdybyśmy przeszli znów na ty.

– Oczywiście – zamilkła na chwilę, po czym powiedziała: – Muszę ci się do czegoś przyznać. – Zerknął na nią pytająco. – Dziś rano, kiedy spotkałam na bazarku twoją mamę, miałam na sobie twój szalik. Jestem pewna, że go zauważyła i poznała.

– Poznała – powiedział z przekonaniem i spojrzał na nią spokojnie. Perfumy, którymi pachniała, opanowały już całą przestrzeń w samochodzie i zaczynały dobierać się do jego myśli i zmysłów. Miał ochotę zatrzymać samochód, gdziekolwiek, i jej spróbować.

– I co? – zapytała cicho.

– Nic. Zadzwoniła do mnie po spotkaniu z tobą. Rozmawialiśmy dość długo, ale o szaliku powiedziała mi już na do widzenia, nie komentując tego w żaden sposób. Poza tym przecież dając ci go, nie popełniłem żadnego przestępstwa. – Zatrzymał samochód. – Jesteśmy na miejscu.

Wysiadła. Nie czekała, żeby otworzył jej drzwi. Była dokładnie taka, jak określiła ją rano mama. Swoja i bardzo naturalna. Nie udawała kogoś, kim nie była. Zamknął samochód, a ona opatulała się szczelnie granatowym szalikiem.

– Zimno ci? – zapytał.

Skinęła głową.

– To chodź. Przejdziemy się tylko kawałeczek, i to mało romantycznie, szybkim krokiem. Później zabiorę cię na coś rozgrzewającego – mrugnął do niej porozumiewawczo.

– O nie! – zaprotestowała od razu. – Jeżeli myślisz, że wypiję jakiś alkohol, to jesteś w błędzie. Po dzisiejszej nocy obiecałam sobie, że przez najbliższy czas nawet na niego nie spojrzę. A poza tym... – nie dokończyła.

Szli bardzo szybko. Obok siebie. Oczywiście zabrakło mu odwagi, żeby chwycić ją za rękę.

– Co poza tym? – Zaintrygowała go.

Było rzeczywiście bardzo zimno. Czuł, jak mróz bezlitośnie szczypie go w uszy. Uśmiechnęła się tylko. Miał wrażenie, że nie chce dokończyć zdania, bo się trochę zagalopowała.

– No powiedz... – poprosił, a ona pokręciła tylko przecząco głową, ale zagadkowy uśmiech wciąż błąkał się po jej twarzy. – Proszę... – znów grzecznie poprosił.

– Poza tym... To... – cedziła słowa, ale chyba nie robiła tego celowo. – Poza tym kobieta w towarzystwie mężczyzny powinna być trzeźwa, żeby panować nad sytuacją.

Nie wytrzymał i parsknął śmiechem, bo wypowiedziała to zdanie, używając bardzo zabawnego tonu i sympatycznego spojrzenia.

– Żartujesz? – zapytał, wciąż mając uśmiech na twarzy. – Myślisz, że mógłbym cię upić, a później... – zawiesił głos, bo teraz sam się zagalopował. Miał wrażenie, że się trochę spięła, więc szybko zapytał: – No właśnie, co później?

– Nie wiem – szepnęła konspiracyjnie. – Ale już się boję.

– Ale boisz się tego, co ja zrobiłbym tobie, czy tego, co ty mogłabyś zrobić mnie?

– A możemy iść trochę wolniej? – zapytała, unikając w ten sposób odpowiedzi na jego, jak mu się w tej chwili wydawało, bardzo inteligentne pytanie.

– Powiedz! – nalegał i od razu znacznie skrócił długość stawianych przez siebie kroków.

Chyba rzeczywiście szli zbyt szybko, bo Hanka dostała lekkiej zadyszki. Dawno nie spacerowała.

– Mam wrażenie, że twoja wyobraźnia pracuje na przyspieszonych obrotach – zauważyła kokieteryjnie.

– Przy tobie zawsze.

Minęli ośnieżoną ławkę.

– Szkoda, że jest tak zimno. Nie możemy odsapnąć.

– Tylko mi nie mów, że zmęczył cię taki wolny spacer.

– To jest spacer? – zapytała zdyszana. – To jest sprint, a nie spacer.

– To co? Dla wytchnienia herbatka z rumem? – Za wszelką cenę chciał wrócić do alkoholowego wątku, którego niestety już nie podjęła. – Tu za rogiem jest mała kawiarenka, fajna, bo nie można w niej palić.

Skręcili i rzeczywiście za chwilę znaleźli się w maleńkiej kafejce. Jej wyposażenie stanowiły bar i zaledwie kilka stolików. Zatrzymali się tuż za drzwiami.

– Gdzie usiądziemy? – zapytał, dotykając ustami jej głowy. Musiała to poczuć, ale nie dała nic po sobie poznać i wskazała szybko maleńki stoliczek przy zaparowanym oknie.

– Tam jest kaloryfer – szepnęła.

– Widzę – powiedział bez entuzjazmu. – Dziwi mnie tylko, że nie poczułaś do tej pory gorącej atmosfery naszego wieczoru.

Z szalikiem poradziła sobie sama, ale przy futerku dołączył do rozbierania. Powiesił je na wieszaku i nie zdążył się rozebrać, bo spojrzał na nią i zamarł z wrażenia. Patrzył jak wół na malowane wrota. Miała na sobie bluzkę w czerwone tulipany. Wyglądała w niej zjawiskowo.

– Coś nie tak? – zapytała, nie zdając sobie sprawy z tego, co się z nim działo. Pocierała dłońmi zaczerwienione od mrozu, zmarznięte policzki.

– Pięknie wyglądasz – wydusił z siebie tylko dwa słowa. Nie mógł się na nią napatrzeć. Znowu wydawała mu się inna niż zwykle. Ta bluzka...

– A ty masz gołą szyję. Chyba muszę ci kupić szalik – uśmiechnęła się do niego tak, że poczuł się najszczęśliwszym facetem pod słońcem. Patrzyła mu w oczy. Odważnie, jak nigdy dotąd. Może nie jak wtedy, gdy rozmawiał z nią pierwszy raz...

– Dobrze się czujesz? – zapytała, gdy tylko usiedli przy stoliku.

Nie zdążył odpowiedzieć, bo od razu stanął nad nimi chudy kelner.

– Dobry wieczór. Czego się państwo napiją?

Zerknął na Hankę, która miłym głosem zamówiła herbatę z cytryną. Sobie zamówił kawę. Przespał cały dzień. Tej nocy chciał jak najdłużej nie zasypiać. Marzył, żeby ten wieczór się nie skończył. Żeby jutro rano też był wieczór. Zapatrzył się na nią. Bawiła się czerwonym kwiatem goździka pływającym w szerokim kieliszku stojącym na środku stolika.

– Wiesz, nie pamiętam, kiedy ostatnio tyle przeszłam. Tylko garaż, parking, parking, garaż. I tak dzień w dzień. Bez większych zmian.

– Coś o tym wiem – wykazał się zrozumieniem, podczas gdy na stole dyskretnie pojawiły się dwa przyjemnie parujące, duże kubki.

Od razu wzięła swój do rąk. Patrzył, jak ogrzewa sobie małe dłonie rozgrzaną kamionką kubka.

– Żebyś się tylko nie rozchorowała. Bardzo zmarzłaś?

– Trochę. Nie jestem przyzwyczajona do takich nocnych eskapad.

– Ty to nazywasz nocną eskapadą? Nie żartuj. – Patrzył na nią, a jej uśmiech zbijał go z pantałyku. Nie wiedział, czy rzeczywiście żartuje, czy się z nim tylko droczy, czy mówi poważnie. – Kpisz sobie ze mnie, prawda?

– Wiesz, Mikołaj... Może nie wyglądam, ale uwierz mi, ja naprawdę prowadzę ustabilizowane życie. Dom, praca, praca, dom. Garaż, parking, parking, garaż.

– Ależ wyglądasz – stwierdził z przekąsem.

– Mam wrażenie, że tym „wyglądasz" chcesz przemycić jakiś pseudokomplement. Nie krępuj się, możesz powiedzieć mi otwarcie, co o mnie myślisz. Bardzo lubię, gdy ludzie porozumiewają się ze mną otwartym tekstem.

– Jesteś pewna, że chcesz poznać prawdę? – Uwielbiał, kiedy na niego patrzyła. Za każdym razem robiła to inaczej.

– A powinnam się czegoś obawiać?

– Nie dowiesz się, jeżeli nie powiem ci wszystkiego. Jesteś pewna, że chcesz to usłyszeć?

Skinęła głową.

– Posłuchaj więc uważnie. – Patrzyła na niego i dałby głowę, że się trochę zdenerwowała. – Ładnie mówisz... – zaczął bardzo powoli i nie zamierzał przyśpieszać. – Ładnie patrzysz... Ładnie wyglądasz... Ładnie pachniesz... Ładnie chodzisz... Ładnie się uśmiechasz... Ty chyba nawet ładnie myślisz... – zamilkł na chwilę.

– Wszystko zrozumiałam. Chcesz powiedzieć, że jestem ładnie nudna. – Piła herbatę małymi łyczkami. – Myślisz, że nie stać mnie w życiu na coś... – Teraz to ona się zamyśliła.

– Szalonego? – podpowiedział prowokująco.

– To masz! – powiedziała szybko i zanim zdążył zareagować, czerwony goździk znalazł się za jego koszulą.

Poczuł właśnie, że był mokry, zimny i zastraszająco mobilny. W błyskawicznym tempie zatrzymał się nad paskiem jego spodni. Hanka złożyła przed sobą ręce i zrobiła niewinną minkę.

– Czy uważasz, że to było ładne? – zapytała, doskonale udając niewiniątko.

Chyba nie zamierzała go kokietować, ale wychodziło jej to po mistrzowsku. Na pewno nie była świadoma tego, że igra z ogniem. Uśmiechnął się i położył swoje ręce na jej dłoniach. Nachylił się nad stolikiem i zbliżył się do niej.

– To było superładne – powiedział cicho.

– Raczej superszalone – podała mu własne określenie tego, co zrobiła.

Nie zabrała rąk i nie odsunęła się od niego nawet o milimetr. Triumfował.

– Mylisz się. Szalone przeżycie jest jeszcze wciąż przed nami.

– Nie wiem, o czym mówisz – znów go kokietowała.

– Zastanawiam się co zrobisz, a raczej jak wyciągniesz mi zza koszuli tego kwiatka. A nie będzie to łatwe, bo wpadł mi bardzo głęboko.

Patrzyła na niego z tajemniczym uśmiechem.

– Niczego... Nie będę... Ci... Wyciągała... – powoli cedziła słowa, a on patrzył na nią tak, jakby miał ją za chwilę zjeść. Chyba się trochę spłoszyła.

– Ale to byłoby szalone, wiesz? – słyszał się i zastanawiał, czy brzmienie jego głosu zdradzało przed nią w tej chwili jego niezbyt cenzuralne myśli. Mogła nim rządzić. Mogła kiwnąć palcem, a zrobiłby dla niej wszystko. Więcej niż wszystko. Był od niej uzależniony. Z minuty na minutę coraz bardziej.

– Wiesz... – zaczęła zrezygnowana. – Masz rację. Jestem nudna...

Wyczuł unoszący się w powietrzu zapach walkowera.

– A może dam ci jeszcze jedną szansę? – Czuł, że wycofywała się z ich niebezpiecznej gry słownej, ale czuł też wciąż ciepło jej rąk, które skrzętnie ukrywał pod swoimi.

– Chyba się boję...

– Boisz się zamknąć oczy?

– A nie wylejesz na mnie tej wody? – zapytała, patrząc na pucharek z wodą, w którym jeszcze do niedawna żeglował samotny czerwony goździk.

– Obiecuję! – Uniósł do góry dwa palce jak harcerz ślubujący wierność wielkim ideałom.

– To zamykam.

Siedziała przed nim z zamkniętymi oczami. Zbliżył się do niej jeszcze bardziej i z bliska obserwował jej zamknięte powieki. Dopiero teraz zauważył, że miała delikatny makijaż.

– Tylko nie otwieraj, dopóki ci nie pozwolę.

Westchnęła. Musiała czuć, że jest bardzo blisko. Pocałował ją. Odważył się. Najdelikatniej jak umiał. Wyczuł, że podobnie jak on, wstrzymała oddech. Nie otworzyła oczu, więc pocałował ją jeszcze raz. Tym razem się nie spieszył. Nie chciał oderwać od niej ust. Nie potrafił. Nagle, nie czując żadnej reakcji z jej strony, wystraszył się, że przesadza z odwagą. Wbrew sobie oderwał się od jej ust i odsunął się troszeczkę. Minimalnie.

– Mogę otworzyć oczy? – wyszeptała.

– Nie otwieraj. Chcę cię całować jeszcze długo.

Otworzyła. Patrzyła na niego z bardzo bliska.

– Szkoda.

Stracił ochotę na rozmowę. Chciał, żeby znowu było cicho i żeby miała zamknięte oczy, chciał ją zabrać do siebie i już nigdy nie wypuścić. Patrzyła na niego bardzo poważnie.

– Powiedz coś – poprosił. Chciał, żeby dała mu jakiś znak, że wszystko jest w porządku.

– Dobry wieczór, pani profesor! – zamiast jej głosu usłyszał za sobą męski głos. Wydał mu się dziwnie znajomy.

Przeniosła spojrzenie gdzieś ponad niego i szybko wyswobodziła dłonie.

– Dobry wieczór – odpowiedziała.

Usłyszał jej głos i już wiedział, że to koniec ich wieczoru. Była zdenerwowana i spięta.

– Widzę, pani profesor, że relaksujemy się w podobny sposób – powiedział głos.

– Tak, panie Murek. To bardzo przyjemne miejsce. Jestem... – spojrzała na Mikołaja i szybko się poprawiła: – Jesteśmy tutaj pierwszy raz – uśmiechnęła się do pana Murka całkiem inaczej, niż uśmiechała się do niego.

– Pani profesor, to ja już nie przeszkadzam i uciekam. Życzę udanych ferii. Do widzenia.

– Do widzenia – odpowiedziała bez uśmiechu. Odprowadziła wzrokiem pana Murka. Westchnęła ciężko i zakryła twarz dłońmi, których jeszcze przed chwilą dotykał.

Przyglądał się jej przez chwilę.

– Stało się coś? – zapytał w końcu. Nie odpowiedziała. – Haniu? Co się dzieje? Przecież nie stało się nic strasznego.

Opuściła ręce i spojrzała na niego smutnymi oczami.

– Wiesz, kto to był? – zapytała tak cicho, że ledwie ją usłyszał.

– Domyślam się, że to jakiś twój uczeń.

– To był najlepszy kolega Mateusza.

Dopiero teraz skojarzył głos z osobą.

– Kabanos? – zapytał, a ona skinęła głową.

Była bardzo zmartwiona. Jemu też nie było do śmiechu. Czuł, jak narasta w nim wściekłość. Już było tak dobrze. Była tak blisko. Tak prawdziwie blisko i znowu ktoś musiał nachalnie wpakować się między nich. Odkąd ją poznał, wciąż czuł się tak, jakby ktoś między nimi stał, jakby jej wciąż pilnował. Ale gdy do tego kogoś dołączał Mateusz, a teraz jeszcze Kabanos, to odnosił wrażenie, że oddzielał go od niej dziki tłum. Miała nietęgą minę. Nie mógł tego znieść.

– Nie przejmuj się – bagatelizował, chcąc ją pocieszyć. – Przecież nie jest powiedziane, że powie coś Mateuszowi.

– Uwierz – patrzyła na niego wystraszona – że już do niego telefonuje, żeby mu przekazać wiadomość wieczoru.

– Haniu, proszę cię, przestań się w końcu przejmować moim bratem.

– Nic nie rozumiesz – powiedziała zrezygnowana.

Rzeczywiście, nic nie rozumiał. Był wściekły. Nie miał siły na to, żeby zacząć zgadywać, o czym teraz myślała. Chwycił ją za ręce. Jeszcze przed chwilą ciepłe, teraz były zimne jak lód. Na szczęście nie uciekła wzrokiem, tylko na niego patrzyła.

– Możesz mi powiedzieć, czego znowu nie rozumiem? Chodzi o Mateusza?

– Nie myślę teraz o Mateuszu, tylko o tobie.

– Miło mi – odpowiedział bardzo szybko i był pewien, że nie rozumie już zupełnie nic.

– Mikołaj, proszę cię, nie żartuj.

– Ale ja nie żartuję...

– Posłuchaj – przerwała mu. – Ja po prostu nie chcę wprowadzać zamieszania w twojej rodzinie, a mam pewność, że ostatnio wyjątkowo skutecznie mi się to udaje.

Patrzył na nią i nie wiedział, co powiedzieć.

– Mikołaj, ja po prostu nie chcę...

– Haniu... – Czuł, że teraz nie powinien pozwolić jej mówić. Wycofywała się. Wymykała mu się. Nie mógł na to pozwolić. Musiał ją zatrzymać przy sobie, żeby nie wiem co! – Posłuchaj mnie teraz uważnie. Może rzeczywiście mało wiem i mało rozumiem. Ale mam w życiu jeden pewnik. Zależy mi na tobie. Bardzo mi na tobie zależy. Nie mam gdzieś uczuć Mateusza, ale to przecież nie jest mój brat bliźniak. Jest młodszy ode mnie o dziesięć lat. – Słuchała go uważnie. Wydawało mu się, że chciała zrozumieć to, co do niej mówił, i dlatego postanowił, że powie jej wszystko, nie zważając na konsekwencje. – Znam Mateusza doskonale. Przypuszczam, że nie myśli o tobie tak poważnie jak ja. On się tylko zauroczył, a ja...

Nie zdążył dokończyć. Najwidoczniej przestraszyła się tego, co mogłaby usłyszeć. Położyła mu palce swojej prawej dłoni na ustach.

– Proszę cię... – usłyszał jej trzęsący się głos i dostrzegł niebezpiecznie błyszczące oczy.

Broniła się przed prawdą. Pewnie gdyby mogła, to uciekłaby teraz jak najdalej od niego. Wciąż było coś nie tak. Pozwoliła mu się pocałować, ale nie chciała usłyszeć prawdy o jego uczuciach. Oddałby wszystko, żeby się dowiedzieć, dlaczego tak się dzieje. Wziął jej dłoń i pocałował po wewnętrznej stronie.

– Mogę nic nie mówić – patrzył odważnie w miodowe oczy i trzymał jej zimną rękę. – Nie chcesz tego usłyszeć, to nie powiem. Ale przecież doskonale wiesz, jakiego słowa nie pozwoliłaś mi powiedzieć. Nie zdążyłem i co z tego? Następnym razem zdążę. Wiesz dlaczego? – Nie dał jej ani chwili na odpowiedź. Musiał się w końcu wygadać. – Bo bardzo chcę, żebyś je usłyszała. Chcę tego tak bardzo, jak chcę ciebie.

Już na niego nie patrzyła. Wbiła wzrok w pusty kubek.

– Możesz mi coś obiecać? – poprosiła ze wzrokiem wlepionym w kubek.

– Wszystko – powiedział silnym głosem, a nie jakimś beznadziejnym szeptem.

– Nie chcę wszystkiego. Nie wiem, czy chcę dużo czy mało. Nie wiem. Chcę po prostu, żebyś dał mi czas. Nie wiem, ile go potrzebuję. Ale raczej dużo niż mało. – Podniosła wzrok znad kubka i popatrzyła na niego. Wydała mu się dziwnie bezbronna. – Sama nie wiem – doskonale znał ten cichy głos. Z jej twarzy zniknęły mrozowe rumieńce. Znów była blada. Czerwone tulipany na jej bluzce nie były już takie radosne jak wtedy, gdy usiedli przy tym mikroskopijnym stoliku. Jej dłoń robiła się coraz zimniejsza, ale nie zamierzał jej puścić.

– Dam ci tyle czasu, ile tylko potrzebujesz, i nie będę cię zamęczał żadnymi pytaniami. Obiecuję. Ale ty też musisz mi coś obiecać. Obiecaj mi, że będziesz myślała tylko o sobie. Nie o Mateuszu, mojej rodzinie, nie o mnie. Myśl tylko o sobie. – Znów studiowała wzorek na kubku. – Obiecasz mi to?

– Ale ja tak nie potrafię. – Nie patrzyła na niego.

– Jesteś inteligentna. Nauczysz się – powiedział z naciskiem. – Musisz spróbować! Spróbujesz? – Czuł, że zrozumiała, o co mu chodziło. Była bardzo mądra. Zrozumiała nawet to, czego nie powiedział, choć bardzo chciał.

– Idziemy? – zapytała cicho, oczywiście za cicho.

– Tak, chodźmy. Dziękuję za ten wieczór.

– To ja dziękuję.

Dobry znak. Uśmiechnęła się. Trochę niemrawo, ale zawsze coś.

Chciał zapytać o Pragę. Musiał jednak być rozważny. Poprosił, żeby chwilkę poczekała, i podszedł do baru, żeby zapłacić. Nie posłuchała go. Gdy wrócił, była już ubrana i gotowa do wyjścia. Popatrzył na jej czerwone dżinsy.

– Nie powiedziałem ci, ale pięknie ci w czerwonym. – Zapinał kurtkę, nie patrząc na guziki. Wlepił w nią wzrok, bo właśnie owijała szyję jego szalikiem.

– Kiedyś bardzo lubiłam ten kolor.

– Mówisz o czerwonym? – chciał się upewnić, bo przez chwilę przypuszczał, że skoro dotyka szalika, to pomyślała o granacie.

– Tak. – Jakby czytając mu w myślach, dodała: – Ale teraz, od niedawna, wolę granat.

– Co tak wzdychasz? – zapytała ciotka, wydrapując ją z otchłani własnego rozumu. Nie usłyszawszy żadnej odpowiedzi, otworzyła oczy i obdarzyła ją pytającym spojrzeniem. – Masz powody, żeby tak wzdychać?

– Wiele powodów – przyznała się od razu.

Siedziały na cmentarnej ławeczce. Tuż obok rodziców. Bliskość ciotki w niezwykły sposób przypominała jej mamę... Jej radość, mądrość, spokój... Były do siebie tak podobne.

– Rozumiem, że masz dużo powodów, ale to chyba sama drobnica. – Ciotka zamknęła oczy, chyba tylko po to żeby za chwilę znów na nią zerknąć.

– Dużo drobnych i jeden olbrzymi – powiedziała cicho. Myślała o Mikołaju, o tym, co jej wczoraj powiedział, i o tym, czego nie pozwoliła mu powiedzieć.

– A ten olbrzymi to się jakoś nazywa? Ma jakieś imię? – Ciotka znów miała zamknięte oczy i zadawała jej pytania jakby trochę od niechcenia.

W odpowiedzi kiwnęła głową. Jednak ciotka najwidoczniej chciała usłyszeć jej głos, bo nie otwierała oczu. Nie mogła zobaczyć jej potakiwania.

– Ma – odpowiedziała po dłuższej chwili.

– Ale z ciebie gaduła, prawie jak Dominika. Normalnie nie mogę się dopchać do głosu.

Znów zaległa między nimi cisza. Przerwała ją ciotka.

– To imię to jakaś straszna tajemnica? – zapytała poważnie.

– Nie, ciociu, żadna tajemnica. – Zamilkła, zastanawiając się, czy rozpoczynać temat, czy zakończyć go jeszcze przed rozwinięciem.

– To wyduś je wreszcie.

– Mikołaj – szepnęła, nie wiedząc, czy dobrze robi. Pojawiający się nagle brak pewności skłonił ją do natychmiastowego zamknięcia oczu.

Ciotka na pewno otworzyła oczy, bo Hanka poczuła na sobie jej spojrzenie. Ciepłe i czułe promienie słońca ogrzewały jej twarz. Ciotka milczała, a ona cierpliwie czekała na jej słowa. Zdała sobie sprawę, że czeka na jakąś życiową mądrość, która pozwoliłaby odnaleźć elementy całości w jej emocjonalnym rozczłonkowaniu. Nie musiała długo czekać.

– Czasami tak się dzieje, że los bardzo skrupulatnie sprawdza wytrzymałość człowieka. Nie uważasz? – Zamiast wyczekiwanej mądrości usłyszała nie najprostsze pytanie.

– Uważam – odpowiedziała szybko. – Tylko nie rozumiem, dlaczego swoje doświadczenia przeprowadza wciąż na mnie. – Otworzyła oczy.

– Myślę, że chce cię do czegoś przygotować.

– Do czego?

– Do czegoś dobrego.

– Trudno mi w to uwierzyć.

– Popatrz, a ja nigdy nie miałam cię za niedowiarka! – Ciotka udawała zdziwioną.

– Bo nim nie jestem – bezmyślnie uległa manipulacji.

– To zastanów się teraz: czy prawdziwym powodem twojego wzdychania jest imię?

Milczała. Dotarło do niej, że to właśnie ciotka wzięła na siebie trudny obowiązek konstruowania najważniejszych pytań. Odpowiedzi na nie były jej niezbędne do życia. Pierwsze z pytań usłyszała przed momentem. Odpowiedź na nie znała. Konkretną, kompletną i wyczerpującą.

– Nie – odpowiedziała zatem. – Na początku znajomości tak. Teraz już nie. To znaczy nie tak bardzo...

– Od kiedy się znacie? – Ciotka uśmiechała się do niej, jakby rozmawiały o czymś wyjątkowo przyjemnym.

Musiała się chwilę zastanowić.

– Prawie pół roku.

– To już trochę. Jeżeli więc z imieniem sobie jakoś poradziłaś, to z czym sobie nie umiesz poradzić? – Ciotka przestała przeszywać ją spojrzeniem. Zadała pytanie i przymknęła powieki. Przebywały z sobą niecałą dobę. To była tak naprawdę ich pierwsza poważna rozmowa. Hanka odnosiła wrażenie, że ciotka zadaje pytania, choć doskonale zna wszystkie odpowiedzi.

– Z czasem.

– Z czasem? – Ciotka udawała, że nie rozumie. – W jakim znaczeniu z czasem?

– Myślę, że go za wcześnie... poznałam... Nie jestem jeszcze...
– Poznałam czy zakochałam się? Bo to chyba jakaś różnica?
Siostra jej mamy naprawdę wiedziała wszystko. Hanka nie mogła w to uwierzyć. Spuściła głowę. Nie patrzyła już na kolorowe kwiaty. Jej wzrok wylądował na podpowiadającym odpowiedź granacie.
– Zakochałam się... – szepnęła. – Nie wiem, kiedy to się stało. Wiem tylko, że za wcześnie.
– Moja droga! – teraz to ciotka westchnęła ciężko. Otworzyła oczy i wzięła ją za rękę, tak jakby chciała przygotować ją na dłuższą wypowiedź. – Jeżeli się zakochałaś, pomimo tego, co się wydarzyło i co przeżyłaś, nawet pomimo tego imienia, oznacza to, że nie jest za wcześnie. Haniu, na miłość nigdy nie jest za wcześnie. Nie myśl sobie, to działa też w drugą stronę. Nigdy nie jest też za późno. Jeżeli się pojawia, to znaczy, że przyszedł na nią czas, chociażby nam się wydawało, że jest zupełnie inaczej. Po prostu... Przyznaj, że to co mówię, jest proste...
– Ciociu, wszystko, co mówisz, jest nie tylko proste, ale i mądre, tylko...
Nagle na krzyżu pomnika rodziców przysiadła czarno-biała sroka. Piękna. Zachwycająca geometrycznym kontrastem piór.
– Popatrz na nią – szepnęła ciotka, zastygając w bezruchu. – Ale elegantka. Normalnie, jakbym widziała ciebie. Czarno-biała *madame*. – Sroka przyglądała im się, energicznie ruszając główką i mrugając czarniutkimi oczkami. – Ale ładna. Prawie taka ładna jak ty – to mówiąc, ciotka objęła ją ramieniem, identycznie jak kiedyś Mikołaj.
– Ciekawe, co myślą o niej inne ptaki? – zastanowiła się głośno, nie mając żalu do sroki za to, że przerwała ich rozmowę.
– Jeżeli u ptaków jest, jak u ludzi, a pewnie tak jest – wywnioskowała szybko ciotka – to bardzo łatwo się domyślić. Szare wróble mówią, że przesadziła z elegancją, a kolorowe papugi, że gorzej już się nie mogła wystroić.
Najwyraźniej znudziły srokę swoją konwersacją, bo rozpostarła skrzydła i odleciała.
– A to spryciara! – zaśmiała się ciotka. – Bała się usłyszeć prawdę o sobie, więc zwiała.
– Myślisz? – zapytała, wypatrując uciekinierki.
– No pewnie! Przecież każdy z nas trochę się tego boi.

– Niektórzy to nawet bardzo – skwitowała, mając na myśli siebie.

– A, powiedz, ten Mikołaj to jaki jest.

– Na pewno cierpliwy. Gdyby taki nie był, dawno by się zniechęcił.

– A zastanawiałaś się, dlaczego on jest taki cierpliwy?

Bez trudu wyczuła podchwytliwą nutę w wydawałoby się prostym pytaniu ciotki. W tej chwili stać ją było jedynie na wzruszenie ramionami. Zrobiła to, chociaż był to gest, którego nie znosił tato. Wzruszanie ramionami w jego obecności było zawsze surowo wzbronione.

– Słyszałaś kiedyś, że miłość cierpliwa jest?

Hanka kiwnęła głową. Ciotka czytała w jej myślach.

– Widzę, że muszę pytać, bo inaczej niczego się nie dowiem. Powiedz mi wobec tego, co czujesz, jak się z nim spotykasz.

– Pełen wachlarz – odpowiedziała wymijająco.

– Jak jest dobrze, to... – ciotka dwoiła się i troiła. Dokładnie jak ona, gdy chciała ucznia jedynkowicza wyciągnąć na słabe dwa. – No, mów! Jak jest dobrze, to...

– Wyrzuty sumienia. – Udało się.

– A jak jest źle, to...

– Nadzieję. – Znów się udało.

– Nadzieję na co?

– Nie wiem, – Tym razem się nie udało. Zrezygnowała z badania własnych uczuć.

– A dlaczego masz wyrzuty sumienia, jak jest dobrze? – Ciotka, nie zważając na oporny materiał doświadczalny, kontynuowała rozmowę. – Mów, proszę.

Hanka znów się zamyśliła, ponieważ odpowiedź na to pytanie żadną siłą nie chciała się zamknąć w kilku słowach. Poczuła delikatnego kuksańca w bok.

– Że za szybko... – trząsł jej się głos. – Że nie dam rady... Że się nie uda... Że będzie ze mną nieszczęśliwy... Że coś mu się stanie... Że jestem pechowa...

– A, laleczko ty moja kochana, powiedz, ale tak z ręką na sercu, boisz się bardziej o niego czy o siebie? – usłyszała kolejne przyginające ją do ziemi pytanie.

– Nie wiem.

– A on? Wie wszystko?

– Wie o rodzicach. Był tu ze mną. Raz.

– Nie mówisz mu, bo się boisz, że go to przerośnie?

– Nawet nie. Chciałabym mu powiedzieć... Bardzo, ale to właśnie mnie przerasta. Ja nie potrafię mu o tym powiedzieć. Nie wiem jak.

– Przecież wystarczyłoby jedno proste zdanie.

– To akurat wiem. Nawet kiedyś ułożyłam tę prawdę. Stanowią ją raptem trzy zdania.

– Jak cię znam, to stylistycznie są bez zarzutu.

– Słabe pocieszenie...

– Ale ja nie mam wcale zamiaru cię pocieszać – uśmiechnęła się ciotka. – Mogę ci jedynie poradzić, żebyś je codziennie powtarzała. Przyzwyczaj się do nich. Niech będą dla ciebie jak *Ojcze nasz*. Jak tabliczka mnożenia dla pierwszoklasisty. Musisz się z nimi oswoić. Jak to zrobisz, to wydadzą ci się naturalne i wtedy weźmiesz go za rękę, i mu je powiesz. Poczujesz się dobrze, a on przecież na pewno tylko na to czeka, żeby wiedzieć o tobie wszystko. Zobacz, jakie to proste.

– Boję się, ciociu, że jak znikniesz mi z pola widzenia, to wszystko, co teraz przy tobie wydaje mi się proste, bez ciebie znowu zamieni się w labirynt Minotaura. A nici Ariadny ani widu, ani słychu – wypuściła głośno powietrze.

– Ja tam w ciebie wierzę.– Ciotka przycisnęła ją mocniej do siebie. – A poza tym mam pomysł. Może wyda ci się niedorzeczny i zbyt amerykański, ale jutro pojedziemy do fotografa. Ładnie się ubierzemy, jak na wizytę u psychiatry, i zrobimy sobie zdjęcie. Tylko ty i ja. Choć ryzykuję, że przy tobie będę na nim wyglądała jak kulomiotka. – Uwielbiała w ciotce jej amerykański pragmatyzm, który zazwyczaj przeplatał się ze słowiańską duszą i międzynarodowym, nieznającym żadnych granic, poczuciem humoru. – Kiedy wyjadę, będziesz musiała karmić mnie na tym zdjęciu, rano i wieczorem, tymi trzema zdaniami. Będziesz do mnie gadać, gadać i gadać, aż dojdziesz do wniosku, że masz już dość tego gadania, i wtedy mu powiesz. A teraz przyznaj, że stara ciotka ma czasami dobre pomysły.

– Boskie! – wzniosła oczy do nieba.

Ciotka podążyła za jej wzrokiem.

– Chyba się na nas patrzą, co?

Hanka znów poczuła znajomego kuksańca w bok.

– Głęboko w to wierzę. Zresztą wierzę też w to, że nas słyszą.

– Fajnie masz... – ciotka się zamyśliła.

– A ty, ciociu, nie wierzysz?

– W sumie to wierzę. Ale jak siebie czasami posłucham, jak się chwilami wsłucham w te bzdury, co to je wygaduję w życiu, to myślę, że może lepiej by było, gdyby nas nie słyszeli.

– W to nie uwierzę. Ciociu, ty i bzdury? To niemożliwe!

– Tak, Haneczko, tak!

Ciotka wstała z ławki i pociągnęła ją za sobą. Podniosła oczy do góry i spojrzała w niebo, krzywiąc się niemiłosiernie, bo raziło ją słońce.

– A wy tam na górze nie śmiać się, bo jak się zamachnę, to się mogę tylko o jedną duszę pomylić!

Hanka patrzyła na ciotkę i zazdrościła jej optymizmu. Kiedyś nie była pesymistką, ale teraz...

– Przestań już wzdychać, chyba że chcesz w domu dostać z pączka!

– Od dziś nie wzdycham! Przysięgam! – zażartowała Hanka i natychmiast poczuła się dużo lepiej.

– Ale musisz wzdychać, tylko nie tak jak do tej pory!

– A jak?

– Już ty wiesz jak.

– Wiesz co, ciociu? Nigdy nie przypuszczałam, że jesteś taka bezpruderyjna.

– Pruderyjna czy bezpruderyjna, ale się w życiu już nawzdychałam...

Przechodziły wąską alejką między grobami. Ciotka szła przed nią. W jasnym wełnianym poncho prezentowała się bardzo dostojnie. Pani Irenka zawsze powtarzała, że z ciotki Anny jest przystojna kobieta. Zaszło słońce i natychmiast poczuła zimny, prawie arktyczny wiatr wirażujący jej po twarzy. Zima postanowiła przypomnieć, że nie powiedziała jeszcze ostatniego słowa.

– Dzień dobry, pani Haniu! – usłyszała głos pana Ryszarda. Staruszek stał, jak zwykle lekko zgarbiony, przy grobie swojej żony Joasi. Jedną ręką wspierał się na lasce, a drugą energicznie do niej machał.

– Dzień dobry, panie Ryszardzie! – Zatrzymała się na chwilę. Ciotka zrobiła to samo. – Niech pan tylko nie będzie tu zbyt długo, bo mamy dziś bardzo mroźny dzień i jeszcze się pan zaziębi. A ja obiecałam doktorowi Jackowi, że będę na pana uważała.

Tak właśnie coś czuję, pani Hanlu, że damski wiaterek mi po plecach lata.

Hania roześmiała się, doskonale rozumiejąc zakamuflowany dowcip pana Ryszarda.

– My już uciekamy. To moja ciocia, siostra mojej mamy. Do zobaczenia, panie Ryszardzie.

– Siostra bliźniaczka! – krzyknęła ciotka i też pomachała do pana Ryszarda na do widzenia. Po czym zapytała od razu: – Damski wiaterek?

– Tak, ciociu. Pan Ryszard twierdzi, że są dwa rodzaje wiatru. Męski i damski. Męski jest wtedy, gdy podmuchuje.

Ciotka roześmiała się głośno.

– A damski? – zapytała od razu, bo oczywiście nie wystarczało jej połowiczne wytłumaczenie.

– Piździ... – szepnęła ciotce do ucha bardzo cichutko, jakby się bojąc, że ktoś inny mógłby usłyszeć jej niecenzuralne słowo.

Ciotka rozchichrała się na dobre. Jej obfity biust falował niczym flaga poruszana damskim wiatrem.

– Fajna jesteś siostrzenica! Wiesz?!

– Nie jestem tego taka pewna...

– Możesz mi wierzyć na słowo, bo znam się na ludziach. Musisz tylko podchodzić do życia na większym luzie, a będzie dobrze.

– To chyba niemożliwe.

– Niunia! Wszystko jest możliwe!

– A ty i wujek Tom? – skwapliwie wykorzystała sytuację.

– Jak wszystko, to wszystko! – Biust ciotki znów rozkołysał śmiech. – Wsiadamy?

– Wsiadamy!

W pracowni znów mieli, używając języka Dominiki, urwanie jaj. Za dwa dni projekt Praga miał odnieść wielki sukces albo zrobić kompletną klapę. Cokolwiek się działo, pracownia musiała funkcjonować. Dlatego od dwóch dni nie spał, ale projekt pawilonu usługowo-handlowego był prawie gotowy. Musiał go dziś skończyć, bo jutro rano wyjeżdżali z Przemkiem do Pragi. Wiedział, że jutro też wyjeżdżała ciotka Hanki. Gdyby nie ich poranny lot, mógłby zaproponować Hance, że odwiezie ciotkę na lotnisko. Niestety, nic z tego. Może dlatego czuł w głowie rąbiący ból, a może miał już dosyć, zwłaszcza że zbliżała się dwudziesta. Zamiast skupić się na pracy, bezproduktywnie gapił się w monitor i wyobrażał sobie chwilę, w której zobaczy Hankę na praskim lotnisku. Wiedział, że to, co robi, jest bez sensu, ale nie miał władzy nad wyobraźnią. W nosie miał nawet wyniki konkursu. Interesowało go teraz tylko to, czy spotkają się w Pradze. Szybko wrócił do rzeczywistości, bo usłyszał delikatne pukanie do szklanych drzwi. Podniósł wzrok i zobaczył za nimi Sylwię. Ruchem głowy zaprosił ją do wejścia, choć nie miał ochoty na rozmowę, zwłaszcza z nią. Uparła się na niego jak mało kto. Choć nie mógł zaprzeczyć, kanapki, które dla niego dziś zrobiła, były przepyszne i uratowały mu życie. Ale powiedzenie, że przez żołądek do serca, w jego wypadku nie sprawdzało się ani trochę. Albo było przereklamowane, albo on był wyjątkiem potwierdzającym regułę.

– Zostawiłeś w kuchni telefon. Postanowiłam ci go przynieść, bo ktoś od jakiegoś czasu usiłuje się do ciebie dodzwonić. Pozwoliłam sobie zerknąć. To twoja mama.

Telefon wylądował na jego biurku, a Sylwia stanęła za jego plecami. Niebezpiecznie blisko. Bliżej już się chyba nie dało. Położyła mu rękę na ramieniu i nachyliwszy się nad nim, patrzyła na monitor, udając zainteresowanie projektem. Czuł zapach jej perfum, które mieszając się z jej podenerwowanymi feromonami, atakowały go niczym rozwścieczony byk torreadora. Był zmęczony tym nadskakiwaniem Sylwii. Zwłaszcza że miał wrażenie, iż od tygodnia, z dnia na dzień, przybierało na sile. Nie wiedział, jak ma się zachować. Cierpliwie i kulturalnie znosił wszystkie powłóczyste spojrzenia i przypadkowe dotykanki. Był w kropce. Nie wiedział, co ma zrobić, żeby dała mu spokój. Nie chciał zastosować drastycznych metod, bo wiedział, że kobiety źle znoszą odrzucanie umizgów. Robił różne uniki, ale Sylwia nie dawała za wygraną. Właśnie poczuł dotyk jej dłoni na ramionach. Nie mógł uwierzyć. Masowała mu ramiona i kark. Znalazł się w rytmicznie poruszającym się potrzasku. Był spięty, a Sylwia, jakby wcale tego nie wyczuwając, kontynuowała masaż, coraz pewniejszymi ruchami.

– Musisz się zrelaksować... – szepnęła mu wprost do ucha. – Jesteś strasznie spięty... – poczuł jej usta na swoim uchu.

Tego było za wiele. Wstał jak oparzony.

Przepraszam cię, ale muszę zadzwonić – wyszedł szybko z pracowni, nie zamykając za sobą drzwi.

Miał wrażenie, że stracił kontrolę nie tylko nad sytuacją, ale również nad swoim ciałem. Nie był w tej chwili głównodowodzącym. Czuł się z tym okropnie. Zachowanie Sylwii nie podobało mu się. Narzucała się mu. Jednak od dawna żadna kobieta nie dotykała go w tak jednoznaczny sposób. Wszedł do kuchni, wziął do ręki telefon, ale chwilowo nie był w stanie dzwonić. Usiadł przy małym stoliku. Nigdy tego nie robił. Krzesło było niewygodne. Było raczej kuchenną atrapą niż meblem. W tej kuchni nikt nigdy nie siadał przy stole. Kawa była wypijana na stojąco bądź wynoszona stąd od razu po przygotowaniu. Jednak teraz krzesło, choć niewygodne, bardzo się przydało. Odzyskał spokojny oddech. Myślał o mamie. Wziął trzy głębokie wdechy. Uspokoił przyspieszony niezbyt skomplikowaną męską fizjologią oddech. Ekspresowo wymazał z pamięci głęboki dekolt Sylwii i wystukał na klawiaturze telefonu numer mamy. Odebrała od razu.

– Witam cię, synu – przywitała go bardzo oficjalnie.

– Przepraszam cię, że nie odbierałem, ale...

– Nie musisz mi się tłumaczyć – przerwała mu. – Jednak przypomnij sobie czasami, że jesteś moim dzieckiem. A matki mają to do siebie, że martwią się o swoje dzieci. Trzeba czy nie trzeba. Niezależnie od tego, czy dzieci są małe czy duże. Zrozumiesz, o czym mówię, dopiero wtedy jak będziesz miał swoje dzieci. Wiem, że na razie to, co mówię, to dla ciebie abstrakcja. A szkoda!

– Mamo?! – zaczął zniechęcony. – Dzwonisz, żeby mnie zachęcić do rozrodu czy zniechęcić, bo nie rozumiem.

– Dzwonię, żeby zapytać, co u ciebie słychać. Powiedzieć ci, że już prawie zapomniałam, jak wyglądasz, i poinformować cię, że twój brat znowu jest na ciebie wściekły, ale ojciec już go ustawił.

– Co to znaczy ustawił? – Chyba miał jakąś pomroczność, zupełnie nie rozumiał, o czym mówi mama.

– To znaczy, że sprowadził go ostro do parteru po ostatniej awanturze.

– Myślałem... Od tamtej pory minęło tyle czasu... Myślałem, że temat jest skończony. Jeszcze mu nie przeszło? – zapytał, a mama tylko znacząco chrząknęła.

– Ty nie udawaj przede mną durnia. Wiem doskonale, że nim nie jesteś. Nie chodzi mi o tę awanturę po studniówce, tylko o tę drugą i mam nadzieję, że ostatnią.

– Mamo, ale ja nie udaję durnia, ja naprawdę nie wiem, o jaką awanturę chodzi.

– Kabanos widział was w jakiejś knajpce w rynku.

Doznał olśnienia. Dotarło do niego, że znów wszystko wyszło na jaw. Kolejny raz wszyscy wszystko wiedzieli. Kawiarniana randka z Hanką była pewnie w jego rodzinie tematem numer jeden.

– Nie wiem, co powiedzieć – wydusił z siebie dość spokojnie, ale czuł już, że ogarnia go szewska pasja. Miał pecha. Wszystko, co chciał zatrzymać tylko dla siebie, stawało się za każdym razem własnością społeczną. Hanka okazała się lepszym psychologiem. Przewidziała wszystko od razu. – Myślałem, że nic mu nie powie.

– To źle myślałeś! – mama znów była przy głosie. – Opowiedział mu wszystko, i to ze szczegółami. Tymi pikantnymi też.

– Mamo! Tylko nie przesadzaj! Byliśmy w kawiarni i trzymaliśmy się za ręce. To wszystko! A poza tym mam przecież tyle lat, że nie muszę się nikomu tłumaczyć z tego, co robię. Tym bardziej Mateuszowi. A co z nim?

– Co z nim? – powtórzyła mama podniesionym głosem. – Miotał się jak ryba w sieci, pomstował. Najpierw oczywiście na ciebie, później też na nią, a w końcu na was razem wziętych. Używał przy tym takich słów, że doprowadził ojca do ostateczności i gdyby nie moja interwencja, to mielibyśmy klasyczną przemoc w rodzinie. Byłam przekonana, że się pobiją.

– To dlaczego dzwonisz dopiero teraz?

– Bo się już trochę uspokoili. Jeden i drugi. Jeszcze tylko ciebie tu brakowało.

– A co powiedział ojciec? – Był bardzo ciekaw jego reakcji. Z własnego doświadczenia wiedział, że wyprowadzenie ojca z równowagi to nie lada wyczyn, graniczący z cudem. Ale wiedział też, że Mateusz miał na tym polu prawie nadprzyrodzone zdolności.

– Tak w telegraficznym skrócie to wykrzyczał mu, że się zachowuje jak pies ogrodnika. Ojciec stał po twojej stronie. Powiedział Mateuszowi, żeby sobie ją wybił z głowy i żeby przestał ci już bruździć, bo mu osobiście przyłoży.

Mikołaj nawet się trochę ucieszył, że ominął go ten cały cyrk. Mama zdawała mu relację, co prawda, dość spokojnie, ale przeczuwał, że to wszystko znów dużo ją kosztowało. Był mile zaskoczony zachowaniem taty. Zwykle w takich sytuacjach to on dostawał baty, a Mateuszowi zawsze się upiekło. Nie tym razem.

– Czemu nic nie mówisz? – padło jedno z ulubionych pytań mamy.

– Bo nie wiem, co powiedzieć. A jak w domu? Jak jest między nimi?

– Dziś rano przy śniadaniu pierwszy raz zamienili z sobą kilka słów, ale bardzo oficjalnie.

– Powinienem przyjść? – zapytał, bo miał wyrzuty sumienia, że za bardzo odseparował się od rodziny. Na nic ostatnio nie miał czasu.

– To nie najlepszy pomysł – oceniła mama. Na szczęście, bo przecież i tak nie miał wolnej chwili. – Mateusz potrzebuje czasu, żeby się uspokoić, ale ojcu to jesteś winien coś ekstra, bo stanął za tobą murem.

– Może go gdzieś zabiorę? Może do jakiegoś lokalu ze striptizem?

– Doskonały pomysł – pochwaliła mama. – Tylko nie wiem, czy nie będziesz się wstydził? – zapytała cynicznie.

– Mamo! – udał zdenerwowanego. – Przepraszam cię, że się nie odzywam, ale ostatnio tyle się dzieje...

– Domyślam się...

– Muszę cię zmartwić... Mamy na myśli całkiem inne sprawy...

– Skoro wiesz, o czym myślę, to może poinformujesz teraz swoją matkę, co u was. Bo sądząc z opowieści Kabanosa, to same atrakcyjne nowości.

– A co on wam nagadał?

– Nie nam – poprawiła go od razu mama – tylko Mateuszowi. Powiedział mu, że się tak całowaliście, że superglu to przy was pikuś. Dokładnie tak powiedział.

– Bzdura! – machnął ręką, tak jakby mama mogła go w tej chwili widzieć. Jednak uśmiechnął się na samą myśl indukowaną wyobraźnią donosicielskiego Kabanosa. W słuchawce zapadła cisza. Nie przerwał ani jej, ani tego, co wyrabiała w tej chwili jego wyobraźnia.

– Dobrze! – sapnęła w końcu mama. – Widzę, że niczego więcej się nie dowiem, więc nie będę cię już dłużej ciągnąć za język, ale mam pewien pomysł...

– Strach się bać! – zażartował.

Do kuchni, w której wciąż siedział, weszła Sylwia. Zaczęła mu się dziwnie przyglądać, ale całkowicie ją zignorował.

– W drugi weekend po feriach – mama udawała, że nie usłyszała jego ostatniego zdania – Mateusz wyjeżdża ze swoją klasą na pielgrzymkę maturzystów do Częstochowy. Pomyślałam, że może przyszlibyście wtedy razem na obiad.

– Mamo... – Wydawało mu się, że mamie, podobnie jak jemu, spodobała się opowieść Kabanosa. – Najpierw muszę ją trochę oswoić...

– A wiesz? Ostatnio jak z nią rozmawiałam, to w niczym nie przypominała dzikiego zwierza. Wprost przeciwnie...

– Bo ona nie jest dzika. Chodziło mi o coś zupełnie innego. Ona jest taka, jakby wciąż się czegoś bała. Ale jeżeli wszystko dobrze pójdzie, to może spotkamy się w piątek wieczorem w Pradze.

– W Pradze? Jedzie z tobą do Pragi? – Mama nie potrafiła ukryć zdziwienia. – Boże, dlaczego ja nic nigdy nie wiem? O wszystkim zawsze dowiaduję się ostatnia.

– Nie ostatnia, tylko pierwsza – dokonał natychmiastowego sprostowania. – Przemek i ja wyjeżdżamy jutro rano a Hanka z Dominiką, wiesz, tą, o której ci opowiadałem, przyjadą w piątek wieczorem. To znaczy Dominika przyjedzie na pewno. A Hanka? – zamyślił się. – Bardzo chciałbym, żeby przyjechała...

– Chcesz powiedzieć, że mam się modlić? – głos mamy brzmiał szczerze i serdecznie.

– Nie będę ukrywał, że przydałoby się jakieś dobre wstawiennictwo...

– Ej ty! Synuś? Ty mnie tu pod włos nie bierz!

Nie usłyszał, czy mama powiedziała coś jeszcze, bo do kuchni wparował Przemek i od progu darł się, że muszą pilnie porozmawiać.

– Mamo, słyszysz, co tu się dzieje? Muszę kończyć...

– Tylko zadzwoń do mnie...

– Dam znać z Pragi co i jak. Pa, mamo!

Leżała na łóżku z otwartymi oczami. Beznamiętnie wpatrywała się w sufit. Przeleżała tak cały boży dzień, jak ujęłaby to ciotka Anna. Była przekonana, że nie spodobałoby jej się to, co właśnie robiła. Niestety, ciotka była już na drugiej półkuli, a dom w minutę po jej wyjeździe straszył ciszą i pustką. Gdyby była dzieckiem, to na pewno siedziałaby teraz na łóżku i bujała się w przód i w tył z prześcieradłem w zaciśniętych zębach. Na szczęście miała już swoje lata i choroba sieroca, która ją atakowała, męczyła w zupełnie inny sposób. Ciotka wyjechała, zabierając niestety z sobą ducha swej siostry. Hanka nie potrafiła sobie z tym poradzić, dlatego natychmiast zakopała się w swoim sypialnianym azylu i bez snu spędziła w nim samotny dzień. Nie tylko nie spała. Nie jadła. Nie chciało jej się nawet pić. Nie interesowały jej kwiaty, które powinna podlać. Ani listonosz dzwoniący kilka razy do furtki, ani śmieciarze, którzy jak zwykle zostawili nieporządek po swojej krótkiej wizycie. Za każdym razem ich zachowanie doprowadzało ją do pasji. Dziś nie. Pogodzie najprawdopodobniej udzielił się jej podły nastrój. Od rana padał śnieg, chwilami zamieniający się w marznący deszcz. Słońce nie miało najmniejszych szans na przebicie się przez sunące nisko, szarobure chmury. Panujący na zewnątrz mrok dodatkowo potęgował jej wewnętrzną ciemność. Przypomniała sobie moment, w którym ciotka, rozmawiając z nią przez telefon, zakomunikowała, że przyjeżdża ją odwiedzić. Hanka była przerażona perspektywą tej wizyty i gdzieś w skrytości ducha bardzo niezadowolona. Teraz mogła się przed sobą do tego przyznać. Musiała przyznać się do czegoś jeszcze. Myliła się okrutnie. Wizyta ciotki tchnęła w nią tyle optymizmu, że poczuła, iż może wszystko. Mogła tkać latające dywany z pajęczych nici. Mogła uśmiechać się bez końca. Przez tych kilka krótkich, ale bardzo intensywnych dni spędzonych w towarzystwie ciotki znów była dawną Hanką. Przypomniała sobie czasy, kiedy każdy dzień zaczynała od radości. Czasy kiedy zawsze na coś czekała. Nie spodziewała się jednak, że wraz z wyjazdem ciotki wszystko pryśnie jak bańka mydlana. Od rana leżała w łóżku, roztrzaskując się o przerastającą ją codzienność. Ciotka zniknęła z oczu, zabierając z sobą jej pewność siebie i z trudem odbudowywane przeświadczenie, że teraz może być już tylko lepiej. Optymizm Hanki, który jeszcze wczoraj był na wyciągnięcie ręki, dziś leciał gdzieś nad oceanem. Może w walizce, a może w bagażu podręcznym ciotki. Powinna była wstać i walcząc z podłym nastrojem, rozpocząć dzień. Mimo wszystko... Tak jak czyniła to już setki razy. Mogła przecież pojechać do fotografa po zdjęcie, które zrobiły sobie z ciotką, co prawda dopiero w przeddzień jej wyjazdu, bo dni uciekały im, jakby gonił je groźny pies. Niestety, nie podjęła dziś żadnych działań prowadzących ją w stronę normalności. Tęskniła za ciotką i za jej matczynym spojrzeniem. Za zapachem jej perfum, za poczuciem humoru. Ale najbardziej chyba tęskniła za jej milczącym zrozumieniem wszystkiego, co się działo. Gdy czuła obok siebie jej obecność, była lekka jak piórko. Wszystkie obciążenia zniknęły. Zupełnie jakby ciotka przejęła na swoje barki złe wspomnienia. Zrobiła to. Na krótko.

Nic więc dziwnego, że teraz znów leżała jak kłoda. Zaczynała się zastanawiać, dlaczego miałaby coś zmieniać. Może wcale nie musiała szarpać się z życiem o każdą najkrótszą chwilę bez złych wspomnień. Może mogła sobie właśnie leżeć i oglądać za zamkniętymi powiekami horror osnuty na kanwie własnego życia. I co z tego? Nic. Usłyszała odgłos górskiego strumienia. Świat dopominał się jednak o swoje. Ktoś o niej pamiętał. Pierwszy raz dzisiaj poczuła, że czegoś chce. Chciała, żeby to był Mikołaj. Do wczoraj myślała o nim prawie bez przerwy. Mimo że ciotka przez cały swój pobyt angażowała wszystkie dobre pokłady w jej sercu, brakowało jej Mikołaja. Z jednej strony tęskniła za nim, a z drugiej jednak, nie chciała się od niego uzależniać. A może na takie postanowienia było już za późno? Zerknęła na szumiący telefon. To Dominika bezlitośnie chciała przypomnieć jej o rzeczywistości. Otworzyła wiadomość.

<Jak było na lotnisku?>

Odpisała szybko.

<Ciotka nie chciała przedłużać pożegnania i pojechała taksówką.>

Znała Dominikę doskonale i pokornie czekała na atak. Albo Dominika była tak przewidywalna, albo ona tak przewidująca, bo nie minęła nawet minuta, a jej telefon już się rozśpiewał, pożyczając głos od pani Hole. Wsłuchała się w ulubiony utwór. W końcu odebrała.

– Jeżeli dzwonisz z awanturą, to daj mi spokój, bo mam doła – zaczęła nietypowo, pomijając przywitanie, ale nie chciała dopuścić do głosu Dominiki, nie oświeciwszy jej wcześniej.

– A kto ci powiedział, że dzwonię z awanturą? – zapytała miłym, uprzejmym i bardzo sztucznym głosem Dominika.

– Podpowiada mi to moja intuicja.

– To jej powiedz, że jest zdrowo rąbnięta! Awantury nie będzie. Dzwonię, żeby ci przypomnieć, że jutro podjadę po ciebie o osiemnastej. Bądź gotowa. A gdyby ta ćwierćinteligentka intuicja chciała ci podpowiedzieć coś głupiego, to chcę, żebyś wiedziała, że bez ciebie nie jadę!

– Ale to jest szantaż. Emocjonalny – dodała skołowana. Była zupełnie nieprzygotowana na takie zagranie ze strony Dominiki.

– A nazywaj to sobie, jak chcesz. Jestem u ciebie jutro o osiemnastej! Masz być gotowa! Pa! – ostatnie słowo Dominiki nie było mową. Było śpiewem.

Nie zdążyła nic odpowiedzieć, gdyż Dominika z pieśnią na ustach, nieoczekiwanie i perfidnie zakończyła rozmowę. Hanka tkwiła bez ruchu z telefonem przyklejonym do ucha. Do tej pory nie chciało jej się nic robić. Teraz nie potrafiła nawet myśleć. Miała tylko jedno pragnienie. Chciała jakimś cudem znaleźć się w trójkącie bermudzkim, który mógłby pochłonąć ją bez wieści i śladu. Raz na zawsze. Niestety, oddzielał ją od niego spory kawał świata, a Dominika, okazała się jak zwykle sprycziarą. Jej było na wierzchu. Jutro... Nie chciała nawet myśleć o tym, co będzie jutro. „Nowy dzień, nowe siły", usłyszała głos pani Irenki. Niestety, nawet ten głos nie był w stanie jej pomóc. Zakopała się w pościeli. Jedno było pewne: musiała jakoś przetrwać i do jutra, i cały jutrzejszy dzień. I następny. I następny. Może będzie lepiej? Może właśnie jutro coś mądrego przyjdzie jej do głowy? A może powinna zatelefonować do pani Irenki? Ciotki zdanie znała.

„Jedź! Nie patrz na nic i jedź!", prawie usłyszała jej głos.

Słyszała głosy. Dobre sobie. Było z nią coraz gorzej. Pani Irenka, ciotka, Dominika, każda miała coś do powiedzenia. Tylko jej własny głos milczał jak zaklęty. Ciekawe, czyja to była sprawka? Jej czy wrednego cenzora? Nie wiedziała...

Zostało piętnaście minut do osiemnastej. Miała wrażenie, że za chwilę dostanie zawału. Słyszała głośne uderzenia swego serca. Pulsujący ból w podbrzuszu od rana nie dawał jej ani chwili wytchnienia. Spędziła dzień na czytaniu. Wolała mieć wzrok wbity w ulubione, działające na nią uspokajająco wersy niż w cyferblat zegarka, którego wskazówki goniły dziś jak oszalałe. Dosłownie przed sekundą było za piętnaście, a teraz już za pięć szósta. Miała nadzieję, że Dominika się spóźni. „Spóźni się. Przecież zawsze się spóźnia", przekonywała w myślach samą siebie.

Usłyszała dzwonek. O Boże! Dzwonek! Ogarnęła ją panika. Nakryła głowę kołdrą. Czekała. Dominika zadzwoniła do bramy tylko raz. Może to nie ona? Nigdy nie dzwoniła w taki sposób. Usłyszała zgrzyt klucza w zamku drzwi wejściowych. Nie mogła w to uwierzyć. Mogła chociaż przewidzieć... Przecież Dominika była sprytna. Nigdy nie nosiła kluczy do domu. Zawsze o nich zapominała, ale dziś, jak na złość, przygotowała się na każdą ewentualność. Już słyszała jej głośne kroki na schodach. Jeszcze jej nie widziała, jeszcze nie usłyszała ani jednego jej wrzeszczącego słowa, a już czuła, że jest na straconej pozycji. Drzwi sypialni otworzyły się z hukiem.

– Lerska! – wydarła się jej tuż nad uchem Dominika. – Wstawaj! Jeżeli myślisz, że dam sobie zamydlić oczy tą twoją nudną *neverending story*, to jesteś w błędzie! – Jednym sprawnym ruchem zerwała z niej kołdrę. – Posłuchaj! – Dominika krzyczała coraz głośniej. – Wkurzasz mnie! Do białości! Idę teraz do taksówkarza! Powiem mu, że ma poczekać piętnaście minut. A ty masz te cholerne piętnaście minut na doprowadzenie się do porządku. Spakuję cię sama! Słyszysz?! Wstawaj!!!

Hanka chwyciła się za głowę. Trzęsąc się, usiadła na łóżku. Po turecku. Pod palcami czuła pulsujące skronie.

– Dominika. Posłuchaj...

– Znowu czytasz te bzdury?! – Dominika zerknęła na otwarty egzemplarz *Romea i Julii*.

– Proszę cię... Dominika... Ja nie wiem, co robić...

– To może napisz list do Julii i ją zapytaj, co masz robić? – Dominika boleśnie z niej zakpiła. – Tylko nie wiem, czy zdąży ci odpisać, bo masz coraz mniej czasu! – popukała znacząco w swój zegarek.

– Posłuchaj... – chciała się bronić.

– Nieee! To ty posłuchaj! – przerwała jej nerwowo Dominika. – Jak wrócę, to masz być pod prysznicem! Rozumiesz? – Dominika nie krzyczała. Darła się na nią. Nigdy nie grzeszyła spokojem, ale takiej wkurzonej jej chyba dotąd nie oglądała.

– Ale ja się źle czuję... Mam okres...

– Mam gdzieś twój okres! Nie jedziesz do Pragi zarabiać ciałem na utrzymanie! Rusz się! Wstawaj!

Hanka zamknęła oczy. Była bezradna. Musiała wyglądać jak nieruchomy posążek Buddy anorektyka.

– Ostrzegam! Nie wkurzaj mnie!

Nic. Nie reagowała. Wrzaski Dominiki powodowały, że jej przepona chciała uciec gdzieś daleko.

– To posłuchaj, ty szurnięta i egoistyczna babo!

Hanka otworzyła oczy, ale nie potrafiła wydusić z siebie ani jednego słowa.

– Gapisz się na mnie? Dobrze! Zdziwiona? Też dobrze! – ton Dominiki był okropny. – Tak uważam! Jesteś egoistyczną pindą, która nie robi nic, tylko pielęgnuje w sobie megażal do świata, losu i nie wiem czego jeszcze! Gdybyś była normalna, to pomyślałabyś chociaż przez chwilę o Mikołaju! Nie o sobie! Tylko o nim! Ma facet pecha, że się zakochał akurat w tobie! No i co się tak gapisz? Nie rozumiesz! Tak! Ma pecha!

Hanka napotkała wzrok Dominiki, który był dużo gorszy niż jej wszystkie krzyki razem wzięte.

– Gdybym była nim, to już dawno bym cię o-la-ła! – cynicznie sylabizowała Dominika dla zwiększenia efektu. – Wodzisz go za nos jak jakiegoś uczniaka! Przecież to jest poważny facet i dzisiaj będzie czekał na ciebie na lotnisku, więc nie wciskaj mi tu kitów, tylko rusz swój chudy tyłek!

Chciała to zrobić. Bardzo chciała posłuchać Dominiki, bo ta miała świętą rację, nazywając ją egoistką.

– Powiedz mi, Lerska, dlaczego ty jesteś taka beznadziejna?! Patrzę na ciebie i myślę, że ty nawet na szczęście, które znów jest całkiem blisko, potrzebujesz jakiegoś cholernego alibi! No, powiedz coś w końcu! Nie zachowuj się jak mumia, tylko powiedz coś! Odezwij się! Słyszysz?!

– Nie mówi się „alibi na szczęście" tylko alibi dla szczęścia – szeptem wypowiedziała jedyne zdanie, które przyszło jej teraz do głowy.

– Nieee!!! – Dominika zawyła. – Nie wytrzymam! To mnie przerasta! Zaraz cię palnę! Ale zanim to zrobię, musisz mnie posłuchać, tylko uważnie. Będę sobie mówiła, co chcę i jak chcę! A ty gdybyś chociaż część swojej energii, którą tracisz na tę durną poprawność językową, przeznaczyła na układanie sobie życia, mogłabyś być znowu szczęśliwa. Niestety, wolisz mnie poprawiać, zamiast przyjrzeć się sobie! Uważaj, Lerska! Mówię ci, lepiej uważaj, bo jak zmarnujesz szansę, którą teraz masz, to możesz źle skończyć. A jeszcze coś! – Dominika o czymś sobie przypomniała. – Jak tak tu sobie miło gawędzimy, to powiem ci jeszcze jedno! Miałam ci tego nie mówić, ale jak na ciebie patrzę, to mi ręce opadają! Kojarzysz recepcjonistkę z ich pracowni?

Popatrzyła na Dominikę, która zamilkła na sekundę. Widziała ją jak przez mgłę. Płakała. Czuła, że jej ciało nie panuje nad spazmami. Dominika wiedziała, jak jej dołożyć. Co prawda, bez siniaków, ale dotkliwie. Właśnie wypijała jej krew, nie zostawiając nawet mikroskopijnych ran na ciele.

– Kojarzę – szepnęła.

– Wczoraj, jak byłam w pracowni, widziałam ich razem. Kanapeczki mu zrobiła! Herbatkę! Dbała o niego z dekoltem do pasa!

Z ulicy dał się słyszeć klakson. Taksówkarz się niecierpliwił, dlatego Dominika przerwała swoją opowieść.

– Idę do niego. A ty pod prysznic! Juuuż!!!

Znów słyszała schodowy galop Dominiki. Drzwiami wejściowymi trzasnęła tak mocno, że najprawdopodobniej je uszkodziła. Hanka nie mogła się ruszyć. Ale czuła, że musi pokonać lęk, ból, strach i niepewność. Jeszcze nigdy w życiu nikt nie nazwał jej egoistką. To niedorzeczne, ale chyba właśnie to określenie dodało jej sił. Wstała. Powoli poszła do łazienki. Weszła do kabiny prysznicowej w piżamie. Odkręciła wodę. Płakała.

Krzyk Dominiki nie był udawany. Był prawdziwy, bo miał pełne uzasadnienie. Może rzeczywiście była egoistką? Myślała tylko o sobie. Nie. Nie myślała o sobie, ale nie myślała też o Mikołaju. Musiała to zmienić. Od teraz. Zaczęła zdejmować z siebie mokre ubranie. Niedbale rzuciła je na podłogę. W drzwiach kabiny zobaczyła głowę Dominiki.

– Masz dziesięć minut! Nie więcej! Idę cię spakować! – krzyknęła siostra i znów przyładowała z całej siły drzwiami w Bogu ducha winną futrynę.

Hanka umyła się szybko. Suszyła włosy jak maszyna. Nie czuła już żadnego bólu. Niczego nie czuła. Walczyła z czasem. Wszystkie wykrzyczane przez Dominikę słowa sprawiły, że zapragnęła go zobaczyć. Tam, na lotnisku. Musiała coś zmienić w swoim życiu. Wyłączyła suszarkę i usłyszała, jak Dominika zapina zamek jej walizki. Łazienkę i garderobę oddzielała tylko cienka ścianka. Poszła do garderoby. Bez słowa wybrała ubrania i szybko robiła z nich użytek.

– I co? Nie mogłaś tak od razu? Idź się teraz trochę pomaluj, bo wyglądasz jak zombi.

Zrobiła, co kazała Dominika. Nie było to łatwe, ręce nie chciały przestać się trząść. Dominika weszła do łazienki i zachowywała się tak, jakby wszystko, co tu się znajdowało, należało do niej. Niezbyt delikatnie wrzucała do kosmetyczki chyba zbyt dużo rzeczy, ale teraz to było nieważne.

– Tylko zapamiętaj sobie! Zobowiązuję cię do dobrego humoru, luzu i zalotności, bo inaczej znowu zrobię ci taką terapię wstrząsową, że to, co usłyszałaś przed chwilą, to mały miki! Pokaż się! – usłyszała rozkaz Dominiki i spojrzała na nią piekącymi od płaczu oczami. – No, już trochę lepiej!

– Dzięki – szepnęła cicho.

– Pocałuj się gdzieś! I jeszcze jedno! Zapamiętaj sobie! Mam już po dziurki w nosie odgrywania *sister of mercy*. Choćbyś się miała skichać, to masz w Pradze pokazać mu, że ci na nim zależy. Bo jakoś mi go dziwnie szkoda dla tej cycatej i napalonej małpy. – Znów usłyszały alarm wytrąbiany przez czekającego na nie taksówkarza. – No co za niecierpliwa warszawska złotówa! Chodź! Nie mam zamiaru się spóźnić. Tylko nie panikuj! Wsiadasz i jakby nigdy nic jedziemy! Pamiętaj! Nigdy! Nic! Najlepiej zamknij oczy, a jak będziemy już na lotnisku, to dam ci w czapę tak, że ci się raz na zawsze poukłada w tej małej główce! I co się gapisz? Schodzisz i pakujesz się do taksówki! Tego za ciebie nie zrobię!

– Chcę zamknąć...

– Ja zamknę! – wydarła się Dominika. – Wychodź już, do cholery, bo mnie zaraz trafi!

Od czterdziestu minut tępym wzrokiem wpatrywał się w napis Letiště Ruzyně. Przemek spokojnie czytał gazetę, a on skupiał się na literach, które nic mu nie mówiły. Marzył o tym, że dostrzega ją w co chwila otwierających się drzwiach. Wychodzili z nich już pasażerowie samolotu, który przyleciał z Warszawy. Przestępował nerwowo z nogi na nogę.

– Uspokój się w końcu! – prosił go, już któryś z kolei raz, Przemek.

– Dobrze ci mówić! To czemu Dominika nie zadzwoniła? Przecież mówiłeś, że da znać, czy się udało.

– A co ty Domi nie znasz? Dużo mówi, mało robi. Jest zakręcona jak lód z automatu. Poza tym jak nie przyjedzie, to się przecież nie powiesisz. Weź się, facet, w garść!

– Ty coś wiesz? Tylko nie chcesz powiedzieć.

– Powiedziałem ci już! Uspokój się i grzecznie czekaj! Wiem tyle co i ty!

Stał i sam siebie prosił o cierpliwość. Szerokie szklane drzwi znów się rozsunęły. Wśród wychodzących pasażerów dostrzegł Dominikę. Rozmawiała z jakąś starszą kobietą. Była sama. Poczuł, jak krew opuszcza jego mózg. Rozejrzał się i usiadł, a raczej padł na pobliskie krzesło. Załamał się. Przemek złożył gazetę i stanął nad nim.

– Nie zachowuj się jak baba! Wstawaj! Na pewno zaraz wyjdą!

Niczego więcej nie zdążył dodać, bo wpadł w stęsknione ramiona Dominiki, która obcałowywała go tak intensywnie, jakby nie widzieli się co najmniej rok. Przemek śmiał się w głos, nic sobie nie robiąc z tego, że głośne zachowanie Dominiki nie umykało uwagi mijających ich podróżnych.

Patrzył na nich z zazdrością i gdyby był babą, to z pewnością by się teraz rozwył. Jednak uczucie ogromnego zawodu nagle zamieniło się we wściekłość. Był wściekły. Wściekły na Hankę. Pierwszy raz, odkąd ją poznał, poczuł coś takiego. Ale bardziej wściekły był na siebie. Przecież nie zrobił niczego, co mogłoby zagwarantować mu jej obecność tutaj. To, że jej nie zobaczył, było na pewno jego winą. Roześmiana i wczepiona w Przemka Dominika pacnęła nagle na wolne krzesło obok tego, na którym teraz łapał załamkę.

– Cześć! – zaśpiewała. – Myślałam, że się bardziej ucieszysz na mój widok. Może nie jestem tak urodziwa jak Hanka...

Tego nie wytrzymał. Wstał i poczuł, że natychmiast musi wyjść na powietrze. Zaczął iść powoli przed siebie. To dziwne, obiecał sobie, że niczego nie będzie sobie wyobrażał, i tego przez cały czas kurczowo się trzymał. Jednak teraz w bardzo szybkim tempie przed oczami przesuwały mu się różne obrazy, które niestety nie miały najmniejszych szans na urzeczywistnienie. Dominantą każdego z nich była Hanka. Ręce zaciśnięte w bezradne pięści schował w kieszeniach rozpiętej kurtki.

– A tego co ugryzło? – usłyszał podniesiony i zdziwiony głos Dominiki.

– Myślał, że przyjedzie! Ale kwas! – Słyszał, jak z Przemka zeszło powietrze, gdy to powiedział.

– Mikołaj! – wydarła się w jego kierunku Dominika.

Nie odwrócił się. Chciał być teraz sam, dlatego wciąż szedł przed siebie.

– Gdzie, do cholery, leziesz? – Dominika zachowywała się tak, jakby lotnisko było jej prywatnym folwarkiem. – Mikołaj! Wracaj!!! Przecież przyjechała! Musimy tylko poczekać! Co za bałwan?!

Odwrócił się. Już był z powrotem.

– Jak to? – zapytał, klęcząc przed Dominiką. Nie mógł uwierzyć w to, co usłyszał.

– Przecież siedzę i czekam. Nie widzisz? – zapytała poirytowana.

– Gdzie ona jest? Myślałem, że...

– To lepiej za dużo nie myśl! Jest skołowana i źle się czuje. Musiała iść do toalety! Trzeba ją natychmiast gdzieś zabrać i nakarmić. Mówi, że coś dziś jadła, ale wiem, że łże jak pies.

Usłyszał znajomy szum otwierających się drzwi. Zerwał się na równe nogi i taksował wygłodniałym wzrokiem wszystkich wychodzących. Nie mógł uwierzyć, że za chwilę ją zobaczy. Pluł sobie w brodę, że jeszcze przed momentem był na nią wściekły. A ona jednak się odważyła i przyleciała do niego. Wciąż jej nie widział. Ale przyjechała i chciał wierzyć, że to dla niego narażała się na to wszystko, co się teraz z nią działo. Kolejny raz otworzyły się drzwi. Przechodzili przez nie pasażerowie. Jedni z uśmiechem na ustach, bo już zobaczyli kogoś na nich czekającego. Inni robili wrażenie zamyślonych. Na tych chyba nikt nie czekał. Pewnie dlatego udawali, że się gdzieś bardzo spieszą. Dostrzegał też takich, którzy rozglądali się nerwowo, zastanawiając się: czeka, nie czeka? W końcu ją zobaczył. Szła powoli. Bardzo powoli. Podążała za nią walizka na kółkach. Poczuł się jak ostatni dureń. Jak mógł być na nią wściekły? Szła w jego kierunku z delikatnym uśmiechem. Patrzyła na niego. Wiedział, że to do niego się uśmiecha. Była bardzo blada, ale uśmiechała się. Przeszła przez rozsunięte drzwi. Szedł w jej kierunku, nie zwracając najmniejszej uwagi na tych, których właśnie potrącał. Już był przy niej. Objął ją mocno. Przytulił i podniósł. Poczuł jej ręce owinięte wokół swojej szyi.

– Jesteś... – szepnął w granatowy szalik. – Dziękuję! Dziękuję! Dziękuję! – powtarzał, zaglądając jej w oczy. – Jak się czujesz? – zapytał, nie wypuszczając jej z rąk.

– Jak ślimak, który wygrał sprinterski bieg przez płotki – szepnęła mu wprost do ucha.

Była przeraźliwie blada, ale piękna jak nigdy dotąd. Wiedział, że powiedziała to, bo starała się ukryć swój brak formy.

– Wiesz, chciałabym w końcu poczuć ziemię pod stopami.

Spojrzał na nią, uśmiechnął się i pocałował ją w usta najnaturalniejszym z możliwych pocałunkiem. Postawił ją na ziemi, tak jak prosiła.

Jedną ręką wziął walizkę, drugą chwycił jej dłoń i ruszyli w kierunku patrzących na nich roześmianych przyjaciół. Mając ją obok siebie, frunął, zamiast iść. Unosił się kilka centymetrów nad ziemią. A wszystko dzięki niej. Wiedział, że miała dosyć wszystkiego. Jej ręka była nienaturalnie zimna. Jakby krew od dłuższego czasu omijała właśnie tę część jej ciała. Była jego. Zrobiła to dla niego. Był z niej dumny, ale musiał się jak najszybciej dowiedzieć o niej wszystkiego. Zatrzymali się przed parą zakochaną w bardziej nieskomplikowany sposób.

– Cześć! – Przemek oderwał się od uwieszonej na nim Dominiki i pocałował Hankę w blady policzek. – Obiło mi się o uszy, że jesteście bardzo głodne – sprytnie zagadnął.

– Ja to raczej nic nie przełknę – szepnęła Hanka, wlepiwszy wzrok w podłogę.

– Musisz coś zjeść! – Kategoryczny ton Dominiki nie spodobał mu się, ale wiedział, że chciała dla Hanki dobrze. Tylko miała dziwną i denerwującą manierę narzucania jej swojej woli. W dodatku robiła to bez wstępów i zakończeń. Ale wiedział też, że Hance wychodziło to zwykle na zdrowie. Dominika była doskonałym menedżerem jej życiowej dzielności.

Nagle poczuł, że Hanka chwyciła go mocniej za rękę i wsparła się na jego ramieniu. Przytulała się do niego. Czuł się nieziemsko.

– Chodźmy już – zaproponowała cicho, a Dominika zerknęła na nią z troską.

– Wiem, wiem! Spieszysz się, żeby zaciągnąć Mikołaja do łóżka. Ale musisz wiedzieć, że dopóki czegoś nie zjesz, to musisz zapomnieć o ekscesach. – Ton Dominiki był odwrotnością jej spojrzenia. Ten bezpośredni tekst trochę go wystraszył, ale jego rozkołysane w tej chwili zmysły szybko podchwyciły treść przekazu Dominiki. Bał się jednak o Hankę, bo czuł, że wspierała się na nim całkowicie. Ledwie trzymała się na nogach.

– Rozumiem – odezwała się jednak całkiem spokojnie – że jeżeli nic nie zjem, to z moich planów nici.

Żałował, że na niego nie spojrzała. Całą moc swojego wzroku Hanka utkwiła w twarzy chyba nieco zaskoczonej Dominiki.

– Myślę, że koniecznie, ale to koniecznie musisz coś zjeść. – Mikołaj najpierw spojrzał na Hankę, a za chwilę na Dominikę, która uśmiechała się do niego, nie kryjąc, że byli ostatnio w najlepszej komitywie.

– A ty, kochanie? Jesteś głodny? – Dominika postanowiła kontynuować uwodzenie Przemka.

– Jestem głodny – podchwycił szybko. – Chce mi się chrupać, gryźć i co tam jeszcze. Idziemy! – zarządził zdecydowanie i pociągnął za sobą wniebowziętą taką przemową Dominikę.

Oni jednak wciąż stali. Wtulona w jego ramię Hanka patrzyła z uśmiechem na oddalającą się od nich parę.

– Nawet sobie nie wyobrażasz, jak się cieszę, że przyjechałaś – nachylił się nad nią i szeptał jej do ucha. – Bałem się, że cię tu nie zobaczę.

– Ja też się cieszę – podniosła na niego wzrok. – Ale muszę ci się przyznać, że gdyby nie Dominika...

– Rozumiem... – przerwał jej. – Rozumiem, że to jej mam podziękować...

– Nie... – odpowiedziała po chwili namysłu. – To ja jej muszę podziękować.

– Czyli można powiedzieć, że ja mogę podziękować tobie. – Znów się nachylił, ale tym razem niczego nie chciał powiedzieć. Pocałował ją w policzek. W wolny policzek, bo drugim wtulała się w jego ramię.

– A wy co? – wydarła się przez pół holu przylotów Dominika. – Macie jeszcze całe dwa dni na migdalenie się! Chodźcie!

– Idziemy? Czy odłączamy się od wycieczki? – zapytał poważnie. Chciał ją mieć tylko dla siebie.

– Idziemy – odsunęła się od niego, ale nie pozwolił jej zabrać ręki.

– Nie puszczę cię. Przyjechałaś do mnie, więc jesteś moja – powiedział bardzo poważnie. Chciał być poważny. Patrzył teraz na nią pytająco. – Zgadzasz się?

– Nie wiem, co powiedzieć – uśmiechnęła się i lekko wzruszyła ramionami. – Może lepiej nie będę nic mówiła. Przecież milczenie oznacza zgodę.

– A nie wydaje ci się, że między nami jest za dużo milczenia?

– A nie słyszałeś nigdy, że milczenie...

– Miiikooołaaaj! – Dominika ewidentnie traciła cierpliwość.

– Po prostu powiedz, że jesteś moja, i dam ci spokój – pociągnął ją za sobą, ale musiał zwolnić. Czuł, że nie mogła za nim nadążyć.

– Jeżeli mam taką alternatywę – powiedziała zdyszanym głosem – to nigdy ci tego nie powiem.

– Ale ty to jesteś... – powiedział z wyrzutem.

– Jaka?

Uwielbiał, gdy go tak zaczepiała.

– Moja! – szepnął jej do ucha, gdy znaleźli się obok taksówki, która miała zawieźć ich do hotelu.

– Wsiadajcie, bo się zaraz zsikam! – popędzała ich Dominika, nie przejmując się tym, że Przemek zawzięcie szeptał jej coś do ucha, a taksówkarz przyglądał się ich czwórce z wyraźnym zniecierpliwieniem. Pakował ich bagaże, komentując coś głośno.

Hanka usiadła obok Mikołaja. Nie poprosił, marzył o tym. Chciał, żeby znów położyła głowę na jego ramieniu. Nie zrobiła tego. Obserwowała szybko zmieniające się obrazy za samochodową szybą. Praga witała ich mrozem i ciemnością rozświetlaną wieczornym życiem, które toczyło się tu identycznie jak w Warszawie, tylko w trochę innym języku. Poczuł się szczęśliwy... Chyba się doczekał...

Zerknęła na zegarek, którego wczoraj nie zdjęła z ręki. Przeżyła szok. Nie mogła uwierzyć, że tak długo spała. Dochodziła jedenasta. Widocznie atmosfera cichego hoteliku sprzyjała jej psychicznej rekonwalescencji po wszystkich wczorajszych przeżyciach. Nie mogła sobie przypomnieć, kiedy ostatnio tak dobrze i długo spała. Może to uniwersalność i bezosobowość typowego hotelowego wnętrza sprawiały, że pozbyła się męczącej nadwrażliwości. Na chwilę. To, co ją otaczało, z niczym jej się nie kojarzyło. Nie było tu zdjęć, pamiątek, zakazanych rewirów, do których nie mogła się nawet zbliżać. Przeciągnęła się. W rozświetlonym słońcem oknie zobaczyła czyściutki błękit nieba. Wyglądał tak, że przez moment wyobraziła sobie, że jest lipiec, wakacje i za chwilę zobaczy panią Irenkę krzątającą się przy śniadaniu. Było jednak inaczej. Był luty, ferie zimowe. Miała spędzić dzisiaj dzień w towarzystwie Mikołaja. Poczuła, że jest jej dobrze. Nie musiała gonić do pracy. To śmieszne, ale gdy była dzieckiem, grzeczną dziewczynką z podstawówki, w białej bluzeczce, białych podkolanówkach i oczywiście w granatowej plisowanej spódniczce na cienkich szeleczkach, zawsze w taki sam sposób celebrowała koniec roku szkolnego i początek wakacji. Mama odbierała je ze szkoły, Dominikę i ją. Najpierw zabierała je na lody, do ich ulubionej cukierni nieopodal bazarku. Po powrocie do domu wkładała ich świadectwa do specjalnego segregatora, po czym malowała jej paznokcie czerwonym lakierem. A co! Dzisiaj, właśnie w tej chwili, poczuła w sobie identyczną jak wtedy gotowość i dojrzałość do pomalowania paznokci czerwonym lakierem. Czerwony pazur zawsze stanowił dla niej symbol luzu i odpoczynku od obowiązków. Dominika nigdy nie chciała mieć czerwonych paznokci. Wolała, żeby mama zrobiła jej makijaż. Oczy zawsze kazała pomalować sobie na zielono, a usta na różowo. Już wtedy bardzo się różniły, ale doskonale uzupełniały.

Usiadła na łóżku i znów leniwie się przeciągnęła. Jej wzrok zanurkował w rozbebeszonej walizce. Tak naprawdę niczego w niej wczoraj nie szukała. Po prostu ją otworzyła i od razu jej zawartość wyglądała tak, jakby jakiś nerwus przynajmniej przez dziesięć minut usilnie czegoś w niej szukał. Patrzyła na różne fragmenty garderoby, które wczoraj spakowała jej, wydzierając się przy okazji, Dominika. Dopiero teraz zauważyła, że siostra poszła na łatwiznę. Jak to Dominika, po linii najmniejszego oporu. Spakowała ją najprościej, jak tylko się dało. Wrzuciła do jej walizki wszystkie prezenty od ciotki wciąż tkwiące w torbie, w której je dostała, ponieważ podczas wizyty ciotki była tak zajęta, że nie znalazła czasu, żeby rozlokować je w garderobie. Odetchnęła z ulgą. Oznaczało to, że w tym walizkowym galimatiasie była też bielizna.

Wstała i podeszła do okna. Hotel znajdował się w przepięknej kamienicy ulokowanej malowniczo pomiędzy mostem Karola a Rynkiem Starego Miasta. Zachwycona, patrzyła przez okno. Gdyby nie cienka warstwa śniegu pokrywająca miasto, można by pomyśleć, że jest inna pora roku. Na zewnątrz musiał panować lekki mróz, bo w drobinach rozsypanego wszędzie śniegu odbijało się słońce, wysyłając we wszystkie strony wesołe i błyszczące refleksy. Zrobiło jej się chłodno. Postanowiła wrócić do łóżka. Wsunęła się z radością we wciąż ciepłą pościel. Nakryła głowę kołdrą. Przed oczami miała lekki półmrok. „*Praha by Night*", pomyślała, uśmiechając się do siebie.

Podróży na lotnisko nie pamiętała. Dominika, gdy tylko znalazły się w taksówce, wetknęła jej w uszy słuchawki, z których sączyła się muzyka relaksacyjna z deszczowym motywem przewodnim. Kazała jej zamknąć oczy, po czym nałożyła na nie atłasowe okulary do spania w dzień. Z wyłączonymi zmysłami bez większych problemów pokonała trasę na lotnisko.

Wyjęła rękę spod kołdry i metodą dotykową odszukała telefon leżący na szafce nocnej. Włożyła go pod kołdrę i nacisnęła pierwszy lepszy klawisz. Telefon rozjaśnił otaczający ją pościelowy krajobraz błękitno-fioletową poświatą. Miała jedną nieprzeczytaną wiadomość. Mister Karp, godzina dziewiąta dwadzieścia cztery. Uśmiechnęła się i pomyślała, że chyba najwyższy czas nadać numerowi Mikołaja inny opis. Z drugiej zaś strony czuła ogromny sentyment i wielką słabość do tego określenia. Zresztą podobnymi uczuciami obdarzała właściciela tego symbolicznego pseudonimu. Określenie „Mister Karp" przypominało jej wieczór, gdy tak naprawdę się poznali. Nie mogła zapomnieć tamtego spojrzenia błękitnych oczu. Gdy zobaczył ją w pracowni, popatrzył na nią tak, jakby była istotą z innej planety, która w miejscu nosa ma ucho, a zamiast uszu wyrastają jej dwa nosy. Uśmiechnęła się do przywołanych w pamięci chwil i otworzyła wiadomość.

<Śpisz?>

<Już nie...>

Odpisała i odniosła wrażenie, że jej wiadomość nie zdążyła do niego dotrzeć, a on już oddzwaniał.

– Dzień dobry – odebrała od razu. – Ale z ciebie ranny ptaszek.

– Ranny? – zapytał, doskonale udając, że nie wie, o co jej chodzi. – Nie jestem ranny. Wprost przeciwnie, czuję się doskonale. Stoję teraz na moście Karola i zastanawiam się, co chciałabyś dzisiaj robić.

W jego głosie słyszała zachwyt nad miejscem, w którym właśnie przebywał. Był przecież architektem, a w tym mieście było na czym oko zawiesić, zwłaszcza fachowe oko.

– Muszę przyznać, że zaimponowałeś mi tym porannym spacerem.

Co chciałabyś robić? – powoli powtórzył pytanie.

– Najbardziej chciałabym zobaczyć Złotą Uliczkę. Chciałabym też przespacerować się mostem, na którym teraz jesteś, napić się herbaty we Franz Kafka Cafe. Zjeść knedle w jakimś najzwyklejszym barze albo może lepiej smażony ser z hranolkami. Posiedzieć w chłodnej ciszy kościoła Świętego Mikołaja. Może też chciałabym przejechać się metrem? Pamiętam, że jak byłam tu przed laty z moim tatą, najbardziej ze wszystkiego podobał mi się komunikat powtarzany w metrze: „Ukončete výstup a nástup dveře se zaviraji". Chyba tak brzmiał, a może tylko podobnie. Nie pamiętam dokładnie. A ty, co chciałbyś robić?

– Z tego, co słyszę, to będziesz doskonałą przewodniczką po mieście, więc chyba najprościej będzie, jak się do ciebie sprytnie podłączę.

– Nie wiem, czy cię na mnie stać – zażartowała.

– A można wynegocjować jakąś zniżkę?

– Oczywiście. A tak na poważnie, to zaplanowałeś dzisiejszy dzień?

– Wielka chwila jest o czternastej, więc za moment chyba będę musiał zbudzić Przemka. Jak go znam, to jeszcze śpi. Myślę, że około piętnastej będzie już po wszystkim. I tak czy siak, będziemy musieli pić. Albo z radości, albo z żałości.

– A co pan jada, że tak do rymu gada? – zapytała żartem, używając tekstu zasłyszanego od Aldonki. Bardzo chciała pokazać Mikołajowi, że jest w dobrym humorze. Była mu to winna. Znali się już blisko pół roku i miała pewność, że miał ją za bezgraniczną smutaskę. Chciała się mylić. Ale chciała też tu, w nadwełtawskim złotym mieście, pokazać mu się z innej strony. Musiała popracować nad zmianą swego wizerunku w jego oczach. Chociaż trochę. Mikołaj był tego wart.

– Jeszcze nic dziś nie jadłem. Pomyślałem, że może zjemy coś razem, ale na hotelowe śniadanie nie mamy już o tej porze szans.

– Chyba masz rację – odparła i nie udało jej się zapanować nad ziewnięciem.

– A może wolałabyś jeszcze pospać?

– Skąd wiesz?

– Nie wiem. Ale chciałbym, żebyś miała dużo sił na zwiedzanie i dzisiejszą noc.

Trochę ją zmroziło to, co usłyszała. A zwłaszcza jego zagadkowy ton, pod którym mogło się kryć wszystko.

– Nie wiem, czy sobie za dużo nie obiecujesz – zauważyła nieśmiało.

– Nie zapominaj, że od obiecywania jesteś ty. – Jego dobry nastrój był wyczuwalny nawet na odległość.

– Nie rozumiem. Czyżbym miała ci znów coś obiecać?

– Tak – odpowiedział.

– A mogłabym się dowiedzieć, co tym razem?

– Wszystko!

– Wszystko, czyli nic?

– Wszystko, czyli wszystko! A teraz śpij. Odezwę się, jak już będzie po wszystkim. Pa!

– Pa! Będę trzymała kciuki.

Już go nie słyszała. Ale było jej dobrze. Zdjęła z głowy kołdrę. Popatrzyła na niebo, na którym nie wiadomo skąd pojawiły się chmury przypominające porozciąganą we wszystkich kierunkach watę cukrową. Widocznie w niebie teraz też było słodko.

Stały z Dominiką na moście Karola. Poranne, słodkie niebo zamieniło się w błękitną polanę, przez którą gnały liczne i ogromne bałwany chmur. Most był zachwycający. Szkoda tylko, że był żelaznym punktem każdej wycieczki, bo panował na nim ogromny ruch. Przed jej zachwyconymi oczami rozciągało się arcydzieło z piaskowca, które w ciągu wieków przetrwało wiele zagrożeń. Jednak obserwując to, co się działo na nim w tej chwili, miała nieodparte wrażenie, że największym zagrożeniem było dla niego współczesne rozdeptanie przez niekończące się hordy turystów. Roześmianych, zakochanych, zamyślonych, a przede wszystkim hałasujących. Zdobiąca most galeria trzydziestu rzeźb drugi raz w życiu zrobiła na niej kolosalne wrażenie. Chociaż dziś most wydał jej się krótszy od tego, który zapamiętała sprzed lat. Już kiedyś przecież po nim spacerowała. W towarzystwie taty. Miała wtedy osiem lat. Nie zdążyła jeszcze poznać Dominiki. Mama wyjechała na jakąś rodzinną imprezę do ciotki Anny. A tato, który nie mógł jej towarzyszyć z powodu zawodowych zobowiązań, przywiózł małą Hanię do Pragi, ponieważ nie mogła pogodzić się z tym, że mama poleciała gdzieś daleko samolotem, a ona nie. Przypominała sobie teraz rozmowę prowadzoną z tatą właśnie na tym kamiennym kolosie. Musieli stać gdzieś w pobliżu figury świętej Anny...

Grupka młodych Francuzów wśród wielkiej wrzawy pozowała do zdjęcia przypadkowo chyba poproszonemu Japończykowi. Wychowany w zupełnie innej kulturze, z bardzo poważnym wyrazem twarzy dokumentował powyginane do granic możliwości ciała karmione od dziecka żabami i ślimakami. Zerknęła na postać, przy której zatrzymały się z Dominiką. *Nomen omen* był to święty Dominik. Uśmiechnęła się, patrząc na Dominikę topiącą spojrzenie w wartkim nurcie Wełtawy.

– Dominika, popatrz, stanęłyśmy przy twoim patronie.

Dominika rzuciła szybkie spojrzenie na posąg.

– Nie wyjeżdżaj mi tu teraz z patronem! Jeżeli za chwilę nie przyjdą, to umrę z nerwów albo z głodu!

– A z której strony przyjdą? – zapytała spokojnie. Też była głodna. W hotelu zjadła tylko maleńkiego rogalika.

– A skąd ja mam to wiedzieć?

Bojąc się pogryzienia przez wściekłą Dominikę, postanowiła się nie odzywać, tylko z większą niż dotychczas uwagą śledziła wszystkich wchodzących na most od strony Starego Miasta. Miała niczym nieuzasadnione przeczucie, że to właśnie tam dostrzeże proporce niesione przez wielkich triumfatorów międzynarodowych zmagań projektowych. W każdym zawodzie było tak samo. Sukcesy uskrzydlały. Bardzo chciała, żeby im się powiodło. Zapatrzyła się na parę młodych ludzi, którzy przechodzili obok niej. Szli objęci, nie widząc świata poza sobą. On dużo wyższy od niej. Bardzo przystojny, z aparatem fotograficznym przewieszonym przez ramię. Łudząco podobny do Briana Adamsa. Ona niziutka, w długiej, dżinsowej, rozkloszowanej spódnicy, ciemnooka. Za nimi powoli szła starowinka. Zgarbiona, na czarno ubrana babciunia, która pomimo swojej mikrej postury tak idealnie pasowała do atmosfery ogromnego mostu, że patrząc na nią, Hanka była przekonana, że musiała pokonywać tę trasę codziennie od wielu lat. Najpierw z tornistrem na plecach. Później z torbą pęczniejącą od studenckich skryptów. Wyobraziła sobie nawet sympatycznego rudzielca odważnie ją podszczypującego, gdy pchała przed sobą dziecięcy wózek. Niski, na dużych kołach. Teraz dreptała obok niej. W jednej ręce trzymała maleńką czarną zamszową torebeczkę, w drugiej szmacianą siateczkę na zakupy w ulubionym kolorze ciotki Anny. Z siatki wyglądała świeża i rumiana bułka. Babuleńka zdążała powolutku w sobie tylko znanym kierunku. Niestety, zginęła Hance w tłumie.

Hanka popatrzyła na początek mostu, a może koniec.

– Idą! – szturchnęła Dominikę odwróconą w przeciwnym kierunku.

Rzeczywiście, panowie zbliżali się do nich powoli. Miny mieli smutne.

– Przegrali! – szepnęła Dominika. – Niech to szlag!

– Wygrali! – powiedziała, widząc spojrzenie Mikołaja. Jego pierwsze spojrzenie dzisiaj. – Wygrali, mówię ci, tylko tak udają dla zwiększenia efektu.

– Mamy to! – nie wytrzymał i wrzasnął Przemek. Po czym od razu stęknął, bo Dominika wskoczyła na niego, jakby był stojakiem właśnie na nią. Swoim zwyczajem obcałowywali się, podczas gdy ona patrzyła na Mikołaja.

– Wiedziałam... – tylko tyle zdołała z siebie wydusić.

– Nie przesadzasz z tą radością? – zapytał z uśmiechem.

– Zawsze... – odpowiedziała.

Podeszła do niego i wspinając się na palce, wyściskała go serdecznie. Pięknie pachniał. Spod niedopiętej kurtki wyglądała błękitna koszula. Poczuła, że zamknął jej dłonie w swoich. Zimnych. Było odwrotnie niż wczoraj. Jej ręce były dziś ciepłe. Była wypoczęta i zrelaksowana. Jedno spojrzenie na Mikołaja wystarczyło, aby zobaczyła, że dzisiejszy dzień kosztował go wiele nerwów.

– Jesteś zmęczony? – zapytała od razu, gdy tylko pozwolił jej się od siebie oddalić.

– Jestem wypompowany. Jest mi zimno, głodno i do domu daleko. Jeżeli zaraz czegoś nie zjem...

– Tak, tak – wszedł mu w słowo Przemek. – Najpierw pójdziemy coś zjeść, a później zaczniemy świętować.

– Mam już pewien pomysł! – Dominika zemdlałaby, gdyby się nie wcięła.

– A jaki? – zapytał od razu Przemek, całując ją w czerwony, bo zmarznięty, nos.

– Chciałabym iść do dyskoteki. Czytałam w przewodniku...

– Zwariowałaś? – Hanka przerwała jej zdecydowanie. – Do dyskoteki? – powtórzyła zdegustowana i popatrzyła błagalnym spojrzeniem na Mikołaja. Niestety, szybko zauważyła, że pomimo wilczego głodu bawił się teraz w najlepsze.

– Nie zachowuj się jak zbowidówka! – Dominika zaatakowała ją, chcąc jak zwykle postawić na swoim. – Poza tym przypomnij sobie, jak kiedyś, wcale nie tak dawno, dawałyśmy czadu przez całe noce w Hybrydach, Wektorach, Stodole! Nie udawaj, że nie pamiętasz!

Wolała nie patrzeć na minę Mikołaja, bo jeżeli przypominała choć trochę zabawny uśmieszek Przemka, to wiedziała, że jej upór nie ma sensu. Poczuła się przegłosowana.

– To było dawno – westchnęła, zaglądając w roześmiane oczy Dominiki.

– Czyli najwyższy czas to sobie przypomnieć – usłyszała głos Mikołaja. – To gdzie idziemy wieczorem? – zapytał Dominikę.

– Lucerna Music Bar! – wyrecytowała siostrunia głośniej, niż było trzeba, oczywiście z wielkim zadowoleniem. – Czytałam, że to najlepsza imprezownia w całej Pradze.

Hanka się nie odezwała, najwidoczniej pomysł Dominiki podobał się wszystkim oprócz niej.

– Czyli co teraz? – zapytała, nie ukrywając zrezygnowania.

Przemek objął ją ramieniem.

– Teraz pójdziemy coś zjeść – uśmiechnął się. – A potem dostaniecie trochę czasu, żebyście ździebko odpoczęły przed całonocnym kręceniem pupką i oczywiście żebyście mogły zrobić się na bóstwa, z którymi my będziemy się bawić do białego rana. A co!

– A co! – powtórzyła jak echo Dominika.

W końcu, nie ukrywając niezadowolenia, zerknęła na Mikołaja. Przyglądał jej się z lekkim uśmiechem.

– Ale ładnie wyglądasz, jak się cieszysz – szepnął jej wprost do ucha i sprawnym ruchem strącił z niej ramię Przemka, który natychmiast, prawie automatycznie, przerzucił je na zadowoloną Dominikę.

– Ale ja się wcale nie cieszę! – powiedziała specjalnie tak głośno, żeby jej słowa nie umknęły uwagi Dominiki.

– Nie zachowuj się jak zbowidówka! – usłyszała drugi raz. Z tym że teraz z ust Mikołaja, który choć wszyscy już ruszyli, stał w miejscu i uśmiechał się do niej tajemniczo.

– Dlaczego nie idziesz? – zapytała zdziwiona.

– Bo chcę, żebyś wzięła mnie za rękę – to mówiąc, zmrużył oczy, ponieważ zza chmur na moment wyjrzało słońce.

Podeszła i już miała wyciągnąć do niego rękę, ale w ostatnim momencie zmieniła zdanie. Ukryła dłoń w kieszeni, zgarbiła się, naśladując swoją znajomą, pożeraczkę bułek, i powiedziała lekko trzęsącym się głosem:

– Walczyłam o wolność i demokrację i nie zadaję się z żółtodziobami!

– W takim razie proszę się chociaż wesprzeć na moim ramieniu – zniżył się do jej poziomu, co w jego wypadku nie było wcale takie proste, i podał jej ramię.

– Dziękuję ci, młodzieńcze – popatrzyła na niego łaskawym wzrokiem i wciąż dodając lat swojemu głosowi, powiedziała: – Och, gdybym była młodsza... – westchnęła tak, jakby naprawdę miała życie za sobą.

– Albo gdybym ja był starszy... – rozmarzył się Mikołaj. – Ale teraz wyprostuj się już, bo musisz oszczędzać kręgosłup na wieczorne szaleństwa – chciał ją przywołać do rzeczywistości.

Postanowiła, że nie uda mu się to łatwo.

– Co mówisz, młody człowieku? – zapytała, udając przygłuchą, i ruszyła przed siebie, nie zmieniając pozycji.

– Wyprostuj się, proszę – szepnął po dłuższej chwili. Wciąż dotrzymywał jej kroku w prawie pełnym skłonie.

– Bolą plecki? – zapytała i wyprostowała się, tym samym kończąc zabawę.

– Bolą! – Wyprostował się szybko. – Ale jestem bardzo szczęśliwy.

– Też się cieszę, że wygraliście.
– Ja akurat nie o tym... – mówiąc to, popatrzył na nią w taki sposób, że nie wiedziała, gdzie podziać oczy.
– Chodź! – poprosiła cicho.
Wyciągnął do niej bez słowa rękę. Po chwili wahania podała mu swoją.
– Tylko nie ściskaj zbyt mocno, bo ostatnio coraz częściej dokucza mi gościec stawowy.
– Będę z twoją ręką robił to, co mi się podoba.
Zdążyła otworzyć usta, żeby się bronić, ale on zdecydowanym ruchem przyciągnął ją do siebie i zbliżywszy do niej niebezpiecznie swoją twarz, szepnął:
– Jeść! Biegniemy jeść!
Pociągnął ją za sobą. Biegła i czuła, że zaczyna nieśmiało zerkać w przyszłość. Już zapomniała, jak to jest. Kiedyś w jej życiu było tak, że żyła bardziej perspektywą tego, co ma nastąpić, niż tym, w czym akurat brała udział. Dziś, gdy biegła obok Mikołaja, w poszukiwaniu Przemka i Dominiki, poczuła się znów młoda. Poczuła, że jest w niej pozytywna energia. Mikołaj wyprzedził ją nieznacznie. Odwrócił się w jej stronę i popatrzył na nią rozradowanym błękitem. Jego spojrzenie sprawiło, że przeżyła nagłą i nieoczekiwaną inwazję tylko dobrych uczuć. Znów była roześmianą studentką, która ma w sobie głębokie przekonanie, że świat stoi przed nią otworem, a tuż za rogiem czeka piękna, czysta i nieskomplikowana miłość.
– Zobacz! Są! – zatrzymała się nagle bo w tłumie przechodniów zauważyła obściskujących się Przemka i Dominikę. Zmęczyła się. Miała krótki i urywany oddech.
– Dzisiaj spędzimy dzień z nimi – powiedział bez śladu zadyszki Mikołaj – ale jutro chcę mieć cię tylko dla siebie.
– Jutro – przewróciła oczami – to wracamy do Warszawy – skonstatowała.
– Wiem, ale musisz przecież wywieźć z tego miasta jakieś ekscytujące wspomnienia.
– Chyba żartujesz? – celowo się z nim droczyła. – Ja nic nie muszę, panie Starski!
– Ale mam nadzieję, że chcesz – powiedział poważnie.
– Chcę! – usłyszała swój wesoły głos będący kontynuacją dokonującej się w niej bez ustanku inwazji dobra.

– Muszę ci się do czegoś przyznać... – zaczął, a Przemek spojrzał na niego pytająco. – Im było bliżej do końca, tym mniej wierzyłem w powodzenie całej akcji.

Hotelowy hol w porównaniu ze spokojnym i niemrawym porankiem teraz, wieczorem, tętnił życiem. Siedzieli z Przemkiem na miękkich jak puch kanapach w kolorze kanarkowym i czekali na dziewczyny. Mikołaj wciąż miał w pamięci piątkową załamkę, którą przeżył na lotnisku.

– Co ty powiesz? – Przemek lustrował wszystkich gości wychodzących z hotelowej restauracji. – Ja złapałem boja dopiero w momencie ogłoszenia wyników.

Słysząc Przemka, zrozumiał, że przyjaciel chyba pierwszy raz od dłuższego czasu nie do końca wiedział, o co mu chodzi.

– Nie mówię teraz o konkursie, tylko o Hance – uściślił.

– Lepiej powiedz, czy zaprosiła cię do siebie po wczorajszej kolacji, bo całkiem nieźle między wami iskrzyło.

– A jak myślisz?

– Zaprosiła! – bardziej stwierdził, niż zapytał Przemek.

Mikołaj pokręcił przecząco głową i głęboko westchnął.

– Jak to? Odprowadziłeś ją pod drzwi i nic?

– Nic – rozłożył bezradnie ręce.

– To ty, gościu, musisz się wybrać do mnie na korepetycje. Tanie i skuteczne – reklamował się Przemek. – Musisz się, facet, ogarnąć. Przecież tu już nie ma na co czekać. Ile razy mam ci powtarzać, że najwyższy czas, żeby zdecydowanie przyprzeć tę twoją Haneczkę do muru!

– To się nie uda! – śmiał otwarcie wątpić w teorię Przemka, którą słyszał już nie pierwszy i pewnie nie ostatni raz.

– Ale ty jesteś głupi! Mogę się założyć, że ona właśnie na to czeka. Wczoraj była przecież całkiem cieplutka.

– Myślisz?

– Ja nie myślę! Ja to wiem! O, jest Domi!

Rzeczywiście, w ich stronę szła Dominika ubrana w obcisłe dżinsy i czarną bluzkę pozbawioną niektórych fragmentów. Brakowało jej jednego rękawa oraz większości materiału na plecach. Ten ostatni brak zauważył dopiero wtedy, gdy zatrzymała się przed nimi.

– Cześć, zwycięzcy! Gdzie Hanka? – zapytała szybko i klapnęła na kanapę obok Przemka. Ale swój wzrok skupiła na Mikołaju. – O, widzę, że chcesz się przypodobać naszej pani profesor. Ona ma fisia na punkcie błękitnych koszul, a spodenki masz też całkiem nie najgorsze. No idzie, jaśnie pani!

Mikołaj spojrzał tam, gdzie patrzyła Dominika. Hanka szła w ich kierunku bardzo powoli. W przeciwieństwie do Dominiki, najwyraźniej nie chciała im zaprezentować swojej dyskotekowej kreacji. Była gotowa do wyjścia. Miała na sobie swoje krótkie białe futerko i jego granatowy szalik. Nie zauważył, kiedy Dominika wstała z kanapy. Już stała przy Hance i majstrowała przy guzikach jej futerka.

– Co robisz? – całkiem zdezorientowana Hanka odganiała się od niej jak od rozwścieczonej osy.

– Spokojnie! Chcę tylko zobaczyć, czy się dobrze ubrałaś! Nie! No! Oczadziałaś?! Czarne dżinsy mogą być, ale ta góra odpada!

Mikołaj zauważył, że Hanka miała na sobie czarną koszulową bluzkę. Jemu podobała się we wszystkim. Niestety, Dominika znokautowała jej strój już w pierwszym starciu.

– Wracamy na górę! Nie możesz w dyskotece wyglądać tak, jakbyś urwała się z zamkniętego zakonu, i to o ścisłym rygorze. My idziemy na taniec, a nie na różaniec! Zdejmuj tę gumkę do włosów!

– Dominika, daj spokój, bo nigdzie nie pójdę!

Dominika jednak, jakby w ogóle nie słysząc tego, co mówiła do niej Hanka, popatrzyła na nich.

– Dajcie nam jeszcze dziesięć minut. Za chwilę będziemy z powrotem! – Zgarnęła Hankę i pociągnęła ją za sobą.

Zanim weszły na schody wiodące na piętro, gdzie znajdowały się ich pokoje, Mikołaj zdążył zobaczyć w oczach Hanki bezsilność i rezygnację. Doskonale znał to spojrzenie. Nie zapowiadało dobrej zabawy. Przemek sięgnął po leżącą na stoliku obok kolorową prasę i zaczął przeglądać ją od niechcenia.

– Zastanawiam się, skąd ta twoja Domi ma tyle energii – zagaił.

– Chciałem coś powiedzieć – parsknął śmiechem Przemek – ale to głupie.

– Powiedz – poprosił. – Przecież jestem przyzwyczajony do twoich wątpliwych mądrości.

Przemek zerknął na niego lekceważąco i znów wlepił wzrok w gazetę.

– Pękasz? – zapytał Mikołaj zaczepnie.

– Posłuchaj, cieniasie. – Przemek odłożył gazetę, wstał i przeciągnął się przed nim. – To energia jądrowa!

– Ale śmieszne! – Słowa Przemka nie rozbawiły go ani trochę, zwłaszcza że stał wciąż przed nim i prężył się niczym mistrz kulturystyki.

– Powiedz lepiej, jak wyglądam. – poprosił Przemek narcystycznie.

– Jak rozładowany akumulator! – odgryzł się.

– Ale śmieszne!

– To powiedz, jak ja wyglądam. Pozwalam ci się odegrać! Proszę! – Przemek jednak milczał. – Strach cię obleciał? – specjalnie stąpał po grząskim gruncie.

– Jeżeli tak bardzo nalegasz – Przemek zaczął mówić z manieryczną wyższością – to powiem ci – cedził powoli słowa – że wyglądasz jak potrzebujący żubr.

– Dlaczego akurat żubr?

– Później ci powiem. Zobacz! Idą nasze gwiazdy. Chodźcie już, chodźcie, bo jest coraz później.

Hanka wyglądała pięknie. Miała rozpuszczone włosy, widoczny makijaż i niewyraźny wyraz twarzy. Wziął ją za rękę.

– Wszystko w porządku? – zapytał szeptem.

– Nie mam już do niej siły! – odpowiedziała, rzucając w stronę Dominiki smutne spojrzenie.

– Jeszcze mi podziękujesz! – fuknęła Dominika, po czym utkwiła swoje czarne jak węgle oczy w Mikołaju i pokazując w jego stronę paluchem, dodała: – I ty też!

W szatni dyskoteki zrozumiał powód niewyraźnej miny Hanki, podczas jazdy taksówką. Gdy zdjęła z siebie futro, zobaczył, że komplet do jej czarnych dżinsów stanowiła teraz czarna bluzka, która w przeciwieństwie do ubrania Dominiki miała wszystkie niezbędne fragmenty, natomiast uruchomiała jego wyobraźnię tak, jakby jej wiele brakowało. Hanka miała na sobie tak naprawdę jedynie czarny pasek obcisłego materiału naszyty na bardzo przezroczystą tkaninę spływającą luźno po jej ciele. Odruchowo przełknął ślinę. Chyba to zauważyła.

– Proszę cię, nie patrz tak, bo za chwilę stąd ucieknę.

Nie zdążył nic powiedzieć, bo Dominika włożyła głowę między nich.

– I co? – odwróciła się w jego stronę. – Niezła, co? Niby wszystko widać, a nic nie widać. Jeszcze lepiej byłoby bez stanika, ale...

Hanka położyła dłoń na ustach Dominiki.

– Proszę cię, nie słuchaj jej. Przez nią teraz czuję się jak...

Nie mógł od niej oderwać oczu. Czarny delikatny materiał spływał po jej ciele prawie jak woda, a obcisły materiał przylegał ściśle do jej piersi. Zauważył, że Przemkowi też zaświeciły się oczy, gdy zobaczył ten strój.

– Już? Napatrzyliście się, jak jestem pięknie nieubrana? – Bezradnie opuściła ręce.

– A może zauważysz w końcu jakieś plusy? – Dominika spojrzała na nią wyjątkowo krzywo.

– Może mi podpowiesz, bo na razie czuję tylko przeciąg na ciele.

– Na przykład – Dominika zastanowiła się przez ułamek sekundy – mała szansa, że spotkasz tu jakichś swoich uczniów.

– Jeszcze tego brakowało! – Nie skończyła mówić, a on już wyobraził sobie minę Mateusza, gdyby dane mu było zobaczyć ją w tej chwili.

Wyglądała olśniewająco i cudownie. Nie wiedziała jednak, co zrobić z oczami i rękami. Postanowił jej pomóc.

– Chodź tu do mnie – objął ją ramieniem. – Wyglądasz cudownie. Muszę cię dobrze pilnować, bo... – przerwał na moment i przebiegł wzrokiem po jedynym nieprzezroczystym fragmencie jej bluzki.

– Możesz mnie nie pogrążać? – powiedziała całkiem poważnie. – Proszę cię, nie patrz tak na mnie.

– Albo patrzę, albo dotykam. Wybór należy do ciebie. – Dałby głowę, że jego słowa ją wystraszyły.

– Wody – powiedziała szybko. – Napiłabym się wody.

Wziął ją za rękę i podążył za Dominiką i Przemkiem, którzy torowali im drogę do chyba najbardziej obleganego baru w czeskiej stolicy. Szedł pierwszy i ciągnął, dosłownie ciągnął za sobą Hankę. Naprawdę bał się, że ją zgubi. Obawiał się, że może mu zniknąć z oczu, tak jak kiedyś zniknęła z plaży. Była i nagle zniknęła. I szukaj, chłopie, wiatru w polu. Głośna muzyka nie była w stanie zagłuszyć jego myśli. Dominika wykazała się nie lada sprytem i szybko zorganizowała atrakcyjne miejsce przy barze. Dumna z siebie, rozsiadła się na wysokim stołku. Panujący tłok, ku jego radości, zmuszał do bardzo bliskiego kontaktu. Jeszcze nigdy nie był tak blisko Hanki. Zagubiona, wtulała się w niego. Objął ją w talii.

– Czego się napijesz? – szepnął, dotykając ustami jej ucha. Udawał, że nie usłyszał wcześniej, na co miała ochotę.

– Wody – przeczytał z ruchu jej warg. Przekazała mu tę prośbę bez użycia głosu.

– A nie chcesz... – nie zdążył skończyć.

– Jeżeli mamy jutro w planie wycieczkę – również mówiła mu wprost do ucha – to woda jest OK.

Nagle ktoś przechodzący obok potrącił ją i odruchowo oparła ręce o jego tors. Zrobiła to tak, jakby się przed nim broniła. Jej dotyk poczuł na skórze głowy i stóp jednocześnie. Zabrakło mu tchu. Przestawał nad sobą panować. W dodatku Dominika strzeliła nagle z ramiączka biustonosza Hanki, prześwitującego przez materiał bluzki.

– Zobacz! – powiedziała do niej głośno i wskazała na rozkołysany tłum. – Tutaj obowiązkowe są tylko stringi. Stanik to przeżytek, idź do ubikacji i go zdejmij. Mówię ci! – Okręciła się w miejscu, podczas gdy Mikołaj z trudem łapał oddech, po czym od razu przykleiła się do Przemka, który bez żenady wpatrywał się w erotyzujący w rytm muzyki tłum.

Na Mikołaju nic nie robiło wrażenia. Ani gołe ramiona, plecy, brzuchy. Długie nogi, rozpuszczone włosy, przymknięte powieki. Widział to wszystko, ale nie mógł oddychać, dlatego że czuł na sobie dotyk ciała Hanki. Była tak blisko. Kurczowo trzymała się jego ramienia. Jakby się czegoś bała. Najprawdopodobniej przerażał ją hałas i tłum. Podał jej wodę. Wzięła od niego szklankę, ale nie zdążyła nawet zamoczyć w niej ust, bo nagle wyrósł przed nimi ogromny, chyba ponaddwumetrowy Murzyn i nienaganną angielszczyzną poprosił ją do tańca. Zatkało go, a gdy doszedł do siebie, Hanki już przy nim nie było. Na szczęście nie zginęła wśród tłumu. Zobaczył ją przy górującym nad wszystkimi czekoladowym dryblasem.

– Ale jaja! – zaśmiała się Dominika. – Nieźle, co?!

Niestety, nie podzielał jej rozbawienia.

– Słuchajcie, chłopaki! To ja skoczę przypudrować nosek, a wy tu pilnujcie, żeby ten mocno wyrośnięty Bambo nie zrobił naszej Hanusi dziecka w tańcu! – wrzasnęła, odwróciła się na pięcie i zniknęła.

– Ale numer, rzeczywiście. – Przemek kiwał głową. – To czego się napijemy?

Mikołaj nawet na niego nie popatrzył. Nie spuszczał oka z Hanki. Nie był w nastroju ani do rozmów, ani tym bardziej do picia.

– Stary! Wyluzuj! – uspokajał go Przemek – Zaraz ci ją odda.

Jego jednak nie interesowało, co Przemek miał mu w tej chwili do powiedzenia. Stał nieruchomo i przyglądał się, jak Hanka dosłownie ginęła pod wielkimi rękoma tamtego. Wyglądała przy nim jak Jessica Lang przy King Kongu. Gość był ogromny i miał doskonałe, zagwarantowane przez geny, wyczucie rytmu. Wśród wszystkich tańczących wyróżniał się nie tylko wzrostem, ale też czymś, co Mikołaj mógł nazwać inteligencją ruchu. Murzyn był mistrzem tańca. Niestety, miał też absolutną władzę nad Hanką i jej ciałem. Znał ją od kilku minut, a jego ręce były wszędzie tam, dokąd on odbywał podróże tylko w wyobraźni. Widział, jak dotyka Hankę, jak ją do siebie przyciska. Wpatrywał się w jego ręce ślizgające się po jej bluzce, niebluzce. Wydawało mu się, że przyciska ją do siebie o wiele za mocno. Że jego ręka, zamiast dotykać jej pleców, wędruje o wiele za nisko. Przypomniał sobie studniówkowy smak zazdrości i rozczarowania. Kolejny raz widział ją w objęciach innego, który tym razem wyraźnie pozwalał sobie na zbyt wiele. Nagle w dyskotece zmieniły się światła. Nie były już kolorowe i nie zmieniały się regularnie. Wszystkich tańczących oświetlały teraz nienaturalnie pulsujące światła stroboskopowe. Parkiet dyskoteki wypełnił się istotami, które swoimi ruchami doskonale naśladowały roboty. W sekundzie Hanka stała się dla niego stop-klatką. Oglądał w tej chwili nie jej taniec z tym natrętem, tylko ich wspólne fotografie. Jego biała, sportowa, opinająca tors koszulka miała nienaturalny kolor zbliżony do ultrafioletu. Hanka niezmiennie ginęła w jego zachłannych ramionach. Schylał się do niej. Stop-klatka pokazywała mu teraz, jak zbliżał usta do jej szyi. Jego ręka ugniatała jej... Nie mógł dostrzec wyrazu twarzy Hanki, ale widział, że ten gość z piekła rodem zachowywał się tak, jakby chciał zerwać z Hanki mgłę jej bluzki. Nie wiedział, kiedy włożył ręce do kieszeni spodni. Był wściekły. Poczuł, że bolą go szczęki od odruchowego ich zaciskania.

– I bardzo dobrze! – nieoczekiwanie usłyszał przy uchu głos Przemka.

– Co, bardzo dobrze?! – wrzasnął. Nie rozumiał, o co mu chodziło.

– Bardzo dobrze, że to widzisz!

– To jakiś żart?! – zapytał, czując, że jego poziom adrenaliny niebezpiecznie zbliża się krytycznego punktu.

– Żaden żart! – wyprowadził go z błędu Przemek. – Dobrze, że ją widzisz w takiej sytuacji. Zobacz, ten figo fago zna ją od pięciu minut i dotyka jej wszędzie. Gdzie tylko chce. I popatrz, nic jej się nie stało! Żyje! Przyjrzyj się. To jest normalna dziewczyna z krwi i kości, a nie jakaś zimna laleczka z saskiej porcelany, która jak ją mocniej przyciśniesz, to się rozleci na małe kawałki. Zobacz, co on z nią wyrabia! Gdyby mógł, to by w nią teraz wszedł!

– Nie przesadzaj! – znów podniósł głos i zdecydowanie przerwał wyjątkowo wredną przemowę Przemka.

Nie mógł tego dłużej oglądać. Odwrócił się w stronę baru. Dobrze, że Dominika była stomatologiem, bo groził mu szczękościsk. Na szczęście dodatkowo podsycająca ostatnie chwile swoim erotyzmem muzyka na ułamek sekundy ucichła. Po jego upływie usłyszał nowe, dużo spokojniejsze brzmienie. Odwrócił się i znów narażając się na tortury, spojrzał w ich stronę. Zobaczył, że Hanka, uśmiechając się trochę niewyraźnie, rozmawia ze swoim odważnym partnerem. Patrzył na niego ze złością i wiedział, że tancerzowi wciąż było mało. Odetchnął z ulgą, gdy zobaczył, że najwidoczniej mu podziękowała i nareszcie podążała w jego stronę. Wyglądała cudownie. Jej zwykle bladą twarz pokrywał rumieniec fizycznego zmęczenia żywo kontrastujący z niegrzecznie rozwianymi w tańcu włosami. Już była przy nim. Wsparła się na jego ramieniu.

– Pić! Bo umrę! – sapnęła. Jej bluzka falowała od przyspieszonego oddechu.

Bez słowa podał jej czekającą na nią wodę, którą piła duszkiem. To niewyobrażalne, ale w tym nieziemskim hałasie słyszał jej szybki, trochę urywany oddech. Zmęczyła się, a raczej to tamten ją wymęczył. Jej oddech wystawiał na ciężką próbę jego nadwerężone ostatnimi obserwacjami zmysły.

– I jak tam?! – Dominika włożyła między nich głowę. – Dziecka ci nie zrobił? – zapytała od niechcenia, podnosząc mu tym pytaniem ciśnienie do granic wytrzymałości.

– Nie. – Hanka postawiła na barze prawie pustą szklankę. – Ale musiałam na siebie bardzo uważać. – Poprawiała sobie włosy w taki sposób, że miał ochotę ją... Z trudem nad sobą panował.

– Czyli był taniec z dyszlem?

Hanka w momencie spoważniała. Dominika nie tylko Mikołaja zaszokowała swoją bezpruderyjnością.

– Nie przesadzaj, kochanie! – usłyszał głos Przemka, który już ciągnął Dominikę w stronę parkietu. – Przestań świntuszyć i chodź tańczyć.

Usłyszał dużo spokojniejsze niż do tej pory brzmienia. Na parkiecie rozpoczęła się rotacja. Soliści jakby zapadli się pod ziemię i pozostały na nim same pary bujające się w wolnym tempie. Nagle poczuł, że Hanka ścisnęła mocno jego odszukaną przed chwilą dłoń.

– O Boże! – szepnęła mu wprost do ucha. – Zobacz, znowu tu idzie.

Nie myliła się. Z daleka zobaczył fluorescencyjną biel uśmiechu Bambo.

– Mikołaj, proszę cię, zatańczmy, bo drugiego tańca z nim nie przeżyję – zerknęła dyskretnie w stronę zbliżającego się zagrożenia.

Delikatnie pociągnęła go za sobą i szybko wtopili się w kołyszący tłum obejmujących się par.

Nie wiedział, co się dzieje. Na moment stracił poczucie rzeczywistości. Słyszał jedynie, że jakaś nieznana mu dotąd wokalistka podpowiadała Hance wszystko, co miał teraz w głowie. „*It's amazing, it's amazing...*", brzmiał nastrojowy refren bardzo spokojnego utworu. Wszystkimi zmysłami chłonął bliskość Hanki. Jego ręce spoczywały na jej szczupłej talii. Przez cieniusieńki materiał bluzki wyczuwał ciepło jej skóry. Oparła ręce na jego przedramionach, a głowę położyła na wysokości kieszeni jego koszuli. Ustami dotykał jej włosów. Pachniały cudownie. Wciąż słyszał słodkie „*It's amazing*". Dotykał jej i w końcu dotarły do niego słowa Przemka. Hanka rzeczywiście nie była zimną porcelanową lalką. Czuł teraz, że była jej przeciwieństwem. Całym sobą odczuwał jej ciepło. Przytulił ją mocniej. Nie opierała się. Chciał wsłuchać się w jej ciało. Było mu cudownie. Hanka z dużym wyczuciem rytmu wtapiała się w niego. Jej bliskość ogłuszała go, mimo że nastrojowe „*It's amazing*" w połączeniu z jej ciepłem i zapachem rozbudzało wciąż i coraz bardziej jego i tak niebezpiecznie nadwerężone zmysły. Nie chciał, żeby piosenka się skończyła. Bał się tego. Hanka delikatnie poruszyła głową. Podniosła ją i popatrzyła mu prosto w oczy.

– Ale dobrze... – odczytał z ruchu jej warg.

– Przytul się... – wyszeptał i powędrował ręką w górę, by znaleźć dla niej oparcie na jej przykrytej rozpuszczonymi włosami szyi.

Poczuł, że ręka Hanki też zmieniła swoje położenie. Spoczęła na jego boku, tuż nad paskiem spodni. Wystraszył się, że więcej nie wytrzyma. Miał wrażenie, że za chwilę eksploduje. Oddychał coraz szybciej. „*It's amazing*" zamieniło się w inny tekst, ale wbrew jego obawom nic złego się nie stało. Parkiet znów szczelniej wypełnił się esami-floresami powyginanych ciał. Zrozumiał zasłyszaną kiedyś definicję dobrej muzyki. Miała nie przeszkadzać w tańcu. Szalone bity, które właśnie docierały do jego uszu, nie były w stanie narzucić swojej woli ich sklejonym teraz ciałom. Chciały jedynie dogonić rytm jego serca. Nie udawało się im. Przegrywały. Nic dziwnego, bo nie było mowy o *fair play*. Jego serce było teraz na dopingu, który stanowiło ciało Hanki. Podniosła głowę.

– Chyba trochę za wolno tańczymy... – powiedziała. Szeptać się nie dało. Zamknęła oczy.

– Przeszkadza ci to? – schylił się do jej ucha i zadając pytanie, specjalnie muskał je ustami.

– Ani trochę... – usłyszał i poczuł, że znów oparła o niego swoją głowę.

Zrozumiał, że cierpliwość się opłacała. W jego głowie dzwoniła teraz sylwestrowa wróżba. Była prawdziwa. Czekał i się doczekał. To beznadziejne czekanie opłacało mu się jak nic innego do tej pory.

Padła na łóżko. I pomyśleć, że jakieś osiem godzin temu dostawała palpitacji serca na myśl, że musi spędzić wieczór w dyskotece. Że obrażona mówiła do Dominiki, że już nie umie tańczyć. Że zapomniała, jak to się robi, i nie widzi powodu, żeby sobie przypominać. Dobrze, że Dominika miała gdzieś jej słabiutkie argumenty, i rozgrzebując i tak już skotłowaną zawartość jej walizki, wyrecytowała jej swoją ulubioną formułkę, że z tańcem jest jak z seksem. Po pierwszym razie zawsze wszystko się przypomina, gdy tylko zajdzie taka potrzeba. Słyszała to już wiele razy. Przed nartami w Austrii, łyżwami na Stegnach, kajakiem na Krutyni, pływaniem żaglówką po Jeziorze Mikołajskim.

Przetańczyła z Mikołajem prawie całą noc. Czuła jego subtelny i bardzo delikatny dotyk. Była pod jego wrażeniem, zwłaszcza że mogła go porównać z dotykowym imadłem Linusa, który bez ostrzeżenia przeciągnął ją przez poligon w trzech miejscowościach. Obmacywanie Górne, Obmacywanie Dolne, Obmacywanie Wielkie. Jeden taniec, a wizyta w trójmieście, a raczej w trójwsi. Nieźle, całkiem nieźle. Taneczna wycieczka w ramionach

Mikołaja miała całkiem inny smak. Była spokojna i atrakcyjna do bólu. Przyjemnego bólu. Pomimo ogłuszającej i atakującej ją zewsząd muzyki rejestrowała, niczym podsłuch najnowszej generacji, każdy oddech, ruch i gest Mikołaja. Czuła, że ich wzajemna bliskość, odkrywana tak naprawdę po raz pierwszy, robiła ogromne spustoszenie nie tylko w jej umyśle. Podczas tańca byli z sobą zrośnięci. Na pozór była spokojna, ale wszystko w niej fruwało. Działo się tak, jakby tylko jej wnętrze chciało dopasować się do panującej na zewnątrz muzyki i tempa dyktowanego przez noc. Jego ręka dotykająca jej szyi powodowała cudowne wzruszenie. Cudowne, bo bez gruszki w gardle. Mając go obok siebie, czuła się bezpiecznie i kobieco. Gdy tańczyła z Linusem, zaklinała go w myślach, żeby przestał. Natomiast czując delikatny dotyk dłoni Mikołaja, błagała go w duszy o więcej i więcej. W sumie może dobrze się stało, że Dominika w pewnym momencie, ku jej wielkiemu wkurzeniu, zarządziła odbijanego, bo usta Mikołaja błądzące po jej szyi powodowały u niej grożący śmiercią bezdech. Marzyła o tym, żeby ją pocałował. Wtedy i teraz. Chociaż nie było go już przy niej.

Zdjęła zegarek. Leżała na łóżku, nie czując nóg, a jednocześnie wciąż kołysała się wsparta o jego ramiona. Dominika z pewnością popukałaby się w czoło, gdyby wiedziała, że nie zaprosiła go do siebie po powrocie z dyskoteki. Nie zrobiła tego. Wystraszyła się. Pożegnała się z nim pod drzwiami swojego pokoju na przekór swoim pragnieniom. Patrzyła w sufit i była pewna, że właśnie odmówiła sobie jakiegoś cudu. Zamykając przed Mikołajem drzwi, chciała mieć czas na przeżycie wszystkiego, co wydarzyło się w dyskotece. Od początku, od nowa, od początku, od nowa. Chciała dokonać rekonstrukcji wydarzeń minionego wieczoru i nocy, chociaż nie dopuściła się żadnego przestępstwa. Mikołaj ujmował ją swoją subtelnością i wyrozumiałością. Gdy pod drzwiami jej hotelowego pokoju okazało się, że wspólny wieczór właśnie dobiegł końca, było mu przykro. Nie mogła nie zauważyć, że był niepocieszony. Po męsku niepocieszony. Ale nie nalegał. Przyjął jej decyzję ze spokojem i z uśmiechem. Poczuła się trochę jak dozownik, który raz przyciśnięty, jest w stanie ofiarować tylko ściśle określoną zawartość siebie. Wiedziała, że nie może postąpić inaczej. Chciała być wobec niego w porządku. Stała oparta o drzwi pokoju, a on patrzył na nią bez słów. To spojrzenie było pytaniem. Musiała mu najpierw wszystko powiedzieć. Bez wdawania się w szczegóły. W trzech zdaniach. Tak jak obiecała to ciotce Annie. Mikołaj musiał poznać te zdania. Chciała, żeby je zrozumiał. Nie mogła ich przed nim ukryć. To byłaby nieuczciwość. W tym konkretnym przypadku przemilczenie prawdy byłoby kłamstwem. Żałowała, że wspólne zdjęcie z ciotką Anną wciąż leżało u fotografa. Łudziła się, że przy nim oswajanie prawdy o tamtym Mikołaju będzie łatwiejsze. Każdym centymetrem swojej skóry odczuwała teraz, że atmosfera Pragi nie sprzyja tej spowiedzi niepotrzebującej odizolowanego od świata konfesjonału. Nie ten czas i nie to miejsce. Było jej tu dobrze. Nie mogła uwierzyć, że tak się czuła. Niestety, poczucie winy czaiło się za każdym jej uśmiechem. Potrzebowała czasu, żeby dojrzeć do dobrego życia. Ale najpierw prawda, a potem... Może cała reszta życia.

Otwierała i zamykała oczy. Nie mogła uwierzyć, że tu była. Znów... Jak kiedyś... Jej Złota Uliczka... Minidomki rozlokowane wzdłuż króciutkiej uliczki. Wszystko, co widziała, było takie jakby ciut za małe. Drzwiczki, okieneczka, płoteczki. Wszystko takie cmok, cmok. Tycie, tycieńkie... Malusieńkie, kolorowiutkie... Idący obok Mikołaj zamykał jej zimną dłoń w swojej ciepłej. To właśnie tu chciała przyjść przede wszystkim. Wspaniałe uczucie. Kiedyś był to świat w jej rozmiarze. Dziś małe domki wydawały się słodkie, a wtedy gotowe do zamieszkania. To tutaj, jako mała dziewczynka, zdała sobie sprawę, że otaczający ją świat jest dla niej po prostu za duży. Żabia perspektywa koszmarnie utrudniała jej dziecięce życie. Zwłaszcza że miała wówczas jedno, jedyne marzenie. Chciała być dorosła. Nie mogła jeszcze wtedy wiedzieć, że dorosłość może mieć słodko-gorzki smak. Czuła się jak w bajce. Cudnie... Szli bez słowa. Ziewnęła.

– Jak spałaś?

– Krótko, ale jak zabita – odpowiedziała beztrosko.

Było kilka minut po dziewiątej. Chyba nie było mrozu. Niebo wyglądało jak spokojne morze. Bez bałwanów fal... Chmur... Patrzyła na atłasowo gładki błękit. Słońce z minuty na minutę wędrowało coraz wyżej.

– Zobacz! Domek numer dziewiętnaście – wzruszyła się. Wyglądał dokładnie tak, jak go zapamiętała. – Gdy byłam tu z tatą, w tym małym ogródeczku rosły śliczne, kolorowe pierwiosnki.

– Pamiętasz to? – zapytał z niedowierzaniem Mikołaj.

– Doskonale. Zakochałam się wtedy w tym miejscu, a przecież pierwszych miłości nie zapomina się nigdy.

– A dziś też jesteś zakochana? – umiejętnie chwycił ją za słowo.

– Dziś... Jestem wzruszona z tego powodu, że doskonale pamiętam tamte myśli i przeżycia. Będąc dzieckiem, bardzo dużo podróżowałam. Z rodzicami. Ale nigdzie nigdy nie chciałam zostać na zawsze. Pojechać, zobaczyć i wrócić. Natomiast w tym miejscu chciałam zostać na zawsze. W takim małym domku mogłabym poczuć się dorosła. Myślałam wtedy, że nawet moja lalka mogłaby zamienić się tu w prawdziwego dzidziusia. Musisz wiedzieć, że gdy byłam mała, miałam hopla na punkcie lalek. Dlatego tylko tutaj mogłam mieć mój mały raj na ziemi. – Słuchał jej z zainteresowaniem. – Ale wiesz, jest jeszcze jedno takie miejsce. Byłam tam kiedyś. Na terenie dawnej NRD jest mała miejscowość. Nazywa się Spreewald. Tam też wszystko, no może prawie wszystko jest w rozmiarze dziecięcym. Krajobraz ogląda się, pływając łodzią lawirującą pomiędzy słodkimi ogródeczkami. Mieszkają w nich krasnoludki, żabki, bociany, małe pieski i kotki. Najwięcej jest jednak krasnoludków. Gdybym zobaczyła to dziś, na pewno odebrałabym to wszystko jako szczyt bezguścia i kiczu. Ale wtedy udawałam, że jestem sierotką Marysią, a podstarzały gondolier pięknym królewiczem. – Wciąż stali przed ogródeczkiem domku numer dziewiętnaście. Dziś był przyprószony śniegiem. Pierwiosnki odpoczywały po wiośnie... Przed wiosną... – Ale się rozgadałam. Nie zanudziłeś się? – wystraszyła się, że przesadziła z tymi wspomnieniami.

– Szkoda, że mnie nie uczysz, byłbym prymusem. Uwielbiam cię słuchać – przyznał rozmarzonym głosem.

– Nie udawaj! – roześmiała się. – Na pewno w duchu modliłeś się, żebym w końcu przestała.

– To niesamowite, że tak dokładnie pamiętasz swoje myśli. Minęło tyle lat... W porównaniu z tobą jestem jak niedorozwinięty, bo nie pamiętam prawie nic.

– Idziemy dalej?

– Opowiedz coś jeszcze – poprosił chyba zupełnie szczerze.

– W takim razie – zaczęła od zaczerpnięcia chłodnego powietrza – czeka cię jeszcze jedna historia mająca swe źródło w efekcie skali. Moi dziadkowie... – zaczęła opowiadać, jak bajkę, jedno z najwyraźniejszych i najlepszych wspomnień ze swego dzieciństwa. – Rodzice mamy mieszkali na przedmieściach. Mieli mały domek z ogródkiem.

– Na jakiej ulicy?

– Powiedzmy... – zastanowiła się chwilę. – Na Warszawskiej... – mrugnęła do niego tajemniczo. – W centralnym punkcie ogrodu była okrągła, murowana studnia pełniąca funkcję stołu. Gdy przyjeżdżaliśmy do babci i dziadka, studnia zawsze zamieniała się w bufet uginający się pod ciężarem przepysznych dań. Często przychodzili sąsiedzi. To były całkiem inne czasy niż teraz. Ludzie byli bardziej otwarci. Ale wróćmy do wątku studni. Po jednej jej stronie rosły uprawiane przez dziadka truskawki, a po drugiej co roku sadził ziemniaki. Osobiście zbierałam z nich do małego słoiczka stonki. Krewne biedronek – uzupełniła. – Obok ziemniaków były grządki należące do babci. Rosły tam buraczki, marchewka, pietruszka, ogórki, szczypiorek, sałata zielona, chyba...? – zastanowiła się przez chwilę. – Tak, rosła też sałata, na pewno. Obok studni stał zrobiony przez dziadka drewniany trzepak. Do trzepania chodników. Dywanów w domu dziadków nie było. Po ścianie domu sąsiadów przylegającego do ogrodu, po podpórkach zrobionych oczywiście przez dziadka, pięły się winogrona. Babcia zawsze mówiła o nich „toż to jeden kwas". – Hanka zamknęła oczy i odwróciła twarz do słońca. Czuła na sobie błękitny wzrok.

– To koniec? – zapytał zdziwiony Mikołaj.

– Jeszcze nie – otworzyła oczy i spojrzała na niego. Uśmiechał się. – Największą ozdobą tego ogrodu były kwiaty. Zasadzone zgodnie z regułami artystycznego nieładu. To tu, to tam. Moja babcia siała zawsze kolorowe cynie. Bardzo charakterystycznie wymawiała ich nazwę, jakby w miejscu litery „i" było „j". Rozsiewała też astry. Jednak to nie te kwiaty są dla mnie symbolem mojego dzieciństwa. – Znów zamknęła oczy, bo chciała teraz, w promieniach ciepłego słońca, pospacerować w innej rzeczywistości. Realnej, ale nie do obejrzenia. Już nigdy. – Najpiękniejsze w ogrodzie moich dziadków były georginie. Tak nazywała je babcia. Kwiaty te w rzeczywistości mają inną nazwę, ale jej nie pamiętam. Poza tym dla mnie zawsze będą georginiami. Rosły przy płocie, po wewnętrznej stronie ogrodu. Po zewnętrznej stronie, o ile dobrze pamiętam, choć tego nie jestem, szczerze powiedziawszy, pewna, po płocie zrobionym przez dziadka z okrągłych patyków wspinała się pomarańczowa nasturcja. Ale wracając do georginii, przechodziłam obok nich miliony razy. Zobacz, tu jest studnia – wskazała ręką studnię, która istniała tylko w jej wyobraźni. – Tu, biegnąca troszkę w dół, ścieżka prowadząca do wyjścia z ogrodu. A tu pod płotem georginie. Były piękne. Miały duże, lekko błyszczące, ciemnozielone liście, a ich kwiaty były ogromne. Miały rozmiar talerzy obiadowych. Najlepiej zapamiętałam te w kolorze różowym. Tak naprawdę ich płatki zaczynały się kolorem purpury, a kończyły bladym różem. Pudrowym różem. Pamiętam je tak dokładnie, jakbym widziała je dziś rano. Pachniały pięknie, tak świeżo. Babcia zawsze obcinała je nożyczkami i zanosiła na cmentarz. Bardzo lubiłam tam z nią chodzić. Cmentarz był blisko domu i mogłam do niego dojść po długim murku. Nigdy nie szłam po nim sama. Zawsze za rękę. Ale wróćmy znów na moment do ogrodu. – Czuła, że słońce opala jej policzki. Było ciepło i dobrze. Mikołaj miał ciepłe dłonie. Trzymał jej rękę mocno i delikatnie zarazem. Tak mocno, że wyczuwała wspólne tętno. Tak delikatnie, że bała się, iż za chwilę ją wypuści. – Zatem między studnią a wspierającymi się na płocie georginiami biegła ścieżka, a raczej ścieżynka, prowadząca do wyjścia z ogrodu. Maszerowałam więc nią tam i z powrotem. Tysiące razy dziennie. A to pić, a to jeść, a to lalka, a to wózek, a to miś. I tak bez końca. Georginie miały wtedy dla mnie wysokość dzisiejszych drzew. Tak je zapamiętałam. Jako dużo wyższe ode mnie. – Zerknęła na niego. Słuchał jej z zamkniętymi oczami.

– To już koniec? – zapytał od razu, gdy umilkła.

Poczuła, że znów był zawiedziony. Chyba jej ogrodowa opowieść go uwiodła. Ta nagła i nieoczekiwana podróż była dla niej ogromnym przeżyciem. Zdała sobie sprawę, że do tej pory z nikim jeszcze nie podzieliła się tym zielono-różowym wspomnieniem.

– Chcę jeszcze... – usłyszała po chwili. Wciąż miał zamknięte oczy. Zamknęła swoje. Zamkniętymi powiekami zlokalizowała słońce. Było ciemnożółte. Ale pilnie pracowało nad osiągnięciem koloru pomarańczowego.

– Teraz opowieść przeniesie się w inne miejsce – usłyszała swój spokojny głos. – Po latach, byłam chyba na ostatnim roku studiów, kolega taty, też architekt, zaprosił nas na grilla. Nie miałam szczególnej ochoty iść. Była sesja, miałam bardzo dużo nauki, ale mama się uparła. Tłumaczyła mi, że za dużo siedzę nad książkami, nie spotykam się z ludźmi, nie przebywam na świeżym powietrzu. Zrobiłam to dla niej i pojechałam z rodzicami. Dla świętego spokoju. Spotkanie było w ogrodzie. Gdy tylko do niego weszliśmy, mama wzruszyła się prawie do łez. Motywem przewodnim tego ogrodu były właśnie georginie. Mama przyglądała im się z podziwem, a ja przeżywałam szok, nie mogąc zrozumieć, jak można zachwycać się tak karłowatą odmianą georginii o małych i słabo wybarwionych kwiatach. Przekonywałam mamę, że georginie w ogrodzie babci i dziadka były całkiem inne. Wyższe i z ogromnymi kwiatami. Pamiętam dokładnie, że byłam nawet na mamę zła. Wydawało mi się wtedy, że nie można porównywać tamtych kwiatów z kwiatami babci. To tak jakby szukać podobieństw między yorkiem a bernardynem. To pies i to pies, i nic więcej. Nigdy nie zapomnę rozbawionego spojrzenia mojej mamy. Powiedziała wtedy do mnie: „Haniu, one są naprawdę takie same. Możesz mi wierzyć. Pomyśl tylko, że kiedy oglądałaś je w ogrodzie dziadków, miałaś może metr wzrostu. Nie więcej". Gdy to usłyszałam, przeżyłam szok. Od tamtej pory nie lubię oglądać georginii. Chcę pamiętać je jako drzewa obsypane różowymi kwiatami. – Mikołaj wciąż trzymał jej rękę. Drugą dotykała małego płotku okalającego domek numer dziewiętnaście. Widziała, jak powoli otworzył oczy i szybko je zmrużył oślepiony jasnymi promieniami słońca. – Jak myślisz, otworzyli już Franz Kafka Cafe? – zapytała.

– Chodź, zobaczymy – pociągnął ją za sobą.

Nie musieli podchodzić blisko, żeby zobaczyć, że szanse na kawę były nikłe. Kawiarenka wciąż była zamknięta. Ruszyli przed siebie. Poranna kawa musiała jeszcze zaczekać.

– Musicie być dumni, że wybrali wasz projekt.

– Szczerze? – zapytał jakoś dziwnie.

– Tylko szczerze i zawsze szczerze.

– Tak się cieszę, że przyjechałaś, że wcale nie myślę o konkursie. Poza tym czułem, że nasz projekt jest rewelacyjny.

– Cieszę się, że męska intuicja cię nie zawiodła.

– W tym wypadku zadziałała bezbłędnie.

– A w innym? – zapytała i prawie usłyszała trzask pękającego lodu, na który nieopatrznie wmaszerowała.

– A w innym też mnie chyba nie zawiedzie.

– Ale jesteś enigmatyczny...

– Myślę, że nie bardziej niż ty – zawiesił głos, a ona zobaczyła przed oczami czerwone światło.

Stop! Nie brnij dalej! *No way!* Darł się jaśnie pan cenzor. Nie jesteś gotowa! Przygotuj się do tego dobrze! Mikołaja też powinnaś przygotować!

– Stało się coś? – wyrwał ją tym pytaniem z wewnętrznego, męczącego ją monologu.

– Tak... Nie... Nic... Zastanawiam się tylko, czy słyszysz teraz marsza, jakiego grają z głodu moje wnętrzności. Chociaż tutaj, w Pradze, to powinny grać raczej polkę.

– To na co masz ochotę? – zapytał szybko.

– A ty? – w tym wypadku sztuka negocjacji polegająca na odpowiadaniu pytaniem na pytanie chyba jej się szczególnie nie opłacała, bo popatrzył na nią tak, jakby zamiast futra znów miała na sobie bluzkę z dyskoteki.

– Palaczinki – wydusiła na bezdechu. – Naleśniki – dodała szybko, widząc jego zdziwienie. – Pani Irenka robi takie pyszne z jagodami.

– To obieramy kierunek na naleśniki, a co później?

– Może kościół Świętego Mikołaja? – zaproponowała cicho.

– Tylko co zrobisz, jeżeli wyda ci się strasznie mały? – zażartował, udając przerażenie.

– Nic ci więcej nie powiem! – udała obrażoną i przewróciła oczami.

– Przecież żartowałem! – jednym ruchem przyciągnął ją do siebie, niebezpiecznie zmniejszając odległość między ich ustami.

– Szkoda, że nie mamy aparatu – powiedziała, nerwowo łapiąc powietrze. Nie wytrzymała jego spojrzenia i przeniosła wzrok na dwa gołębie, które bardzo zabawnie tarzały się w śniegu. – Popatrz, co one wyrabiają. – Teraz już oboje patrzyli na gołębie harce.

– Może biorą zimny prysznic? – rzekł niepewnie.

– Wiem! – krzyknęła, jakby jej „wiem", oznaczało *„eureka"*. – One robią orzełki na śniegu. Widocznie mają głęboko skrywany kompleks orła. Co o tym myślisz?

– Jestem taki głodny, że wszystko zaczyna mi się kojarzyć z jedzeniem. – Przytulił ją do siebie.

– Gołąbki też? – zapytała naiwnie.

– Też! Idziemy! Jeść! Natychmiast!

Patrzyła na zawartość otwartej walizki. Gdyby widziała ją teraz Dominika, na pewno orzekłaby, że Hanka w końcu znormalniała. Funkcjonowała normalnie, mimo że kocioł w walizce był przeogromny. Jeszcze kilka dni temu taki stan byłby nie do pomyślenia. Dziś, leżąc świeżo wykąpana w hotelowym łóżku, walizkowy nieporządek miała w głębokim poważaniu. Miała za sobą piękne chwile spędzone w towarzystwie Mikołaja. Wspomnieniowy ranek, roześmiany obiad i pouczającą wizytę w kościele jego świętego imiennika. O ile z wycieczki z tatą doskonale zapamiętała Złotą Uliczkę, o tyle kościół był dla niej ogromnym odkryciem. Pamiętała tylko tyle, że w nim była. Jednak na zachwycające wnętrze kościoła patrzyła po raz pierwszy w życiu. Jedynym elementem, który wydał jej się trochę znajomy, była ambona w kształcie łodzi pokryta elementem muszlowym. Chyba ją pamiętała, a może złocenia układające się w koralowce uwiodły ją do tego stopnia, że przeżyła *déjà vu*. Mikołaj zaskoczył ją swoją wiedzą na temat kościoła. Może nie powinna była się temu dziwić – był przecież architektem. W tak interesujący sposób opowiadał o kościele, szczególnie o jego wnętrzu, że momentami odnosiła wrażenie, iż jest uczestniczką wycieczki oprowadzanej przez zabójczo przystojnego i inteligentnego przewodnika. Leżała w ciepłym łóżku i słyszała głos Mikołaja.

– Zobacz, a ten przystojniak to, jak łatwo się domyślić, święty Mikołaj. Stoi sobie w niszy, czyli inaczej we wnęce w murze, w której zawsze umieszczano elementy dekoracyjne...

Gdy znaleźli się w bogatym wnętrzu kościoła, również usłyszała wiele architektonicznych terminów. Niestety, wpatrzona w śmiejące się, ale skupione oczy Mikołaja i płynnie szepczące usta, w żadnej mierze nie mogła się skupić na tym, co do niej mówił. Poza tym wypełniony pysznym i ciepłym jedzeniem brzuch również nie wpływał najlepiej na jej koncentrację. Po podniecającym wykładzie z architektury usiedli w ławce. Położyła głowę na jego ramieniu i walczyła z ogarniającą ją sennością. Nieprzespana noc żarliwie upominała się o swoje minuty spędzone przy zamkniętych powiekach. Mikołaj przypomniał jej przedwigilijną, śpiącą podróż w jego samochodzie. Przyznała mu się, że było jej bardzo wstyd, gdy się obudziła. Opowiedział jej, że kiedy zatrzymał samochód pod domem swoich rodziców, to przyglądał jej się przez długi czas i bał się poruszyć. Nie chciał, żeby się zbudziła.

Usłyszała nerwowe pukanie do drzwi mające wyraźne powiązania z pulsującym odgłosem jej domofonu w Warszawie. Wstała i narzucając na siebie koc, otworzyła drzwi. Zobaczyła w nich Dominikę, która pomimo popołudniowej pory defilowała przez hotelowy korytarz w króciutkiej koszulce nocnej. Miała na sobie połyskujący bordowo podarunek od ciotki Anny.

– No niemożliwe! – wydarła się głośno. – Pani porządnicka o tej porze jeszcze w rosole? Znormalniałaś czy zapadłaś na jakąś chorobę? A może nie jesteś sama? – Zajrzała jej przez ramię, którym opierała się o futrynę drzwi.

– A gdybym ci powiedziała, że nie jestem sama, to co? – Zadarła do góry nos.

Ściemniać las! A nie nas! – Dominika bezceremonialnie wepchnęła się do pokoju i oczywiście bez pytania zanurkowała w skotłowanej na łóżku pościeli. Rozłożyła się jak kotka i z uśmiechem przyglądała się pokojowi. – Normalnie zaraz zadzwonię po prasę i telewizję, bo jestem właśnie naocznym świadkiem wydarzenia stulecia. Dochodzi trzecia po południu, a tu totalna rozpierdacja. Powiem ci, że ten Mikołaj to ma na ciebie dobry wpływ. Ba! Zbawienny wpływ! – grzmiała na pół hotelu. – Jak tam, masz mi coś do powiedzenia?

– Jeżeli chcesz usłyszeć podziękowania za to, że zmusiłaś mnie do przyjazdu tutaj, to bardzo proszę. Z ogromną przyjemnością: dziękuję ci, Dominiczko. Było mi tu cudownie – mówiąc to, po męsku ujęła dłoń Dominiki i wpiła się w nią.

– Słyszałam, że niestety, ale po dyskotece wylądowaliście z Mikołajem w oddzielnych łóżkach.

– Dziwi cię to?

– Bardzo! Nawet biorąc pod uwagę twój okres. Ale muszę przyznać, że w dyskotece byłaś nawet bardzo grzeczna.

– Co chcesz przez to powiedzieć?

– No wiesz, o ruchliwym czekoladowym ciasteczku nie wspomnę. Ale oczka mi się cieszyły, kiedy widziałam cię z Mikołajem. Rączka tu, rączka tam, słodkie i nieustające kiziu-miziu. To, że tak bezpośrednio zapytam, kiedy spa?

– Dominika... – pokręciła głową. – Powiedz mi lepiej, na czym ci bardziej zależy. Na tym, żeby mnie pocałował, czy na tym, żebyś mogła pojechać do spa?

– A słyszałaś kiedyś, że w życiu można łączyć przyjemne z pożytecznym?

– A co uważasz za przyjemne, a co za pożyteczne?

– Ludzie! Jak ty te dzieciaki uczysz, kiedy sama jesteś ciemna jak tabaka w rogu?

– Lepiej pochwal się, co dziś robiłaś – poprosiła Hanka z wiele mówiącym uśmiechem.

– Jesteś przekonana, że chciałabyś wiedzieć? – Uśmiech Dominiki, który rozkwitał właśnie na jej twarzy, nie pozostawiał żadnych złudzeń i wątpliwości. Bez najmniejszego wysiłku domyśliła się, jak minęło niedzielne popołudnie w pokoju obok.

– Może lepiej powiedz, czemu zawdzięczam twoją wizytę?

– Przyszłam zapytać, czy pójdziecie z nami na obiad za jakieś półgodziny.

– Spóźniliście się z zaproszeniem. Właśnie pół godziny temu wróciliśmy z Mikołajem z wycieczki. Jesteśmy po obiedzie – gdy kończyła mówić, usłyszała delikatne pukanie do drzwi.

– Oho! Chyba prasa! – zauważyła dowcipnie Dominika i zanim Hanka zdążyła zareagować, jej siostra już otworzyła drzwi.

Stał w nich Mikołaj. Był ubrany w kurtkę. Zobaczywszy go, nakryła się kołdrą pod samą brodę, chociaż w porównaniu z Dominiką była prawie kompletnie ubrana. Ukryła się przed jego wzrokiem. Niestety, chyba zdążył zauważyć, że miała na sobie tylko górę od piżamy. Dominika opierała się teraz lubieżnie o futrynę otwartych drzwi.

– I jak tam? Podoba ci się wycieczka? Z tą nudziarą!

Mikołaj patrzył lekko zmieszany. Chyba nie spodziewał się spotkać tu Dominiki, w dodatku w takim skąpym odzieniu. Hanka obserwowała Dominikę, która prowokacyjnie przeciągnęła się i jakby od niechcenia włożyła kciuk prawej ręki pod prawe ramiączko koszulki, jednocześnie pytając:

– A jak ci się podoba moja nowa koszulka?

Mikołaj spojrzał jednak nie na Dominikę, tylko na Hankę śledzącą całą sytuację spod kołdry.

– Jest super – odpowiedział szybko, nie uwalniając jej od swojego spojrzenia.

– Ona ma taką samą, tylko będziesz musiał ją ładnie poprosić, żeby się ubrała, bo może nie wygląda na taką, ale uwierz, Hanka zawsze sypia nago.

Słysząc to, Hanka instynktownie naciągnęła kołdrę na głowę. Dobiegł ją stłumiony głos Dominiki:

– To co? Spotykamy się na lotnisku? O dziewiętnastej!

Hanka na sekundę wyjrzała spod kołdry. Dominiki już nie było, a Mikołaj stał trochę nieporadnie w otwartych drzwiach.

– Jesteś tam? – zapytał nieśmiało.

– Nie ma mnie – odpowiedziała wściekła na Dominikę.

– Mam propozycję – mówił niezbyt głośno, ale słyszała go doskonale. – Poczekam na ciebie na dole i pójdziemy na krótki spacer, żeby pożegnać się z miastem. Co ty na to?

Ostrożnie wyjrzała spod kołdry. Pomysł jej się spodobał.

– O, jesteś! – doskonale zagrał zaskoczonego. – Ile potrzebujesz czasu?

– To zależy, czy mam być w makijażu, czy bez – chciała mu wciąż udowadniać, że też potrafiła być zabawna. Prawie jak Dominika.

– Bez – zdecydował szybko. – Dokąd chcesz iść?

– Może na most? – zaproponowała, patrząc na niego uważnie. Był wysoki. Miał w sobie coś, co ją niezmiernie ujmowało. Do tej pory myślała, że to kolor oczu. Ale dziś wywnioskowała, że jest jeszcze coś. Nie potrafiła jednak określić, co to było.

Przyglądał się jej przez dłuższą chwilę. Jak zwykle bez słów.

– Czekam na dole – powiedział w końcu, wycofał się, nie odwracając, i cicho zamknął za sobą drzwi.

Podekscytowana, wyskoczyła z łóżka. Nie myślała, że już niedługo będzie znów na lotnisku. Że będzie znów w Warszawie i będzie musiała przebyć drogę do domu. Była skupiona na wszystkim, co się działo teraz. Czekał na nią na dole. Ubierała się szybko. Nie chciała tracić cennych, wspólnych minut. Tu funkcjonowała oderwana od rzeczywistości. Była złotą rybką podróżującą między akwariami w pustym, wypełnionym jedynie wodą słoiku. Nic jej nie rozpraszało. Żadne sprawy, przedmioty. Zakazane terytoria nie zaprzątały jej uwagi. Czuła się lekka i nieskrępowana myślami, które w Warszawie nie pozwalały jej normalnie funkcjonować. Zapięła futro, owinęła się szalikiem. Zerknęła na rękawiczki. Nie wzięła ich. Most był blisko, a nawet gdyby był daleko to rękawiczki tu, w Pradze, były jej niepotrzebne.

– Przepiękna jest ta galeria figur! – zachwycała się kolejny raz urodą mostu, po którym właśnie spacerowali.

Znów trzymał ją za rękę. Znów czuł jej ciepło. Obawiał się, że czas, który spędzali tu razem, będzie gnał jak szalony. Było tak. Nie przypuszczał jednak, że będzie przy niej taki spokojny. Spędzili dziś z sobą prawie cały dzień. Jeszcze nigdy nie byli z sobą tak długo.

– Wyobraź sobie, jak byłoby dobrze, gdybyśmy mieli ten most tylko dla siebie – rozmarzył się.

– Byłoby cudownie – westchnęła, a on mocniej ścisnął jej dłoń. – Nie musielibyśmy się przepychać między całującymi się zakochanymi – powiedziała, gdy omijali właśnie kolejną zakochaną, zlepioną pocałunkiem parę.

– Widzisz? Jakaś epidemia. Wszyscy się całują. – Niewiele myśląc i korzystając z chwili, gdy zatrzymała się na sekundę, by podziwiać jedną z figur, ujął w dłonie jej twarz. – Jak wszyscy, to wszyscy! – Zaczął ją całować. Odważnie, jak nigdy dotąd. Bał się, że mu nie pozwoli, że go odepchnie. I stał się cud, na który tak długo czekał. Poczuł, jak delikatnie rozchyliła usta. Nie był pewien, czy jej reakcja była w pełni świadoma. Zaskoczył ją tym pocałunkiem. To było pewne. Jednak poczuł, że poddała mu się całkowicie. Całował ją coraz odważniej, choć była bardzo delikatna. Czuł, że przyciska ją chyba zbyt mocno do zimnego kamienia mostu, ale oddawała mu pocałunek. Nie mógł uwierzyć w szczęście, które go spotykało. Nie chciał przesadzić, ale chciał więcej i więcej. Nie mógł przestać. Smakowała dokładnie tak, jak sobie wyobrażał. Jej aksamitne usta doprowadzały go do...

Nagle usłyszał dźwięk jej telefonu. Otworzył oczy, nie przestając jej całować. Stop-klatka jej zamkniętych oczu doprowadziła go do szaleństwa. Otworzyła oczy. Miał wrażenie, że nie wiedziała, co się z nią dzieje. Trwali tak przez chwilę. Delikatnie i bardzo powoli przerwała najcudowniejsze doznanie, jakie go w życiu spotkało.

– Proszę cię, nie odbieraj, nie teraz... – szeptał do niej, a raczej do jej policzka, na którym opierał tęskniące już za jej pocałunkami usta.

Telefon nie dawał za wygraną.

– Może to coś ważnego? – szepnęła. Mówiła bardzo powoli, jakby przed chwilą ktoś obudził ją z długiego i twardego snu.

Był tak blisko, że czuł na twarzy jej urywany oddech. Jego ręce błądziły już po jej ramionach, plecach. Przytulał ją mocno, za mocno, ale chciał ją mieć tylko dla siebie. Nie mógł uwierzyć, że pozwoliła mu się pocałować, że nie stchórzyła. Patrzył w jej zamglone oczy i czuł, że trochę przesadził. Drżała, ale patrzyła mu prosto w oczy. Wciąż słyszał telefon. Wtulił się w jej szyję.

– Kocham cię – powiedział jej wprost do ucha. Nie chciał, żeby odbierała telefon. Nie chciał też, żeby drugi raz zabroniła mu powiedzieć o swoich uczuciach. Dlatego wypowiedział te słowa bez niepotrzebnych wstępów. Wbrew sobie oderwał się od jej pachnącej szyi. Spojrzał jej w oczy. – Kocham cię – powtórzył. Tym razem głośniej.

Patrzyła na niego. Otworzyła usta. Chciała coś powiedzieć.

– Kocham cię – ubiegł ją, powtarzając kolejny raz swoje wyznanie. – Kocham cię – mówił znów, tym razem czując dotyk jej ust pod swoimi.

Telefon się uspokoił. On nie mógł. Znów ją całował. Tym razem delikatnie. Jakby się bał, że dotyk jego ust może zrobić jej jakąś krzywdę.

– Mikołaj... – poczuł ledwo wyczuwalny ruch jej ust.

Nie pozwolił jej nic powiedzieć. Uniemożliwiał jej to całkowicie. Znów całował ją odważnie, zachłannie, ale było inaczej niż za pierwszym razem. Była spięta. Oderwał się od niej. Na sekundę. Zamarła. Otworzyła oczy. Były szklane, a on bliski szaleństwa.

– Proszę cię, błagam. Nie myśl teraz o niczym.

– Ale... Ja... Mikołaj...

Była zagubiona. Miał wrażenie, że gdyby jej nie trzymał blisko przy sobie, natychmiast by uciekła.

– Proszę... – patrzył w jej wypełnione łzami oczy. – Kocham cię. Od dawna. Chcę, żebyś o tym wiedziała.

Spoglądała na niego, a on modlił się w duchu, żeby łzy nie popłynęły po jej policzkach. Tego by teraz nie zniósł. Patrzyła na niego. Robiła wrażenie oszołomionej, nawet wystraszonej wyznaniem, pocałunkiem, wszystkim, co się właśnie działo. Wiedział, że to on w tej chwili musi zachować zimną krew, choć najchętniej wziąłby ją na ręce, zaniósł do hotelu i w nosie miał samolot. Znów chciała coś powiedzieć. Musiał być szybszy. Zbliżył do niej swoją twarz.

– Nic nie mów. Proszę. Pocałuj mnie. – Patrzył w jej oczy wciąż pełne łez, które całe szczęście nie płynęły. Nie mógł uwierzyć. Zrobiła to, o co ją poprosił. Pocałowała go. Jej wiszące bezwładnie do tej pory ręce oparły się o guziki jego kurtki, a jej miękkie i ciepłe usta całowały go nieśmiało i wstydliwie. Dlatego szybko przejął inicjatywę, znów dyktując swoje tempo i własne warunki. Była jego. Na Wełtawie przekraczał Rubikon. Całował ją tak zachłannie, że zaczął się o nią obawiać. Musiał przestać i się uspokoić. Walcząc z podnieceniem, z trudem oderwał się od jej ust. Otworzyła oczy. Tym razem były suche. Uśmiechnął się. Zrobiła to samo. Spojrzał w górę.

– Jan Nepomucen – przeczytał głośno, wskazując na figurę, która była świadkiem wszystkiego, co się między nimi wydarzyło. – Wiesz, legenda głosi, że ten tu oto Jan za to, że nie chciał złamać tajemnicy spowiedzi, z rozkazu kogoś tam, nie pamiętam, został utopiony w Wełtawie i potem na powierzchni rzeki pojawiła się złota aureola. Turyści go dotykają, bo wierzą, że przyniesie im to szczęście. To co, dotykamy? – zapytał.

– Chyba musimy już iść – powiedziała, jakby nie usłyszała jego pytania.

– A Nepomucen?

– Nie wierzę w legendy. Idziemy?

– Nie! – odpowiedział zdecydowanie i znów przyciągnął ją do siebie.

Lekko się opierała, chyba nie mając świadomości, że znów igra z ogniem, który wciąż tlił się w nim, gdzieś w środku.

– To co robimy, panie konformisto? – Chyba odzyskała formę sprzed pocałunków, bo zaczęła się uśmiechać.

– Konformisto? – zdziwił się.

– Nie udawaj. Przecież wiem, że pocałowałeś mnie tutaj, bo tu wszyscy się całują.

Kamień spadał mu z serca. Żartowała, czyli wszystko było dobrze.

– Nie jestem konformistą – sprzeciwił się szybko. – Jestem tchórzem.

– Tchórzem? – zdziwiła się. – Nie całujesz jak tchórz.

– Podobało ci się? – Niestety, nieopatrznie wyrwało mu się pytanie dowodzące jego męskiej próżności. Był na siebie wściekły. Zawsze musiał coś chlapnąć w najmniej odpowiednim momencie. Dzięki Bogu, Hanka była mądrzejsza od niego i w odpowiedzi przewróciła tylko oczami i uśmiechnęła się zagadkowo. Musiało mu to wystarczyć. – Wiesz... – zaczął, bo chciał się choć trochę zrehabilitować. – Gdybym nie był tchórzem, to już dawno bym ci powiedział. – Znów usłyszał piosenkę z jej telefonu.

Osoba dzwoniąca tym razem wybrała sobie odpowiedniejszy moment. Hanka miała już telefon w dłoni.

– To pani Irenka – poinformowała go szybko. – Muszę odebrać, przepraszam cię.

Obserwował, jak się uśmiechała, zaglądając w wełtawski nurt, i witała się z panią Irenką uśmiechem, którego ta nie mogła niestety zobaczyć. A szkoda, bo był to najpiękniejszy uśmiech na świecie.

– Dzień dobry, pani Irenko – przysłuchiwał się radosnemu głosowi Hanki.

Stał obok niej, opierając się o most identycznie jak ona. Widział jej profil. Szybko dotknął figury Nepomucena. Wierzył w jego legendę. Był teraz najszczęśliwszym facetem pod słońcem. Zerkał na Hankę i nie mógł uwierzyć, że przed chwilą ją całował. Miał ochotę na jeszcze. Miał ochotę na wszystko. Obserwował zmieniający się bardzo szybko wyraz twarzy Hanki. Miejsce szczerego uśmiechu zajęło smutne zatroskanie. Hanka długo słuchała pani Irenki. W końcu się odezwała.

– Pani Irenko – powiedziała to tak, jakby chciała uspokoić swoją rozmówczynię. – Zróbmy tak. Mam jeszcze tydzień ferii zimowych. Przyjadę do pani jutro, to razem na pewno coś wymyślimy. Poza tym dobrze się składa, bo jak będę wracała do Warszawy, to zabiorę do siebie Iwonkę i dziewczynki. Na weekend, tak jak się umawiałyśmy podczas świąt. A może nawet pani da się namówić...? – Pani Irenka musiała jej przerwać, bo znów słuchała w skupieniu. – Proszę się nie martwić na zapas – cisza. – Będę dopiero wieczorem, bo wyjadę po południu. Rano mam wizytę u lekarza. – Wystraszył się chyba tak samo jak pani Irenka. Hanka na szczęście już tłumaczyła. – Niech się pani nie martwi, muszę tylko uaktualnić książeczkę zdrowia. Do pracy – znów cisza. – Dobrze, zatelefonuję ze Słupska. Do zobaczenia jutro. Tylko spokojnie, pani Irenko. Do widzenia, ja też się cieszę.

Patrzył, jak chowa telefon do kieszeni futerka i patrzy w dół, na rzekę. Zrobił dokładnie to samo.

– Stało się coś? – zapytał, bo trudno było nie zauważyć, że w czasie rozmowy minę miała nietęgą.

– Nie wiem – popatrzyła mu w oczy i westchnęła. – Pani Irenka podejrzewa, że coś niedobrego dzieje się w małżeństwie jej córki. A jak pani Irenka coś przeczuwa, to na pewno jest coś na rzeczy.

– Czyli nie spotkamy się jutro? – nie chciał ukrywać rozczarowania.

– Też miałam inne plany – uśmiechnęła się. – Ale nie mogę jej odmówić. Ona pomogła mi już wiele razy, a ja jej jeszcze nigdy. Muszę jechać. – Przytuliła głowę do jego ramienia. Zrobiła to w taki sposób, że zgodziłby się na jej roczny wyjazd do pani Irenki. Nawet gdyby ta mieszkała na Madagaskarze.

– Rozumiem – nie zabrzmiał jednak przekonywająco.

– Będę do ciebie pisała. Chcesz? – musiała wyczuć jego nastrój.

– Obiecujesz? – Przed chwilą nie mógł uwierzyć w to, co się między nimi wydarzyło, a teraz w to, co usłyszał.

– Przecież ja zawsze obiecuję, co tylko chcesz.

– A usiądziesz obok mnie w samolocie?

– A pozwolisz mi zasnąć? Nie lubię latać.

– Pozwolę – nachylił się i pocałował ją w czoło.

Stali wtuleni w siebie. Wiedział, że powinien skontrolować czas, ale nie chciał przerywać tej długo wyczekiwanej chwili. Choć codzienność dopadła ich nieoczekiwanie, nie mając dla nich krzty litości, nawet tutaj, w Pradze, czuł, że nareszcie może planować każdy następny dzień, myśląc o Hance. Nie będzie musiał już prosić całego świata o protekcję. Po tym, co przeżywał, gdy go dziś całowała, zaczynał wierzyć, że wszystko, co od ponad pół roku podpowiadała mu jego wyobraźnia, ma szansę na urzeczywistnienie. Mogła być jego. Musiała być jego!

– O czym myślisz? – zapytała, zaglądając w nurt rzeki.

– O tobie – odpowiedział półprawdą, bo powinien był powiedzieć „o nas". – A ty?

– O wielu sprawach – powiedziała enigmatycznie, tak że stracił dużą część pewności, która rozpierała go jeszcze przed momentem.

– Załatwionych czy niezałatwionych? – zapytał, ot tak. Jakby trochę od niechcenia. Spojrzała na niego ze strachem, którego nie zrozumiał. Był jednak pewien, że tym, co zobaczył w jej oczach, był strach. – Wyglądasz, jakbyś się czegoś bała...

– Boję się, że czytasz w moich myślach – powiedziała bardzo szczerze.

– To możesz być spokojna, bo chociaż bardzo tego chcę, to mi się nie udaje.

Zerknęła na swój maleńki zegarek.

– Powinniśmy już iść... To straszne...

– A może poszukasz jakichś plusów – na chwilę zmienił się w optymistyczną Dominikę.

– Dobrze, że w ogóle się tu znalazłam, to znaczy znaleźliśmy – poprawiła się szybko.

– Pomyśl sobie, że kiedyś, kiedy będziemy już starzy, będziemy sobie przy śniadaniu wspominać to, co udało nam się przeżyć na tym moście. – Popatrzyła na niego uważnie. – I to pod czujnym okiem Jana Nepomucena – musiał chociaż trochę rozluźnić atmosferę, bo Hanka uciekała przed jego wzrokiem. – Jak myślisz, podobało mu się to, co zobaczył? – Dzięki Bogu, znów na niego spojrzała.

– Nie mam pojęcia... – zamyśliła się.

– Przyjedziemy tu jeszcze kiedyś?

– To zależy... – Niestety, oczekiwał całkiem innej odpowiedzi.

– Od czego? – zapytał od razu. Bał się, że oporna rzeczywistość znów zagmatwa mu wszystko, na co tak długo czekał.

– Od życia – odpowiedziała, gdy już zaczął myśleć, że nie doczeka się odpowiedzi.

– Nie rozumiem...

– Nie przejmuj się. Ja też często wielu spraw nie rozumiem – uspokoiła go.

– A zrozumiałaś wszystko, co ci dziś powiedziałem?

– Chodźmy już... – wzięła go za rękę i pociągnęła za sobą.

Szli w stronę hotelu. Mieli ciepłe ręce. Trzymał jej dłoń tak mocno, jakby się bał, że za chwilę mu ją wyrwie. Chciał ją mieć zawsze przy sobie. Ale im była bliżej, tym bardziej zdawał sobie sprawę, że przy niej już zawsze będzie ścigał się z marzeniami. Była jego marzeniem. Mądrym marzeniem. Bardzo mądrą kobietą i przypuszczał, całkowicie wbrew sobie, że mając u swego boku taką właśnie kobietę, nigdy, przenigdy nie poczuje, że ma ją od początku do końca. Mądrych kobiet nie można mieć na własność, bez ograniczeń, na wyłączność.

„Może to wcale nie była bzdura z tym gonieniem króliczka?" zastanawiał się w duchu, gdy opuszczali most Karola. Uliczny grajek obdarzył Hankę szerokim uśmiechem. Nie zareagowała na niego. Była zamyślona... „I dobrze ci tak! – pomyślał ze złością. – Jest moja! Wara od niej! Graj sobie dalej ty szarpidrucie!"

Powoli kierowali się w stronę hotelu. Chciał jak najszybciej znaleźć się w samolocie. Chciał, żeby zasnęła na jego ramieniu. Chciał udawać przed całym światem, że już jest jego. Wiedział doskonale, że takie udawanie musiało mu na razie wystarczyć. To ona rozdawała karty w tej grze, której reguł wciąż nie był w stanie pojąć. Albo był za głupi, albo miał za mało danych. Jedno z dwojga. Musiał się do niej dopasować. Już teraz na pewno łatwiej będzie mu przychodziła cierpliwość, bo wiedział, jak cudownie smakowała bliskość Hanki. Była tysiąc razy lepsza od przepiórek w płatkach róży, o których mu kiedyś opowiedziała. Nagle ktoś ich bezlitośnie otrąbił, ponieważ nie szli zbyt ostrożnie. Oboje byli uwikłani w mostowe przeżycia, zatopieni we własnych myślach. Teraz, z nią przy boku, wiedział, że lepiej się w nich topić, niż ślizgać po powierzchni bez podjęcia próby zrozumienia wszystkiego. Najważniejsze dla niego było, że wiedziała już, co do niej czuł. Kochał...

– Blada jesteś, zmęczona drogą. Wiem przecież, jak masz do mnie daleko. Jak minęła ci podróż? – Pani Irenka, odkąd Hanka przyjechała, mówiła i pytała.

Patrzyła teraz w jej ciepłe oczy znad talerza wypełnionego po brzegi barszczem. Jej ulubionym, ukraińskim.

– Dobrze, pani Irenko. Poza tym im częściej tu przyjeżdżam, tym za każdym razem wydaje mi się, że mam do pani coraz bliżej.

Pani Irenka uśmiechała się, ale Hanka nawet na odległość wyczuwała, że troski kręcą się wokół jej głowy w tak szybkim tempie jak karuzela dla wyjątkowo odważnych.

– Jesteś jakaś inna? – Pani Irenka prześwietlała ją spojrzeniem Sherlocka Holmesa.

– Starsza – zażartowała.

– Dziecko. Ja patrzę teraz nie na twoją skórę, ale w oczy ci zaglądam. Ale jak już jesteśmy przy starości, to popatrz na mnie. Ja to się dopiero postarzałam. Dziś rano, jak patrzyłam na siebie w lustrze, to doszłam do wniosku, że wyglądam jak mapa Azji.

– Pani Irenko! – przerwała jej z dezaprobatą. – Chyba pani przesadza!

– Oj, dziecko, przecież widzę. Postarzałam się, oj, postarzałam. I co tu się dziwić? Młoda przecież już nie jestem. Latka lecą. Z dnia na dzień coraz bardziej zbliżam się do drewnianego garnituru, zbijanego na miarę.

Hanka nie mogła tego słuchać. Kręciła głową, ale nie przerywała swojej rozmówczyni, bo czuła, że ta potrzebuje mówić, mówić i mówić.

– Jeszcze teraz ta historia z Jurkiem. Przecież ja od trzech dni nie śpię. Jeść nie mogę. Że też te chłopy takie durne są!

– Pani Irenko, jeżeli może mi pani powiedzieć, o co w tym wszystkim chodzi, to proszę to zrobić – zaczęła delikatnie. Nie znosiła wścibstwa.

– Wiesz, Haniu, ja nie wiem, czy ta moja Iwonka to mi wszystko mówi. Bo i przecież chwalić się to tu nie ma czym. Ale co my dzisiaj mamy? – zadała sobie pytanie i bardzo szybko na nie odpowiedziała. – Poniedziałek! Tak, poniedziałek. No to w czwartek, ten, co był, Jurek zapakował manatki i wyjechał niby na jakąś konferencję, co to miała trwać do niedzieli. Ale los spłatał mu figla i w piątek zachorowała Zuza. A Iwonka przypomniała sobie, że ich rodzinna książeczka ubezpieczeniowa jest u Jurka w pracy, u jego kadrowej. Iwonka poleciała do niej szybko, a ta zdziwiona jaszczurka, że jak to Jurek kilka dni urlopu wziął i nigdzie rodziny nie zabrał. Wyobrażasz to sobie? Iwonka coś tam bąknęła, bo nogi się pod nią ugięły, i w te pędy do mnie z tym przyjechała. Nawet dziewczynki z koleżanką zostawiła, a przecież nigdy tak jeszcze nie robiła. A swoją drogą, zobacz, Hanuś, jakie to kłamstwo naprawdę krótkie nogi ma. I wyobraź sobie, nasz Jureczek wczoraj wieczorem wrócił do domu i jakby nigdy nic. Rozumiesz, z konferencji wrócił, dziad kalwaryjski. Stęskniony, do żony i dzieci. Prezenty przywiózł, a jakże. A moja biedna Iwonka w szoku. A ja się pytam, gdzie on był tyle dni? Nic tylko się łajdaczył z jakąś, za przeproszeniem, suką. Nie na darmo sobie baby języki pod sklepem u nas na wsi strzępią i nie po próżnicy gadają, że jak suka nie da, to pies sam nie weźmie. Ja to cię, Hanusiu, przepraszam, że ja, wiesz, taka bezpośrednia jestem, ale jakbym wzięła taką, co to w małżeństwo z buciorami wchodzi i rujnuje życie dzieciom, rodzinie, to mówię ci, nie odpowiadam za siebie. Jakbym wzięła, to ręka, noga, mózg na ścianie, oczy na zawiasach. Zobacz, co to za durna chłopska natura. Przecież ta moja Iwonka to świata poza nim i dziewczynkami nie widzi. Jak pierwszy raz go do mnie przywiozła, to, nie powiem, spodobał mi się. Bo wiesz, wysoki, przystojny, kawał chłopa. Nie za dużo mówił. Taki, wiesz, Hanuś, miły, spokojny i ugładzony był. Do Iwonki pasował jak ulał. Przecież wiesz, jaki z niej raptus w gorącej wodzie kąpany. A zresztą, co ja ci będę mówić... – Pani Irenka zerknęła w jej stronę, bo do tej pory obracała na palcu pierścień z ogromnym bursztynem, pewnie tutejszym. – Ale jedz, Hanuś, jedz, bo naleśniki z jagodami już w kolejce czekają. Nie wiem, co ta moja biedna Iwonka teraz zrobi. Pojęcia zielonego nie mam.

Hanka skończyła jeść zupę i udało jej się wtrącić jedno pytanie:

– A Iwonka powiedziała mu o tym, że wie o urlopie, który rzekomo wziął?

– Hanuś, to ja jej głowę już trzeci dzień mądrością nabijam. Proszę, żeby mu powiedziała, póki nie jest jeszcze za późno. Jak zbłądził, to może się opamięta. Może to nic poważnego, jakaś świeża sprawa. Może raz mu się zachciało, powiedziałabym czego, ale wulgarna nie chcę być. A Iwonka jakby nie słyszała, co do niej mówię. Wyje tylko i mówi, że się boi. Bo jak wyjdzie szydło z worka, to się Juruś obróci na pięcie i zostawi i ją, i dziewczynki. Wiesz, Hanuś, mój Karol też się lubił za kieckami oglądać. Zdrowy był chłop, to latały mu oczy wte i wewte. Kto wie? Może i jakąś tam za winkiel zaciągnął. Ale, Hanuś, czego oczy nie widzą, tego sercu nie żal. A Jurek to jasne, że nie na rekolekcje na tyle dni pojechał, bo do Wielkanocy to przecież jeszcze czasu a czasu. A przyjedziecie jajkiem się z nami podzielić w tym roku?

Niestety, Hanka nie zdążyła ustosunkować się do zaproszenia, bo wraz z naleśnikami lądującymi przed nią na stole pani Irenka wciąż serwowała jej swoje, naznaczone doświadczeniem życiowym, spostrzeżenia.

– A patrz, jakie te chłopy ślepe! Wrócił i kochasia udaje! A ja się pytam, czy on nie widzi, że Iwonka w oczach marnieje? Zapłakane to to, zestresowane. Do pracy nie chciała iść, to wsiadłam na nią i między ludzi kazałam uciekać. I pytam się jej, czy jak się teraz z nim nie rozmówi, to łatwo jej będzie co wieczór do jednego łóżka się z nim kłaść, a ta, zamiast coś zrobić, to tylko beczy. Ręce opadają!

– Pani Irenko – zaczęła cicho i niepewnie. – Beczy, bo jej się świat zawalił. Ja jej się nie dziwię, że nie wie, co zrobić. Niech to na początek wypłacze. Niech się zastanowi, co dalej. Ja, pani Irenko, wiem, że pani chce dla niej dobrze. Ale są takie sytuacje, kiedy to tylko my sami wiemy, co jest dla nas najlepsze. Byłoby oczywiście dobrze, gdyby poradziła sobie z tym wszystkim jak najszybciej. Pani Irenko, prawda w życiu jest bardzo ważna, najważniejsza. – Pani Irenka zerknęła na nią z zaciekawieniem. – Ale jak Iwonka ją pozna i okaże się, że Jurek ją oszukał, to będzie musiała poradzić sobie z czymś o wiele trudniejszym. Z wybaczeniem... W jej sytuacji jest dokładnie tak, jak pani mówi. Są dzieci, jest rodzina, ale ona, Iwonka, też jest ważna. Jeżeli Jurek ją zdradził, to właśnie ona, pani córka, będzie najbardziej okaleczona.

– Co za nicpoń! – mówiąc to, pani Irenka lekko uderzyła pięścią w stół. – On ją chyba jednak zdradził. Coś tak czuję. Hanuś, serce matki wie, kiedy krzywda się dziecku dzieje. Jedz, bo wystygną – pani Irenka zerknęła na jej talerz. – Gdyby nie to, że Zuza na antybiotyku, to ja bym już dziewczynki do siebie zabrała. A oni mieliby chociaż warunki, żeby z sobą porozmawiać. A tak, mieszkanie może i niemałe, ale na każdej ścianie ucho. A poza tym z Uli to taka mądralińska, że nic nie trzeba mówić, a ona wszystko wie. A Zuza? Ja chorego dziecka do domu nie chcę brać, bo jak dziecko chore, to tylko matka jest mu potrzebna. Nikt inny. Jeszcze jutro i skończy brać leki. A może pojutrze pojechałabyś po nie? Tylko mi nie mów, że nie zostaniesz do piątku. – Pani Irenka znów nie dała jej dojść do głosu. – A co ty będziesz jeździć? – zapytała głośno. – Toż to ojca dziewczynki mają! Ferie są! Korona mu z głowy nie spadnie, jak dzieci do babki przywiezie. Toż to tylko osiemdziesiąt kilometrów! Źle mówię?!

– Dobrze pani mówi, pani Irenko – w końcu udało się jej odezwać. – Jak zwykle ma pani rację. Ale gdyby był jakiś problem, to ja mogę po nie pojechać. Zwłaszcza że się za nimi bardzo stęskniłam.

– Dobrze, że to są dziewczynki. Jakby go Iwonka szurnęła, to samotnej matce zawsze prościej z dziewczynkami niż z chłopaczyskami. A jak dorosną, to też łagodniejszym okiem na matkę spojrzą. Bo przecież nikt tak kobiety nie zrozumie jak druga kobieta. Pod warunkiem że mądra jest, a nie jakieś tlenione ladaco, co to się za obcymi chłopami ogląda. Oj, mówię ci, Hanuś, mówię, bieda na nas wsiadła. Bieda! Ta łajza bez uczuć! – Silny do tej pory głos pani Irenki zaczął się nagle trząść. Pewnie dlatego szybko zakryła oczy rękoma. Płakała. Łzy zaczęły wypływać cichym strumieniem spod jej spracowanych rąk. Ramiona drgały.

Hanka patrzyła na to przerażona. Pierwszy raz widziała panią Irenkę w takim stanie. Ich życiowe role się odwróciły. Zwykle to ona płakała, a pani Irenka gładziła ją po głowie, nic nie mówiąc. To jej w zupełności wystarczało. Teraz nie potrafiła nic zrobić. Naleśnik utknął w gardle. Nic dziwnego, nie znał sposobu na ominięcie gruszki, która rozpychała się teraz w jej przełyku. Nie uroniła ani jednej łzy, ale wzruszenie powodowało u niej kłopoty z oddychaniem. Jej gruczoły łzowe swoje już w życiu przepracowały. Natomiast gruszka była dziś w olimpijskiej formie. Dawno nieaktywna, dotkliwym bólem przypominała o swojej obecności.

– Ja cię, Hanuś, przepraszam. – Ręce pani Irenki oderwały się nagle od mapy zmarszczek na twarzy. – Ale ja do tej pory to nie miałam się komu wyżalić. I jak to wszystko z siebie wyrzuciłam, to mnie taka żałość naszła, że lepiej nie gadać – machnęła ręką, po czym brzegiem fartucha zaczęła wycierać mokre policzki.

Fartuch był śliczny. Granatowy w białe stokrotki, których żółte środki uśmiechały się teraz do Hanki, nic sobie nie robiąc z osobistego dramatu pani Irenki.

– Pani Irenko – wciąż walczyła z gruszką. – Każdy kiedyś musi się wypłakać i wygadać.

– Oj, Hanuś, kto jak kto, ale chyba ty to wiesz najlepiej.

Pani Irenka wciąż wycierała prawie suche policzki i patrzyła na nią wilgotnymi oczami, które już zaczęły, zupełnie jak motyl, przechodzić przemianę zupełną. Po krótkiej chwili uśmiechały się do niej, błyszcząc, podobnie jak oczy ciotki Anny. Szkoda, że jej tu nie było. Na pewno potrafiłaby pomóc Iwonce uwolnić się od naznaczenia zdradą.

– Powiedz lepiej teraz, Hanuś, co u ciebie. Bo oczy masz wesołe. Prawie jak kiedyś.

– Co u mnie? – powtórzyła, nie wiedząc, od czego ma zacząć.

– Boski plan kręci się wokół ciebie?

– Zaczął się powoli kręcić... – uśmiechnęła się nieznacznie.

– No już zostaw te naleśniki. Nie męcz już ani siebie, ani ich. Ja zrobię teraz herbatki, a ty mi o nim opowiedz.

– O planie? – zapytała, gdy ręce pani Irenki chwytały okrągły chromowany czajnik.

– O panie! – Zerknęła na nią znad strumienia wody wypełniającego czajnik. – O tym panu mówię. Od tego karpia, cośmy go tak na wigilię wsunęli, że na Boże Narodzenie już nic nie zostało.

– Ma na imię – wzięła głęboki wdech – Mikołaj – wypuściła powietrze, dostrzegając czujne spojrzenie pani Irenki. – Jest... – zastanowiła się chwilę. – Jest taki dobry, że chwilami zastanawiam się, czy go sobie nie wymyśliłam.

– Oj Hanuś, Hanuś... – pani Irenka pokręciła głową. – Przecież to niemożliwe, żeby w boskim planie pojawił się ktoś zły...

– Ma pani rację – przyznała, patrząc, jak dłonie pani Irenki wyciągają z kredensu jej ulubiony kubek.

– To trzymaj się go mocno, jak jest dobry. I nie popuszczaj. Hanuś, lata uciekają. Patrz na mnie. Też mi się wydawało, że młoda wiecznie będę. A tu proszę – wymawiając te słowa, dotykała swoich białych jak śnieg włosów, spiętych w mały, skromny koczek z tyłu głowy. – Jak czujesz od niego dobroć, to układaj sobie z nim życie. Szybko. Na nic nie czekaj. Młodości szkoda, życia szkoda. Dzieci mu rodź. Chowajcie je razem. Patrzcie, jak rosną. Zastanawiajcie się, co mają z ciebie, a co z niego. Mówię ci. Słuchaj rad starej babki. – Hanka patrzyła na znów uśmiechniętą twarz pani Irenki jak zaczarowana. – Posłuchasz mnie? – pytanie pani Irenki wyrwało ją z chwilowego zamyślenia.

– Posłucham – odpowiedziała pokornie i skinęła głową.

Proste rady pani Irenki od lat trafiały do niej jak nic innego na świecie. Obraz, który wytworzyła w swojej wyobraźni, słuchając jej mądrych słów, sprawił, że przez jej serce przemykała teraz miłość do dziecka, którego nigdy nie miała, a o którym myśl pozwoliła jej przebrnąć przez śmiertelny lej rozrywający, nie tak dawno, równinę jej życia. Herbata była pyszna.

– A u Dominiki miłość kwitnie czy przysiadła już na nowym kwiateczku?

– I tu się pani zdziwi, pani Irenko. Dominika wciąż kwitnie miłością w obrębie tego samego kwiatka – ziewnęła.

– Oj, Hanuś, ty jesteś śpiąca, dziecko moje. To idź już do siebie. Jeszcze będziemy miały czas na nasze gadki. Idź, odpoczywaj sobie, a jutro pójdziemy do ogrodu. Sprzątać i wiosnę przywoływać. Co ty na to?

– Bardzo chętnie.

– Posprzątamy i ułożymy jakiś mądry plan dla Iwonki. Nie można jej tak z tym wszystkim zostawić. Oj, nie. Już ja coś wymyślę! A teraz goń na górę odpoczywać, bo jutro czeka nas pracowity dzień.

<Dojechałaś?>

<Tak. Wszystko w porządku. Jestem padnięta. Właśnie zasypiam opchana naleśnikami z jagodami.>

<A skąd teraz jagody?>

<Z serca.>

<Tęsknię.>

<Ja chyba też...>

<Jak to chyba?>

<Wolałbyś bez chyba?>

<Zdecydowanie...>

<*Dobrze. Ja też.*>

<Ale ja bardziej.>

<*Może...? Jutro pójdę nad morze...*>

<Zazdroszczę ci. Będziesz spacerować czy tylko patrzeć?>

<*Spacerować, patrzeć, zamykać oczy, słuchać, czytać...*>

<Co czytać?>

<*To co zwykle...*>

<Czyli...?>

<*„Romea i Julię". Znasz?*>

<Nie znam. O czym to jest?>

<*O szczęśliwej miłości.*>

<Chyba nieszczęśliwej...>

<*Napisałeś, że nie znasz...*>

<Nieszczęśliwej miłości?>

<*Nie. „Romea i Julii".*>

<Coś mi się kiedyś obiło o uszy, że to o nieszczęśliwej miłości. Kochankowie skończyli z życiem, bo nie mogli być razem.>

<*Odeszli tak, jak chcieli żyć. Razem. Czyli może to jednak szczęśliwy koniec?*>

<Jestem chyba za głupi, żeby to zrozumieć.>

<*Nie jesteś...*>

<Jaki?>

<*Za głupi.*>

<A jaki według ciebie jestem?>

<*Podpowiedz mi, co chciałbyś o sobie teraz przeczytać?*>

<Boski, inteligentny, przystojny etc., etc...>

<*Wiesz, jaki jesteś?*>

<Jaki?>

<*Spostrzegawczy! Do jutra! Dobranoc!*>

<A ty jaka jesteś?>

<*Baaardzo zmęczona...*>

<To śpij dobrze. PA!>

<*U2*>

Oczy śmiały się jej do jego słów. Leżała w łóżku, w swoim nadmorskim pokoju. Rzeczywiście była padnięta. Jednak starczało jej sił, żeby po raz kolejny i kolejny przenosić się w różne zakątki złotego miasta. Nie potrafiła zdecydować, gdzie było jej najlepiej. W dyskotece? Na moście? Nie chciała wybierać. A może jej przeżycia w dyskotece stanowiły preludium do słów usłyszanych na moście. Tęskniła za słowami i gestami. O ile dotychczas uczuć Mikołaja doszukiwała się tylko w jego oczach, o tyle teraz mogła już zaprzestać tych poszukiwań. Wszystko już wiedziała. Bóg jej świadkiem, że tam, na moście, też chciała mu powiedzieć. O wszystkim... Niestety, nie poradziła sobie. Przeszłość? Czy teraźniejszość? Nie potrafiła ułożyć odpowiedniej kolejności uczuć. Nie chciała niczego zepsuć. Zwłaszcza że Praga odkrywana na nowo po latach, u boku Mikołaja, miała wyraźny i konkretny smak. Był to smak życia, o jakim dawno zapomniała i jakiego jej ostatnio brakowało. Zachwycała się wszystkim podwójnie. Potrójnie! Że widzi, że jest z nim, że nie musi niczego udawać. A skoro niczego nie musiała udawać, oznaczało to, że było dobrze. Słyszała szum wody dobiegający z łazienki na dole. Pomyślała, że życie to taka przekorna pleciuga. Żeby komuś dać, innemu musi zabrać. Tym da, to tamtym zabierze i tak bez końca. Była tylko bardzo ciekawa, czy życie robiło czasem coś na wzór bilansu zysków i strat. Czy było sprawiedliwe?

Wstała. Po cichutku, na palcach, podeszła do okna. Delikatnie je uchyliła. Na ciele poczuła chłód charakterystyczny dla drugiej połowy lutego. Zimny, ale już nie mroźny, zaczynający pachnieć przednówkiem. Słyszała szum morza. Lutowy, nocny szum. Działał na nią uspokajająco. Doskonale zastępował prozac. Od wielu miesięcy nie prowadziła życia podtrzymywanego lekami. Odkąd poznała Mikołaja, nie chciała pamiętać o chwilach, w których myślała o życiu w czasie przeszłym.

Zamknęła okno. Szum ucichł. Chłód pozostał. Podeszła do krzesła i zdjęła przewieszony przez nie szalik. Lekarstwo na największy chłód, chłód duszy. Innych lekarstw nie potrzebowała. Teraz potrzebowała jedynie odwagi. Musiała mu powiedzieć i znów będzie jak w Pradze. U jego boku. Od nowa...

– Dobre? – pytała już któryś z kolei raz mama. Zajęty jedzeniem, nie odpowiadał, ponieważ po praskich przeżyciach wrócił mu apetyt, ostatnio mocno nadwątlony. – Może byś coś w końcu z siebie wydusił? – Mama siedziała naprzeciwko i wpatrywała się w niego z uśmiechem. Ręce złożyła przed sobą, oczu z niego nie spuszczała. – Zaraz wrócą ojciec z Mateuszem i już nic mi nie powiesz. A ja modliłam się o ciebie, o was, tak jak prosiłeś, więc chyba coś mi się należy.

– A gdzie poszli tato i Mateusz? – zapytał, pałaszując pysznego schabowego.

– W ramach zakopywania topora wojennego poszli pograć w kosza.

– Czyli można powiedzieć, że wszystko wraca do normy? – zapytał, przełykając.

– To się okaże, jak wrócą. A tak swoją drogą, jestem ciekawa, jak Mateusz zareaguje na twoją obecność. Mam nadzieję, że teraz, jak są ferie i jej nie widuje, to hormony mu trochę przysnęły. No, mów szybko! Była? Obiecałeś napisać i co? Czekałam i czekałam, a tu ani słowa!

– Mamo – oparł sztućce o brzeg talerza i wypowiedział to jedno najradośniejsze słowo – była.

– No i co? Mów!

– Co? Co? – zapytał, a mama zupełnie nieoczekiwanie wstała od stołu i skierowała się do drzwi. – Mamo? Dokąd idziesz?

– Płakać z tęsknoty za córką! – rzuciła mu szybkie słowa przez ramię i stojąc już na korytarzu, dodała: – Gdybym ją miała, to miałabym z kim w życiu porozmawiać. A tak, to co? Jeden pary z gęby puścić nie chce! Drugi wiecznie nie w humorze! A najstarszy wciąż w trudnym wieku. Oszaleć można! A gońcie się wszyscy! Nie chcesz nic powiedzieć, to nie! Trudno! Błagać nie zamierzam!

– Ale mamo! Nie obrażaj się. Najpierw mi dajesz takie pyszności, a później się denerwujesz, że jem, zamiast z tobą rozmawiać. – Napotkał czujne, trochę łagodniejsze spojrzenie, ale mama najwyraźniej nie zamierzała wrócić do stołu.

– No pięknie! Jeszcze w dodatku co jeden to lepszy w odwracaniu kota ogonem! I cokolwiek byś, kobieto, robiła, to wszystko zawsze twoja wina!

– Mamo...

Wstał od stołu. Podszedł do niej i schylając się, złożył delikatnego całusa na jej czole. Na małą chwilę ich życiowe role się odwróciły. Zachował się jak czuły i troskliwy ojciec pyskatej dziewczynki ze skłonnościami do przetrzymywania much w nosie. Ćwicząc na mamie swoje błagalne spojrzenie, wziął ją za rękę i podprowadził do stołu, przy którym usiadła, udając wciąż obrażoną.

– Było cudownie – powiedział powoli. – Jest cudowna, mądra, błyskotliwa i bardzo chciałbym, żeby ze mną była.

– To jeszcze nie jest? – mama nie kryła zaskoczenia. Chyba go przeceniała.

– Ciężko powiedzieć. – Uciekł przed czujnym matczynym spojrzeniem do prawie pustego talerza.

– A powiedziałeś jej, co do niej czujesz? – zaczęła się konferencja.

– Powiedziałem.

– I co?

– Tego właśnie nie wiem.

– Wiesz co, Mikołaj. Przyprowadź ją do nas na obiad. Ja na nią popatrzę i od razu będę wiedziała co i jak.

– Przecież już ją widziałaś – postanowił się bronić.

– Ale nie widziałam was razem. Nie widziałam, jak na ciebie patrzy. Kobiety często widzą takie rzeczy, o których mężczyznom się nawet nie śniło. Mówię ci, przyprowadź ją do nas. Mateusz jedzie ze swoją klasą do Częstochowy. A my spotkamy się, posiedzimy, pogadamy, a ja sobie poobserwuję.

– Dobrze – powiedział, choć pomysł mamy nie przypadł mu do gustu. – Powiem jej, ale nie jestem pewien, czy będzie chciała przyjść.

– Nie bój się, będzie. – Zazdrościł mamie tej pewności. – Podpytaj ją tylko, co lubi jeść.

– A wiesz, mamo...? – zaczął, chcąc nadać ich rozmowie trochę babskiego klimatu. – Ona też jest bardzo dobrą kucharką. – Mama spojrzała na niego pytająco. – Chciałem przez to powiedzieć, że gotuje tak dobrze jak ty.

– A może lepiej ode mnie? – Mama wzięła się pod boki.

– Możesz być spokojna. Lepiej nie. Ale ma mnóstwo innych zalet.

– Chcesz powiedzieć, że odkryła już przed tobą wszystkie?

„Matka manipulantka w akcji!", pomyślał i zapytał:

– A jak myślisz?

Mama popatrzyła na niego przenikliwym wzrokiem, po czym przybrała dziwny, nieznany mu do tej pory wyraz twarzy, w którym bardzo śmieszne było to, że nieznacznie przymykała lewe oko.

– Jak na moje oko... – zaczęła powoli. – To jesteś taki rozanielony, że na razie to mało widziałeś. – Uśmiechnął się do niej, choć zdziwiła go bardzo swoją bezpośredniością. – Nie zapominaj, synku, że trochę już żyję na tym świecie. Wiem też, że jeżeli mężczyzna wciąż jest gotów dla kobiety chodzić na głowie, podpierając się tylko rzęsami, to jej jeszcze nie ma.

– A nie wydaje ci się, że trochę upraszczasz?

– Mikołaj, mężczyźni są tak nieskomplikowani, że nie można tu już niczego bardziej skomplikowanego wymyślić. Mówię ci, jeżeli chcesz się czegoś mądrego o niej dowiedzieć, to ją do nas przyprowadź, a ja...

Trzasnęły drzwi, wprawiając mamę w chwilowe zakłopotanie. Nie dokończyła rozpoczętego zdania, a on znów zajął się jedzeniem. Wiedział przecież, co miała mu do powiedzenia.

Od progu było słychać, że tato i Mateusz zakopali topór wojenny. Wrócili do domu w doskonałych nastrojach.

– Ale coś ładnie pachnie! – dał się słyszeć grzmiący głos taty.

Jednak pierwszy do kuchni wparował Mateusz.

– Jeść! – krzyknął, lecz gdy tylko go spostrzegł, usztywnił się, jakby jego przełyk wypełnił kij od miotły. – Cześć – przywitał się, co prawda, ale identyczne końcówki słów „jeść" i „cześć" zabrzmiały zdecydowanie inaczej. Pierwsza miękko, druga wyjątkowo twardo.

– Cześć – odpowiedział Mikołaj, siląc się na swobodny ton. Jednak jego młodszy brat nagle z bardzo głodnego zrobił się bardzo higieniczny, jak nigdy, i zapragnął wziąć prysznic przed kolacją.

– Witam zwycięzcę – ojciec poklepał go przyjaźnie po ramieniu i usiadł obok niego. – Basieńko! Jeść!

– A może przynajmniej ręce byś umył.

– Umyłem w klubie, mój higieniczny skarbie – do mamy pofrunął piękny uśmiech taty, chyba też w małej części przeznaczony dla Mikołaja. – Ale się cieszycie z Przemkiem z wygranej, co?

– Bardzo... – przyznał. – To duża sprawa.

– I jaki teraz plan? Wiecie, kiedy zaczynają budowę?

– Jak wszystko się uda, to już na początku maja.

– Zobacz, Basiu, jakiego mamy mądrego syna.

Mikołaj znów poczuł na plecach znajome i przyjazne poklepywanie.

– Wiesz, tato, ten projekt to nie jest praca indywidualna, tylko efekt pracy wszystkich w naszej pracowni – dokonał niezbędnego sprostowania.

– Nie bądź taki skromny. Przecież cię znam i wiem, że na pewno po wszystkich poprawiałeś. Nawet po Przemku.

– Proszę. – Mama postawiła talerz przed tatą.

Mikołaj popatrzył na mamę i pomyślał, że rzeczywiście jej żywot nie był najlżejszy. Była bardzo oddana domowi. Wciąż im usługiwała. Często spełniała ich życzenia, zanim zdążyli je wypowiedzieć. Tato zatopił widelec w makaronie, a wzrok w gazecie. Zawsze czytał przy jedzeniu. Mama tego nie znosiła, ale już dawno poddała się i przestała z tym walczyć. Była bardzo wyrozumiała. Pierwszy raz w życiu, właśnie w tym momencie, dotarło do niego, że może nawet za bardzo. Ale najbardziej wartościowe w jej podejściu było to, że pomimo jej pobłażliwości w nawet fundamentalnych zasadach wychowania wyrósł na – wydawało mu się – porządnego człowieka. Zawsze wiedział, co w życiu jest dobre, a co złe. Doskonale umiał odróżniać normę od marginesu.

Jego rozważania nad pustym talerzem przerwało obce spojrzenie Mateusza, który wszedł do kuchni wykąpany, pachnący i bardzo spięty. Patrzył na swojego młodszego brata, gdy ten siadał przy stole i jakby od niechcenia sięgnął po gazetę, demonstrując tym samym brak chęci do rozmowy z nim. Obserwująca wszystko z uwagą mama nie wytrzymała rodzącego się napięcia.

– Może pogratulowałbyś bratu wygrania konkursu? – zasugerowała cicho Mateuszowi, który zaszczycił go jednym, prawie ukradkowym spojrzeniem i burknął pod nosem coś, co miało najwyraźniej oznaczać szczere gratulacje.

Uśmiechnął się do niego w odpowiedzi, czując, że najwyższa pora na szczerą braterską rozmowę. Nie mogło tak dalej być. Nie mógł zaniedbywać kontaktów z rodzicami przez fochy Mateusza. Bo Mateusz będzie w domu, bo Mateusz odbierze telefon, bo może lepiej nie denerwować Mateusza, bo nie trzeba wchodzić w drogę Mateuszkowi. Koniec z tym! Wystarczy tych zabaw.

– Napijesz się herbaty? – przerwała ciszę mama, patrząc na niego z uśmiechem. Ona też tęskniła za normalnością.

– Nie, dziękuję. Jestem tak pełny, że nie zmieszczę już dosłownie niczego. Najchętniej położyłbym się... – Udawał, że się rozmarzył, ale w głowie układał już plan działania.

– To idź, synku. Idź do siebie, odpocznij – mama zerkała przez okno.

– To na razie – wyszedł z kuchni.

Po cichu przemierzał schody, myśląc o Hance. Na górze zatrzymał się na chwilę, rozważając jeszcze, czy rozmowa z Mateuszem to aby na pewno dobry pomysł. Ale przecież nie mógł tego tak zostawić. Musiał załatwić sprawę raz na zawsze, dla dobra wszystkich zainteresowanych, a zwłaszcza Hanki. Podświadomie wyczuwał, że w każdej chwili gdy się do niej zbliżał, zachowywała się tak, jakby włączała opcję: ostrożnie z ogniem. Może przez Mateusza? Nie był tego pewien. Nie poszedł do swojego dawnego pokoju. Pchnął lekko uchylone drzwi pokoju Mateusza. Ogarnął wzrokiem jego wnętrze. Braciszek chyba ostatnio spoważniał, bo panował tu porządek, jak nigdy dotąd. Chociaż sobie w tej materii też musiał pogratulować. Pilnował, żeby jego mieszkanie nie przypominało kawalerskiej enklawy. Brudne ubrania lądowały w wiklinowym koszu, a użyte naczynia w zmywarce. Przeczytane gazety od razu wynosił do kubła na makulaturę. Nawet ścielił łóżko. Opanowanie tych kilku wąskich gardeł w jego mieszkaniu stanowiło krok milowy w zarządzaniu gospodarstwem domowym.

Podszedł do biurka Mateusza. Wziął do ręki pierwszy lepszy zeszyt. Na jego okładce zobaczył piękne, sfotografowane z oddali, ośnieżone Kilimandżaro, u którego podnóża stały dwie zapatrzone na górę żyrafy. Zachwycający widok. Chciałby go kiedyś zobaczyć w rzeczywistości. Chciałby go oglądać razem z Hanką. Wszystko chciał w życiu robić razem z nią. Otworzył trzymany w ręce zeszyt. Zobaczył wypełnione niedbałym pismem Mateusza szerokie, niebieskie linie, ograniczone cieniutką kreską czerwonego marginesu. Był to zeszyt do języka polskiego. Wiedział, że nie powinien tego robić, ale przekartkował go szybko w nadziei, że znajdzie w nim pismo Hanki. Nie udało mu się. Usłyszał kroki Mateusza na schodach. W pośpiechu zamknął i odłożył zeszyt na miejsce. Złożył ręce przed sobą chyba w geście obronnym i czekał, patrząc na drzwi. Mateusz nie spodziewał się go tu zastać. Bardzo się zmieszał, kiedy go zobaczył, ale szybko odzyskał rezon.

– Pokoje ci się chyba pomyliły! – rzucił opryskliwie, stając dokładnie naprzeciwko niego.

Byli prawie identycznego wzrostu. Minimalna przewaga była na szczęście po jego stronie.

– Nic mi się nie pomyliło. Przyszedłem pogadać – powiedział najspokojniej, jak potrafił.

– Nie mamy o czym! – Niestety, młody gniewny postanowił zaatakować.

– Tak ci się tylko wydaje – powiedział znów spokojnie, ale zdecydowanie.

– Nic mi się nie wydaje! – odburknął Mateusz i skierował się do wyjścia.

– Mateusz! – ominął go szybko. Zamknął mu drzwi przed nosem i ciałem zatarasował drogę.

– Puść mnie! – usłyszał źle wróżące syknięcie.

– Uspokój się! Musimy pogadać! – nie zamierzał odpuścić. – Im szybciej to zrobimy, tym lepiej dla nas wszystkich.

Mateusz zrobił żołnierski w tył zwrot i podszedł do biurka. Usiadł na obrotowym krześle i zaczął denerwująco kręcić się na nim, patrząc mu w oczy z łatwo zauważalnym lekceważeniem.

– Chcesz pogadać? – fuknął. – To gadaj. Proszę bardzo. Byle szybko, bo zaraz przyjdzie do mnie Kabanos. Słucham. Co masz mi do powiedzenia?

Mikołaj patrzył na Mateusza, któremu wydawało się, że jest panem sytuacji. W końcu był na swoim terenie i dawał mu wyraźnie do zrozumienia, że jest niemile widzianym intruzem mieszającym mu w życiowych planach. Mina Mateusza sprawiała, że nie wiedział, od czego zacząć.

– Co czujesz do profesor Lerskiej? – zaczął z grubej rury.

– Nie twój interes! – wrzasnął Mateusz.

– Uspokój się! Bo za chwilę będą tu rodzice! Chcesz tego?

Mateusz zerwał się z krzesła i już wgapiał się w okno, identycznie jak podczas ich ostatniego starcia po pamiętnej studniówce.

– Nie chcę – powiedział trochę spokojniej. – Ale nie chcę też gadać o niej.

– Ja też nie chcę, ale ta rozmowa jest nieunikniona i potrzebna nam obu.

Mateusz nagle odwrócił się od okna i spojrzał na niego. Chyba dodawał sobie animuszu tą sprężystością ruchów.

– Posłuchaj, jak ją chcesz, to ją sobie bierz, i po sprawie. Nie mamy o czym gadać! Skończony temat! Zadowolony?!

– Mateusz! Posłuchaj siebie! Co ty mówisz?! Nie zachowuj się jak szurnięty małolat! Poza tym nie można komuś dawać czegoś, czego się nie ma, a tym bardziej kogoś. Pomyśl logicznie, ja nie przyszedłem do ciebie po to, żebyś mi ją dawał. O nią potrafię postarać się sam! Nie potrzebuję ani twojej pomocy, ani twojego wsparcia. Przyszedłem do ciebie, żeby cię prosić o powrót do normalnych relacji między nami – mówiąc, wciąż się kontrolował, żeby utrzymać w miarę łagodny ton. Dużo go to kosztowało, ale musiał załatwić sprawę. Raz na zawsze.

– Powiedz, dlaczego przyczepiłeś się akurat do niej?! – Spojrzenie Mateusza było bezczelne, ale ton jakby łagodniejszy niż dotychczas.

– Bo się zakochałem – odpowiedział, myśląc jednocześnie: „Chcesz?! To masz! Proste pytanie, prosta odpowiedź". – Zadowolony? – z rozmysłem powtórzył wcześniejsze słowo Mateusza. Dotychczasowa łagodność nie przynosiła szczególnych rezultatów. Może więc nadszedł czas na zmianę podejścia.

– A nie mogłeś zakochać się w innej? – głupio zapytał Mateusz.

– Skoro zakochałem się w niej, to najwidoczniej nie mogłem! A poza tym nie jestem jasnowidzem. Skąd mogłem wiedzieć, że ty... Że spodoba ci się kobieta...

– Przestań! – przerwał mu Mateusz, ale tym razem bez podnoszenia głosu. – Oszczędź sobie! Nie musisz mi robić prania mózgu, bo ojciec był szybszy! Już wszystko wiem! Jest dla mnie za stara. Nigdy nie zwróci na mnie uwagi, a ja jestem śmieszny. Ale nic nie poradzę na to, że mi się podoba. Zresztą nie tylko mnie...

– A komu jeszcze? – zapytał szybko.

– Za dużo chciałbyś wiedzieć.

– Dobra, nieważne. Mateusz, posłuchaj. Chcę, żebyś wiedział, że myślę o niej bardzo poważnie.

– Co to znaczy poważnie?

– Chcę się z nią ożenić – powiedział głośno.

– Co?! – Oczy Mateusza o mało nie wyszły z orbit.

– Chcę się z nią ożenić – powtórzył wolniej, spokojniej i ciszej.

– To kiedy ślub?

Kpina w głosie Mateusza sprawiła, że zagotowała się w nim krew, ale dla dobra sprawy nie dał po sobie poznać, że najchętniej przywaliłby teraz wrednemu braciszkowi między oczy. Upominał się w myślach, powtarzając sobie, że zaczął temat, żeby się w końcu dogadać, a nie kruszyć kopie. Mateusz tak naprawdę był do niego bardzo podobny, więc nie mógł oczekiwać, że bez gadania zrezygnuje ze wszystkiego, potulnie klękając w kącie, na karnym woreczku wypełnionym zielonym, wysuszonym, twardym groszkiem.

– Pewnie jeszcze długo nie.

– Ale jesteście z sobą? – zadając to pytanie, Mateusz zrobił głęboki wydech, a on, dla odmiany, przygotowując się do odpowiedzi, głęboki wdech.

– Jesteśmy – powiedział, mając głębokie przekonanie, że wymawiając to słowo, nie dopuszczał się kłamstwa.

Mateusz był wyraźnie poruszony tym, co usłyszał. Może dlatego, widząc jego reakcję, przez ułamek sekundy poczuł się winny. Poczuł, że trochę przesadził z tą deklaracją, która dla Mateusza oznaczała co innego niż dla niego.

– Czekasz na gratulacje? – Mateusz skrzywił się okropnie.

– Nie. Czekam, żebyś zrozumiał, odpuścił i żeby było między nami jak dawniej.

– Czyli podsumowując... – Mateusz udawał właśnie luzaka, po którym wszystko spływa. – Obrabiasz boską laskę, ale ci to nie wystarcza. Potrzebujesz jeszcze, żebym ci powiedział, że mnie to cieszy?!

– Przestań! Nie bądź wulgarny!

– Nie wiem, o co ci chodzi. – Mateusz uśmiechał się, udając, że wszystko, co przed chwilą usłyszał, nie ma dla niego teraz żadnego znaczenia. Nie mógł, niestety, ukryć tego, że zbladł.

– Możesz zachować się jak dorosły facet? – poprosił.

– Tak? To powiedz, jak się zachowuje dorosły facet, bo przecież ja jestem gówniarzem, któremu można dyktować, w kim się może zakochać, a w kim nie! Więc chyba nie jest dziwne, że nie wiem, jak się zachować, i nie ogarniam waszego dorosłego świata! – mówił coraz głośniej.

– Posłuchaj mnie... – przerwał mu Mikołaj. Miał już dość. Zresztą podobnie jak Mateusz. – Możesz się rzucać, ile chcesz. Jeżeli dzięki temu lepiej się poczujesz, to możesz mi przywalić jak ostatnim razem. Tylko że to nic nie zmieni.

– Nie mów mi, co mogę, a czego nie mogę! Nie jesteś moim ojcem! Zrób sobie z nią dzieci, to...

– Mateusz!!!

– ...To przed nimi się będziesz wymądrzał! Przede mną nie musisz! – Braciszek postawił na swoim i powiedział, co miał do powiedzenia.

– Posłuchaj siebie... – zaczął z pobłażaniem w głosie. – Przypominam ci, że przyszedłem się dogadać.

– Dobrze ci idzie! – Ton Mateusza był identyczny jak na początku rozmowy, dlatego miał wrażenie, że utknął w martwym punkcie.

– Idę – skierował się do drzwi. – Widzę, że cię przeceniłem. Potrzebujesz jeszcze chyba dużo czasu, żeby wszystko przemyśleć. Jeżeli ci się to uda, to daj znać, może pójdziemy na kosza, żeby to uczcić. Cześć! – Wychodząc, usłyszał pytanie, które na dłuższą chwilę wbiło go w podłogę.

– A nie wydaje ci się, że ona jest dla ciebie za mądra? – zabrzmiało głośno w jego uszach.

Nie wiedział, co powiedzieć, ale miał ochotę, nie bacząc na konsekwencje, dołożyć Mateuszowi. Zacisnął pięści, szczęki i wysilił się nadludzko, żeby mimo wszystko zachować spokój.

– Nie wydaje mi się... Jestem tego pewien!

– Czego jesteś pewien? – usłyszał wesoły głos mamy, która pojawiła się nie wiadomo skąd. – Miło widzieć, że rozmawiacie z sobą.

– A czemu mielibyśmy nie rozmawiać? – Mateusz podszedł do niego i objął go ramieniem. – Nie, brat?

Mikołaj, patrząc na niego, nie mógł uwierzyć w to, co się działo. Jedynie uścisk Mateusza przypominał mu, że to wszystko było jedną wielką mistyfikacją. Uścisk Mateusza był bowiem zupełnym przeciwieństwem jego spojrzenia. Ale ucieszył go widok rozanielonej mamy, kompletnie niezauważającej zdolności aktorskich obu swych synów.

– Zgadnijcie, z kim przed chwilą rozmawiałam? – zapytała mama, nie dając im jednak najmniejszej szansy na próbę odgadnięcia. – Rozmawiałam z waszą kuzynką Marysią.

Marysia była jedyną i ulubioną kuzynką Mikołaja. Starsza od niego o dwa lata, zawsze była jego przewodniczką po świecie dorosłych. Na dźwięk jej imienia bezwiednie uśmiechnął się, przypominając sobie moment, w którym musiał na własne życie przyrzec, że nikomu nic nie powie, a Marysia wytłumaczyła mu z niezbędnymi szczegółami, jak się robi dzieci.

– Przyjeżdża do Polski za miesiąc. Chce być na urodzinach swojej matki a mojej szacownej siostry. Ale zapamiętajcie sobie, to tajemnica. Marysia chce zrobić mamie niespodziankę. Obiecałam, że odbierzesz ją z lotniska – mama radośnie patrzyła na Mikołaja.

Jej dobry humor cieszył go ogromnie. Cieszyły go też dwie inne sprawy. Perspektywa spotkania z Marysią i to, że mama, pomimo całej swojej spostrzegawczości, nie dopatrzyła się fałszu w braterskiej miłości. Wciąż i niezmiennie czuł na sobie uścisk Mateusza. Ten uścisk był przeznaczony dla mamy, nie dla niego. Odczuwał go coraz dotkliwiej. Ale i tak uważał, że to postęp. Uspokoić mamę. O to chodziło mu przede wszystkim. Mateusz musiał uspokoić się sam. Nie chciał żadnej pomocy, odrzucał ją. Zresztą Mikołaj nie bardzo wiedział, jak mógłby mu pomóc.

– O Matko Przenajświętsza! – biadoliła pani Irenka. – Popatrz, Hanuś! Ten ogród to obraz nędzy i rozpaczy!

Hanka patrzyła z uśmiechem, jak pani Irenka swoim uważnym spojrzeniem ogarniała ogród, w którym topniejący śnieg odkrywał coraz to nowe dowody na to, że tegoroczna zima, mimo iż nie zaatakowała zbyt wcześnie, jak zwykle zaskoczyła. Doskonale pamiętała wieczór, kiedy w Warszawie spadł pierwszy śnieg. Dzisiejszy, środowy poranek uśmiechał się do niej błękitem nieba, lekkim złotem słońca i radosnym świergotem szarych wróbli. Obserwowała to wszystko oparta o trzonek grabi. Pani Irenka przed chwilą sprawiedliwie podzieliła tonące w zbutwiałych liściach terytorium ogrodu, które miały zamiar dziś wysprzątać.

– Zaczynamy od domu czy od płotu? – zapytała Hanka, spoglądając na trzewiki, w które na czas porządków ubrała ją pani Irenka. Buty pamiętały jeszcze lata licealne Iwonki. Były zniszczone, ale prowadziły ją po ogrodzie niczym wygodne kapcie. Ubrana była również w spadek po Iwonce. Garderoba, którą przywiozła z Warszawy, nie zawierała niezbędnego dziś stroju roboczego.

– Hanuś? No coś ty! Chcesz ciągnąć brudy w kierunku domu? Grabi się zawsze od domu do wyjścia. Tylko nie pomyśl sobie o mnie źle, że taki bardak mam w ogrodzie. Ale moja świętej pamięci mama zawsze mówiła, że najlepiej grabić po zimie. Bo jak ziemia pod śniegiem w stare liście ubrana, to jej zimą cieplej, a i cebule kwiatowe lepiej się mają.

– Pani Irenko, co też pani mówi? Ja miałabym sobie o pani źle pomyśleć? To niemożliwe. A poza tym bardzo lubię pracować w ogrodzie. Gdyby to ode mnie zależało, to w naszym, to znaczy moim ogrodzie robiłabym wszystko sama. Ale nie mogłabym zwolnić z pracy pana Andrzeja. On ten ogród traktuje jak własne dziecko. – Zerknęła znad grabi na panią Irenkę, która już rozpoczęła walkę z zeszłorocznymi liśćmi.

– Czujesz? – Pani Irenka, nie przerywając pracy, wzięła głęboki wdech i prostując plecy, powiedziała: – Wiosną już czuć powietrze. Jeszcze, co prawda, chłodne, ale już zielenią pachnie. Słońce coraz wyżej wędruje. Wiosna, panie sierżancie! Wiosna!

Hanka słuchała jej szczerych zachwytów i uśmiechała się do siebie. Nie chciała nic mówić. Chciała pracować i słuchać głosu pani Irenki.

– Patrz, Hanuś! Zobacz! Już widać zielone czubeczki przebiśniegów – to mówiąc, pani Irenka przerwała na chwilę pracę, wzniosła oczy ku niebu i z lekko przyspieszonym, bo zmęczonym już, oddechem zaczęła modlitwę: – Serdeczna Matko, opiekunko ludzi, proszę cię, spraw tylko, żeby ten nicpoń mróz już się u nas nie pojawiał, bo szkód mi tylko narobi, jak mi tu wejdzie między te zieloniutkie szczypiorki.

Hanka słuchała niebiańskiego monologu pani Irenki, a uśmiech nie schodził z jej twarzy ani na chwilę. W istocie zbliżała się wiosna. Głos pani Irenki koił, a praskie wspomnienia działały na nią tak jak termofor w mroźną noc. Tęskniła za Mikołajem. Teraz na pewno był w pracowni. Może projektował coś ładnego? Tato na pewno ucieszyłby się, gdyby wiedział, że to przystojny architekt od kilku dni nieprzerwanie zaprząta myśli i uczucia jego ukochanej córeczki. Delikatnie grabiła liście. Dokładnie tak, jak przykazała pani Irenka. Na plecach oprócz rozgrzewających promieni słońca wciąż czuła dotyk dłoni Mikołaja. Podniosła twarz do słońca. Zamknęła oczy. Świeciło umiarkowaną żółcią. Tęskniła za pomarańczem i spojrzeniem Mikołaja. Za jego poważnymi żartami. Wspominała dzień, w którym zobaczyła go po raz pierwszy. Wyglądał wtedy na bardzo zagubionego. Na moście Karola był całkiem inny. Prawie poczuła dotyk jego ust. Był delikatny ale... „Ale do roboty!", zganiła się w myślach.

– No i pomyśl, Hanuś, jakie życie byłoby piękne, gdyby ten mój, pożal się Boże, zięć umiał się skupić na tym, co w życiu ważne. No, z głowy mi ta moja Iwonka nie wychodzi. Mówię ci. Dobrze, że dzisiaj razem przywiozą dziewczynki. Popatrzę na nich, to może mi się coś w tej mojej głowie rozjaśni. Mówię ci, jakie te moje wnuczki fajne. Ula to już taka poważna, jakby studia miała zaczynać. W kogo ona się wdała? Przecież nie we mnie ani tym bardziej nie w moją Iwonkę. A może w mojego Karola? – Pani Irenka zastanowiła się przez chwilę. – On to taki był, że jak nie trzeba było, to językiem po próżnicy nie klepał. Jak patrzę na Zuzę, to jakbym swoją Iwonkę widziała. Wypisz, wymaluj. A co ty, Hanuś, się tak nie odzywasz? Może odpocząć sobie chcesz, a ja ci gadam i gadam. A powiedzże: zamknij się, ty stara babo!

Uśmiech pani Irenki był zniewalający. Zastępował jej spojrzenia Mikołaja.

– Pani Irenko, nigdy tak do pani nie powiem, bo nigdzie tak nie odpoczywam jak tu, u pani. Uwielbiam pani słuchać.

– Oj, Hanuś. Mnie, starej, nie oszukasz. Machasz tu grabelkami sprawnie dosyć, nie powiem, ale główka twoja to daleko stąd myśli własne łapie. Ale ja to się cieszę, że cię taką radosną widzę. Za ładna i za mądra jesteś, żeby się smucić! Życia szkoda! Daj, Boże, żeby tej mojej Iwonce troski szybko przez żebra przeleciały i żeby wybaczyć umiała. Ja tam mojemu Karolowi przez tyle lat wybaczać czego nie miałam. Ale gdyby zaszła taka potrzeba, to wybaczyłabym na pewno. Dobre chłopisko było. Ale chłop to chłop. Ile nerwów mi w życiu naszarpał, to tylko sam Pan Bóg wie. Ale w ogień bym za nim poszła. Patrzę ja ci teraz czasami na mojego Marka, to mówię ci, cały tatunio. Kropka w kropkę. Nawet patrzy jak mój Karol. Tylko najwyższy czas, żeby się za jakieś dzieci zabrali, bo ród przetrwać musi. Bo, Hanuś, nie ma to jak krew z krwi, a kość z kości. A ty mnie, Haniu, słuchasz? – Pani Irenka popatrzyła na nią ciepło.

– Słucham, pani Irenko, słucham.

– A wyglądasz, jakbyś wcale nie słuchała.

– Pani Irenko! – udała oburzoną. – Jeżeli mówię, że słucham, to słucham.

– Ale jakbyś miała już dość tego mojego gadania albo grabienia, to pozwalam ci bez słowa pójść sobie nad to twoje morze.

– Z nim umówiłam się dopiero po południu.

– Z kim? – Pani Irenka nie zrozumiała.

– Z morzem, pani Irenko. Z morzem – roześmiała się.

– Że też ty, dziewczyno, nie masz się z kim umawiać – pani Irenka kręciła głową, gdy od strony furtki dał się słyszeć głos:

– Dzień dobry!

Jak na komendę obie odwróciły się w jego kierunku.

Za płotem stała stara kobieta w rozpiętym kożuchu, który z pewnością był bezpośrednią przyczyną purpury zdobiącej jej policzki.

– A, dzień dobry, pani Majorkowa! – Pani Irenka nie uśmiechnęła się do świdrujących oczek, które patrzyły jakoś tak chytrze.

Kobieta zmierzyła Hankę od stóp do głów i z powrotem.

– A nie za wcześnie to na prace w ogrodzie? Przecie mówili w telewizorze, że to jeszcze mrozy bedo.

– Pani Majorkowa, a to pani nie wie, że na pracę nigdy nie jest za wcześnie? Ale muszę panią teraz przeprosić, bo do kuchni muszę iść, zobaczyć, czy mi przypadkiem placek z blaszki nie ucieka.

– Widzę, powodzi się sąsiadce, powodzi. Ciasto na początku tygodnia?

Hanka przysłuchiwała się wymianie zdań między sąsiadkami i po raz pierwszy w życiu widziała zniechęcenie na twarzy pani Irenki, która opierała właśnie grabie o poręcz schodów prowadzących do domu, po czym żwawym krokiem wmaszerowała do niego, nucąc jakąś znajomą pieśń, chyba kościelną. Pani Majorkowa postała jeszcze chwilę przy płocie, nie nawiązując jednak rozmowy.

– To idę ja – powiedziała na odchodnym. – Przeszkadzać w pracy nie bede. Do widzenia paniusi.

– Do widzenia – odpowiedziała, grzecznie, śmiejąc się w duchu z paniusi, którą nie była nigdy, a zwłaszcza teraz, gdy wyglądała trochę jak przerośnięte wilczę z Czarnego Podwórza.

– Poszła? – usłyszała nagle cichy, prawie szepczący głos pani Irenki, która uchyliwszy drzwi, zaglądała czujnie za ogrodzenie, gdzie jeszcze przed chwilą stała chyba niezbyt lubiana przez nią sąsiadka.

– Poszła – odpowiedziała z konspiracyjnym uśmiechem.

Pani Irenka schodziła uważnie po schodach.

– Żebyś ty, Hanusiu, wiedziała, jakie z tej Majorkowej plotkarskie nasienie. Już pół wsi będzie dziś wiedziało, że kokosy zbijam, bo nawet zimą letników przyjmuję, i że małpa ze mnie, bo robić im w dodatku w ogrodzie każę.

– Pani Irenko... – uśmiechnęła się, prostując obolałe plecy. – Przecież mądrzy ludzie na pewno jednym uchem wpuszczają, a drugim wypuszczają wszystko, co pani Majorkowa mówi.

– Ty mnie, Hanuś, nie pocieszaj. Powiedz lepiej, dlaczego po świecie tyle wredot chodzi.

– Żebyśmy miały mniejszą konkurencję do nieba – powiedziała lekko, bo była lekka. Obok lekkości potrzebowała teraz mądrości, żeby powiedzieć wszystko Mikołajowi. Tylko w ten sposób mogła przedłużyć w nieskończoność na nowo odkrywany smak życia.

– Ot, toś i Hanusiu świętą prawdę powiedziała. Popatrz! Mamy pierwszego krokusika!

Podążyła za wzrokiem pani Irenki. Rzeczywiście, między szaroburymi wilgotnymi liśćmi pysznił się mały fioletowy krokus. Jeszcze nierozwinięty. Potrzebował czasu i słońca. Identycznie jak ona...

<Byłaś dziś nad morzem?>

<Właśnie wróciłam...>

<Zmarzłaś?>

<Do szpiku kości. Ale było warto...>

<To wskakuj pod pierzynę, bo mi jeszcze zachorujesz!>

<Właśnie wskoczyłam i czekam na obiecaną przez panią Irenkę herbatę z cytryną.>

<Ale Ci dobrze...>

<A Tobie?>

<Ciężki dzień...>

<W pracy?>

<Też. A jak morze?>

<Cudowne. Jak zwykle...>

<Tęsknię...>

<Myślę...>

<O czym?>

<O kim?>

<O kim?>

<O Tobie.>

<A jak myślisz?>

<Dobrze.>

<A myślisz o nas?>

<Myślę...>

<Dobrze myślisz?>

<Staram się...>

<Jestem ciągle w Pradze...>

Usłyszała bardzo ciche pukanie do drzwi. Musiała przerwać tę bardzo przyjemną rozmowę.

– Proszę – odezwała się wesoło.

Do pokoju weszła pani Irenka. Na paluszkach.

– Herbatkę ci przyniosłam. Pij, dziecko, póki gorąca. Rozgrzej się.

Uśmiechnęła się, dziękując. Poczuła pod palcami bardzo przyjemne ciepło, a pani Irenka, wyczuwając, że w czymś jej przeszkodziła, przesłała w jej stronę całusa i wyszła. Szybciutko. Na paluszkach.

Została znów sama. Nie sama. Z Mikołajem.

<Też tam dziś byłam... Grabiłam ogród z panią Irenką... Wyrósł w nim piękny krokus.>

<Dlaczego nie pisałaś?>

<Bo mam już herbatkę...>

<I jak Ci teraz jest?>

<Bosko!!!>

<A kiedy wrócisz?>

<W piątek wieczorem.>

<Spotkamy się?>

<Wracam z Iwonką i dziewczynkami. Może zatelefonuję w sobotę rano?>

<Szkoda, że nie masz balkonu...>

<Dlaczego?>

<Postałbym pod nim w piątek wieczorem...>

<Dobrze. Zatelefonuję w piątkowy wieczór, jak się zorganizujemy.>

<Mogę napisać jutro?>

<*Oczywiście. Co teraz robisz?*>
<Liczę dni do piątku...>
<*Nie licz, tylko śpij. Odpoczywaj... Dobrej nocy...*>
<Całuję...>

Uśmiechała się. Kubek w muszle stał na szafce nocnej. Już pusty. Gorąca herbata w połączeniu z ciepłą pierzyną wypełnioną gęsim puchem i ostatnim słowem napisanym przez Mikołaja sprawiły, że w końcu odtajała. Chciała pomyśleć o Iwonce, ale Mikołaj rozpychał się łokciami w jej myślach. Nie dawał innym szans. Pani Irenka miała dziś bardzo nerwowy dzień. Jurkowi coś wypadło i nie przywiózł dziewczynek. Miały pojawić się dopiero jutro. Pojutrze czekał ją powrót do domu. Do codzienności i do Mikołaja. Musiała pojechać do fotografa i odebrać zdjęcie, które zrobiły sobie z ciotką Anną. Najpierw oswoi słowa, a później mu je powie. Miała nadzieję, że Mikołaj nie wystraszy się prawdy. Tej, która wciąż oddzielała ją od niego. Była dla niej trudną przeszkodą, ale do przebycia. Aldonka powiedziałaby na pewno, że jest przeszkodą do przeżycia. Odruchowo wybrała jej numer telefonu, rozłączyła się, zanim zdążyła uzyskać połączenie. Było już za późno na rozmowę, zwłaszcza że Aldonka prowadziła bardzo higieniczny tryb życia i chodziła spać z kurami. Niech śpi... Aldonka miała w swoim malutkim mieszkanku balkon... Hanka pomyślała, że bardzo chciałaby, żeby ktoś pod nim jeszcze kiedyś się zatrzymał... Aldonka była tego warta... Znów wróciła do prawdy, której przeraźliwie się bała. Bała się za siebie i Mikołaja. Nie pierwszy raz poczuła, że to nie tylko prawda oddzielała ją od Mikołaja. Musiała przyznać się sama przed sobą, że przestrzeń między nimi była skutecznie zabarykadowana przez nią samą. Przez kłębowisko jej wszystkich uczuć, przez które nie potrafiła rozliczyć się, rozmówić z życiem. Najstraszniejsze jednak było to, że wciąż pielęgnowała w sobie uczucia, które nie miały już nic wspólnego z życiem. Wciąż zastanawiała się, czy tak można. Skoro to robiła, to pewnie tak. Tylko czy warto było? Na to pytanie nie znała odpowiedzi. Postanowiła, że jutro znów pójdzie nad morze. Posłucha jego szumiących słów...

Usłyszała delikatne pukanie do drzwi.

– Proszę... – szepnęła, jakby się bojąc, że wystraszy Iwonkę. Czuła, że to ona zapukała. Podniosła się szybko i odłożyła książkę. Nie chciała, żeby Iwonka myślała, że przychodząc do niej, w czymś jej przeszkadza.

Nie myliła się. Iwonka weszła do pokoju i bez słowa usiadła na łóżku, obok niej. Miała wilgotne i zastraszone oczy. Przed godziną Jurek przywiózł ją i dziewczynki.

– Śpią? – zapytała Hanka cicho.

– Na szczęście. Dziękuję ci, że udawałaś nieobecną. Gdyby wiedziały, że tu jesteś, nie poszłoby tak łatwo. Zwłaszcza z Zuzą, bo w zastraszającym tempie doszła do siebie po chorobie. Nie mogę uwierzyć, że jeszcze trzy dni temu leżała jak betka. Wiesz, Hanka, bardzo je kocham i nie wyobrażam sobie życia bez nich, chociaż przez ostatnie dni nie dały mi szans na myślenie...

– A o czym chciałaś myśleć?

– O tym, że nie wiem, co o tym wszystkim myśleć... – Iwonka popatrzyła na nią i w sekundzie wilgoć jej oczu przybrała formę strumyczka, który zmywał jej poranny, nadwątlony kończącym się dniem, makijaż.

Hanka nie wiedziała, jak się zachować. Zaczęła gładzić rękę Iwonki topiącą się w miękkości pierzyny.

– Powiedz coś... – poprosiła Iwonka i zaczęła pochlipywać.

Hance zrobiło się żal wakacyjnej przyjaciółki sprzed lat.

– Wskakuj... – zaproponowała i przesunęła się na łóżku, robiąc miejsce. Zachęcająco poklepała opartą o ścianę poduszkę.

Iwonka prawie natychmiast usiadła obok niej i pociągnęła nosem.

– Co byś zrobiła, gdybyś była na moim miejscu?

Iwonka, zadając to pytanie, nie mogła wiedzieć, że Hanka nie znosiła go prawie tak jak słów „gdyby” i „musisz”. Była na to pytanie uczulona i uważała je za bezbrzeżnie głupie. Jednak teraz postanowiła na nie odpowiedzieć.

– Ratowałabym rodzinę.

– Ale jak? – Iwonka robiła wrażenie, jakby z minuty na minutę się zmniejszała. Topniała w oczach.

– Powinnaś z nim porozmawiać. Powiedz mu, tylko szczerze, co wiesz. Zresztą, Iwonko, przecież wiesz, że prawda zawsze wyjdzie na jaw. Prędzej czy później. Jeżeli teraz będziesz udawała głuchą i ślepą, to się zamęczysz, a za jakiś czas na pewno ktoś życzliwy będzie chciał na srebrnej tacy podać ci niezbyt piękną rzeczywistość. I co wtedy zrobisz? Iwonko, szkoda czasu i twoich nerwów. Porozmawiaj z nim. Może sprawy nie zaszły wcale tak daleko, jak ci się wydaje. Przecież w istocie to na razie mało wiesz. Tylko wyobraźnia mocno ci pracuje. Mogę się założyć, że za mocno.

– Ja wiem, Hanka, że rozmowa byłaby tu najlepsza. Ale ja się jej strasznie boję. Co ja zrobię, jak on mi powie, że mnie już nie kocha? Albo że jest ze mną tylko ze względu na dziewczynki? A jak mi powie, że to już koniec i od nas odchodzi? Przecież ja tego nie przeżyję.

– Uspokój się! – Musiała postawić Iwonkę do pionu. – Nie zakładaj najczarniejszego scenariusza. Pomyśl lepiej, co mu powiesz, jak się dowiesz, że się pogubił albo zaplątał w jakiś chory układ. Poza tym jeden wykradziony weekend nie musi oznaczać nie wiadomo czego.

Iwonka słuchała jej z uwagą i patrzyła oczami wystraszonego dziecka.

– Posłuchaj... A może ja nie powinnam nigdzie wyjeżdżać, tylko wiesz... Zostać i się z nim rozmówić...

– Ty posłuchaj... Jutro po śniadaniu zabieram dziewczynki do siebie. Tak jak im obiecałam podczas świąt. Będziecie mieli trzy dni dla siebie. Musisz to mądrze rozegrać i wszystkiego się dowiedzieć.

– Naprawdę myślisz, że tak będzie dobrze? A może...

– Iwonko – przerwała przyjaciółce, bo znów poczuła nawiedzającą ją paskudną niepewność. – Ja wiem, że łatwo powiedzieć, a trudniej zrobić. Wiem też, że łatwo mi się wymądrzać, bo nie znalazłam się w twoim położeniu. Chcę jednak, żebyś wiedziała, że gdyby tak się wydarzyło w moim życiu, to nie udawałabym, że nic się nie stało. Pomyśl... – zmieniła ton na łagodniejszy. – Przecież do tej pory Jurek wychodził z domu. Na spotkania z kolegami. Na piwo, na mecze... Wychodził? – Iwonka tylko kiwnęła głową. – Więc teraz też będzie to robił. Niestety, z jedną różnicą. On będzie wychodził, a ty będziesz umierała z zazdrości, wściekłości, bezsilności. Rozchorujesz się od tych ciągłych domysłów. Jurek będzie się bawił w najlepsze z kumplami, a twoja frustracja rozrośnie się do takich rozmiarów, że przysłoni ci wszystko. Nawet dzieci. Osobiście uważam, że przymykanie oczu na takie sprawy to emocjonalne harakiri, i to w dodatku rozciągnięte w czasie.

Iwonka patrzyła na nią wystraszonym wzrokiem. Może dlatego Hanka poczuła, że chyba nie tylko ją chciała przekonać do prawdy. Chciała wierzyć, że wszystko musiało być dobrze. U Iwonki i u niej.

– To co? Mam mu powiedzieć, że wiem, że ma romans?

– Przecież tego nie wiesz. Wiesz tylko, że cię okłamał i nie był na żadnym służbowym wyjeździe. Romans nie jest faktem, tylko wytworem twojej wyobraźni. Opowiedz Jurkowi o wszystkim, rozpoczynając od choroby Zuzy i tej pechowej książeczki zdrowia. Opowiedz mu, przez co przeszłaś podczas ostatniego tygodnia, a zrozumie więcej, niż ci się teraz wydaje.

– A jak powie, że to koniec? – Iwonka znów zaczęła beczeć.

– Przecież miałaś nie zakładać najgorszego.

– Ale jak powie, to co?

– Nie bój się, nie powie! – udawała pewność i wychodziło jej to nad podziw naturalnie.

– A skąd wiesz?

– Bo wiem! – uwielbiała stanowczość w swoim głosie, dlatego że była bardzo rzadkim zjawiskiem.

– Boję się... – Iwonka położyła się i naciągnęła kołdrę pod samą brodę.

– To normalne. Byłoby nienaturalne, gdybyś się nie bała. Ludzie się boją wielu rzeczy.

– A czego ty się boisz? – Iwonka przewróciła się na bok i popatrzyła na nią niezbyt przytomnie.

– Tak najbardziej? – zapytała, gdy przyjaciółka rozcierała na swoim policzku ciemne smugi utworzone przez rozmazany tusz do rzęs.

– Tak najbardziej – powtórzyła Iwonka, znów pociągając nosem.

– Tak najbardziej, najbardziej boję się życia.

– Życia? – Iwonka nie potrafiła ukryć zdziwienia.

– Chociaż wiesz... – Hanka nie była do końca pewna, czy tak miała brzmieć odpowiedź na to trudne pytanie. – Dwa tygodnie temu byłam w niedzielę w kościele i podczas adoracji wszyscy wokół mnie się modlili. A ja, siedząc cicho, usłyszałam, może nawet milionowy raz, formułkę klepaną bezmyślnie przez ludzi. „Od nagłej i niespodziewanej śmierci wybaw nas, Panie" – zawiesiła na moment głos.

– I co? – zapytała Iwonka.

– I doznałam olśnienia. Zrozumiałam, że przez całe życie, wymawiając te słowa, źle się modliłam. Gdy je mówiłam, myślałam o sobie, i to był błąd. Powinnam była myśleć o bliskich. Przecież nagła i niespodziewana śmierć najbardziej dotyka tych, którzy tu zostają, a nie tych, którzy odchodzą. Zobacz, Iwonko, przez tyle lat źle się modliłam, źle rozumiałam. A w życiu szkoda czasu na pomyłki. Zwłaszcza że zawsze trzeba za nie płacić. Dlatego nie maż się i chociaż to nie będzie łatwe, porozmawiaj z Jurkiem. Nie uciekaj przed rzeczywistością do Warszawy, a o dziewczynki się nie martw. Zajmę się nimi. Będą miały tyle atrakcji, że nie zdążą nawet o was pomyśleć.

Przez chwilę leżały w ciszy.

– Hanka? Powiedz mi... Dużo się w życiu modlisz?

– To zależy, co rozumiesz pod pojęciem modlitwy.

– No wiesz... Popatrz na przykład na moją mamę. Mróz, nie mróz, a ona codziennie biega do kościoła. Ale jak z nią rozmawiam, to wcale mi się nie wydaje, że jest jakąś moherową dewotką. A jak coś powiem nie po jej myśli, żeby nie latała do kościoła, bo zimno i się jeszcze zaziębi, to w kółko mi powtarza, że ma o co Boga prosić i za co dziękować.

– Twoja mama dewotką? – zapytała Hanka i zaczęła się śmiać. – Twoja mama jest aniołem, a nie dewotką. Ktoś kiedyś powiedział, że żeby zostać świętym, nie trzeba być aniołem. Z twoją mamą jest na odwrót. Nie wiem, czy ma szansę zostać świętą, ale aniołem jest na pewno. Ja się chyba modlę inaczej niż ona. Po prostu myślę o Bogu. Jest wiele spraw z Nim związanych, których nie ogarniam i nie pojmuję. Co więcej, wydaje mi się, że nawet jakiś superwyedukowany teolog miałby kłopot z odpowiedziami na niektóre moje pytania. Ale niezachwianie wierzę w to, że Bóg jest tam gdzieś wysoko razem z całą swoją rodziną i wiedzą o nas wszystko. Głęboko wierzę też w Jego inteligencję i myślę, że mnie doskonale rozumie. Poza tym jak patrzę na niektóre rzeczy i sprawy na świecie, jak spotykam dobrych ludzi, to myślę, że gdyby nie było Boga, to wszystko tutaj wyglądałoby zupełnie inaczej.

– Na przykład co? – zapytała Iwonka, gdy tylko Hanka skończyła mówić.

Zapytała tak szybko, że Hanka przez moment zastanawiała się, czy aby na pewno pochłonęła ją rozmowa, czy może celowo zbacza na inny temat, żeby nie myśleć już o Jurku.

Dzieci odpowiedziała jej zgodnie z prawdą. Musi być palec Boży w tym, że rodzą się dzieci. Poza tym... Jeszcze nigdy nikomu o tym nie mówiłam... – Iwonka patrzyła na nią zaczerwienionymi oczami, ale już nie płakała. – Czasami dopada mnie takie dziwne, trudne do opisania uczucie. Nie wiadomo, dlaczego robi mi się tak lekko, ciepło na duszy. Czuję wtedy wzruszenie, ale takie, które cieszy, nie smuci. Zawsze gdy to czuję, mam wrażenie, że to właśnie Bóg daje mi jakieś znaki. Może chce mi powiedzieć, że jest przy mnie i rozumie wszystko, co się ze mną dzieje...

– A nie byłaś na Niego zła, kiedy, no wiesz... – Najwyraźniej prawda o jej życiu nie chciała przejść Iwonce przez gardło. – Przepraszam, nie pomyślałam... – chciała się wycofać z pytania.

– Nie przepraszaj. Ja tego dobrze nie pamiętam. Nie wiem, co wtedy myślałam. Szok zabił moją świadomość. To chyba dobrze. W tym, co się stało, nie było nic boskiego...

– Nie da się ukryć – weszła jej w słowo Iwonka.

– Dlatego – kontynuowała – nie byłam na Niego zła. Myślę, że też nie był przygotowany na to, co się stało... Nie pamiętam dużo z tamtych dni. Fragmenty scen, urywki rozmów. Nie chcę pamiętać... – Zamilkła, bo nie chciała się bardziej odkrywać. Poza tym miała świadomość, że wszystkie tamte przeżycia były uśpione, ale ich funkcje życiowe zachowane. Nie chciała ryzykować. Chciała myśleć tylko o tym, że czekał ją rozkoszny weekend z dziewczynkami. Patrzyła bez słów na Iwonkę, która nie wiadomo kiedy zamknęła oczy.

Usłyszała cichusieńkie pukanie do drzwi. Następstwem jej cichego „proszę" był delikatny ruch drzwi, w których świetle zobaczyła głowę pani Irenki upstrzoną gazetowymi papilotami.

– Chcecie, dziewczynki, coś do picia albo do jedzenia, bo idę się już położyć.

– Nie, mamo – pierwsza odezwała się Iwonka. – Nic nie chcemy, dziękujemy, rozmawiamy.

– To nie przeszkadzam już. Rozmawiajcie sobie, sikoreczki moje. Dobranoc.

– Dobranoc – szepnęły jednocześnie.

Drzwi zamknęły się bezszmerowo, a po pani Irence została tylko uśmiechnięta cisza.

– Ale jestem zmęczona – rozziewała się Iwonka.

– To zmykaj spać.

– Nie wiem, czy zasnę.

– Musisz zasnąć i wypocząć. Jutro twój wielki, ważny dzień.

– Ty, Hanka, a co będzie, jeżeli on się wszystkiego wyprze?

Fakt, takiego rozwiązania nie rozważały.

– Nie wyprze się – znów przybrała mądry wyraz twarzy. – Przestań już wymyślać, tylko zasuwaj do łóżka.

– A skąd to wiesz?

– Nie wnikaj. Po prostu wiem.

– Nie wierzę ci.

– Mnie nie musisz. Najważniejsze, żebyś uwierzyła mężowi.

– Żebym ja się tylko na tej wierze nie przejechała...

– Bądź spokojna. Wiara to nie wóz drabiniasty...

– Posłuchaj, Hanka. A może to ty porozmawiałabyś z Jurkiem?

Hanka już miała się załamać, ale zobaczywszy minę Iwonki, zrozumiała, że ta niedorzeczna propozycja była tylko niezbyt udanym żartem.

– Widzę, że ci się trochę poprawiło. Jeżeli ci to jakoś pomoże, to powiem ci, że mnie też czeka trudna rozmowa. W Warszawie.

– A co, ten towar od karpia też ma kochankę?

– I tu się mylisz. W naszym związku... Chociaż to chyba za dużo powiedziane... To ja jestem nie w porządku.

Iwonka popatrzyła na nią wielkimi oczami.

– Nie wierzę – pokręciła przecząco głową. – Kładę głowę na pieniek, że to nieprawda.

– Przykro mi, nie masz już głowy.

– Co ty mówisz?

– Co ty mówisz? Skoro nie masz już głowy?

– Tak jak ja nie mam głowy, ty...

– Wiesz co, Iwona, idź już lepiej spać i pomyśl sobie przed zaśnięciem, że nie tylko ty boisz się prawdy. A o dziewczynkach nawet nie myśl. Będę ich pilnowała jak swoich.

– A wytrzymasz?

– Najwyżej w poniedziałek pójdę do psychoterapeuty. Ale do niedzieli będę znosiła wszystko z promiennym uśmiechem.

– Jurek się zdziwi, jak zobaczy, że wróciłam do domu.

– Zdziwi się, jak usłyszy, co masz mu do powiedzenia, ale nie myśl o tym teraz.

– A jak pęknę?

– Nie pękniesz!

– Skąd wiesz?

– Bo wiem!

Znów rozmawiały z sobą jak przed dwudziestoma laty. Iwonka wciąż o coś pytała, a ona udawała mądrzejszą, niż była, i bez mrugnięcia okiem wchodziła w rolę eksperta z różnych dziedzin. Poczuła cmoknięcie na policzku. Była zmęczona. Oczy jej się zamykały. Usłyszała „pa" Iwonki i gdy otworzyła oczy, już jej nie było.

Na szafce nocnej leżał telefon. Wzięła go do ręki. Brakowało jej ich pisemnej rozmowy. Któż by pomyślał, dwa dni, a ona już się przyzwyczaiła. Tato zawsze powtarzał, że człowiek do niczego się tak szybko nie przyzwyczaja jak do dobrego. Wczoraj Mikołaj odezwał się do niej o tej porze. Postanowiła, że dziś to ona napisze pierwsza.

Jednak ich „rozmowa" musiała poczekać. Znów rozległo się pukanie.

– Proszę – szepnęła nieprzytomnie.

Do pokoju, tak jak poprzednio po cichutku, weszła pani Irenka i zatrzymała się z ręką na klamce. Tym razem miała na głowie chusteczkę w kolorze łososiowym, która skrywała wprawnie zrobione papiloty.

– Mogę? – zapytała nieśmiało.

Hanka odpowiedziała jej skinieniem głowy i wepchnęła telefon pod poduszkę.

Pani Irenka stanęła nad nią.

– I co, uradziłyście coś mądrego? – zapytała i przycupnęła obok niej.

– Pani Irenko – zaczęła szeptem, bo pani Irenka też szeptała, choć ta konspiracja nie była w tym momencie konieczna. – Wszystko zaplanowane. Jutro rano zabieram dziewczynki do siebie, a Iwonka wraca do domu poukładać sprawy z Jurkiem.

Pani Irenka, słysząc to, złożyła przed sobą dłonie. Zawsze tak robiła, gdy sprawy wymykały się spod kontroli.

– I co teraz będzie? – zapytała cicho.

– Będzie dobrze, pani Irenko. Musi być dobrze.

– A jak on na to wszystko ją zostawi? No wiesz, Hanuś, jak się dowie, że Iwonka wszystko wie. To co ta moja dziewczyna pocznie z tymi krasnoludkami?

– Pani Irenko... – Wzięła głęboki oddech. Kolejny raz musiała udawać mądrą i pewną siebie. – Powiem pani dokładnie to samo, co powiedziałam Iwonce. Nie można zakładać najgorszego. A nawet gdyby, to przecież pani wie najlepiej, że dzisiejszy świat nie zawsze jest poukładany, mądry i rozumny. Niech pani pomyśli, ile żyje na nim kobiet, które same wychowują swoje krasnoludki, bo ich mężowie, ni z tego, ni z owego, nagle, poczuli w sobie zew natury, który ma długie nogi i jędrne ciało, bo się jeszcze nie dorobił ani jednego krasnoludka. I co? I żyją samotnie, ba, często wciąż kochając tych krótkowzrocznych facetów z problemami z krążeniem. – Chyba się trochę zagalopowała...

– Z krążeniem? – Pani Irenka popatrzyła na nią zdziwiona.

– Dominika zawsze powtarza, że faceci mają krew albo w mózgu, albo w... I jak mają ją w... – Gdyby teraz na jej miejscu była Dominika, na pewno wytłumaczyłaby pani Irence tę krewką zasadę dużo szybciej i bardziej obrazowo. – To znaczy, jak nie mają jej w mózgu, to nie są w stanie logicznie myśleć. – Jej bardzo nieudolne tłumaczenie przyniosło jednak rezultat, bo pani Irenka kiwała już głową ze zrozumieniem. – Niech mi pani uwierzy, pani Irenko, można żyć, nie mając u boku mężczyzny, którego się kocha. I może tak jest lepiej niż wtedy, gdy trzeba żyć, przymykając oko na niebieskiego ptaka fruwającego wciąż z kwiatka na kwiatek. W imię czego? Że woda kolońska na półce w łazience i dwie szczoteczki obok siebie w szklance na umywalce? Czasami ludzie żyją tak latami. Ich szczoteczki do zębów są bliżej niż oni sami. Po co?

– Jezusie Nazareński! To ty, Hanuś, jednak myślisz, że oni się rozejdą? – Pani Irenka znów złożyła przed nią ręce, jakby była wyrocznią w sprawie Iwonki.

– Pani Irenko... – objęła jej dłonie swoimi. – Proszę posłuchać. Ja im życzę jak najlepiej. Mam nadzieję, wierzę w to, że Jurek jest odpowiedzialny i zachowa się jak prawdziwy mężczyzna. Poza tym może prawda jest całkiem inna, niż nam się wydaje.

Pani Irenka patrzyła jej w oczy i nerwowo kręciła głową.

– Ale ja to sobie nie wyobrażam, żeby ta moja Iwonka sama została. – Krótką ciszę między nimi przerwał odgłos górskiego strumienia dochodzący spod poduszki. – Co to? – pani Irenka zabawnie przekręciła głowę.

– Ktoś napisał do mnie wiadomość.

– To pewnie chcesz przeczytać. Może to coś ważnego, a ja tu ci siedzę – sapnęła pani Irenka.

– Proszę siedzieć. Lubię, gdy pani jest blisko. Jestem wtedy zawsze spokojna.

– Ja to sobie takiego cyrku nie wyobrażam. Przecież gdyby tak mnie mój Karol zostawił, to ja bym się nigdy nie pozbierała...

– Musiałaby pani. Przecież życie na nic nie czeka. Trzeba pracować. Zwłaszcza jak ma się dzieci. Dla nich trzeba udawać, że nic takiego się nie stało. Obowiązki to najlepsze lekarstwo na strach przed życiem w pojedynkę. Zaręczam pani, pani Irenko, wiem, o czym mówię.

– Wiem, Hanuś. Wiem to. Ale powiedz mi... Myślisz, że Iwonka to...

– Pani Irenko! – przerwała zdecydowanie lamentujący ton pani Irenki. – Będzie dobrze!

– Jak ty tak mówisz, to muszę ci wierzyć. Idę już. Może spać będę? Ale co to za spanie, jak myśli mi po głowie harcują jak kot za myszami. Na niczym się skupić nie mogę. Nawet na spaniu. – Wstała powoli i poprawiając odgniecione w pierzynie miejsce, spoglądała na Hankę już bez słowa.

– A może jednak da się pani przekonać i pojedzie pani z nami jutro do tej Warszawy?

– Dziecko... – pani Irenka zerknęła na swój mały zegarek na zniszczonym bordowym pasku. – To nie jutro. To już dziś. Śpij już, Hanuś. Toż to cię podróż długa czeka. Wypocząć musisz. A ja się, stara, do ciebie pchała nie będę. Modlić się lepiej będę o to, żebym Panu Bogu za co dziękować miała. Śpij, Hanusiu, śpij. Dobranoc, dziecko ty moje.

Pani Irenka jeszcze nie zamknęła za sobą drzwi, a ona już miała w ręku telefon. Wyświetlacz przypominał jej o wspominanej dziś kilkakrotnie pysznej potrawie wigilijnej. Otworzyła wiadomość.

<Mam nadzieję, że Cię nie zbudziłem...>

<Nie zbudziłeś...>

<To dlaczego tak długo nie odpisywałaś?>

<Rozmawiałam z panią Irenką.>

<I co słychać?>

<Mam nadzieję, że wszystko będzie dobrze...>

<O której jutro będziesz?>

<Nie mam pojęcia. Umówmy się, że się odezwę...>

<A jest szansa na wieczorne spotkanie?>

<Szansa jest zawsze...>

<Nie pytam o zawsze. Pytam o jutro...>

<Chcesz się spotkać...?>

<Baaardzo...>

<To do zobaczenia jutro...>

<Napiszesz czy zadzwonisz?>

<Niespodzianka!!!>

<Śpij już...>

<U2>

Cichuteńko, na palcach schodziła ze schodów, które pojękiwały w nieregularnych odstępach czasu. Było bardzo wcześnie. Mogła jeszcze spać, ale wolała usiąść w czarownej kuchni pani Irenki i chłonąć leniwy poranek niby od niechcenia, a z pełną świadomością. Chciała nabierać sił na wszystko, co miało się jeszcze wydarzyć w jej życiu. Do niedawna myślała, że już po wszystkim... A teraz... Czekała ją dziś długa podróż do domu. Miała nadzieję, że dziewczynki zniosą ją w miarę dobrze. Schody umilkły, zaś kuchnia przywitała ją zatroskanym spojrzeniem pani Irenki.

– Dziecko, a dlaczego ty już nie śpisz? – usłyszała ciepły, ale niestety zmartwiony głos.

– Już się wyspałam. Dzień dobry, pani Irenko.

– Dałby Bóg, żeby dobry... – westchnęła wątpiąco pani Irenka, a ona stanęła przy oknie i obserwowała ogród wzorowo przygotowany na przyjęcie wszystkich oznak wiosny. No, może nie wszystkich, bo bocianiego gniazda w nim nie było. – Herbatki ci zrobić?

– Nie, dziękuję, pani Irenko, proszę sobie siedzieć.

Nie mogła oderwać wzroku od widoku za oknem. Była przekonana, że jeszcze wczoraj, gdy sprzątała zbutwiałe liście przy płocie, nie było tam zielonych kępek pierwiosnków, które w tej chwili prezentowały przed nią kolor nadziei dodatkowo podsycany jasnością poranka. Może w Pradze, w ogródeczku przed domkiem numer dziewiętnaście, zielonymi listeczkami również mrugała do świata i przypominała o swoim rychłym nadejściu wiosna. Odwróciła wzrok od okna. Pani Irenka stała tuż obok. Nie zauważyła, kiedy podeszła.

– A dlaczego pani już nie śpi? – zapytała z uśmiechem.

– Bo spać, dziecko, nie mogę i myśleć przestać nie mogę. Co to będzie? Co to, Hanuś, będzie?

– Dobrze będzie... – szepnęła jej wprost do ucha. – Zobaczy pani, wszystko będzie dobrze. – Zerknęła w kierunku dość pogodnego nieba. Objęła panią Irenkę ramieniem i wtuliła się w nią i w jej wszystkie utrapienia identycznie jak kiedyś wtulała się w mamę.

Stały tak przez dłuższą chwilę, bez ruchu, czerpiąc wiarę w nadchodzące dni z wzajemnej bliskości i otaczającej je w tym momencie błogiej ciszy. Żadna z nich się nie uśmiechała. Pani Irenka wpatrywała się w niebo, jakby szukając w nim pomocy, a ona przyglądała się mięsistym listkom fiołków, pośród których dostrzegała maleńkie, okrągłe, pokryte zielonym puszkiem niby kropeczki, zawiązki pączków, które miały, może nawet na dniach, przerodzić się w kwiatki o cieniutkich, jedwabistych płatkach.

Przestrzeń pani Irenki tonęła w kwiatach. Na każdym parapecie i w każdym wolnym zakątku stały tu kolorowe doniczki, z których wyrastały najróżniejsze kwiaty. Z kolcami i bez kolców, przypominające trawy, krzewinki, a nawet drzewa. Dom pani Irenki był domem dwóch ogrodów. Uroda tego, który znajdował się na zewnątrz, była uzależniona od kaprysów bądź przychylności aury, natomiast ogrodowe wnętrza pani Irenki karmiły się i wspomagały jej melodyjnym głosem, ciepłymi dłońmi, mądrymi spojrzeniami i wyrozumiałą cierpliwością. Pory roku nie miały tu, w domowym ogrodzie, nic do powiedzenia. Z pewnością dlatego w tym magicznym domu nie tylko „sam się rozgryzał orzech", w tym domu oleandry kwitły przez okrągły rok. Ilekroć na nie patrzyła, za każdym razem widziała, że szczyty ich długich, okrytych podłużnymi listkami łodyg były wprost oblepione drobnymi, ciemnoróżowymi kwiatkami. Gdy jedne z nich opadały, to tylko po to, aby zrobić miejsce nowym. I tak bez ustanku. Nawet kiedy za oknami padał śnieg, oleandry pani Irenki urządzały tu swoją Teneryfę, Hydrę i każdą inną ciepłą, oleandrową wyspę. Paprocie znajdowały tu chłód i cień lasu, kaktusy żar meksykańskiego południa, palmy jerozolimski skwar słońca w zenicie, a drzewa fikusów Beniamina stałe miejsce, ponieważ alergicznie reagowały na przeprowadzki. To był dom spełniania zachcianek i marzeń. Każda istota otrzymywała tu akurat to, czego potrzebowała najbardziej. Nie za dużo, nie za mało, w sam raz...

– Popatrz, Hanuś, ile to roboty w życiu jest. Jak na zewnątrz porządek, to zaraz w domu od nowa Polsko ludowa! – mówiąc to, pani Irenka dotykała gruboszowatych listków drzewka szczęścia ozdabiającego kuchenny parapet, przy którym stały, wciąż się obejmując. – I jak to drzewko ma być szczęśliwe, skoro takie tumany kurzu na swoich liściach dźwigać musi?

– Pani Irenko – uśmiechnęła się – czasami właśnie kurz i brud szczęście przynoszą. Przecież mówi się, że jak dziecko brudne, to szczęśliwe. Nasz tato zawsze powtarzał te słowa, gdy wracałyśmy z Dominiką po harcach w ogrodzie, i śmiał się z nas, podczas gdy mama załamywała ręce i twierdziła, że nasze dłonie i stopy wyglądają jak święta ziemia.

Nie zauważyła, kiedy drzewko szczęścia znalazło się na stole, a pani Irenka wilgotną ściereczką wycierała jego listki.

– Chyba nawet dobrze, że mam czym ręce zająć, bo jak tak siedzę bez roboty, to mi tylko lat i trosk przybywa. Niech chociaż to drzewko szczęśliwe będzie... A może i moja Iwonka jeszcze szczęśliwa będzie?

– Będzie, pani Irenko... – Odeszła od okna i usiadła przy stole, naprzeciwko pani Irenki, aby móc obserwować delikatność, z jaką traktowała roślinkę.

– A ty, Hanuś, powiedz, ale szczerze, jesteś ty, serce moje, szczęśliwa?

– Ja? – zapytała całkowicie zaskoczona pytaniem. Schowała głowę w ramionach, westchnęła i nie miała pojęcia, co odpowiedzieć. Jednak napotkawszy cierpliwie wyczekujące spojrzenie pani Irenki, poczuła, że powinna się teraz wykazać. Tylko jak? Przecież nie mogła kłamać, zresztą nigdy nie potrafiła. Dlatego zaczęła mówić powoli, z ogromnym trudem dobierając słowa. – Pani Irenko... Jeżeli szczęściem można nazwać przeżycie nieszczęść... To chyba jestem... Ale gdy rozejrzę się wokół, to wydaje mi się, że wszyscy są ode mnie szczęśliwsi.

– Tak to już, Hanuś, na tym świecie jest, że cudze szczęście łatwiej zauważyć niż swoje. Wszędzie dobrze, gdzie nas nie ma... Poza tym ilu ludzi, tyle szczęść. Dla jednego szczęście to wór pełen pieniędzy, dla drugiego zdrowe dzieci, a dla trzeciego to, że codziennie rano oczy otwiera.

– A wie pani, Julian Tuwim kiedyś powiedział, że jak się wrzuci szczęśliwca do wody, to wypłynie z rybą w zębach.

– Hanuś, a co to za szczęśliwiec, co to go ktoś do wody wrzuca? Poza tym natura ludzka taka już jest, że jak ma się rybę w zębach, to chciałoby się zjeść kotleta. A jak się ma kotleta, to przychodzi ochota na tort. I tak w kółko, bez końca. Dziecko moje, a tak po prawdzie, szczęścia nie można szukać ani między zębami, ani w portfelu, ani tam, gdzie nas nie ma, bo szczęście jest w nas. Szczęście mieszka w sercu, które ma każdy. Pan Bóg rozmyślnie tak urządził świat, żeby szczęście było za darmo. Powiem ci, że w życiu różne rzeczy mnie spotykały. Dobre i złe, i miłe, i byle jakie. Wiem, jak to jest, kiedy rodzi się nowy, zdrowy człowieczek i kiedy starszy, schorowany umiera, ale wiesz, Hanuś, kiedy ja zawsze najszczęśliwsza byłam?

– Kiedy?

– Kiedy budziłam się rano i nie wiedziałam, dlaczego czuję się taka szczęśliwa. Czy dlatego że świeciło słońce? Czy dlatego że miałam wstać i zrobić Karolowi śniadanie do pracy? Czy dlatego że Iwonce przechodził katar? Takie właśnie szczęście jest chyba największe, kiedy nie potrafi się podać tylko jednego powodu.

– Może... – Nie musiała nic dodawać, bo poranną ciszę na strzępy rozerwał dobiegający z góry wrzask Zuzy.

– Ulka, wstawaj!!! Szybko!!! Zaraz jedziemy do Warszawyyy!!!

Nareszcie! Przyjechała! Warował pod jej domem od dwóch godzin jak wierny pies. Doczekał się i gęba mu się teraz cieszyła jak głupiemu do sera. Właśnie wjeżdżała do garażu. Niestety, brama wjazdowa zamknęła mu się przed nosem, ale nie przeszkadzało mu to stać przy niej i gapić się w otwarty garaż. Otworzyły się drzwi od strony kierowcy. Już ją widział. Znajomy i dziewczęcy koński ogon bujał się sympatycznie.

– Zuza, zapnij kurtkę – nareszcie usłyszał jej głos. – Uprzedzam, że nie pozwolę ci wysiąść z samochodu, dopóki się nie zapniesz. Popatrz na Ulę.

Z samochodu dobiegały jakieś przytłumione i niezrozumiałe dla niego głosy. Hanka wysiadła z samochodu. Podniosła wzrok i stanęła jak wryta.

– Mikołaj? Co ty tu robisz?! – zapytała głośno, gdyż dzieliło ich kilkanaście metrów.

– Czekam... – odpowiedział spokojnie i z uśmiechem.

– Przecież obiecałam, że się odezwę... – powiedziała to tak miłym głosem, że zmiękły mu kolana.

– Ciociu, zapięłam się! – z samochodu dobiegał krzyk. – Możemy już wyjść?!

– Tak, wysiadajcie – Hanka otworzyła tylne drzwi i natychmiast wyskoczyła z nich żwawo mała dziewczynka, która od razu całą swoją uwagę skupiła właśnie na nim.

– Ciociu, a tam stoi jakiś pan! – Mała kulturalnie pokazywała paluchem w jego stronę.

Hanka zerkała, jakby nie dowierzając, że go widzi, a zamknięta brama wciąż skutecznie go od niej odgradzała.

– Tak, tak. Widzę. Chodź, Uleńko, wysiadaj. Jesteśmy na miejscu. Wreszcie!

– Ciociu, ale ten pan się do nas uśmiecha. – Sympatyczna mała też przesyłała mu właśnie promienny uśmiech.

Hanka spojrzała znów na niego.

– Przepraszam cię, Mikołaj, już otwieram – dopiero teraz wyjęła kluczyki z kieszeni białego futerka i od razu usłyszał znajomy szczęk bramy.

Z bijącym sercem szedł w kierunku garażu. Hanka otwierała bagażnik.

– Dziewczynki, podejdźcie tu do mnie. Wypakujemy nasze bagaże.

Nie wiedział, jak to możliwe, ale przy otwartym bagażniku zawrzało. Zamieszanie robiła jedna z dziewczynek.

– Ulka! Zostaw, to moje! – wyszarpywała właśnie z rąk drugiej dziewczynki mały plecaczek.

– Cześć... – szepnął Hance wprost do ucha.

– Cześć – popatrzyła na niego zmieszana. – Długo czekasz?

– Od niedzieli – znów szepnął jej do ucha, zerkając w stronę dziewczynek. Dopiero teraz, z bliska, zauważył, jak bardzo były do siebie podobne. Były nie do odróżnienia, jak dwie krople wody, i patrzyły na niego z zaciekawieniem.

– Dziewczynki – zaczęła Hanka – przedstawiam wam, to jest Mikołaj.

– Miło mi – odezwała się twórczyni tłumu. – Mam na imię Zuza.

Druga dziewczynka też się przedstawiła, z tym że dużo ciszej. Miała na imię Ula.

– Ciociu, a jak mamy do tego pana mówić? Proszę pana? – Zuza patrzyła to na niego, to na Hankę. Zauważył, że tym pytaniem wprawiła Hankę w nie lada zakłopotanie. Mała, nie czekając na odpowiedź milczącej Hanki, wciąż mówiła. – A pan jest może chłopakiem cioci Hani? Bo babcia Irenka mówiła kiedyś, że cioci przydałby się jakiś chłopak...

Pytanie i rezolutność tej małej tak go zaskoczyły, że nie potrafił wydusić z siebie słowa. Na szczęście Hanka zachowała zimną krew.

– Możecie do Mikołaja mówić po prostu wujku. O ile się na to zgodzi – zerknęła na niego poważnie. Widział, że była bardzo zmęczona. – Proszę, Ula, to twój plecaczek. Zuza, załóż swój na plecy.

W bagażniku leżały jeszcze dwie duże walizki. Chwycił za nie bez pytania o zgodę.

– Zmęczona? – zapytał, stawiając je obok samochodu.

– Zmęczona to byłam trzy godziny temu – odpowiedziała i znów zwróciła się do bliźniaczek. – Chodźcie, dziewczynki, tędy, po schodkach. Zapraszam was do siebie.

Ula zdążała za Hanką cicho, a Zuza nie dawała za wygraną i kontynuowała męczenie Hanki.

– Ciociu? Ale skoro mamy mówić do pana Mikołaja wujku, a do ciebie ciociu, to znaczy, że ten wujek to chyba twój chłopak.

– Zuza, proszę cię, chodź już, bo wujkowi na pewno ciężko z tymi walizami – westchnęła Hanka.

On natomiast polubił bardzo tę małą prowokatorkę, bo jak nikt dotychczas robiła mu doskonały PR. Weszli do domu, a mała mądralińska od progu rozglądała się na wszystkie strony z ogromnym zainteresowaniem.

– Ciociu! Ale ładne to twoje mieszkanie. A schody to masz jak w prawdziwym zamku! – Zuza piała z zachwytu.

– To nie jest mieszkanie, tylko dom – poprawiła ją Ula, zdejmując powoli różowy plecaczek.

– Nie mądruj się! – zgasiła ją szybko Zuza. – Ciociu, a mogę iść zobaczyć, co tam masz na górze? A gdzie ja będę spała? Bo wiesz, jestem już duża i wcale nie muszę spać z Ulką.

Wciąż patrzył na Hankę, która już krzątała się w kuchni. Nalewała wodę do czajnika.

– Zuzanko, za chwilę pokażę wam pokój, który dla was przygotowałam.

Ustawił walizki w salonie, rozebrał się i wszedł do kuchni. Oparł się o blat kuchenny. Stała bardzo blisko niego.

– Chyba czeka cię intensywny weekend? – zapytał półgłosem.

– Nawet nie zdajesz sobie do końca sprawy, jak bardzo intensywny – szepnęła. – Dziewczynki – powiedziała już głośno – a teraz idźcie umyć sobie rączki po podróży. Widzicie te jasne drzwi na lewo? Tam jest toaleta. Jak się odświeżycie, to zapraszam na kakao i naleśniki.

– A ty, ciociu, zdążysz tak szybko usmażyć naleśniki? – zdziwiła się Ula.

– Nie, Uleńko. Naleśniki zrobiłam przed wyjazdem do waszej babci. Teraz je tylko odmrożę, podgrzeję i będziemy mieli pyszną kolację.

– A z czym są? – zapytała Zuza, otwierając drzwi łazienki.

– Z serem – Hanka właśnie wyjmowała je z zamrażalnika ogromnej lodówki.

Zerkał to na Hankę, to na te dwie małe. Niczego w życiu tak nie pragnął, jak stworzenia z Hanką rodziny. Właśnie takiej, w której trudno byłoby mu dojść do głosu należącego wciąż do hałaśliwych dzieci. Drzwi toalety się zamknęły. Chciał podejść do Hanki, gdy zauważył, że znów się otworzyły. Zobaczył w nich głowę Zuzy. W tle słyszał szum wody. Nietrudno było się domyślić, że Ula z pewnością już wykonywała polecenie Hanki, a Zuza miała oczywiście jeszcze coś do dodania.

– Ciociu? A masz nutellę?

– Oczywiście, że mam – Hanka popatrzyła na małą znad kubków, w których przygotowywała właśnie kakao.

– To super! – Luka w drzwiach była już pusta, a Zuza wciąż słyszalna. – Ulka, posuń się trooochę!!!

– Chyba niezłe ziółko z tej Zuzy? – zapytał, cicho podchodząc do Hanki od tyłu.

Nalewała teraz wrzątek do przezroczystego czajniczka, w którym przygotowywała herbatę. Położył ręce na blacie, zamykając ją w potrzasku swych ramion. Zamarła na chwilę, a potem odstawiła czajnik.

– Odwróć się do mnie – szepnął.

Zrobiła to, o co poprosił. Patrzył w jej oczy, pod którymi rysowały się podkowy wskazujące na niewyspanie i zmęczenie.

– Nie patrz tak na mnie. Wiem, wyglądam koszmarnie – uśmiechnęła się słabo. – Źle spałam, a w samochodzie przez sześć godzin musiałam konwersować z ciekawą wszystkiego Zuzą. Padam z nóg.

– A Ula? – zapytał, walcząc z sobą, żeby jej nie zaciągnąć na górę. Jej bliskość działała na niego jak afrodyzjak. Tracił kontrolę nie tylko nad własnym umysłem.

– Ula spała. Ma chorobę lokomocyjną i leki ją skutecznie najpierw otumaniły, a potem uśpiły. Ale Zuza wystarcza za dziesięć...

– Ciocia! – krzyk Zuzy przerwał Hance podróżną opowieść. – A Ulka mnie chlaaapie!!!

– Dobry żart – szepnął.

– Dziewczynki, chodźcie już! – zawołała, patrząc w kierunku uchylonych drzwi łazienki. – Kakao jest gotowe, a za minutkę będą naleśniki.

Nie wytrzymał. Zamknął jej usta pocałunkiem. Były cieplejsze niż w Pradze, ale smakowały tak samo. Identycznie, a może nawet lepiej, ponieważ Hanka nie była taka spięta jak wtedy. Poczuł dotyk jej dłoni na swoim policzku. Miał wrażenie, że tym gestem dawała mu przepustkę do siebie. Do całej reszty...

– No! No! No! – dał się słyszeć podekscytowany głos Zuzy.

Wbrew sobie przerwał miękki pocałunek i wypuścił Hankę z klamry swych objęć.

– Zuza, uspokój się – strofowała siostrę Ula stąpająca krok w krok za nią.

Widział błyszczące oczy Hanki. Słyszał jej przyspieszony oddech. Była zmieszana. Miał nadzieję, że powodem tego stanu nie był jedynie głos Zuzy, który przerwał im pocałunek. Dziewczynka przyglądała się im badawczo, sadowiąc się przy stole.

– Wujku Mikołaju? – zaśpiewała pytająco, a on od razu popatrzył na nią, widząc jednocześnie Ulę, która przycupnęła nieśmiało obok swojej nad podziw rezolutnej siostry.

– Tak?

– A ożenisz się z ciocią Hanią?

Widelec, którym Hanka przed chwilą pomagała sobie w przenoszeniu naleśników na półmisek, spadł z łoskotem na kuchenną terakotę.

Hanka zamarła bez ruchu, a jego przerosło pytanie tej małej. Chciał na nie odpowiedzieć twierdząco, ale nie zdążył, bo kontynuacją hałasu widelca był znany mu już dobrze głos Holly Cole dopominający się swego zawsze w najmniej odpowiednim momencie. Podniósł z podłogi widelec. Hanka, nie patrząc na niego, podeszła szybko do wiszącej na oparciu jednego z krzeseł torebki i wyjęła telefon.

– Dominika, mogę później oddzwonić? – zapytała, jednak nie przerwała połączenia i słuchała przez krótką chwilę. – Dominika, nie żartuj sobie. Powiedz, co się stało, właśnie podaję kolację dziewczynkom – mówiąc to, podeszła do blatu kuchennego i postawiła na stole półmisek z naleśnikami, po czym podała dziewczynkom talerzyki. Jemu też, ale nie popatrzyła na niego. Nawet nie przypuszczała, jak zdążył się już stęsknić za jej oczami. – Dobrze, siedzę – sapnęła do słuchawki i usiadła naprzeciwko niego. W końcu popatrzyła mu w oczy.

– Ciociu, a dasz nam nutellę? – zapytała głosem anioła Zuza.

– Zuza, poczekaj. Nie widzisz, że ciocia rozmawia przez telefon?

– Dominika, poczekaj chwilę.

Położyła na stole telefon i wstała, a on znów przyglądał się dziewczynkom. Zuza dmuchała z całych sił na gorącego naleśnika, podczas gdy Ula małymi łyczkami piła kakao. Na stole wylądował duży słoik z nutellą. Hanka wzięła do ręki telefon i znów usiadła.

– Już jestem – zakomunikowała Dominice i spojrzała na niego. Patrzył na nią i widział, jak uśmiechającymi się oczami zachęcała go do jedzenia naleśników. – Dominika, przestań już. Siedzę. Mów, proszę, bo zaczynam się denerwować – nastąpiła chwila ciszy, podczas której znów udało mu się złowić spojrzenie Hanki.

– Ciociu... – tym razem to przez Ulę znów je stracił. – Zobacz, co robi Zuza.

Mylił się, to nie Ula, tylko Zuza ukradła mu uwagę ukochanej.

Nagle twarz Hanki rozjaśniła się w pięknym i szczerym uśmiechu.

– Naprawdę?! To cudownie!

Patrzyła to na niego, to na Zuzę, która zachowywała się tak, jakby nutella była szminką. Malowała sobie nią usta, używając do tego palca wskazującego. Ula natomiast z najwyższą kulturą jadła naleśnika, perfekcyjnie wysmarowanego na wierzchu równym paskiem nutelli. Głos Hanki nastrajał go optymistycznie. Był wesoły jak nigdy dotąd.

– Jutro nie mogę. Mamy z dziewczynkami mnóstwo planów do zrealizowania. Ale może w niedzielę wieczorem? Zatelefonuję wieczorem – znów złowił jej szczęśliwe i uśmiechnięte spojrzenie.

Doskonale znał powód tego uśmiechu, ale postanowił, że będzie siedział cicho. Nie chciał uprzedzać faktów. Odkroił kawałek naleśnika i włożył go do ust. Był pyszny, lekki jak puszek.

Hanka odłożyła telefon na stół. Patrzyła na niego, Zuzę i Ulę, a uśmiech na jej twarzy nie gasł.

– Mam dla was wspaniałą wiadomość – oznajmiła w końcu.

– Jaką? – zapytała natychmiast z pełnymi ustami Zuza.

– Ciocia Dominika dostała dziś od swojego przyjaciela pierścionek zaręczynowy. Wiedziałeś? – Spojrzała na niego pytająco.

Kiwnął twierdząco głową.

– Nawet byłem konsultantem podczas zakupów – pochwalił się.

– A ja tam nie wierzę w żadne zaręczyny! – skwitowała Zuza, krzywiąc się. – Kiedyś Kacper Windyk z mojej grupy też dał mi pierścionek. Ładny był. Taki z czerwonym jabłuszkiem, a na drugi dzień musiałam go oddać, bo okazało się, że to Julka z maluchów go zgubiła – Zuza wzruszyła ramionami, pożerając kolejnego naleśnika, tym razem bez użycia sztućców.

– Ale u dorosłych to jest inaczej – zaczęła nieśmiało Ula. – Jak mężczyzna daje kobiecie pierścionek, to znaczy, że chce, żeby została jego żoną.

– Wujku, a ty dasz cioci pierścionek? – wypaliła Zuza.

– Oczywiście, że dam – odpowiedział od razu.

Hanka, jakby nie słysząc tego, co właśnie powiedział, zwróciła się do Uli, która skończyła jeść i nienagannie ułożyła sztućce na godzinie piątej swego talerza.

– Uleńko, zjedz jeszcze...

– Dziękuję, ciociu. Zjadłam już dwa. Tak jak zawsze u babci.

– A ja trzy! – ogłosiła Zuza z miną zwycięzcy, choć nikt wcześniej nie wspominał o konkursie na największego pożeracza naleśników.

– Słyszałem, że wasza babcia robi pyszne naleśniki z jagodami – zwrócił się do Uli.

– Wszystko, co robi nasza babcia, jest pyszne – powiedziała Ula i chyba pierwszy raz spojrzała mu w oczy. – Prawda, Zuza?

– Prawda, prawda! – O dziwo, przekorna do tej pory Zuza zgodziła się ze zdaniem siostry bez szemrania. – Ale ja to najlepiej lubię, jak babcia robi knedle ze śliwkami. Mówię wam, paluchy lizać.

– Są super – szepnął w kierunku Hanki.

Uśmiechnęła się i pokiwała głową.

– Ale się nażarłam! – mówiąc to, Zuza z hałasem odłożyła sztućce i przeciągle ziewnęła.

– O, widzę, że bohaterowie są zmęczeni – żartobliwie zauważyła Hanka. – Chodźcie, dziewczynki, na górę. Pokażę wam pokój, który dla was przygotowałam.

– Padam z nóg! – powiedziała poważnie Zuza. Była w tym momencie typową starą maleńką.

– Ja nie jestem zmęczona, ale sobie poczytam. – Ula wstała już od stołu i wyczekująco patrzyła na Hankę.

– A tobie, wujku... – Hanka zerknęła na niego z powagą – nie pozwalam wstać od stołu, dopóki naleśniki nie znikną z półmiska.

– Dla ciebie wszystko – chwycił następnego naleśnika i położył go na jej talerzu.

– Hej! Co robisz?

– Kolację – odpowiedział z uśmiechem. – Wiem, że nic nie zjadłaś. Widziałem. Poczekam tu na ciebie i cię przypilnuję.

– Dobrze – zgodziła się bez ceregieli. – Ale jedz, póki są ciepłe.

– A mogę poczekać na ciebie?

– Jak chcesz – jej głos zabrzmiał bardzo ulegle.

– Chcę – powiedział tak sugestywnie, że musiała się domyślić, iż nie chodziło mu wyłącznie o stygnące naleśniki.

– Dobranoc, wujku – powiedziała do niego wchodząca na schody Ula, a Zuza, ziewając, pomachała tylko ręką na pożegnanie.

Hanka zamykała ten żeński korowód wspinający się powoli po schodach. Odprowadzał go wzrokiem, aż całkowicie zniknął mu z oczu.

W uszach miał wciąż głos Zuzy, a w myślach oczy Hanki. Przemek oświadczył się w końcu Dominice. Przeżywał to, biedak, od dwóch tygodni. Miał to zrobić w Pradze, ale w ferworze walki z konkursem zapomniał zabrać pierścionek. Dziś mijało dokładnie siedem miesięcy od momentu, gdy jego najlepszy kumpel poznał sympatyczną, choć niezbyt spokojną panią stomatolog. Przemek miał dziś wielki dzień. Dzisiejszy dzień był też wielki dla niego. Czekanie się opłacało. Zobaczył Hankę. Wróciła. Do siebie, do niego. Dopóki jej nie zobaczył, bał się, że tu, w Warszawie, będzie na niego patrzyła inaczej niż w Pradze. Jedno jej spojrzenie wystarczyło, żeby wiedział, że bez sensu się obawiał. Patrzyła na niego jak w Pradze. Jedyna różnica polegała dziś na tym, że ona była ciocią, a on niespodziewanie, acz ku wielkiej swojej radości, awansował na wujka. Oddałby wiele, żeby jutrzejszy i następny dzień spędzić w towarzystwie Hanki i dziewczynek. Teraz jednak nie mógł się skupić na niczym więcej, jak tylko na tym, że właśnie na nią czekał i rysowała się przed nim wizja wspólnie spędzonego wieczoru. W jego głodne myśli wkradała się też noc. Miał jednak świadomość, że będzie musiał się dostosować do warunków, które stawiała mu Hanka, najczęściej nie używając żadnych słów. Dopóki nie poznał Hanki, nie znosił dostosowywania się.

Miał z tym wyraźne problemy, dlatego zwykle to inni dostosowywali się do niego. Tym razem było zupełnie inaczej. Dziś wiedział, że niczego tak w życiu nie pragnie, jak ciągłego dostosowywania się do Hanki, której głos dochodził właśnie z góry. Nie potrafił zrozumieć słów. Był jednak prawie pewien, że w tej chwili dyscyplinowała niesforną, lecz pełną dziecięcego uroku Zuzę. Ula na pewno leżała już grzecznie w łóżeczku zatopiona w lekturze. Nałożył sobie na talerz naleśnika i jadł w spokoju, bo na górze w końcu zrobiło się trochę ciszej. Nie mógł się na nią doczekać. W końcu usłyszał kroki na schodach. Hanka schodziła na dół i uśmiechała się, ale tym razem nie do niego. Chyba do swoich myśli.

– Uśmiechasz się do mnie czy się ze mnie śmiejesz? – zapytał poważnie.

– Śmieję się z siebie. Dziewczynki się już prawie rozebrały, a ja zapomniałam o ich piżamach. Nie mam doświadczenia...

Podeszła do walizek. Z wysiłkiem jedną z nich, tę większą, położyła na podłodze.

– Poczekaj... – już był przy niej. – Przecież mogę ci ją zanieść na górę, to nie będziesz musiała...

– Chyba żartujesz? Tam na górze rozbierają się dwie małe kobietki. Nie wybaczyłyby mi, gdybym pozwoliła ci je teraz zobaczyć.

Patrzył, jak wyjmowała z walizki dwie różowe piżamki i dwie małe błękitne kosmetyczki. Te dwie małe dziewczynki były rzeczywiście już kobietkami.

Hanka kolejny dziś raz uśmiechnęła się do niego i podeszła do schodów.

– Zaraz wracam – szepnęła wesoło i weszła na schody, jednak bardzo szybko wróciła i podeszła tym razem do swojej walizki. Otwierała ją powoli, jakby bojąc się, że uszkodzi zamek.

Nie mógł od niej oderwać wzroku. Była bardzo zgrabna. Miała na sobie czarne dżinsy, znał je z dyskoteki w Pradze. Musiała poczuć na sobie jego wygłodniały wzrok, bo zerknęła na niego znad walizki trochę wystraszona.

– Kto nie ma w głowie, ten ma w nogach – szepnęła zmieszana i sapnęła, prostując się. W ręku trzymała pokaźnych rozmiarów kosmetyczkę. – Iwonka zapomniała dać dziewczynkom pastę do zębów. – Odwróciła się na pięcie i szybko weszła na schody.

Miał wrażenie, że spieszyła się do dziewczynek, ale nawiewała też przed jego spojrzeniem. Stał nieopodal dwóch otwartych walizek. Znów był sam.

Nie mógł się opanować i gapił się jak sroka w gnat w zawartość walizki Hanki. Widział leżące w niej na wierzchu dwie rzeczy. Zdjęcie w ramce i książkę, której okładka wydawała mu się znajoma. Musiał walczyć z sobą, żeby nie podejść bliżej. Wziął głęboki oddech i skierował się do stołu, który był dokumentnie oblepiony nutellą w miejscu, gdzie siedziała Zuza. Było na nim widać czekoladowe linie papilarne tej małej amatorki słodyczy. Postanowił trochę posprzątać, choć najchętniej położyłby się wygodnie w salonie na kanapie. Jego pełny brzuch zaczął upominać się o pozycję poziomą. Jednak błoga cisza, która zapanowała na górze, nakazywała mu ciche porządki na dole. Pozbierał brudne naczynia. Zostawił tylko talerz Hanki, na którym wciąż leżał nietknięty naleśnik. Powycierał do czysta stół. Nie mógł się nadziwić, że tu, u Hanki, z chęcią wykonywał czynności, które w domu przyprawiały go o nerwowy skręt kiszek. Obok talerza Hanki leżał jej telefon. Korciło go bardzo żeby przejrzeć wiadomości. Chciał się dowiedzieć, czy zachowywała te od niego. Znów spojrzał w kierunku jej walizki. Jej łatwa do obejrzenia zawartość interesowała go bardziej niż skrzynka odbiorcza w telefonie.

Zerknął na górę i nasłuchiwał dłuższą chwilę. Nic się nie działo. Ciszę i bezruch oświetlało ciepłe światło sączące się z uchylonych drzwi sypialni Hanki. Ta jasna smuga stąpała też cienką kreseczką po schodach i gubiła się w pobliżu otwartej walizki. Nie zapanował nad ciekawością i podszedł do walizki, którą bardzo dobrze pamiętał z Pragi. Czuł się trochę jak mały chłopiec, któremu rodzice zabronili oglądać film dla dorosłych, a on na przekór zakazom i tak przez dziurkę od klucza wgapia się w ekran telewizora. W walizce był ład i porządek. Większą jej część wypełniała kolorowa torba. Może zawierała rzeczy przeznaczone do prania? On zwykle używał pierwszej lepszej reklamówki albo nawet nie. Ta torba przyciągała jego wzrok pięknym turkusem upiększonym muszlami w kolorze pomarańczowym. W zagłębieniach torby leżało zdjęcie w sepii otoczone błyszczącą ramką, chyba z masy perłowej. Przedstawiało parę młodych ludzi. Roześmianych. Młody mężczyzna trzymał na rękach dziewczynę. Stał po kolana w morskiej wodzie. Zdjęcie było chyba pozowane. Nie wiedział dlaczego, ale pomimo braku kolorów skojarzyło mu się z obrazami Brandta, na których też wszystko było bez ruchu. Obrazy to przecież nie film. A za każdym razem gdy je oglądał, widział na przykład, jak sarna ucieka przed tropiącym ją psem, za którym na galopującym dereszu podąża uzbrojony jeździec. Fotografia, na którą patrzył, sprawiała, że wydawało mu się, że słyszy śmiech młodej kobiety, szum morza i szept zakochanego w niej mężczyzny. Był pewien, że zdjęcie przedstawiało rodziców Hanki. Tych samych, do których całkiem niedawno jechał z bijącym sercem, zastanawiając się, co sobie o nim pomyślą w związku z tym, że pojawił się w ich życiu bez zaproszenia. Niestety, nie mógł się pojawić w ich życiu. Najchętniej wziąłby to zdjęcie do ręki i dokładnie przyjrzał się ich twarzom. Jednak już samo patrzenie na zawartość walizki wydawało mu się moralnym wykroczeniem. Zachowywał się trochę jak złodziej. Obok zdjęcia, w miękkości szarego dresu, leżała książka. Ani za gruba, ani za cienka. Ani opasła powieść, ani cienka nowela. Była taka w sam raz. Doskonale znał jej płócienną okładkę. W przeszłości widział ją tysiące razy, bo to właśnie ją trzymała w ręku Hanka, gdy zrobił jej zdjęcie na plaży. Pamiętał, jak patrzył na to zdjęcie po ich pierwszym spotkaniu w szkole i nie mógł uwierzyć w to, co się stało. Kiedyś nie przypuszczał, że zamieni z Hanką chociaż jedno słowo. Dziś był gotów zamienić całe swoje życie na choćby jeden dzień z nią. Nie musiał się już zastanawiać, co czytała jego dziewczyna z plaży. Był w stu procentach pewien, że całymi dniami czytała *Romea i Julię*. Dramat, który według niej nie był wcale dramatem. Głowił się, o czym to mogło świadczyć, że historia Romea i Julii nie wydawała jej się historią o nieszczęśliwej miłości. Nagle coś usłyszał i zamarł. Znów przez chwilę wydawało mu się, że coś słyszy, ale na górze chyba jednak nic się nie działo. Znów patrzył na aptekarski *Ordnung* w walizce. Nazywany przez własną matkę pierwszym bałaganiarzem Rzeczypospolitej, nie mógł się nadziwić, jak Hanka to robiła, że zawsze wszędzie wokół niej panował nieskazitelny porządek.

Zerknął na zegarek i oniemiał. Nie wiedział, jak długo modlił się nad walizką, ale do północy brakowało już tylko kilkunastu minut. Wieczór chyba niestety właśnie dobiegł końca. Trzy kobiety na górze z pewnością już smacznie chrapały. Postanowił to sprawdzić. Szedł po schodach, modląc się, żeby nie skrzypiały. Schody w domu jego rodziców były bardzo umuzykalnione. Te, po których stąpał, w tej chwili milczały jak zaklęte. Znalazł się w obszernym holu na górze. Nie znał rozmieszczenia pokoi, ale gdzie jest sypialnia Hanki, wiedział. Drzwi do niej były otwarte i widział światło fantazyjnie pocięte najprawdopodobniej skomplikowaną geometrią lampy.

Z uchylonych drzwi po przeciwnej stronie wydobywała się zielona poświata. Podszedł do nich i leciutko je pchnął. Zauważył, że zielone światło pochodziło z maleńkiej lampki umieszczonej w gniazdku elektrycznym. Światło sprawiało, że dziewczynki nie spały w mrocznym pokoju. „Cała Hanka", pomyślał i nie mógł napatrzeć się na śpiące dziewczynki. Były słodkie. Pokój, który zajmowały, wyglądał tak, jakby został urządzony właśnie na ich przyjazd. Po przeciwległych jego stronach stały dwa niezbyt duże łóżka. Na parapecie w rządku stały figurki małych piesków i chyba kotków, nie widział dokładnie. Widział też dwa małe regaliki wypełnione książkami. Otworzył szerzej drzwi pokoju i od razu zauważył, że nakryta po uszy Ula nawet w nocy stanowiła przeciwieństwo Zuzy, której kołdra leżała na podłodze. Podszedł, podniósł ją szybko i okrył nią zwiniętą w kłębek Zuzę. Gdy to robił, przypomniał sobie słowa mamy, która zawsze powtarzała, że Mateusz jest spokojny tylko wtedy, gdy śpi. Z Zuzą chyba było podobnie. Uśmiechnął się, jednak ten uśmiech jakby ugrzązł na jego twarzy. Nad łóżkiem, na którym spała Zuza, zauważył obraz. Chyba portret. Nie widział dokładnie uwiecznionych na nim twarzy. Były na nim namalowane dwie dziewczynki w wieku chyba Uli i Zuzy. Dziewczynki przytulały się do siebie. Ich uśmiechnięte twarze wyglądały tak, jakby wyrastały z ogromnego bukietu. Po budowie kwiatów domyślił się, że musiały to być bzy. Dziewczynki wydały mu się znajome. Nagle doznał olśnienia. To były Hanka i Dominika. Ale był niedomyślny! Ten pokój nie został urządzony dla bliźniaczek. To musiał być dawny pokój Hanki i Dominiki. Pokój dziewczynek, które wychowywały się razem, chociaż nie były prawdziwymi siostrami.

Usłyszał ciche stęknięcie. To Ula zmieniła pozycję, a on poczuł się tym razem jak intruz grzebiący nie tylko w walizce, ale też w przeszłości Hanki. Spojrzał jeszcze raz na obraz i wyszedł z pokoju, delikatnie przymykając drzwi. Zatrzymał się w holu. Nie mógł oprzeć się pokusie i zapadając się w miękkim dywanie, skierował się do sypialni Hanki. Zobaczył ją od razu. Wiedząc, że czekał na dole, musiała położyć się tylko na chwilę. Widocznie nie udało jej się zapanować nad zmęczeniem. Spała w ubraniu, niczym nienakryta. Na boku, skulona, z obiema dłońmi przyciskanymi przez policzek. Leżała w poprzek łóżka, przy którym świeciła się lampa upleciona chyba z jakiejś trawy. Na pewno nie była to wiklina, ją rozpoznałby od razu. Światło lampy padało na wszystko dookoła jasnymi, ale bardzo nastrojowymi, maleńkimi rombami. Na szafce nocnej leżała okazała muszla. Druga szafka stojąca po drugiej stronie ogromnego łóżka również dźwigała tylko jeden element. Było to dość duże zdjęcie rodziców Hanki, w bardzo jasnej ramce. Nie byli to już młodzi ludzie ze zdjęcia, które widział w walizce. Teraz patrzył na dojrzałego mężczyznę trzymającego w objęciach uśmiechniętą i drobną kobietę. Hanka chyba była podobna do niego, ale miała oczy i delikatność swojej matki. Słyszał, jak równomiernie oddychała. Dostrzegł, że na fotelu stojącym przy wejściu do garderoby leżał jasny koc. Wziął go, podszedł do Hanki i powoli robił z niego użytek. Nakrywał ją delikatnie, nie chcąc obudzić. Skulona i ukryta pod ogromnym kocem, wyglądała prawie jak rówieśnica Uli i Zuzy. Nie mógł od niej oderwać wzroku. Mógłby tak przestać całą noc. Chciał uczestniczyć w życiu Hanki, ale tylko z jej przyzwoleniem. Nic innego nie wchodziło w grę. Podszedł do lampki i ją wyłączył. Chyba mógł to zrobić. Wyszedł z sypialni i przymknął drzwi. Nie spojrzał przez nie na Hankę. Bał się, że jeżeli to zrobi, nie będzie potrafił sobie tak po prostu pójść.

Cicho zszedł na dół. Podszedł do drzwi wyjściowych, żeby sprawdzić, czy mógłby je po prostu zatrzasnąć. Było to możliwe, więc włożył kurtkę i zastanowił się przez chwilę, czy może coś do niej napisać. Lepszym pomysłem wydała mu się jutrzejsza rozmowa telefoniczna. Wyszedł, cicho zatrzaskując za sobą drzwi. Żeby przedostać się na ulicę, musiał przeskoczyć przez płot, jak przestępca. W żadnej mierze się nim teraz nie czuł. Chyba jeszcze nigdy w życiu nie miał wobec nikogo tak kryształowych zamiarów. Wsiadał do zimnego samochodu, wiedząc, że gdy wróci do domu, miliony razy przeczyta znów sylwestrową wróżbę przypiętą magnesem do drzwi lodówki. Ta najkrótsza lektura świata zawsze przychodziła mu z pomocą, gdy chciał dostać od Hanki wszystko, szybko, po męsku...

– Ciocia! Ciocia! Ciocia! Zobacz! Jest wujek! Przyjechał! – Zuza darła się jej wprost do ucha. – Jest! Jest! Czeka na nas!

Zobaczyła go i znów, jak rano, wyrzuty sumienia zagłuszały wszystkie myśli. Czuła się tak, jakby w jej głowie szalał teraz młot pneumatyczny. Od momentu, w którym zbudziło ją poranne słońce, chciała do niego zatelefonować. Porozmawiać i przeprosić, ale dzień z dziećmi mijał dużo szybciej niż dzień spędzany bez dzieci. Pojechała z dziewczynkami na zakupy, podczas których przeszła próby ognia i wody jednocześnie. Przeszła dziś każdą możliwą próbę. Później trafiły do kina. Miała w nim zamiar trochę się zdrzemnąć, ale bliskość Zuzy skutecznie to uniemożliwiała. Po seansie trafiły na obiad do pizzerii i znów na zakupy związane tym razem, sądząc po ich ilości, z masową produkcją aniołków z masy solnej. Najpierw otworzyła bramę. Później okno samochodu. Stał oparty o płot jej ogrodu. Jego ledwie rysujący się uśmiech wskazywał, że chyba nie był na nią zły. Za wczorajszy brak czasu, słów i długo by wymieniać czego jeszcze.

– Przepraszam – powiedziała w ramach przywitania. Odpowiedział jej tylko bardziej uśmiechniętym uśmiechem. – Długo czekasz?

– Pięć, może dziesięć minut.

Musiała wytężać słuch, żeby go zrozumieć, bo Zuza, o dziwo, z Ulą, śpiewały własną i spontaniczną piosenkę na temat lepienia aniołków.

– Dobrze, że jesteś – usiłowała przekrzyczeć dochodzący z tyłu hałas. – Nie będę ukrywała, padam na twarz i z radością przyjmę każdą pomoc – mówiła, a Mikołaj patrzył na nią z tajemniczym wyrazem twarzy.

– A co z tego będę miał? – zapytał w końcu nad wyraz przekornie.

– Nie posądzałam cię o taką interesowność – udając obrażoną, wjechała na podjazd, a później do garażu.

Gdy wysiadła z samochodu, już był przy niej a jego ciche „cześć" rozpłaszczyło się ciepłem ust na jej zimnym policzku. Gdy otwierała bagażnik, było jej cudownie. Cieszyła się, że przyjechał i że stoi krok za nią. Bagażnik wypełniały zakupy i balony, które Zuza zdobywała jak łupy wojenne, przeganiając ją i Ulę po centrum handlowym. Mikołaj musiał otworzyć drzwi dziewczynkom, bo już czuła na sobie ich znajome przepychanie. Tak sprawnie zarządzał akcją rozpakowywania, że nawet nie zauważyła, kiedy wszystko znalazło się na podłodze w kuchni. Nie miała na nic siły. Odruchowo usiadła przy stole i obserwowała, jak dobrze teraz dowodził akcją rozpakowywania. Dziewczynki słuchały go. Nawet niesforna Zuza, słysząc rzeczowe polecenia, wykonywała je bez zbędnego marudzenia. Mikołaj był tak zajęty, że nie mógł zauważyć, jak bacznie mu się przyglądała. Był wymarzonym facetem. Inteligentnym, przystojnym, opiekuńczym, uczuciowym. W duchu podejrzliwie pytała samą siebie, czy to możliwe, żeby miał jakiś feler. Nie wierzyła w chodzące doskonałości, ale Mikołaj... Nagle doznała olśnienia. Jego felerem była ona sama. Przecież nie mógł przypuszczać, że zakochał się w emocjonalnym felerze. Była pewna, że przebywając z nią, widział przed sobą ruchome piaski, ale brnął w nie coraz dalej i dalej, jakby były kwiecistą łąką.

– Dziewczynki! – jego zdecydowany głos wyrwał ją z odrętwienia. – Patrzcie na ciocię! Wygląda tak, jakby miała wszystkiego dosyć.

Zerknęła w jego stronę z niekontrolowanym uśmiechem. Od jakiegoś czasu pojawiał się na jej twarzy, ilekroć patrzyła w kierunku Mikołaja, który stanął teraz za jej plecami.

– To co, ciociu? Może na początek się rozbierzemy?

Nie spodziewała się tego, jego ręce wpełzły nagle między nią a stół i z ogromną wprawą radziły sobie z odpinaniem guzików jej futra. Gdy poczuła na szyi jego gorący oddech, zamarła.

– Rozbieram cię... – usłyszała. – Co ty na to?

– Jestem tak zmęczona, że liczę tylko i wyłącznie na twoją szlachetność – jakimś cudem udało jej się zażartować, choć biorąc pod uwagę okoliczności, nie było to łatwe.

– W takim razie poprzestanę na okryciu wierzchnim, ale żeby nie było... – to mówiąc, złożył ukradkowy pocałunek na jej szyi.

Chciała coś powiedzieć, ale Zuza darła się już wniebogłosy:

– Widziałam! Widziałam! Całowali się!

W jednym momencie ogarnęły ją zmęczenie i niemoc. Nie potrafiła nad nimi zapanować. Na ramionach wciąż czuła jego dłonie. Zamknęła oczy i położyła głowę na stole. Na czole poczuła miły chłód blatu i marzyła, żeby się wykąpać i położyć chociaż na chwilę w zaciszu swojej sypialni.

– Uwaga! Uwaga! – usłyszała nad sobą zdecydowany głos Mikołaja. – Teraz ja przejmuję dowodzenie! – jego ton był iście generalski. Musiał zrobić wrażenie na dziewczynkach. To niespotykane, nawet Zuza zamilkła. – Uwaga! Teraz idziecie umyć ręce! – słuchała prawie wojskowych poleceń Mikołaja i nie mogła uwierzyć, że nie spotykały się z dyskusją ze strony Zuzy. – Później rozpakujemy wszystkie zakupy. Napijemy się czegoś ciepłego i zrobimy aniołki, a ciocia w tym czasie pójdzie na górę i trochę odpocznie.

Podniosła głowę i popatrzyła na niego, nie wierząc w to, co usłyszała. Z jednej strony marzyła o śnie, ale z drugiej, nie chciała cedować na Mikołaja wszystkich, bądź co bądź swoich obowiązków. Musiał wyczuć jej wewnętrzną walkę.

– To jest rozkaz! – Popatrzył na nią bardzo poważnie.

Wstała więc od stołu i zasalutowała mu, chyba niezbyt zgrabnie, ale nie miała za grosz militarnego doświadczenia.

– Odmaszerować na górę! – Patrzył na nią wesołymi oczami, ale minę miał poważną.

Czuła, że bawił się znakomicie. Zdjęła już rozpięte futro i idąc w kierunku wieszaka, zauważyła nietęgą minę Uli. Zuza pomagała Mikołajowi we wkładaniu jogurtów do lodówki. Podeszła do Uli, gdyż zrobiła na niej wrażenie mocno zagubionej.

– Co ci jest, Uleńko? – zapytała i kucnęła obok niej, a ta chwyciła ją mocno za szyję.

– Bo ja, ciociu – mała szeptała jej wprost do ucha – to chciałam z tobą robić te nasze aniołki. To znaczy z wujkiem też – dodała, zerkając dyplomatycznie w stronę Mikołaja.

Hanka wzruszyła się, czując na swojej szyi uścisk małych rączek Uli. Wzięła ją na ręce i wstała, czując na swoich barkach słodki ciężar.

– Umówmy się w ten sposób – powiedziała głośno, już do wszystkich. – Pójdę teraz na górę, troszkę się odświeżę i odpocznę chwilkę, a jak przygotujecie już masę solną, to ty, Uleńko, przyjdziesz mnie zbudzić i będziemy robić nasze aniołki wszyscy razem. Zgadzasz się? – zapytała i w odpowiedzi zobaczyła tylko promienny uśmiech Uli, wart wszystkich cudów świata, i to razem wziętych.

– O nie! Ja się nie zgadzam! – Zuza jak zwykle stanęła w opozycji. – To ja chcę obudzić ciocię!

– O nie! – usłyszała głos Mikołaja doskonale naśladujący marudzenie Zuzy. – To ja chcę budzić ciocię!

Poczuła się doskonale. Trzy ważne dla niej osoby kłóciły się, i to w dodatku o nią.

– Zróbmy tak – postanowiła rozsądzić spór. – Zagracie w marynarza i zbudzi mnie ta osoba, która wygra. A teraz życzę miłej pracy i do zobaczenia – przesłała im szybko frunącego całusa i z lekkością tego właśnie całusa pokonała schody.

Weszła do sypialni i jak długa padła na niepościelone od rana łóżko. Była gotowa do spania. Podłożyła rękę pod głowę, ale sweter, który przesiąkł zapachem pizzy i co gorsza, dymu papierosowego, zmusił ją do wstania. Musiała się rozebrać i chociaż trochę opłukać.

Stała pod prysznicem i czuła, jak woda zmywa z niej zmęczenie, hałas i zapachy miasta. Szum wody doskonale koił zmysły, które naraziła dziś na zbyt dużą ilość wszelakich bodźców. Była przerażona liczbą ludzi zwiedzających centrum handlowe, w którym była zmuszona zrobić zakupy. Miała wrażenie, że wszyscy dookoła są podenerwowani i gdzieś się spieszą. Poza tym Ulę musiała do wszystkiego namawiać, a u Zuzy hamować zdolności kupieckie. Dominika się zaręczyła, a ona nie miała nawet chwili, by z nią porozmawiać. Zapytać o romantyczne szczegóły. Gdy łapała oddech w kinie, trącana co chwilę łokciem przez rozentuzjazmowaną Zuzę, z ogromnym podziwem patrzyła na rodziców z dziećmi, którzy w takiej nagonce, jaką miała dziś, funkcjonowali z pewnością bez ustanku. Zakupy, gotowanie, pranie, poświęcanie uwagi, odpowiadanie na niekończące się pytania, pilnowanie, uzbrajanie każdego fragmentu własnej głowy w oczy. Dzisiejszy dzień się jeszcze nie skończył, a ona już wiedziała doskonale, że dzieci w rodzinie były poważnym wyzwaniem. Do tej pory chyba nie zdawała sobie z tego sprawy. Jednak pomimo zmęczenia i wyzwań, którym dziś starała się sprostać, czuła, że obudzona w niej kiedyś tęsknota za maleństwem ożywała na nowo. Wyszła spod prysznica. Było jej przeraźliwie zimno, czyli jak zwykle jej organizm bił na alarm. Zawsze było jej zimno wieczorem i wtedy gdy była zmęczona. Bywały w jej życiu dni, gdy już od rana było jej zimno, choć nie zdążyła nawet wyjść z łóżka. Nie chciała teraz do nich wracać. Chciała się od nich jak najszybciej oddalić, uwolnić. Wkładała swój ulubiony szary dres, zastanawiając się, czy kiedyś zapomni o dręczących ją od rana zimnych dreszczach. Położyła się na łóżku i dokładnie opatuliła kocem, którego wczoraj dotykał Mikołaj. Wiedziała, że wczoraj wieczorem był tu u niej, w jej sypialni. Zresztą nie pierwszy raz. Był tu przed Pragą i po Pradze. Myśląc o tym, odniosła wrażenie, że ich znajomość miała dwojaki charakter, wyraźnie rozdzielony mostem Karola. Przed wszystkim, co przeżyła na tym moście, w jej głowie funkcjonowały jedynie domysły. Po powrocie z Pragi wiedziała już wszystko. Ta wiedza sprawiała, że odczuwała coś na kształt wystraszonej radości. Z polonistycznego punktu widzenia takie uczucie nie miało racji bytu. Jednak ona odczuwała je prawie bez przerwy. Dosłownie była wystraszona radością. Bała się cieszyć ze słów Mikołaja, chciała się przed nimi gdzieś schować, a one jakby na przekór, odnajdywały ją wszędzie. Słyszała je wciąż. Nawet wtedy gdy był przy niej i nic nie mówił. Miała wrażenie, że te usłyszane w Pradze słowa były teraz jej tlenem, który pozwalał żyć, ale który jak czyste powietrze w nadmiarze, po długim niedotlenieniu, powodował zawroty głowy i otumaniające zmęczenie. Była zmęczona, jednak świadomość, że Mikołaj kolejny raz wrysował się w jej osobistą przestrzeń, trzymała jej powieki na otwartej uwięzi. Sięgnęła po muszlę. Zamknęła oczy... Usłyszała znajomy szum... Pomarańcz musiała sobie wyobrazić...

Wchodził po schodach. Był z siebie zadowolony. Całkiem dobrze poradził sobie, opiekując się dziewczynkami, choć doświadczenie w zarządzaniu tak małą pracą żywą miał dotychczas zerowe. Zakupy były rozpakowane. Dekoracyjne kanapki zrobione, i to przy sporym udziale małych rączek, a masa solna oczekiwała na anielskie kształtowanie. Drzwi sypialni Hanki były uchylone, tak jak wczoraj. Było już ciemno. Jednak świecące się na zewnątrz lampy rozjaśniały nie tylko mrok ogrodu, ale przedostawały się również jasną poświatą do sypialni. Widział zarys jej ciała na łóżku. Podszedł do niej i przykucnął. Zrobił to bardzo cicho. Hanka jednak zareagowała natychmiast, jakby miała wszczepiony pod skórą detektor ruchu albo czujnik reagujący na zmianę temperatury otoczenia. Otworzyła oczy.

– Wygrałeś? – zapytała niezbyt przytomnie.

– Zgadnij.

– Oszukiwałeś? – Przyglądała mu się uważnie.

– Zgadłaś – przyznał się natychmiast. – Ale nie myśl o mnie źle. Zrobiłem to dla dobra dziewczynek.

Uśmiechnęła się do niego, dając mu do zrozumienia, że nie musi jej niczego tłumaczyć.

– Odpoczęłaś?

– Cudownie! – Usiadła na łóżku i przeciągnęła się prawie identycznie jak wtedy, gdy obudziła się w jego samochodzie podczas ich pierwszego spędzonego wspólnie wieczoru. Z tym że teraz nie zawstydziła się tak jak wtedy. Była jeszcze zaspana i chyba nie dostrzegała, że zjadał ją wzrokiem. Kęs po kęsie.

– Zapraszam cię na dół, bo myślę, że siostrzyczki zaczynają powoli być zmęczone.

– Ile spałam?

– Dwie godziny.

– Co? – Wyskoczyła z łóżka jak z wyrzutni rakietowej. – Która jest godzina? Dlaczego mnie nie obu... – zaniemówiła na chwilę. – Dlaczego mi się tak dziwnie przyglądasz?

– To ja – zaczął bardzo poważnie – oszukuję dwie małe, niewinne dziewczynki i przychodzę tu, myśląc, że zastanę cię w takiej koszulce, w jakiej w Pradze po hotelu paradowała Dominika, a tu co widzę? – udawał niepocieszonego, a dla zwiększenia efektu zrobił zdegustowaną minę.

Hanka, jakby nie słysząc tego, co powiedział, przeszła obok niego i weszła do garderoby. Podążył za nią wzrokiem. Otworzyła jakąś szufladę i wyjęła z niej białe skarpetki. Usiadła na podłodze garderoby i wkładając je, zaczęła mówić, niestety, nie patrząc na niego. Była skupiona na wykonywanej czynności.

– Muszę cię zmartwić. Niestety, nie sypiam w takich fatałaszkach, bo w nocy jest mi zawsze zimno.

– Chcesz powiedzieć, że Dominika, mówiąc w Pradze, że sypiasz nago, kłamała?

– Słuchaj Dominiki, a będziesz zimą po śniegu brykał w atłasowych puentach. – Wstała z podłogi. – Chodź!

– Nie idę! – postawił się, zupełnie jakby był Zuzą.

– To sobie zostań. Ja idę na dół i ulepię takiego pięknego anioła, że ci oko zbieleje z zazdrości.

– A może potrzebujesz modela? – Robił wszystko, żeby ją sprowokować, jednak jego wysiłki nie pierwszy raz spełzły na niczym, ponieważ z dołu dał się słyszeć znajomy mu skądinąd śpiewający głos, który uwielbiał przerywać mu grę słów i gestów.

– Chodź! To na pewno Iwonka.

Nie zdążył wykonać żadnego ruchu, a Hanka już zbiegała ze schodów. Zerknął w kierunku jej łóżka. Jego uwagę przyciągnął pusty blat szafki nocnej. Duża muszla leżała obok poduszki Hanki. Podszedł do drzwi i usłyszał z dołu jej śmiech. Dobrze przypuszczała. Rozmawiała z Iwonką.

– Tak, wszystko dobrze. Niczym się nie martw... Tak, są grzeczne... Tak, Zuza też... Właśnie zaczynamy lepić... To czekamy na was jutro z obiadem.

Uwielbiał jej słuchać. Uwielbiał, gdy miała taki radosny głos.

– Dobrze. Porozmawiamy jutro. Trzymam kciuki... To pa... Pozdrowię, oczywiście, że pozdrowię – skończyła rozmawiać, gdy był już na dole.

Obie dziewczynki natychmiast przytuliły się do niej, a on zrozumiał, że jego przywództwo właśnie dobiegło końca, a autorytet przykryty został grubą warstwą masy solnej. Przyglądał się, jak dziewczynki były skupione na tym, co mówiła i robiła Hanka. Zresztą sam też wpatrywał się w nią z uwielbieniem w oczach. Z pewnością właśnie dlatego dostał od niej spory kawał masy solnej, z której pod bardzo konkretne jej dyktando, o dziwo, powstawał aniołek. Miał główkę, rączki, sukienkę przykrywającą skomplikowaną anatomię i dwie małe stópki wyglądające wstydliwie spod sukienki.

– Ja! Ja! Ja! Ja chcę robić włosy aniołom! – krzyczała jak w ekstazie zaaferowana Zuza, niebezpiecznie wymachując we wszystkie strony metalową wyciskarką do czosnku.

– Ja! Ja! Ja! Ja chcę! – udawał małego chłopca.

Zagrali w marynarza. Tym razem bez oszukiwania. Wygrała Ula i dzięki temu zwycięstwu wszystkie cztery anioły miały już piękne, bo zrobione ze stoickim spokojem i niespotykaną wprost dokładnością, włosy. Bardzo podobał mu się jego anioł. Anioł Zuzy miał ciut przydużą głowę. Anioł Hanki smutny wyraz twarzy. Jego miał niesymetryczną sukienkę. Jedynie anioł Uli był arcydziełem. Wszystko miał w sam raz.

– Ula, twój anioł jest najśliczniejszy – zwrócił się do Uli, nie kryjąc zachwytu. Zuza udawała, że go nie słyszy. Ula natomiast uśmiechała się, dotykając delikatnie swojego dzieła małymi, lecz jak się okazało, bardzo uzdolnionymi paluszkami. – Jak to zrobiłaś, że jest taki równiusieńki? – zapytał, chcąc trochę ośmielić tę małą.

– Po prostu bardzo długo na niego czekałam. Aż od Wigilii – odpowiedziała tak szczerze, że go zatkało.

Hankę chyba też, bo uciekła przed jego spojrzeniem. Jedynie Zuza, niezadowolona z faktu, że to nie jej anioł jest w centrum uwagi, postanowiła sprytnie zmienić temat.

– Ciociu, to pomalujmy teraz szybko te anioły i jedzmy nasze kanapki, bo zaraz umrę z głodu!

– Ależ Zuzanko! – Hanka uśmiechnęła się do tej małej spryciary. – Nie możemy teraz pomalować naszych aniołów. Przecież są mokre. Potrzebują teraz czasu. Muszą wyschnąć. Będziemy je malować dopiero jutro.

– Jak to?! – nie mogła uwierzyć Zuza. – Przecież w bajce było bez wysychania! Tylko z piekarnikiem!

– Zuziu – zaczęła zdecydowanie Hanka – bajki są dlatego bajkami, że wszystko w nich jest dużo prostsze i łatwiejsze niż w życiu – słuchał jej i odnosił wrażenie, że jest nie w temacie.

– Przepraszam, a o jakiej bajce panie mówią? – zapytał szybko.

– Ciocia zna taką bajkę – nie spodziewał się, że to Ula udzieli odpowiedzi na jego pytanie – o Agatce i aniołku. Poproś ją, wujku, to na pewno ci opowie.

Spojrzał na Hankę, która układała aniołki na przygotowanych wcześniej tekturkach.

– To jak będzie, ciociu? Opowiesz mi tę bajkę?

Podniosła wzrok znad aniołków, ale zamiast na niego popatrzyła na Zuzę, która chciała poczęstować się kanapką.

– Zuza! Ale szybko! Do łazienki! Przed jedzeniem trzeba umyć ręce! – Była cudowna, uwielbiał ją. Wydawała Zuzie surowe polecenia, jednak groźna mina wcale jej nie wyszła.

– Muszę? – zapytała, ziewając Zuza.

Nawet on zauważył, że była już bardzo zmęczona.

– Koniecznie! – padła krótka odpowiedź.

– Chodź, Ulka, co się tak gapisz?!

– Ciociu? A czy ja muszę jeść kanapki, skoro nie jestem wcale głodna? – Ula patrzyła na Hankę błagalnym wzrokiem.

– Oczywiście, że nie musisz. Ale słone rączki umyj razem z Zuzą, a ja zrobię wam w tym czasie coś ciepłego do picia. Jeżeli nie chcesz jeść, to się tylko napijesz.

Ula odeszła od stołu i szybko dołączyła do Zuzy, która czekała na nią ze znudzonym wyrazem twarzy.

Gdy dziewczynki zniknęły za drzwiami łazienki, poszedł do niej. Czekała, aż zagotuje się woda w czajniku. Położył swoją rękę na jej dłoni spoczywającej bez ruchu na kartonowym opakowaniu z herbatą.

– To jak będzie z tą bajką?

– Opowiem ci... Może kiedyś... Jak nie będziesz mógł zasnąć... – odpowiedziała i mrugnęła do niego zalotnie. Pierwszy raz w życiu.

– Czyli... będziesz musiała mi ją opowiadać codziennie, bo przy tobie nigdy nie będę potrafił zasnąć.

Spojrzała na niego tak wystraszonym wzrokiem, jakby nagle zamienił się w bazyliszka. A przecież przed chwilą do niego mrugała. Całe szczęście przyciężką ciszę wypełnił śmiech Zuzy.

– Ulka się przeżarła! A wszyscy mówią, że to ja się przeżeram!

Nie docierały do niego słowa Zuzy. Patrzył na Hankę. Teraz to on był przestraszony. Zrobiła się przeraźliwie blada. Znów nie przemyślał swoich słów, ale był zdesperowany. Miał dość cackania się. Przypominał sobie słowa Przemka, który przekonywał go, że Hanka jest kobietą z krwi i kości. Wciąż stał przy niej tak blisko, że...

– Co to znaczy się przeżarła? – usłyszał jej zdenerwowany głos.

– To znaczy, że zjadła za dużo pizzy i teraz boli ją brzuch. Mogę kanapki? – Zuza posiadała umiejętność wypowiadania wielu słów na jednym oddechu.

– Tak. Tak. – Hanka, nie patrząc na niego, delikatnie wyciągnęła swoją dłoń spod jego ręki i szybko zniknęła za drzwiami łazienki.

Poczuł się jak piąte koło u wozu. Paskudne uczucie.

Po chwili drzwi łazienki otworzyły się i zobaczył Hankę niosącą Ulę na rękach. Mała wtulała się w jej szyję. Napotkał poważny, ale przyjazny wzrok Hanki, który sprawił, że znów czuł się potrzebny.

– Mikołaj – zaczęła prosząco – zaniosę ją do łóżka, źle się czuje. Zrób, proszę cię, herbaty miętowej, tylko nie słódź, i przynieś na górę. Proszę... – Patrzyła na niego cudownym, praskim wzrokiem. Wchodziła na schody, a on podszedł do szuflady, z której zawsze wyciągała herbatę. – Mikołaj... – odwróciła się do niego dokładnie w chwili, gdy otwierał szufladę. – Właśnie chciałam ci powiedzieć...

– Już znalazłem... – pozostałą część zdania pozostawił w domyśle.

Wyjął mały kartonik z herbatą miętową. Chciał przed samym sobą udawać, że rozumieją się bez słów. Niestety, tak nie było. Zdarzały się momenty, w których była dla niego tak bliska, że nie mógł w to uwierzyć. Ale czasami czuł się tak, jakby była w jego życiu tylko senną marą. Zamykała się w sobie, i koniec. Herbata dla Uli była już gotowa. Szedł na górę i przypominał sobie moment, gdy Hanka do niego mrugnęła. Wszedł do sypialni dziewczynek. Zobaczył przerażoną Hankę klęczącą obok łóżka Uli.

– Chyba zatruła się pizzą – spojrzała na niego przestraszonym wzrokiem. Ula leżała z zamkniętymi oczami. – Uleńko, jest ci wciąż niedobrze? – zapytała cicho, głaszcząc małą po główce.

Ula otworzyła oczy.

– Nie, jestem tylko bardzo zmęczona.

– Ale teraz musisz znaleźć jeszcze trochę siły, żeby się napić herbaty, którą zrobił dla ciebie wujek. Mięta na pewno ci pomoże i poczujesz się lepiej.

Ukląkł obok Hanki i ostrożnie podał jej filiżankę z herbatą.

– Uleńko, usiądź na chwilę – poprosiła cicho, po czym poiła małą zielonoburym płynem.

Ula piła posłusznie małymi łyczkami.

– Ciociu, to jest niedobre... – skrzywiła się.

– Wiem, kochanie, ale ci pomoże. Postaraj się wypić jeszcze troszeczkę. Odrobinkę.

Ula wypiła jeszcze kilka łyków. Widział doskonale, z jakim trudem.

– A teraz postaraj się zasnąć. Wujek z tobą zostanie i opowie ci jakąś piękną bajkę – popatrzyła na niego z uśmiechem, dla którego resztę życia mógłby spędzić na opowiadaniu bajek.

– Oczywiście, że opowiem.

Ula położyła się, a Hanka okrywała ją kołdrą z czułym uśmiechem.

– Idę spacyfikować Zuzę – szepnęła mu wprost do ucha i wyszła, zostawiając za sobą niedomknięte drzwi. Chyba nie lubiła zamkniętych drzwi...

Jedyną bajką, którą jako tako pamiętał, był nieśmiertelny *Czerwony Kapturek*. Ula patrzyła na niego niezbyt przytomnym spojrzeniem. Zaczął opowiadać. Słyszał siebie i zdawał sobie sprawę, że mówi nieskładnie. Na szczęście, gdy tylko zaczął inwentaryzację koszyczka Kapturka, zobaczył, że Ula już śpi. Po cichu wyszedł z pokoju i na schodach natknął się na Hankę wlecącą za sobą prawie śpiącą Zuzę.

– Dobranoc, wujku – usłyszał wyziewane pożegnanie.

– Dobranoc, tylko bądźcie cicho, bo Ula właśnie zasnęła – ostrzegł.

Minęli się, nawet na niego nie spojrzała.

– Za chwilę do ciebie przyjdę – usłyszał, gdy był już prawie na dole.
Miał wrażenie, że od chwili gdy wystrzelił z tekstem o wspólnym spaniu, unikała jego wzroku. Zupełnie jakby się go bała. Wszedł do kuchni. Niedyspozycja Uli oderwała ich od stołu, na którym widział teraz rozbabraną kolację Zuzy i kawałki wysuszonej masy solnej. Wziął się za prace porządkowe. Myślał o Hance. Myślał o wszystkich wcieleniach Hanki. Było ich dużo, bardzo dużo i żadne z nich nie było udawane. W każdym była zastraszająco wiarygodna. Wesoła, smutna, odważna, wystraszona. Wycierał na mokro stół, kiedy zobaczył ją na schodach. Szła bardzo powoli. Była poważna i zamyślona. Wiedział, że bardzo się przejęła niedyspozycją Uli.

– Dzieci śpią? – zapytał jak rasowy ojciec.

– Śpią – odpowiedziała i nie podchodząc do niego, nawet na niego nie patrząc, zapadła się w fotelu przed kominkiem.

Znów był piątym kołem. Postanowił, że skończy porządki i sobie pójdzie. Gdy tylko o tym pomyślał, natknął się na jej spojrzenie. Patrzyła na jego ręce kończące właśnie wycieranie stołu.

– Dziękuję, że mi pomogłeś. – Nareszcie spojrzała mu w oczy.

– Wiesz, że nie lubię, kiedy mi dziękujesz za wszystko, co robię. Chcesz herbaty? – zapytał, bo nie chciał wychodzić. Tak naprawdę mogłaby zrobić z niego nawet dziesiąte koło, a on chciałby być zawsze przy niej.

– Nie, dziękuję. Chcę tylko nic nie robić.

– To połóż się lepiej na kanapie. Będzie ci wygodniej.

– Dobry pomysł – przyznała cicho i bezszelestnie przeniosła się na kanapę.
Wytarł mokre ręce w papierowy ręcznik i podszedł w jej kierunku. Popatrzył na nią z góry i usiadł obok kanapy. Po turecku. Tak że miał jej twarz na wysokości wzroku. Wyglądała, jakby spała, ale była bardzo spięta. Wyczuwał to wyraźnie i co gorsza, jej nastrój zaczynał udzielać się także jemu.

– Jaki plan na jutro? – zapytał, siląc się na swobodę.

Miała zamknięte oczy, leżała na prawym boku.

– Około południa przyjadą Iwonka z Jurkiem. Zjemy razem obiad. Pójdziemy na spacer. Jurek może wtedy się prześpi. Po kolacji pojadą. Ze względu na Ulę preferują nocną jazdę. Może przyjdziesz na obiad? – zapytała, otwierając oczy.

– Nie. Nie będę wam przeszkadzał.

– Co ty mówisz? – obruszyła się i popatrzyła na niego zdziwiona.

– No wiesz, wy jesteście prawie jak rodzina... A poza tym czuję, że masz mnie chyba trochę dość... – Wiedział doskonale, że zaczyna jątrzyć. Może i szukał dziury w całym, ale chyba podświadomie chciał ją zdenerwować. Chciał, żeby mu wykrzyczała w nerwach, w złości, o co w tym wszystkim chodzi. Chciał się w końcu dowiedzieć, dlaczego z ciepłej kobiety potrafi się w sekundę zamienić w Królową Śniegu.

– Mikołaj, o czym ty mówisz? Nie rozumiem – zdziwiona uniosła się na łokciu.

– Myślę, że wiesz doskonale. Ale i tak nie mogę przyjść, bo wyjeżdżamy jutro z Przemkiem do Pragi. Mamy spotkanie z inwestorem i wykonawcami.

– Ale dopiero wieczorem... – zawiesiła głos i znów się położyła.

– Nie, lecimy porannym samolotem, na wieczorny nie było już biletów...

– Na długo wyjeżdżacie?

Chciał wierzyć, że pytała z zainteresowania, a nie kurtuazyjnie.

– Optymistycznie na tydzień...

– A pesymistycznie? – zapytała od razu, patrząc na niego dużymi, zniewalającymi go, miodowymi oczami.

Poczuł, jak gotuje się w nim krew.

– Nie wiem... – wydusił. – Mamy tam huk roboty.

Patrzyła na niego. Nie mógł już dłużej wytrzymać. Musiał wyjść albo...

– Będę uciekał. – Nienaturalnie szybko wstał i nie patrząc na nią, skierował się w kierunku wiatrołapu. Szedł i zaklinał ją w myślach, żeby go zatrzymała, żeby coś zrobiła, powiedziała, żeby nie pozwoliła mu tak po prostu wyjść. Sięgał po kurtkę, gdy usłyszał za sobą jakiś ruch.

– Mikołaj...

Odwrócił się. Stała przed nim. Była roztrzęsiona.

– Co się dzieje? – zapytała cicho.

– To ty mi powiedz, co się dzieje. – Był zdesperowany.

– Mikołaj, przecież nic się nie dzieje... – szepnęła i schowała głowę w ramionach.

– No właśnie! Nic się nie dzieje! – powiedział o wiele za głośno. Musiał się uspokoić. – Nic się nie dzieje – powtórzył już ciszej. – A ja jestem kretynem, który od pół roku... – Nie mógł skończyć. Bał się. Nie chciał kończyć tej rozmowy.

Stała przed nim blada. Schowała ręce w kieszeniach bluzy od dresu i nieznacznie uniosła do góry ramiona. Ułatwiło mu to sprawę. Chwycił ją za nie. Nie mogła się bronić. Patrzyła na niego przerażona, a on zbliżył twarz do jej twarzy, tak jakby chciał ją pocałować. Ale tego nie zrobił. Jeszcze nie teraz! Na wpół świadomie włączał swój hamulec. Zaczął mówić, z trudem panując nad sobą, żeby się na nią nie rzucić.

– Odkąd cię poznałem, nie mogę normalnie żyć. Na niczym nie mogę się skupić. I wszystko byłoby dobrze – mówił powoli, chciał, żeby go dobrze zrozumiała, chciał też zachować spokój – gdybyś nie owijała się drutem kolczastym, zawsze wtedy gdy się do ciebie... – Nie skończył. Zobaczył, że po jej policzkach zaczęły się toczyć duże, okrągłe łzy. Jedna po drugiej. Coraz szybciej. Tego nie wytrzymał. Przyciągnął ją do siebie i zaczął całować tak zachłannie, że bardzo szybko zabrakło mu tchu...

Z wielkim trudem oderwał się od niej, wbrew sobie. Wciąż jednak trzymał ją w ramionach i zaglądał jej w przerażone oczy.

– Hanka, pomyśl chwilę. Zawsze gdy jest obok nas ktoś, to wszystko jest normalnie, ale gdy tylko zostajemy sami, to najczęściej zachowujesz się tak, jakbyś się mnie bała. Przecież ja nie chcę cię skrzywdzić! Kocham cię! Słyszysz? Kocham! Nie wiem, dlaczego tak się zachowujesz. Ale chcę cię zrozumieć. Myślę, że jest jakiś powód... Musisz mi uwierzyć na słowo, że ja nie jestem taki jak ten gość, przez którego teraz chwilami traktujesz mnie jak wroga!

– Mikołaj... – odezwała się słabym i trzęsącym głosem. – To nie tak...

– A jak...? – przerwał jej zdecydowanie. – Powiedz mi, o co w tym wszystkim chodzi? Może to moja wina? Może ja robię coś nie tak? Może nic do mnie nie czujesz, ale jesteś zbyt kulturalna, żeby mnie posłać do diabła. Jeżeli tak jest, to zrób to. Teraz. Natychmiast i miejmy to z głowy!

Przeginał, wiedział o tym. Przeginał tak jak jeszcze nigdy w życiu. Przeginał tak, jak kochał. Widział, co się z nią działo. Wciąż trzymał ją za ramiona i czuł, jak się coraz mocniej trzęsą, poruszane jej niemym spazmem. Nie mógł już dłużej. Nie wytrzymał i przytulił ją do siebie. Płakała jak dziecko. Czuł, że chciała coś powiedzieć, ale głos uwiązł jej w gardle. Słyszał, że ma kłopot z oddechem. Była taka drobna i delikatna i niestety chyba już drugi raz w życiu trafiła na gruboskórnego idiotę, który najpierw trąbi i obiecuje, że poczeka, ze wszystkim poczeka, a później wybucha i histeryzuje.

– Przepraszam cię... Przepraszam... Wybacz mi... Przepraszam... – szeptał w jej pachnące włosy. Znów tracił nad sobą kontrolę. Nie wiedział, co robić. – Nie chciałem, żeby tak wyszło... Zrobiłem z siebie kretyna... Przepraszam cię... Ale myślałem, że w Pradze... Że Praga... Że coś się między nami zmieniło... Myślałem, że to nasz nowy początek. Przemek z Dominiką się zaręczyli, a my tkwimy wciąż w martwym punkcie. Mam już tego dosyć. Mam wrażenie, że nie pozwalasz mi cię kochać... Chciałbym ci jakoś pomóc, nam pomóc, ale nie wiem jak. Nie wiem, co mam robić. Jak tak dalej będzie, to zwariuję. Nie, ja już zwariowałem – rozmawiał z jej szyją, ale w pewnym momencie poczuł, że zrobiła się jakaś bezwładna. Chyba nogi odmawiały jej posłuszeństwa. – Co się dzieje? – oderwał się od niej i popatrzył zaniepokojony w jej oczy. Niestety, nie patrzyła na niego.

– Chciałabym się położyć – jak zwykle mówiła do guzików w jego koszuli.

Wziął ją na ręce.

– Mikołaj... – to miał być chyba protest.

– Nic nie mów – poprosił szeptem.

Niósł ją po schodach, już drugi raz, ale dziś postanowił, że jej nie zostawi. Niczym zadomowiony lokator lekkim kopnięciem otworzył drzwi sypialni. Łóżko było niepościelone, więc z łatwością położył ją na poduszce i przykrył zimną kołdrą. W końcu na niego spojrzała.

– To wszystko moja wina – wyznała nieoczekiwanie. – Jestem beznadziejna... – Otworzyła usta, żeby coś dodać, ale jej nie pozwolił.

– Dlatego tak dobrze do mnie pasujesz – napotkał jej zdziwiony wzrok i charakterystyczny półuśmiech.

– Rozumiem, że masz teraz na myśli powiedzenie, że przeciwieństwa się przyciągają – mimo kiepskiej formy wykazała się błyskotliwością. Jak zwykle.

– Mylisz się, moja babcia zawsze mówiła: jakie jechało, takie spotkało.

Znów się uśmiechnęła. Była w o wiele lepszej sytuacji niż on. Zawsze rozumiała, o co mu w danej chwili chodziło.

– Mam prośbę, zajrzyj do dziewczynek. – Chyba chciała zostać na chwilę sama.

– A obiecasz mi coś?

– Zależy co?

– Że jak wrócę, to nie będziesz spać.

– Obiecuję – zgodziła się nadspodziewanie szybko.

– Jak tak łatwo mi poszło, to mogę poprosić o coś jeszcze? – Znów się uśmiechała. Poczuł, że wywołane jego wybuchem napięcie powoli znikało.

– Proś. – Położyła się na boku i włożyła złożone w amen dłonie pod policzek. Chyba zawsze tak spała.

– Ubierz się w jakiś fajny fatałaszek – zażartował.

– Oczywiście – powiedziała bez entuzjazmu.

Chciał ją pocałować, ale pomyślał, że lepiej będzie, gdy od tego zacznie po powrocie.

Wyszedł szybko. Starał się nie myśleć o tym wszystkim, czego jej nagadał. U dziewczynek nic się nie działo. Jedno spojrzenie wystarczyło, by stwierdzić, że śpią jak susły, a ich kołdry nie walają się po podłodze, tylko grzecznie wypełniają swoje nocne obowiązki. Gdy wszedł do sypialni, Hanka leżała identycznie jak wtedy, gdy wychodził. Z taką tylko różnicą, że była nakryta po szyję.

– Pokażesz? – zapytał.

Pokręciła tylko przecząco głową.

– Pokaż... – poprosił przymilnie, ale znów zobaczył ten sam ruch jej głowy. – To chociaż opowiedz, co masz na sobie – znów spotkał go niemy sprzeciw.

Był prawie pewien, że robiła sobie z niego żarty, dlatego podszedł do niej i delikatnie zajrzał pod kołdrę w okolicach jej szyi. Nie mylił się. Jego oczom ukazał się znajomy szary dres.

– O ty! Oszukałaś mnie. – Udawał poruszonego i pociągnął za kołdrę, odkrywając ją prawie całkowicie. Nie było to trudne zadanie.

– Ja nie oszukuję – powiedziała wyjątkowo spokojnie i patrzyła na niego, udając obrażoną.

– A co to jest? – Pociągnął niezbyt mocno za uchwyt zamka błyskawicznego. Ten gest wystarczył, żeby zamek zaczął się rozpinać. Usłyszał jego dziwny odgłos i natychmiast poczuł hamujący dotyk dłoni Hanki.

– To jest fajny fatałaszek – wyrecytowała, siląc się na spokój.

– Chyba żartujesz – szepnął, trzymając wciąż opadający w dół uchwyt suwaka.

– Wcale nie żartuję. – Przełknęła nerwowo ślinę. – Puść – poprosiła cicho.

Natychmiast otworzył rękę, czując na niej drut kolczasty jej prośby.

– Nie chciałem cię wystraszyć – powiedział, patrząc jej prosto w oczy, i przykucnął obok łóżka. Nie chciał już patrzeć na nią z góry.

Ominęła go wzrokiem, usiadła na łóżku i patrzyła w stronę drzwi. Podążył za jej wzrokiem i odwrócił się. Zobaczył za sobą zaspaną Ulę.

– Ciociu? Czy ja mogę położyć się obok ciebie? – zapytała nieprzytomnie mała.

– Oczywiście, chodź. – Hanka przesunęła się szybko, a Ula omijając go, położyła się przy niej. Od razu została opatulona kołdrą. Hanka położyła palec wskazujący na swoich ustach. Zastygli w bezruchu, nasłuchując. Po dłuższej chwili usłyszeli regularny oddech. Ula zasnęła.

– Mikołaj... – usłyszał szept. – Zgaś górne światło i zapal lampę, proszę cię – szepnęła mu prawie do ucha, bo wciąż siedział nieruchomo obok jej łóżka.

Zrobił to, o co poprosiła, i pokój wypełniło nastrojowe światło. Znał je od wczoraj.

– Zrobiło się późno – zauważył, stając obok łóżka.

– Chcesz już iść? – wyszeptała.

– Nie. Chcę zostać z tobą – przyznał się, a ona popatrzyła na niego wzrokiem, którego jeszcze nie znał i nie domyślał się, co mógł oznaczać. Milczała. – Mogę zostać? – zapytał po prostu.

Wciąż milczała, ale nie uciekała od jego oczekującego odpowiedzi spojrzenia.

– W takim razie idę – nie wytrzymał napięcia i się poddawał.

– Mikołaj... – zaczęła swoim zwyczajem.

– Nic nie mów, proszę cię – uśmiechnął się, żeby zamaskować jakoś swoją przegraną. Pod plecami czuł tarczę...

– Mikołaj... – nie posłuchała go.

Stał nad nią i patrzył, jak przytulała do siebie cicho posapującą Ulę.

– Pa – szepnął, nachylając się nad nią. Chciał ją pocałować. Nie zdążył, bo zobaczył ruch jej ust.

– Zostań... – poprosiła.

– Jesteś pewna? – wydukał, nie wierząc własnym uszom. Ale widział, jak pokiwała głową.

Wyprostował się i stojąc nad nią, zamienił się na chwilę w nieruchomą, wyrytą w kamieniu rzeźbę. Nie mógł w to uwierzyć, ale zrobiła dokładnie to, o co ją w duchu błagał. Stał nad nią jak słup soli, nie wiedząc, co ma z sobą zrobić. Hanka spokojnie i powoli odsunęła się od Uli i nakryła ją kołdrą. Przesunęła się na drugą stronę łóżka i popatrzyła na fotel stojący przy wejściu do garderoby.

– Podasz koc?

Mechanicznie, jak robot, wykonał podejście do fotela, wziął koc i utknął w miejscu, widząc Hankę, która znów przesunęła się w stronę środka ogromnego łóżka, robiąc mu w ten sposób miejsce.

– Spałeś już kiedyś z dwiema kobietami naraz? – zapytała poważnie.

Położył się obok niej bez słowa, i dobrze, że to zrobił, bo inaczej padłby z wrażenia. Trupem! Leżeli naprzeciwko siebie, zwróceni do siebie twarzami. Dzieliło ich kilkadziesiąt centymetrów, wypełnionych kocem, który wciąż ściskał przed sobą. Wyjęła mu go z rąk i okryła nim najpierw jego, a później siebie. Patrzyła na niego. Bez słów. Leżeli obok siebie nakryci jednym kocem. Nie mógł w to uwierzyć.

– I co teraz? – zapytał, czując, że drętwieją mu wszystkie mięśnie.

Uśmiechnęła się chyba bardziej do swoich myśli niż do niego.

– Oddam wszystko za twoje myśli – szepnął.

– Nie opłaca ci się – odpowiedziała z uśmiechem.

– Powiedz, o czym myślisz – poprosił łagodnie, ale patrzyła na niego i milczała. – No powiedz... – nie chciał ustąpić.

– Myślę... – zaczęła powoli. – Myślę, że gdyby zobaczyła nas teraz Dominika, to chyba zniosłaby jajko.

– Leżysz ze mną w łóżku, a myślisz o Dominice? – obruszył się, choć przeczuwał, że jej myśli nie miały nic wspólnego z dziewczyną jego najlepszego kumpla.

– Myślę, że to taka specyficzna reakcja obronna – patrzyła na niego z uśmiechem, przez który uroczo przymykała oczy.

– Ja też powinienem czuć coś takiego? – zapytał, udając poważnie wystraszonego.

– Tylko mi teraz nie mów, że się mnie boisz – zmarszczyła brwi.

– Nic a nic – uspokoił ją od razu.

– To może teraz ty powiedz, o czym myślisz.

– Naprawdę chcesz wiedzieć? – zapytał całkiem poważnie.

Przytaknęła.

– Zastanawiam się, kiedy mi opowiesz o wszystkim, co przeszkadza ci ze mną być.

Chyba nie była przygotowana na coś takiego, bo od razu zamknęła oczy i westchnęła. Patrzył na nią i studiował jej twarz. Bał się, że zaśnie, nie odpowiedziawszy na jego pytanie. Na szczęście po chwili znów na niego spojrzała.

– Powiem ci – jej głos brzmiał bardzo spokojnie. – Obiecuję, że ci powiem. Ale najpierw muszę sama przyzwyczaić się do tych słów, na które czekasz. Uwierz mi, ja też na nie czekam. Potrzebuję jeszcze trochę czasu i spokoju. Muszę się skupić na sobie, na tym, co czuję... Nie mogę się rozpraszać...

– Ja cię rozpraszam? – wszedł jej w słowo.

– Trochę tak... – przyznała, znów wzdychając.

– Posłuchaj... – odruchowo poprawił jej włosy, które zasłaniały jej policzek, ale szybko cofnął rękę, bo gdy to robił, nerwowo zacisnęła powieki. – Jutro wyjeżdżam do Pragi – powiedział to tak, jakby o niczym nie wiedziała. – Nie będzie mnie tydzień, może trochę dłużej. Będziesz mogła ode mnie odpocząć. Dam ci czas i spokój – mówiąc to, czuł się tak, jakby zaciskał sobie pętlę na szyi, ale był pewien, że tak trzeba. – Nie będę dzwonił, pisał, nic. Nie będzie mnie. To będzie dla mnie straszne, uwierz. Ale musisz mi obiecać, że jak wrócę i się spotkamy, to mi wszystko opowiesz. Od a do zet. Muszę wiedzieć o tobie wszystko. Obiecujesz? – Nie potrafił rozszyfrować ani jej myśli, ani uczuć.

– Obiecuję – odrzekła szeptem po dłuższej chwili.

– Na pewno? – chciał się upewnić. Nie chciał, żeby separacja, którą sobie właśnie sam zafundował, okazała się bezowocna. Kiwnęła tylko głową. – Jeszcze mi tylko powiedz, o kim masz mi opowiedzieć, gdy wrócę.

– O nim – szepnęła i zamknęła oczy.

Dopiero teraz przeraził się na dobre. Więc jednak był jakiś on. Niech to szlag! Musiał coś zrobić, żeby nie zwariować.

– Otwórz oczy – poprosił. Chciał, żeby nie myślała teraz o tamtym. Chciał, żeby patrzyła na niego. Posłuchała go. Dzięki Bogu, posłuchała i już patrzyła na niego. – Co robimy? – zapytał, siląc się na luz i beztroskę. Nawet mu się to udało.

– Co chcesz – odpowiedziała takim tonem, że nie mógł go niestety uznać za łóżkową prowokację.

– Chciałbym, żebyś mi opowiedziała bajkę.

– O aniołku?

– Nie. Wolałbym bajkę o ogrodzie twoich dziadków – pożerał ją wzrokiem. Była jeszcze piękniejsza niż w Pradze, w której chciał znów się z nią znaleźć.

– Dobrze. Ale zamknij oczy i zasypiaj.

Posłuchał jej. Wiedział jednak, że nie zaśnie. Musiał mieć czas, żeby się na nią napatrzeć do woli przed jutrzejszym wyjazdem. Słyszał, jak spokojnie oddychała. W końcu wzięła głębszy wdech i zaczęła opowiadać.

– Wcale nie tak dawno temu był sobie piękny i magiczny świat, którego granic strzegły dorodne drzewa georginii...

Stała przed domem i czuła łzy ustawiające się w szyku bojowym pod powiekami. Jej dobra znajoma gruszka też zajęła swoją strategiczną pozycję. Ferie zimowe kończyły się erupcją wszystkich jej tęsknot. Tęskniła za Mikołajem, którego rano nie zastała w swoim łóżku. Tęskniła za nocą, której nie pamiętała. Już tęskniła za dziewczynkami siedzącymi w tej chwili w samochodzie swoich rodziców. Tęskniła za mamą, tatą, ciotką Anną, za wesołymi szarymi oczami. Czuła, że wszystkie jej tęsknoty zmówiły się dziś na zmasowany atak na jej rozdygotaną duszę. Jurek pakował bagaże, a Iwonka wychodziła właśnie z domu. Przed bramą z piskiem opon zahamował samochód Dominiki.

– Zdążyłam! – Dominika wystrzeliła z samochodu z dwoma identycznymi pluszowymi misiami panda w rozmiarze prawie naturalnym i podbiegła do samochodu Jurka. – Bliźniaczki dla bliźniaczek!!! – darła się jak oparzona, pakując miśki w wyciągnięte ręce roześmianych dziewczynek. Po czym rozpłaszczyła nos na samochodowej szybie od strony, po której siedziała Zuza. – Ale masz, tatuśku, fajne kobiety! – rzuciła w stronę Jurka, który zamknął bagażnik samochodu.

Dominika pajacowała przy samochodzie, a Hanka patrzyła na dziewczynki i na Iwonkę, kiedy zupełnie nieoczekiwanie podszedł do niej Jurek.

– Haniu... – zaczął nieśmiało. – Dziękuję ci za wszystko. Zwłaszcza...

– Jurku, daj spokój. Nie ma o czym mówić – przerwała, bo Iwonka zaczęła ściskać ją bez słów. Identycznie jak robiła to pani Irenka.

– *Sorry! Sorry! Sorry!* – wypełniał ciszę obcojęzyczny śpiew Dominiki. – Wiem, że trochę się spóźniłam, ale...

– Miałaś być na obiedzie! – wytknęła jej.

– Wiem, ale jestem jakaś taka rozmontowana, że nad niczym nie mogę ostatnio zapanować.

– To pa, dziewczyny! Jedziemy! – zakomunikowała Iwonka, całując na zmianę to ją, to Dominikę. – Rozumiem, że teraz widzimy się na jajku.

– No coś ty? – przerwała jej Dominika, zadzierając nosa. – Na jajko to my jedziemy do Ameryyyki!!!

– Naprawdę? – Iwonka zastygła w bezruchu podczas wsiadania do samochodu.

– Dostałyśmy zaproszenie na święta od ciotki Anny, ale to jeszcze nie oznacza, że pojedziemy... – Hanka posłała Iwonce uśmiech z serii: „Nie martw się na zapas".

– To trzymajcie się. – Iwonka wsiadła do samochodu, by wrócić do swojego w miarę uporządkowanego życia.

– Ucałuj mamę! – zdążyła jeszcze krzyknąć Hanka przed trzaśnięciem drzwi. Patrzyła na dziewczynki wysyłające w jej kierunku tysiące buziaków, a kątem oka rejestrowała wygłupy Dominiki, na której palcu mienił się okazały diament, przedrzeźniając swym blaskiem światła ogrodowych lamp.

– Jak na gościa z wadą postawy, to nawet przystojny ten Juruś – zauważyła z przekąsem Dominika, gdy tylko samochód zniknął im z pola widzenia.

– Jurek? Z wadą postawy? – nie rozumiała.

– Uważasz, że dupa na boku to normalne? – zapytała z niewinnym wyrazem twarzy Dominika, pozwalając jej zrozumieć swój nieco skomplikowany tok myślenia.

– I tu się mylisz! – zaczęła zagadkowo. – Chodź do domu. Wszystko ci opowiem. Ale zimno... – zatrzęsła się.

Gdy tylko zamknęła za sobą drzwi, wzięła Dominikę za rękę i przez dłuższą chwilę, bez słów wpatrywała się w namacalny i wartościowy dowód poważnych zamiarów Przemka wobec jej niezbyt poważnej siostrzyczki.

– Zatkało? Co? – pyszniła się Dominika. – No, koniec już tego darmowego patrzenia! – wyrwała jej rękę. – Chcę się rozebrać!

– Zaraz zatkało... – Chciała jeszcze coś dodać, pogratulować, ucałować, ale słowotok Dominiki skutecznie uniemożliwił jej wprowadzenie w życie wszystkich zamierzeń.

– Słuchaj mnie teraz – trajkotała, rozbierając się Dominika. – W związku z tym, że nie ma przy mnie mojego szlachetnego narzeczonego i już po niecałym dniu jego nieobecności włączył mi się lęk separacyjny, zaplanujmy już dziś następny weekend, żebym miała na co czekać – mówiąc to, ogarniała głodnym wzrokiem półmiski znajdujące się na stole w jadalni, przy którym jeszcze przed momentem słychać było słodką paplaninę Zuzy. – Dawaj talerz, bo od śniadania nic nie jadłam, a swoją drogą to nie wiem, jak wytrzymam tyle czasu bez Przemka.

– Nie przesadzaj – uśmiechnęła się, podając Dominice czysty talerz. – To przecież tylko tydzień. Może trochę dłużej. Spróbuj sałatki. Przepis Aldonki: wędzony kurczak, kukurydza, brzoskwinia, majonez. Pychota.

– O Boże! Ale ładne te aniołki – stęknęła Dominika, a ona nie mogła uwierzyć, że rozmowa im się jakoś nie kleiła. Może dlatego że nie miały dla siebie ostatnio czasu. Ocierały się o siebie bez chwili nastroju na pogaduchy.

Spojrzała na dwa aniołki, które dziś rano nabrały kolorów. Aniołek Mikołaja był dużo ładniejszy od jej aniołka. Może dlatego że swoimi utalentowanymi paluszkami pomalowała go Ula.

– Co ty gadasz!? – wypaliła nagle ni z gruchy, ni z pietruchy Dominika. – Przecież oni nie pojechali na tydzień, tylko na miesiąc. Przemek wprawdzie obiecał, że przyjedzie za dwa tygodnie, ale Mikołaj to tam na pewno długo pokibluje.

– Co? – nie rozumiała Dominiki. – Jak to na miesiąc?

– Co się tak głupio wypytujesz? Uszka chore czy co? Może idź do laryngologa. Jak mówię miesiąc, to miesiąc!

– Ale... – Nie mogła uwierzyć w to, co właśnie usłyszała. – Mikołaj mówił mi, że... – zamilkła.

Powoli zaczynała rozumieć. Mikołaj dawał jej czas. Dużo czasu na poukładanie wszystkiego. Na dojście do ładu i składu z własnym życiem i z sobą. Przeraziła ją jednak myśl, że według reguł, które wczoraj ustalili, przez najbliższy miesiąc nie zamienią z sobą nawet słowa.

– Ty mi tu nie ściemniaj, co ci mówił, tylko powiedz lepiej, kiedy jedziemy do spa.

– Co ty ciągle z tym spa?! – Informacja, która do niej właśnie dotarła, wytrąciła ją z równowagi.

– Zakład jest zakład. Umowa jest umowa – Dominika była nieprzejednana. – Jeżeli mi powiesz teraz, że się nie całowaliście, to po tym, co wyrabialiście w dyskotece, nie uwierzę, a sałatka rzeczywiście dobra.

Patrzyła, w jakim niesamowicie szybkim tempie Dominika pożerała wszystko, co było na stole.

– Nie jedz tak szybko – strofowała przyjaciółkę – bo będzie ci niedobrze.

– Ostatnio tyle razy było mi dobrze... – niedwuznacznie rozmarzyła się Dominika i wznosząc oczy do nieba, jednocześnie grzebała ręką w półmisku w poszukiwaniu wystarczająco wysuszonego kabanosa.

– Piękny! – Hanka skorzystała z okazji i dotknęła jej pierścionka zaręczynowego.

– Całowałaś się? Gadaj! – W końcu długi kabanos zdał test suchości i wylądował między zębami Dominiki. – Tobie potrzebny chyba nie tylko laryngolog. Hej! Słyszysz, o co pytam?!

– Tak – odpowiedziała niemrawo, czując, jak nerwowo kurczy jej się żołądek, wywołując uczucie mdłości.

– Tak, słyszysz? Czy tak, całowałaś się? Mozzarella z pomidorkami też mniam, mniam. A jak tam Jurek, ma laskę na boku?

– Posłuchaj, Dominika! – nie wytrzymała. – Nie mogę z tobą rozmawiać, jak jesz i jeszcze w międzyczasie zadajesz co sekundę inne pytanie.

Dominika otworzyła oczy ze zdumienia. Chyba dlatego że taka drażliwość nie była w jej stylu.

– A coś ty taka nerwowa? – zapytała, nie przerywając jedzenia.

– Nie jestem nerwowa, tylko zmęczona – wytłumaczyła.

– To coś w nocy robiła?

– Idę się wykąpać! – Hanka miała dosyć. – Jak skończysz jeść, to posprzątaj!

Płynąca po jej ciele gorąca woda, zamiast uspokajać, wprowadzała jej przeponę w jeszcze większą niż do tej pory wibrację. Było jej niedobrze. Chyba ze zdenerwowania. Nie wiedziała, co ma zrobić. W którym kierunku wysłać swoją wściekłość. Nie pamiętała, kiedy ostatnio czuła coś takiego. Na razie dostało się Dominice. Nie rozumiała, dlaczego nie powiedział jej prawdy. Przecież to niemożliwe, żeby tydzień pomylił mu się z miesiącem. Woda parzyła jej plecy. Była wściekła przede wszystkim na siebie. Zdjęcie z ciotką Anną wciąż leżało u fotografa. Mikołaj dawał jej czas, a ją przytłaczała świadomość, że nieuchronnie zbliża się do tego fragmentu swojego życia, który paraliżował jej przeszłość i teraźniejszość. Miała wrażenie, że ślizga się po swoim życiu, tak naprawdę nie mając na nie żadnego wpływu.

– Jesteś tam? – usłyszała zaniepokojony głos Dominiki.

– Jestem! Już wychodzę! – krzyknęła i jednym zdecydowanym ruchem zamknęła dopływ wody. Szkoda, że nie mogła tak postąpić ze swoimi uczuciami. Jeden ruch i spokój. To byłoby cudowne. Niestety, nie miała osobistego zaworu bezpieczeństwa. Przeciwnie, czuła się jak rozklekotana maszyneria, nierokująca zbyt dobrze. Nie wiedziała, czego chce. Nie wiedziała, co mogłoby jej pomóc. Stała nieruchomo pod prysznicem, słysząc, że Dominika przewalała się już po jej łóżku.

– Wyjdziesz wreszcie? – znów usłyszała jej głos. Teraz nie był już zaniepokojony, tylko opryskliwy.

Otworzyła drzwi kabiny prysznicowej. Wzięła ręcznik i zaczęła się nim wycierać, mocno przyciskając go do ciała. Nic jednak nie czuła. Zaczerwienione od intensywnego pocierania ramiona i uda krzyczały do niej kolorem, nie bólem. Traciła czucie jak wtedy...

– Co się z tobą, do cholery, dzieje?! – Dominika weszła do łazienki i przyglądała się jej jak wariatce, nic sobie nie robiąc z jej nagości.

– Proszę cię! – szybko zakryła się trzymanym ręcznikiem.

– To ja cię proszę! Gdyby nie to, że poznałam już trochę Mikołaja, to pomyślałabym, że zrobił ci jakąś krzywdę. Zachowujesz się jak jakaś ofiara losu. Ubieraj się szybko, chodź do łóżka i mów, o co chodzi. Zrobił ci coś? A może w końcu mu powiedziałaś?

Usłyszawszy ostatnie z pytań Dominiki, zamarła z ulubioną piżamą w dłoni. Dominika, widząc jej reakcję, odwróciła się na pięcie i rzuciła przez ramię:

– Czekam w łóżku.

Trzęsły się jej ręce. Zapinała guziki piżamy. Jeden po drugim. Uspokajająca czynność. Żałowała, że piżama nie była sutanną, bo guziki skończyły się zbyt szybko. Nie zdążyła się uspokoić. Wyszła z zaparowanej łazienki.

Dominika leżała pod kołdrą i nieruchomym wzrokiem gapiła się w zdjęcie rodziców. Hanka ucieszyła się, że koc, pod którym spędziła pierwszą wspólną noc z Mikołajem, był jej. Położyła się obok Dominiki i otuliła się nim bez słów. Dominika odwróciła się w jej stronę.

– Mów! – nie prosiła, rozkazywała.

– Nie wiem, co mam ci powiedzieć.

– Obojętnie co! Tylko coś mów, bo jak na ciebie patrzę, to myślę, że ci odbiło. Martwię się o ciebie – Dominika powoli spuszczała z tonu.

– To się nie martw, nic złego się nie dzieje.

– Przestań pieprzyć mi tu farmazony! Przecież widzę! Powiedziałaś mu?

Chciała zaprzeczyć, ale jej się nie udało. Zaprzeczała ciszą, Dominika jednak jej nie rozumiała.

– Słyszałaś, o co pytam?

Znów potwierdzała ciszą.

– Jeżeli się zaraz nie odezwiesz, to... A zresztą co ja będę z tobą gadać?! Mam cię w nosie! Zadzwonię do Mikołaja i się wszystkiego dowiem! Idę po telefon!

– Zaczekaj! – szepnęła natychmiast, zanim Dominika zdążyła się podnieść z łóżka.

– O proszę! Umiesz mówić! A już myślałam, że ci język przyrósł do podniebienia! Chodzi o Mikołaja? Tak?

Wcześniej Dominika nie rozumiała ciszy, więc teraz kiwnęła głową.

– Całowaliście się?

Znów żabi ruch głowy. Góra, dół.

– Kochasz go?

I znów góra, dół. Jakie to proste.

– Chcesz z nim być?

Góra, dół.

– Spałaś z nim?

Wyćwiczony ruch głowy przestał wystarczać.

– Spałam, ale nie tak jak myślisz...

– Brawo! Dałaś głos. Dobra psina...

– Przestań!

– To ty przestań! Mów, co się dzieje!

– Dał mi czas
– Na co? – Dominika przyglądała się jej podejrzliwie.
– Na prawdę.
– Jaką prawdę?
– O nim. – Zobaczyła przed sobą kochane szare oczy.
– No i bardzo dobrze! – zatarła dłonie Dominika. – Mądry chłop. Ładny i dam głowę, że dobrze całuje.
– Boję się... – Nie chciała tego powiedzieć...
– Czego znowu do cholery?
– Prawdy.
– Dobrze. Uporządkujmy, co wiemy – odezwał się ścisły umysł Dominiki. – Chcesz z nim być. Nic nie mów! Nie przerywaj mi! To jasne, że musisz mu o wszystkim powiedzieć, bo inaczej się po prostu nie da. Masz stracha. Rozumiem. Mama zawsze mówiła, że w życiu najlepsze są najprostsze rozwiązania. Pamiętasz? Więc nie bądź galaretą, tylko po prostu weź telefon, zadzwoń do niego i mu o wszystkim...
– Dominika! – przerwała tę nad wyraz skrupulatną ocenę stanu faktycznego jej uczuć. – Przecież to nie jest rozmowa na telefon.
– To zamiast do spa polećmy w weekend do Pragi...
– Nie! – zaprotestowała stanowczo. – Dał mi czas do swojego powrotu.
– Ściemniasz?
– Nie. Umówiliśmy się, że powiem mu wszystko, jak wróci.
– Przecież on wróci za miesiąc. No, może za trzy tygodnie.
– Ale, Dominika, zrozum, ja potrzebuję tego czasu.
– Ty to potrzebujesz nie czasu, tylko odwagi.
– Tak, odwagi, ale czasu też – potulnie zgodziła się, odwracając jedynie kolejność wytycznych niezbędnych do jej dalszego funkcjonowania.
– A dasz radę? – Dominika chyba zaczynała wątpić w jej odwagę.
– Przecież muszę dać.
– Mądra dziewczynka.

Poczuła dłoń Dominiki na swojej głowie i otworzyła zamknięte do tej pory oczy.
– Tylko nie wiem, czy jest sens tyle czekać. Pojedźmy lepiej...
– Nie. Niech będzie tak, jak ustaliliśmy z Mikołajem. Powiem mu, jak wróci.

– Według mnie to czekanie jest bez sensu. Ale rób, jak uważasz. Rozumiem, że do czasu jego powrotu będziecie rozmawiać o pogodzie, knedlach i innych kluchach.

– Do czasu jego powrotu nie będziemy wcale rozmawiać – wydusiła z siebie, a duże oczy Dominiki zrobiły się jeszcze większe. Jej reakcja nie zaskoczyła Hanki.

– Czyj to pomysł?

– Mikołaja.

– Patrz, jaka mądra chłopina. Ale cię sprawdza. – Dominika uśmiechała się tajemniczo, a jej nie było wcale do śmiechu.

– Nie rozumiem.

– Po męsku cię sprawdza. Wróci i mu powiesz, to znaczy, że jesteś jego. A jak wróci, a ty mu nie powiesz, to znaczy, że musi zwiewać, gdzie zawracają bociany.

– Dokąd? – zapytała, nie rozumiejąc.

– Nie dokąd, tylko od kogo.

– Chcesz mnie wystraszyć?

– Spójrz na siebie! Nie muszę! A jakbyś potrzebowała pomocy, to wal do mnie jak w dym. Aha! A spa to przekładamy.

– Na kiedy?

– Pojadę, jak mnie zaprosisz. Ale teraz to może skup się na zadaniu domowym, które ci zostawił. – Dominika chyba wreszcie coś zrozumiała.

– Fajna jesteś...

– Nie jestem fajna. Jestem najfajniejsza! – Ta to miała skromność we krwi! – Dlatego przez najbliższy miesiąc nie powiem ci o nim ani jednego słowa – to mówiąc, Dominika zamknęła usta niewidzialnym kluczykiem i zjadła go szybko, mlaskając i udając, że jest wyjątkowo smaczny.

– Będzie ci niedobrze – zażartowała.

– Ważne, żeby tobie było dobrze. A teraz gadaj, co u Iwonki. Dobrze czy źle?

– Mogło być źle, ale jest raczej dobrze.

– Jak na polonistkę, to strasznie bełkoczesz. Możesz jaśniej? – słysząc pytanie Dominiki, ucieszyła się, że choć przez chwilę będzie mogła zająć myśli cudzym życiem.

– Okazało się – zaczęła opowieść – że Jurek dwa miesiące temu był na wyjeździe integracyjnym. Trochę wypił i zbliżył się zbyt mocno do kadrowej z jego firmy.

– Co to znaczy zbliżył się zbyt mocno? – Dominika wydęła cynicznie usta, chcąc usłyszeć coś, czego nie mogła jej powiedzieć.

– Mówię ci tyle, ile powiedziała mi Iwonka.

– Czyli ją bzyknął, tak?

– Dominika! Proszę cię! – Była zdegustowana jednoznacznością sugestii Dominiki.

– To ja cię proszę! Hanka! Co to za hasło? Zbliżył się zbyt mocno? Na jakim świecie ty żyjesz?! Powiedz lepiej, co dalej.

– Dominika, posłuchaj. Uwierz mi. Wiem, że życie ma więcej wspólnego z prozą niż z poezją, ale mogę powiedzieć ci tylko tyle, ile dowiedziałam się od Iwonki, a ona dokładnie tak to ujęła.

– I co dalej? – Dominika była wyraźnie znudzona, bo historia była jak dla niej mało pikantna.

– Jurek wrócił do pracy i okazało się, że ta kobieta czeka na ciąg dalszy. Ten szybko wyprowadził ją z błędu i najprawdopodobniej zrobił to zbyt obcesowo, więc poczekała na pierwszą lepszą okazję i pokazowo namieszała mu w życiu – westchnęła.

– Ale baby są wredne! Wredna baba jest sto razy gorsza niż wredny facet – skwitowała Dominika, głośno ziewając.

– Przypominam ci, że my też jesteśmy babami.

– Ba! Ja to jestem nawet babą, która też jeździ na te korporacyjne integracje. I różne cuda i dziwy już widziałam! – Uwielbiała w Dominice to, że zawsze potrafiła właściwie spointować. – Powiem więcej. Dla mnie facet, który ma żonę i dzieci, to obojnak. Ale są takie wredne małpy, znam takie osobiście, że właśnie wystawianie takiego gościa na próbę rajcuje je najbardziej. Ale się nażarłam. Mdli mnie. Chyba od tego kabanosa.

– Zaparzyć ci mięty?

– Nie, może mi zaraz przejdzie, ale jak pomyślę, że jutro mam spędzić w robocie sześć godzin, to do zarzygania jeden krok – ostatnie słowa Dominika wyśpiewała.

– Jak na kogoś, komu niedobrze, to masz całkiem niezły humor – zauważyła.

– To nie humor! To głupawka! Zaraz mnie coś strzeli, mam takie nerwy. A wiesz, co mi dziś powiedział mój narzeczony? – Dominika usiadła na łóżku, odkryła kołdrę i zaczęła zdejmować dżinsy.

– Czyżbyś chciała zostać na noc?

– Nie mam już siły wracać do siebie. Jak chcesz, to cię podrapię po plecach.

– Nie chcę. Jestem taka zmęczona, że zasnę bez drapania. Ale powiedz, co ci powiedział twój narzeczony – zabawnie przerzucały się tym nowym słówkiem w ich małej rodzinie.

– Powiedział... – Dominika krzywiła się niemiłosiernie, demonstrując, jak bardzo się nie zgadza ze słowami Przemka, które chciała zacytować. – ... Że u mnie nie występuje żaden syndrom PMS, bo ja albo mam okres, albo wciąż jestem przed okresem. Co za nadęty ginekolog psychiatra.

– Wiesz, ale to wcale nie jest pozbawione sensu – Zauważyła Hanka ze śmiechem.

– Wszystkiego bym się spodziewała, ale nie tego, że będziesz trzymała jego stronę – to mówiąc, Dominika demonstracyjnie odwróciła się do niej plecami.

Hanka postanowiła nic sobie z tego nie robić i uśmiechała się do jej pleców tak, jakby mogły zrewanżować się jej tym samym. Czuła się trochę dziwnie. Wsłuchiwała się w oddech Dominiki. Znów nie spała sama. Było jej z tym dobrze. Miała dość samotności. Zastanowiła się przez moment, czy to możliwe, żeby teraz, w tej właśnie chwili, światła na moście Karola odbijały się w błękitno-granatowych oczach. Cieszyła się, że jej świat znów nabierał kolorów. Był, jak kiedyś, wypełniony magicznymi miejscami, żywymi kolorami i wzruszającymi ją dźwiękami. Może właśnie dlatego się uśmiechała? Może za długo żyła w ciszy i z pustką za zamkniętymi oczami. Może zaczęła właśnie urządzać na nowo swoją przestrzeń. Może...

– Śpij już, bo mnie rozpraszasz! – warknęła zmęczona Dominika.

– Przecież jestem cichutko, jak myszka pod miotłą – szepnęła.

– Ale twój mózg tak hałasuje, że nie mogę zasnąć, a jestem padnięta i znów mi niedobrze.

– Może ci coś zaśpiewać?

– Puknij się! – Dominika nakryła głowę kołdrą, a ona opatuliła się kocem. Oczy jej się uśmiechały. Koc pachniał Mikołajem. Zaczynała wierzyć, że miesiąc minie szybko.

Otworzyła oczy. Pomimo późnego popołudnia było całkiem jasno. Siedziała na swojej ławeczce. W wazonie na tle imion rodziców mieniły się kolorowe tulipany, podobne do tych, które dostała kiedyś od Mikołaja. Od rana czekała na tę chwilę. Chciała usiąść, odsapnąć, pomyśleć w spokoju i ciszy, pobyć z rodzicami. Zamiast tortu kupiła im dziś kwiaty. Gdyby żyli, na pewno jedliby teraz tort. Wszyscy razem. Gdyby żyli, wszystko byłoby inaczej. Myślała o tym, zdając sobie, nie pierwszy już raz, sprawę, że „gdyby" to najgłupsze słowo świata. Bezsensowne i denerwujące. Wiedziała, że musi przestać gdybać. Musiała codziennie uczyć się żyć bez pojawiającego się na każdym kroku gdybania. Wczoraj miała dobry dzień. Wszystko się udawało i wzięła w pracy do ręki jakąś pierwszą lepszą gazetę. I co wyczytała? Człowiek potrzebuje dwóch lat, żeby pozbierać się po śmierci bliskiej osoby. Co to znaczy: pozbierać się? Od wczoraj wracało do niej to pytanie. Dwa lata nie minęły. Była pozbierana czy nie? Znów zadawała sobie to wredne pytanie, patrząc na liczby, których fragmenty chowały się za świeżymi kwiatami. Autor artykułu o śmierci niestety nie pokusił się o badania dotyczące sytuacji, w której tracimy kilka osób naraz. Czy powinno się wtedy mnożyć cierpienie i ból towarzyszące rozstaniu na zawsze? Jej humanistyczna dusza nie była w stanie ogarnąć tak makabrycznych rachunków. Przez ostatnie dwa tygodnie usiłowała trzymać się dzielnie. Chodziła do pracy, która jak zwykle nadawała sens przedpołudniom i popołudniom. Koncentrowała się na mówieniu, czytaniu, sprawdzaniu, odpytywaniu. Robiła zakupy i uspokajała się melodią piorącej pralki. Jak kiedyś... Jak wtedy... Z jedną małą różnicą. Albo z wielką, kolosalną różnicą. Teraz było inaczej niż wtedy. Teraz tęskniła i czekała. Wtedy była robotem, którego podstawowa funkcja polegała na tym, że miał nie myśleć o tym, co było i co będzie. Wtedy nie potrafiła wspominać, teraz wspominała. Był ósmy dzień marca i kolejne urodziny, które od czasów przedszkolnych nie kojarzyły jej się ze śpiewem lekko pijackiego sto lat, sto lat, tylko z piosenką, którą właśnie nuciła i nie było jej łatwo przestać.

Dzień kobiet, dzień kobiet!
Niech każdy się dowie,
że dzisiaj święto dziewczynek.
Uśmiechy są dla nich!
Zabawa i taniec!
Piosenka z radia popłynie.

Piosenka nie płynęła dziś z radia, tylko tkwiła przyklejona do jej strun głosowych. A żeby było ciekawiej, to jednocześnie ustawiała ją w rzędzie małych dziewczynek ubranych w stroje krakowskie. Nuciła i zamknęła oczy. Poczuła się tak, jakby znów miała na sobie wianek z papierowych kwiatków i czerwone plastikowe korale. Była z siebie dumna. Z jej ramion spływały szerokie, kolorowe wstążki, a oczy raziły cekiny mieniące się na czarnym atłasie kobiecego serdaka. Położyła ręce na kolanach i niestety nie wyczuła pod nimi miękkiego kaszmiru kwiecistej spódniczki. Otworzyła oczy. Nie zdążyła już sobie wyobrazić białego fartuszka z kieszonką na chusteczkę z Misiem Uszatkiem. To były cudowne czasy, choć jej ulubiony miś miał klapnięte uszko... Chciała do nich wrócić. Choćby na krótką chwilę. Znów zamknęła oczy. Słońce ogrzewało jej zamknięte powieki, a powtarzana od rana melodia zaczynała nudzić. Poczuła, że ktoś na nią patrzy. Lekko uchyliła powiekę jednego oka. Patrzyła na nią sroka. Zamknęła oko. Przy niej mogła nucić. Pomyślała o ciotce Annie, w końcu sroka była również jej znajomą. Uśmiechnęła się. Codziennie wieczorem brała do ręki zdjęcie, z którego ciotka patrzyła na nią oczami mamy. Prawie rytualnie karmiła ciotkę słowami. Dokładnie tak, jak jej to obiecała. Słowa, które wypowiadała, siląc się na jak największy spokój, zaczynały i kończyły każdy jej dzień. Mądre spojrzenie z fotografii pomagało oswoić prawdę. Ciotka byłaby z niej dumna, gdyby wiedziała, że te trzy wypowiadane przez nią zdania dodawały jej sił. Na codzienność i na przyszłość. Już niedługo miała je wypowiedzieć przed Mikołajem. Coraz częściej zastanawiała się, czy nie było z jej strony egoizmem całkowite skupienie wszystkich sił nad tym, aby w odpowiednim momencie wyartykułować prawdę przed innymi oczami niż oczy ciotki. Nie chciała teraz, może właśnie to było egoistyczne, myśleć o reakcji Mikołaja. Czuła, że im bliżej było do ich spotkania, tym było jej trudniej. Oblatywał ją strach, ale serce podpowiadało cichuteńko, że Mikołaj tego właśnie chciał. Na tym mu zależało. Musiał więc zmierzyć się z jej przeszłością. Coraz częściej wyobrażała sobie jego oczy, które patrzyły na nią ze świadomością poznanej już prawdy. Chciała mu powiedzieć i marzyła o tym, żeby po wszystkim ją przytulił. Teraz też o tym marzyła. Było jej ciepło. Mogła tu siedzieć, ile tylko chciała. Mróz nie drażnił jej stóp, a zima była już tylko niezbyt wyraźnym wspomnieniem, o którym przypominał jej granatowy szalik stanowiący trwałą, choć nie zawsze udaną, stylizację jej stroju. Dotykała go teraz, ciesząc się z dobrego dnia. To właśnie dziś, w dniu jej urodzin, Mateusz Starski przerwał przedłużające się milczenie. Pierwszy raz od studniówkowej nocy zabrał głos na lekcji i jakby tego było mało, gdy wychodziła ze szkoły, dostała od niego mały bukiecik bordowych stokrotek i uśmiech. Był to bardzo miły gest z jego strony. Wydało jej się również, że albo ostatnio wyprzystojniał, albo nieświadomie przeniosła na niego swoją tęsknotę za Mikołajem. Tęskniła bardzo, ale po cichu i optymistycznie. Czekała. Przypomniała sobie głos Mateusza.

– Może da się pani profesor zaprosić na coś słodkiego z okazji swojego święta?

Musiała bezwiednie zrobić wyjątkowo głupią minę, bo Mateusz od razu podniósł ręce do góry.

– Spokojnie, pani profesor – dodał szybko – widzi pani Kabanosa i całą resztę? Właśnie idziemy do Ambrozji na coś słodkiego.

Podziękowała mu, używając najmilszego tonu, na jaki ją było w tamtej chwili stać, i wymówiła się inaczej zaplanowanym popołudniem. Takt i cierpliwość się opłacały, bo nareszcie poczuła odwilż w ich wzajemnych stosunkach.

Zaczął wiać wiatr. Wypalony znicz na grobie obok przewrócił się z łoskotem. Otworzyła oczy. Odnalazła się na ławeczce bez stokrotek w dłoni. Wieczorem miała przyjść Dominika, na tort. Zamówiła go w ich ulubionej cukierni. Ciemny biszkopt, bita śmietana i łamiące słodkość wiśnie z likieru. Poczuła, że jest głodna, choć zjadła dziś obiad w przepysznym i wierszującym towarzystwie Aldonki. Zastanawiała się, co w dniu jej narodzin czuli rodzice. Urodziła się w środku dnia, kilka minut przed piętnastą. Czyli od prawie trzech godzin mogła już świętować. Tort! Nagle doznała olśnienia. Cukiernia była czynna do osiemnastej. Wstała i szybko się przeżegnała, uśmiechając się do liter, liczb, kwiatów, pszczół, nieba, które nad nią robiło wyjątek i było błękitne. Dookoła, jak okiem sięgnąć, były chmury, a nad nią widoczna była wyrwana im, mała błękitna polanka. Może stanowiła specyficzny wizjer jej rodziców. Może pomimo jej wieku lubili mieć na nią oko. „Łagodne oko błękitu", przypomniała sobie fragment ulubionego wiersza. Nic w jej życiu nie działo się bez przyczyny. Dlatego przesłała całusa w kierunku błękitnego przesmyku na niebie. Odchodząc, włożyła rękę do kieszeni płaszcza i natrafiła na mały kawałek papieru. Była przekonana, że to paragon z ubiegłorocznych zakupów albo kwit z pralni chemicznej. Szła między grobami, oglądając wyjętą z kieszeni, złożoną w mały kwadracik serwetkę ze szkolnego bufetu. Rozprostowała misterne zagięcia, pod którymi kryło się okrągłe, prawie kaligraficzne, pismo Aldonki. Zaczęła czytać.

Jeżeli myślisz, że zapomniałam...
To jesteś w błędzie!
Pamiętam doskonale, że od dziś
lat znów Ci przybędzie.
I myślę dziś o Tobie
jak o równolatce.
To głupie, wiem,
lecz wybacz starzejącej się babce,
która całuje Cię mocno,
bo Urodzinowo!!!
Niech troski już nie kołują
nad twoją piękną głową.
Niech wraca szybko z Pragi
niebieskooki pan!
Niech bierze cię w ramiona,
całuje tu i tam!
Nie traćcie więcej czasu!
Bo po to on Wam Dan,
byś była przeszczęśliwa
i Ty,
i też Twój pan.

Miłość nie zna żadnych tam i granic;
A co potrafi, na to się i waży

Uśmiech nie schodził z jej twarzy przez całą drogę do domu. Aldonka była wyjątkową osobą. Wiedziała o tym zawsze, ale dziś, czytając jej wiersz, przez chwilę pomyślała o jej nadprzyrodzonych zdolnościach. Nie rozmawiała z nią o Mikołaju, napomknęła tylko w przypadkowej rozmowie, że wyjechał do Pragi, a tu proszę... Najwidoczniej dzisiejszy dzień był dniem miłych niespodzianek, bo podjechawszy do domu, natknęła się na wycofujący się samochód poczty kwiatowej. Niezbyt sympatyczny kierowca uchylił okno.

– Pani Lerska? – zapytał znudzony.

– Tak – odpowiedziała z bezinteresownym uśmiechem.

Kierowca, sapiąc, wygramolił się z samochodu.

– No! Całe szczęście! Bo już jestem u pani trzeci raz, a to mój ostatni kurs dzisiaj.

Małpując kierowcę, wysiadła z samochodu i zaniemówiła. Zmęczony, na oko pięćdziesięciolatek, z brzusiem spoczywającym na udach nawet podczas chodzenia, bez zbędnych ceregieli wręczył jej ogromny bukiet czerwonych róż. Odebrała go, uważnie przyglądając się małej czerwonej kopertce dyndającej przy jednym z długich kwiatów.

– Pani tu podpisze – sapnął przemęczony i przepocony grubcio, podsuwając jej pod nos jakiś wymiętolony blankiet, który posłusznie podpisała, używając, wyćwiczonej do perfekcji w dziennikach lekcyjnych, parafki. – To do widzenia pani.

– Do widzenia. Dziękuję bardzo.

Jej serce waliło jak młotem, całkowicie zagłuszając odjeżdżającą minicię-żarówkę z zielono-żółtym logo zdobiącym jej tylną szybę. Zostawiła samochód na podjeździe. Ręce jej się tak trzęsły, że nie mogła otworzyć bramy garażowej. Ogromny bukiet ciążył okrutnie. Na drżących nogach weszła do domu i nie rozbierając się, położyła kwiaty na stole w jadalni. Weszła do spiżarni, w której mama zawsze przechowywała różnej wielkości wazony. Wybrała największy z nich i powoli, nie spiesząc się, jakby dozując sobie emocje, nalewała do niego wody. Umieściła w nim pachnące aurą eleganckiej kwiaciarni róże. Dotknęła małej kopertki i nagle przeraziła się na myśl, że kwiaty mogłyby nie być od niego. Zdenerwowana bardziej niż dotychczas, otworzyła kopertkę. Okazało się, że jej zawartość stanowił maleńki karteluszek zawierający jedynie trzy słowa.

Bez urodzinowych słów... M.

Wpatrywała się w słowa i inicjał. Do oczu napływały łzy całkowicie rozmazujące treść karteczki. Właśnie witała się z gruszką, kiedy nagle pomyślała o śmierci. Pierwszy raz w życiu pomyślała o śmierci inaczej niż do tej pory. Gdyby można było umrzeć z radości, z pewnością spotkałaby ją teraz najsłodsza ze śmierci. Biegała wzrokiem po maleńkich literach i cieszyła się życiem. Miała się nadspodziewanie dobrze. Nie mogła uwierzyć. Wiedział o jej urodzinach. Pewnie za sprawą Dominiczki, która jak nikt inny potrafiła chlapać informacjami na prawo i lewo.

Usłyszała klakson. Dominice nie chciało się wychodzić z samochodu, żeby użyć dzwonka przy furtce. Hanka zwykle marudziła, gdy siostra stosowała tę hałaśliwą praktykę, ale dziś z radością otworzyła bramę wjazdową. Jej dłonie wciąż drżały. Wszystko w niej drżało. Nie mogła się zdecydować, co jej się najbardziej podoba. Kwiaty, słowa, wielokropek czy inicjał napisany piękną czcionką. Najpiękniejsza w tym wszystkim, co ją właśnie spotkało, była świadomość, że myślał, pamiętał i czekał. Chyba czekał. Dominika trzasnęła drzwiami.

– Czemu nie zaparkowałaś w garażu? Tort masz? – zapytała, wręczając jej maleńką torebeczkę z logo renomowanego salonu jubilerskiego.

– Masz – odpowiedziała z uśmiechem i pocałowała Dominikę, dziękując za prezent.

– To dawaaaj!!! Ooo kurczę!!! A ten wieniec od kogo!!!? – Dominika wskazała palcem bukiet, którego nie dało się nie zauważyć.

– Nie udawaj – pogroziła jej palcem, choć gest ten miał się nijak do jej nastroju.

– Co miałabym udawać? – Dominika była doskonałą aktorką. Bez zażenowania zerknęła do kopertki.

– Cichy wielbiciel? – zapytała, nic w niej nie znajdując.

– Nie – posłała jej zagadkowy uśmiech.

– A co? Tajemniczy Don Pedro?

– Tajemniczy Don Pedro śmiga teraz po Krainie Deszczowców. To od Mister Karpia.

– Nie gadaj?! Od Mikołaja!? Ale się szarpnął! – Dominika gwizdnęła przeciągle, dając wyraz swojemu udawanemu zaskoczeniu.

– Przestań udawać – Hanka uśmiechnęła się łagodnie. – Przecież wiem, że mu serdecznie doniosłaś o moich urodzinach. – Chciała pogłaskać Dominikę po policzku.

– Puknij się! – Siostra uchyliła się szybko. – Tak szczerze, to gdyby nie twoja poranna wiadomość o torcie, to sama na śmierć bym zapomniała, że jesteś już taka stara.

Szczerość i protest Dominiki wydały jej się nieudawane.

– To skąd wiedział? – zastanowiła się głośno.

– Nie wiem. Może jest jakimś pięknym agentem? – wzruszyła ramionami Dominika. – A teraz dawaj tort. Chciałam zauważyć, że zostałam zaproszona, prezent przyniosłam, to chyba zasłużyłam na odrobinę słodyczy – to mówiąc, Dominika zdjęła z siebie płaszcz i rzuciła go na podłogę w jadalni. Przeszła do salonu i upadła na kanapę. Upadek był jak zwykle kontrolowany.

Podeszła do płaszcza Dominiki, żeby go podnieść, i przypomniała sobie, że tort wciąż tkwił na siedzeniu w samochodzie. Podniosła płaszcz i powiesiła go na wieszaku. Wyszła z domu. Na dworze było zimno. Wyjęła z samochodu tort i szybko weszła z powrotem do domu. Od progu przywitał ją wesoły szczebiot Dominiki, która właśnie skończyła rozmawiać przez telefon i poderwała się z kanapy, tańcząc i wydzierając się wniebogłosy.

– Wracają! Wracają! W czwartek! Wracają! – radosne wrzaski Dominiki odbijały się echem po jej zagubionej duszy, która cieszyła się, drżąc jednocześnie z niepokoju.

Popatrzyła na kwiaty. Poczuła, że musi do niego napisać i podziękować. Musiała to zrobić. Chciała tego. Chciała, żeby wiedział, że ona też czeka.

– A ty co? – przyglądała jej się Dominika. – Boże, ale mi się chce słodkiego! – Siostra jak zwykle sprawiła, że musiała wracać na ziemię... – No, dawaj! Lerska, rusz się! Ja wstawię wodę. A ty przekrój ten tort. Najlepiej po prostu na pół!

Z ogromną ulgą postawił walizkę na chodniku przed wejściem do hali przylotów. Był piękny poranek. Widział, jak Przemek pakował swoje walizki do bagażnika taksówki. Z kieszeni spodni wyjął telefon i go włączył. Musiał zadzwonić do mamy. Znał ją doskonale i wiedział, że z pewnością na zmianę to pomstuje na niego, to panikuje, że jest już ta godzina, a on nie raczył się jeszcze odezwać i dać znaku życia. Wystukał na klawiaturze jej numer i gdy czekał na połączenie, telefon informował go nerwowym pikaniem o przychodzących wiadomościach. Autorką większości z nich na pewno była mama.

– Nareszcie! – usłyszał w słuchawce jej podenerwowany głos.

– Cześć, mamo! Poczekaj chwilkę – przerwał rozmowę, choć wiedział, że takie zachowanie nie działa na jego korzyść.

– To cześć! – krzyknął do niego Przemek, podnosząc do góry rękę. – Dzisiaj dajemy sobie wolne. Jadę się odświeżyć, a później umówiłem się na lanczyk z Domi.

Z daleka widział śmiejące się oczy przyjaciela. Obaj mieli dość. I rozłąki, i roboty. Ale wszystkie cele, z którymi pojechali do Pragi, zostały osiągnięte, i to na drodze jedynie niewielkich kompromisów z ich strony.

– To do zobaczenia jutro w robocie – Przemek mrugnął do niego porozumiewawczo.

Mikołaj doskonale znał cel i podtekst tego mrugnięcia.

– Pozdrów Dominikę! – krzyknął i odsłonił słuchawkę telefonu. – Już jestem, mamo. Przepraszam cię, ale...

– Gdzie ty teraz jesteś? – usłyszał poirytowany głos rodzicielki.

– Mamo, nie denerwuj się – obniżał ciśnienie rozmowy. – Jestem już na lotnisku. Mój samolot się spóźnił, ale Marysia przylatuje dopiero za piętnaście minut, a więc wszystko pod kontrolą. Za chwilę po nią idę.

– Tylko przyjeżdżajcie od razu do domu. Nie bujajcie się nigdzie! Ja tu na was czekam!

– Dobrze, mamo. Przyjedziemy, tylko się tak nie denerwuj. Wszystko idzie zgodnie z planem.

Wyczuwał, że dzisiejszy dzień przerastał jego matkę. Urodziny siostry. Utrzymywany w ścisłej tajemnicy przylot siostrzenicy z Paryża. Powrót syna z Pragi. Mama nie lubiła, gdy działo się wokół niej zbyt wiele spraw, na które nie miała żadnego wpływu. Zawsze wydawało jej się, że jak sama czymś nie zarządza i nie trzyma ręki na pulsie, to wszystkie przedsięwzięcia bliskich jej osób spalą na panewce.

– Ty mi tutaj nie rozkazuj! – mama rzucała się jak ryba w sieci. – Mam ochotę, to się będę denerwować. Zresztą nie potrafię inaczej. Będziesz miał moje lata i swoje dzieci, to pogadamy. A tak poza tym, to obiecałeś, że przyprowadzisz do nas na obiad Hankę i co?

– Mamo... – rozpromienił się na myśl o Hance. Na pewno teraz była w szkole. Najchętniej wyrzuciłby gdzieś walizkę i pognał do niej z wywieszonym jęzorem. Niestety, musiał odebrać Marysię, ale wiedział od Przemka, że Dominika doniosła Hance o jego powrocie.

– Co? Mamo! Mamo! Trzeba było nie obiecywać! A poza tym natrę ci uszu za to, że się do mnie nie odzywałeś! Trzy tygodnie i nic! Ile razy mam ci powtarzać...

– Mamo! Muszę już kończyć! Właśnie wylądował samolot z Paryża. Idę po Marysię. Pa! – wyłączył się i odsapnął.

Czuł, że wrócił do domu. Mama cudownie darła się na niego przez telefon. Stęsknił się za tym specyficznym rodzinnym klimacikiem. Za chwilę miał się spotkać z Marysią. Postanowił, że około szesnastej zadzwoni do Hanki. Chciał, żeby przed ich spotkaniem mogła chociaż chwilę odpocząć po pracy. Miał nadzieję na wspólny wieczór. Wciąż o nim myślał, nie mógł skupić się na niczym innym. Ponad trzy tygodnie marzył o tym spotkaniu. Marzył o niej. Marzył o nich. Musiał uciec z tej rodzinnej imprezy. To nie ulegało wątpliwości. Musiał tam pójść, pokazać się i zwiać tak szybko, jak tylko to będzie możliwe. Miał nadzieję, że wszyscy skupią swą uwagę na dawno niewidzianej Marysi, która miała się dziś okazać największą niespodzianką i atrakcją rodzinnego spędu. Dziękował Bogu, że czas, który spędził w Pradze, był poważnym zawodowym wyzwaniem. Tylko dlatego, że był bardzo zajęty, nie zwariował z tęsknoty. Pasażerowie samolotu z Paryża zaczęli powoli pokazywać się za ruchomymi drzwiami. Musiał ją usłyszeć. Wyjął z kieszeni telefon. Wybrał Hanuś. Już był po jej stronie. Pierwszy sygnał. Drugi. Trzeci. Nie odbierała.

– Mikołaj! – usłyszał znajomy głos i prawie natychmiast zobaczył swoją ulubioną, jedyną kuzynkę.

Miała na głowie czerwony kapelusz, w końcu, chcąc nie chcąc, za sprawą pewnego przystojniaka o imieniu René od kilku lat była paryżanką. Wysoką, szczupłą blond pięknością, która bez problemu mogła niejednemu zawrócić w głowie. Dla niego jednak była wciąż tą samą Marysią sprzed lat, która zamykała się z nim w szafie wnękowej jego rodziców, aby opowiadać mu niestworzone historie z życia dorosłych. Pamiętał, że wtedy jej opowieści mroziły mu krew w żyłach, ale teraz mógł stwierdzić z przekonaniem, że Marysia w mroku zamkniętej szafy nie koloryzowała ani trochę. Utonęli w swych ramionach, by za chwilę oddalić się i patrzeć na siebie z radością.

– Nawet nie wiesz, jak się cieszę, że jesteś i że udało mi się wyrwać. Mam tylko trzy dni, ale się udało!

– To teraz chodź szybko. Jedziemy, bo moja mama już wariuje i jak się u niej nie pojawimy jak najszybciej, to mi łeb urwie. – Wziął walizkę Marysi do wolnej ręki.

– A ty też z walizką? – Marysia ubrana chyba według najnowszej mody, tak mu się przynajmniej wydawało, nie zmieniła się nic a nic. Wciąż była sympatyczną równiachą, która nie zważając na maniery ani tłok wokół nich, klepnęła go właśnie bezpruderyjnie w tyłek. – A gdzieś się lumpił po obcych lądach, szanowny kuzynie? – zapytała wesoło.

– Byłem w Pradze... – odpowiedział zagadkowo, wchodząc na ich dawną, zastrzeżoną przed innymi częstotliwość.

– I co, poznałeś jakąś seksowną prażankę?

– Nie. Poznałem Polkę...

– Pokażesz?

– Jak będziesz grzeczna, to pokażę. Ale teraz jedziemy do mamy!

– Nie! – zaprotestowała Marysia. – Nie ma mowy! Najpierw musisz zawieźć mnie tam, gdzie kupię najpiękniejsze kwiaty dla naszych matek, i tam, gdzie jest jakiś superjubiler.

– Żartujesz? Prawda? – Kierował się szybko w stronę postoju taksówek i zerknął z niedowierzaniem na kuzynkę bardzo szybko przebierającą zgrabnymi nogami. Wyglądała zachwycająco.

– Wcale nie żartuję! – odparła zdyszana. – Musisz mnie zawieźć w takie miejsce, o którym teraz mówię. Inaczej nigdzie nie jadę! – Marysia zatrzymała się nagle i wpatrywała się w niego z proszącym uśmiechem.

– W porządku – zgodził się zrezygnowany. – Ale musisz się teraz nacieszyć moim widokiem, póki jestem żywy. Ja nie żartuję, moja matka na pewno urwie mi łeb, jak się u niej zaraz nie pojawimy. Mogę się założyć, że już stoi przy furtce i wypatruje taksówki.

– Nic się nie bój. Ja cię obronię. – Patrzył na wyluzowaną Marysię, ale jej beztroska niestety mu się nie udzielała. – Nie panikuj, przecież załatwię wszystko szybciutko i sprawniutko.

– Chyba nie wiesz, co mówisz – czuł, że jego opór słabnie.

– Oj, przestań marudzić! – Marysia tupnęła nóżką. – A poza tym coś ty na starość zaczął bać się mamy? Przecież to dusza człowiek!

Taksówkarz pakował walizki do bagażnika, co nie przeszkadzało mu kątem oka lustrować Marysi, żonglującej swoimi długimi nogami przy wsiadaniu do samochodu. Usiadł obok niej. Pogładziła go przymilnie po ramieniu.

– Zrobimy tak jak chcę, prawda?

Widząc jej słodką minkę, skinął tylko głową. Miał słabość do prawie dziecięcego wdzięku Marysi. Ale największą słabość miał do Hanki. Podczas gdy siedząca obok niego Marysia opowiadała mu głównie o René, w którym była zakochana niezmiennie od jakichś pięciu lat, on nie mógł przestać myśleć o Hance. Wciąż wspominał moment, gdy leżeli obok siebie w jej łóżku.

– Ty mnie w ogóle nie słuchasz! – Marysia okazała się doskonałą obserwatorką.

– Słucham. Oczywiście, że słucham. – Nie umiał ani kłamać, ani udawać.

– Przecież widzę. Nie słuchasz!

– Stęskniłem się za nią. Bardzo – przyznał się.

– Ma dziewczyna szczęście – westchnęła Marysia. – Taki gość jak ty to jak wygrana na loterii.

– Nie przesadzaj! – żachnął się.

– Jesteśmy na miejscu – zauważył głośno taksówkarz, ponieważ żadne z nich nie zwróciło uwagi, że stali już tuż przy wejściu do centrum handlowego.

W pośpiechu zapłacił za kurs. Chciał wierzyć, że wszystko szybko załatwią, uratuje w ten sposób swoją głowę i w końcu zobaczy Hankę. Ale na jego nieszczęście Marysia dostała palpitacji serca na widok dawno niewidzianej i niejedzonej wuzetki. Był zniecierpliwiony. Czuł, że w tej chwili powinien znajdować się gdzie indziej i z kim innym.

– I oczywiście oprócz ciasteczka poproszę jeszcze o *latte* – wesoło szczebiotała Marysia.

– Dla mnie kawa – burknął i zapłacił wyjątkowo ślamazarnej ekspedientce.

Udało im się znaleźć mały stoliczek dla dwóch osób. Było wczesne czwartkowe przedpołudnie, a krajobraz dookoła niego sprawiał, że dopadły go wyjątkowo cyniczne myśli dotyczące wskaźnika bezrobocia w Polsce. Nie mógł odnaleźć się w otaczającej go rzeczywistości. Miał niespójne myśli. Warszawa, Praga, Hanka, Marysia, mama, lotnisko, taksówkarz. Na szczęście kawa była wyborna i zaczynała ułatwiać mu powrót do rzeczywistości. Cieszył się zwłaszcza z tego, że zapowiadał się długi i intensywny dzień. Musiał zawieźć Marysię do rodziców, później mieli się wszyscy znaleźć u ciotki, a później...

– Nie pamiętam, kiedy ostatnio jadłam coś równie pysznego!

Popatrzył na wniebowziętą Marysię. Na stojącym przed nią talerzyku zostało tylko kilka ciemnobrązowych okruszków.

– Lepiej się przyznaj, że nie pamiętasz, kiedy ostatnio jadłaś jakiekolwiek ciastko. Przecież wiem, że całe życie z centymetrem pilnujesz swoich wymiarów – uśmiechnął się do niej ciepło i pogładził ją po leżącej na stoliku ręce. Odzywały się w nim wyrzuty sumienia, że do tej pory nie okazywał zbytniej radości z ich spotkania.

– I tu, braciszku mój kochany, muszę cię wyprowadzić z błędu. – Marysia upiła łyk jasnej kawy z małej przezroczystej filiżanki. – Centymetr zakopałam w ogrodzie, bo przez najbliższe sześć miesięcy nie będzie mi wcale potrzebny.

Popatrzył na nią i pomimo swojego dziecięcego kosmicznego zakręcenia w lot pojął, do czego zmierzała uśmiechająca się promiennie Marysia.

– Doszłam do wniosku – Marysia wciąż mówiła – że latka lecą, robisz się coraz starszy, więc najwyższy czas, żebyś został wujkiem.

Wstał. Już był przy niej. Podniósł ją z krzesła, na którym siedziała, i przytulił tak mocno, jakby była Hanką. Jego Hanką i jakby właśnie usłyszał, że zostanie nie wujkiem, ale ojcem. Przytulał do siebie Marysię pachnącą wielkim szczęściem i myślał o tym, że jeżeli zaraz nie zobaczy Hanki, to zwariuje. Nagle stało się coś zupełnie nieoczekiwanego. Poczuł na ramieniu czyjąś rękę, a raczej intensywne pukanie w ramię. Nie wypuszczając z objęć Marysi, odwrócił się, żeby sprawdzić, kto go najwyraźniej z kimś pomylił. Jednak gdy zobaczył Dominikę i jej zaciętą minę, jego ręce obejmujące do tej pory Marysię opadły z wrażenia. Był tak zaskoczony, że zupełnie nie wiedział, co powiedzieć. Nie musiał jednak nic mówić.

– Musimy pogadać! – wystrzeliła szybko Dominika i patrzyła na niego tak, jakby w ogóle nie dostrzegała, że nie był sam. Marysię potraktowała jak powietrze. Na szczęście to eleganckie powietrze wyczuło napięcie, które pojawiło się bardzo nieoczekiwanie.

– To wy tu sobie porozmawiajcie... A ja lecę, pozałatwiam swoje sprawy. To na razie, do zobaczenia, pa.

Marysia chwyciła swoją czerwoną torebkę i zanim zdążył się odezwać, zniknęła mu z oczu. Popatrzył znów na Dominikę, która siedziała już na krześle zajmowanym jeszcze przed chwilą przez Marysię.

– Siadaj! – wydała mu komendę, nie zaszczyciwszy go spojrzeniem.

Usiadł powoli, a wrażenie otaczającego go kosmosu powróciło.

– Cześć! Co ty tu robisz? – zapytał z uśmiechem.

– Nieważne, co ja tu robię! Ważne, co chcę ci teraz powiedzieć! Więc siedź, słuchaj i mi nie przerywaj! Nie mam pojęcia, kim jest ten lachon, z którym się przed chwilą obściskiwałeś, i guzik mnie to obchodzi.

Słysząc, co mówiła do niego zdenerwowana Dominika, w sekundę pojął, o co ta cała bezsensowna awantura. Otworzył usta, żeby wszystko wytłumaczyć, ale nie miał na to najmniejszych szans.

– Powiedziałam, że masz słuchać! To słuchaj, do cholery! – Sytuacja wyglądała coraz poważniej. – Powiem ci to wszystko, co za chwilę usłyszysz, tylko z jednego powodu. Uważam, że to dzięki tobie Hanka zaczęła uśmiechać się tak jak kiedyś. Jak przed wypadkiem rodziców.

Pierwszy raz widział Dominikę wyprowadzoną z równowagi. Może nie była w istocie taką luzarą, za jaką ją zawsze uważał. Trzęsły jej się ręce.

– Posłuchaj mnie teraz! Jeżeli nie traktujesz Hanki poważnie, to nie pozwalam ci się więcej do niej zbliżać! Rozumiesz!!!?

Zadała to pytanie tak głośno, że był pewien, iż wzbudzali sensację wśród siedzących obok osób. Nie mógł tego sprawdzić, ponieważ pokornie wpatrywał się w Dominikę, która była na niego tak wkurzona, że bał się nawet na sekundę odwrócić od niej wzrok. Kiwał tylko grzecznie głową na znak, że rozumie wszystko, co do niego mówiła, a raczej syczała jak poirytowana, jadowita żmija.

– Nie będę niczego owijała w bawełnę i powiem ci wprost, jak było! Wiesz, że rodzice Hanki nie żyją. – Słuchał i nie reagował, żeby jej bez sensu nie denerwować. Musiał pozwolić jej się wygadać. – Zginęli w wypadku samochodowym. To nie była ich wina. Jechali na lotnisko. Spieszyli się, bo zaspali, i wjechał na nich na skrzyżowaniu jakiś naćpany małolat w kradzionym samochodzie. Wszyscy zginęli na miejscu. Ten kretyn, rodzice i mąż Hanki.

Zrobiło mu się słabo. Był pewien, że dobrze usłyszał. Dominika, jakby czytając mu w myślach, powtórzyła.

– Dobrze słyszałeś. Na lotnisko wiózł ich mąż Hanki. – Dominika mówiła szybko, ale wyraźnie. – To była niedziela rano. W sobotę wzięli ślub. Rozumiesz? W sobotę wyszła za niego za mąż, a w niedzielę rano zginął. Po południu mieli wyjechać w podróż poślubną. Rozumiesz? – Ton Dominiki był wciąż bardzo ostry, ale głos zaczął jej się nerwowo trząść, płakała. Jak bóbr.

Chwycił się za głowę. Musiał ją jakoś podtrzymać. Nie wiedział, co robić. Uciekać czy zadawać pytania? Ale o co miałby zapytać? W sekundzie wszystko ułożyło mu się nagle w logiczną całość. Patrzył na rozsypaną w drobny mak Dominikę i nie mógł wydusić z siebie słowa. Miał sparaliżowany język i umysł. Odnosił wrażenie, że to jego koniec. Dominika jednak, jakby tego było mało, mówiła dalej:

– Jak to się stało tamtego ranka, zabawiałam się w łóżku z wyjątkowym gnojkiem. Policja jakoś znalazła mój numer i do mnie zadzwoniła, ale nie odebrałam. Gdy oddzwoniłam, było już za późno. Zanim do niej dotarłam, już wszystko wiedziała. Powiedzieli jej ci oficjalni debile w mundurach. Zastałam ją w jej sypialni, na podłodze, z marynarką Mikołaja przy oczach. Płakała, nie wydając z siebie żadnego głosu. Bałam się, że tego nie przeżyje. Na nic nie reagowała. On miał na imię Mikołaj. Tak jak ty. Słyszysz? – Dominika już nie płakała. Dominika wyła.

Chciał dotknąć jej ręki, ale szybko ją zabrała, jakby się bała, że jego dotyk może ją poparzyć. Patrzyła na niego już nie tak groźnym wzrokiem jak na początku, ale tonu nie zmieniła.

– Dopóki ciebie nie poznała, robiła różne rzeczy, jednocześnie siedząc na tej pieprzonej podłodze z jego marynarką w rękach. Od tamtej pory nigdy nie weszła do tamtego pokoju. To jedyne miejsce w jej domu z zamkniętymi drzwiami. Nie obejrzała własnych zdjęć ślubnych. Dostała je tuż po pogrzebach. Dopóki ciebie nie poznała, bałam się, że z tego nigdy nie wyjdzie. Ale na szczęście pojawiłeś się ty i zaczęła najpierw inaczej patrzeć, a później w Pradze, w dyskotece, śmiała się prawie jak kiedyś. Jak przed tą makabrą.

Trzymał się za głowę, a Dominika, pociągając nosem, szukała czegoś nerwowo w torebce.

– Gdzie są te cholerne chusteczki? – pytała samą siebie.

Znalazła je w końcu i głośno wydmuchała nos, dając mu chwilę wytchnienia. Niestety, znów mówiła, a on był przerażony. Nie chciał wiedzieć więcej. To mu wystarczało.

– Ona od dawna chce ci powiedzieć, ale... – Dominika wzruszyła ramionami. – Sam rozumiesz. – Znów wyczyściła nos, bo nie przestawała płakać.

Najchętniej też rozpłakałby się teraz jak małe dziecko. Niestety, nie mógł tego zrobić. Nie potrafił. Wszystko mu się wewnątrz trzęsło. Bolał go każdy mięsień. Zaciśnięte szczęki nie chciały się otworzyć. Ciszę między nimi wypełniał tylko odgłos wydmuchiwania nosa przez Dominikę. Nagle usłyszał dźwięk jej telefonu. Wyjęła go szybko z torebki i odebrała.

– Tak. Jestem. Za chwilę będę. – Wrzuciła telefon do torebki i spojrzała na niego zapłakanymi oczami. – Muszę iść. Piętro wyżej czeka na mnie Przemek. Umówiliśmy się na lunch. Myślę, że dobrze, że już wiesz. Musisz to wiedzieć. Musisz wiedzieć, że nie możesz się nią bawić.

Tego nie wytrzymał. Otworzył usta. Udało się.

– Dominika! Ja ją kocham!

– Którą? – syknęła cynicznie Dominika i wstała. Patrzyła na niego z góry.

– Hankę!

– A tamta to kto? Może siostra?

– Nie! Kuzynka. Przed godziną przyleciała z Paryża.

– No to ekstra! – Dominika prawie upadła na krzesło, z którego przed momentem się zerwała. – Mikołaj, musisz mi obiecać, że nie piśniesz Hance ani słówka – teraz to Dominika chwyciła się za głowę. – Ona nie może się dowiedzieć, że wiesz o wszystkim. Musi powiedzieć ci o tym sama. Obiecaj! – Dominika była przerażona. Może nawet bardziej niż on. Patrzyła mu w oczy zdenerwowana do granic możliwości. Nigdy jej takiej nie widział. – Błagam cię, obiecaj!

– Obiecuję – powiedział szybko.

Dominika nerwowo rzuciła na stół leżącą do tej pory na jej kolanach ogromną torebkę. Wrzuciła do niej trzymaną w ręce chusteczkę i sprawnym ruchem zapięła zamek. Wstała. Popatrzyła na niego z góry zapuchniętymi od płaczu oczami.

– Muszę już iść. Cześć. – Oddalała się bardzo powoli. Była zdołowana.

Został sam. Nie mógł się poruszyć. Przed sobą widział tylko blat stołu, przy którym dowiedział się, że to wszystko wyglądało całkiem inaczej, niż przypuszczał. Do tej pory wszystko upraszczał. Zastanawiał się nad tym, co mogło ją spotkać, ale okazało się właśnie, że specjalnie się nie wysilił ani nie napracował w domysłach, bo tak było mu najwygodniej. Nie wybiegł myślą poza wypracowany schemat, który dziś okazał się idiotyczny. Miała męża, wyszła za mąż, czyli była zakochana. Musiała być zakochana. Wszystko było nie tak. Na dodatek jej mąż też miał na imię Mikołaj. A jeśli nie miał szans na jej miłość? Do dziś, do teraz myślał, że jedyne, co musi zrobić, to udowodnić jej, że nie wszyscy faceci są bezdusznymi manipulantami. Postawił przed sobą bardzo łatwe zadanie. Przecież nietrudno dobrze zaprezentować się po kimś beznadziejnym. A tu guzik! Hanki nikt nie zdradził, nie wykorzystał, nie oszukał. Na pewno wciąż kochała tamtego. Gdy zobaczył ją pierwszy raz, na plaży, zwrócił na nią uwagę, bo była bardzo piękna i bardzo smutna. Gdy jej się pierwszy raz przedstawił, zrobiło jej się słabo. Pamiętał to dokładnie.

O mało wtedy nie zemdlała. Wiedział już, że chciała mu o tym opowiedzieć, ale dotarło do niego, że ta czekająca ich rozmowa nie będzie tylko chwilowym cofnięciem się do tego, co było, a potem znów wszystko będzie dobre, ładne i przyjemne. Jeszcze to imię. Pewnie niczego jej nie ułatwiało. Był zazdrosny o tamtego. Wiedział, że to głupie i chore, ale nie umiał się w tym wszystkim odnaleźć. Był zazdrosny i wściekły. Zazdrosny o niego, wściekły na siebie. Przypominał sobie momenty, w których go denerwowała. Chwilami myślał, że jest nadwrażliwa, że igra z nim tylko po to, żeby później schować się w swojej niedostępnej skorupie. Ale skąd mógł wiedzieć, że to wszystko tak wyglądało. Że w jednej chwili miała wszystko, a w drugiej już nic. Nawet nie obejrzała zdjęć. Przypomniał sobie jej oczy, gdy zobaczył je pierwszy raz. Na zebraniu w szkole Mateusza. Były czujne i bardzo smutne. To prawda, w Pradze miała inne oczy. Dominika powiedziała, że śmiała się jak kiedyś. Jak przed... Niech to szlag! Zastanawiał się, co jeszcze robi przy tym stole. Niech to diabli! Przecież powinien zostawić wszystko i do niej gnać. Ale przecież obiecał... Ma udawać, że nic nie wie. Przecież nie chodziło teraz o jakąś durnowatą zabawę. Przecież chodziło o nią. Tylko o nią. Nie wiedział, czy będzie potrafił udawać, że wszystko jest jak przedtem. Przecież nic nie było już takie samo. Wiedział już, że puszka zgniecionego samochodu zabrała jej najbliższych. Nie miał zielonego pojęcia, jak udało jej się to wszystko przeżyć. Przecież wydawała mu się taka krucha. Zauważała też o wiele więcej niż on. Nie miał pojęcia, co ma teraz robić. Jak się zachować? Co powiedzieć? Czuł, że jeżeli jej nie zobaczy i nie usłyszy jej głosu, to oszaleje. Chciał usłyszeć jej głos. Chciał, żeby opowiedziała mu o wszystkim swoimi spokojnymi słowami. Wiedział, był prawie pewien, że nie wykrzyczy mu prawdy jak Dominika. Chciał się dowiedzieć, czy wciąż kochała tamtego. Czy ma szansę na jej miłość. Chciał jej powiedzieć, że zgadza się być na drugim miejscu. Przez całe życie. Nie musiał być pierwszy w jej sercu. Musiał być tylko przy niej. Już zawsze. Musiał ją usłyszeć. Jej spokojny głos, mimo wszystko spokojny. Chciał kolejny raz usłyszeć, jak opowiada o stonkach zbieranych do małego słoiczka w ogrodzie dziadków. Niczego na świecie teraz nie pragnął tak jak tego, żeby znów posłuchać jej głosu ze Złotej Uliczki. Przed oczami wyświetlały mu się wszystkie chwile, które z nią przeżył. Miał wrażenie, że to wszystko dzieje się dlatego, że za chwilę przestanie żyć. Kaplica i koniec. Czy myślała o tamtym, gdy lepiła aniołka i uśmiechała się prawie niewidocznie? Które jej uśmiechy przeznaczone były tylko dla niego, a które były przywołane przez przeżycia sprzed tamtego feralnego ranka? Nie! Dość tego! Gdzie jest telefon? A gdzie jest jego grób? Czy na niego chodziła? Dlaczego mu go wtedy nie pokazała? Nie powiedziała? Dlaczego wtedy nie powiedziała mu o wszystkim? Czy będzie kiedyś potrafiła wziąć z nim ślub? W Pradze krótkie, wolne chwile spędzał w dwóch miejscach. Na moście Karola, przy figurze Nepomucena i w kościele Świętego Mikołaja. Na moście ją całował, a w kościele brał z nią ślub. I nic z tego! Znał ją może niedługo, ale dobrze. Był prawie pewien, że nie powie mu, że nie opuści go aż do śmierci. Będzie się tego bała. Ślub i śmierć. Przecież to makabra. Dokładnie tego słowa użyła Dominika. Makabra. I po jasną cholerę mu to powiedziała? Albo dobrze zrobiła... Przecież powinien się przygotować do rozmowy z Hanką. Nie mógł sobie wyobrazić chwili, kiedy mu o tym opowie. Odruchowo napił się kawy. Była zimna i ohydna. Zerknął na zegarek i się przeraził. Mama! A co tam mama! Gdzie wsiąkła ta Marysia? Powinien ją jak najszybciej odstawić do domu i gnać do Hanki. Albo nie! Nie może teraz wykonywać nerwowych ruchów. Nie widział niczego wokół. Musiał zachować spokój. Przecież niedawno spał obok niej. Nie, nie spał. Udawał, że zasnął, gdy opowiadała mu o babci. Specjalnie regularnie oddychał i czuł, że na niego patrzyła. Pocałowała go w czoło, czyli udało mu się ją oszukać. Myślała, że śpi. Potem cierpliwie czekał na jej regularny oddech. Doczekał się. Otworzył oczy i nie mógł nacieszyć się świadomością, że spała przy nim. Oddychała spokojnie. Pamiętał dokładnie jej oddech chwilami nakładający się na słodkie posapywanie Uli. Przez całą noc nie zmrużył oka. Nie potrafił przy niej zasnąć. Nie potrafił się też poruszyć. Bał się, że może ją zbudzić. Była zachwycająca. Miał ją taką przy sobie każdego samotnego wieczoru w Pradze. Ten widok pozwolił mu wytrzymać tyle dni bez niej. A teraz co? Nie mógł dopuścić do tego, żeby wszystko się zmieniło. Musiał ją zobaczyć. Jak najszybciej. Musiał posłuchać jej głosu, popatrzeć w oczy. Zapytać, czy mu powie... Bez sensu! Przecież nie mógł naciskać. Musiał poczekać. Chciał, żeby mu powiedziała, kiedy sama zechce. Znów wyciągnął telefon z kieszeni spodni. Otworzył spis kontaktów. Przeczytał jej imię. Tym razem patrzył na nie inaczej. Miała przed nim tajemnicę. Zastanawiał się, czy ukrywała przed nim tylko makabryczne fakty, czy to, co wciąż czuła. Słyszał sygnał w słuchawce, ale nie odbierała. Znów nie odbierała. Zerknął na zegarek. Było coraz później. Może nawet skończyła już pracę. A może nie odbierała, bo nie chciała albo nie potrafiła mu powiedzieć. A skoro ostatnio na nią naciskał, postanowiła się już z nim nie spotykać. Nie potrafiła mu powiedzieć i jednocześnie nie potrafiła z nim być bez prawdy o sobie. Ta wizja go przeraziła. Znów, tym razem nerwowo, wybrał jej numer. Musiała odebrać. Będzie do niej dzwonił tak długo, aż odbierze. Znów słyszał regularnie przerywany sygnał, drażniący jego układ nerwowy. Zaczął się rozglądać za Marysią. Zrezygnowany, położył telefon na stole i natychmiast usłyszał jego wibrowanie podnoszące mu w tej chwili ciśnienie. Oddzwaniała! Jedno spojrzenie i wiedział, że to nie Hanka. Dzwoniła mama. Musiał odebrać i nie dać jej dojść do głosu.

– Tak, mamo. Już jedziemy. Do zobaczenia! – przerwał połączenie.

Był wściekły. Nie mógł swobodnie myśleć. Zwłaszcza że telefon nerwowo wibrował. Mama się na niego wściekła i miała powody. Zerknął na wyświetlacz. To nie mama. To Hanuś! Odebrał szybko.

– Cześć, Mikołaj – usłyszał w słuchawce jej szept.

– Dlaczego nie odbierasz? Kiedy się spotkamy? Tęsknię. Muszę cię natychmiast zobaczyć – mówił tak szybko, jakby się bał, że za chwilę nastąpi koniec świata i nie zdąży z jakimś słowem. Musiał powiedzieć jej wszystko. Usłyszał jej śmiech. Chyba nic się nie zmieniło. Było jak przedtem. Uspokoić się! Nie zwariować!!!

– Przepraszam cię – wciąż szeptała. Cudownie szeptała. – Jestem z uczennicą na konkursie recytatorskim. Przeszła do następnego etapu i muszę czekać. Deklamuje przecudnie.

– Do której tam będziesz? – Spokój, tylko spokój!

– Sama nie wiem.

– Muszę cię zobaczyć.

– Umówmy się, że jak tylko wrócę do domu, to się odezwę. Myślę, że to będzie wieczorem. Aldonka przygotowała tę dziewczynę zawodowo. To jej uczennica. Myślę, że ma dużą szansę na wygraną.

– To dlaczego jesteś tam ty, a nie Aldonka? – Musiał walczyć z sobą, żeby głos brzmiał mu normalnie pomimo tego wszystkiego, o czym już wiedział.

– Aldonka źle się dziś czuła... Więc zaproponowałam, że... – przerwała na moment. – Mikołaj muszę kończyć. Cieszę się, że już jesteś. Zatelefonuję, pa. – Ostatnie słowa wymówiła bardzo cicho.

Wyłączyła się, a on mimo to prawie oszalał z radości. Cieszyła się! Boże, ona się cieszyła! Jak zwykle nie miała dla niego czasu, ale się cieszyła. On też nie miał czasu na radość, bo tym razem dzwoniła mama.

– Tak, mamo? – Podniósł wzrok znad stołu i nie wiele myśląc, oddał telefon Marysi, która raczyła się w końcu pojawić.

– Witaj, ciociu! – usłyszał radosne szczebiotanie kuzynki. – Witaj. Nie bądź zła. Już naprawdę jedziemy. Spokojnie, nic się nie dzieje. Po prostu nie mogłam znaleźć bagażu i wszystko się troszkę przedłużyło. Ale możesz wstawiać wodę na herbatkę, bo padam z nóg. Ach, te lotniska...

Słuchał Marysi i doznał olśnienia. Zagadać na śmierć! To była jedyna broń na jego mamę. On tego, niestety, nie potrafił. Marysia natomiast była w tym doskonała. Mówiła i mówiła, z wielką swobodą, a w międzyczasie mrugała do niego porozumiewawczo. Przed jego mamą udawała zmęczoną, choć w istocie rozsadzały ją energia i doskonały humor. W końcu naprawdę ucieszył się, że przyjechała, i musiał się nią zająć. W przeciwnym razie na pewno złamałby obietnicę daną Dominice. Ale gdyby nie obecność Marysi, to przecież Dominika nie spotkałaby go tutaj. Widocznie tak miało być. Wiedział już wszystko. A gdyby tak powiedzieć Hance, że o wszystkim wie? Przecież mógłby w ten sposób oszczędzić jej powrotu do tamtych czasów. Tkwił przy stoliku z wciąż przytłaczającą go wiedzą i wpatrywał się w Marysię, która uspokajała jego mamę, wciskając jej takie kity, że sama zaczynała się w nich już gubić, zwłaszcza że w międzyczasie usiłowała zapanować nad co chwila przewracającymi się u jej stóp zakupami. Stół zakrywały dwa olbrzymie bukiety kwiatów.

– To buzieńka, ciociu! Jesteśmy dosłownie za kilka chwil. Całuję. Do zobaczenia – oddała mu telefon z zawadiackim uśmiechem. – Myślę, że powinniśmy już jechać – powiedziała anemicznie. Wzięła kwiaty i patrzyła na niego wyczekująco.

Wstał od stołu. Paraliż mięśni go opuścił. Chyba dlatego że usłyszał głos Hanki. Spokojny i mądry głos. Cieszyła się, że wrócił. Była taka jak w Pradze. Uśmiechała się do niego szeptem, który spijał ze słuchawki swojego telefonu.

Myśląc o Hance, zbierał z podłogi kolorowe torby z zakupami. Musiał wierzyć, że wszystko jakoś się ułoży. Przecież babcia Malwina zawsze powtarzała, że będzie, co ma być.

– Ale powiem ci... – zaczęła Marysia. – Narowista ta twoja kobieta, że ho, ho!

– Która? – zapytał wyrwany z prawie namacalnej tęsknoty.

– Ta, która myślała, że nie jestem kochanicą Francuza, tylko twoją.

– A ta... – w końcu zrozumiał. – To nie ona. To jej przyjaciółka.

– I tak rodzi się plotka – skwitowała Marysia. – Rozumiem, że jej wszystko wytłumaczyłeś.

– Tak – potwierdził, chociaż to Dominika mu wszystko wytłumaczyła. I dobrze się stało. Mógł teraz pomóc Hance podczas czekającej ich rozmowy. Mógł się też do niej odpowiednio przygotować.

– Jesteś pewien, że u ciebie wszystko w porządku? – Marysia szła obok, zerkając podejrzliwie w jego stronę. – A Basi się nie bój. Biorę ją na siebie. Dostanie kwiatki i złotą zawieszkę w kształcie serduszka i od razu zapomni, że miała ci urwać łeb. A twojej ukochanej też coś kupiłam. Ta duża czerwona torba jest dla niej. A jak ona ma w ogóle na imię?

– Hania. Chodź szybciej.

– Przecież idę. Coś ty taki nerwowy? Rozumiem, że możesz być trochę wyposzczony. A facet wyposzczony to facet zły!

– Przestań się już wymądrzać! Nic się nie zmieniłaś! – popatrzył na nią z uśmiechem, na który musiał się teraz ciężko napracować.

Marysia była w błędzie. Nie był wyposzczony. Nie! Nie była w błędzie! Był wyposzczony! Chciał wziąć Hankę w ramiona i tulić aż do uduszenia. Chciał zadusić jej wszystkie złe wspomnienia. Nagle poczuł się silny. Musiał być silny za siebie i za nią! Musiał zachować spokój i rozwagę.

– Ale jestem podekscytowana. Mama, jak mnie zobaczy, to chyba zwariuje – Marysia znów przerwała jego rozważania.

Widział, z jakim zaciekawieniem oglądała warszawską rzeczywistość przesuwającą się za oknem taksówki. Jego ciotka mogła zwariować, a on już zwariował. Miał w sobie milion sprzecznych uczuć. Nie potrafił nad nimi zapanować. Hanka była zajęta, on był zajęty. Ale czekała na niego. Podświadomie czuł, że po raz kolejny prosiła go o cierpliwość. Znów musiał czekać.

Żadnych nerwowych ruchów. Dziś to ulubione powiedzonko Przemka powinno stać się dla niego jedyną wskazówką. Przemek powtarzał te słowa do znudzenia, choć w swoim życiu nie stosował ich nigdy. On musiał. Postanowił, że się dostosuje. Chciał się dostosować do niej. Nie będzie naciskał ani do niczego namawiał. Już z daleka widział, że mama stoi przy furtce. O dziwo, uśmiechnięta. Nie chciało mu się wysiadać z taksówki, ale nieoczekiwany kuksaniec Marysi skutecznie go do tego zachęcił.

– Marysiu! – usłyszał podekscytowany i uszczęśliwiony głos mamy. – Jak pięknie wyglądasz! A z tobą to sobie porozmawiam! Wyglądasz jak z krzyża zdjęty! Pewnie udajesz zmęczonego, żeby nie dostać po łbie.

Wolał się nie odzywać. Stanął bezradnie obok walizek ustawianych przez taksówkarza na chodniku. Był psychicznie wykończony. Chyba popełniał błąd, nie wysilając się ani trochę, żeby to ukryć.

– Boże! Mikołaj! Coś się stało!? – Pewność w głosie mamy prawie go zabiła. Już czuł na czole jej rękę. Na szczęście Marysia zapanowała nad sytuacją.

– Ciociu, kwiatki dla ciebie od syna, a ode mnie mały prezencik.

Patrzył na Marysię i nie mógł uwierzyć. Była doskonała. Bez najmniejszych problemów manipulowała mistrzynią manipulacji. Gdy płacił taksówkarzowi, z domu wyszedł Mateusz w objęciach kasztanowłosej piękności. Mikołaj pomyślał z ulgą, że chociaż jeden problem się sam rozwiązał. Nachylił się po walizki i zrobiło mu się niedobrze. Tym razem chyba tylko z głodu. Od wczoraj niczego nie jadł, a działo się dużo i szybko. Za dużo i za szybko.

– Poznaj brat. To jest Malwina – dokonał ekspresowej prezentacji Mateusz.

– Mikołaj – przedstawił się i zerkając w kierunku Mateusza, dodał: – Ale masz fajnego chłopaka.

Dzięki Bogu, sympatyczna piegusk a o imieniu babci nie zaprzeczyła, tylko obdarzyła go trochę zawstydzonym uśmiechem.

– Chodźcie już. Chodźcie! – popędzała ich mama.

Pod bramę zajechał samochód taty.

– Widzę, że rodzina w komplecie! – jego zadowolony staruszek darł się przez uchyloną szybę, a jemu wciąż było nie do śmiechu. Pomyślał o Hance i nagle poczuł na swoim pośladku dotyk dłoni.

– Ale masz fajny tyłek! – usłyszał tuż przy uchu głos Marysi i popatrzył na nią zdziwiony. – Prawie taki fajny jak René – dodała już całkiem głośno i cofnęła rękę.

Znów znalazł się w kosmosie. Ogarniał go stan nieważkości. Jego dusza darła się wniebogłosy, że chce do Hanki. Najwidoczniej chciała zagłuszyć panujący wokół rodzinny rwetes, ale na szczęście nikt nie zwracał na niego uwagi. Podniósł walizkę i natknął się na podejrzliwe spojrzenie Mateusza.

– A ty co mi się tak przyglądasz? – burknął.

– Puknij się! Normalnie przecież patrzę!

– To ty się puknij, szczeniaku! – warknął, nieświadomie wchodząc w nieraz przećwiczoną rolę.

– Tylko nie szczeniaku! Szczeniaku! – odgryzł się natychmiast Mateusz.

– Spadaj lepiej do swojej piegowatej Malwinki! – Mógł sobie pozwolić na taki komentarz, bo nowa ukochana braciszka zniknęła właśnie za drzwiami domu.

– I co? Widzę, że spadła szczękusia. Fajna laseczka! Co?

– Mam fajniejszą! – wypalił bez zastanowienia, myśląc, że nie ma to jak sobie pogadać i pofantazjować.

– Mam nadzieję, że już zapomniałeś... – Mateusz na moment stracił pewność siebie. – No wiesz... Chodzi mi o ten cały cyrk o Hankę.

– Dla ciebie to panią profesor! – syknął. – I przestań już, bo się jeszcze wzruszę tymi przeprosinami.

– A wy co? – Mama zatrzymała się w drzwiach i patrzyła na nich podejrzliwie. – Specjalne zaproszenie potrzebne? Ruszcie się! Bo mamy mało czasu! Ciotka z wujkiem już czekają!

Weselna uczta zamieni się w stypę...

Trzymała w ręku fotografię, z której uśmiechała się do niej ciotka. Nie mogła... Nie mogła wydusić z siebie ani jednego słówka. A przecież jeszcze dziś rano wszystko było dobrze. Z wielkim spokojem i bez zająknięcia deklamowała streszczenie tamtego życia. Krótkie i rzeczowe sprawozdanie. Z dykcją, której nie powstydziłaby się nawet uczennica Aldonki, *nota bene* laureatka dzisiejszego konkursu recytatorskiego. Piękna srebrna ramka okalająca zdjęcie ciążyła Hance jak nigdy dotąd. Myślała, że powie szybko trzy zdania, przygotuje kolację i do niego zatelefonuje. Przecież obiecała. Do teraz nie miała żadnych wątpliwości. Wiedziała, że musi przed nim wypowiedzieć te trzy zdania wałkowane codziennie niczym pacierz poranny i wieczorny. Czas mijał, a ona siedziała w bezruchu obciążona wzrokiem ciotki i obietnicą, którą złożyła nie tylko Mikołajowi, ale również sobie.

– Wymiękasz?! – słyszała głos Dominiki. Był to głos sprzed lat. – Idź, powiedz mu! No rusz się i idź!

Nie poszła wtedy i nie powiedziała przecudownemu Bartkowi, że jej się spodobał. Stały z Dominiką przed kościołem Świętej Anny, w jednakowych białych sukienkach komunijnych i ze stokrotkami we włosach. Właśnie skończył się biały tydzień i mogła już nigdy więcej nie zobaczyć błękitnookiego i blondwłosego Bartka. Ucieleśnienia swoich dziewczęcych marzeń. Był jej pierwszą miłością. Do dziś pamiętała jego spojrzenie i niespotykany kolor kamizelki, którą nosił pod komunijnym garniturem. Wtedy wymiękła i kochaś poszedł w siną dal, nie zważając na jej poszarpane uczucia. Tylko słabość do błękitnych oczu pozostała, a wymiękanie prześladowało całe życie. Dziś nie chciała wymiękać, ale jej głos i wyćwiczone do perfekcji słowa uciekły gdzieś daleko. Były poza jej zasięgiem. Ciotka nie byłaby zadowolona. Sama też nie była z siebie zadowolona. I pomyśleć, że tysiące razy powtarzała swoim uczniom, zwłaszcza przed maturalną prezentacją, że jedyną metodą na minimalizowanie stresu jest maksymalizowanie przygotowań. I co? I bzdura! Wszech czasów! Nie wiedziała, co robić. Już w momencie, gdy w słuchawce telefonu usłyszała jego stęskniony głos, wiedziała, że ma problem. Już podczas ich krótkiej rozmowy zdała sobie sprawę, że nikt nie jest w stanie jej pomóc i nic nie zmusi jej do przekazania mu hiobowych wieści z przeszłości. Obleciał ją paraliżujący strach. Jak mogła być taka naiwna? Przecież tego, co chciała mu powiedzieć, nie dało się ubrać w gładkie słówka. Nie było też mowy o półprawdach. Jej opowieść składała się ze słów ubogich w synonimy. Pewnych stwierdzeń nie dało się zastąpić innymi, łagodniejszymi. Co miała mu powiedzieć? Było, minęło... To wszystko nie jest już ważne... Zapomniałam... Niczego nie zapomniała... Wszystko było wciąż ważne... Czuła, jak dopada ją obłęd. Jak mogła przez tyle dni naiwnie wierzyć, że usiądzie przed nim i powie, że Mikołaj miał szare oczy i był jej miłością, szczęściem, tlenem, światem. Zawsze i wszędzie razem. Mnóstwo wspólnych oczekiwań. Zaplanowane życie. Rozpisane harmonogramy przeżyć. Scenariusze wydarzeń. Didaskalia naszpikowane uczuciami. Teraz to, później to, a na końcu tamto. Doskonale dopracowana struktura dramatu. Z niczym nie zdążyli. Nawet ze szczęściem, bo ono miało pojawić się dopiero jutro. W pełnej okazałości i krasie. Jutra nie było... Może przez nią. Bo zamiast marzyć, planowała. Zapomniała o ważnych słowach pani Irenki, która powiedziała jej kiedyś, że jeżeli chce rozśmieszyć Pana Boga, to niech mu opowie o swoich planach. Niestety, zapomniała. Teraz wiedziała bardzo dużo o życiu, ale ta wiedza wciąż nie była wystarczająca. Nie umiała mu powiedzieć. Co miała mu powiedzieć? Że miała męża. Na litość boską! Przecież go nie miała... Nie zdążyła się nawet przyzwyczaić, przezbroić myślowo, że żona, że mąż... I już go nie było. Została szara sypkość, bez miejsca na cmentarzu. Żadnych wspomnień, żadnych zdjęć, żadnych słów, żadnych nawet krótkich spacerów po przeszłości. Wystarczyła sekunda... Zła, diabelska sekunda i otoczyła ją pustka. Samotność. Wszystkie ramiona, które potrafiły ofiarować miłość i spokój, przestały istnieć. Zostały jej puste serce, pusty dom oraz atakujący wciąż i od początku deficyt bliskości. Miała teraz popatrzeć w błękitne oczy Mikołaja i powiedzieć, że zapomniała? Że przestała kochać? Nie chciała kłamać. Nie umiała... Ale nie wiedziała, co robić. Miała mu powiedzieć: kocham was obu. Zgadzasz się na taki układ? Z rodzicami było inaczej. Mama, tato... Takiej miłości nie da się zastąpić. Ale Mikołaj... Jego szare, zawsze uśmiechnięte oczy przekorny i ironiczny los zamienił na błękitne i poważne. Zawsze czujne, jakby przeczuwające, że coś jest nie tak. Spojrzała na zegarek. Dochodziła osiemnasta. A gdyby tak napisać list? Patrzyła na ogród za oknem, zadając sobie pytanie, czy będzie potrafiła napisać o wszystkim. Przecież trzy zdania nie mogły wystarczyć. Powoli, jakby dając sobie czas, wyjęła z torebki ulubione pióro. Dostała je od taty w dniu obrony pracy magisterskiej. Trzymała je w ręku, panicznie się bojąc, że litery tworzące wyrazy, zawiązujące się w zdania, nie będą jej posłuszne i wbrew sobie stworzy kaligraficzny *danse macabre*. Po raz kolejny przypomniała jej się zasada, którą przekazywała swoim uczniom. Mówiła, że jeżeli wydaje im się, że coś tworzą, to natychmiast muszą usiąść i spróbować o tym napisać. Jeżeli podejmą taką próbę i nie są w stanie przelać swych myśli na papier, oznacza to, że ich pomysł nie ma znamion twórczości. Obracała pióro w palcach i myśląc o Mikołaju, którego miała dziś zobaczyć, poczuła w końcu nieodpartą chęć napisania do niego słów, których nie potrafiłaby przed nim wypowiedzieć. Artykulacja kilku dźwięków przed uśmiechającą się z fotografii ciotką była dobrym ćwiczeniem dla niej. To ćwiczenie pomogło. Forma kilku zdań leczyła jej pustkę, natomiast dla niego musiała przygotować formę spinającą, niekoniecznie ozdobną klamrą, to, co było, i to, co jest. Nie mogła się teraz zastanawiać nad tym, co będzie. Znów sięgnęła do torebki i wyjęła z niej swój podręczny notatnik. Wyrwała z niego kartkę w szeroką linię. Przez chwilę myślała o nagłówku, ale chyba był zbędny. Na pewno był zbędny. Postanowiła napisać list bez nagłówka.

A ja w panieńskim stanie jestem wdową.

Upiła łyk ciepłej herbaty...

Obiecałam, że o wszystkim Ci opowiem...

Obleciał mnie strach...

Nie chcę słuchać tego, co mam Ci do powiedzenia. Postanowiłam, że o tym napiszę, bo zrobię to w ciszy. Jeżeli dostaniesz ode mnie prawdę zamkniętą w literach, to z pewnością będziesz mógł łatwiej zrozumieć słowa. Będziesz mógł do nich wrócić, jeżeli odczujesz taką potrzebę. Mam nadzieję, że mnie zrozumiesz... Boję się mówić, więc napiszę. Wiem, wiem, trochę przydługi ten wstęp, ale nie wiem, od czego zacząć. „Zacznij od początku". Tak zawsze mawiała moja mama, i to najczęściej nie do mnie, tylko do Dominiki, ponieważ to ona z nas dwóch musiała się częściej tłumaczyć z opisanego w wierszu dla dzieci samosię.

Miał na imię Mikołaj... Studiował matematykę stosowaną na politechnice i w ramach „obcinania lasek" przychodził z kolegami na otwarte wykłady na uniwersytecie. Poznaliśmy się, gdy byłam na trzecim roku. Wszystkie najgrubsze tomiska miałam już przeczytane i nadszedł czas na to, aby zrozumieć słowa taty, który widząc moje studenckie zaangażowanie, zawsze pukał się w czoło, mówiąc: „Młodość, dziewczyno, marnujesz! A ona nie ma zwyczaju wracać". Czwarty i piąty rok studiów to był piękny czas. Teraz, gdy o tym piszę, mam wrażenie, że te wszystkie chwile dotyczą kogoś innego. Nie mnie. Oświadczył mi się dokładnie w dniu obrony. Od taty dostałam drogocenne pióro, a od niego bezcenny pierścionek. Wszystko w moim życiu działo się w odpowiednim porządku. Jak u ludzi, tak zawsze mówiła georginiowa babcia. Najpierw studia, potem mąż... Kościół, wypełniony uniwersytecką i politechniczną bracią, pękał w szwach. Był piękny dzień. Sierpień. Miesiąc z literą „r" w nazwie dający gwarancję wieloletniego szczęścia. Znajomy ksiądz, kazanie o miłości, szacunku i przywiązaniu. Kwiaty, prezenty, życzenia przyjmowane przez ponad godzinę. Białe konie zaprzężone do bajkowej bryczki. Wesele, którego z powodu nadmiaru wrażeń nie zapamiętałam. Jedyne, co pamiętam, to pierwszy taniec. Ale dziś nawet to wspomnienie spowite jest gęstą mgłą. Po wszystkim do domu, trochę się wyspać przed wyjazdem na Capri. Rano rwetes. Zmęczenie. Ołów na powiekach. Rodzice zaspali. A tu też zaplanowana podróż. Samolot nie będzie czekał. Kłopot z taksówką, a raczej z taksówkarzem, który się pogubił. Ale przecież rodzina się powiększyła o uczynnego zięcia. W sekundę był gotowy. Pamiętam jego głos. „Nie wstawaj. Wrócę szybko". Pamiętam głos mamy. „Śpij, kochanie. Do zobaczenia po powrocie". Wesoły baryton taty. „Tylko bądźcie grzeczni, o ile to w ogóle możliwe". Byłam zmęczona. Miałam zamknięte oczy, gdy tego słuchałam. Nie słyszałam, kiedy wyjechali. Musiałam zasnąć. Obudził mnie nerwowy dzwonek do drzwi pulsujący melodią Dominiki. Byłam wściekła, że mnie obudziła. Miała nowego chłopaka. Powinna być zajęta albo przynajmniej wziąć swój klucz. To nie była Dominika. Przyszła pół godziny później. Ja już wtedy nie żyłam. Zdarzył się wypadek. Nieszczęśliwy do bólu traf. Zrządzenie losu. Nie zadaję sobie pytania „dlaczego?", żeby nie zwariować. Poranny samolot do Barcelony odleciał. Rodzice nie zjedli tamtego dnia lodów przy kościele Sagrada Familia, jak wcześniej zaplanowali... Ja do dziś ani razu nie pomyślałam o Capri... Zostałam sama. Na długo. Przekonana, że na zawsze. Dominika się dwoiła, pani Irenka troiła, a ja wciąż byłam sama. Długo sama. Leczyłam się pomarańczowym światłem słonecznym nad morzem. Niestety, słońce niezmiennie zachodziło i kuracja nie przynosiła oczekiwanych rezultatów. Potem zamieniłam brak życia na dom i cmentarz. Jeszcze później na dom, pracę i cmentarz. Układałam konfigurację normalności i funkcjonowałam, oszukując się, że wszystko jest tak, jak powinno. Wrogowi nie życzę, żeby musiał udawać, że jest normalnie, podczas gdy wszystko krzyczy, ba, wydziera się nieludzko, że tak właśnie nie jest. Co robić? Udawać, nie udawać? Żyć, nie żyć? Trudno znaleźć odpowiedzi na takie pytania, skoro się żyje.

Niezaprzeczalny fakt. Żyjesz. Więc żyłam z żołądkiem, który obrażał się na mnie, gdy jadłam. Z płucami, które wściekały się, że oddycham. Żyłam bez kurczącego się i rozkurczającego mięśnia po lewej stronie ciała. Dopadła mnie martwica życia. Miażdżyca uczuć. Przyzwyczaiłam się do bezdusznej normy. Zaczęłam wierzyć, że mogę tak funkcjonować do końca... Dokładnie wtedy gdy zaczęłam odnajdywać się w nowej organizacji własnego niby-życia, zabrakło mi benzyny przy Dworcu Centralnym... Padał pierwszy śnieg. Wyszłam z unieruchomionego samochodu nieświadoma tego, co się za chwilę miało wydarzyć. Idąc do Waszej pracowni, przemarzłam. Weszłam do niej, drugi raz w życiu zobaczyłam Twoje oczy i chciałam się zdematerializować. Wtedy gdy spotkaliśmy się pierwszy raz, popatrzyłam w nie i dokładnie je zapamiętałam. Gdy napotkałam Twoje spojrzenie w pracowni, wystraszyłam się... Gdy usłyszałam imię, przeraziłam... Resztę już znasz. Nie jestem świadoma tylko tego, jak się właściwie w tej reszcie orientujesz. Zanim wyjechałeś do Pragi, różnie, w różne dni, myślałam o naszym spotkaniu. Tylko nie zrozum mnie opacznie. O Tobie myślałam zawsze dobrze. Czasami miewam takie dni, że chce mi się przeskakiwać radośnie z nogi na nogę z głośnym śmiechem, bo Cię spotkałam... A czasami myślę, że byłoby lepiej, gdybyś Ty nie przyszedł wtedy do szkoły... Albo gdybym ja była lepszym kierowcą i zatankowała samochód na czas... Jestem Ci winna jeszcze jedną prawdę wypełniającą mi całkowicie ostatnie dni... Tęskniłam...

Zamknęła pióro. Nie podpisała się pod listem. Bez nagłówka, bez podpisu. Chciała przeczytać to, co napisała, ale usłyszała za sobą znajome posapywanie pani Halinki.

– Hania, a przestań ty już dziubać. Odpocznij trochę. Tylko praca i praca.

– Właśnie skończyłam – odetchnęła z ulgą i uśmiechem, którego powód tkwił nie tylko w doskonale posprzątanym domu. Kamień spadł jej z serca. Miała to już za sobą. Napisała. Chyba udało się jej przekazać prawdę bez darcia szat i co ważniejsze, uczuć, które wyglądały delikatnie zza naszkicowanych przez nią faktów. Złożyła kartkę i wstała, by potowarzyszyć ubierającej się pani Halince, dzięki której dom pachniał świeżością. Patrzyła, jak spracowanymi palcami zapinała duże guziki płaszcza. Pomyślała, że koniecznie musi w weekend ugotować rosół, żeby dom nabrał rodzinnego zapachu.

– Na lodówce przypięłam karteczkę, co trzeba kupić. – Pani Halinka była nieoceniona.

– Wszystko kupię – powiedziała, otwierając przed nią drzwi. Usłyszała śpiew swojego telefonu. – To do zobaczenia za tydzień, pani Halinko. Uciekam, bo ktoś widocznie się za mną stęsknił.

Nie zdążyła odebrać i znów usłyszała dochodzący już z dworu głos pani Halinki.

– Haniu, masz gościa. Proszę, proszę wchodzić. Niech pan już nie dzwoni. To do zobaczenia za tydzień, Haniu. Ja już uciekam.

– Do widzenia, pani Halinko. Dziękuję bardzo.

Serce podskoczyło jej do gardła. Przyszedł, nie czekając na telefon. Stanęła w jego ulubionym miejscu. Telefon dzwonił, ale wiedziała już, że to nie on. Nie musiała więc odbierać. W ręku trzymała ciężką od treści kartkę. Żywiła nadzieję, że spodoba mu się takie rozwiązanie. W sekundzie postanowiła, że nie będzie korzystała z usług poczty. Da mu tę kartkę teraz, do ręki, i poprosi, żeby przeczytał w domu. Telefon zamilkł. Słyszała, jak zamknął za sobą drzwi wejściowe. Jej serce zachowywało się chyba identycznie jak serce słowika, który nagle poczuł na sobie kocie pazury.

– Dobry wieczór, pani Haniu – zobaczyła przed sobą znajomą postać dyrektora.

Był bardzo zmieszany. Nic dziwnego. Musiała mieć wyjątkowo głupią minę. Spodziewała się kogoś zupełnie innego. Odzyskawszy po chwili trzeźwość umysłu, włożyła kartkę z listem do kolorowego notatnika.

– Dobry wieczór, proszę, nich pan wejdzie. Zapraszam. – Nie wiedziała, co się dzieje. Nagle obleciał ją strach. Coś musiało się stać, bo zwykle uśmiechnięty pan dyrektor był w nie najlepszej formie. – Stało się coś? Proszę, niech pan usiądzie. – Mina dyrektora nie wróżyła niczego dobrego.

– Aldona... – zaczął zmieszany. – To znaczy profesor Romańska – poprawił się szybko. – Zasłabła dziś podczas ostatniej lekcji i trafiła do szpitala.

Nie mogła uwierzyć w to, co usłyszała. Klapnęła na krzesło naprzeciw dyrektora.

– Jej stan się już ustabilizował, ale będzie musiała zostać tam jeszcze trochę. Potrzebuje kilku rzeczy i dokumentacji medycznej – dyrektor wbił wzrok w podłogę. Nie była pewna, czy chciał jeszcze coś dodać.

– Co jej jest? – zapytała, choć bała się odpowiedzi.

– Serce – odpowiedział szybciej, niż oczekiwała.

– Jak to serce? Tak nagle? – nie mogła uwierzyć.

– Nie nagle. Okazuje się, że choruje od dawna. – Dyrektor wyjął z kieszeni karteczkę i klucze. – Prosiła, żeby, o ile to możliwe, jutro po lekcjach dostarczyła jej pani rzeczy spisane na tej kartce. To są klucze od jej mieszkania.

Wzięła do rąk kartkę i przebiegła wzrokiem po konkretnej liście zawierającej również wskazówki, gdzie czego szukać. Lista napisana była przez dyrektora. Bez trudu poznała jego trochę kanciaste pismo.

– Pani Haniu, to nie będę przeszkadzał. Muszę już uciekać.

Wstał od stołu i dopiero teraz zauważyła, że chyba był bardzo zmęczony. Źle wyglądał, był zgaszony. Zupełnie jak nie on.

– Proszę chwilę poczekać. Wyjdziemy razem. Załatwię wszystko jeszcze dziś i pojadę do Aldonki do szpitala. Muszę ją zobaczyć.

– Pani Haniu, ale Aldonka... – użył jej ulubionego zdrobnienia, nawet się nie zająknąwszy. – Powiedziała, że wszystko może dostać jutro.

– Nie ma mowy! – stanowczo zaprotestowała. – Jadę teraz!

Dyrektor uśmiechnął się i z charakterystyczną dla siebie kurtuazją przepuścił ją w drzwiach jej własnego domu. Ubierała się po drodze. Razem podeszli do zaparkowanego przy chodniku granatowego samochodu, którego widok był nieodłącznym elementem szkolnego parkingu. Zauważyła, że jakoś dziwnie nie pasował do jej ulicznej scenerii. Dyrektor oparł się o swój zawsze czysty samochód i spojrzał na jej oświetlony dom.

– Ma pani piękny dom, pani Haniu.

– To dom moich rodziców – uśmiechnęła się do niego, nie dokonując sprostowania jego myślenia. Znów niezamierzenie udało jej się zagmatwać prawdę. Przecież dom był już tylko jej.

– To rodzice muszą być bardzo szczęśliwi, że nie chciała się pani od nich wyprowadzić.

– Moi rodzice nie żyją – usłyszała wypowiedziane przez siebie słowa.

Nie rozumiała, dlaczego mu o tym powiedziała. Dyrektor był bardzo zaskoczony, bardzo cicho wyraził swoje współczucie, po czym trochę głośniej podał jej nazwę szpitala, w którym przebywała Aldonka.

– Kardiologia. Sala dwieście piętnaście – dodał i pożegnał się, całując ją w rękę.

Wsiadł do samochodu i odjeżdżał, a ona stała, bujając się na krawężniku chodnika. Aldonka była chora. Zawsze przeczuwała, że jej żyjąca w świecie rymów przyjaciółka ukrywała swą romantyczną duszę pod pozorami realizmu. Przeraziła się na wspomnienie słów wypowiadanych często przez Aldonkę. „Romantycy umierają szybko". Tak zwykła mówić, niby żartem, ujmując sobie lat i udając twardzielkę mającą za nic nagłe porywy serca. Twardzielką w istocie rzeczy nie była nigdy. Wspomnienie złotej myśli Aldonki zatrzymało jej chodnikową bujaninę grożącą wpadnięciem w rezonans. Musiała działać szybko.

Ciotka Joanna o mało nie przypłaciła życiem chwili, w której ujrzała swą córkę. Marysia zresztą też wzruszyła się do łez. Impreza urodzinowa ciotki trwała w najlepsze. Mateusz spacerował w ogrodzie z, jak się okazało, bardzo sympatyczną Malwiną. Matka z ciotką wpatrywały się w Marysię, wstrzymując oddech. A odkąd dowiedziały się, że będzie miała dziecko, przestały oddychać chyba prawie całkiem. Jedynie ojciec z wujkiem za nic mieli babskie uniesienia i jak zwykle zniknęli w garażu wujka zaopatrzeni w butelkę wina i kieliszki. Mąż ciotki Joanny, a tato Marysi, był fanem starych motorowych gratów, z których potrafił wyczarowywać nowe, błyszczące cudeńka. Mikołaj zwykle oglądał wszystko, co wuj miał aktualnie na tapecie. Dziś jednak nic nie było go w stanie zainteresować. Siedział na kanapie w salonie, udając, że ogląda w telewizji na kanale sportowym jakiś mecz. Siedział sztywno jak więzień osadzony w karcerze. Mama co chwila rzucała mu czujne spojrzenia, a on udawał, że ich nie zauważa. Nie miał ochoty na jej psychoanalizę, więc uciekał przed jej wzrokiem, żeby nie dać jej do zrozumienia, że jest gotów do tłumaczenia się z własnego życia. Jedyne, na co teraz czekał, to jakiś znak życia od Hanki. Przecież obiecała, że zadzwoni. Było wciąż później i później, a ona się nie odzywała. Zaczynał się denerwować. Postanowił, że poczeka na jej ruch do godziny dwudziestej pierwszej, a później po prostu do niej pojedzie. Odkąd dowiedział się wszystkiego o jej przeszłości, jego chęć do układania sobie z nią przyszłości wzrosła tysiąckrotnie. Potrzebował jej i łudził się, że ona potrzebowała jego. Ściskał w ręce telefon, żeby w panującym dookoła rozgardiaszu rozmów i śmiechów nie przeoczyć najważniejszego momentu wieczoru. Co chwilę zerkał na zegarek. Do dwudziestej pierwszej zostało tylko siedem minut. Nagle poczuł na swojej głowie ciężar matczynej dłoni. Mama nie zdążyła się, co prawda, jeszcze odezwać, a już wiedział, że wiercenie mu dziury w brzuchu było nieuniknione.

– A co ty tak sam siedzisz? I to w dodatku taki skwaszony?

„Zaczyna się!", pomyślał ze złością.

– Nie jestem skwaszony, tylko zmęczony – powiedział niezbyt uprzejmie.

– A mnie się wydaje, że zupełnie nie o zmęczenie w tej twojej zamyślonej minie chodzi – chwila wyczekiwania.

– Mamo, proszę cię...

– Ja też cię proszę. I to nie pierwszy raz. Nie dzwonisz, nie odzywasz się, a jak cię już widzę, to jesteś dziwny, mówisz półgębkiem. Martwię się o ciebie. – Mama patrzyła na niego łagodnie. Zupełnie się tego nie spodziewał. – Chodzi o Hankę? – Trafiła jak zwykle w sedno.

Skinął głową, bo nie miał siły, żeby udawać, że wszystko jest w porządku, nawet gdyby miał to zrobić tylko na potrzeby tej rozmowy.

– Mikołaj, powiedz, o co chodzi. Przecież to taka fajna dziewczyna.

– Fajna... Fajna... – powtórzył i w końcu się uśmiechnął. – Nawet najfajniejsza – dodał.

– To nad czym się tu zastanawiać? – Mama rozłożyła śmiesznie ręce. Prawie jak ksiądz przy ołtarzu.

– Mamo, to wszystko nie jest takie proste, jak ci się wydaje.

– A skąd ty możesz wiedzieć, co mi się wydaje? – Poczuł na sobie świdrujące spojrzenie.

– Przecież wiem, że chciałabyś, żebym się szybko ożenił i miał z nią całą furę dzieci.

– Szybko? – zapytała z przekąsem i śmiechem mama. – Mikołaj, posłuchaj się. Co ty mówisz? Przecież niektórzy twoi rówieśnicy to mają już dzieci, i to wcale nie takie najmniejsze. Mikołaj, jakie szybko? Popatrz, taki Jacek Sienkiewicz...

– Mamo! Proszę cię. Po co takie gadanie? Co mnie obchodzi jakiś tam Jacek i jego dzieci? Niech sobie żyją, jak chcą.

– A ty jak chciałbyś żyć? No powiedz, ale tak z ręką na sercu. – Mama, pytając go, bawiła się nową zawieszką w kształcie serca. Patrzył, jak obracała serduszko w palcach, i milczał. – A może ty nie wiesz, jak chcesz żyć? Coś ci powiem. Nic mnie w ludziach tak nie denerwuje jak takie rozmamłanie. Takie pół mnie weź, pół mnie zostaw.

– Wiem, wszystko wiem – pokiwał głową.

– To wyduś z siebie w końcu, co wiesz!

– Mamo, wiem, że zrobiłbym wszystko, żeby tylko z nią być.

– To na co ty czekasz? Oświadczaj się i już! Popatrz na Marysię. Przecież one są w podobnym wieku. Na nic nie musisz czekać. Hanka to nie dziewczyna przed maturą.

– Właśnie o to w tym chodzi, że Hanka to nie jakaś małolata. Wprost przeciwnie, tyle w życiu przeszła, że starczyłoby tego nawet dla trzech Hanek.

– Co chcesz przez to powiedzieć? – mama spojrzała podejrzliwe.

– Nic, mamo – podrapał się niedbale w tył głowy.

– Ja ci zaraz dam nic! Zacząłeś, to mów, bo jak nic mi nie powiesz, to dopiero zacznę się martwić. Masz taką minę, jakbyś mi chciał powiedzieć, że kogoś co najmniej zabiła i... Zostaw już te włosy! – Wygładziła mu zburzoną fryzurę. – No mów!

– Hanka miała męża – wydusił, a mama ze zdumienia otworzyła szeroko oczy.

– Rozwódka? – zapytała natychmiast.

– Wdowa.

– Wdowa? – powtórzyła po nim, jakby nie rozumiejąc znaczenia tego słowa. – Jak to wdowa? – Chyba rzeczywiście nie rozumiała.

– Mamo, proszę cię, daj mi już spokój. – Żałował, że dał się wciągnąć w krzyżowy ogień pytań, choć zadawała je tylko jedna osoba.

– Czyś ty oszalał! Teraz to masz mi dopiero wszystko powiedzieć. O, kochany, mów mi tu zaraz!

Nieznoszący sprzeciwu głos matki został zagłuszony przez dźwięk jego telefonu. Wystarczyło jedno spojrzenie.

– Tak? – odebrał natychmiast, patrząc prosto w oczy wycofanej na moment mamy.

– Mikołaj, przepraszam, że tak późno się odzywam, ale... – Była bardzo zdenerwowana.

– Co się stało? – przerwał jej, obawiając się o nią.

Aldonka jest w szpitalu, właśnie do niej jadę.

– Ale co się stało? – zapytał już spokojniej. Odetchnął, że nie chodziło o nią.

– Ma kłopoty z sercem. Muszę już kończyć. Zatelefonuję jutro, dobrze?

– Dobrze – zgodził się, ale w okamgnieniu przemyślał to i zmienił zdanie. – Nie. Haniu umówmy się, że to ja jutro zadzwonię. Może około siedemnastej? – Nie chciał spędzić jutrzejszego popołudnia, maltretując się oczekiwaniem jak dziś. Musiał zacząć działać. Przede wszystkim musiał ją zobaczyć.

– Dobrze, dobrze. Muszę już kończyć, pa.

– Do jutra – powiedział już do ciszy w słuchawce.

– No i co? – wyrwała go z zamyślenia mama.

– Nic. Mieliśmy się dzisiaj spotkać, ale jej przyjaciółka wylądowała w szpitalu i właśnie do niej jedzie. – Był załamany. Schował telefon do kieszeni spodni. Nie był mu już dziś potrzebny. – Idę już. – Uderzył się rękoma w kolana, dając mamie do zrozumienia, że rozmowę uważa za zakończoną.

Niestety, natychmiast poczuł pod ramieniem jej rękę, która stalowym dotykiem udaremniała jego ucieczkowy zamiar.

– Nigdzie nie pójdziesz, dopóki mi wszystkiego nie powiesz.

– A co chcesz jeszcze wiedzieć? – zapytał cynicznie i od razu pożałował swojego tonu.

Marzył o tym, żeby wyjść, ale dostrzegł, że spojrzenie mamy było coraz bardziej błyszczące. Jeszcze tylko tego mu brakowało. Nie chciał, żeby płakała. Dlatego rozluźnił spięte mięśnie.

– Mamo, Hanka wyszła za mąż, a na drugi dzień po ślubie w wypadku samochodowym zginęli jej rodzice i mąż. Jechali na lotnisko.

– Co? – zapytała przerażonym głosem mama.

– Mamo, nie męcz mnie już. To, co słyszałaś. Nie mam siły tego powtarzać.

– Kiedy to było? – usłyszał kolejne pytanie, ale zadane innym niż dotychczas tonem.

– Pod koniec sierpnia miną dwa lata.

– Matko święta! – szepnęła mama, łapiąc się za głowę. Patrzył na nią, nie wiedząc, co się dzieje. – Mikołaj, ja znam... Mikołaj, ja znałam Hanki matkę.

– Mamo, o czym ty mówisz? – Miał na dziś dosyć. Był u kresu wytrzymałości.

– Mówię, że znałam jej matkę. Mikołaj, ja byłam na tym pogrzebie. Panie Boże...

Wstał z kanapy i patrzył na mamę, niczego nie rozumiejąc.

– Jak to znałaś?

– Z widzenia. Spotykałyśmy się często na bazarku. Też robiła zakupy u pani Walentyny. O Boże! – Mama zakryła usta i zaczęła płakać. – Przecież ja czułam, że ją skądś znam. Boże, jaki ten świat mały. Przecież ja Hankę spotkałam wtedy też u mojej pani Walentyny. – Mama kręciła głową i płakała, a on miał dość rewelacji na dziś.

– Idę już, mam dosyć. – Na szczęście mama nie zareagowała.

– Niesamowite – powtarzała już któryś raz, nie patrząc na niego.

Nachylił się nad nią i pocałował ją w policzek. Był już przy drzwiach, ale jednak wrócił do otumanionej mamy, tkwiącej w bezruchu na kanapie.

– Mamo?

– Tak?

– A ten pogrzeb to był tylko mamy Hanki?

– Nie, synku, chowali też jej ojca. Pamiętam. to był okropny dzień. Było koszmarnie gorąco. Karetka jeździła w tę i z powrotem, bo było mnóstwo ludzi i padali w tym upale jak muchy. Boże, jakie to straszne...

„Straszne!", powtarzał w myślach, wychodząc po angielsku. Nie miał nastroju na pożegnania. Nawet mama dała mu już spokój. Siedziała w salonie, a on zapinał guziki kurtki, mając przed oczami Hankę. Przypominał sobie jej reakcję po tym, jak jej się przedstawił. Ale był wtedy ślepy. Teraz wszystko rozumiał i tym bardziej nie mógł doczekać się jutrzejszego dnia. Wytrzymał już tyle. Musiał wytrzymać do jutra. Do siedemnastej. Co to jest? Nic!

Miała zajęte obie ręce, a nogi miękkie w kolanach. Charakterystyczny szpitalny zapach, którego nie sposób było spotkać gdzie indziej, sprawiał, że czuła się zagrożona uduszeniem. Szła wąskim korytarzem, nie rozglądając się na boki. Drzwi niektórych sal były otwarte. Bała się, że jak w nie spojrzy, to zobaczy cierpienie i ucieknie stąd, nie spełniwszy swojej misji. Szła na palcach. Najciszej jak umiała.

– A pani do kogo? – zamarła, gdy z jednej z sal wychyliła się głowa pielęgniarki w czepku z czarnym paskiem. Myślała, że taki czepek to już przeżytek.

– Ja do pani Romańskiej – szepnęła niepewnie w kierunku, z którego zaskoczyło ją pytanie. – Przywiozłam rzeczy i dokumenty.

Pielęgniarka zrobiła zdegustowaną minę i zmierzyła ją z góry na dół, niczym juror kandydatkę do tytułu miss.

– Pani wie, która jest godzina? Pani chociaż z rodziny?

– Tak – kiwnęła głową i natychmiast dopowiedziała w myślach: „Matka Ewa, ojciec Adam, amator jabłek". Napotkała wzrokiem pielęgniarski foch. Zatrzymała się na moment i postanowiła cierpliwie go przeczekać.

– Pani idzie! – usłyszała po chwili. – Tylko nie męczyć chorej i nie siedzieć długo!

– Dziękuję – szepnęła i znów została sama na oświetlonym korytarzu.

Ciszę wypełniał tylko denerwujący trzask migoczącej jarzeniówki. Ten regularny odgłos z pewnością nie wpływał kojąco na serca leżących na oddziale. Torba, którą niosła, ciążyła nieludzko, a ręka, w której ściskała pomarańczową teczkę z rysunkiem małego czerwonego serca na wierzchu, spociła jej się jak nigdy. Znalazła ją w szufladzie biurka Aldonki. Zerknęła do niej tylko raz, żeby się upewnić, czy to aby na pewno to, czego szukała. Teczka skrywała wykresy rysowane rytmem serca Aldonki. Czarne ostre kreski zupełnie niepasujące do jej jasnej i gładkiej duszy. Ściskała teraz nerwowo ten wyrysowany rytmem serca materiał dowodowy. Aldonka miała serce, które do niej nie pasowało. Ona była doskonała, a ono za nią nie nadążało. Pech!

Zobaczyła salę opatrzoną numerem dwieście piętnaście. Drzwi były zamknięte. Zapukała leciutko. Nie usłyszawszy zaproszenia, powoli naciskała klamkę, która metalowym chrzęstem upominała się o łagodne traktowanie. Wstrzymała oddech i weszła. Aldonka leżała w łóżku. Była bardzo blada. Miała zamknięte oczy, ale się uśmiechała. Ciemność pokoju rozświetlała jedynie mała, na szczęście sprawna lampa jarzeniowa umieszczona nad zlewem znajdującym się w rogu maleńkiej, jednoosobowej sali. Przy łóżku siedział pan dyrektor. Widziała jego plecy. Trzymał Aldonkę za rękę. Odwrócił się i spojrzał na nią. Dłoni Aldonki nie wypuścił.

– Już pani jest, pani Haniu?

Podeszła do niego, a on uśmiechnął się do niej jak zwykle. Dokładnie w tej chwili zdała sobie sprawę z własnej głupoty. Dotychczas nigdy prawidłowo nie zinterpretowała tego uśmiechu.

Aldonka otworzyła oczy.

– Przynieście jeszcze tablicę i kredę, a poczuję się jak w szkole.

Kamień spadł Hance z serca. Z przeraźliwie bladych ust przyjaciółki wydobywał się zdrowy i wesoły głos. Nie wiedziała, jak Aldonka go wyczarowała.

– To ja już pójdę. Przyjdę do ciebie jutro. – Dyrektor nachylił się i pocałował wciąż trzymaną rękę Aldonki. Po czym położył ją na kołdrze tak delikatnie, jakby była drogocennym klejnotem. – Do jutra – szepnął do uśmiechniętej chorej. – Do widzenia – spojrzał na nią i szybko wyszedł.

Usiadła na pustym krześle. Patrzyła w zmęczone oczy Aldonki i nie wiedziała, co powiedzieć.

– Przyniosłam wszystko – szepnęła. – Zastosowałam się do wszystkich wytycznych.

– Wiedziałam, że sobie poradzisz – Aldonka odwróciła nieruchomą do tej pory głowę w jej kierunku. – Popatrz, zawsze go miałaś za buraka, a to w gruncie rzeczy dobry człowiek.

– Po prostu się pomyliłam – westchnęła. Zwykle umiała intuicyjnie ocenić, z kim miała do czynienia. Tym razem jednak intuicja ją zawiodła.

Milczały. Aldonka zamknęła oczy, a ona wzięła ją za rękę. Nie dotykały się często, ale tym razem tego potrzebowała. Dłoń Aldonki była chłodna. Dotykała długich palców pianistki, zakończonych kształtnymi migdałami paznokci.

– Nie jest ci zimno? – zapytała w końcu, a Aldonka otworzyła oczy.

– Naprawdę interesuje cię teraz tylko to, czy nie jest mi zimno?

Hanka przecząco pokręciła głową.

– To zapytaj.

– Nie zapytam – powtórzyła swój wcześniejszy ruch głową. – Nie lubię, gdy mnie ktoś pyta, i ja też nie lubię pytać. Jak będziesz chciała, to sama mi kiedyś powiesz.

– Powiem ci dziś. Masz chwilę?

– Mam, ale może nie powinnaś się męczyć.

– Nic mnie tak nie męczy jak cisza. Dlatego opowiem ci dziś. O sercu i o nim – Aldonka znacząco popatrzyła na drzwi sali, za którymi przed chwilą zniknął dyrektor. – Nie bardzo wiem, od czego mam zacząć. Może powinnam poszukać jakiegoś dobrego rymu do słowa serce.

– Jesteś pewna, że mówienie ci nie zaszkodzi? – zapytała pełna obaw. Aldonka była bardzo blada.

– Jestem tak nafaszerowana lekami i tymi wszystkimi drutami, że nic mi już nie może zaszkodzić – szeptała, odwracając wzrok na ustawioną za jej głową medyczną aparaturę. – Poza tym nie mogę spać, to chociaż sobie pogadam. A ty udawaj, że słuchasz. Bo wiesz, jakbym tak teraz zaczęła gadać sama do siebie, to będą mnie musieli wysłać do innej placówki, innego zdrowia, a chyba rozumiesz, że się nie rozdwoję.

Uwielbiała Aldonkę za jej poczucie humoru i za serce. Właśnie za serce.

– Najpierw opowiem ci o moim roztańczonym sercu. Roztańczonym, bo ono zachowuje się dokładnie jak swawolny tancerz na parkiecie. Szybki, szybki, wolny. A powinno być przecież nudne i przewidywalne jak rytm wahadła w zegarze. I raz, i dwa. I raz, i dwa. Tyle samo uderzeń na każdą minutę, z taką samą prędkością. A ono nie! Ono tańczy po swojemu. Od lat tak samo. Szybki, szybki, wolny.

– Dlaczego nigdy mi nie powiedziałaś? – zapytała trochę naiwnie.

– A czym tu się chwalić? Zresztą ty też o wielu rzeczach mi nie powiedziałaś. Mam rację? – zapytała z mądrym uśmiechem.

– Jak zwykle – pogładziła cieplejszą dłoń Aldonki. Chciała oddać jej całe swoje ciepło. Ale cieszyła się, bo czuła, że mówienie rzeczywiście Aldonce dobrze robiło.

– Jego historia jest bardziej skomplikowana, moja ty kochana. – Hanka patrzyła na Aldonkę i cieszyła się, że wracała do niej przyjaciółka, którą bardzo dobrze znała. – Zaczął pracować w naszej szkole tuż po studiach. Ja miałam już swój staż, w końcu nie ma co ukrywać, jestem od niego starsza o prawie dziesięć lat. Zostałam jego opiekunką na starcie, podobnie jak twoją. Uczył matematyki i nie rozumiał wielu zasad rządzących szkołą. Dzisiaj aż trudno w to uwierzyć, ale wtedy było dokładnie tak, jak mówię. Doskonale się dogadywaliśmy, nadawaliśmy na tych samych falach, ale różnica płci przekreślała pokrewieństwo dusz. Było nam z sobą rewelacyjnie. Praca powoli stawała się dla niego dobrą zabawą. Po pół roku kumplowania się bez barier przekroczyliśmy całkiem inną granicę. Spanikowałam. Uważałam, że to był poważny błąd, którym obciążyłam wtedy niestety tylko siebie. Wycofałam się. Ale prosił, błagał, łaził za mną, nie dawał mi spokoju i uległam. Na chwilę, na próbę. Był taki pełen energii, planów. Przerażał mnie tym totalnym brakiem ograniczeń. Chciał mieć wszystko i szybko. Rozumiesz? Rodzina, dom, dzieci, ogródek z białym płotkiem dookoła, pies, a jak dzieci podrosną, to podróże. Dla mnie to była abstrakcja i to nie dlatego, że chciałam żyć inaczej. Ja też chciałam tak żyć, ale wiedziałam, że on chce w życiu czegoś bardzo określonego i wyraźnego, a ze mną by się tego nie dochrapał. Nigdy... Dom, tak. Biały płotek, tak. Pies, tak. I na tym koniec. Żadnych dzieci. Co miałam mu powiedzieć? Dzieci albo ja? Mój kardiolog pukał się w czoło i kazał mi zrobić to samo. Pamiętam dokładnie, jak powiedział mi prosto z mostu, że moje serce nadaje się tylko do kochania dzieci. Ciąża nie wchodziła w grę. Wtedy coś się ze mną stało. Chcąc nie chcąc, zamieniłam się w sfrustrowaną babę po trzydziestce i skutecznie go do siebie zniechęcałam. Na początku było ciężko, ale później pojawiła się ona. Młoda, po studiach. Blond włosy, ostry makijaż, rzęsy kapiące od czarnego tuszu, wciąż przewracające się jak w ekstazie oczy. I stało się. Z dnia na dzień zrobiłam się przezroczysta. Nie było mnie. Moje chore serce wariowało, a otumaniony cierpieniem rozum podpowiadał, że dobrze się stało. Niestety, posłuchałam rozumu. Jak już się poskładałam w jedną całość, okazało się, że... – Aldonka nagle przestała mówić i przymknęła oczy.

– Źle się czujesz? Może dokończymy jutro? – zaproponowała wystraszona Hanka. – Przyjdę do ciebie po lekcjach, na cały wieczór. Obiecuję.

– Znudziłam cię? – zapytała Aldonka, otwierając oczy. Znów zobaczyła jej uśmiech. Aldonka miała atomowy uśmiech. W ułamku sekundy zniszczył wszystkie jej obawy o złe samopoczucie przyjaciółki.

– Oczywiście, że nie. Jeżeli możesz, to mów.

– Okazało się, że była w ciąży – Aldonka wiedziała doskonale, w którym momencie skończyła. Patrzyła jej prosto w oczy i mówiła. – A ja nie mogłam niczego zrozumieć. Zadziwiał mnie, bo zamiast się cieszyć, to zszarzał, chodził przybity, nieogolony. Zupełnie nie ten człowiek. I oczywiście znaleźli się życzliwi, którzy donieśli mi po jakimś czasie, że to nie jego dziecko. Okazało się, że ona miała męża, a jego potraktowała jak atrakcyjną maskotkę, elegancki dodatek do stroju. Nie potrafię zrozumieć, dlaczego to zrobiła. Poszła na zwolnienie, gdy ciąża zaczęła być widoczna, i więcej się nie pojawiła. Potem były wakacje, podczas których w ukryciu wciąż lizałam rany. Chciałam zmienić pracę, ale przerastało mnie wtedy nawet mycie zębów, więc sama rozumiesz. We wrześniu stawiłam się na posterunku, udając niewzruszoną skałę, i wszystko zaczęło się od początku. Powtórka z rozrywki. Nie byłam już przezroczysta. Łaził za mną bez końca. Prosił, błagał, awanturował się, przepraszał, nalegał. Było wszystko. Pełen wachlarz przeżyć. Rano w pracy spotykałam melancholika. Wieczorem pod drzwiami mojego mieszkania koczował choleryk. Niestety, u mnie rozum znów zwyciężył – Aldonka kolejny raz zamknęła oczy.

– Niestety? – zapytała cichusieńko, a Aldonka przytaknęła bez słów. – Żałujesz? – tym razem zapytała już głośniej, a Aldonka popatrzyła na nią smutnymi oczami.

– Codziennie – westchnęła głęboko. – Gdybym wtedy miała ten rozum co dziś, zaryzykowałabym dla chociaż jednego miesiąca, a nawet jednego dnia szczęścia, a później niechby się działo, co chciało. On sobie nie ułożył życia, ja, jak widać, też nie. Ale wtedy stchórzyłam. Wystraszyłam się, że całe życie będę musiała się obawiać każdej ładniejszej, a przede wszystkim młodszej. Byłam głupia. Haniu, nawet nie zdajesz sobie sprawy, jaka ja byłam wtedy głupia.

Hanka patrzyła na uśmiech, z jakim przyjaciółka dokonywała swoistego podsumowania życia. Do tej pory była przekonana, że Aldonka mówiła to wszystko bardziej ze względu na siebie niż na nią. Teraz gdy przyglądała się jej błogiemu uśmiechowi, ogarnęły ją poważne wątpliwości.

– A co się stało potem? – zapytała, zagłuszając swoje domysły.

– Nic, Haniu, nic. Kompletnie nic. Przez moją dumę, głupotę i sama nie wiem co jeszcze, nic się nie działo. Staliśmy się znajomymi z pracy. Nawet nie. Po prostu widywaliśmy się w pracy. To też źle powiedziane, bo unikaliśmy własnych spojrzeń.

– A teraz?

– Co teraz?

– Przecież był tu dziś.

– Myślę, że chciałby w końcu wyleczyć swoje wyrzuty sumienia, które od tamtych czasów ciągną się za nim jak hałasujące puszki za samochodem nowożeńców.

– A może... – nie udało jej się dokończyć zdania.

– Haniu, o czym ty mówisz? Samotna kobieta po pięćdziesiątce to dla wielu zdziwaczały babiszon, a facet po czterdziestce może jeszcze zawojować świat i niejedną młódkę. Może mieć dzieci, psa, biały płotek i wszystko, co sobie tylko ubzdura.

– Myślę, że trochę przesadzasz.

– To powiedz mi teraz, ale szczerze. Dlaczego zawsze uważałaś, że on czegoś od ciebie chce?

Tego Hanka się nie spodziewała.

– Wiesz... – zaczęła niepewnie. – To trudno wyjaśnić, ale jest w nim coś takiego... – Chciała być z Aldonką szczera. Może dlatego zabrakło jej słów.

– Haniu, przecież to jest klasyczny Piotruś Pan i w dodatku bawidamek. Nie niebezpieczny, ale bawidamek. A popatrz na mnie. Ze mnie taka dama jak z koziego siedzenia instrument dęty. Więc chyba rozumiesz, że teraz to on już do niczego nie jest mi potrzebny. Czas fajerwerków w moim życiu minął. Teraz potrzebuję spokoju, przyjaźni, szacunku. Ale z tobą jest inaczej. Powinnaś...

Nagle uchyliły się drzwi. Hanka się odwróciła i ujrzała w nich znajomą głowę w czepku.

– A co pani tu robi? – usłyszała zaspany głos pielęgniarki. – Mówiłam przecież, żeby nie męczyć chorej. Jutro też jest dzień! – Głos przybierał na sile. – Przyjdzie pani do mamy jutro!

Hanka zerknęła na Aldonkę, która obdarzyła ją wiele mówiącym uśmiechem. „Stara jestem! Stara! A nie mówiłam!", doskonale słyszała myśli Aldonki. Pewnie dlatego postanowiła sobie z nich zakpić. Wstała, złożyła siarczysty pocałunek na bladym policzku i ścisnęła ciepłą dłoń Aldonki.

– To moja siostra! – rzuciła do stojącej w drzwiach pielęgniarki i podeszła w jej kierunku.

– Siostro? – usłyszała jeszcze głos Aldonki

– Tak? – zapytała prawie jednocześnie z pielęgniarką, odwróciła się i z przyjemnością stwierdziła, że Aldonka patrzyła na nią.

– Powinnaś zaryzykować – głos Aldonki był silny. – Zrób to dla mnie, dla niego, a przede wszystkim dla siebie. A teraz już idź, bo ci jeszcze zamkną akademik.

Zrobiła więc, co kazała Aldonka, a odprowadzało ją zdziwione spojrzenie pielęgniarki. Wychodziła ze szpitala spokojna. Aldonce chyba nic nie zagrażało. Taką przynajmniej miała nadzieję. Miała za sobą długi i pouczający dzień. Aldonka zachowała się dziś tak, jakby czytała między wierszami jej myśli, i co więcej, podpowiadała gotowe, sprawdzone na własnej skórze i własnym losie rozwiązania. Niestety, nie była ani jej matką, ani siostrą. Ale była dla niej kimś wyjątkowym. Hanka ufała jej i wierzyła we wszystko, co mówiła. Przy niej pokrewieństwo dusz wydawało się czymś tak naturalnym jak następowanie po sobie pór roku. Skoro Aldonka radziła jej, że powinna zaryzykować, musiała jej posłuchać. Musiała jutro spotkać się z Mikołajem i dostosować do wytycznych przyjaciółki. Co miała do stracenia? Chyba niezbyt wiele.

Dawna namiętność już w całunach leży.

Była nieprzytomna. Nie mogła się obudzić. Stała na środku garderoby. Kawa, prysznic, słoneczna sypialnia, wszystko na nic. Stała i spała. Położyła się po północy. Nad głową krążyło jej tysiące myśli i spraw. Nie pomagała muszla, nie pomagały cyfry, nic nie pomagało. Nawet ogromne zmęczenie stanęło w nocy przeciwko niej. Miała wrażenie, że gdy tylko udało jej się w końcu zasnąć, natychmiast bezlitosny budzik podjął trzy, następujące po sobie próby pobudki. Udało mu się z nią wygrać. Zmęczonym wzrokiem przemierzała płaszczyzny swojej garderoby. Białe, czarne, czarne, białe. Nagle jej wzrok przyciągnęła bluzka, którą dostała z jakiejś okazji od Dominiki. Była klasyczna, z atłasu w kolorze indygo. Ten piękny i niespotykany zbyt często kolor pobudził jej ospałe spojrzenie. Zdjęła bluzkę z wieszaka i wkładała powoli. Nie zdążyła skupić się na opracowaniu dolnej części garderoby, gdy usłyszała dźwięk domofonu. Jego charakterystyczna, histeryczna melodia nie pozostawiała wątpliwości. Pod bramą czekała Dominika, robiąc w tej chwili wszystko, żeby podnieść jej niskie ciśnienie. Czuła, jak jej głowa zaczyna pulsować bólem. Miała dość tego zabijającego jej zmysły hałasu, dlatego niekompletnie ubrana zbiegła ze schodów, szybko otworzyła bramę i drzwi.

– Wiesz, która jest godzina? – zapytała, gdy tylko Dominika stanęła w wiatrołapie.

Niestety, kochana siostrzyczka miała gdzieś nie tylko godzinę, ale również ją. Wzruszyła tylko ramionami i ominęła ją szerokim łukiem bez słowa. Hanka zamknęła za nią drzwi i pognała na górę po resztę garderoby. Wciągała na siebie ulubioną czarną spódnicę, gdy usłyszała dochodzący z dołu płacz Dominiki i znajome pociąganie nosem, które nie zdarzały się często. Coś musiało się stać. Drugi już dziś raz zbiegła na dół. Gonitwa po schodach skutecznie ją obudziła. Zastała Dominikę siedzącą przy stole w jadalni i klasycznie buczącą.

– Co się dzieje? Mów szybko, bo za pięć minut muszę wyjść.

– To koniec. Błagam cię, porozmawiaj ze mną.

Hanka zerknęła na palec Dominiki, na którym mienił się diament. Odsapnęła. Nie chodziło o Przemka.

– Dominika, uspokój się. Pewnie jak zwykle panikujesz, a ja muszę już wychodzić do pracy.

– Błagam cię – szepnęła Dominika, patrząc na nią takim wzrokiem, że dotarło do niej, iż sytuacja jest poważna.

Musiała zatelefonować do szkoły. Nie było jej to specjalnie na rękę po wczorajszym spotkaniu z dyrektorem, ale taki stan wyjątkowy przydarzał się jej pierwszy raz.

– Muszę poinformować dyrektora, że się spóźnię – powiedziała bardziej do siebie niż do Dominiki, naprzeciwko której w tej chwili usiadła.

Patrząc na malującą się na twarzy siostry rozpacz, wybrała numer telefonu do szkoły. Odebrała sekretarka dyrektora. Specyficzna dama trwająca cały czas w błędnym przekonaniu, że to dyrektor jest dla niej, a nie ona dla dyrektora.

Przedstawiła się oficjalnie. Po dłuższej chwili, podczas której jej prośba o rozmowę z dyrektorem nabierała mocy urzędowej, uzyskała połączenie.

– Dzień dobry pani Haniu – usłyszała jego miły, lecz zaniepokojony głos. – Czy coś się stało? Coś z Aldonką?

– Nie, panie dyrektorze. Ale mam problem. – Spojrzała na zalewającą się łzami Dominikę. – Rodzinny – dodała po chwili. – Chciałabym poprosić pana o pomoc. Spóźnię się dziś do pracy. To znaczy nie mogę przyjść na pierwszą lekcję – powiedziała szybko i bez ogródek.

– A z którą klasą ma pani lekcje? – zapytał konkretnie.

– Z trzecią a – odpowiedziała też konkretnie.

– W takim razie poproszę panią pedagog, żeby do nich poszła. Zrobi im wykład, jak radzić sobie ze stresem. Przed maturą taka pogadanka przyda im się na pewno.

– Dziękuję – odetchnęła, myśląc, że naprawdę do tej pory bardzo krzywdząco oceniała tego człowieka.

– A gdyby coś się przeciągnęło, pani Haniu, to proszę się odezwać, to coś dalej wymyślimy.

– Nie, dziękuję bardzo. Godzina powinna mi wystarczyć. Do zobaczenia i bardzo dziękuję za zrozumienie – skończyła rozmowę i zamyślona patrzyła na Dominikę.

Ta zwykle podążająca za odważnymi fantazjami stylistów kobieta przyjechała do niej w piżamie, na którą zarzuciła jedynie wiosenny trencz. Hanka zerknęła pod stół i zobaczyła gołe nogi wystające z rozwiązanych tenisówek.

– Jesteś w piżamie – pozwoliła sobie na komentarz.

– I co z tego? –Ton Dominiki był inny niż zwykle, mało zaczepny.

– Chcesz herbaty?

– Nie.

– To powiedz, co się dzieje, bo zachowujesz się, jakbyś dowiedziała się przed chwilą, że Przemek prowadzi podwójne życie i ma narzeczonego.

Dominika, nie spuszczając z niej oczu, włożyła rękę do kieszeni płaszcza, wyjęła z niej coś, co schowało się w jej dłoni i po sekundzie wylądowało przed Hanką. Hanka doskonale znała ten charakterystyczny, prostokątny biały przedmiocik z dwoma okienkami. Kontrolnym i wyniku. Jednak pierwszy raz w życiu ujrzała dwie radosne kreseczki w kolorze purpury. W jej wypadku okienko kontroli zawsze pokazywało prostą, purpurową treść, natomiast okienko wyniku zawsze straszyło ją pesymistyczną i białą pustką. To, co widziała w tej chwili, było dla niej tak cudownie nieziemskie, że nie mogła zapanować nad uśmiechem.

– Jesteś w ciąży – obwieściła radośnie podekscytowana i wstała z zamiarem natychmiastowego wyściskania Dominiki, która zdecydowanym ruchem udaremniła jej zamiar, odganiając się od jej otwartych ramion jak od paskudnego natręta.

– Zwariowałaś?! – wrzasnęła.

– To chyba ty zwariowałaś – stwierdziła spokojnie. Patrzyła na Dominikę i nie mogła oprzeć się wrażeniu, że zareagowała na wiadomość o ciąży ciężkim szokiem. – Dominika, przecież to cudownie.

– A co w tym cudownego? – Dominika wlepiła w nią załamany wzrok.

– Przecież tysiące kobiet na świecie marzy o tym, żeby zajść w ciążę, a...
– Powiedz mi! – przerwała jej Dominika. – Czy ja wyglądam jak tysiące kobiet?!
– A gdzieżby tam – wciąż się uśmiechała. Mimo że Dominika zachowywała się cokolwiek dziwnie, to ona była przekonana, że w takiej sytuacji należy się tylko i wyłącznie cieszyć. Nie zamierzała tego ukrywać. – Dominiczko ty moja. Przecież jesteś piękną, mądrą i zdrową kobietą. Masz przecudownego ukochanego. Nic, tylko się rozmnażać. – Nie pamiętała już chwil, w których tak głośno śpiewała w niej radość. Uwolniła się od wcześniejszego zmęczenia. Mięśnie twarzy zaczęły ją boleć od nieprzerwanego uśmiechu. Natomiast Dominika pikowała właśnie w kierunku megadepresji. – Dlaczego się nie cieszysz? Który to tydzień?
– A skąd ja mam to, do cholery, wiedzieć?
– Ile ci się spóźnił okres? – zapytała i wstała, żeby zrobić herbaty.
– A ja wiem? Chyba jakieś trzy tygodnie – Dominika gapiła się tępym wzrokiem na swoje paznokcie.
– Boże, Dominika, co to znaczy jakieś? Przecież jesteś lekarzem.
– Lekarzem, a nie księgową z kalkulatorem w ręce! – prychnęła Dominika.
– Poczekaj... – nalewała wrzątku do filiżanek. – Jeżeli trzy tygodnie, to jesteś mniej więcej w piątym tygodniu. O Boże! – postawiła filiżankę z herbatą przed Dominiką. – Praskie dziecko! Tylko żeby nie mówiło po czesku – zażartowała.
– Chcesz mnie pogrążyć? – zapytała Dominika, dmuchając w filiżankę.
– Dominika, co ty mówisz? Przecież ja chcę, żebyś się cieszyła. Będziecie mieli z Przemkiem dziecko. Małego człowieczka. Mądrego i fajnego, po rodzicach. Będziesz mamą!
– No właśnie! Ja?! Mamą?!
– I co w tym dziwnego? Przecież jesteś zdrowa, w sile wieku. Chociaż szczerze powiedziawszy, to prokreacyjny szczyt masz już nawet trochę za sobą. Materiał genetyczny zaczyna ci się już kurczyć.
– Czy ty możesz przestać pieprzyć i mnie w końcu posłuchać! – Dominika nareszcie zabrzmiała znajomo. – Przecież ja nie nadaję się na matkę!

Hanka patrzyła na swoją siorbiącą w tej chwili herbatę siostrę i niczego nie rozumiała. Słyszała jej podniesiony głos, ale jej nie rozumiała. Zresztą nie rozumiały się nawzajem.

– To ty mnie posłuchaj. Dominika, co ty mówisz? Posłuchaj siebie. Jak to się nie nadajesz? Skąd to możesz wiedzieć?

– A jeżeli ja jestem taką samą małpą jak moja matka? – syknęła Dominika. – O *sorry*, małpo! Ty, jak masz małe, to się nimi opiekujesz!

Jedno przyrodnicze porównanie Dominiki wystarczyło, żeby Hanka w ułamku sekundy zrozumiała, gdzie swój początek miało źródło jej panicznego strachu. Podeszła do niej, wzięła ją za rękę i jak dziecko poprowadziła za sobą do salonu. Podeszły do kanapy. Usiadła na niej pierwsza, a Dominice kazała się położyć. O dziwo, zrobiła to bez gadania. Trzymała teraz na kolanach rozczochraną głowę siostry i zaglądała w jej wciąż wystraszone oczy. Dominika wyglądała jak sto nieszczęść. Jej dziwny strój, bladość i tępo patrzące oczy wywołały w Hance potrzebę zaopiekowania się nią. Na początku gładziła ją tylko po głowie, a po dłuższej chwili zaczęła mówić. Spokojnie i powoli. Jej czas się kurczył, ale nie mogła się teraz spieszyć. Nie w takiej chwili.

– Będziesz najcudowniejszą mamą pod słońcem. Uwierz. Przecież najpiękniejsze i najwartościowsze uczucia rodzą się z tęsknoty. A ty całe życie tęskniłaś za mamą. I teraz będziesz mogła dać swojemu dziecku wszystko to, czego sama nigdy nie dostałaś. Przecież wiesz doskonale, czego ci zawsze brakowało. Nie martw się na zapas. Wszystko będzie dobrze. W życiu jest tak, że człowiek nie docenia tego, co ma, tego, co wydaje mu się usługą w standardzie. Jeżeli coś mamy od zawsze, na zawsze, to nie myślimy, że właśnie spotyka nas coś pięknego. Całkiem inaczej reagujemy, gdy nam czegoś brakuje – chciała jeszcze powiedzieć, że wierzy w to, iż Dominika spotka jeszcze w życiu swoją matkę, ale to nie był najlepszy moment na taką rozmowę. – Poza tym możesz być spokojna. To, że jesteś w ciąży, nie oznacza, że jutro rano dostaniesz do rąk rozkrzyczanego noworodka. Dominika, wasz dzidziuś potrzebuje czasu, żeby dzięki twojej pomocy rosnąć. Potrzebuje czasu, podobnie jak ty. – Pocałowała Dominikę w czoło. Dokładnie tak jak robiła to jej mama, gdy miewała kłopoty i rozterki. – Postaraj się popatrzeć na tę ciążę jak na cud, bo ona nie jest problemem, tylko cudem. Nie każda kobieta może być w ciąży. Wiem, co mówię...

W ostatnich dniach zdarzyło się w jej życiu sporo przeżyć mających ścisły związek ze spowiedzią. Najpierw list do Mikołaja, potem prawda o życiu

Aldonki. I jeszcze to... Znów rozpanoszyły się w jej duszy dawne uczucia i przeżycia. Może nie powinna była do nich teraz wracać, ale chciała to zrobić dla Dominiki. Chciała ją przekonać i uzmysłowić jej, że od początku powinna być świadoma tej radości, która jej się przytrafiała. Może pojawiła się niespodziewanie, ale co z tego?

– Powiem ci teraz coś, o czym nigdy wcześniej ci nie mówiłam. Wie o tym tylko pani Irenka i moja doktor ginekolog. Tego ranka gdy... – zawiesiła głos. Było trudniej niż myślała.

– No, wiem kiedy – powiedziała cicho Dominika.

– Tego ranka kochałam się z Mikołajem. Byłam padnięta. Nie miałam siły, ale powiedział, że nie mam wyjścia, bo ma na to papier. Rozbawił mnie tym bardzo – Dominika przyglądała się jej uważnie. – Dzisiaj myślę, że tylko dlatego udało mi się wtedy przeżyć to wszystko. Otoczona ze wszystkich stron przez śmierć, chwyciłam się pazurami myśli o życiu. Chociaż byłam świadoma, że szansa na to jest znikoma, ubzdurałam sobie, teraz to wiem, że jestem w ciąży. Nie było już nikogo. Ani rodziców, ani Mikołaja, a ja miałam niezachwiane przekonanie, że noszę w sobie jego dziecko. Że ono żyje i we mnie rośnie. Dlatego musiałam przez to wszystko przejść, a raczej się przeczołgać. Musiałam się trzymać i nie zwariować. Musiałam... Chciałam to wszystko zrobić dla tej małej fasolki, którą mi zostawił – głos uwiązł jej w gardle. Walczyła z gruszką. Z odsieczą przyszły łzy. Płynęły i chyba dzięki nim mogła mówić dalej. – Niestety, ja nie byłam w ciąży. Była w niej tylko moja psychika. Do tego stopnia, że miałam wszystkie książkowe objawy. Metaliczny smak w ustach pamiętam do dziś. Moja pani doktor w pierwszym miesiącu takiego stanu nie mówiła nic, ale w drugim była już mocno zaniepokojona. To właśnie wtedy zrobiłam sobie miliony testów ciążowych. Nawet nie wiesz, jakim niedoścignionym marzeniem były dla mnie takie dwie kreseczki, które ty zobaczyłaś dziś rano. Zawsze widziałam tylko jedną, a mimo to trzymałam się kurczowo tego wymyślonego życia, które rozwijało się niestety tylko w mojej głowie – opowiadała i pierwszy raz nie walczyła ze wzruszeniem. Pozwoliła sobie na nie. Dominika dzielnie dotrzymywała jej kroku i pociągała nosem od dłuższego czasu. – Po dwóch miesiącach moja pani doktor zmusiła mnie do wzięcia hormonów wywołujących miesiączkę. Nie chciałam tego zrobić, więc przedstawiła mi możliwość zmiany lekarza. Na psychiatrę. Byłam przerażona, ale zrobiłam, co kazała. I zaczął się koszmar. Wszystko wróciło za zdwojoną siłą. Pamiętasz? – Dominika pokiwała głową. – Zmusiłaś mnie wtedy do wyjazdu nad morze. Pamiętam, jak mnie tam wiozłaś, a ja byłam przekonana, że to mój koniec, że zobaczę morze i umrę. Nie miałam już dla kogo żyć. Gdy tylko wyjechałaś, pani Irenka zmusiła mnie do mówienia. Opowiedziałam jej o wszystkim i wiesz, co mi opowiedziała?

– Co? – wyszeptała Dominika, pociągając nosem.

– Powiedziała mi, że to mój Anioł Stróż szeptał mi do ucha o dziecku, bo chciał, żebym to wszystko przeżyła. Pomyślałam wtedy, że może pani Irenka ma rację. Przecież minęły dwa pełne miesiące, a ja wciąż żyłam. Bez Mikołaja, mamy, taty. Bez mojego maleństwa, którego tak naprawdę nigdy nie było. Na dodatek pani Irenka miliony razy dziennie powtarzała mi, że wszystko będzie dobrze, ale ja jej wtedy nie wierzyłam. Pierwszy raz w życiu nie wierzyłam w to, co mówiła. Wiedziała o tym. Ale niczego sobie z tego nie robiła. Wyganiała mnie na spacery nad morze. Jeżeli stawiałam opór, prowadziła mnie na spacer, jak prowadzi się małe dziecko. Zawsze trzymała mnie za rękę. Pilnowała, żebym jadła. Robiła to chyba dokładnie tak, jak robią to rodzice anorektyczek. Ty telefonowałaś codziennie i wesoło trajkotałaś o życiu, chociaż wiem, że nie było ci wcale za wesoło. Ciotka Anna pisała przepiękne listy i za każdym razem oczekiwała odpowiedzi. Wszyscy udawali, że jest normalnie. Oprócz mnie. Wegetowałam. Pani Irenka ciągała mnie za sobą do kościoła. Kazała mi się modlić, a ja nie potrafiłam. Któregoś razu siedziałyśmy w pustym kościele i szepnęła mi do ucha, żebym zaczęła się modlić o dziecko. Pamiętam, że gdy usłyszałam jej słowa, byłam zdruzgotana. W końcu coś poczułam, przestałam być rośliną. I wiesz co? Od tamtej pory modlę się o dziecko – napotkała niedowierzający wzrok Dominiki. – Nie myśl tylko, że codziennie. Nie codziennie, ale często – sprostowała.

– No właśnie... – powiedziała bez związku Dominika. – A ty i Mikołaj? Rozumiesz, te sprawy...

Hanka przecząco pokręciła głową, patrząc jej w oczy.

– A powiedziałaś mu? Widzieliście się wczoraj?

– Nie – odwróciła wzrok i patrzyła teraz na niezasznurowane tenisówki Dominiki.

– Co nie?

– Nie powiedziałam mu i się nie spotkaliśmy.

– Co ty gadasz? Możesz na mnie popatrzeć? Dlaczego się nie spotkaliście?

– Najpierw byłam na konkursie recytatorskim – grzecznie patrzyła w oczy Dominiki. – A później musiałam odwiedzić Aldonkę w szpitalu. Ma chore serce.

– Coś poważnego?

– Chyba tak, ale sytuacja jest opanowana.

– To kiedy zamierzasz się z nim spotkać?

– Dziś.

– Powiesz mu?

– A ty powiedziałaś? – Bardzo chciała zmienić temat.

– Ja?! – Dominika zrobiła wielkie oczy i zerwała się prawie na równe nogi.

– Uspokój się... Przecież musisz mu powiedzieć. Ja tego za ciebie nie zrobię.

– Co muszę powiedzieć? Komu?

– Jak to komu? Przemkowi. O dziecku. – Dominika znów wylądowała obok niej na kanapie.

– Umówmy się, że ja powiem dziś o dziecku, a ty o... – zabrakło jej słów. – O wszystkim.

– Nie ma szans – pokręciła głową.

– Weź mnie lepiej nie wkurzaj! – Dawna Dominika wracała z dalekiej podróży.

– Przypominam ci, że w twoim stanie nerwy są niewskazane.

– To czemu mnie denerwujesz?

– Ja? – wstała z kanapy, udając niewiniątko. – Muszę już iść.

– Nigdzie nie pójdziesz! – Dominika w mgnieniu oka zastąpiła jej drogę. – Musisz mi obiecać, że mu dzisiaj powiesz!

– Nie powiem. – Nie miała na to ochoty, ale musiała się przyznać. – Dam mu list, w którym o wszystkim napisałam.

– O tym, o czym mi teraz powiedziałaś, też? – Dominika przyglądała się jej podejrzliwie.

– O tym nie.

– A nie wydaje ci się, że to będzie głupio?

– Może i głupio, ale inaczej nie potrafię. Nie będę umiała mu powiedzieć. Poza tym boję się jego reakcji.

– Mam pomysł! – uśmiechnęła się nagle Dominika wyraźnie ucieszona swoimi myślami.

– To miej sobie pomysł, a nawet miliony pomysłów. Ja już muszę naprawdę wychodzić. Zostajesz czy idziesz?

Niestety, Dominika zachowywała się tak, jakby jej wcale nie słyszała. Swoim, jak zwykle perfekcyjnym ruchem padła na sofę i położyła nogi na stole.

– Powinnaś zajść w ciążę! – wyrzuciła z siebie, nawet na nią nie spojrzawszy.

– Posłuchaj! – Hanka nie mogła uwierzyć w to, co przed sekundą usłyszała. Westchnęła głęboko i zdjęła z wieszaka płaszcz. – Jeżeli to jest ten twój superpomysł, to ja wychodzę. Zatrzaśniesz za sobą drzwi?

Niestety, Dominika nie dała się tak łatwo zbyć.

– Bo zobacz! – towarzyszyła jej w drodze do garażu. A raczej towarzyszył jej radosny słowotok przyjaciółki, która jak na kobietę w ciąży przystało, popadała w bardzo szybkim tempie z nastroju w nastrój. Jeszcze niedawno była na dnie rozpaczy, a teraz skakała niczym leciuchny elf po kolorowych kwiatkach. – Byłoby odlotowo! Obie chodziłybyśmy grube jak purchawki. Zapisalibyśmy się wszyscy razem do szkoły rodzenia. Pomyśl! Przeszłybyśmy przez to wszystko razem!

– Dominika, posłuchaj mnie. – Były już w garażu. Dominika stała na schodkach. – Obiecuję ci, że przez wszystko przejdziemy razem. Będę na każde twoje zawołanie. Będę się z tobą obchodzić jak z jajkiem, ale nie wymagaj ode mnie, żebym zaszła w ciążę. Przecież to niedorzeczne.

Dominika zaczęła zapinać płaszcz. W garażu było dużo chłodniej niż w domu.

– Przecież ja nie wymagam, tylko grzecznie proponuję.

– Chciałabym zauważyć – siedziała już w samochodzie, ale nie mogła odjechać pomimo otwartych drzwi garażowych, ponieważ Dominika uwiesiła się na również otwartych przednich drzwiach jej samochodu – że żeby zajść w ciążę, potrzebna jest nie tylko twoja propozycja i moja dobra wola.

– Ale ty, Lerska, jesteś obłudna! – podniosła głos Dominika i nagle zakryła dłonią usta. – Niedobrze mi.

– To kara za to, że o mnie brzydko powiedziałaś – uśmiechnęła się i pokazała Dominice język.

– O ty wredna małpo! – Dominice nadspodziewanie szybko przeszły nudności. – Dałabym sobie włożyć drugie dziecko w brzuch – syczała – że to ty nałożyłaś Mikołajowi embargo, a nie on tobie.

– Nie wiem, do czego zmierzasz, ale mnie też będzie niedobrze, i to już całkiem niedługo, jak dostanę opeer od mojego dyrektora za spóźnienie. Muszę już naprawdę wyjeżdżać.

– Pozwól, że powiem ci jeszcze tylko jedno zdanie. Uważam, że najwyższy czas, żebyś dopuściła do siebie Mikołaja. Przecież na dłuższą metę facet nie może z tobą tego robić tylko oczami.

– Zamykaj drzwi, bo wyjeżdżam!

– Masz tu gdzieś blisko spożywczy? Zachciało mi się jogurtu jagodowego. On tak ładnie pachnie walerianą. – Dominika wyszła z garażu i skierowała się do swojego zaparkowanego na ulicy samochodu.

– Jeżeli nie chcesz wylądować w Tworkach, to jedź najpierw do domu i się przebierz, bo w tym stroju nie wyglądasz całkiem normalnie – przekrzykiwała hałas samochodu.

– No coś ty!? – odkrzyknęła jej Dominika. – Raz się ubrałaś w coś ładnego i od razu się mądrujesz.

– Cześć! – nie miała zamiaru reagować na zaczepkę. – Miłego dnia, mamuśko!

– Miłego dnia, ciotko klotko! A embargo znieś dla własnego zdrowia psychicznego. – Zadowolona z siebie Dominika głośno trzasnęła drzwiami swojego samochodu.

– *Festina lente!* – krzyknęła, ale chyba spóźniła się z dobrą radą, bo słyszała już pisk opon samochodu.

Dominika nie potrafiła jeździć spokojnie. Dominika niczego nie potrafiła robić spokojnie. Hanka zamknęła bramę garażową i wyjeżdżając z podjazdu, automatycznie popatrzyła w górne lusterko, chociaż jej uliczka nie należała do ruchliwych. Oniemiała. Milimetry od swego tylnego zderzaka dostrzegła ognistą czerwień samochodu Dominiki, która miała hopla na punkcie szybkiej jazdy na wstecznym. Przy nagłym hamowaniu o mało nie wybiła sobie zębów na kierownicy. Nie wytrzymała. Zdenerwowana, wysiadła, trzaskając drzwiami.

– Co ty wyrabiasz? – wydarła się tak, że po ulicy przebiegło echo jej wkurzonego głosu.

– Oj, przepraszam – niewinnie zatrzepotała rzęsami Dominika. – Ale przez to wszystko na śmierć bym zapomniała. Bądź dziś o wpół do piątej w pracowni chłopaków.

– Nie mogę! Po pracy jadę do Aldonki.

– A urodziny? – zapytała Dominika trochę nieprzytomnie.

– Dominika! Jeżeli masz zamiar teraz udawać, że mówiłaś mi o tym wcześniej, to mnie zaraz coś trafi! Jakie urodziny!?

– Dałabym głowę, że ci mówiłam. Ale kłótnia nie leży w mojej naturze, więc informuję cię, że Mikołaj ma dzisiaj urodziny, i pomyśleliśmy sobie z Przemkiem...

– Mikołaj ma dzisiaj urodziny? – przerwała Dominice.

– Tak. A co się tak dziwisz?

– Dlaczego mi wcześniej nie powiedziałaś? Przecież muszę kupić jakiś prezent.

– Nic nie musisz. Wystarczy, że przyjedziesz. Przypominam, o wpół do piątej. Tylko się nie spóźnij! Pa!

– Pa! – odpowiedziała zdrętwiałym głosem.

Przez chwilę patrzyła na oddalający się szybko samochód Dominiki. Powróciło do niej poranne zmęczenie, dlatego powlokła się w stronę swojego samochodu. Znów usłyszała pisk opon. Najprawdopodobniej Dominika wchodziła w zakręt. Urodziny Mikołaja. Myślała o nich, jakby były faktem, który przydarzał się jednemu człowiekowi na milion. Znów miała problem. Nie wiedziała, jaki powinna dać mu prezent. Ruszając samochodem, tym razem nieinstynktownie zerknęła w lusterko, na wypadek gdyby Dominice kolejny raz przypomniało się coś ważnego, czym chciałaby się z nią natychmiast podzielić. Dzięki Bogu, jej mała uliczka była pusta. Wiosenna, świeża zieleń w otaczających ją ogrodach wpływała uspokajająco na jej rozbiegane myśli. Nagle doznała olśnienia. Już wiedziała, co powinna mu sprezentować. Poczuła ekscytację naukowca, który dokonał przełomowego odkrycia w badanej dziedzinie. Z uśmiechem odpowiedziała na skinienie głowy listonosza, który przypomniał jej o liście napisanym do Mikołaja. Miała już pewność. Da mu książkę. Tę jedyną, między której kartki włoży swój list. Tak będzie dobrze. Może będzie dobrze? Nie, może! Tak będzie na pewno dobrze! To jej ulubiona książka. Zawiera tyle mądrych zdań tworzących inną miłość, inną historię. Ale to między innymi dzięki tym zdaniom zmagała się codziennie ze swoją historią. Ilekroć czytała ostatni akt dramatu, tylekroć przekonywała siebie samą, że musi żyć, bo beznadziejna śmierć może zdarzyć się w życiu, ale ciężkim grzechem jest o nią prosić nawet wtedy, gdy wydaje się jedynym wyjściem z sytuacji. Wyjść jest zwykle więcej. Znała doskonale każdy wers. Nie na pamięć, ale doskonale. Z pewnością każdy zakonnik tak zna brewiarz. *Romeo i Julia* był to jej prywatny modlitewnik. Zawsze w torebce. Zawsze na wyciągnięcie ręki. Przecież potrzeba przeczytania czegoś przenoszącego do innej rzeczywistości mogła pojawić się w każdej chwili. Wiedziała już, że zaznaczy dla niego jeden fragment. Dokładnie wiedziała który. Miała nadzieję, że Mikołaj ją zrozumie. Mówiła do niego słowami napisanymi w liście. Chciała mu też coś przekazać za pomocą wersów zaznaczonych w książce. Może nie zauważy delikatnego podkreślenia od razu, natychmiast. Jednak gdy je odnajdzie i przeczyta znajdujące się nad nim słowa, domyśli się, jakiego uczucia z jego strony bała się najbardziej.

Prawie pomarańczowe... Czerwone. Zatrzymała się przed światłami przy dworcu. Dokładnie w tym miejscu, w którym dawno, a może całkiem niedawno, zabrakło jej benzyny. Pogoda była piękna. Zaczynał się kwiecień, a na ulice gromadnie wyległy lipcowe kobiety w letnich kolorowych sukienkach śmiało wyglądających spod wiosennych płaszczyków. Z dumą zerknęła na własną bluzkę. Nie była ona, co prawda, ani odważną, ani wzorzystą sukienką, ale jej kolor nastrajał optymistycznie. Poza tym w jej wypadku był wszakże wielką, kolorystyczną ekstrawagancją. Nawet jeden z uczniów przemycił komplement dotyczący jej dzisiejszego wyglądu. Jednak najbardziej ucieszyła ją reakcja Aldonki. Dzięki niej uwierzyła, że przyjaciółka czuła się coraz lepiej. „Cóż to za dama do mnie spieszy, której szata oko me cieszy?" Jak zwykle odtwarzała w pamięci jej słowa i przypominała sobie jej wesoły uśmiech. Zdrowy uśmiech. Była o nią dużo spokojniejsza. Zwłaszcza że udało jej się dziś, przez dosłownie chwilkę, porozmawiać z lekarzem prowadzącym. Na momencik zamieniła się w siostrzenicę Aldonki. Przyszło jej to zadziwiająco łatwo. Dowiedziała się, że Aldonce nic nie grozi, a zestaw leków mających regularnie dyscyplinować jej serce jest nad wyraz skuteczny. Nawet nie miała wyrzutów sumienia, że musiała wyjść ze szpitala. Zostawiała Aldonkę pod opieką wciąż bardzo przejętego pana dyrektora. Zielone. Ruszyła, zerkając na pięknie zapakowaną książkę leżącą na siedzeniu obok. Była głodna. Cały dzień goniła w piętkę. Praca, w której wyjątkowo nie mogła się skupić, zmęczyła ją jak chyba nigdy dotychczas. Po wyjściu z niej wszystko działo się szybko, coraz szybciej. Szpital, księgarnia. Piękne wydanie *Romea i Julii*. Długo i z biciem serca zastanawiała się, czy zaznaczać słowa mające podpowiedzieć Mikołajowi, jak powinien przyjąć jej list i zawartą w nim prawdę. Pomimo pośpiechu odbyła medytację nad otwartym egzemplarzem w księgarni, budząc szczere zainteresowanie obsługi sklepu. Do teraz nie wiedziała, czy dobrze zrobiła, zaznaczając w nim słowa. Bardzo chciała, żeby zrozumiał... Odgłos klaksonu wyrwał ją z rozmyślań, na które zatłoczone centrum miasta nie było najlepszym miejscem. Jakiś mężczyzna jadący za nią denerwował się, że nie jechała w tempie przez niego pożądanym. Przyspieszyła, tak jak sobie tego życzył. Może też spieszył się na ważne spotkanie. Serce biło jej jak oszalałe. Obawiała się tego spotkania, jednocześnie nie mogąc się go doczekać. Pod kolorowym papierem i sztywną okładką książki, między kartkami z kredowego papieru tkwiła zwykła kartka, której linie wypełniały słowa. Każde z nich było skierowane tylko do niego. Zaparkowała. Delikatnie, żeby nie pognieść papieru, wzięła do ręki dwie historie. Jedna z nich miała swe źródło w głowie Szekspira, a druga? Tego wciąż nie wiedziała. Może rzeczywiście, tak jak mówiła pani Irenka, była częścią boskiego planu. Nie miała siły, żeby się teraz nad tym zastanawiać. Nie chciała się nad tym zastanawiać. Już nigdy. Była spóźniona. Niedużo. Jakiś kwadrans. Weszła do dobrze znanego zielonego holu i najpiękniej, jak umiała, ukłoniła się również znanej skądinąd recepcjonistce. Zobaczyła go od razu. Wokół nie było nikogo. Nie dostrzegała nikogo. Za szklaną ścianą był tylko on, otoczony błękitem koszuli i dokumentną pustką. Stał odwrócony do niej tyłem. Z kimś rozmawiał, ale nie chciała widzieć w tej chwili nikogo oprócz niego. Mogłaby tak przestać życie, patrząc. Poczuła się jak na plaży. Zamknęła oczy. Nie słyszała szumu fal, nie czuła na skórze delikatnego muskania wiatru, nie otulał jej zewsząd ciepły i radosny pomarańcz. Wszystko było inaczej, ona jednak poczuła się, jakby znalazła się na plaży. Stojąc, siedziała na ciepłym piasku. Otworzyła oczy. Podeszła bliżej. Oddzielała ją od niego tylko cienka, przezroczysta powierzchnia. Zrobiła jeszcze jeden niepewny krok do przodu. Miała nogi jak z waty. Zauważyła, że rozmawiał z Dominiką, która dostrzegłszy ją, roześmiała się i wskazała na nią palcem. Odwrócił się. Popatrzył, uśmiechnął i w tym jednym momencie usłyszała szum, poczuła wiatr, zobaczyła pomarańcz. Otworzyła drzwi.

– Dzień dobry – szepnęła i zastygła bez ruchu. Nie mogła zrobić kroku.

Podszedł do niej i przytulił ją do siebie tak mocno, jakby to było pożegnanie. Nie musiał nic mówić.

– Rozumiem, że to już koniec imprezy! – skwitowała Dominika. – Najlepszy prezent przyszedł o własnych nogach, więc cała reszta się nie liczy!

– Chodź tu do mnie, zazdrośnico. Daj im chwilę spokoju – usłyszała głos Przemka i błogosławiła go w myślach. – Będziemy na was czekać na dole.

Znów mogła skupić się tylko na ramionach Mikołaja, które obejmowały ją wszędzie. W talii, wyżej, niżej, wszędzie. Czuła jego zapach, słyszała serce. Szybki, szybki, szybki. Kardiologiczna formuła jeden. Było jej cudownie. Dominika miała rację. Embargo było karą nie tylko dla niego. Było karą dla nich obojga.

– Cześć! – szepnął jej w końcu wprost do ucha.

– Cześć! – jej wzruszone przywitanie ukryło się w kieszeni jego koszuli. – Wszystkiego najlepszego – dodała po chwili.

– Lepiej już chyba być nie może – znów szepnął.

– Może – powiedziała głośno i odważnie spojrzała mu w oczy.

– Nie wierzę... – patrzył na nią zdziwiony.

– Nigdy nie jest tak dobrze, żeby nie mogło być lepiej. Nie słyszałeś o tym? – Nie miała pojęcia, co się z nią stało. Skąd brała się w niej taka odwaga. Poczuła się z siebie dumna. Musiała przestać się bać.

– Nie mogę uwierzyć, że tu jesteś. – Rzeczywiście patrzył na nią jak na ducha.

– Jeżeli chcesz, mogę cię uszczypnąć – uśmiechnęła się i podała mu pomarańczowo-złoty prezent. – To dla ciebie.

– A mogę liczyć na mały dodatek do prezentu? – przyglądał się cegiełce przewiązanej szeroką złotą wstęgą.

– To zależy, co masz na myśli – uśmiechnęła się zalotnie.
– Obiecaj, że się zgodzisz.
– Mam obiecać? Tak w ciemno? – Pomimo odkrytej w sobie odwagi przeraziła się, ponieważ popatrzył na nią wcale niedwuznacznie, uśmiechał się wcale niezagadkowo, po czym zupełnie jednoznacznie i zdecydowanie zaczął rozwiązywać złotą szarfę.
– Możesz... – chwyciła go za rękę. Popatrzył na nią pytająco. – Możesz odpakować to później. To znaczy, jak będziesz sam.
– Dlaczego? – podejrzliwie zmarszczył brwi.
– Ponieważ cię proszę – mówiąc to, pogładziła go po ręce nadzwyczaj sprawnie radzącej sobie z taśmą klejącą łączącą rozcięcia pomarańczowego papieru.
– W takim razie musisz odwrócić czymś moją uwagę.
Uwielbiała te jego żartobliwe przekomarzanki. Przypominały jej o tym, jaką wesołą i niefrasobliwą dziewczyną była kiedyś.
– Dobrze – zgodziła się. – Ale zamknij oczy – była bardzo poważna.
Posłuchał, ale nie od razu. Nie było łatwo. Musiała wspiąć się na palce, mimo że obcasy butów, które miała na sobie, były wielkimi, a raczej wysokimi sprzymierzeńcami jej nowo urodzonego pomysłu. – Tylko się nie ruszaj – celowo dodała chwili dramaturgii. Po czym pocałowała go najpierw w jeden, a następnie w drugi policzek. Rozluźniła napięte mięśnie i znów poczuła ziemię pod stopami. Otworzył oczy i się uśmiechnął.
– To teraz pozwól, że rozpakuję prezent do końca.
– A nasza umowa? – zapytała, udając rozczarowanie.
– Przykro mi – powiedział bardzo poważnie. – Niestety, nie udało ci się odwrócić mojej uwagi.
– O! Kochany! – pokręciła głową. – Chyba za dużo ode mnie oczekujesz.
– Ja tak wcale nie uważam. Chcę tylko, żebyś mi coś obiecała. Obiecujesz?
Przez chwilę miała wrażenie, że Mikołaj odbył szybki kurs postępowania z nią, którego główną instruktorką i trenerką była Dominika.
– Niech stracę. Obiecuję.
Uśmiechnął się zwycięsko i pocałował ją w czoło. W końcu był zadowolony.

– Chodźmy już, bo Dominika na pewno chciała już po nas przyjść co najmniej dziesięć razy. – Zdjął z wieszaka kurtkę, włożył ją szybko, chwycił Hankę za rękę i pociągnął za sobą.

Była oszołomiona jego bliskością. Miał na nią ogromny wpływ. Z pewnością dlatego znów mu coś obiecała. Gdy przechodzili obok recepcji, Mikołaj zatrzymał się na chwilę i wydał oniemiałej recepcjonistce kilka służbowych poleceń, po czym sugestywnie życzył jej również udanego wieczoru. Nie musiała na nią nawet patrzeć, żeby upewnić się, czy była wściekła, ponieważ atmosfera w holu zrobiła się, ujmując to delikatnie, przygęstawa. Mikołaj szedł bardzo szybko. Starając się dotrzymać mu kroku, drobiła za nim małymi kroczkami. Gdy znaleźli się na schodach, poza zasięgiem czyjegokolwiek wzroku, wyprzedził ją. Zatrzymał się na schodku niżej.

– Zgadnij, co mi obiecałaś? – zapytał poważnie.

– Nie mam zielonego pojęcia – odpowiedziała lekko zdyszana.

– Wszystko! – odpowiedział i nie pozwolił jej zadać żadnego pytania.

Przyciągnął ją do siebie. Był sprytniejszy, niż myślała. Schodek, na którym stała, doskonale uzupełniał różnicę wzrostu między nimi. Przez chwilę patrzył na nią, nic nie mówiąc, i w końcu zrobił to, na co czekała tyle czasu. Zaczął całować ją tak zachłannie, że zabrakło jej tchu. Schody dodawały jej centymetrów, a półmrok odwagi, dlatego pierwszy raz oddawała mu pocałunek bez zahamowań. Nareszcie mogła dać upust skrywanej przed sobą tęsknocie. Jej reakcja ośmieliła go jeszcze bardziej. Gdyby mógł, to... Nagle panujący wokół nich mrok rozjaśniło światło będące optycznym następstwem głośnego otwarcia drzwi zewnętrznych. Oderwał się od niej powoli, niespiesznie, niechętnie, subtelnie...

– Nie mogę! – usłyszała głos Dominiki, w którym ironia mieszała się z niedowierzaniem. – Lerska! Ta sztywna belferka migdali się na schodach jak własna uczennica. No! No! No! Co za czasy?! – kręciła znacząco głową Dominika, podczas gdy oni zaczęli pomału schodzić po schodach.

Ściskał jej rękę. Uwiesiła się na jego ramieniu, bo nie mogła zapanować nad przyspieszonym oddechem i zawrotami głowy.

– Masz na nią dobry wpływ! – rzuciła Dominika w stronę Mikołaja, gdy znaleźli się przed budynkiem, a on popatrzył na nią tak, że poczuła, jak się czerwieni.

Dominika znów miała rację. Przed momentem Hanka czuła się jak własna uczennica, a Mikołaj miał na nią nie tylko dobry, ale przede wszystkim magnetyzujący wpływ. Dotykał jej ręki, a ona znów była maturzystką. Przyszłość stała przed nią otworem. Miłość była piękna i nieskomplikowana, a świecące na nich wiosennymi promieniami słońce sprawiało, że chciało jej się żyć. To była dla niej nowość. Nie żadna powtórka, tylko nowość. Jeszcze tak niedawno bała się wszystkiego, bała się życia. Dziś poczuła, że jest inaczej. Bliskość Mikołaja i ciepło jego ręki minimalizowały głęboko zakorzeniony w niej strach. Teraz bała się tylko jednego. Bała się, że gdy straci go z oczu chociaż na chwilę, wróci wszystko, co ją przeraża. Była naznaczona zdarzeniami ostatecznymi, których nie da się przewidzieć, cofnąć, uniknąć, a w końcu zrozumieć.

– A ty co, ogłuchłaś!? – Dominika wyrwała ją z ciężkiego i niełatwego zamyślenia. – Słuchasz, co do ciebie mówię!?

– Oczywiście, że słucham – uśmiechnęła się do przyjaciółki.

– To powtórz, co powiedziałam!

Miała za swoje. Poczuła się jak na własnej lekcji. Tylko role się odwróciły. Nieoczekiwanie wyrwana do odpowiedzi, przewróciła oczami i tonem ćwierćinteligentnego lizusa poprosiła Dominikę o powtórzenie tego, co właśnie wypowiedziała.

– Skup się! – prychnęła Dominika. – Jedziemy teraz na kolację. Twoim samochodem, bo ty i tak nigdy nie pijesz. Zarezerwowałam stolik w naszej ulubionej knajpie, ale jak dłużej tu postoimy, to na pewno ktoś nam go sprzątnie sprzed nosa. Co się tak na mnie patrzysz, jakbym miała czujki na głowie? Chyba mówię wyraźnie? Nie wiem jak wy – w końcu Dominika zwróciła się do wszystkich – ale ja zaraz umrę z głodu.

– Ja też – przyznał się Mikołaj. – A skoro obiecałaś mi wszystko, to zaczniemy może od tego, że na początek pozwolisz mi poprowadzić swój samochód.

Bez słowa sięgnęła do torebki i podała mu kluczyki. Zapinając torebkę, napotkała spojrzenie Przemka. Była ciekawa, czy wie już o dziecku. Uśmiechnął się do niej, przechwytując jej zamyślone spojrzenie. Wsiadała do samochodu, mając prawie pewność, że jeszcze o niczym nie wiedział. Mikołaj też jeszcze nie wiedział, ale już niedługo. Wszystko w swoim czasie.

– Mikołaj, no jedź! Przestań się wgapiać w Hankę, tylko jedź, bo mnie zaraz coś trafi.

Pomyślała, że Dominika marudzi jak baba w ciąży. Zresztą ona zawsze marudziła, a zwłaszcza wtedy gdy chciało jej się jeść. Jej się teraz nic nie chciało. Miała wszystko. Siedziała w swoim samochodzie, co prawda, na fotelu pasażera. Nie znosiła tego, ale w tej chwili wyjątkowo jej to nie przeszkadzało. Ukradkiem spoglądała na piękne dłonie Mikołaja obejmujące jej osobistą kierownicę. Nie musiała długo czekać, aby jej zablokowana do niedawna wyobraźnia posadziła na tylnym siedzeniu dwójkę dzieci. Znów miała rodzinę. Mikołaj pewnie prowadził samochód, dzieci przekomarzały się radośnie, a ona była w pełni świadoma tego, że to, o czym teraz myśli, było jej jedynym marzeniem. Pierwszym od bardzo długiego czasu. To, co dla innych ludzi było normą, w której tkwili, bo tak się właśnie ułożyło ich życie, dla niej było czymś nieosiągalnym. Prawie wszyscy wokół niej zrobili w swoim życiu wszystko na czas. Nic im nie przeszkodziło. A ona przecież lubiła być zawsze na czas. Bardzo ceniła sobie punktualność, nie lubiła się spóźniać. Wczorajszego wieczoru właśnie przed tym chciała uchronić ją Aldonka, opowiadając swoją historię. Mikołaj zatrzymał samochód. Musieli poczekać na zielone światło. Pogładził ją po ręce. Ten prosty i niewymuszony gest pozwolił jej zrozumieć, że tylko podążanie za marzeniem mogło wyrwać ją z przeszłości. Zawsze w życiu skupiała się na planowaniu. Po wszystkim, co ją spotkało, nie potrafiła już tego robić, bo bała się życia. Nosiła w sobie ogromny strach przed życiem. Nie musiała go nawet pielęgnować, bo sam dbał o siebie, najlepiej jak potrafił. Trafił na dobry grunt. Dopiero dzięki Mikołajowi coś w niej drgnęło. Nie mogła na razie powiedzieć, że coś się zmieniło. Ale było inaczej niż dotychczas. Miała marzenie. W końcu miała marzenie. Przecież człowiekowi można zabrać wszystko oprócz marzeń. Obiecała mu dziś wszystko. Może całkiem nieopatrznie? A może zupełnie świadomie?

Ale czy to wszystko
Dziejąc się w nocy, nie jest marą tylko?
Coś tak lubego może być prawdziwe?

Zatrzymał samochód.

– Jesteśmy! – patrzył na nią z uśmiechem. Zabójczym.

Spoglądała na niego, bojąc się i ciesząc jednocześnie. To uczucie nie opuszczało jej, odkąd go dziś zobaczyła. Dzięki każdemu jego spojrzeniu czuła, co się święci. Kolacja była cudowna. Była tak zaaferowana jego obecnością i bliskością, że nie czuła smaku potraw. Dominika mówiła bez przerwy, tym samym zwalniając wszystkich z obowiązku dialogowania przy wspólnie spożywanym posiłku. Siedzieli tak blisko siebie, że słyszała każdy jego oddech. Zresztą podobnie jak teraz.

– Mieliśmy przecież jechać do mnie... – powiedziała naiwnie, jakby nie rozumiejąc tego, co się właśnie działo.

– Ale ja też mam herbatę. I mam szarlotkę mojej mamy. Zawsze mi ją piecze na urodziny. I powiem ci w sekrecie, że jest prawie taka dobra jak twoja – nęcił, i to w dodatku bardzo skutecznie.

– To chyba nie wypada mi odmówić – powiedziała niepewnie i wysiadła z samochodu.

Potrzebowała powietrza. Przeszła szybko w kierunku bagażnika i czekała. Gdyby nie miękkie w kolanach nogi, może by uciekła, ale przecież nie chciała uciekać. Dobrze, że do niej podszedł, bo działo się z nią coś dziwnego i nie mogła nad tym zupełnie zapanować. Objął ją bez słowa, chciał pocałować, ale dwie małe dziewczynki siedzące nieopodal na huśtawce zaczęły dziewczęcym zwyczajem chichrać się i pokazywać ich palcem.

– Chodźmy stąd! Szybko! – Chwycił ją za rękę i delikatnie pociągnął, jednak mu się nie poddała. Wyciągnęła w jego kierunku otwartą dłoń.

– Czy mogę poprosić o moje kluczyki?

– A co za nie dostanę? – droczył się z nią uroczo.

– A co chciałbyś? – nie pozostawała mu dłużna. Choć wyraźnie czuła, że za chwilę znajdzie się w sytuacji, z której nie będzie odwrotu. Była ćmą przy gorącym i jasnym płomieniu. Jego wzrok przeraził ją do tego stopnia, że postanowiła trochę usztywnić rozpasaną atmosferę. – Muszę poszukać telefonu. Mam go chyba w szkolnej torbie.

Wyręczył ją i szybko otworzył bagażnik. Zerknął do niego i przeciągle zagwizdał.

– Dawno nie widziałem takiego porządku. – Rzeczywiście jej pedantyczna natura przypominała o sobie doskonałym zorganizowaniem bardzo dużej przestrzeni bagażnika. Znicze w pudełeczku. Obok plastikowy koszyk na drobne zakupy. Kolorowy karton, w którym jak co dzień piętrzyły się zeszyty uczniów. – To wszystko do sprawdzenia? – zapytał zdziwiony.

– Niestety, ale na szczęście mamy dziś piątek. Czyli mam dwa dni na sprawdzanie – odpowiedziała, odpinając zamek dużej torby, w której zawsze nosiła prace pisemne uczniów i książki, z jakich miała zamiar korzystać podczas lekcji. Dziś, jak zwykle, na wierzchu leżał starannie złożony granatowy szalik. Chciała szybko zamknąć suwak, ale Mikołaj był szybszy.

– Pokaż, pokaż... – wyciągnął rękę w kierunku jej ulubionego granatu. Nie miała szans na opór. Musiała się poddać. Wyciągnął szalik z torby i spoglądał to na nią, to na prezent, który proces darowania przeszedł już dwa razy w swoim wydzierganym na drutach życiu. – Rozumiem – patrzył na nią z uśmiechem – że wozisz z sobą wełniany zimowy szalik na wypadek pogorszenia się pogody.

– Dobrze rozumiesz – kiwnęła głową i zaglądała do odpiętej torby. Wyciągnęła z niej telefon i włożyła do małej, przewieszonej przez ramię torebeczki. Jakby nigdy nic wzięła szalik z rąk Mikołaja.

– Pozwól, że się ubiorę, bo nagle zrobiło mi się chłodno. – Powoli owinęła szyję szalikiem, tak jakby był jedwabną apaszką, i nie zważając na panującą temperaturę, oscylującą tego dnia wokół piętnastu stopni Celsjusza mimo zbliżającego się wieczoru. Patrzyła na Mikołaja, zacieśniając artystyczny węzeł.

– Chodźmy już – powiedział, po czym tak szybko zmienił zdanie, że nie zdążyła zrobić ani kroku. – Prezent! – Znów otworzył samochód i wyjął leżący na tylnej półce misternie zapakowany dar jej pisemnej szczerości.

Zamknął samochód i demonstracyjnie wrzucił kluczyki do kieszeni jej płaszcza. Wziął ją za rękę i pociągnął za sobą w kierunku drzwi wejściowych czteropiętrowego, niezbyt dużego domu. Idąc, zauważyła, że na drugim piętrze otworzyło się okno. Zobaczyła w nim młodą kobietę z maleńkim dzieckiem spoczywającym na jej przykrytym pieluszką ramieniu.

– Karolina, do domu! – krzyknęła głośno kobieta i uśmiechnęła się sympatycznie na ich widok.

– Wnieść? – zapytał Mikołaj, kłaniając się.

Kobieta skinęła głową i znów przybrała surowy wyraz twarzy.

– Kaaarooolinaaa! Słyszysz, co mówię?! Chodź już! Bo nie pozwolę ci oglądać Smerfów!

Słysząc wrzask kobiety, wchodziła do otwartych przez Mikołaja drzwi i uśmiechała się, wspominając czasy, w których zazdrościła koleżankom z podstawówki mieszkającym w blokach. Podczas gdy one godzinami wyczyniały podniebne akrobacje na trzepaku w hałasie śmiechów, ona mogła jedynie samotnie bujać się na kolorowej huśtawce doskonale wkomponowanej w ogrodową aranżację z rododendronów i azalii.

– Z czego się śmiejesz? – zapytał Mikołaj i podniósł pomarańczowo-granatowy wózek, który zamierzał wnieść na górę.

Szła przed nim.

– Przypominałam sobie czasy, kiedy nie znałam jeszcze Dominiki. Spędzałam samotnie czas, bawiąc się w ogrodzie i marząc o koleżankach bawiących się obok mnie na zakurzonym osiedlowym trzepaku.

– Jesteś niesamowita...

Mikołaj postawił wózek na dość dużej klatce schodowej i skierował swoje kroki do jasnych drzwi znajdujących się po przeciwnej stronie korytarza. Otworzył je szybko i nic nie mówiąc, prostym gestem zaprosił ją do środka. Zrobił to z uśmiechniętymi oczami. Weszła i oniemiała. Znalazła się w przestronnym, jasnym pomieszczeniu, którego cała ściana naprzeciw drzwi była ze szkła, a za nią rozpościerał się zapierający dech w piersiach widok na Wisłę. Zaczynało się ściemniać, ale widziała, że zieleń otaczająca rzekę była przecudna. Patrzyła na zielone płuca Warszawy, nie czując nawet, że bezwiednie wplata palce w cieniutki pasek zwisającej z ramienia torebki.

Mikołaj cicho zamknął drzwi i stanął za nią. Bardzo blisko. Objął ją w talii i stali bez ruchu. Patrzyła na najpiękniejsze według niej kolory. Widziała zieleń we wszystkich możliwych odcieniach. Szarość nieba żegnającego pozostałości po słońcu. Ciemny antracyt rzeki był prawie niewidoczny. Wyglądał tylko gdzieniegdzie wśród konarów drzew rodzących młodziutkie liście.

– Ale masz tu pięknie – szepnęła zachwycona, a on zaczął powoli rozplątywać granatowy szalik ściśle przylegający do jej szyi.

– Tak pięknie nie było tu jeszcze nigdy – szepnął.

Wyswobodził ją z szalika. Widziała, jak ulubiony granat opadał na podłogę. Wszystko wokół niej działo się jakby w zwolnionym tempie. Obok szalika znalazła się też upuszczona przez nią torebka, której zawartość rozsypała się u ich stóp. Jednak żadne z nich nie zwróciło na to uwagi. Wszystko działo się bardzo powoli. Mogła się jeszcze wycofać. Zatrzymać ma chwilę. Mikołaj całował jej szyję. Odwrócił ją powoli. Już widziała jego pytające oczy. Nie mogła wydusić z siebie słowa. Zamknęła oczy. Poczuła na sobie jego ciepłe, wilgotne i delikatne usta. Nie pozwolił jej jednak zbyt długo delektować się ich smakiem, bo już wędrowały w dół. Czuła je już na szyi. Zamykał ją w potrzasku swoich ramion. Jego dłonie znalazły się pod jej bluzką, która nie stanowiła żadnej ochrony dla jej wyczulonego do granic wytrzymałości ciała. Jedna z jego dłoni zastraszająco dobrze zaczęła radzić sobie z odpinaniem maleńkich guzików bluzki, podczas gdy druga... Hanka nie mogła złapać tchu.

– Mikołaj... – zdołała szepnąć zdrętwiałym głosem, którego nie rozpoznała.

Na nic więcej nie było jej stać. Żadnych słów. Musiał ją jednak usłyszeć, bo nagle przestał. Miała odpiętą bluzkę, a on jednak przestał. Ujął jej twarz w dłonie identycznie jak kiedyś przy betonowej ścianie Złotych Tarasów. Wtedy miała zamknięte oczy. Dziś patrzyła na niego przerażonym wzrokiem. Wszystko działo się szybko, ale nie potrafiła ocenić, czy za szybko. Patrzył na nią błyszczącymi oczami. Słyszała jego płytki, urywany oddech.

– Jeżeli nie chcesz – zaczął niepewnie – to powiedz, a przestanę i... – zawiesił głos.

Patrzył na nią takim wzrokiem, że czuła, iż nie może się teraz wycofać. Nie mogła stchórzyć. Chciała tego. Pragnęła go. Może nawet bardziej niż on jej. Od dawna. Ale do dziś, do teraz, odsuwała od siebie tę myśl. Mamiła innymi. Udawała. Patrzyła mu w oczy i świadoma tego, co robi, poruszyła spoczywającymi na jego koszuli rękoma. Odbijała się w jego oczach, a pod palcami wyczuwała guziki błękitnej koszuli. Ukryła rozum i wszystkie dotychczasowe obawy pod tęsknotą i obudzonym w tej chwili pożądaniem. Chciała, żeby ją kochał. Chciała zobaczyć, jak błękit jego oczu zamienia się w granat. Pragnęła zobaczyć nad sobą granat za mgłą. Dlatego nie uciekła wzrokiem i zaczęła niezbyt sprawnie odpinać małe białe guziki. Pierwszy, drugi też. Z trzecim poszło dużo łatwiej. Mikołaj tylko patrzył. Była pewna, że nie wierzy w to, co się dzieje. Czwarty, piąty. Już dotykała jego skóry...

– Nie wierzę... – szepnął, a jego dłonie z jej gorących policzków dosłownie spłynęły na ramiona, które nagle zmieniły kolor. Nie pokrywało ich już chłodne, atłasowe indygo, tylko ciepła, spragniona pocałunków skóra. Indygo przykryło rozsypane na podłodze drobiazgi. – Chodź do mnie – szepnął, po czym sprawnym i zdecydowanym ruchem wziął ją na ręce.

Nie potrafiła niczego, co się właśnie działo, racjonalnie ocenić. Wszystko się dopiero zaczynało, a ona już się zatraciła. Jego ciepło, zapach, bliskość dodawały jej sił na przeżycie tego, co miało się właśnie urzeczywistnić. Już była w jego łóżku. Ułożył ją w nim tak delikatnie, jakby była aniołkiem z masy solnej. Świeżo ulepionym aniołkiem. Leżała i jednocześnie frunęła, wciąż widząc go nad sobą. W sypialni panował półmrok. Nie chciała zamykać oczu, chciała go widzieć, patrzeć, ale gdy tylko jej dotykał, oczy zamykały się jej jakby automatycznie. Czuła na sobie ciepły dotyk, który sprawnie pozbawiał ją garderoby. Nie wiedziała, ile minęło czasu. Sekundy, minuty czy godziny? Może czas się zatrzymał? Nie, on się nie zatrzymał. Po prostu jej teraz nie obchodził. Oprócz Mikołaja nie było niczego. Nie było czasu ani przestrzeni. Był tylko on, błądzący po jej ciele. Nie potrafiła odróżnić dotyku jego ust i rąk. Nie czuła motyli w brzuchu. Było inaczej. Wszystkie motyle świata zleciały się w tej jednej chwili, by delikatnie drażnić skrzydłami jej przewrażliwioną skórę. Było jej tak dobrze, iż przestała wierzyć, że to, czego doświadcza, dzieje się naprawdę. Ogarnął ją strach przed obudzeniem, zwłaszcza że oddech Mikołaja stawał się coraz głośniejszy. Ale jej nie budził. Cudowny sen trwał. Nawet jeżeli miał się okazać tylko snem, niczym więcej, to zasługiwała na niego. Zasłużyli na niego oboje. Czekaniem na siebie. A jednak embargo się opłacało, miało swój sens. Było jej tak dobrze, że miała wrażenie, że to koniec, że już więcej nie jest w stanie wytrzymać i przeżyć. Może dlatego pomyślała o prawdzie. Przecież obiecała mu wszystko. Obiecała mu też prawdę.

– Mikołaj... – szepnęła. To nie był odpowiedni moment, ale chciała mu tylko napomknąć o liście. O niczym więcej, tylko o tej jednej zapisanej kartce. Była mu to winna.

Słysząc jej głos, przeniósł usta w jego kierunku. Jego oddech parzył jej twarz, a dotyk ciało.

– Powiedz tylko, czy chcesz.

Znów zgubiła jego usta. Chciała je zatrzymać, ale nie potrafiła. Były już daleko. Zdrętwiałymi od przedłużającej się i wciąż oczekiwanej rozkoszy ustami zdołała tylko zaprosić go do siebie jednym krótkim i cichym słowem.

– Proszę – wyszeptała.

Znów był przy niej. To był początek, a już dostrzegła mgłę w jego oczach. Nie potrafiła więcej wytrzymać. Musiała zamknąć oczy.

– Popatrz na mnie. Proszę.

Była posłuszna i otworzyła oczy. Zobaczyła nad sobą grafit głębokiego morza. Wystarczyła sekunda, żeby zapamiętała go na zawsze. Znów musiała zamknąć oczy. Morze się dla niej rozstąpiło, a ona nie potrafiła na nie spojrzeć, nie potrafiła otworzyć oczu. Słyszała falujący oddech Mikołaja przerywany mikrosekundami ciszy. Była otulona ciepłem jego ciała. Była jego wibrującym oddechem. Była nim. Zamknęła go w sobie. Jej skrywane dotąd pragnienia eksplodowały, niszcząc ją całkowicie. Ale Mikołaj wciąż tworzył ją od początku. Nie panowała nad sobą. Odprawiał nad nią takie czary, że przestawała oddychać. Nie czuła siebie. Zdematerializowała się, ale wiedziała, że za chwilę znów się odzyska. Dzięki niemu. Dawał jej życie i zabierał. Nie mogła już tak dłużej. Musiała odpocząć. Wrócić do życia. Musiała go wybłagać.

– Proszę – szepnęła, odzyskując na moment władzę nad umysłem. Ciało było nie do odzyskania. Straciła je, należało tylko do niego.

Tym razem posłuchał. Nie było już odwrotu. Ale nie chciała nigdzie wracać. Chciała z nim pozostać, na zawsze. Słyszała jego głos albo swój. Nieważne czyj. Może wspólny? Już nie musiała niczego wiedzieć. Nie teraz. Nie potrafiła już nic. Nie musiała już nic. Nie była sobą, stała się nim. Zaplątała się w niego uczuciami, zmysłami, wszystkimi doznaniami, nawet tymi, których nikt jeszcze nie nazwał i które nasłuchiwały teraz jego szeptu i jej oddechu układających się w muzykę. Mikołaj nie tylko się z nią kochał. On z nią tańczył. Tak, właśnie tak! Tańczyli! Wtuleni w siebie tak, że bardziej już nie można. Szybki, szybki, wolny... Znów wydawało jej się, że zaczęła żyć w zwolnionym tempie. Nad jej głową kołowały miliony świetlików. Nie, to nie były one. To był Mikołaj dyktujący muzyczne tempo z dyrygencką dokładnością i perfekcją. Gdzieś ją prowadził. Oczywiście nie wiedziała dokąd. Prowadził ją raz szybko, raz wolno. Robił z nią, co mu się tylko podobało, ale ufała mu, dlatego było jej tak dobrze. Była zniewolona. Wymknęła się tylko czasowi. Teraz Mikołaj odmierzał jej życie. Wolny, wolny, wolny...

– Kocham cię... – usłyszała swój spokojny głos w hałasie jego oddechu, który nieoczekiwanie stał się niczym niezakłóconą ciszą ich wspólnego doznania. Poczuła, że tkwi w pulsującym bezpieczeństwie pachnącym jego skórą... Stało się wszystko... Pachniała nim... Poczuła się bezpieczna... Nareszcie bezpieczna...

Jeszcze ranek nie tak bliski...
... chcąc żyć iść muszę...

Obudziła się, nie otwierając oczu. Była niespokojna. Panicznie bała się czegoś, choć słyszała obok siebie spokojny i miarowy oddech. Mikołaj tej nocy ubezwłasnowolnił ją bez reszty. Nic jej nie zostało. Cała była jego. Nawet jej cień należał do niego. Nie mogła uwierzyć w to, co się stało. Bała się poruszyć. Wciąż stanowili jedną całość zastygłą w gorącej, nocnej lawie. Czuła na sobie jego oddech. Ciepły, zimny, ciepły, zimny. Ciepło, zimno, gorąco. Lubiła tę zabawę. Jednak leżąc tak blisko Mikołaja, zdawała sobie sprawę, że dziś, może jutro, bo nie wiedziała, jaki jest dzień, będzie musiała stanąć oko w oko z życiem, które w jej wypadku niestety wcale nie zawierało wielu elementów zabawy. Musiała coś zrobić. Zareagować na narastający w sobie wciąż strach. Przede wszystkim musiała otworzyć oczy. Zrobiła to. Otaczająca ją ciemność ustępowała powoli dzięki pomocy smugi światła dziennego podglądającej ich przez lekko uchylone drzwi sypialni. W tym jasnym paśmie zobaczyła, że wschodzące słońce zaczynało budzić dzień. Chyba wiedziała już, czego się bała. Dnia? A może tylko ranka? Ranek nie budził w niej nadziei, budził w niej strach. Ranek po miłości... To on zabrał jej wszystkich. Nocą dostała wszystko, ale tuż po niej wydarzył się zachłanny ranek. Skradł jej wszystkich. Dziś musiała być mądrzejsza niż wtedy, gdy niczego nie była świadoma. Doznała spełnienia, zamknęła oczy i zasnęła. A przecież mogła zachować się całkiem inaczej. Nie mogła powtórzyć tamtego błędu. Dlatego teraz nie chciała spać. Nie potrafiła. Bała się snu. Chciała uciec przed wszystkim, co miało nastąpić. Chciała uciec przed morderczym dramatem poranka. W ciszy zakłócanej tylko oddechem Mikołaja nie słyszała swojego.

Nie była w stanie rejestrować niczego oprócz muzyki ich wspólnej nocy. Nie miała na to żadnego wpływu. Podobnie jak na to, że pomimo awanturujących się w niej obaw krew w jej żyłach nieprzerwanie pulsowała, nie mogąc się uspokoić. Usta parzyły. Miała wrażenie, że są spuchnięte. Jej skóra reagowała nadwrażliwością nawet na powietrze. Czuła się tak, jakby została poparzona jakąś bliżej nieokreśloną substancją chemiczną. Wszystko ją bolało. Był to jednak przyjemny ból, choć atakujący zewsząd. Jej mózg nieustannie przetwarzał wszystkie bodźce, których doznała podczas nocy spędzonej w ramionach Mikołaja. Gdyby mogła na tym skończyć... Jednak zatrzymany wczoraj czas dziś, chyba już dziś, znów gonił przed siebie. Zupełnie jakby się bał, że jakimś cudem może ominąć ją udręka poranka. Wiedziała, że z czasem nie wygra. Nikomu to się jeszcze nie udało. Ale tym razem była mądrzejsza. Wiedziała, że musi go przechytrzyć. Musiała oprócz niego przechytrzyć jeszcze los. Musiała uciec i przeczekać gdzieś godziny następujące po miłości. Znów poczuła dokładnie to samo co wtedy... Tamtego poranka... Czuła, że... Lepiej już być nie mogło. Teraz czuła się identycznie. To straszne... To, co przeżyła, wyraźnie kontrastowało z jej obecnym życiem. Dlatego spanikowała. Nie chciała nazywać tego uczucia, które mimo fobii akurat w niej goszczących chciało wziąć górę nad tu i nad teraz. Nie mogła na to pozwolić. Nie chciała nawet myśleć o uczuciu, za które już raz musiała wszystko oddać. Teraz miało być inaczej. Musiało być inaczej. Przecież można żyć bez pławienia się w echu tego słowa, od którego, o zgrozo, zaczynały się każde życzenia z byle okazji. Zdrowia!... Pomyślności! Musiała, jakimś cudem albo nadludzkim wysiłkiem, przywołać swoje myśli do porządku. Chciała zapanować chociaż nad nimi. Ciało wciąż, identycznie jak podczas nocy, było poza jej zasięgiem. Wyjęte spod jurysdykcji rozumu. Jednak żeby uciec przed tym, co czuła, a co paradoksalnie paraliżowało jej duszę, zamiast ją uskrzydlać, musiała wyplątać się z oblężenia ramion Mikołaja. Musiała to zrobić spokojnie i powoli. Nie chciała go zbudzić. Sen zapewniał mu bezpieczeństwo. Musiał spać we własnym łóżku. Musiał być bezpieczny. Wstrzymując oddech, zastygała co chwila w bezruchu, by za moment przez krótką chwilę, metodycznie, wyplątywać się z jego pachnącego i zmęczonego miłością ciała. Nagle poczuła, że kręci jej się w głowie. Z pewnością była to reakcja organizmu na nerwowe wstrzymywanie oddechu. Potrzebowała jeszcze tylko kilku chwil. Uspokajała samą siebie, tak jakby generowane mózgiem słowa mogły zastąpić tlen. Udało się. Odzyskała ciało. Usiadła na łóżku i oparła głowę na kolanach. Słabość zaczęła się oddalać. Szarość otaczającej ją przestrzeni znów stała się nieruchoma. Nic się już nie poruszało. Mogła wstać. Przy łóżku leżały części jej garderoby, które musiała pozbierać w absolutnej ciszy. Znów przestała oddychać. Podniosła koszulę Mikołaja i powiesiła na czarnej metalowej ramie dużego łóżka. Zerknęła na niego. Nieświadomy jej panicznej ucieczki, spał spokojnie. Bezpiecznie... Widziała zarys jego nagiego ciała, które tylko w małym fragmencie nakryte było cienką kołdrą. Patrzyła na niego z zachwytem. Na chwilę, pomimo braku czasu, zamieniła się w utalentowanego Fidiasza, czerpiącego przyjemność ze studiów nad doskonałymi proporcjami męskiego ciała. Mikołaj tej nocy dał jej wszystko... W niej, niestety, zaczynała się budzić obawa, czy aby potrafi przyjąć to z radością. Tak jak należało, tak jak na to zasługiwał. Nie była tego pewna. Odzywało się w niej emocjonalne kalectwo, z którym sobie nie radziła. W jej życiu znów pojawiła się miłość. Nie czekała na nią. Zresztą na nic już nie czekała. Nie wiedziała, co robić. Musiała uciec, żeby nie zobaczył jej w takim stanie. Musiała się pozbierać, przemyśleć wszystko w spokoju. Bała się jego mądrego spojrzenia, które mogło zdemaskować jej emocjonalne nieprzygotowanie do wszystkiego, czym chciał ją obdarować, czym ją już obdarował. Znów nie oddychała. Z pewnością dlatego ściany sypialni zaczęły układać się w niezbyt przyjemną wariację na temat ścian. Zaczęła oddychać, starając się, żeby jej oddech nakładał się na jego. Trudne zadanie. Mikołaj oddychał dużo wolniej. Zaczęła zbierać swoje rzeczy rozrzucone na drewnianej podłodze. Po krótkiej chwili miała już chyba wszystko. Na palcach przeszła z sypialni do jasności salonu, który nieznacznie i powolutku okręcał się wokół niej. Zobaczyła, że za ścianą-szybą padał drobniutki deszczyk. Podeszła w kierunku relaksującego ją dźwięku. Uchyliła coś na kształt drzwi balkonowych. Poczuła na skórze przyjemną, chłodną wilgoć i zamarła. Przeraziła się. Nie spodziewała się, że nieruchoma cisza za ścianą może nagle ożyć tak hałaśliwym śpiewem. Dźwiękonaśladowcze *Ptasie radio* jej ulubionego turpisty przy tym, co docierało w tej chwili do jej wyczulonych po nocy uszu, wydawało się jedynie nieśmiałym i niezbyt udanym murmurandem. Zamknęła okno przerażona, że ten rwetes ptasiego chóru obudzi Mikołaja. Czegoś takiego w życiu nie słyszała. Drzewa i krzewy okalające brzegi Wisły stanowiły centrum ptasiego świata, który najwidoczniej uwielbiał prowadzić nocne życie. A może za dnia był po prostu skutecznie zagłuszany odgłosami życia ludzkiego.

Zaczęła się ubierać. Nie mogła się teraz rozmieniać na drobne. Wsłuchała się w ciszę salonu. Musiała się uspokoić. Musiała uciekać. Podniosła z podłogi bluzkę. Szybko zapinała guziki, wypieszczone wczoraj palcami Mikołaja. Znów się nachyliła i pozbierała rozsypaną zawartość torebki. Widocznie wczoraj ją upuściła. Nie pamiętała tego. Jeszcze raz spojrzała na uciszoną przez siebie ścianę rozśpiewanej zieleni, która z pewnością w innej sytuacji umiałaby uspokoić jej rozedrgane emocje. Dziś nie. Cicho wyszła, trzymając w ręce płaszcz. Granatowym szalikiem otuliła drażliwą szyję. Delikatnie zamknęła za sobą drzwi mieszkania. Zaczęła schodzić po schodach. Nagle usłyszała płacz małego dziecka. Ten docierający do jej uszu dźwięk przeraził ją do tego stopnia, że znów przestała oddychać. Chciała przyspieszyć, ale nogi odmawiały jej posłuszeństwa. Dobrze, że metalowa poręcz schodów stanowiła chłodne i nieruchome oparcie, bo schody wykonywały przed jej oczami dziwne ruchy, a przecież powinny być nieruchome. Była bardzo zmęczona. Musiała krótko spać. A skoro krótko spała, to... Chłód powietrza na zewnątrz ostudził jej gorączkowe myśli. Otwierała samochód, uspokajając się i poszukując zaginionego rozsądku. I co z tego, że krótko spała? Przecież nie pierwszy raz czuła poranne zmęczenie. To nie była pierwsza nieprzespana noc w jej życiu. Usiadła za kierownicą, skrzyżowała na niej ręce i położyła na nich ciężką od myśli głowę. Zamknęła oczy. Minęła noc i co teraz? Może powinna była zagrać losowi na nosie i zostać tam, obok Mikołaja? Dał jej tyle ciepła i miłości, nie wiedząc tego najważniejszego, nie znając prawdy. A przecież mu ją obiecała. Jeżeli można kochać na zapas, to im się to udało. Podniosła głowę. Musiała na krótką chwilę uwolnić się od tej grafitowej nocy wypełnionej nie tylko kolorem jego oczu, ale też szeptem, ciepłym wnętrzem ust, delikatnymi palcami zataczającymi na jej ciele okręgi. Mniejsze i większe. Nie za duże ani za małe. W sam raz. Doskonale potrafił skorelować ich średnicę z jej skłonnością do drżącego jęku. Otworzyła torebkę. W bocznej kieszonce znalazła gumkę do włosów, które odgarnęła sprawnym ruchem z pachnącej wciąż jego oddechem szyi. Palcami, które błądziły po jego ciele, włożyła kluczyk do stacyjki. Przekręciła go, uruchamiając nie tylko silnik, ale również radio. Usłyszała tegoroczny, kojarzący jej się ze studniówką przebój. Słyszała Rihannę w *Rosyjskiej ruletce*, która swoim aksamitnym, wydobywającym się gdzieś z okolic przepony głosem nakazywała jej słowami piosenki, żeby wzięła głęboki oddech i policzyła do trzech. Zrobiła dokładnie to, co śpiewnie sugerowała jej wokalistka. Nie pomogło. Zdecydowanym ruchem wyłączyła radio. Musiała mieć ciszę. Wszystko, co wydarzyło się tej nocy, potrzebowało ciszy, żeby mogło wydarzać się wciąż od początku.

Jechała, choć nie pamiętała już momentu, w którym wyruszyła. Mikołaj spał w swoim łóżku. Sam. Najważniejsze, że był bezpieczny. Prezent z rozwiązaną złotą wstążką leżał na stole w przezroczystym salonie, a ona jechała przed siebie. Nie wiedziała dokąd. Tłumiła łzy, bezskutecznie. Ale przecież nie musiała się krygować i przywoływać do porządku. Przecież mogła płakać, ile tylko chciała. Droga prowadziła ją sama. Nagle przez wypływające strumieniem łzy zobaczyła duże białe litery na zielonym tle.

– Gdańsk – przeczytała.

Prosta, biała strzałka w prawo wskazywała drogę. Jakie to było proste. Już wiedziała, dokąd powinna pojechać po spokój. Musiała usłyszeć wszystkie odgłosy swojej plaży i nacieszyć kolorem zamknięte oczy. Wycieraczki posłusznie usuwały krople deszczu bardzo krótko panoszące się na samochodowej szybie. Przestała płakać. Wiedziała, co ma robić. Gdzie szukać bezpieczeństwa, gdzie przeczekać minuty bez Mikołaja, jednocześnie wypełnione nim bez reszty. Zegarek na desce rozdzielczej wskazywał szóstą osiem. Było już całkiem jasno. Zakorkowana zwykle trasa dziś świeciła zachęcającą do jazdy pustką. Co to jest sześć godzin? Dodawała sobie animuszu. Będzie mogła usiąść, owinąć się granatem i płakać. Tam, na plaży, mogła płakać bez konsekwencji. Tam nikt niczego nie dostrzegał. Nawet przed samą sobą mogła udawać, że to nie płacz, tylko katar, bo sprzymierzeńczy wiatr momentalnie robił porządek na mokrych policzkach. A jeżeli nie było wiatru, to zwykle słońce przejmowało jego obowiązki. Teraz padało, ale czuła, że gdy tam usiądzie, zobaczy słońce, które ułatwi jej przeczekanie krytycznych godzin. Przeczeka to niepewne nazajutrz. Mikołaj na pewno zatelefonuje, a ona powie mu, że kocha i znów poprosi o czas. Zresztą o miłości już mu powiedziała... Głośno i cicho. Kierując wzrok ku górze i patrząc w dół. Teraz odbywała podróż po spokój. Potrzebowała jednego spojrzenia na horyzont, żeby poznać znaczenie minionej nocy, która wciąż funkcjonowała w jej umyśle. Spoglądała na swoje ręce opierające się o kierownicę. Wczoraj opierały się o twarde ciało Mikołaja, który robiąc wrażenie nieśmiałego i niepewnego, doskonale radził sobie z odkrywaniem jej pragnień i oczekiwań. Był wszędzie tam, gdzie odczuwała jego nagły brak. Jeżeli się oddalał, to tylko w celu ponownego zbliżenia. Przestawał całować, by znów zacząć. Umiejętnie wybudzał z długotrwałego uśpienia jej zmysły, używając przy tym sztuczek, o których dotąd nie miała pojęcia albo po prostu zapomniała... Nie potrafiła zrozumieć... Odkąd weszła w jego intymną przestrzeń, stała się zupełnie kimś innym. Nie było odwrotu. Przeżyła z Mikołajem noc, która brzmiała w niej do teraz. Jednostajny szum pracującego silnika nie był w stanie niczego zagłuszyć. Stawała się nocą, którą przeżyła. Z pewnością dlatego, podobnie jak ona, obawiała się dnia, który miał przywitać Mikołaja pustką w łóżku. Mimo że wciąż słyszała ich krzyżujące się i nakładające na siebie westchnienia, zaczęła się modlić, żeby otworzył prezent i postarał się wszystko zrozumieć. Modliła się w duchu, żeby nie miał jej za złe ucieczki. Zrobiło jej się gorąco na wspomnienie widoku jego palców pod ramiączkiem jej biustonosza. Jedno, drugie. Rozbierał ją, patrząc tylko w jej oczy. Pan Spóźniony, pan Starski, Mister Karp. Wydawało jej się, że poznała go wieki temu, że znała go od zawsze. Ale to nie była prawda. Nie znała go od zawsze. Nie czekała na niego od zawsze. Pojawił się w jej życiu, gdy się go nie spodziewała. Zaskoczył ją całkowicie. Nie była przygotowana ani na jego miłość, ani tym bardziej na swoją. A teraz? Jak było teraz? Czy pani Irenka powiedziałaby jej, że ten Mikołaj od początku był wpisany w boski plan? Chyba właśnie to chciała usłyszeć. Przed nocą, która się wydarzyła, niczego nie była do końca pewna. Teraz była pewna tylko jednego. Kochała go nad życie, ale panicznie bała się nazwać to, co teraz czuła. Już wiedziała, że od kiedy zobaczyła go tak niepewnego w szkole, w swoim gabinecie, podświadomie czekała na tę noc, która pozwoliła jej znów poczuć się kobietą. Przestała być maszyną zaprogramowaną do wykonywania tylko określonych czynności, przy których nie musiała w ogóle uruchamiać niektórych uczuć. Przestała być projektantką własnych myśli skupionych jedynie na tym, by okiełznać przerażającą codzienność. Przy Mikołaju znów była skłonna oddać wszystko, co ma, w imię... Nie! Nie wymawiać tego słowa! Nawet w myślach! Ba, nawet nie zbliżać się do niego myślami. Musiała nauczyć się żyć bez definiowania stanu, w którym właśnie utkwiła. Ale czy Mikołaj będzie tak potrafił? Czy takie życie może się w ogóle udać?

Minęła kolejną zieloną tablicę. Mijała wiele takich tablic.

– Gdańsk. Sto osiemdziesiąt – przeczytała.

Była coraz bliżej. Mijała miasteczka i wsie. Wszędzie było mnóstwo tablic. Im większe skrzyżowanie, tym było ich więcej. Żałowała, że na jej życiowych skrzyżowaniach nie stały żadne drogowskazy. Spojrzała w górne lusterko. Chciała zobaczyć swoją twarz. Nie widziała jej od wczoraj. Miała sińce pod oczami, wskazujące na nieprzespaną noc. Żadna nowość. Jednak nie odbijały się od bladości skóry, tylko ochładzały swym cieniem wyraźnie zaróżowione policzki. Nie miała takich od dawna. Nie pamiętała... Zwykle o tej porze brała prysznic, ale dziś go nie potrzebowała. Nie chciała zmywać z siebie barw i zapachów nocy. Chciała na długo zachować wszystkie podarowane przez Mikołaja niewidoczne znaki. Bała się wszystkiego, co miało nastąpić, ale to, co już się wydarzyło, było niepodzielne. Nie było ani jego, ani jej. Było ich. Nie mogło być inaczej. Pomyślała, że z tej zachwycająco doskonałej intymności, która im się przydarzyła, mogłaby czerpać radość do końca życia. Jednak panicznie się bała, że na wszystko może zabraknąć jej sił. Serca starczało... O nie była spokojna... Już spokojna... Teraz musiała tylko popatrzeć na morze. Poszukać odpowiedzi na pytania, które miała w końcu odwagę sobie zadać. Musiała przestać bać się przyszłości i zacząć ciężko pracować nad oswajaniem przeszłości. Czy Mikołaj umiałby jej w tym pomóc? Może...

Zobaczyła migające okienko kontrolujące poziom paliwa. Musiała zatankować. Brak paliwa już zawsze będzie kojarzył jej się jednoznacznie. Dobrze. Niebieski prostokątny znak poinformował ją, że do najbliższej stacji paliw musiała przejechać jeszcze tylko pięć kilometrów. Widziała pulsujący oranż, ale była wyjątkowo spokojna. Przecież ten kolor widziany za zamkniętymi oczami przynosił jej zawsze tylko dobre uczucia. Teraz nie mogła zamknąć oczu. Zauważyła, że wycieraczki zaprzestały swej nudnej pracy. Przestało padać. Szanse na ujrzenie słońca rosły. Zachciało jej się pić. Oblizała spierzchnięte, przyjemnie zmęczone nocą usta. Wciąż miały smak Mikołaja, który może będzie potrafił wszystko zrozumieć. Zwłaszcza jej najeżoną wątpliwościami psychikę. Dotychczas był cudowny, może tym razem miało być tak samo?

– Do pełna? – usłyszała przez zamkniętą szybę pytający głos pracownika stacji benzynowej.

Skinęła głową, ciesząc się, że odjechała już spory odcinek drogi od Warszawy, miasta samoobsługowego. Dystrybutor paliwa hałasował. Umieszczony na budynku stacji benzynowej zegar wskazywał, że do dziewiątej zostało już tylko kilka minut. Dokładnie o tej porze, po tamtej nocy, dowiedziała się, że nastąpił koniec świata. Jej świata. Tym razem miało być inaczej. Musiało być inaczej. Mikołaj był bezpieczny w swoim domu, a ona zdążała wciąż w kierunku spokoju i bezpieczeństwa. Otworzyła torebkę w poszukiwaniu telefonu. Nie mogła go znaleźć...

Chodził po salonie. W tę i z powrotem. Nie było jej. Dochodziła dziewiąta. Gdy zasypiał nad ranem, słysząc przy sobie jej oddech, z architektoniczną dokładnością projektował ich wspólny, następny dzień. Chciał go zacząć od miłości. Niestety, jego mieszkanie ziało teraz zimną pustką. Nie mógł napić się z nią porannej herbaty. Oparł gorące czoło o wiślaną ścianę. Chłód pomagał, ale nie na tyle, żeby mógł się skupić. Musiał jej poszukać. Nie było przecież wielu miejsc, w których mogła teraz być. Nie chciał do niej dzwonić. Nie wiedziałby, co powiedzieć. Musiał ją zobaczyć, usłyszeć. Chciał znów jej dotknąć. Była jego. Niestety, puste łóżko, w którym obudził się przed momentem, już dawało mu do myślenia. Może jednak nie było tak, jak myślał? Postanowił działać, bo bezruch odbierał mu rozum. Nocą powtarzała mu, że go kocha, a rano uciekła, pozbawiając go męskiej pewności, którą nie cieszył się zbyt długo. Jednak w tym wszystkim, co działo się w jego życiu, odkąd ją poznał, nie chodziło o niego. Już się do tego przyzwyczaił. Chodziło tylko o nią. Była cudowna, stworzona dla niego. Dokładnie taka, jaką sobie wcześniej wyobrażał. Guzik prawda! Miał słabą wyobraźnię. Była piękniejsza, jedwabna, jakby wymyślona. Nie miał przed nią żadnej innej. Była pierwsza. Syknął z bólu. Sięgając do zmywarki po czystą łyżeczkę, nadział się na wystające ostrze noża. Krew kapiąca z jego wskazującego palca brudziła czyste naczynia, oczekujące na wypakowanie od kilku dni. Miał to w nosie. Zachowywał się tak, jakby niczego nie dostrzegał. Kapiąca krew zostawiała na podłodze czerwone groszki układające się w dość symetryczny wzór, wyglądający trochę jak stereogram. Przez okno widział swoją sąsiadkę, która usiłowała uciszyć drącego się, jak co rano, brzdąca energicznym kołysaniem wózka. Nastawił wodę na kawę. Przysiadł na blacie stołu i wciąż nie reagując na krwawiący palec, patrzył na salon, w którym wczoraj się wszystko zaczęło. Chciał w jego przestrzeni odnaleźć jakiś znak. Choćby najmniejszy dowód na to, że tu była. Jego gapienie się było bezskuteczne. Dostrzegał jedynie swoją kurtkę, z której rozebrał się w pośpiechu, podczas gdy Hanka zachwycała się, powszednim dla niego, widokiem na zarośnięty drzewami nadwiślański wał przeciwpowodziowy. Kurtka stanowiła teraz jakby wyjętą psu z gardła granicę między przedpokojem a salonem. Żadnych innych znaków nie było, wszystko zabrała. Nie wiedział, kiedy wyszła. Na lotnisku w Pradze obiecał sobie, że już nigdy nie będzie się na nią wściekał. Teraz tamta obietnica bardzo mu się przydawała. Wtedy w Pradze tak naprawdę nic o niej nie wiedział. Dziś wiedział już wszystko i był wściekły z tą różnicą, że nie na nią, lecz na siebie. Przecież mógł to przewidzieć. Domyślić się, obudzić się przed nią albo, do cholery, nie zasypiać wcale. Ale nie! Znowu pokazowo dał ciała. Jednak był kretynem uwielbiającym robić więcej kroków do tyłu niż w przód. Czajnik zakończył bulgotanie głośnym pyknięciem. Wstał i nagle zauważył leżący na stole w salonie prezent, którego nie pozwoliła mu wczoraj odpakować. Podszedł do niego szybko i podniósł go ze stołu. Trzymał przed sobą pedantycznie zapakowany sześcian. Dopiero teraz spojrzał na rozcięty palec. Krew już zastygła. Dobrze, bo nie chciał nią pobrudzić czekającej od wczoraj niespodzianki. Zaczął ją odpakowywać. Niezbyt sprawnie, bo bez użycia skaleczonego palca. Odłożył książkę na stół. Już wiedział, że była to książka. Widział jej tylną okładkę w kolorze naturalnego lnu. Dotknął jej zdrową ręką, żeby się przekonać, że nie był to tylko kolor lnu. To był prawdziwy len, a raczej okładka nim powleczona. Poczuł ból palca – majstrując przy papierze, musiał go urazić. Znów kapała z niego krew. Szybko podszedł do kuchennej szuflady – po odsunięciu ukazała mu wiele przydatnych i jeszcze więcej zupełnie nieprzydatnych rzeczy, między którymi walały się luzem plastry różnych rozmiarów. Zachował się jak niedouczona pielęgniarka i jednym z nich okleił sobie niezbyt starannie, bez zbędnych ceregieli z wodą utlenioną, skaleczenie na palcu. Znów stanął przed książką. Odpakował ją, brudząc pozostałościami krwi papier. Książka na szczęście pozostała czysta. Odwrócił ją i szybko odczytał gotyckie litery nadrukowane na lnie. Dostał od Hanki *Romea i Julię*. Trzymając wciąż z dala od książki brudną od krwi prawą rękę, otworzył ją lewą. Zaczął przewracać kartki. Był niepocieszony, nie znalazł żadnej dedykacji. Ale kartkował dalej, ta czynność go uspokajała. Skupił się tylko na niej, przez moment zapominając o wszystkim innym.

– A jednak! – uśmiechnął się z triumfem i cofnął się do strony, którą przewrócił przed momentem. Wydawało mu się, że coś na niej zauważył. Dobrze mu się wydawało. Widział teraz trzy wersy podkreślone leciutko, prawie niewidocznie ołówkiem. Przebiegł wzrokiem po tekście, ale był tak podekscytowany, że niewiele z niego zrozumiał. Musiał przyhamować. Jeszcze raz patrzył na czyjąś kwestię, którą Hanka zaznaczyła chyba specjalnie dla niego. Czytał ją drugi raz, powoli.

Współczucie twoje nad moim cierpieniem
Nie ulgą, ale nowym jest kamieniem
Dla mego serca.

Nie wiedział, ile razy musiał przeczytać te słowa, aż w końcu wydało mu się, że coś zrozumiał. Wyszła, uciekła od niego, bo mu nie powiedziała. Nie mogła wiedzieć, że już wszystko wiedział. Podkreślone słowa, na które wciąż patrzył, przekazywały mu ważną wskazówkę. Jednak był prawie pewien, że miał je przeczytać dopiero po tym, jak mu opowiedziała o sobie. Nie pozwolił jej na to. Dokładnie przypominał sobie moment, w którym chciała to wczoraj zrobić. Miała odwagę, ale to jego obleciał strach. Bał się o nią. Nagle zaczął prędko przerzucać kartki w poszukiwaniu następnych wiadomości od niej. Niczego nie mógł znaleźć. Czterdzieści przewertowanych jak w gorączce stron i nic. Ciągle nic. Gdy tylko pomyślał, że to bez sensu, zauważył, że w miejscu, gdzie kończył się akt czwarty, a rozpoczynał piąty, była kartka zapisana doskonale znanym mu charakterem pisma. Wróżba z sylwestrowej nocy wciąż była przytwierdzona magnesem do drzwi lodówki. Patrzył na nią codziennie. Zdenerwowany, wyjął tę kartkę spomiędzy stron książki. Zaczął czytać. Tym razem od początku robił to powoli, jakby bojąc się, że ominie jakieś ważne słowo, którego brak nie pozwoli mu zrozumieć całości. W okrągłym, bardzo starannym, prawie technicznym piśmie doskonale rozpoznawał intencje Hanki. Chciała mu to, o czym już wiedział z ust Dominiki, przekazać w sposób możliwie najprostszy i najłatwiejszy. Była mądra i zdolna, dlatego radziła sobie z tym trudnym zadaniem doskonale. Wprowadzała go w swój nieznany mu dotąd świat prostymi słowami. Radziła sobie po mistrzowsku. Udało jej się to, z czym nie poradziła sobie Dominika. Relacja Dominiki była dla niego piorunem z nieba, i to nie takim zwyczajnym, który wali punktowo. To był piorun kulisty, któremu zawsze będzie za mało zniszczeń. Chociaż, tak naprawdę, nie mógł przewidzieć, jak przyjąłby list Hanki, gdyby był jego pierwszym i jedynym źródłem informacji o niej. Skończył czytać. Znów stracił lwią część wypracowanej w nocy pewności siebie. Nie był pewien, co chciała mu przekazać w zakończeniu listu. Był chyba trochę za głupi na taką korespondencję. Siedział i gapił się na jej list. Włożył go do książki, zamknął ją i zostawił na stole. Wszedł do kuchni i stanął przy oknie. Musiał się wziąć w garść. Przy pobliskiej piekarni zaparkował duży dostawczy samochód. „Stare piece kaflowe – kupuję", głosił napis naklejony na plandece. Obok niego był doklejony numer telefonu. Widział duże czerwone cyfry. Trudno było ich nie zauważyć, bo rzucały się w oczy. Piece kaflowe, przeczytał jeszcze raz i przypomniał sobie noc przed jego ostatnim wyjazdem do Pragi. Noc, którą spędził u Hanki. Pamiętał ją doskonale. Był wtedy w siódmym niebie. Leżeli razem w łóżku. Hanka, Ula i on. Ula posapywała słodko, a Hanka opowiadała mu kolejny raz o ogrodzie dziadków. Ale zrobiła to całkiem inaczej niż w Pradze. Dzięki jej opowieści zdążył się przyzwyczaić do georginii. Poznał babcię, która ubierała się w kolorowe, zapinane z przodu fartuchy. Chodziła do fryzjera robić sobie trwałą ondulację. W niedzielę do kościoła zakładała sztuczną szczękę, a gdy tylko się w nim znalazła, to wyciągała te trzecie zęby, tak je nazywała, bo zanadto ściskały jej dziąsła. Hanka pamiętała doskonale, jak dostawała od babci dwa złote na naleśniki w barze mlecznym. Pyszne, polewane dużą ilością śmietany i posypywane cukrem. Na starość ta sama babcia była skazana na wózek inwalidzki. Miała amputowaną nogę. Nie wiedział dlaczego.

Tej historii mu nie opowiedziała. Do czasu dzisiejszego listu opowiadała mu tylko ciepłe i szczęśliwe historie. Przypomniał sobie to wszystko teraz, ponieważ od Hanki dowiedział się też, że jej dziadek całował ją zawsze na powitanie w głowę. Że miał jednego zęba, okulary, bardzo dużo czytał, pochłaniał książki i gazety i używał właśnie pieca kaflowego. Używał pieca kaflowego niestandardowo. Nie do ogrzewania, tylko do przechowywania w jego chłodzie wódeczki. Zawsze za srebrzonymi i zimnymi drzwiczkami trzymał flaszeczkę wódki, na wypadek gdyby ktoś się akurat przytrafił i chciał omówić jakiś ważny temat, przycupnąwszy na murowanej studni. Samochód z czerwonymi cyframi odjechał. Z zamyślenia, które zdarzało mu się dość rzadko, dopóki nie poznał Hanki, wyrwało go głośne pukanie do drzwi. Ostatnia rzecz, jakiej teraz potrzebował, to niezapowiedziany gość. Nic sobie nie robiąc z prawie całkowitego braku stroju, podszedł do drzwi i bez zbędnych ceregieli związanych z udawaniem, że go nie ma, zerknął przez wizjer. Przed drzwiami stała mama z miną, na jego doświadczone oko, niewróżącą niczego dobrego. Otworzył drzwi, w których wyminęła go, nie zaszczyciwszy nawet spojrzeniem. Nie rozbierając się i bez słów usiadła na kanapie w salonie.

– Mamo! – zaczął zdecydowanie. – Jeżeli to coś ważnego, to mów szybko, bo muszę wyjść. Mam do załatwienia pilną sprawę.

– Coś się stało? – zapytała jakoś dziwnie.

– Nie, ale powinienem już wychodzić – miał coraz bardziej zdenerwowany głos.

– Ciekawe, dokąd się wybierasz w samych bokserkach?

– Mamo, proszę cię...

– Mikołaj! Powiedz mi... Wytłumacz, jak to się dzieje? Co to za cholerny los? Poświęciłam wam tyle czasu i uwagi, że starczyłoby tego nawet dla szóstki dzieci, a wy niczego mi nie mówicie. Wszyscy coś knujecie za moimi plecami. Wszystko w tajemnicy i myślicie, że ja niczego nie zauważam. Po prostu mam już tego dosyć.

– Mamo, nie wiem, o co ci teraz chodzi. Przecież nic się nie dzieje. Po prostu... – przerwał, bo mama energicznie zerwała się z kanapy i wskazała na niego palcem.

Przestań mydlić mi oczy. Wyglądasz, jakbyś oka w nocy nie zmrużył, jesteś ciągle jakiś nieobecny! Obiecałeś, że przyjdziesz z Hanką na obiad i właśnie nic się nie dzieje oprócz tego, że mam już dosyć ciągłego domyślania się, czy coś się dzieje, czy nie! – Mama podniosła głos, ale jej krzyk nie zrobił na nim szczególnego wrażenia. Po pierwsze, był przyzwyczajony do jej gościnnych występów, podczas których zawsze okazywało się, że coś jest nie tak, jak być powinno. Po drugie, był teraz skupiony na czymś zupełnie innym. Może dlatego poczuł przez ułamek sekundy wyrzuty sumienia.

– Wiesz co, mamo? Chodź do kuchni, zrobię ci herbaty i szybko mi powiesz, o co chodzi – zaproponował łagodnym głosem, poprawiając sobie niedbałym gestem fryzurę.

Chwycił zimną rękę matki i pociągnął ją za sobą w kierunku kuchennego stołu. Usiadła i poluzowała apaszkę takim gestem, jakby była męskim, uwierającym ją krawatem.

– Mów, co cię tak wkurzyło? – Wyjął ze zmywarki czysty kubek, podczas gdy mama patrzyła na brudną od krwi podłogę.

– Coś ci się stało?

– Nic, skaleczyłem się w palec.

– No widzisz, jaki jesteś. Nawet w takiej prostej sprawie kłamiesz. – Popatrzył na nią, kompletnie jej nie rozumiejąc. – Skoro się skaleczyłeś w palec, to dlaczego mówisz, że nic się nie stało?

– Mamo, przestań szukać dziury w całym, tylko powiedz wprost, o co chodzi, bo muszę naprawdę wyjść! – powiedział kategorycznie.

– Będziesz wujkiem! – usłyszał i nalał wrzątku do stojącego przed mamą kubka, nie rozumiejąc, dlaczego ta wiadomość według mamy wymagała tak dramatycznej oprawy.

– Wiem – wzruszył ramionami, a mama zerwała się z krzesła. Potrącony kubek na szczęście się nie przewrócił.

– Jak to wiesz?

– Wiedziałem pierwszy. Dowiedziałem się od razu po przylocie.

– Jakim przylocie? Mikołaj, co ty mówisz?

– Jak to jakim? – Może miał za sobą nieprzespaną noc, ale wariatem na pewno nie był. – Z Paryża, mamo. Jak Marysia przyleciała z Paryża! – Specjalnie dwukrotnie i głośno powtórzył nazwę francuskiej stolicy.

Mama niestety patrzyła na niego właśnie jak na wariata. Znów bezwładnie klapnęła na krzesło, z którego się przed momentem zerwała.

– Podaj cukier! – usłyszał zimne polecenie.

– Nie mam. Nie używam.

– Może dlatego tak ciężko kapujesz!? – Wypiła mały łyk gorzkiej herbaty. – Posłuchaj, Mikołaj, ja nie mam na myśli dziecka Marysi, tylko Mateusza.

– Mateusza? – zapytał zdziwiony. – Mateusz będzie miał dziecko? Co to za bzdura? Mamo? Przecież jeszcze niedawno chciał mnie skreślić z rodzinnej listy z powodu szaleńczej miłości do Hanki. Nie pamiętasz?

– Ale najwidoczniej nie przeszkadzała mu ta, jak mówisz, szaleńcza miłość w sypianiu z Malwiną! – Nie słyszał jeszcze nigdy własnej matki w tak cynicznym wydaniu.

– Ojciec wie? – zapytał rzeczowo.

– A uchowaj Boże! Chcesz, żeby dostał zawału? Nic mu nie mówiłam – mama nerwowo kręciła głową.

– A ty, mamo, skąd wiesz? Mateusz ci powiedział? – zapytał, zaczynając odczuwać powagę sytuacji.

– Przez przypadek usłyszałam dziś rano, jak rozmawiał z nią przez telefon. To znaczy z Malwiną.

– Ale co konkretnie słyszałaś? – zapytał, opierając się o parapet.

– Mówił, żeby przestała panikować, bo na pewno tylko spóźnia jej się okres. Panie Boże! – Mama swoim zwyczajem wlepiła oczy w sufit i złożyła ręce. – To prawda, modlę się do ciebie o pachnące i cieplutkie wnuczątko, ale ojcem miał być Mikołaj, a nie Mateusz.

Nie wytrzymał i zaczął się śmiać. Te boskie dialogi jego boskiej matki były po prostu i mimo wszystko boskie.

– I z czego ty się śmiejesz? – zapytała załamana.

– Mamo... – powiedział spokojnie. – Po pierwsze, to nie panikuj.

– Żebyś ty wiedział, jaki spanikowany jest twój brat, to nie byłbyś taki spokojny. – Znów upiła łyk herbaty i się skrzywiła. – Matura za pasem, a temu się seksu zachciało!

„Nie tylko jemu", pomyślał i zamarł, bo usłyszał dobrze mu znany dźwięk telefonu Hanki. Odkleił się od zimnego parapetu i idąc w kierunku słodkiej piosenki, wyciągnął w końcu wibrujący aparat spod kanapy w salonie. Podświetlony wyświetlacz informował go, że dzwoni ogrodnik Andrzej.

– Ładny masz dzwonek – powiedziała mama, gdy wszedł do kuchni, wgapiając się w telefon, który w końcu przestał dzwonić. Położył go na stole i się zamyślił. – Przecież to nie twój telefon. – Niestety, mama okazała się spostrzegawcza.

– To telefon Hanki – wyjaśnił szybko, a mama zasłoniła dłonią usta, patrząc przerażonym wzrokiem najpierw na drzwi sypialni, a później na niego.

– Nie... Nie ma jej tam. Słowo harcerza – uniósł do góry dwa palce. – Była... Wczoraj... – zmieszał się. – Muszę do niej za chwilę jechać. Jesteśmy umówieni – skłamał.

– Ale między wami wszystko dobrze? – Troskliwy ton mamy jasno wskazywał, o co w rzeczywistości chciała go zapytać.

– Dobrze – odpowiedział niezbyt przytomnie. Myślami był już przy Hance. Nie zadzwoniła, bo zostawiła telefon. Może myślała teraz, że go gdzieś zgubiła. Musiał do niej jechać jak najszybciej. – Mamo... – zaczął, czując się niezręcznie.

– Wiem, wiem... Już wychodzę, tylko błagam cię, zadzwoń w wolnej chwili do Mateusza i pociągnij go trochę za język, a później daj mi znać, czego się dowiedziałeś. – Wstała i wypiła jeszcze łyk herbaty, krzywiąc się. – Cukier sobie kup.

– Kupię – uśmiechnął się. Każde z nich w tym samym momencie otworzyło drzwi. Mama wejściowe, on łazienki. – A na ten obiad to jeszcze przyjdziemy!

– Tylko nie dziś. Nie mam dziś głowy do gotowania. Cześć! – Zamknęła za sobą drzwi, a on dał sobie pięć minut. Po ich upływie musiał do niej pojechać, żeby nie zwariować.

Był załamany. Nie mógł jej znaleźć. Siedział na cmentarzu. Tu też jej nie było. Nie było jej nigdzie. Po jej ogrodzie krzątał się ogrodnik, który poinformował go niezbyt odkrywczo, że musiała gdzieś pojechać. Wpadłby na to sam, bo z otwartego garażu wiało pustką. Tu, gdzie teraz siedział, na pewno też jej nie było. Na grobie jej rodziców stały dwa wypalone do cna znicze. Kwiaty były, co prawda, świeże, ale był pewien, że nie było jej tu przed nim.

Siedział bezradnie i nie wiedział, co z sobą począć. Czuł się prawie identycznie jak tego dnia, gdy okazało się, że jego dziewczyna z plaży już się na niej nie pojawiła. Nie został po niej nawet pusty leżak. Tępym wzrokiem patrzył na kwiaty w wazonie. Były ładne, nigdy wcześniej takich nie widział. Nawet nie wiedział, jak się nazywały.

– Dzień dobry! – usłyszał głos dochodzący zza jego pleców. Odwrócił się i zobaczył cmentarnego przyjaciela Hanki. Przywitał go skinieniem głowy. Nie zapamiętał jego imienia. – A gdzie to pan zgubił moją panią Hanusię? – zapytał żartobliwie staruszek i przeszedł dalej, wspierając się laską, nie doczekawszy się odpowiedzi na swoje mądre pytanie.

Patrzył za nim przez chwilę, wciąż ściskając w ręce jej telefon. Staruszek miał rację. Kolejny raz okazał się nieudacznikiem. Zgubił ją. Nagle, najprawdopodobniej poruszony swą bardzo obiektywną i zasadną krytyką, doznał olśnienia. Domyślił się w końcu, gdzie jeszcze mogła być. Oklepał wszystkie kieszenie w poszukiwaniu swojego telefonu. Niestety, były puste. Telefon zostawił albo w samochodzie, albo w mieszkaniu, ale to nie było teraz ważne. Niewiele myśląc, postanowił zrobić użytek z telefonu Hanki. Wszedł do jej kontaktów. Musiał odnaleźć numer telefonu Dominiki. Pojawił się od razu. Miała ją tak fajnie wpisaną „aDominika", dlatego była pierwsza na liście. Już słyszał w słuchawce sygnał połączenia i modlił się, żeby odebrała.

– Cześć, Hanka! – odebrał Przemek.

– Cześć, Przemek. To ja.

– Mikołaj? – usłyszał zdziwiony głos przyjaciela. – A co ty...?

– Przemek! – nie dał mu skończyć. – Możesz dać mi Dominikę? – poprosił.

– OK. Poczekaj chwilę. Domi! Domi! – słyszał, niebezpośrednio w słuchawce głos przyjaciela. – To Mikołaj. Chce z tobą pogadać.

– No cześć – usłyszał po chwili słaby głos Dominiki. Nie mógł uwierzyć, że to ona.

– Dominika? – zaczął, zdając sobie doskonale sprawę, że zmarnował już tyle czasu, iż nie miał ani chwili na ecie pecie, dlatego walnął z grubej rury. – Możesz mi powiedzieć, gdzie jest pochowany Mikołaj?

– Mikołaj? – powtórzyła pytająco Dominika. – Co się stało? – odniósł wrażenie, że rozmawia z własną matką. – Dlaczego dzwonisz z telefonu Hanki?

– Dominika, błagam cię, powiedz mi tylko, gdzie on jest pochowany – był zdesperowany i nie miał ochoty na wtajemniczanie nikogo w to, co się wydarzyło.

– O nie, kolego! – głos Dominiki w sekundzie nabrał siły i pewności. – Albo mi powiesz, co się stało, albo zapomnij, że ci cokolwiek powiem! Gdzie jest Hanka!? – zapytała, prawie krzycząc.

– Właśnie usiłuję to ustalić – poddawał się, czując, że musi przyjąć wszystkie babskie warunki Dominiki. Bez szczerej rozmowy z nią mógł sobie nie poradzić.

– Dlaczego dzwonisz z jej telefonu? – Dominika była nieugięta.

– Zostawiła u mnie... – zaczął, ale nie wiedział, jak skończyć.

– Jak to zostawiła?! – Dominika swoim krzykiem zagłuszała wszystkie jego myśli, dlatego milczał. – No mów!!! Kiedy zostawiła?!

– Wczoraj. To znaczy dziś... – zdenerwowany, plątał się w zeznaniach.

– Albo gadasz jak było, albo się wyłączam!

– Została u mnie na noc i zostawiła. Po prostu.

– Co po prostu? Była u ciebie w nocy? A teraz gdzie jest?! Przecież to nie Calineczka! W łóżku ci się chyba nie zgubiła!

Słysząc jej słowa, wypuścił z siebie nerwowo powietrze i zaczął mówić na bezdechu.

– Jak się rano obudziłem, to już jej nie było. Pojechałem do niej, ale...

– Na cmentarzu byłeś? – przerwała mu Dominika i dobrze, bo mógł w końcu zaczerpnąć powietrza.

Szczerość się opłacała. Nareszcie poczuł, że rzeczywiście chce mu pomóc.

– Jestem – odpowiedział natychmiast. – Ale jej tu nie ma ani nie było i pomyślałem, że może pojechała na jego grób...

– On nie ma grobu! – Dominika znów mu przerwała. – Jego matka go skremowała i wywiozła z sobą do Irlandii, a długo by gadać. Teraz nie ma na to czasu. Czy między wami wszystko w porządku? – zapytała bez ogródek.

– Chyba tak.

– To chyba czy tak? – dociekała Dominika, a on wiedział nawet, jaką robiła przy tym minę.

– Dominika, ja muszę się dowiedzieć, gdzie ona może teraz być – poprosił bezsilnie.

– Gdzie może?! Gdzie może?! – powtarzała przedrzeźniająco. – A skąd ja mam to, do jasnej cholery, wiedzieć!? – krzyknęła i ucichła tak nagle, że się wystraszył, iż się wyłączyła.

– Dominika? Jesteś tam?

– Poczekaj! – w słuchawce zaległa cisza. – A może pojechała nad morze? – Nie zdążył o nic zapytać, bo Dominika znów mówiła. – Tak! Na pewno! Ta wariatka pojechała nad morze! Zaraz mnie coś strzeli! Pewnie doszła do wniosku, że musi spokojnie pomyśleć, i pojechała. Cała Lerska! Z nią tak zawsze! I jak ja mam się nie denerwować?!

– Dominika! – przerwał jej dedukcyjny wywód. – Czyli uważasz, że pojechała nad morze? Tak?

– Jestem tego prawie pewna.

– Dzięki! Odezwę się, jak ją znajdę! – chciał się natychmiast wyłączyć.

– Poczekaj! Poczekaj! Przecież nie wiesz, gdzie jej szukać!

– Wiem! – skończył rozmowę szybciej, niż Dominika zdążyła się odezwać.

Wstał z cmentarnej ławeczki. Wiedział już rzeczywiście wszystko. Musiał poszukać jej na plaży.

Pędził jak szalony, nie czując zmęczenia. Zamiast myśleć o tym, co jej powie, wspominał noc. Tylko jednej rzeczy bał się panicznie. Co będzie, jeżeli jej tam nie znajdzie? Może Dominika nie znała jej tak dobrze, jak jej się wydawało. Gdy zobaczył tablicę rozpoczynającą wieś, która w sezonie letnim zamieniała się w przeludnione miasteczko, tak trzęsły mu się ręce, że musiał mocniej złapać się kierownicy. Po kilku minutach był już przy wejściu na plażę. Był przerażony. Nigdzie nie widział jej samochodu. Żadnego innego też nie było. Myśl, że bez sensu gnał jak na złamanie karku, nie przygnębiała go wcale. Załamał się, myśląc, że może jej tu nie znaleźć. Wszędzie było pusto. Nie widział ani żywego ducha. Musiał coś zrobić, zanim się ściemni. Musiał pojeździć między domami. Może była teraz w domu pani Irenki? Nagle zza zakrętu wyłonił się jadący na rowerze starszy mężczyzna. Był ubrany w zgniłozielony sztormiak i spodnie moro. „Leśniczy", pomyślał i już wiedział, gdzie popełnił błąd. Przecież miejsce, w którym latem przesiadywała Hanka, nie znajdowało się przy tym wejściu na plażę. Podążał wzrokiem za leśniczym, zresztą on też zaszczycił go zainteresowanym spojrzeniem. Opiekun lasu najprawdopodobniej jechał do parku krajobrazowego nawiedzanego latem właśnie przez tabuny rowerzystów. Szybko wycofał z pustego parkingu i wjechał na szutrową drogę, wokół której stały szare blaszaki z oknami pozabijanymi dechami. Z daleka widział biało-czerwony szlaban strzegący wejścia do parku. Coraz szybciej przybliżał się do niego też mały domek z brązowych desek, w którym w sezonie przesiadywała bardzo sympatyczna bileterka, wiecznie dziergająca coś na szydełku. Nagle zabrakło mu powietrza. Wcisnął gaz do dechy, chociaż nie miał daleko. Trudno było nie zauważyć samochodu Hanki zaparkowanego prościutko obok domku. Już parkował obok. Wysiadł, trzaskając mocno drzwiami. Rzucił okiem do jej samochodu. Na siedzeniu pasażera, trochę nierozważnie, zostawiła otwartą torebkę. Chyba się spieszyła. Zamknął samochód i zaczął biec przez las, co chwilę rozświetlany przez słońce. Do tej pory nie zwracał uwagi na pogodę. Serce mu waliło wcale nie dlatego, że bardzo szybko biegł. Nie mógł uwierzyć, że za chwilę ją zobaczy. Nie myślał nawet o tym, że stanie w tym samym miejscu, w którym zobaczył ją po raz pierwszy. Pamiętał tamtą chwilę ze szczegółami. Żeby się chociaż trochę uspokoić, przestał biec. Szedł i wspominał ich pierwsze nadmorskie „spotkanie". Podejście prowadzące do plaży było bardzo piaszczyste i dość strome. Zobaczył ją od razu. Siedziała na pomarańczowym leżaku, może jakieś sto metrów od miejsca, w którym się zatrzymał. Czytała. Pomimo ładnej pogody była ubrana w szary dres. Teraz, gdy szybko pokonywał podejście po wydmie, nie potrafił zrozumieć, dlaczego wtedy zrobił jej zdjęcie i przez kolejnych pięć dni obserwował ją prawie z ukrycia. Pamiętał swoje rozgoryczenie, gdy szóstego dnia nie przyszła. Wstrzymał oddech, bo za chwilę miał się przekonać, czy znalazł się w odpowiednim miejscu i w odpowiednim czasie. Reagował tak nerwowo, jakby pomimo zaparkowanego niedaleko samochodu mogło się za chwilę okazać, że jej nie będzie. Widział już wodę. Wziął głęboki oddech. Była! Widział ją dokładnie, tak jak wtedy, za pierwszym razem. Cieszył się jak dziecko. Zza kłębiastych chmur wyjrzało słońce, oświetlając fragment plaży. Dokładnie ten, na którym była. Siedziała bezpośrednio na piasku. Ramionami obejmowała skulone nogi, a brodę oparła na kolanach. Zaschło mu w ustach. Obleciał go strach, bo czekała go, ich, poważna rozmowa. Pewnie jedna z ważniejszych. Nie był pewien, czy jej sprosta. Z Hanką było inaczej. Radziła sobie w życiu ze wszystkim. Choć nie podchodziła do niego czołgowo, tak jak na przykład Dominika. Była na to za delikatna, ale musiała być jednocześnie bardzo silna, żeby przeżyć wszystko, co ją spotkało. Wciąż nie wiedząc, co powiedzieć i jak się zachować, zaczął bardzo powoli iść w jej kierunku. Nie mogła go usłyszeć, bo jego kroki skutecznie zagłuszał szum morza. Był coraz bliżej. Hanka tkwiła nieruchomo, patrząc gdzieś w dal. W końcu się poruszyła się. Położyła czoło na kolanach. Dzieliły go od niej niecałe dwa metry. Dopiero teraz zauważył książkę, dobrze znaną mu już nie tylko z wakacyjnego zdjęcia. Jej lniana okładka zlewała się z kolorem piasku. Znał jej tytuł i autora. O Hance też wiedział już bardzo dużo, ale na pewno nie wszystko. Zrobił jeszcze dwa małe kroki i usiadł obok niej. Po cichu, przybierając jej pozę. Odwróciła głowę i spojrzała na niego, tak jakby jego obecność w tym miejscu nie była niczym wyjątkowym. Uśmiechnęła się.

– Cześć – powiedział cicho.

– Cześć – odpowiedziała, jeszcze ciszej i znów odwróciła głowę. Patrzyła na morze. Siedzieli długo, w ciążącym mu milczeniu.

– Co robisz? – zapytał. W końcu musiał się przekonać, jak jest. Dobrze czy źle?

– Wiele rzeczy – odpowiedziała, nie patrząc na niego.

– Rzeczywiście, wyglądasz na wyjątkowo zajętą – popatrzył na granatowy szalik na jej szyi. Analizował układ wełnianych nici, które go tworzyły. To go uspokajało. – Opowiedz mi o tym, co robisz – poprosił. – Tylko mów powoli, żebym mógł zrozumieć.

Wciąż milczała, a on patrzył na nią, błagając o rozmowę. W końcu zaczęła mówić. Niestety, patrzyła wciąż w dal, nie na niego. Tęsknił za jej oczami.

– Modlę się... Walczę z wyrzutami sumienia... Tęsknię... Boję się... – Nareszcie. Spojrzała w jego stronę. Niestety, bez uśmiechu. Postanowił jej pomóc. Identycznie jak zrobiła to kiedyś dla niego, na pamiętnej wywiadówce.

– Modlę się o... – zachęcał ją do rozmowy, mając pewność, że nie miała na nią teraz ochoty.

– Modlę się do... – zaczęła i znów utknęła.

– Modlę się do... – powtórzył po niej i nic. Cisza. Cisza. Cisza. – Do...

– Chyba źle zaczęłam. Ja się chyba nie modlę. Ja po prostu proszę Boga o jakiś znak.

Zaczęła wygładzać piasek między nimi. Patrzył na spokojne ruchy jej ręki i przestał się denerwować. Miała schyloną głowę. Znów nie widział jej twarzy.

– I co? Wysłuchał cię? – zapytał, zatrzymując tym pytaniem jej poruszającą się dłoń.

Podniosła głowę.

– To niewyobrażalne, ale tak – popatrzyła na niego z tym swoim półuśmiechem, a on nie wytrzymał.

– Chodź tu do mnie – przysunął się do niej i objął ją ramieniem. Przytulał ją. Wydawała mu się drobniejsza niż nocą. – To teraz przejdźmy do wyrzutów sumienia.

Wtuliła się w niego i zaczęła mówić. Odetchnął z ulgą.

– Mam wyrzuty sumienia, że ci nie powiedziałam. Nie potrafiłam... – Przytulił ją mocniej, jeszcze zanim przestała mówić.

– To ich nie miej. Wiem już wszystko i dziękuję ci za piękny prezent. A przyjechałem tu nie dlatego, żeby ci współczuć, tylko żeby z tobą być. – Zamilkł na chwilę i znów zapytał: – A teraz powiedz, za kim tęsknisz. – Cisza. – To może zacznijmy od tego, czego się boisz? – Cisza. – Hej? Jesteś tam? – leciutko nią potrząsnął. Najdelikatniej jak potrafił.

– Jestem – odpowiedziała spokojnie.

– To powiedz mi o wszystkim i miejmy to już z głowy.

– Łatwo powiedzieć – westchnęła.

– Skoro tak uważasz, to mów – łapał ją za słowa. Uwielbiał to. – Dlaczego uciekłaś? – zapytał i od razu ugryzł się w język, ale i tak za późno.

– Nie chciałam tego... – patrzyła na fale. – To znaczy nie chciałam, żeby to tak wyglądało, żebyś to tak odebrał... – Miotała się, zupełnie jak nie ona. – Musiałam wyjść, bo poczułam...

Przytulał ją coraz mocniej, czując jednocześnie, jak mu się wymyka. Nie mógł na to pozwolić. Musiał działać.

– Powiedz mi... Błagam cię. Powiedz, co poczułaś.

– Uciekłam, bo to, co poczułam, mnie przeraziło. Dotarło do mnie, że nie mam żadnego alibi dla tego, co odnalazłam w sobie po nocy spędzonej z tobą.

Słyszał dokładnie każde jej słowo, tylko nie rozumiał, do czego zmierzała.

– Zwariuję, jeżeli mi nie powiesz wprost, co poczułaś.

– Mikołaj... – popatrzyła na niego tchórzliwie.

Zaczęła głęboko oddychać. Tak jakby brakowało jej powietrza. Nie mógł tego znieść. W dodatku już płakała, potęgując jego beznadziejną bezradność. Najważniejsze, że nie odwracała wzroku.

– Mikołaj... – zaczęła znów, tylko szeptem. – Ja po prostu poczułam się szczęśliwa. Tak po prostu szczęśliwa... – Płakała na całego. Nie tylko łzami, ale całą sobą. Czuł, jak się cała trzęsie.

– Kochanie, nie płacz. Zrób ze mną, co chcesz, tylko proszę cię, nie płacz. Posłuchaj mnie teraz uważnie. Haniu, nikt nie potrzebuje alibi dla szczęścia. Ty go też nie potrzebujesz – wypowiadał euforycznie każde słowo, odkąd odkryła przed nim swoje uczucia, odkąd je nazwała.

– Ale w tym właśnie tkwi szkopuł, że ja nie jestem chyba normalna. – Nie przestawała płakać. – Normalni ludzie nie boją się szczęścia, a ja... A mnie ono paraliżuje. Pamiętasz? Powiedziałam ci kiedyś, że miłość mi się źle kojarzy. – Skinął głową, bo przypomniał sobie te słowa. – Pomyliłam się. Jeszcze wtedy nie byłam tego świadoma, ale teraz już jestem. Mikołaj, ja nie boję się miłości. Ja się boję szczęścia. – Słońce zbliżało się do horyzontu. Poszukało sobie na nim jedynego bezchmurnego przesmyku. – Nawet nie przypuszczasz, jaka ja czułam się wtedy szczęśliwa. Wtedy, rano... Może właśnie za szczęśliwa? Może to był mój błąd? Ja już nie chcę się tak czuć. Już nigdy... Żeby nie okazało się za chwilę, że coś się znów stanie, a ja już sobie drugi raz z tym nie poradzę. Mikołaj... Ja już nie mam siły na nieszczęście, dlatego tak bardzo boję się szczęścia. Czuję w sobie, gdzieś głęboko, że żeby było dobrze, muszę go unikać...

Nie mogła wydusić z siebie więcej... Nie miała więcej słów...

Popatrzyła w niebo i zamknęła oczy, nie mogąc wciąż uwierzyć, że był tu przy niej i że opowiedziała mu o wszystkim, co ją przerażało. Przytulał ją i wciąż na nią patrzył.

– A nie będziesz się bała, jak będzie po prostu dobrze? – zadał jej nieskomplikowane pytanie.

– Nie będę – popatrzyła mu w oczy i dosłownie tak się poczuła. Było jej dobrze. Chociaż bolała ją głowa od nadmiaru wrażeń i płaczu. Ale było jej dobrze. Miała przy sobie nie jedno, ale dwa morza. Usłyszała szczekanie psa. Odwróciła głowę w kierunku wydm i zobaczyła, że stoi tam jej sierpniowy znajomy, jasny labrador. – O! Biszkopt! – powiedziała zdziwiona.

Mikołaj podążył za jej spojrzeniem.

– Biszkopt? Skąd wiesz, jak się wabi?

– Nie wiem. Tak go tylko nazywam. Latem myślałam, że jest przyjezdny, jak ja, ale widocznie Biszkopt jest tutejszy.

Pies poszczekał jeszcze chwilę i zniknął w zaroślach.

– Co robimy? – zapytał.

– Posiedźmy jeszcze chwilkę – zerknęła na zegarek. – Pani Irenka właśnie zaczęła się szykować do kościoła. Nie będziemy jej przeszkadzać.

– A nie przeżyje szoku, jak nas zobaczy? – zapytał, podnosząc do góry brwi.

– Pani Irenka? – uśmiechnęła się do niego. – Zobaczysz, jaka jest kochana. Pewnie powie tylko, że wszelki duch Pana Boga chwali, i o nic nie pytając, od razu zaprosi nas do stołu.

– Skąd wiesz?

– Po prostu wiem.

Nie wiedziała, czy to Mikołaj przytulał ją tak mocno, czy sama się w niego tak wtulała. Poczuła się bardzo zmęczona. Powoli opuszczał ją całodniowy stres. Gdy przed godziną tu przyjechała, pierwszy raz w życiu nie mogła się skupić na wersach, które zwykle przynosiły ukojenie. Nie pomagał Szekspir, nie pomógłby pewnie też Wharton, którego zawsze uwielbiała. Zawsze myślała, że jej życie zmieniało się, nabierało wartości pod wpływem twórczości dwóch Williamów. Dzisiaj, gdy zobaczyła obok siebie Mikołaja, zrozumiała, że miała też w życiu dwóch Mikołajów. Najważniejszych na świecie...

– Nie mogę uwierzyć, że mnie tu znalazłeś. Chciałam zadzwonić, ale chyba zgubiłam telefon.

– Nie zgubiłaś, został u mnie.

– Skąd wiedziałeś, gdzie jestem? – popatrzyła na niego, a widząc zagadkowy uśmiech, dodała: – To chyba sprawka Dominiki.

– Trochę tak... Ale nie do końca...

– Nie rozumiem.

– Jak będziesz grzeczna, to ci kiedyś wszystko opowiem.

– Ja jestem grzeczna – powiedziała natychmiast, ale widząc jego minę, poprawiła się: – To znaczy bardzo się staram.

– Opowiem ci wszystko, jak przyjedziemy tu latem.

Był bardzo pewny siebie. Zupełnie nie jak jej Mikołaj. Pierwszy raz tak o nim pomyślała. To była dobra myśl.

– A skąd ta pewność, że przyjedziemy tu latem, i to w dodatku razem?

– Bo wszystko będzie dobrze. Obiecuję ci, że wszystko będzie dobrze. – Pocałował ją w czoło.

Zamknęła oczy. Już było jej dobrze. Nie musiała czekać do lata. Wierzyła mu, wierzyła w każde jego słowo.

– Patrz! Zachodzi słońce! – Skierowała twarz ku słońcu, ale nie chciała otwierać oczu.

– Haniu! Otwórz oczy, bo wszystko przegapisz. Proszę cię! Zobacz!

Była zachwycona jego prawie chłopięcą ekscytacją i tym, jak nią delikatnie potrząsał.

– Widzę... – powiedziała, nie otwierając oczu.

Wyobrażała sobie, że słońce musiało być już tylko ciepłą niteczką rozgrzewającą zimny horyzont. Zamkniętymi oczami zobaczyła to, za czym od dawna tak bardzo tęskniła. Było jej dobrze. Mikołaj ciepłem swoich ramion ofiarował jej upalne lato... Morze szum... A dobre słońce... Pomarańcz...

Już we wrześniu kolejna książka

Anny Ficner-Ogonowskiej
Krok do szczęścia

Krok do szczęścia to mądra i pełna ciepła opowieść o tym, że życie nigdy nie przestaje nas zaskakiwać i że nic nie dzieje się bez przyczyny. We wszystkim znajduje się ziarenko dobra, wystarczy je tylko dostrzec i zrobić ten pierwszy krok.

Hania przygotowuje się do ślubu Dominiki, która wreszcie postanowiła się ustatkować. Ten radosny czas przywołuje jednak wspomnienia z jej własnego ślubu i tragedii, która wydarzyła się następnego dnia. Dzięki miłości i wsparciu pani Irenki, Dominiki i Mikołaja Hania wreszcie odważy się wrócić myślami do tamtych dni, nie po to jednak, by rozpamiętywać stratę, ale by pogodzić się z tym, że życie płynie dalej. Mikołaj zaś odkryje, że najtrudniej jest rywalizować ze wspomnieniami Hani o nieżyjącym mężu i że walka o jej uczucie jeszcze się nie zakończyła.

W dodatku na światło dzienne wychodzi rodzinna tajemnica z przeszłości. Kiedy pewnego dnia Hania przegląda stare dokumenty, ku wielkiemu zdumieniu odkrywa, że jej rodzice wiele lat wcześniej adoptowali Dominikę. Ma zatem siostrę! Ale niespodzianki zaczynają się mnożyć, wkrótce w jej życiu pojawi się bliska osoba, o której istnieniu nie miała dotąd pojęcia i przez którą musi na nowo zbudować obraz własnej rodziny.

Społeczny Instytut Wydawniczy Znak,
ul. Kościuszki 37, 30-105 Kraków. Wydanie I, 2012.
Printed in EU.